D1104744

Zu diesem Buch

Mit diesem Epos umfaßt Heinrich Mann eine Episode französischer Geschichte, in der Mord und Gewalt, Lüge und Verrat herrschten: es war das Zeitalter der Glaubenskämpfe. Diese Zeit durchschritt und beendete der «Gute König» der Franzosen, jener Heinrich der Vierte, der jedem Franzosen sein Huhn in den Topf wünschte und dem Paris eine Messe wert war. Heinrich Mann setzt dieser außerordentlichen geschichtlichen Größe mehr als ein literarisches Denkmal, er bestimmt Heinrich als eine exemplarische Figur, die Güte und Macht, Freude am Leben und die Fähigkeit zu herrschen in sich vereinigt. Heinrich Mann schildert in diesem zweiten Band den König in seiner Vollendung zum großen Humanisten, der seinem Volk zuliebe zum katholischen Glauben übertritt und die Zeit der Glaubenskämpfe beschließt, indem er das Edikt von Nantes erläßt, aber schließlich selber diesen Glaubenskämpfen zum Opfer fällt.

Dieses Epos – «es ist weder verklärte Historik noch freundliche Fabel: nur wahres Gleichnis», sagte Heinrich Mann selbst – setzt den mächtigen Schlußstein in seinem dichterischen Werk. Es umfaßt 20 Romane, 6 Novellenbände, 7 Essaybände, zahlreiche Dramen und zeitkritische Aufsätze sowie das autobiographische Buch «Ein Zeitalter wird besichtigt» (rororo Nr. 1986). Heinrich Mann, als der ältere Bruder Thomas Manns am 27. März 1871 in Lübeck geboren, beginnt nach spätimpressionistischen Etuden als satirischer Zeitkritiker, der das deutsche Spießbürgertum der Wilhelminischen Ära geißelte. Das literarische Zeugnis dieses moralischen Engagements sind vor allem die durch ihre Verfilmungen populär gewordenen Romane «Der Untertan» und «Professor Unrat» (rororo Nr. 35). Manns Werk ist von französischen Vorstellungen bestimmt und zumal durch Balzac, Stendhal, Zola und Flaubert beeinflußt. In den zwanziger Jahren galt er als einer der geistigen Repräsentanten der Weimarer Republik. Der militante Pazifist und Humanist, der unentwegt die deutsch-französische Annäherung verfocht, wendete sich in dieser Epoche neben seinem dichterischen Wirken zunehmend der Politik und Kulturkritik zu. Als leidenschaftlicher Demokrat und geschworener Feind aller Diktatur mußte er 1933 Deutschland verlassen. In der Emigration entstand in vierjähriger Arbeit der vorliegende Roman, der 1938 zuerst im Amsterdamer Verlag der Emigranten, dem Querido Verlag, erschien. Nach siebzehn Exiljahren, vor seiner erhofften Rückkehr nach Deutschland, starb Heinrich Mann am 12. März 1950 in Santa Monica/Kalifornien. Von Heinrich Mann erschienen als rororo-Taschenbücher außerdem: «Die Jugend des Königs Henri Quatre» (Nr. 689) und «Novellen» (Nr. 1312).

In der Reihe «rowohlts monographien» erschien als Band 125 eine Darstellung Heinrich Manns in Selbstzeugnissen und Bilddokumenten von Klaus Schröter, die eine ausführliche Bibliographie enthält.

Heinrich Mann

Die Vollendung des Königs Henri Quatre

Roman

Rowohlt

1.–25. Tausend	November 1964
26.–33. Tausend	Dezember 1965
34.–45. Tausend	Februar 1968
46.–52. Tausend	Oktober 1971
53.–60. Tausend	März 1973
61.–65. Tausend	Dezember 1974
66.–70. Tausend	November 1975
71.–75. Tausend	November 1976
76.–82. Tausend	Dezember 1977
83.–92. Tausend	September 1979

Veröffentlicht im Rowohlt Taschenbuch Verlag GmbH,
Reinbek bei Hamburg, November 1964,
mit freundlicher Genehmigung des Claassen Verlages, Hamburg

Umschlagentwurf Werner Rebhuhn
Gesetzt aus der engen Aldus-Antiqua
und der Palatino (D. Stempel AG)
Gesamtherstellung Clausen & Bosse, Leck
Printed in Germany
880-ISBN 3 499 10692 2

Das Kriegsglück

Das Gerücht

Der König hat gesiegt. Das eine Mal hat er den Feind zurückgeworfen und gedemütigt. Er hat die Übermacht weder vernichtet noch entscheidend aufgehalten. Nach wie vor ist sein Königreich in Lebensgefahr, gehört auch noch gar nicht ihm. Es gehört bis jetzt der «Liga», da die Zuchtlosigkeit der vorhandenen Menschen, ihr Widerstand gegen die Ordnung und Vernunft seit den Jahrzehnten der inneren Kämpfe schon bis zum Wahnsinn gediehen sind. Oder, noch schlimmer als der offene Wahnsinn, die platte Gewöhnung an den vernunft- und zuchtlosen Zustand hat die Menschen ergriffen, die traurige Ergebung in ihre Schande hat sich bei ihnen festgesetzt. Der einmalige Sieg des Königs kann das keineswegs ändern. Ein vereiteltes vereinzeltes Gelingen – wieviel ist daran Zufall und wieviel ist Bestimmung? Es überzeugt noch keine Mehrheit von ihrem Unrecht. Wie denn? Dieser Protestant aus dem Süden wäre kein Räuberhauptmann, er wäre der wahrhaftige König! Was müßten dann alle großen Führer der Liga sein: sie, von denen jeder eine Provinz beherrscht oder einen Gau leitet, und zwar mit wirklicher Gegenwart und voller Gewalt. Der König gebietet beinahe nur dort, wo sein Heer steht. Der König hat für sich den Gedanken des Königreiches: soviel erkennen manche, und nicht ohne Unruhe oder Wehmut. Ein Gedanke ist weniger als die wirkliche Gewalt, und ist auch mehr. Das Königreich, das ist mehr als ein Raum und Gebiet, es ist dasselbe wie die Freiheit und ist eins mit dem Recht.

Wenn die ewige Gerechtigkeit auf uns herabblickt, muß sie sehen, daß wir furchtbar erniedrigt, und schlimmer noch, daß wir ein Moder und getünchtes Grab sind. Wir haben uns um der täglichen Notdurft willen den ärgsten Verrätern unterworfen und sollen durch sie an die Weltmacht Spanien kommen. Aus bloßer Menschenfurcht dulden wir im Lande die Knechtschaft, geistige Verwahrlosung und verzichten auf das erhabenste Gut, die Gewissensfreiheit. Wir armen Edelleute, die in den Heeren der Liga dienen oder Staatsstellen bekleiden, und wir ehrbaren Leute, die ihr Waren liefern, und wir niederes Volk, das mitmacht: wir sind nicht immer dumm und manchmal nicht ehrlos. Was sollen wir aber tun? Ein Geflüster unter Vertrauten, ein heimliches Gebet zu Gott, und nach dem unverhofften Sieg des Königs bei Arques schwillt für kurze Zeit unsere Hoffnung an, daß der Tag kommt!

Höchst merkwürdig, die Weitentfernten machen sich von den Ereignissen meistens einen größeren Begriff als die nahe Wohnenden. Der Sieg des Königs geschah an der Küste der Nordsee: im Umfang von zwei oder drei Tagereisen hätte man staunen sollen. Besonders in Paris hätten sie sich prüfen und ihre hartnäckigen Irrtümer endlich berichtigen müssen. Durchaus nicht. Dort im

Norden sahen wohl viele mit Augen, wie das geschlagene Riesenheer der Liga durch zersprengte Banden das Land unsicher machte – was ihnen aber nicht in den Kopf ging. Die Liga blieb für sie unbesiegt; der König hatte vermöge des dichten Nebels, den das Meer verbreitete, und dank anderen Umständen des Kriegsglücks ein unbedeutendes Stück Landes behauptet, das war alles.

Für den innersten Teil des Königreiches hatten dagegen die erhofften Entscheidungen sich wirklich angekündigt. Am Flusse La Loire und in der Stadt Tours glaubten sie nach alten Erfahrungen, daß zuletzt doch immer der König in Person bei ihnen einkehrte. Manchmal als armen Flüchtling, aber endlich als den Herrn, so hatten sie ihn seit Jahrhunderten empfangen. Wie nun erst die entlegenen Provinzen des Westens und des Südens! Dort sahen sie diese Schlacht bei Arques, als ob sie vor ihren Blicken nochmals geschlagen würde und wäre ein Machtwort des Himmels selbst. Die stürmischen Protestanten der Festung La Rochelle am Ozean sangen: «O Gott, so zeige Dich doch nur» – denselben Psalm, mit dem ihr König gesiegt hatte. Von Bordeaux schräg abwärts, der ganze Süden nahm aus ungemessener Begeisterung vieles als geschehen vorweg, was in weitem Felde stand, die Unterwerfung der Hauptstadt, die Bestrafung mächtiger Verräter und ruhmvolle Einigung des Königreiches durch ihren Henri, geboren bei ihnen, ausgezogen von hier, und jetzt so groß!

Gingen seine Landsleute wirklich weiter als alle anderen? Groß – nennt man am leichtesten den Mann, den man nicht einmal von Angesicht kennt. Seine Landsleute im Süden wissen aus eigenen Begegnungen, daß er nur gerade mittleren Wuchses ist, den Filzhut zum abgewetzten Wams trägt und niemals Geld hat. Sie erinnern sich seiner sanften Augen: sprechen diese eigentlich vom heiteren Gemüt oder von manch erlebter Trauer? Jedenfalls ist er schlagfertig und versteht sich auf den Ton des gemeinen Mannes – versteht sich noch besser auf die Art der Frauen. Von ihnen könnten viele, niemand ermißt die Zahl, seine Geheimnisse verraten. Aber sonst so plauderhaft, auf einmal schweigen sie. Genug, hier kennt man ihn von Angesicht und war nur nicht bei seiner vorigen Arbeit mit, dort oben, wo Nebel lag, wo die Unseren den Psalm sangen, als sie angriffen und das gewaltige Heer schlugen. Das war eine sehr große Arbeit, und während sie getan wurde, haben Himmel und Erde den Atem angehalten.

Jetzt haben auch ganz ferne Länder den Ausgang erfahren. Über seine Person wurde ihnen bisher nichts berichtet. Ein so neuer Ruhm ist auf große Entfernungen unirdisch und fleckenlos. Um so größer steht einer da, auf den Schlag. Die Welt hat ihn erwartet, sie hatte es gründlich satt, als einzigen Herrn und Meister ihren Philipp von Spanien zu ertragen, immer und ewig den trostlosen Philipp. Die bedrückte Welt hatte längst um den Befreier gefleht: nun sieh, hier ist er! Sein Sieg: eine kleine Schlacht, nichts von jähem Umsturz der Lage, und dennoch bedeutender als vorher der Untergang der Flotte Armada. Hier hat einer ganz durch seine Kraft den Thron des Weltherrschers erbeben gemacht. Wenn noch so leise, das Beben wird verspürt über den Grenzen, über den Bergen und bis an das andere Ufer des Meeres. Sie sollen in einer berühmten Stadt hinter dem Meer – sie sollen ein Bild der Prozession durch die Straßen getragen haben. Stellte das Bild ihn auch nur vor? Es war schon nachgedunkelt, sie haben es beim Trödler ans Licht gezogen, es abgewaschen. «Der König von Frankreich!» rief das Volk und veranstaltete den Umzug, sogar die Pfaffen sind mitgegangen. Das Gerücht weiß alles und es fliegt.

Die Wirklichkeit

Er selbst in Person hielt keine Siegesfeier. Denn eine gelungene Arbeit zieht sogleich die nächste nach sich; und wer seinen Erfolg nicht erlistet, sondern redlich gewinnt, weiß eigentlich nichts von Sieg und gewiß nichts von Berauschung. Der König dachte nur daran, seine Hauptstadt Paris überraschend einzunehmen, solange der Herzog von Mayenne mit dem geschlagenen Heer der Liga sie noch nicht erreicht hatte. Der König war der schnellere; außerdem ließen sie in Paris sich einreden, daß er von ihrem Mayenne besiegt und in voller Flucht wäre; das gab ihm noch mehr Vorsprung. Bevor er aber ankam, hatte Paris sich gefaßt und auf seine Verteidigung eingerichtet – übrigens unklug. Anstatt nur die festen Mauern und Wälle um die innere Stadt, beschlossen sie, auch die Vororte zu halten. Das war nach dem Sinn des Königs, der sie draußen zu überrennen dachte, und mit den Fliehenden wäre er in die Tore eingedrungen.

Er stürmte die Außenwerke leicht, die Tore indessen konnten gerade noch geschlossen werden. So blieb es dabei, daß seine Truppen, alle diese Schweizer, deutschen Landsknechte, vier Kompanien von Abenteurern, viertausend Engländer, sechzehn französische Regimenter – daß alle zusammen stürmten, metzelten, plünderten. Sonst führte es zu nichts. Der König wurde zwar mit Hochrufen empfangen, aber inmitten von Plündern und Metzeln. Er ließ wohl über die Mauer hineinschießen und wußte doch schon, seine Hauptstadt bekäme er auch diesmal nicht. Jetzt begibt er sich zur Ruhe in einen Palast, der nach seiner Familie benannt ist: Klein-Bourbon heißt er; Henri hat hier eindringen müssen wie ein Fremder, er findet auch wenig, um sich zu betten, nur frisches Stroh. Drei Stunden bleiben ihm für den Schlaf, ein Teil vergeht mit vergleichenden Gedanken.

‹In der Stadt steht Schloß Louvre, dort brachte ich mich durch als Gefangener in mehreren lehrreichen Jahren, ich trug ihre Spur. Soll ich als freier Mann und König die Stadt nie wiedersehn? Einst in der Bartholomäusnacht fielen am Hofe fast alle meine Freunde und in der Stadt die meisten meines Glaubens. Nach achtzehn Jahren seid ihr gerächt worden! An einem einzigen Kreuzweg haben heute meine Soldaten achthundert Feinde niedergemacht und dabei gerufen: Sankt Bartholomäus! Schrecklich ist, daß alles wiederkehrt und nichts, nichts kann je aus der Welt kommen. Ich wäre für Vergessen und Vergeben, ich wäre für Menschlichkeit. Was ist von unseren Streitfragen denn wahr? Was weiß ich? Gewiß bleibt, daß wir töten, draußen wie drinnen. Wäre ich doch durch das Tor gelangt, bevor sie es schlossen! Ich hätte ihnen den milden Sieger und wahren König gezeigt. Das Königreich hätte seine Hauptstadt, die Menschen das Ziel, worauf sie in Güte würden hinblicken können. Aber nein! Nur etwas gesättigte Rache, und das gewohnte Töten, und das Kriegsglück.›

Henri, ein Sechsunddreißigjähriger, der hinter sich viele Schrecken und geduldige Mühen hat, aber auch Freuden ohne Zahl hat er genossen vermöge seiner inneren Heiterkeit, hier liegt er auf frischem Stroh, am Fuße eines großen Eßtisches. Noch einmal fährt er hoch: der König befiehlt, daß die Kirchen verschont werden sollen – «und auch die Menschen!» ruft er dem Hauptmann nach. Dann schläft er wirklich ein, da er sich beherrschen gelernt hat, bei Fehlschlägen und Betrübnis nicht weniger als in Fällen erstaunlicher Schicksalsgunst. Der Schlaf ist sein guter Freund, erscheint pünktlich und bringt meistens mit, wessen Henri bedarf, keine Ängste, eher Gesichte von guter Vorbedeutung. In seinem Traum dieser Nacht sah Henri Schiffe herbeifahren. Sie schwebten zuerst in den Schleiern des Horizontes, wurden groß und nahmen das besonnte Meer ein, Gebäude voll Macht und Glanz: sie näherten sich, ihn suchten sie. Sein Herz schlug, dem Bewußtlosen fiel wieder ein, was der Besuch bedeutete. Man hatte wirklich dergleichen besprochen bald nach seiner gewonnenen Schlacht. Er hatte nicht hingehört wegen gegenwärtiger, höchst dringlicher Arbeit und Mühe. Da hört man nicht auf Märchen. Beim Erwachsenen aus seinem dreistündigen Schlaf blieb von den erblickten Schiffen in seinem Gedächtnis abermals keine Spur.

Der Tag Allerheiligen war angebrochen; die königliche Armee, alles, was in ihr katholisch war, ging in die Kirchen der Vorstädte. Hinter den Mauern hatten sie nicht den Mut, das Fest zu feiern, sondern jammerten um ihre Toten und fürchteten für sich selbst. Gegen Abend aber waren sie gerettet, denn die Truppen der Liga rückten an, und der König konnte sie jetzt nicht mehr hindern, von drüben her die Stadt zu besetzen; das war versäumt. Er ließ zu, daß noch einmal eine Abtei von den Seinen erobert und dreihundert Pariser niedergemacht wurden. Das war der Abschied, und kein schöner, wie er am besten wußte. Er bezahlte ihn auch – bestieg, um die Stadt zu sehen, einen Kirchturm und nahm als Führer einen Mönch. Droben in der Enge, allein mit dem Mönch, überfiel ihn ein großes Elend, da Henri des vorigen Königs gedachte. Den hatte ein Mönch ermordet. Ihn selbst hatte schon mehrmals aus den Ärmeln einer Kutte ein Messer angeblickt. Schnell trat er hinter seinen Begleiter und hielt ihn an beiden Armen fest. Der Ordensbruder, obwohl groß und stark, rührte sich nicht. Henri blickte nicht lange auf seine Hauptstadt hinunter; beim Abstieg ließ er den Verdächtigen vorangehen, er selbst blieb um einige Stufen zurück. Drunten traf er seinen Marschall Biron. «Sire», sagte Biron, «Ihr Mönch kam herausgestürzt und ist entsprungen.»

In diesem Augenblick erscholl das Freudengeschrei der Pariser, ihr Feldherr Mayenne war persönlich eingetroffen, sie bewirteten seine Truppen auf den Straßen. Der König stellte des nächsten Tages sein Heer in Schlachtordnung auf und ließ dem Feinde drei Stunden Zeit, um hervorzukommen. Vergebens, Mayenne hütete sich; da zog der König ab. Unterwegs nahm er befestigte Plätze ein, aber da ihr Sold ausblieb, lösten einige seiner Regimenter sich auf. Mit den übrigen ritt der König nach seiner Stadt Tours, um dort die Gesandten Venedigs zu empfangen. Die alte Republik hatte aus weiter Ferne ihre Schiffe geschickt, das Gerücht beglaubigte sich nun. Die Gesandtschaft war an Land gestiegen, indes der König kleine Städte unterwarf, reiste sie das Königreich hinauf, um ihm zu huldigen.

Ein Märchen

Er hörte von ihrem Herannahen täglich und war davon beunruhigt, darum machte er sich lustig. «Es regnet! Den Weisen aus dem Morgenlande wird ihr Weihrauch naß werden.» Er fürchtete eher, daß die Liga sie gefangennehmen und ihm wegschnappen könnte, bevor sie zur Stelle waren mit aller Ehre und sichtbarem Ruhm, die sie ihm darbringen wollten. Als sie von der Loire noch mehrere Tagereisen entfernt waren, schickte er ihnen zahlreiche Truppen entgegen, scheinbar als Ehrengeleit, aber er meinte es ernster. Hierauf erwartete er sie in seinem Schlosse zu Tours, und das dauerte. Unterwegs war einer der bejahrten venezianischen Herren von Unpäßlichkeit befallen. «Es ist eine recht alte Republik», sagte Henri zu seinem Diplomaten Philipp Du Plessis-Mornay.

«Sire, die älteste in Europa. Sie war unter den mächtigsten, jetzt aber ist sie die erfahrenste. Wer Erfahrung sagt, weiß gewöhnlich nicht, daß er Verfall meint. Denen, die jetzt kommen, ist auch das bekannt. Nun ermessen Sie dies Ereignis! Die klügste Regierung, sie ist nur darauf noch bedacht, die Gebrechen des Alters mit Würde zu tragen und den Tod hinauszuschieben, sie hat an allen Höfen die besten Beobachter und liest Berichte, Berichte: plötzlich rafft sie sich auf, sie handelt. Venedig fordert die Weltmacht heraus, es huldigt Ihnen nach Ihrem Sieg über die Weltmacht. Wie groß muß Ihr Sieg sein!»

«Ich habe angefangen, über meinen Sieg nachzudenken. Der Sieg, Herr de Mornay», begann Henri, stockte und lief erst einmal hin und her durch den steinernen Saal des Schlosses von Tours. Sein Jugendgefährte sah ihm nach; wie schon oftmals fand er, daß er seinen Fürsten richtig gewählt habe. Der gibt für seinen Sieg nur Gott die Ehre! Der strenge Protestant nahm bei dieser Wahrnehmung den Hut ab. Da stand er, ein Vierzigjähriger in dunkler Kleidung, der weiße Kragen einfach umgelegt nach Art seiner Glaubensgenossen, ein sokratisches Untergesicht, die Stirne hoch, besonders glatt und empfänglich für allerlei Licht.

«Mornay!» Henri hielt vor ihm an. «Der Sieg ist nicht mehr, was er war. Wir beide kannten ihn sonst anders.»

«Sire!» erwiderte der Gesandte klar und ohne Unruhe. «Sie haben in Ihrem früheren Amt als König von Navarra einige böse Städte, die Ihnen widerstanden, zur Vernunft gebracht. Zehn Jahre der Mühe und Arbeit und eine namhafte Schlacht; dann hatte die Fama Sie berühmt genug gemacht, daß Sie Erbe der Krone wurden. Der König von Frankreich, der Sie jetzt sind, wird weniger mühselig kämpfen, wird größer siegen, und Fama soll, um seinetwegen, stärker die Flügel rühren.»

«Wenn das der ganze Unterschied wäre! Mornay, seit meinem Sieg, wegen dessen die Venezianer herbeireisen, habe ich Paris belagert und bin unverrichteterdinge abgezogen. Wissen das die Venezianer nicht?»

«Es ist weit bis Venedig, und sie waren schon auf der Reise.»

«Sie könnten umkehren. Sind es nicht kluge Leute? Solche begreifen, was es heißt, wenn ein König seine eigene Hauptstadt belagern muß, und noch dazu vergeblich. Metzeln, plündern – und abziehen, nachdem ich von einem Turm in die Stadt geblickt und mich vor einem Mönch gefürchtet hatte.»

«Sire, das Kriegsglück.»

«So nennen wir's. Aber was ist es? Während ich das eine der Tore bewache, zieht Mayenne durch das andere ein. Ist über eine Brücke herbeigekommen: nach meinem Befehl hätte sie abgebrochen sein sollen, war es aber nicht. So sieht das Kriegsglück aus. Ich habe den Verdacht: nicht anders sieht es aus, wenn ich siege.»

«Sire, Menschenwerk.»

«Gleichviel, es soll Feldherren geben –» Henri brach ab: er dachte an einen Feldherrn, Parma genannt, der verließ sich nach dem Ruf von seiner Kunst auf kein Kriegsglück, und redete sich auf Menschenwerk nicht aus.

«Mornay!» rief Henri und schüttelte seinen Berater. «Ein Wort! Kann ich denn siegen? Mein Beruf ist, dies Königreich zu retten; aber zufriedener war mein Geist, als noch niemand herbeireiste, um mir vor der Zeit zu huldigen.»

«Venedig will, daß Sie gesiegt haben, Sire. Es würde seine Gesandten nicht zurückrufen und wenn Ihr Heer in voller Auflösung wäre.»

Henri sagte: «So erfahre ich denn, daß der Ruhm ein Mißverständnis ist. Ich verdiene ihn und bekommen ihn dennoch ohne mein Verdienst.»

Hierauf veränderte sein Gesicht sich, er wippte auf den Absätzen herum, höchst aufgeräumt empfing er die Personen, die soeben bei ihm eintraten. Zahlreiche seiner besten Herren, auch hübsch und neu gekleidet waren sie. «Brav, de la Noue!» rief Henri. «Ein eiserner Arm und sind über den Fluß geschwommen! Brav, Rosny! Ihre Juwelen sind aus guten Häusern, obwohl nicht aus Ihrem eigenen, und wieviel Geld erst werden Sie in den Pariser Vorstädten gefunden und mitgenommen haben! Wenn ich Sie zu meinem Finanzminister machte anstatt des dicken d'O?»

Er sah sich um, da sie ihm nicht genug lachten. «Ich fürchte nichts so sehr wie traurige Leute und mißtraue ihnen.»

Sie schwiegen. Er betrachtete sie abwechselnd, bis er alles erraten hatte. Da nickte sein alter d'Aubigné ihm zu, einst sein Mitgefangener, nachher sein Kampfgefährte, und immer kühn und immer fromm, in Versen wie in Taten. Dies befreundete Gesicht nickte und sagte: «Sire! So ist es. Ein ganz durchnäßter Bote traf ein, als wir uns gerade schön gemacht hatten für den Empfang.»

Der Schrecken durchlief Henri. Er ließ es vorbeigehen. Als die Stimme ihm wieder völlig gehorchte, antwortete er munter dem alten Freund. «Agrippa, was willst du, das Kriegsglück. Die Gesandten sind umgekehrt. Sie werden sich aber nochmals besinnen, denn bald schlag ich wieder eine neue Schlacht.»

Hinter der Tür geschah ein großes Gepolter. Sie wurde aufgestoßen; zwischen Wachen erschien ein ganz durchnäßter Bote, der außer Atem und unfähig zu sprechen war. Man ließ ihn hinsitzen und gab ihm zu trinken. «Es ist ein anderer», bemerkte Agrippa d'Aubigné.

Endlich sprach der Mann. «In einer halben Stunde sind die Gesandten hier.»

Henri dies hören, und er griff sich an das Herz. «Jetzt laß ich sie bis morgen warten.» Damit ging er schnell ab.

Nun geschah über Nacht ein Wunder, und von November wurde es Mai. Eine weiche Luft wehte aus Süden, vertrieb alle Wolken, der Himmel spannte sich hell und weit über den Park des Schlosses von Tours, über den Fluß, der breit und langsam vorbeizog an den Feldern in der Mitte des Königreiches. Die Birken standen hoch und sehr entlaubt; vom Schloß her folgte man dem Landen der Schiffe, mit denen die Gesandten übersetzten. Ihre Wohnungen waren in Landhäusern drüben. Unter Fenstern, die bis zum Boden reichten, wartete zu ebener Erde der Hof, Herren und Damen so reich gekleidet als sie vermochten oder für anständig hielten. Roquelaure war der geschmackvollste. Agrippa hatte die größten Federn, Frontenac stand im Wettbewerb mit Rosny. Dieser trug am Hut und Kragen mehr Schmuck, als auf die Kleider der Frauen genäht war. Indessen zeigte sein noch junges, glattes Gesicht den verständigen Ernst wie sonst. Die Schwester des Königs erschien bei ihrem Eintritt sogleich als die schönste Frau. Gegen den hohen Kragen aus Spitzen und Diamanten lehnte ihr feiner blonder Kopf; das Damengesicht von höflicher Strenge verriet dennoch eine innere Kindlichkeit, die unvergänglich ist. Sie war noch in der Tür, als ihr golddurchwirkter Schleier hängenblieb. Oder machte ihr ungleicher Fuß ihr Verlegenheit? Der ganze Hof hatte sich an ihrem Weg aufgestellt. In diesem Augenblick sieht sie durch die entgegengesetzte Tür ihren Bruder, den König, kommen. Ein kleiner Jubellaut – sie achtet nicht mehr auf sich, einige Schritte läuft sie, es macht plötzlich gar keine Schwierigkeit. «Henri!»

Inmitten trafen sie einander. Catherine von Bourbon beugte das Knie vor ihrem Bruder – sie hatten zusammen gespielt am Anfang des Lebens, sie waren in schweren alten Kutschen durch das Land gereist mit ihrer Mutter Jeanne. ‹Unsere liebe Mutter war wohl krank und ruhelos, aber wie stark durch den Glauben, den sie uns lehrte! Hat endlich recht behalten, obwohl sie zuerst sterben mußte an dem Gift der bösen alten Königin, und auch uns waren Schrecken und viel Mühe beschieden. Dennoch stehen wir jetzt wirklich in einem Saal in der Mitte des Königreiches, sind selbst der König mit seiner Schwester und werden die Gesandten Venedigs empfangen.› «– Kathrin!» brachte der Bruder unter Tränen hervor, hob die Schwester aus ihrem Kniefall und küßte sie. Der Hof gab fröhlichen Beifall.

Der König in weißer Seide, blauer Schärpe, rotem Mäntelchen, führte die

Prinzessin an schwebender Hand, der Hof wich auseinander, aber hinter den Herrschaften schloß er sich wieder. Sie hielten unter dem höchsten der Fenster, um sie her drängte man sich – und wer nach vorn gelangte, war nicht immer von den Besten. Die Schwester sagte dem Bruder ins Ohr: «Ich mag deinen Kanzler Villeroy nicht. Ich mag noch weniger deinen Schatzmeister d'O. Und du hast noch Schlechtere. Henri, lieber Bruder, könnten doch alle, die dir dienen, von unserem Glauben sein!»

«Ich wollte es auch», sagte er seiner Schwester ins Ohr; hierauf aber winkte er gerade den beiden Höflingen, die sie genannt hatte. Sie wendete sich unwillig nach hinten: je weiter fort, um so befreundeter die Gesichter. An der Wand stieß Kathrin zu einem ganzen Haufen alter Freunde: Waffengefährten ihres Bruders, die Kavaliere des einstigen Hofes von Navarra, damals trugen sie meistens rauhe Lederkoller. «Ihr habt euch fein gemacht, meine Herren! Baron de Rosny, als ich Sie tanzen lehrte, hatten Sie noch keine Diamanten. Herr de la Noue, Ihre Hand!» Sie nahm die eiserne Hand des Hugenotten – nicht seine lebende, die eiserne nahm sie und sagte, allein für ihn, Agrippa d'Aubigné und den langen Du Bartas: «Gott hätte auf unserem Wege nur ein einziges Sandkorn anders rinnen lassen müssen als es wirklich vom Hügel rann: wir wären nicht hier. Wißt ihr's wohl?»

Sie nickten. In dem verdüsterten Gesicht des langen Du Bartas standen schon die geistlichen Verse, die er sprechen wollte: da setzten draußen die Trompeten ein. Sie kommen! Geben wir uns Haltung und stellen einen mächtigen Hof vor! Die meisten Gesichter wurden alsbald von einer glänzenden Feierlichkeit, gemildert durch Neugier; die Gestalten strafften sich, auch die Prinzessin von Bourbon. Sie suchte unter den Damen, es waren wenige zu finden an diesem unsteten Hof und Feldlager. Schnell entschlossen nahm sie eine Hand und ging nach vorn mit Charlotte Arbaleste, der Frau des Protestanten Mornay. Plötzlich entstand eine Pause.

Die Gesandten dort hinten fanden wohl nicht die rechte Ordnung ihres Zuges. Verfrüht, der Trompetenstoß. Der Weg nach dem Ufer fiel ab; waren die Herren aus Venedig zu alt, ihn zu ersteigen? Es schien, daß der König sich belustigte, wenigstens lachte seine Umgebung. Die Prinzessin, seine Schwester, führte ihre Begleiterin an ein anderes Fenster: sie war erschrocken, neben ihrem königlichen Bruder stand Vetter Soissons, den sie liebte. ‹Hätte ich nicht gerade diese sittenstrenge Protestantin am Arm!› dachte Catherine, als wäre sie selbst keine. Ja, sie vergaß sich – vergaß sich ihr ganzes kurzes Leben lang, beim unerwarteten Anblick ihres Geliebten. Ihr Herz klopfte, ihr Atem wurde kurz, zu ihrem Schutz machte sie ihr hochmütigstes Gesicht, wußte aber kaum, was sie ihrer Nachbarin noch sagte. «Herzklopfen», sagte sie. «Madame de Mornay, litten Sie daran nicht? Schon in Navarra, als Sie es mit dem Konsistorium zu tun bekamen wegen Ihrer schönen Haare?»

Charlotte Arbaleste hatte den Kopf in eine Haube geschlossen; diese reichte bis nahe an die Augen, die flüssig glänzten und Menschenscheu nicht kannten. Ruhig bestätigte die tugendhafte Frau des Protestanten Mornay: «Man warf mir Unbescheidenheit vor, weil ich falsche Locken trug, und der Pastor schloß mich vom Abendmahl aus. Sogar Herrn de Mornay verweigerte er es. Von den Aufregungen habe ich allerdings noch heute, nach so vielen Jahren, ein sehr empfindliches Herz behalten.»

«So unrecht kann unsere Kirche uns tun», beeilte die Prinzessin sich, festzustellen. «Sie hatten doch für unsere Religion die Verbannung und die Armut auf sich genommen, nachdem Sie der Bartholomäusnacht entronnen waren. Wir alle, die hier die Gesandten erwarten, waren einst Gefangene oder Verbannte um des Glaubens willen: Sie selbst wie Herr de Mornay, der König, mein Bruder, und auch ich.»

«Und auch Sie», wiederholte Charlotte; ihr heller flüssiger Blick fiel genau in die Augen Kathrins, die vor Unruhe zitterte. Reden hilft nichts, begriff sie. Die Frau durchschaut mich.

«Sie haben trotz den Pastoren Ihre rötlichen Locken noch lange behalten.» Darauf verharrte die arme Catherine. «Mit Recht, sage ich. Wie denn? Zuerst Verfolgung, das Exil, und endlich zurück in der Heimat, wird Ihr Opfer nicht angenommen, bloß wegen Ihrer Haare.»

«Ich hatte unrecht», gestand die Frau des Protestanten. «Es war Unbescheidenheit.» Womit sie allerdings ihr eigenes Gebrechen preisgab, aber eigentlich erinnerte sie die Prinzessin an sich selbst und ihr noch schwereres Vergehen. Sie machte dies ganz deutlich. «Meine Unbescheidenheit war nicht bloß häßlich: sie war vorsätzlich und widerstand allen Warnungen. Indessen empfing ich die Erleuchtung im Gebet, legte endlich ab, was Unrecht war, trage seitdem auch bescheiden die Haube.»

«Und habe Herzklopfen», sagte Kathrin. Zornig überflog sie das Gesicht der anderen, bleich, fromm und länglich, wie es nun geworden war. ‹Früher, als sie hübsch war, gingen wir beide auf den Ball›, dachte sie. Davon legte sich ihr Zorn. Ihr Mitgefühl, bald sollte es Reue sein. ‹Ich seh noch aus wie damals – und meine Sünde auch. Ich kenne mich, ich bin belehrt, aber unverbesserlich; vergeben wird mir nicht›, dachte sie mit Reue. «Herr, hilf mir, daß auch ich heute abend die Haube anlege für immer!» betete sie leise und dringend, wenn auch ohne rechte Hoffnung auf Erhörung.

Der Graf von Soissons stand vor ihnen, er sagte: «Meine Damen, es wird nach Ihnen verlangt von seiner Majestät.» Beide neigten gehorsam die Gesichter, das eine war so still wie das andere. Er nahm ihre Fingerspitzen und führte die Damen an den erhobenen Händen. Die Hand seiner Cousine versuchte er leise zu drücken. Sie erwiderte nicht, und das Gesicht hielt sie abgewendet. Höflich übergab er sie ihrem königlichen Bruder.

Zwischen den Pappeln erglänzte Metall: zuerst dachten alle an Waffen oder Kriegsgerät. «Nein», sagten die Frauen, «wir wissen wohl, wie Edelsteine aufleuchten. Zum wenigsten sind es Stickereien.» Es war aber dies alles und noch mehr: staunend erblickte man ein Schiff aus Silber, es schwamm herbei durch die Luft – so schien es, und war dem übrigen Zuge voran, als er kaum erst in Sicht kam. Das silberne Schiff war so groß, daß Menschen es hätten besteigen können – und wirklich, Hände setzten ein Segel, aber es sind Kinderhände. Das Schiff ist mit Knaben bemannt, die sich anstellen wie Seeleute und derart auch singen. Ein wenig Kling und Klang begleitet sie, wer weiß woher, und übrigens, wovon bewegt sich dies Zauberschiff?

Zwanzig Schritte vor der Front des Schlosses hielt es an – wurde vielmehr niedergesetzt, und unter den prächtigen Geweben, die von seinem Bug hingen, sprangen Zwerge hervor: die hatten es getragen. Bucklige Zwerge, ganz in Rot, und nahmen Reißaus wie der Teufel, da lachte der Hof. Indessen nahte eine Sänfte. Wie? Das ist ein Thron. Noch soeben knapp über den Boden hingeführt, steigt das Gebäude an, nur die besten Maschinen können es so geräuschlos in die Lüfte erheben, und wird ein Thron. Die Lüfte aber sind blau und kreisen frei um das blonde Haupt der Frau auf dem Thron. Das blonde Haupt steht hoch in Locken und großen Perlen. Der Thron ist Purpur, die Frau: ein stolzes Weib mit goldenen Gewändern, so wie es Paolo Veronese malte. Wer ist das? Um die Augen liegt ihr eine Maske aus schwarzem Samt; wer ist das? Der Hof wurde ganz still. Der König entblößte den Kopf und alle mit ihm.

Neben den hohen Thron traten oder stampften verwegene Gestalten, schwarze Panzer, die Trachten von düsterer Buntheit, ihre Köpfe zeigten unbedeckt das rötliche oder schwarze Gestrüpp der fremdartigen Haare. Aber sie wurden erkannt an den furchtbaren Gebissen: Sklavonen, eroberte Untertanen Venedigs. Fischer lösten diese ab, die echten Söhne der Seestadt, unverschönt, mit ihren geflickten Kleidern und abgewetzten Rudern, nicht anders als sie von der Brücke eines Kanals waren fortgeholt worden. Diese nun sangen – sehr klare Stimmen, kein Geheimnis zu vermuten, trotz der Sprache, die nicht jeder kannte. Es machte sich feierlich, obwohl so heiter. Der Hof dachte an eine Kirche, wenn er sie nicht sogar sah, die fernher funkelnde Kirche über dem Meer.

Die Sänger brachen ab – mitten in einem so schönen Klang, da die Dame auf dem Thron die Hand ausstreckte. Das war eine außerordentliche Hand, der Rücken voll, die Finger zugespitzt und leicht aufwärts gebogen. Sie war ohne Schmuck, von der Farbe des Rosenblattes, und winkte, großartig, aber lockend, wie für einen Liebhaber, den eine so große Dame gnädig zuließe. Der Gesandte! begriff der Hof; und der König von Frankreich als einziger trat hinaus auf die Rampe, ihn zu empfangen.

Gleichzeitig bewegten sich die Fischer von dem Thron fort und knieten hin. Bewegten sich fort und knieten hin die kriegerischen Sklavonen. Die Kinder knieten in dem silbernen Schiff, unter den hintersten Büschen die roten Zwerge. Der Weg neben dem Thron lag frei, ihn beschritt ein magerer Mann in schwarzem Talar und Barett: ein Gelehrter, vermeinte der Hof. Warum ein Gelehrter? Schickt die Republik als Höchsten einen Gelehrten? Die beiden anderen, graubärtige Heerführer, lassen ihm den Vortritt.

Agrippa d'Aubigné und Du Bartas, zwei Humanisten, die aus alten und neuen Schlachten viele Narben an ihren Leibern trugen, berieten sich eilig, indessen der Gesandte sehr langsam dem König nahte. Herr Mocenigo, ein Verwandter des Dogen und selbst ganz alt. Hat einst bei Lepanto gekämpft, der berühmte Seesieg über die Türken. Jetzt lehrt er Latein zu Padua, davon kennt ihn erst die Christenheit. «Welch eine große Ehre!» jubelte der Dichter Agrippa. «Herr Mocenigo huldigt unserem König, ich aber könnte aus lauter Freude die Schlacht bei Lepanto in Versen beschreiben, als wär ich dabei gewesen!»

«Beschreibe statt dessen unsere nächste Schlacht», verlangte in düsterem Ton der lange Du Bartas. ‹Ich selbst werde verstummt sein›, sprach er in sich hinein zu seinem ahnungsvollen Herzen.

Der König hatte jetzt wieder seinen Feldhut mit der aufgeschlagenen Krempe, darunter waren seine unbeschatteten Augen aufgerissen, um nichts zu verlieren. Er war aber unbewegt, vielleicht wären Tränen in seine Augen gestiegen: eigentlich darum hielt er sie so weit offen, rührte die Lider sowenig wie Hand oder Fuß. Der Gesandte neigte zur Begrüßung den Kopf auf die Brust. Dann erhob er ihn, legte ihn in den Nacken, und da sah man erst. Da sah man, daß ein Auge geschlossen war, und eine rote Narbe lief darüber.

Er begann zu sprechen, ein Latein von merkwürdigem Wohllaut – glatt, obwohl hart. Der Hof dachte an Marmor. Auch erkannte man jetzt, welch ein Gesicht dies war – knochiger Umriß, scharfe Nase, gesenkter Mund, alles wie an Büsten Dantes, eines alten Weisen. Der Hof verstand nicht jeden Satz, die gewohnte Sprache kam aus fremdem Mund. Dem Gesicht merkten sie an, daß ihr König hoch gefeiert wurde: gemessen wurde er am Beispiel der römischen Feldherren und ihrer würdig befunden.

Henri, er ganz allein, begreift jedes Wort, nicht nur, was es obenhin sagen will: viel tiefer. ‹Deine Sache wird verhandelt. Wer bist du? Das erfährst du aus dieser Anrede, oder glaubst es zu ahnen, solange sie noch währt. Der einäugige Weise vergleicht dich zum Schein mit dem ersten Eroberer dieses Königreiches, dem Römer Cäsar, deinem Vorgänger. In Wahrheit warnt er dich, zu bleiben wie bisher, ein Kampfhahn und kühner Reitersmann, groß im Kleinen, an hohen Taten unbewährt. Ich weiß, wen er mir vorzieht: es ist sein Landsmann, Farnese, Herzog von Parma, der berühmteste Stratege des Zeitalters. Das bin ich nicht, bin nur ein Kampfhahn ohne große Kunst.›

Davon wurde ihm schwül, er riß die Augen noch weiter auf. Der Hergereiste, der ihn so plötzlich mit der Wahrheit angesprochen hatte, beurteilte auf einmal ernst, jetzt erst ernst, dies Gesicht – fand es schmaler als jedes erblickte; und gerade die Abgezehrtheit bezeugte seine Inbrunst und Hingabe, ihresgleichen hatte der Gesandte hier nicht erwartet. Er hielt seine Rede an, er faltete die Hände.

Als er wieder anfing, klang seine Stimme gedeckt, nicht mehr glatt und hart; auch sagte er nur noch wenige Worte, das hauptsächliche hieß «Liebe». «Und wäre einer kunst- und siegreich, hätt aber der Liebe nicht –» Das Evangelium, anstatt des Cäsars: es war nicht vorgesehen, es überraschte jeden, und am meisten den Redner, der daraufhin abschloß. So tat auch Henri etwas Unerwartetes. Er reichte nicht, wie vorher verabredet, dem Gesandten die Hand, damit der Gesandte auf die Rampe käme: er selbst sprang hinab und gab ihm auch schon die Akkolade, Umhalsung, Kuß auf beide Wangen. Der Hof sah es, geräuschvoll bekundete er seine Zufriedenheit. Die Kinder in dem silbernen Schiff sahen es, die thronende Frau mit goldenen Gewändern sah es – und da sie die Tochter eines der Fischer in geflickten Kleidern war, vergaß sie alle Hoheit und schlug in die Hände. In die Hände schlugen die kriegerischen Sklavonen, das Fischervolk und die beiden graubärtigen Heerführer.

Henri blickte umher und lachte fröhlich – obwohl zugleich ein unbekannter Schauder ihm die Schulter berührte. ‹Nicht, wie wenn hinter dir der Mörder steht, nein, diesmal war es die Ahnung eines Fittichs. Dich streift der Ruhm, zum erstenmal, da du den Vierzig nahe bist, der große Ruhm der Welt. Ist anzusehen wie die Märchen aus Morgenland, wird sogleich verfliegen, macht unheimlich erschaudern.›

«Herr Gesandter, wenn die Zeremonie vorbei ist, sprechen Sie zu mir allein.»

«Sire! Worüber?»

«Über den Herzog von Parma.»

Das Wappentier

‹Ich muß meine Schlacht haben›, dachte Henri, kaum daß die Gesandten Venedigs abgereist waren; eigentlich aber hatte er schon bei ihrem ruhmreichen Erscheinen so zu sich gesprochen. Gerade der unheimliche Ruhm machte ihm seine Lage klar. Er war noch immer ein König ohne Krone, dem seine Hauptstadt fehlt. Ein Feldherr seinesgleichen hat kein Geld, und damit sein Heer ihm nicht auseinander läuft, muß er möglichst oft eine Stadt erobern: diese zahlt für ihn. Es sind die Städte seines Königreiches; eine schwere Sache, der Vater des Vaterlandes und recht volkstümlich zu bleiben, während er im Umherziehen seine Feinde unterwirft und Abgaben eintreibt. Keine Woche mit dem festlichen Märchen von Tours, da war er wie vorher mitten im harten Leben.

Er reinigte sowohl die Touraine wie die nächsten Provinzen vom Feind und drang in die Normandie ein – hatte dort aber schon gestanden, als er bei Arques den Sieg errang. Wohin war der Sieg gekommen? Die eroberten Plätze, die er hinter sich gelassen hatte, waren inzwischen abgefallen. Sein Feind, das war kein Mensch wie er: eine Hydra mit vielen Köpfen war es. ‹Du schlägst sieben ab, acht wachsen nach. So geht es mir mit der Liga. Straßenweise bekehren sich meine Untertanen zu mir, wenn ich in ihrem Nest der Herr bin. Wollen nie gegen mich die Waffen getragen haben – obwohl ich nur ihren Garten müßte umgraben lassen, dort liegen die Musketen. Alles das wäre unterhaltend, ich wäre gemacht, in dieser Art das Leben zu verbringen. Und wenn ich in Wirklichkeit nicht dafür gemacht bin, sondern für Größeres, so tu ich doch klug, davon zu schweigen.›

«Meine Gesundheit ist so gut wie noch nie», erklärte er jedem in diesem Winter bei häufigem Schneefall und dem Nächtigen auf gefrorenem Erdboden. «Auch mein Heer hat keine Krankheiten, und es wird immer größer, da allein dies Nest mir sechzigtausend Taler zahlt. Wetten, das nächste am Wege ergibt sich bis Donnerstag!»

Wirklich schloß er mit der Stadt Honfleur einen solchen Vertrag. Waren Mayenne oder sein Sohn Nemours bis Donnerstag nicht zur Stelle, dann sollte das Tor ihm geöffnet werden, und richtig, so kam es. Der Führer Mayenne ließ seine Liga seine Liga sein und ruhte sich in Paris aus, «wo auch ich es mir einmal so sanft tun werde», äußerte Henri zuversichtlich. Für sich dachte er: ‹Ich muß meine Schlacht haben.› Er erwog dies abwechselnd wie einen fröhlichen Streich – oder auch wie die Entscheidung seines Lebens.

In seinem Gepäck führte er ein seltenes Stück mit, eine Weckuhr, die er sorgfältig stellte. Mit Schlafen verging ihm weniger Zeit als dem dicken Mayenne bei Tisch. Eine Neuigkeit für seine gute Natur: zuweilen versäumte er sogar die wenigen Stunden. Aufgestützt sann er. ‹Ich muß meine Schlacht haben – und nicht wie sonst, als ich sie gewinnen oder verlieren konnte. Ich darf sie nicht verlieren, darf diese nicht verlieren, dann wäre es aus. Mich beobachten nachgerade zu viele, die Welt sieht mir zu, meine Verbündeten, die mir vor der Zeit gehuldigt haben, aber besonders der König von Spanien, der dies Königreich begehrt. Würde es auch haben, sobald ich nicht mehr da wäre. Wer sollte ihn auch hindern. Dies Volk streitet sich um seine Religion. Hätten nur alle die wahre, dann könnte sogar Don Philipp ihnen nicht an. Indessen, was weiß ich, jeder hat die seine, ich bin Hugenott und lieg auf hart gefrorener Erde. Soll Don Philipp kommen, soll er mit viel Macht anrücken – all eins, ob meine Religion die rechte ist, hier gilt nicht das Bekenntnis, es geht um das Königreich, das in jedem Fall von Gott ist. Diese Sache spielt zwischen mir und Gott› – wurde dem König leuchtend klar, in einer ganz finsteren Nacht, indessen unter dem Zelt eine Ölfunzel knisterte und erlosch.

Der Wecker schlug an, der König stand auf und rief nach seinen Offizieren. An diesem Tag war viel zu tun und lange zu reiten. Ein Wassergraben mußte trockengelegt werden, damit die Belagerer bis unter die Mauer der Festung vordrängen. Dies vollbracht, wurde hin und her geschossen, bis der frühe Abend fiel. Henri war zu Pferd schon unterwegs wegen anderer Arbeiten im weiten Umkreis. Sehr hungrig, erreichte er um die Zeit des Nachtessens die Stadt Alençon und begab sich mit wenig Begleitung nach dem Hause seines ergebenen Hauptmannes, fand ihn indessen nicht vor. Der Frau war der König unbekannt, sie hielt ihn für einen der königlichen Heerführer und empfing ihn nach Gebühr, wenn auch mit merklicher Verlegenheit.

«Fall ich Ihnen lästig, meine Dame? Reden Sie frei weg, ich will keine Umstände machen.»

«Mein Herr, dann sag ich es lieber gleich. Heute ist Donnerstag; ich hab in der ganzen Stadt umhergeschickt: nichts aufzutreiben, ich bin einfach verzweifelt. Nur ein braver Handwerker hier nebenan sagt, er hab am Haken eine fette Pute hängen; will sie aber durchaus nicht anders hergeben, als wenn er mitessen darf.»

«Ist er denn in Gesellschaft zu brauchen?»

«Ja, mein Herr, in unserem Viertel macht keiner soviel Witze. Sonst ein anständiger Mann, Feuer und Flamme für den König, und sein Geschäft geht ganz gut.»

«Dann lassen Sie ihn nur kommen, liebe Dame. Ich habe wirklich Appetit; und wenn er auch langweilig wäre, lieber eß ich mit ihm, als gar nicht.»

Hierauf wurde der Handwerker geholt und erschien in seinem Sonntagsrock mit der Pute. Während man diese briet, unterhielt er den König, schien ihn aber gleichfalls nicht zu kennen: sonst hätte er schwerlich mit dieser Unbefangenheit dahergeredet. Nachbarsklatsch, Einfälle, Scherze, alles so gut, daß Henri für die Weile den Hunger vergaß. Alsbald verfiel er selbst in den Ton seines Gesellschafters – ohne Absicht, und merkte es nicht einmal. Keine schwere Sache, der Vater des Vaterlandes und recht volkstümlich zu bleiben, während er doch Untertanen zum Gehorsam zwingt und Abgaben eintreibt. Das ganze Geheimnis ist sein gutes Gewissen, wegen des ehrlichen Geschäftes, das er betreibt. Ohne Umschweife und List seine Landsleute zur Vernunft bringen und dies Königreich retten. Dessen gedenkt er im Grunde fortwährend, im Schlaf und auch beim munteren Gespräch. Der ordentliche Handwerker ihm gegenüber erzählt, vergißt aber gleichfalls seine Werkstatt nicht.

Der König denkt: ‹Ich muß meine Schlacht haben. Jetzt ist sie nicht mehr weit. Ich habe genug feste Plätze eingenommen, daß den Dicken die Ruhe verläßt. Mein Vetter Marschall Biron macht seinerseits der Liga viel Verdruß, und alle unsere Erfolge laß ich der Königin von England melden. Jetzt wollen wir die Stadt Dreux belagern: das wird Mayenne nicht mit ansehen können, er muß herbeirücken und sich zum Kampf stellen. Auch die Spanier werden es von ihm verlangen. Wozu sonst hätte er ihre Hilfstruppen, die ersten, die Philipp der Liga gewährt. Kommen aus den Niederlanden, vom Gouverneur Farnese. Und ihn selbst sollt ich nicht zu sehen kriegen, den großen Strategen und berühmtesten Künstler des Krieges? Möchte wissen, was er von mir sagt, Farnese.›

Bei diesem Namen mußte Henri vom Sitz auf. Der Handwerker behielt den Mund offen. Henri wiederholte ihm aber richtig, was er erzählt hatte. «Als der Handschuhmacher den gewaltigen Hufschmied bei seiner Frau fand, da streckte er versöhnlich die Hand hin und sprach: ‹Von dir, Freund, kann ich es nicht glauben.›» Henri lachte. «Gevatter! Das ist komisch.»

«Sehr komisch, Gevatter!» wiederholte der gute Mann und war über das stürmische Benehmen seines Genossen beruhigt. In diesem Augenblick rief die Hausfrau ihre Gäste zu Tisch. Selbdritt verzehrten sie das große Geflügel, aber die Hausfrau und der Handwerker hielten sich zurück, der Gast bekam das meiste, und so reichlich er aß, soviel lachte er über die Geschichten seines Nachbarn, davon wurde dieser immer besserer Laune. Daher war es erstaunlich anzusehen, wie er nach dem letzten Glase, als man aufstehen sollte, das runde Gesicht ganz lang zog und furchtsam die Augen schloß. Der König hätte auch das für einen Spaß gehalten, da lag ihm aber der Mann zu Füßen und bat: «Verzeiht, o Herr, verzeiht! Dies ist der schönste Tag meines Lebens gewesen.

Ich kannte Eure Majestät, ich hab gedient und bei Arques gekämpft für meinen König; hab meine Lust gebüßt, an Ihrem Tisch zu sitzen. Vergebung nochmals, Sire, ich mußte mich dumm stellen, damit Sie über meine Scherze ein bißchen lachten. Jetzt ist das Unglück geschehen, ein Knecht wie ich hat mit Ihnen zu Abend gegessen.»

«Was machen wir nur dabei?» fragte der König.

«Ich sehe ein einziges Mittel.»

«Nun?»

«Sie müssen mich in den Adelsstand erheben.»

«Dich?»

«Warum nicht, Sire? Ich arbeite mit meinen Händen, trag aber meine Gesinnung im Kopf und im Herzen meinen König.»

«Ausgezeichnet, lieber Freund, und dein Wappen wäre?»

«Meine Pute. Ihr verdank ich alle Ehre.»

«Dein bester Witz. Steh auf als ‹Ritter von der Pute›!»

Ein Ritterroman

Der neue Ritter sorgte selbst dafür, daß sein Erlebnis sich herumsprach und dem König beim Volk viel Nutzen brachte. Endlich ein braver Mann wie wir! Nicht stolz, läßt mit sich reden, obwohl ihm als Ketzer die Verdammnis gewiß ist. Ein Ketzer, der König, auch daran würde man sich gewöhnen, sofern Gott es bestimmt. Wird er ihn siegen lassen?

Der König fragte sich dies gleichfalls. Noch keine seiner Schlachten hat er so umsichtig vorbereitet. Er hebt die Belagerung von Dreux wieder auf, ja, zieht von überall seine Truppen ab, und läßt sich zurückdrängen, bis an die Grenze der Provinz Normandie: nicht aber bis hinein. Er hält bei Ivry. Das ist noch Île de France, das Herzstück, das Paris birgt.

Der Herzog von Mayenne aus dem Hause Lothringen hatte schon geglaubt, diesmal würde seine Überzahl allein genügen, und den Kampf brauchte es nicht. Der spanische General Farnese, Herzog von Parma, mußte ihm auf Befehl Don Philipps die Blüte seiner Armee überlassen, sechstausend Musketiere, zwölfhundert wallonische Lanzen; im ganzen befehligte Mayenne fünfundzwanzigtausend Mann. Was will dagegen ein König ohne Land, dessen Heer nicht ein Drittel so stark ist, und ihm gegenüber stehen Regimenter Spaniens! Das sind die nie besiegten Waffen der Weltmacht. Aber der König hält bei Ivry.

Es war der zwölfte März des Jahres 1590. Diesen Tag und die Nacht verbrachte Henri ganz anders als sonst die Stunden vor dem Kampf. Er ritt nicht von einer seiner Truppen zur anderen, um Mut zu verbreiten, man sah ihn nicht selbst mit Hand anlegen bei den Verschanzungen. Es gab keine, wurden auch keine gegraben. Weites Land, ein kleiner Fluß, jenseits die Übermacht, und hier ein Mann, der seinen Plan macht.

Er lag am Boden und zeichnete. Seine Marschälle Biron und d'Aumont erkannten ihn nicht wieder, indessen war er besessen von dem Gedanken an Parma. Der berühmte Feldherr kam nicht selbst, so wichtig schien ihm die Sache nicht – diese noch nicht; aber nachher wird Don Philipp ihn hersenden als den letzten Retter. ‹Das gebe Gott. Herr! Dich rufen wir.›

Henri betete auch. Sooft er von seinen Plänen aufstand, vertauschte er den Ehrgeiz, ein Stratege zu sein, mit der Inbrunst vor dem höchsten Ratschluß. Er betete mit seinen Truppen, hatte zwar denen von der anderen Religion freigestellt, in ihren Kirchen das Sakrament zu empfangen, und viele gingen dahin, die Kirchen der Umgegend waren voll. Die meisten Soldaten, ihres Glaubens ungeachtet, wollten den König das Gebet sprechen hören – und das tat er in der Mitte eines weiten Kreises von Truppen, führte das Gesicht über sie hin und hob es dann gegen die fliegenden Wolken, als brächte er Dem, der in der Höhe thronte, alles dar, was hier das Menschenherz bewegt. Es war aber das Menschenherz sein eigenes und erschütterte seine Brust. Davon trug seine Stimme weiter als jemals vorher. Dann wieder versagte sie vor großer Bewegtheit oder wurde entführt vom Wind. Seine Hugenotten der vorderen Reihen knieten, hielten die verwitterten Köpfe gesenkt, und fiel die Träne, sie ließen sie fallen.

Nach diesem himmlischen Umgang war Henri besonders fröhlich und gab allen von seiner Zuversicht. Die wurde auch anerkannt von dem hohen Umgang über der Wolke: fortwährend kamen Hugenotten weit hergeritten, um die Schlacht gewinnen zu helfen. In der Nacht regnete es, was für den Feind von Nachteil war: die Königlichen lagen in den Dörfern. Am Morgen stellte der König sie nach seinen Plänen auf; Mayenne, der von drüben zusah, verfolgte mit Staunen, wie alles pünktlich ging. Erst der dreizehnte, Mayenne will die Schlacht so schnell nicht liefern. Der Kampfhahn drüben soll vom Warten die Fassung verlieren; Husarenstreiche, damit verdirbt er die teure Zeit; holt einen Schweizer Obersten unter einem Apfelbaum hervor und fängt ein paar Landsknechte. Deswegen muß der Kampfhahn doch am Abend die kunstvolle Ordnung seines Heeres auseinandernehmen, war ganz umsonst getan.

Der vierzehnte. Geduldig stellt Henri alles wieder auf: die Reiterei des Marschalls d'Aumont, die des Herzogs von Montpensier, im Zentrum seine eigene, daneben Baron Biron, Sohn des alten Marschalls – und jede berittene Truppe sorgfältig gesichert durch Fußvolk, französische Regimenter, Schweizer Regimenter, sogar Landsknechte von jenseits des Rheins. Macht alles zusammen immer nur sechs- oder siebentausend Mann zu Fuß, zweitausendfünfhundert zu Pferd. Eng formiert wie sie stehen, hält der Feind sie von fern für noch weniger. Der Feind zieht seine Linie im Gegenteil recht lang, um seine Übermacht hervorzukehren. So groß diese war, sie hat inzwischen abgenommen. Erstens, weil der König fortwährend Zulauf bekommt, der neue Ritter von der Pute und tausend seinesgleichen, die um des Vertrauens willen kommen, und ihr Gewissen führt sie her. Auf der anderen Seite aber sind der Liga letzthin viele entlaufen – nicht allein wegen des Regens und anderen Ungemachs, auch aus nackter Furcht. Sie haben erfahren, unbekannt woher, daß der König den Sieg haben wird.

Er selbst blieb bei der Vernunft und hoffte nur, mit ihr werde auch Gott sein. Zwischen neun und zehn war seine Schlachtordnung instand wie gestern, nur etwas gedreht mit Rücksicht auf Wind und Sonne und den Rauch der Arkebusen. Henri erging sich ganz in der himmlischen Fröhlichkeit wie immer vor seinen Schlachten, wenn das Gebet getan ist und nur der Kampf bleibt. Daran erkannte allerdings jeder den Sieg. Ein Dichter unter seinen Offizieren, Du Bartas, acht Jahre älter als Henri von Navarra, sein Gefährte seit der Jugend durch viele Höhen und Tiefen, die Bartholomäusnacht, die lange Gefangenschaft im Louvre, die Kämpfe, die Siege, der Aufstieg zum Thron, das Schwanken des Kriegsglückes – Du Bartas, ein langer Mensch mit verdüstertem Gesicht, der mehr vom Tod als vom Leben hielt und je länger, um so weniger vom Leben, um so mehr vom Tod: er sah damals Henri. Erblickte ihn noch einmal mit voller Liebe und so starker Zuversicht, wie einst in ihrer Jugend, als sie in einem engen Haufen, Pferd an Pferd, durch das Land ritten. Hugenotten, in ihren beschwingten Geistern war dies Land das heilige, sie hielten sich bereit, daß an der nächsten Wegbiegung Herr Jesus leiblich zu ihnen stieße, sie hätten ihn angerufen: Sire! Sie wären ihm nachgefolgt und hätten für ihn gesiegt. So stand es zuletzt nochmals für Du Bartas, als er den König erblickte bei Ivry.

Henri blieb stehen, weil dieser Blick ihn festhielt. «So wollen wir denn wieder für die Religion kämpfen», sagte er. «Du warst immer in Sorge, Du Bartas, wegen der Verblendung und Bosheit der Menschen. Wird unser Sieg und Königreich sie vielleicht belehren?»

«Vielleicht», sagte diese Brust voll Vorgefühl. «Ich hoffe es. Die wenigstens, die berufen sind, den Sieg in Gottes Auge zu sehen, Sire! Sie müssen mich entlassen.»

«Nein», bestimmte Henri und senkte den Ton. «Das wär ein Stück Leben, die alten Freunde, die Zeit der glücklichen Dunkelheit. Ich will's nicht missen und verlieren. Bleibt bei mir, was würde sonst aus mir. Du Bartas, früher schickte ich dich insgeheim an die Höfe. Wie hab ich deine Reisen bezahlt?»

«Einmal hundertfünfzig Taler, einmal fünfundachtzig.»

«Das nächste Mal wirst du Gouverneur einer großen Stadt.»

«Das alles war», sagte Du Bartas. «Herr! Heute diene ich noch Ihnen, morgen schon einem Größeren. Hab auch das Lied gemacht, das Sie singen sollen, zum Dank für Ihren Sieg.» Er gab es hin. «Und ist nicht meines, sondern Ihres, gedacht und erfunden von Ihnen selbst. Das sollen Sie laut sagen, damit in Ihrem Ruhm ein Rest von mir auf Erden fortlebt.»

Hier wurden sie unterbrochen, was Henri nicht ungern sah. Allerdings war es der Schweizer Oberst Tisch, und kam wegen des Soldes für seine Leute. So kurz vor der Schlacht war der rechte Augenblick. Der König hatte es ihm sofort angesehen und brach in Zorn aus – machte sogar mehr daraus, als er wirklich fühlte, damit Tisch das Geld vergäße über diesen großen Zorn. Der Schweizer bekam auch einen dunkelroten Kopf und hielt den Mund gepreßt, sonst hätte er auf die starken Worte des Königs erwidern müssen. Zuletzt sah Henri ihm nach, wie er abging in seinen großen Stiefeln, und dachte, daß es für die Schweizer zu spät wäre, ihn zu verlassen. Sie mußten nun kämpfen, und um so besser, je mehr die Beute ihre ganze Hoffnung war, daß sie zu ihrem Gelde kämen.

Unerläßlich aber ist wenigstens der Entschluß zu kämpfen. Die anderen Schweizer drüben beim Feind, die auch nicht bezahlt waren, wußten überdies, daß der König von Frankreich der Verbündete ihrer Eidgenossen war, und wollten keinen Streich tun in dieser Schlacht. Das war ihr Wort, beide kannten es, Henri so gut als sein Oberst Tisch, darum war keiner wegen des anderen ernstlich in Sorge. Sie sollten gewinnen. Henri hatte einen riesigen weißen Federbusch an seinen Hut gesteckt, ein ebenso großer nickte auf dem Kopf seines Pferdes. Er ritt vor die Front seines Heeres hin und sprach: «Kameraden! Gott ist für uns, dort unser Feind, hier euer König! Drauf! Und weht die Standarte euch nicht mehr voran, sucht meinen weißen Federbusch, ihn findet ihr, wo immer es zu Sieg und Ehre geht!»

Reckt sich, denkt hinter seinem schmalen Gesicht, den aufgerissenen Augen: ‹Habt ihr doch was zum Staunen. Mein Hut! Mich kostet er hundert Taler mit dem weißen Amethysten und den Perlen. Der Federbusch ist außerdem. Und die Schweizer werden kämpfen!› – denkt er noch, erkennt aber schon, wie das feindliche Heer in Bewegung kommt, vornweg ein Mönch: der hat dem Feinde versprochen, vor seinem großen Kreuz würden die Ketzer davonlaufen. Henri, den Befehl zum Angriff auf den Lippen, jagt diese letzte Minute die Front hin, bis vor seine Schweizer. «Oberst Tisch!» Umarmt ihn von Pferd zu Pferd. «Ihnen hab ich Unrecht getan, will aber alles gutmachen.»

«Ach! Sire, Ihre Güte wird mich das Leben kosten», entgegnete der alte Oberst. Da trennten sie sich und jagte schon jeder seiner Truppe voran gegen den Feind. Zuallererst stieß auf ihn der Marschall d'Aumont, er schlug die leichte Reiterei des Feindes zurück. Gleich nachher warfen deutsche Reiter die Schwadronen des Königs in Unordnung gegen sein Fußvolk, was große Verwirrung bei den Königlichen anrichtete. Zu allem Unglück fällt jetzt auch Graf Egmont mit seinen Wallonen die Königlichen an, auf einmal begegnen diese Spanien und Haus Habsburg, haben aber noch niemals der unbesiegten Weltmacht so nah ins Auge gesehen. Das ist furchtbar, und aus dem ersten unglücklichen Zusammenstoß könnten alsbald die Flucht und das Ende werden. Ein Königlicher im Getümmel zum anderen, schnell bevor es ihn weiterschiebt: «Na, alter Ketzer, wer gewinnt die Schlacht?»

«Ist für den König verloren. Bliebe er nur leben!»

Rosny, sonst ein unbeirrter Ritter, urteilt nicht günstiger – hat schon fünf Verwundungen, sowohl von Pistolen wie von Schwertern und Lanzen, hält es für genug und schleppt sich aus dem Getümmel fort, bis unter einen Birnbaum. Hängen noch Zweige schützend über ihm. So voll Wunden, will niemand den Schlachtenlärm hören, und Rosny, später Sully genannt, fällt erst einmal in Ohnmacht. Kein Donner der Kanonen weckt ihn.

Wie in seinen anderen Schlachten hatte der König für sich die Kanonen und verstand es, sie richtig zu gebrauchen. Die feindlichen schossen über ihn weg, die seinen trafen. Als erster riß der Mönch aus, der zuviel versprochen hatte. Nun war das Heer der Liga ein Heer des Aberglaubens und der unwahrhaftigen Vermessenheit: mit seinen Lügen zugleich wurde es selbst erschüttert, wie es vorher durch sie zu großmächtig gewesen war. Das taten die Kanonen des Königs. Aus bloßem Haß machte Graf Egmont mit Spaniern und Landsknechten einen Todesritt gegen die Kanonen. Stieß den Hintern seines Pferdes in eines der feuerspeienden Rohre, um dieses zu demütigen, da es nach seiner Meinung die Waffe der Ketzer und Feiglinge war. Indessen spie es gerade nicht. Statt dessen fielen die Reiter des Königs über den unbedachten Feind her und hieben ihn in Stücke, auch Egmont selbst. Der Herzog von Braunschweig fiel beim Angriff seiner deutschen Reiter, die alsbald flüchteten. Henri! Übersieh nicht im Drang der Vorgänge, daß die flüchtenden Deutschen sehr plump gegen ihre eigene Front prallen: rechts wankt sie.

Ein Augenblick, unmeßbar, unwägbar, versäum ihn, es ist aus. Der König hält, er steht in den Steigbügeln auf. Als müßte der Augenblick dennoch gemessen werden, faßte er nach seiner Taschenuhr, hat sie aber verloren: achtzig Taler, und der Augenblick unmeßbar. Sein Plan war anders; wahrhaftig hat der ehrgeizige Stratege niemals aufgezeichnet oder vorgesehen, was er jetzt unternehmen wird. Ein Blick rückwärts, wo alles schweigt, plötzlich tief schweigt: «Dreht das Gesicht her! Und wollt ihr nicht kämpfen, seht mich sterben.» Schon schnellt er vor um zwei Pferdelängen, dringt wütend in den Wald der feindlichen Lanzen, packt sie mit den Händen, hält die Feinde auf, bis seine Reiter da sind. Hält sie nicht nur mit seinen Händen auf, sondern zeigt ihnen sein Gesicht, das Macht und Hoheit spricht: sonst vielleicht anderes, hier Hoheit und Macht. Zuerst die Beschämung mit dem Mönch, dann ihr Schrecken vor den Kanonen, jetzt aber das Gesicht des Königs. Sie haben den Augenblick versäumt, die Spanier, Franzosen, deutschen Reiter! Königliche über ihnen, zerhauen sie, versprengen sie, durchstoßen die gelichtete Front des soeben noch furchtbaren Feindes. Ein Reiter bringt dem König seine Uhr zurück, was besonders erstaunlich ist, und sagt dazu: «Sire! Vor weniger als einer Viertelstunde waren wir geschlagen.»

«Schont die Franzosen!» rief der König den Verfolgenden nach. Die Schweizer der Liga ergaben sich, sie hatten keinen Streich getan. Der König selbst, an der Spitze von nur fünfzehn oder zwanzig Pferden, verfolgte eine Schar von mehr als achtzig Flüchtenden. Als er anhielt, hatte er eigenhändig sieben getötet und eine Fahne erobert. Auf der Stelle, wo er anhielt, endeten Schlacht und Sieg von Ivry. Der König stieg vom Pferd und kniete hin. Seinen Hut warf er zu Boden: Niemand mehr sollte sich nach dem großen weißen Federbusch richten, gern wäre er allein und allen fern gewesen; viel versprengtes Getümmel erscholl aber allseits aus der Ebene. Der König, kniend, zog aus der Brust ein Blatt Papier, das Danklied, geschrieben von seinem alten Gefährten Du Bartas.

Ganz entfernt mühte sich Mayenne aus dem Hause Lothringen, Führer der großmächtigen Liga, mühte sich, so beleibt er war, verzweifelt mit nur zwei der Seinen, ob er nicht doch noch eine Streitmacht sammeln könnte. Ganz entfernt, in anderer Richtung, erwachte ein übel zugerichteter Ritter – sollte aber dereinst der berühmte Herzog von Sully sein – aus seiner Ohnmacht unter einem Birnbaum.

Rosny betastete seine Glieder und Körperteile, keines war ganz, Schwerter, Pistolen und Lanzen, alle hatten ihn zugerichtet, und war auch noch mit dem Pferd gestürzt: mit seinem ersten, als diesem der Bauch aufgeschlitzt worden war. Auf sein zweites besann er sich gar nicht mehr. Wo er an sich hingriff, war geronnenes Blut. ‹Jämmerlich muß ich aussehen›, dachte der Baron, dem viel an seinem glatten Gesicht lag. Der Abend sank. ‹Mein Schwert in Stücken, mein Helm verbeult, den Panzer muß ich ausziehen, schrecklich drückt das verbogene Eisen meinen wunden Leib.› – «He! Arkebusier, wohin so eilig? Komm näher, fünfzig Taler für den Gaul, den du am Zügel führst! Aber du mußt mir hinaufhelfen.»

Kaum hat der Kerl das Geld, läuft er. Der Ritter, im Sattel schwankend vor Blutverlust, Hunger, Durst und Schwäche, findet die Richtung nicht, irrt über das Schlachtfeld: da stößt er auch noch auf den Feind – andere Ritter, ihre Standarte besät mit den schwarzen Kreuzen von Lothringen. Wollen mich gewiß gefangennehmen, die Schlacht haben wir nun einmal verloren.

«Wer da?» rief einer der Edelleute von der Liga.

«Herr de Rosny, im königlichen Dienst.»

«Wie, was, Sie kennen wir doch. Erlauben Sie, Herr de Rosny, daß wir uns Ihnen vorstellen. Wollen Sie die Höflichkeit haben, uns gegen Lösegeld gefangenzunehmen?»

«Wie, was», sagte zuerst auch er. Aber das Wort «Lösegeld» klärte ihm alsbald den Kopf auf. Fünf vermögende Edelleute, und jeder wollte nach seinem Wert bezahlen. Da erfaßte Rosny die Lage. Unter seinem Birnbaum war er unversehens zum Sieger geworden.

Danklied

Sein König inzwischen kniete auf dem Schlachtfeld, seine Gesellschaft waren weithin nur Tote, zu mehreren oder vereinzelt, und es wurde dunkel um ihn. Seine Reiter vom letzten Treffen hatten ihn verlassen, da sie bemerkten, daß er von einem Blatt ablas und die Lippen bewegte. Es war Nacht, er steckte das Papier weg, das allerdings ein Danklied übermittelte – ihm klang es zu prachtvoll und auch wieder zu traurig. Sein eigener Dank an Gott den Herrn war, daß er ihn vernünftig nannte. «Gott ist immer auf seiten der Vernunft», sagte Henri, hier kniend nach der Schlacht; später aber aufrecht auf dem Thron sprach er dasselbe.

Meine Feinde haben armselige, aufgeblasene Köpfe voll Lug und Trug: darum. Sie vermessen sich eines Ehrgeizes und Machtdünkels, die ihnen nicht zukommen: darum der Zorn des Herrn. Ihr Glaube ist bestimmt falsch, schon weil es der ihre ist; und gegen sie arbeitet die Vernunft Gottes. Denn die ist für das Königreich.

So hieß sein Bekenntnis und klang ihm klar wie nie in der Schattenstille eines verlassenen Schlachtfeldes. Darum berührte ihn zum erstenmal kein Mitleid mit den Geschlagenen. Tausend von ihnen mußten niedergemacht sein, gewiß fünfhundert gefangen, und im Fluß ertrunken wer weiß wie viele. ‹Indessen hat die Geduld des Herrn ihre Grenzen. Verlieren auch all ihr Gepäck an uns, wir setzen ihnen nach, und so erleichtert sie dahinfliehen, diesmal wollen wir früher als sie in Paris sein. Das gib, o Herr, denn Deine Geduld hat ihre Grenzen.›

So lautete seine Andacht nach dem Siege, anstatt daß er sonst um jedes seiner getöteten Landeskinder Tränen vergoß. Das Böse wird aber zuletzt unverzeihlich, was Henri hier durchaus empfand, und den dicken Mayenne würde er aufgehängt haben.

Jetzt wurden dort hinten einige Lichter von Fleck zu Fleck bewegt. Der König ging zu seinen Edelleuten, die unter den Toten die Ihren suchten. «Das ist Herr de Fouquières», stellte er fest. «Er hätte nicht fallen sollen, ich brauchte ihn noch.»

Sie sagten ihm, daß der Gefallene eine Frau hinterlasse, und diese erwarte ein Kind.

Der König verfügte: «Seine Pension geb ich dem Bauch.»

Weiter trugen sie ihre Windlichter von Leiche zu Leiche, bis sie anlangten bei der des Obersten Tisch. Der König prallte zurück, er bedeckte die Augen. ‹Hätt ich ihn nicht umarmt! Gleich nachher ritten wir den Angriff, da muß es geschehen sein. Er wollte mir's zu ehrlich heimzahlen.› – «Für meinen tapferen Schweizer mein Kreuz vom heiligen Geist», sagte der König und wollte es sich von der Brust nehmen. Da war kein Kreuz, war in der Schlacht verloren, auch kein Reiter brachte es zurück. Der König senkte den Kopf wegen des Gefühls seiner Ohnmacht. So machen sie sich denn fort, und ich hab nichts, ihnen nachzuschicken. Was ginge sie mein kurzer Sieg noch an, da sie selbst am Sitz des ewigen Sieges sind. Auf einmal wußte er das ganze Danklied, so wie er es gelesen hatte beim sinkenden Abend, und hatte es sowohl zu prächtig als zu traurig gefunden. Jetzt wurde aber seine Brust sehr angstvoll zusammengeschnürt.

Schnell entriß er einem das Licht und eilte damit zu den nächsten Toten, bis er den vorgeahnten hatte. Aufschluchzen konnte er nicht, sehr angstvoll zusammengeschnürt war die Brust. Führte aber das Licht immerfort über seinen alten Gefährten hin, wie er daläge, die Hände hielte, ob in seinen gebrochenen Augen kein Vermächtnis stände. ‹Keines. Natürlich keines. Denn erstens ist dies einer von mehreren aus dem berittenen Haufen von einst. Bleiben noch genug Hugenotten. Aber dieser wollte gehen – warum? War deine Zeit herum, mein Du Bartas? Wie steht es denn mit mir?›

Als Antwort auf die Fragen seiner zusammengeschnürten Brust sagte er zu den Edelleuten, daß sie dem Herrn ein Danklied singen wollten, und er wollte es ihnen vorsingen. Dann sprach er nach der Weise eines Psalms, einfach und halblaut. Die anderen kannten die Weise und summten alle mit.

«Jetzt, Herr und Gott, jetzt soll Dein lieber Sohn,
Als wie ein Mensch, gemacht aus irdischem Ton,
Herniedergehn im blitzumhüllten Wagen.
Die Liebe zieht ihn, die Gerechtigkeit,
Indessen ihm zur Seite weit und breit
Bis zur gestirnten Wölbung sein Geleit
Von Engeln alle mit den Flügeln schlagen.
Das ist die schöne Schlacht in diesem Land,
Da unser Gott uns seinen Sohn gesandt,
Daß wir den Sieg in seinen Augen sehen!
Das Reich ist Dein, mein König und mein Christ,
Nun Du auf Erden groß und Sieger bist:
Gib denn den Abschied, den mein Herz vermißt!
Laß mich zum Sitz des ewigen Sieges gehen!»

Als der König zu Ende war, weinte er sehr, ohne daß jemand ihn recht begriffen hätte. Er hatte schon die letzten Zeilen nicht mehr deutlich ausgesprochen. Das fromme Gesumme der Edelleute hatte ihn übertönt.

Im Gasthof des Dorfes war heller Jubel, aber einige Personen erwarteten außerhalb der festlichen Räume den König, der vom Schlachtfeld kam.

«Sire! Ihre Befehle!»

«Nach meiner Hauptstadt aufgebrochen noch vor dem Morgen!»

«Sire, das schulden Sie Ihrem Ruhme... Diesmal widersteht Ihnen nichts und niemand... Die Tore springen vor Ihrem Ruhm auf.» Die Sätze, von verschiedenen gebracht, klappten aufeinander, wie vorher verabredet. Dies war der Eindruck des Königs, besonders als der folgende Satz fiel: «Ein großer und siegreicher König wird niemals seine Religion abschwören.»

Henri blickte von einem zum anderen. So sahen diese aus und zweifelten an ihm und seiner Festigkeit. Er wußte es längst, er verstand auch, daß mancher heimlich wankend wurde, weil er ihn selbst dafür hielt. Am besten ermaß er dies an seinen eigenen Beklemmungen und Zweifeln. Seine Brust schnürte sich nochmals zusammen, wie an der Leiche seines alten Gefährten. «Gott läßt den Hugenotten siegen, ihr Herren», sprach er mit Hoheit und mit Kraft. «Der Herr, mein Gott, lehrt mich, beide Bekenntnisse zu achten und den Meinen treu sein.» Dessen gerade war er nicht mehr sicher – überzeugte sich auch mit Blicken, daß mehrere der Protestanten, die ihm zuhörten, seinen Worten mißtrauten. Nur Mornay nicht. Sein tugendhafter Mornay, sein Diplomat, voll praktischer Klugheit, und hat seinen Feinden mit Noten geschadet, als wie mit Haubitzen: gerade der glaubt ihm seine Treue. Wie kann er's aber wissen, ich weiß es selbst nicht. Merkwürdig, der gute Glaube des tugendhaften Mornay verstimmt Henri, er wendet sich ab. In diesem Augenblick sagt jemand: «Sire! Paris ist eine Messe wert.»

Der König fuhr herum, der Sprecher war ein Mensch namens d'O, nichts als O, und sah so aus, ein Junge mit Bauch, durch die Gunst des vorigen Königs zum Faulpelz und Dieb geworden: einer der Glücksritter, die das Land und seine Einkünfte unter sich aufgeteilt hatten. Gerade darum hat Henri ihn bleiben lassen, was er war, Schatzmeister des Königreiches. Dieses kann am ehesten vollendet werden unter Benutzung derer, die daran verdienen wollen. Tugendhafte dagegen müssen dafür nicht erst gewonnen werden. Als der fragende Blick des Königs auf Mornay fiel, sagte dieser: «Alle ehrenhaften Katholiken dienen Eurer Majestät.»

Dasselbe hatte Henri diesem d'O und seinen Kumpanen erwidert, als sie ihn das erstemal drängten, die Religion abzuschwören. Das geschah einst neben der Leiche des ermordeten Königs und war eine gefährliche Warnung gewesen. Dennoch hatte damals Henri selbst das Wort gesprochen, und heute sprach es nur noch sein Mornay. Aber er nahm seinen Mornay beim Arm und drückte ihm den Arm. Im Vertrauen fragte er ihn: «Haben wir für die Religion gekämpft? War dies die beste unserer Schlachten?»

«Sie wäre es», sagte Mornay. «Sire! Sie haben nicht mehr das Recht, Ihr Leben auszusetzen wie heute, als Sie zwischen die feindlichen Lanzen drangen. Es war die tapferste Tollheit Ihres Lebens.»

«So stände es jetzt doch anders? Was sprechen Sie da, Mornay!»

Als der König den Festsaal betrat, waren Gelächter und Geschrei unterbrochen. Tische und Becher waren verlassen, alle standen – und des Königs ansichtig, stimmten sie das Danklied an. Es war dasselbe Danklied, das zuerst Henri gesungen hatte auf dem nächtlichen Schlachtfeld, mit nur wenigen. Diese hatten es sich wohl gemerkt: besonders Agrippa d'Aubigné, der alte Freund. Von untersetzter Figur, richtete er sich auf, so hoch er konnte, und betonte stark. Ganz deutlich kamen bei ihm die letzten Zeilen, die Henri eigentlich nur gemurmelt oder sogar verschluckt hatte:

> «Gib denn den Abschied, den mein Herz vermißt!
> Laß mich zum Sitz des ewigen Sieges gehen!»

Das von Natur kühne und humorvolle Gesicht Agrippas wurde hier so ausdrucksvoll, daß dem König kein Zweifel blieb. Ihr alter Freund Du Bartas hatte das Danklied, bevor er fiel, ihnen beiden gezeigt. Jemand sagte: «Das ist das Danklied, gedichtet von unserem König.»

«Ja», bestätigte Henri laut, wie der Abscheidende es von ihm verlangt hatte. Er versprach es unter dem humorvollen und kühnen Blick Agrippas, der nickte. Henri dachte dabei: ‹Ist aber doch nicht wahr – und auch alles andere, was hier vorgeht, nicht. Nur anzusehen ist es noch einmal wie unsere alten Hugenottensiege.›

So schnell wie befohlen ging es nicht mit dem Marsch auf die Hauptstadt des Königs. Auch ein Heer, das gesiegt hat, kommt etwas aus der Ordnung, und um so mehr, wenn viel Beute zu machen und der fliehende Feind überall zu verfolgen ist. Der König konnte nur warten, bis seine Hauptleute ihre Mannschaften wieder beisammen hatten. Er erholte sich inzwischen von seiner schweren Schlacht vermittels der Jagd und der Liebe. Diese zweite entbehrte er jetzt schon lange. Indessen ist sie die wahre Kraft seines Wesens, wie auch der Gesandte Venedigs sogleich erkannt hat. Für alles, was er tut, ist sein ursprünglicher Antrieb das Geschlecht und die gesteigerte Kraft, die es hervorbringt durch seine Entzückung. Nach geschlagener Schlacht bleibt zurück die Entzükkung, und Henri denkt seiner Frauen: der einst geliebten, die verloren sind, wie auch derer, die er erblickt hat, ihrer zu begehren.

Er schrieb Briefe an Corisande – die Muse seines Aufstiegs zum Thron. Jetzt hatte sie ein rotgeflecktes Gesicht, er schämte sich ihrer und war froh, sie im Süden, hundert Meilen entfernt, zu wissen. Dennoch lag sie vor seinen Sinnen als das besessene Glück, und noch immer schrieb er der nicht mehr geliebten Gräfin von Gramont die Briefe, in denen er Meister geworden war bei der romantisch Angebeteten. Auch zum Meister im Schreiben hat ihn die gesteigerte Kraft des entzückten Geschlechtes gemacht.

Corisande von einst, sie durchschaut, daß er sich nur betrügt. Sie selbst ist längst von ihm betrogen. Schreibt bittere Bemerkungen an den Rand seiner lebensvollen Briefe, die sie eben dafür haßt: ihr Leben hat nicht Platz darin, nur seine Schlachten, seine Mörder, Feinde, Siege, seine große Hoffnung, sein Königreich. Vor Zeiten, ob er das noch weiß, war beschlossene Sache, daß sie auf einem Balkon stände als die Hauptperson, wenn er in seine Hauptstadt einzöge. Ungetreuer, das hast du dir aus dem Sinn geschlagen! Sie nimmt eine Schere und sticht in den Brief, in seinen Namen.

Er fühlte es nicht. Sogar die Königin von Navarra wünschte er in diesen Tagen herbei, mußte sich aber mit irgendeiner durchreisenden Abenteurerin schnell vergnügen. Am häufigsten in all seiner Jugend hatte er doch seine Königin umarmt, und was mehr ist: im Unglück, in der Todesnot. Damals hielt sie zu ihm, so viele andere Männer sie nebenbei schöner fand – hielt zu ihm, rettete ihn, folgte dem Entflohenen nach seinem Lande Navarra. ‹Margot, nie wieder? Als es anfing hinanzugehen, wurdest du meine eifersüchtige Feindin, rüstetest Truppen gegen mich und tätest es weiter, wenn du noch Geld hättest. Sitzest aber allein in einem kahlen Schloß und hassest mich. Dich würde ich nochmals, würde ich immer lieben, Margot aus der Bartholomäusnacht!› So sann er nach Ivry, indessen Marguerite von Valois in ihrem kahlen Schloß mehrere ihrer besten italienischen Majoliken zerbrach, als sie von seinem Sieg erfuhr.

Das Schloß der verwitweten Gräfin von La Roche-Guyon stand in der Normandie; Henri hatte nicht weit, dorthin zu reiten, und das tat er des öfteren, seit er die Gräfin kannte. Er hatte bis zu der Schlacht von Ivry den Weg fast immer des Nachts gemacht, bei Tage hielten Arbeiten und Kämpfe ihn auf. In grauer Frühe langte er unter ihren Fenstern an, die junge Dame trat auf ihren Balkon hinaus, und er im Sattel, sie in sicherer Höhe, unterredeten sie sich eine Weile. Er sagte ihr, daß sie schön sei, wie nur die Fee Morgane, falls diese denn mehr als ein Traum wäre. Hier über seinem Kopf aber erscheine ihm der Traum in leiblicher Gestalt, eine blonde Frau, hoch, biegsam, und ihr Fleisch, dürfte man es nur berühren, werde gewiß nicht nach Feenart in Luft zergehn.

Was Antoinette mit galanten Scherzen desselben Geschmackes erwiderte. Sie ließ auch ihre fließenden Schleier auseinandergleiten, sich wieder schließen, und ihren blauen Blick machte sie abwechselnd ernsthaft, anzüglich, spöttisch und ganz still. Jedesmal ließ diese kluge und höchst ehrenhafte Dame den feurigen Liebhaber sich Hoffnungen machen. Nach Ablauf seiner kurzen Rast mußte er dennoch umkehren, ohne daß sie ihn eingelassen hätte. Ihre Ausrede war, daß noch Nacht wäre. Das sollte sie, nun seine Arbeit getan war, nicht mehr vorschützen können. Bald nach Ivry kündigte er an, daß er am hellen Nachmittag zu kommen gedenke. «Wenn wir noch so lange um den Brei herumgehen, einmal ist es so weit, daß Antoinette gesteht, sie habe Liebe für Henri. Herrin! Körperlich erhol ich mich schon, nur meine Seele wird die Betrübnis nicht los, bis Sie den Sprung über das Hindernis getan haben. Meine Treue verdient es. Tun Sie's doch, mein Herz. Mein Alles, lieben Sie mich wie den, der Sie anbeten wird bis zum Grabe. Dessen zum wahren Zeugnis drück ich eine Million Küsse auf Ihre weißen Hände.»

So schrieb er; als aber später alles längst vergangen war und er hatte Antoinette nie besessen, reute ihn nichts, weder ihr Widerstand noch seine Hingabe. Vielmehr erhob er sie, aus Achtung für ihre Tugendhaftigkeit, zur Ehrendame der Königin.

Jenen angekündigten Besuch damals machte er, wie alle seine anderen, allein und unbegleitet. Sie tat erstaunt, empfing ihn auf der halben Höhe ihrer Freitreppe und führte ihn hinein zu einem Tisch, der Gläser und Teller für wenigstens zwanzig Personen trug. Zuerst ließ er sich täuschen und sah nach den Gästen umher. Sie lachte, so daß er begreifen mußte, woran er mit ihr war. Darauf bekam er auch seinen Witz zurück und verlangte, die Diener, die an der Wand standen, möchten den unsichtbaren Gästen die Schüsseln reichen. Sie schickte die Lakaien hinaus, sogleich wiederholte er, was er schon geschrieben hatte von dem Brei und dem Sprung, aber galanter und ausdrucksvoller, als der beste Brief vermag. Wahrhaftig, sie brauche Untreue nicht zu besorgen, sie habe sein Wort – von dem war er selbst überzeugt. Sie aber: «Sire! Anbetung bis zum Tode? Ich bin zu jung und möchte Sie nicht sterben sehen, weil Sie mich nicht mehr anbeten.»

Sie saßen zu zweien an dem langen Tisch mit den zwanzig Gedecken. Das hübsche, feine Gesicht versank wieder einmal in aufmerksame Stille, die Dame sprach: «Ich spotte, Sire, weil ich mich fürchte. So singt man wohl im Dunkeln. Sie haben bei Ivry gesiegt, das war viel schwerer, als über eine arme Frau allein.»

Da fiel er ihr zu Füßen, küßte ihr Knie und bat bescheiden. Sie zeigte Strenge. «Ich bin von zu geringer Herkunft, um die Frau des Königs zu sein, und von zu großer für seine Geliebte.» Als er bei seinem Wunsch verharrte, gab sie vor, schon in ihr Zimmer zu gehen, verließ aber das Haus auf seiner Rückseite und stieg in ihren bereitgehaltenen Wagen. Bevor Henri ihre Abwesenheit bemerkte, war sie gerettet.

Er hatte, auf der Suche nach ihr, mehrere Kabinette durchschritten. In dem letzten öffnete sich eine Tür, jemand kam von drüben. Kurz vor der Begegnung erkannte er sein Spiegelbild. Es hätte ihn sonst weniger lang irregeführt, aber er war verwirrt durch das Benehmen der jungen Frau. «Grüß dich, Alter», winkte er in den Spiegel; was er dort erblickte, erregte bei ihm den Verdacht, diese junge Frau könnte in Wahrheit vor ihm davongelaufen sein, weil er ihr nicht mehr jung genug wäre. Es war in dieser Richtung sein erster Verdacht. Man erschrickt, prüft, und endlich lacht man, weil man widerlegt wird durch das eigene Herz, das Entzücken des Geschlechtes, das die Kraft vermehrt, wie eh und je. Was vermögen dagegen eingefallene Wangen, ergrauender Bart, die tiefe Falte, von der Nasenwurzel bis in die Mitte der gefurchten Stirn? Er ließ indessen das Lachen, damit er richtig die Anstrengung sähe in den erhobenen Brauen und in den aufgerissenen Augen den Schmerz.

‹Warum so schmerzlich?› fragte er allen Ernstes. ‹Tief innen bin ich heiter; und alle entzücken sie mich.› Er meinte die Frauen, das ganze Geschlecht. ‹Sie hat die Nase zu groß gefunden›, entschied er. ‹Zu lang gebogen und herabgesenkt. Hat auch ein so schmales Gesicht eine Nase wie die!› Nach allem kam er zu dem Schluß, daß er sich mehr als früher «bei ihnen» werde bemühen müssen. Das leichte Glück der Jugend war vorbei. Seinem Sinn entging hier, was außerdem noch verändert war. «Henri!» sagte in dem gleichen Augenblick die Gräfin Antoinette, und das Ächzen ihres Wagens auf dem holprigen Wege verdeckte alles, ihren Ausruf und was sie litt.

‹Henri! Wärest du nicht der große Sieger von Ivry. Sire! Ich hätte Ihnen zu Gesicht kommen sollen, als Sie ein unbekannter Prinz waren, und im Wald auf der Jagd fanden Sie die Frau eines Köhlers und machten sie glücklich. Sie ließen auch auf einem Ball die Kerzen auslöschen und nahmen sich im Dunkeln, welche Sie wollten. Die hätte ich sein wollen. Es wäre gehabt und verschmerzt, längst wären Sie weitergereist. Jetzt stehen Sie im Begriffe, ausdauernd zu werden: ein treuer Liebhaber, es war auf deiner Stirn zu sehen, mein Henri, und unter deinen Brauen las ich es. Ich möchte dir folgen überall hin, nur nicht in deine Größe, deinen Ruhm. Verzeih! Dein viel zu helles Licht würde auf mich fallen. Sire! Zehn Jahre lang versprächen Sie mir, mich zu heiraten, und niemals täten Sie es.› – «Im Schritt, Kutscher! Im Schritt nach Hause!» – ‹Jetzt wird er fortgegangen sein.› Sie weint.

Die Jagd mußte Henri über die Liebe trösten, und als er nun mit Pferden und Hunden über eine Ebene jagte, und an ihrem Ende erhob sich ein Hügel mit einem Schloß, was erblickte er? Ein Zug, der sonderbar schien, erklomm den Hügel – sehr langsam übrigens, die Jäger holten ihn leicht ein. «Heda, Leute, was ist das?» Voran die großen Pferde, mit aufgeschlitzter Haut.

«Sire! Es sind die Reitpferde des Herrn de Rosny. Das größte war sein erstes bei Ivry. Es ist unter ihm zusammengestürzt, und später haben wir es aufgegriffen.»

«Warum führt der Page eine Rüstung und ein weißes Banner?»

«Es ist der Page des Herrn de Rosny, er trägt die eroberte Hauptstandarte der katholischen Armee. Der andere Page hält mit einer zersplitterten Lanze den zertrümmerten Helm des Herrn de Rosny.»

«Wer sind die hinter ihnen?»

«Der mit verbundenem Kopf ist der Stallmeister des Herrn de Rosny, der andere auf dem englischen Zelter ist ein Kammerdiener, gekleidet in den orangegelben und silbernen Mantel des Herrn, in der Hand seine Siegeszeichen, das sind Schwerter und Pistolen, die Herr de Rosny an den Feinden zerbrochen hat.»

«Aber in der Mitte, auf der Bahre?»

«Sire! Herr de Rosny.»

«Ich hoffe, daß es ihm gut geht, sonst hätte er sich selbst keine so schöne Ovation bringen können», sagte Henri, seinen Begleitern zugewendet. Dann fragte er wieder den Mann aus dem Zuge: «Wer reitet denn auf den Eseln hinter der Bahre?»

«Sire! Das sind die Edelleute, die Herr de Rosny gefangengenommen hat.»

«Sie unterhalten sich wohl über das Kriegsglück. Und was tut ihr selbst als Schwanz des Zuges?»

«Wir sind die Diener des Herrn de Rosny und folgen ihm auf seinen herrschaftlichen Familiensitz. Dort reitet sein Bannerträger mit seiner Kompanie Gendarmen, zwei Kompanien berittener Arkebusiere. Mehr als fünfzig fehlen, und die noch da sind, haben verbundene Köpfe oder Arme.»

Gern hätte Henri gelacht über die eitle Schau; aber soll man die Ruhmsucht verspotten, wenn sie auf einer Bahre liegt? Er näherte sich dieser: sie war gemacht aus grünen Zweigen und Faßreifen, war mit Leinen bedeckt, darauf aber prunkten ausgebreitet die Mäntel der Gefangenen, schwarzer Samt mit zahllosen Lothringer Kreuzen silbern bestickt, und ihre zerbeulten Helme samt schwarz-weißen Büschen. Zwischen alldem ruhte, triumphierend, aber arg zugerichtet, der Ritter selbst. Henri sagte herzlich: «Lieber Freund, da gratulier ich aber. Sie sehen viel besser aus, als man erwarten durfte. Es ist doch nichts gebrochen? Nur kein Krüppel bleiben, das dürfen wir nicht. Über Ihre Abenteuer gehen Gerüchte um, haarsträubend.»

Da er die einfachen Worte hörte, verließ den guten Rosny seine ganze Selbstbewunderung. Er erhob sich aus seiner ruhenden Lage und hätte sogar die Bahre aufgegeben, aber der König erlaubte es nicht. So redete der Baron denn überaus verständig. «Sire!» sagte er, ohne sich um eine leidende Stimme zu bemühen. «Eure Majestät bringt mir Trost und ehrt mich viel zu sehr durch Ihre Sorge um mich. Meine Gefühle kann ich nicht ausdrücken und erwidere nur, daß ich den Beistand Gottes sichtbar erkannt habe. Dank seiner Güte sind meine Wunden in gutem Zustand, sogar die ganz große an der Hüfte, und in längstens zwei Monaten hoffe ich mir wieder welche holen zu können in Ihrem Dienst, werd es auch zum gleichen Preis tun, nämlich aus Liebe.»

Dies hören, und Henri hätte bei weitem eher geweint als gelacht, so sehr war er bewegt. Er umarmte Herrn de Rosny, der ernst und bescheiden gesprochen hatte anstatt großartig. «Seht her, ihr Herren!» rief er. «Den erklär ich für einen wahren und echten Ritter.»

Noch ein Stück Weges begleitete er den Zug, neigte sich über die Bahre und sagte insgeheim: «Schnell gesund werden, Rosny, hartnäckiger alter Ketzer, damit wir Paris nehmen.»

Auch der Baron raunte nur: «Eure Majestät spricht kaum noch wie einer von der Religion.»

Henri, immer leiser: «Würde es Ihnen etwas ausmachen?» Rosny, am hingehaltenen Ohr des Königs: «Sire! Von einem hartnäckigen Hugenotten, wie ich es bin, dürfen Sie nicht verlangen, daß ich Ihnen zurate, zur Messe zu gehn. Eins will ich Ihnen aber doch sagen, daß dies allerdings das schnellste und leichteste Mittel ist, damit alle bösen Anschläge zu Rauch werden.»

Der König richtete sich im Sattel auf. Als hätte er nichts gehört, zeigte er nach dem Schloß, das nah war. «Adieu, mein Freund, gehabt Euch wohl. Wenn mir's gelingt und ich bekomme Zuwachs von Macht und Größe, Ihr Anteil, Herr de Rosny, ist Ihnen gewiß.»

Sprach es, gab seinem Pferde die Sporen, und hinter sich die Jagd und die Meute, sprengte der König von Frankreich voll Eifer durch das waldige Gebiet seines treuen und klugen Dieners. Einmal verließ er das Gehölz und geriet auf einen Acker, Birken standen hoch darum her. Leicht schwebten ihre Wipfel im Himmelsblau. Über die Erde gebückt arbeiteten Bauern – sahen auf, als sie den Hufschlag hörten, und wollten zur Seite springen. Die Jagd hielt aber auf der Stelle an, und der König, den diese Leute noch nicht kannten, zeigte nach dem Schloß, das fern und blauend aus Wipfeln ragte. Den ältesten der Männer fragte er: «Sag mir, Freund, wem das Schloß gehört?»

«Herrn de Rosny», antwortete der Alte.

Dem rüstigen Sohn befahl der König: «Reich mir eine Handvoll Ackerkrume», und der gab sie ihm auf das Pferd. Der König ließ die Erde von einer Hand in die andere gleiten. «Gute fette Krume. Wem gehört der Acker?»

«Herrn de Rosny.»

«Seht her!» Der König hatte den Klumpen auseinandergenommen: es glänzte darin ein Silbertaler. «Der ist für Madelon. Mach deine Schürze auf.» Das tat das Mädchen, er warf das Geldstück hinein, und sie lachte zu ihm hinan aus halbgeschlossenen Augen – ein schelmisches Leuchten und geheimes Einverständnis, ihm wohlvertraut aus allen seinen Jugendtagen.

Im Weiterreiten rief er zurück: «Ihr habt einen guten Herrn, und auch er wird an mir alle Zeit einen guten Herrn haben.»

Da sahen die Leute einander mit offenen Mündern an, dann aber liefen sie, lautlos vor Staunen, noch schnell ein Stück hinterdrein. Von den Hufen der Pferde stoben die Schollen, fröhlich bellten die Hunde, und ein Jäger stieß ins Horn.

Ein Höllenpfuhl

«Es lebe Gott, der König ist tot», sagten sie in Paris und glaubten wirklich, daß er diesmal nicht nur Unglück gehabt, sondern ausgespielt habe. Aber den König ließ sie dabei. Ein Regen ohne Ende fiel, die Landstraße war verlass man hörte nichts von ihm, obwohl er nur einen Tag entfernt in Mantes Er hatte die Stadt erobern müssen wie jede andere. Kaum in ihren M gab er den Bäckern ein Fest. Diese Zunft hatte in Erfahrung gebracht, König dort unten in seiner Heimat eine Mühle besaß und der Müller v baste hieß. Um seinem Namen Ehre zu machen, spielte er mit ihnen B gewannen ihm all sein Geld ab, und dann wollten sie aufhören. Er ver Genugtuung, und als sie sich weigerten, ließ er die ganze Nacht Brot b Am Morgen verkaufte er es für die Hälfte: wie sie da kamen und sich erb mit ihm weiterzuspielen!

Diese Sache ließ er eigens nach Paris melden. So erfuhren sie dort nicht n daß er lebte, was schon Unglück genug war; sondern daß er überall das Getrei de aufkaufte. Sein Heer muß unzählig sein! Plötzlich weiß jeder und gibt es zu, daß der König bei Ivry gesiegt hat. Er hat unseren Herzog ganz entsetzlich geschlagen. Der Dicke und sein auseinandergelaufenes Heer findet nie mehr zu uns her die aufgeweichten Wege. Der rettet uns diesmal nicht. Nur den Ketzer wird nichts abhalten, den dürfen wir erwarten, schon das vorige Mal hat er unsere Vorstädte rein ausgeplündert und neuntausend erschlagen.

Es waren achthundert gewesen, aber der Schrecken der großen Stadt übertrieb in jedem Betracht, sowohl seine Furchtbarkeit wie ihre eigene Ohnmacht. «Der führt Krieg gegen die Mühlen und Kornspeicher des ganzen Landes. Wir werden verhungern!» sagten sie, wurden gelähmt vom Vorgefühl und sahen zu, wie die Spanier sich mit Lebensmitteln versorgten. Die Spanier, das waren der Gesandte Mendoza und der Erzbischof von Toledo, dieser in besonderer Sendung, damit er seinem König Don Philipp berichtete, was den nächstens ausersehenen Untertanen der Weltmacht am meisten fehlte, ob der Glaube oder das Geld. Nun, es sollte das Brot sein, wie der Erzbischof bemerken konnte. Er und die spanische Partei versorgten sich, besonders die sechzehn Vorsteher der Stadtteile, und vor allem die Klöster.

Die Herzöge von Nemours und von Aumale befehligten die Besatzung, waren mit Spanien wohl oder übel verbündet, hielten aber im Wesen zu Frankreich, was für Paris damals nicht mehr die Regel war: nur alte Leute, die in Gefängnissen saßen, wußten noch, was die Freiheit, die Religion und der gesunde Sinn sind. Einer, Bernhard Palissy, bot aus der Bastille heraus dem Herzog von Nemours, einem Guise, den Stein der Weisen an. So nannte er einen versteinerten Schädel – und meint eigentlich, daß der Anblick eines so alten Menschenrestes den Lothringen mahnen sollte, den verfehlten, unheilvollen Ehrgeiz seines Hauses aufzugeben und den wahren König von Frankreich anzuerkennen. Denn wir treten bald vor Gott, meinte der Achtzigjährige, der nie erfuhr, daß Nemours in der Tat in sich gegangen war bei der Berührung des «Steines der Weisen».

Daneben gab es die Schwester der Lothringen, die berühmte Herzogin von Montpensier, deren Gatte im Heer des Königs stand, sie selbst war seine Feindin und stolz darauf, daß sie den Mörder des vorigen Königs abgerichtet hatte [illegible]r die Tat. Nicht genug daran, sie wollt[illegible] en Hugenotten auf dem Schafott se- [illegible] Wie denn, am Rad und Galg[illegible] Furie der Liga hetzte schon wieder [illegible]hrem Balkon herab die I[illegible]ohen Schulen, bis sie ihr Mordgeschrei [illegible]ie Straßen tru[illegible] aber alternde Herzogin indessen in ih- [illegible]ast hielt [illegible] Busen. Der Haß und Rachedurst, der ihn [illegible]ch h[illegible]t, zuletzt wurde er ihr verdächtig. Der Sieg [illegible]n durch ihren Bruder Mayenne, den Besiegten, [illegible]ie Spanier, hatte die Kenntnis lange für sich behal- [illegible]ch selbst den Grund, bis es sie überwältigte. «Navarra», [illegible]e sie, um nicht «Frankreich» zu sagen; aber in ihrer leidenschaftlichen [illegible]ust hieß sein Name nur Henri, und ihr Haß war ihr zur Qual wie sein Glück. [illegible]e hörte, daß er den Prior ihres Mönches gefangen hatte, desselben, den sie zum Königsmord abgerichtet hatte. Henri übergab den Prior seinem Gericht in Tours, der Prior wurde von vier Pferden zerrissen, die Herzogin lag drei Stunden in Ohnmacht. Ambroise Paré kam, ein alter Chirurg, den alle achteten, obwohl er Hugenott war. Er ließ die Dame zur Ader, und als sie erwachte, fragte sie: «Ist er schon da?» – in einem Ton, mit einem Gesicht, daß der Greis zurückwich, er, der die Bartholomäusnacht und auch sonst schon mehrmals die Hölle erblickt hatte.

Die große Stadt glaubte alles. Er ist da, glaubte sie, während er erst überlegte, ob er seine Soldaten nochmals gegen die Vorstädte von Paris losließe. Wir verhungern! weinten sie, als ihre Märkte noch hätten voll sein können; wurden aber verraten von den Vorstehern der sechzehn Stadtteile, die nur spanisch dachten, obwohl ihre Rede französisch war. Am achten Mai des Jahres 1590 hielt der König seine Hauptstadt endlich ganz eingeschlossen. Diesmal ließ er ihr keine Ausflucht, weder links noch rechts des Flusses, nahm die Vorstädte, verhinderte Gewalt, ließ seine Geschütze mäßig über die Mauern schießen – umschloß sie nur, eng und ohne Ausflucht.

Am vierzehnten begannen die Prozessionen. Die Mönche führten die Bürgerwehr an. Noch hatten alle gegessen, die Mönche mehr als nötig; sie schnauften furchtbar unter dem Panzer, in den sie ihre Bäuche gezwängt hatten. Die

Kutte war hochgeschürzt, die Kapuze zurückgeschlagen, der Mönch trug Helm und Waffen. Beim Erscheinen des päpstlichen Legaten wollten die geistlichen Krieger ihn passend begrüßen und erschossen ihm dabei seinen Almosenier. Der Herzog von Nemours sagte hier im Vertrauen zum Herzog d'Aumale: «Wie lange werden wir den Unfug mitmachen? Ich bin ein Lothringen und immer noch Franzose: hier aber ist Spanien. Wir sind auf der falschen Seite. Unser Platz wäre jenseits der Mauer, mitsamt unseren siebzehnhundert Deutschen, achthundert Mann französischem Fußvolk, sechshundert Reitern. Guise oder Navarra, das wird draußen auf ehrenvolle Art entschieden.»

D'Aumale antwortete: «Vergessen Sie nicht die Bürgerwehr und alle, die jemals Hugenotten gemetzelt haben. Vergessen Sie nicht die Furcht vor Wiedervergeltung, die den Bürgerkrieg so ausschweifend macht. Ziehen wir jetzt ab, Paris wird sich dem Rausch seiner Angst ergeben, wird sich selbst abschlachten und wird schwören, daß es für die wahre Religion sei.»

Der andere Herr reckte die Hand nach der tanzenden, brüllenden Prozession, zum Zeichen, daß er begriffen habe. «Paris will spanisch sein», sagte Nemours. «Wir Guise sind betrogen, Don Philipp zahlt mir nicht einmal mehr den Sold. Mendoza prägt Bettelpfennige und wirft sie aus seinen Fenstern. Wozu? Da dies Volk höchstens noch Katzen ißt, und die am Sonntag?»

Die beiden Herren ritten nur mit starker Bedeckung durch die Stadt, die sie verteidigen sollten. Gewöhnlich flüchtete alles, wegen schlechten Gewissens, oder weil niemandem mehr zu trauen war. Vereinzelt ließ niemand sich leicht sehen. Die Haufen, die unterwegs waren, wollten bei ihren Unternehmungen die Stärkeren sein. Sie machten Haussuchung in den Klöstern, voran die Bürgerwehr; fanden zwar nur so viel, wie sie auf der Stelle verzehren konnten, alles andere war gut versteckt; dafür spaßten sie und drohten den Mönchen, auf einem steuerlosen Schiff würden die Fettesten zuerst gefressen. Satt wie sie endlich waren, kamen erst Messe und Predigt dran, damit niemand Mut und Eifer verlöre.

Andere Haufen umdrängten die Türme, jeder wollte hinauf, Felder und reifende Frucht von fern zu erblicken. Nachher stürmten sie erbittert vor das Parlament und schrien sich heiser nach Brot. Unter den Frauen brach der Wahnsinn aus: sie boten sich selbst an, man sollte sie niedermachen und ihr Fleisch verkaufen, wenn nur ihre Kinder Brot bekämen!

Was hätte Brisson, Präsident des hohen Gerichtes, mit diesen Armen angefangen. Er hatte selbst nichts, er war ein ehrlicher Mann. Schon hatte man auch in seinem Hause von dem verdächtigen Mehl genossen, womit Schleichhändler hinten heraufkamen, und das sie aus keiner Mühle geholt hatten, sondern des Nachts vom Friedhof. Brisson, Humanist, dem Recht ergeben, daher in seinem Herzen ein Mann des Königs, verhandelte, um diese wütende Stadt zu retten, mit Herrn de Nemours. Sie führten das gefährlichste Gespräch, das ein großer Bürger und ein großer Herr je wagen konnten unter dem eisernen Himmel des Fanatismus. Sie gestanden einander, daß der Aufstand der gottlosen Widervernunft jetzt wahrhaft sein äußerstes Ziel erreicht habe, und die Liga niederzuschlagen, so viele Opfer es irgend kosten könnte, wäre dennoch von jetzt ab der einzige Ausweg, um sowohl die menschliche Vernunft als Gott zu versöhnen.

Jedes Opfer! – sagten die beiden wohl, spähten aber unentschlossen hinter einem Vorhang aus dem geöffneten Fenster. Was sie erblickten, war die Kirche und das überquellende Portal, war die Straße voll Volk, alle stumm, alle vom Hunger bleich, vor Schwäche kniend oder in aufrechter Stellung entrückt; und zu hören war allein die Stimme des Predigers, ein Gebell. Der König wird die Messe abschaffen und alle umbringen! Volk! Dein Heil bedenke! Der Mann der Lüge, Boucher, hatte sie groß und Legion gemacht seit vielen Jahren mit seinem listigen Rasen, und begleitete die Lüge jetzt bis an ihren Rand, bis über den Abgrund, er bellte, er schnappte von der Kanzel. Die nächsten erschraken vor ihm, sie stießen rückwärts gegen die Masse, die Masse wankte, sie stöhnte in Todesfurcht und Schwäche. Man erdrückte und zertrat einander fast lautlos, nur Stöhnen, und das Gebell. Da beendeten Brisson und Nemours ihre hoffnungslose Unterredung. Waren aber natürlich belauscht worden. Mönche mitsamt einer meuchlerischen Rotte drangen ein, um das ganze Parlament aufzuhängen. Der Herzog mußte schießen lassen.

Da nach dieser Rede des bewährten Boucher gegen den König und die Vernunft seine Hörer abflossen so hungrig wie zuvor, waren es zuerst dichte Gefälle menschlicher Körper, dann langsamere Bächlein, endlich aber Nachzügler wie Rinnsale, die den Strom nicht mehr finden. Diese tropfen armselig und matt in die umliegenden Gassen. Eine Frau sinkt erschöpft gegen die Hauswand. O Hoffnung! Ihr Knabe hat eine Ratte entdeckt im Kanal, der bald offen, bald verdeckt, inmitten der Gasse läuft. Der Knabe steigt hinein, kriecht unter den Steinen durch, windet sich aus dem Loch und hält die Ratte. «Mutter! Essen!» In diesem Augenblick kommen zwei Landsknechte einher, ein Ungetüm von einem Landsknecht und ein Kleiner mit Spürnase. Dieser faßt den Knaben ab, er will ihm die Ratte nehmen, der Knabe schreit und läßt sie nicht los. Da hebt der große Landsknecht ihn selbst vom Boden auf, faßt ihn hinten am Kittel und hält das Kind an seiner Tatze vor sich hin wie einen Einkauf – stapft gewaltig und biegt um die Ecke. Sein bleicher Freund schielt, ein Auge eingedrückt, nochmals zurück, dann sind sie fort.

In der Gasse die wenigen Personen bleiben vom Schrecken erstarrt, daher ist noch eine Weile das Wimmern des fortgetragenen Kindes zu hören. Seine Mutter will ihm nach, sie taumelt, sie stößt gegen eine andere Frau, die aus einem Hause tritt. Jetzt erst erfolgt der Schrei der Mutter, ein Schrei des Abscheus, des Grauens, des Versinkens, und die Mutter schlägt hin, sie rührt sich nicht mehr; die Frau aus dem Hause muß über sie wegsteigen. Zwei alte Leute an der dunkelsten Stelle wispern. «Die hat es schon getan. Was die Landsknechte jetzt vorhaben mit dem Knaben, diese Dame weiß, wie es schmeckt. Ihr eigener Sohn ist gestorben, aber niemand hat ihn tot gesehen, und seitdem lebt sie von Gesalzenem.» Ihre zitternden Stimmchen ersterben, die alten Wesen verkriechen sich, die Frau aus dem Hause kommt vorbei. Sie ist fast eine Dame, sie rafft ihr Gewand, damit es nicht durch den Schmutz schleift. In ihrem steinernen Gesicht richten die Augen sich irrsinnig gegen das Grenzenlose.

Ein Gewissenskampf

Der König aber entließ des nächsten Tages dreitausend Personen aus der Stadt, damit sie nicht Hungers stürben. Als seine hohe Verbündete, Elisabeth von England, hiervon erfuhr, war sie mit ihm recht unzufrieden; er mußte ihr seinen besonderen Gesandten, Philipp Mornay, schicken – tat es übrigens gern, entfernte Mornay gern eine Weile aus seiner Nähe. Dieser sollte der Königin vorstellen, daß der Tod einiger armer Franzosen die spanische Partei zur Übergabe von Paris nicht bewogen haben würde, solange sie selbst noch Vorräte hatte. Überdies erlaubte er, daß die Bevölkerung kurze nächtliche Ausflüge machte, Getreide zu ernten, auf Feldern nahe der Mauer. Plötzlich erschien wieder Brot bei den Bäckern, wofür das Volk den König gesegnet hätte. Mönche und Bürgerwehr sorgten vor durch verstärkten Schrecken sowie auch vermittels der Nachricht, daß der König das Brot nur geliefert habe aus großem Bedürfnis nach spanischem Gold. Sein Heer entläuft ihm, und die Truppen unseres rechtmäßigen Herrschers Don Philipp sind im Anmarsch! Es lebe Gott, der kleine Ketzer ist verloren. Sein schönster Traum, die Hauptstadt des Königreiches aussterben zu sehen, erfüllt sich.

Henri, dies hören, und Entsetzen ergriff ihn. Was hinter den Mauern über ihn an Abscheulichkeit umging und bis zu ihm herausdrang, es war leider nichts Unbekanntes: sein Gewissen gab ihm ganz dasselbe schon ein, und je länger, je heftiger bestand sein Gewissen darauf. ‹Henri! Du kämpfst hier keine gute und tapfere Schlacht. Henri! Du besiegst Menschen, die keine Waffen führen, und es sind die Einwohner deiner Hauptstadt. Sie sinken durch Erschöpfung hin, sie verlieren den Verstand, ja vergehen sich gegen die Natur – indessen du selbst in sicheren Häusern schläfst und tafelst.›

Womit sein Gewissen ihm noch nicht alles vorhielt, was es wußte. Er trieb auch Liebe mit der schönen Äbtissin eines Frauenklosters und verlegte sein Quartier sogar noch in ein zweites Ordenshaus. ‹Henri!› sagte sein Gewissen nach genossener Freude. ‹Diese Nonnen geben sich dir hin wie Judith dem Holofernes. Sie sind zuerst nur Lämmer auf der Schlachtbank, endlich aber rasend vor Glut, weil das Feuer der Verdammnis heranrückt, dafür möchten sie dich töten. So liegt ein Fluch und Unheil auf der Ketzerei› – fühlte der Protestant, trug aber nach wie vor eine Locke um das Ohr geschlungen in der Weise von seinesgleichen. Sein Marschall Biron scherzte über seinen «Religionswechsel»: diesen Namen gab er der Abwechslung, die Henri bei mehreren geistlichen Frauen suchte. Der König ließ den Alten zu sich rufen und sprach zum erstenmal hier aus, daß er seine Religion abschwören und zu den anderen übertreten wollte.

Die Reue entrang es ihm, die Verzweiflung über die Taten, die er nicht eigentlich beging, sondern er war in sie versetzt. Aber das versteht kein alter Kriegsmann bis zuletzt – obwohl gerade Biron belehrt war über einige Dunkelheiten und Tiefen seines leichten Kampfhahns und Königs. Ihre eigenen Kämpfe, bevor diese beiden einander gefunden hatten und in den Armen gelegen, waren besonders und von der Art strenger gegenseitiger Prüfung gewesen: Biron vergaß nicht. Hager aufgerichtet, leicht schwankend von dem Wein, den er jederzeit trank, ohne jemals seine Klarheit zu verlieren, ein Totenkopf mit hängendem Schnurrbart – stand Marschall Biron, überlegte, erwog und brachte hervor, niemand hätte vermutet, wie zart und voll Zweifel: «Sire! Soll ich's weiterreden?»

Henri nickte, weil die Stimme ihm ausblieb. Dann flüsterte er: «Reden Sie – aber tun Sie, als ob Sie lügen.»

Biron bestätigte es ihm. «Man wird die Wahrheit umsonst zu erraten suchen. Weiß ich sie doch selbst nicht. Denn Eure Majestät haben als Hugenott Ihren Glauben und Anspruch auf den Thron verteidigt länger als zwanzig Jahre: auch gegen mich, der ich Ihr Feind war und der Feind des Admirals Coligny, den wir Papisten ganz schrecklich töteten. Ich hab nichts aus all der Zeit vergessen. Sire! Und Sie?»

Der König hörte die zarte, aber mächtige Ansprache eines Katholiken, der ihn warnte. ‹Soll ich wirklich die Religion der Königin, meiner Mutter, abschwören?› erkannte Henri. Er blickte in eine niederschmetternde Helligkeit, woraus man ihn ansah und im Auge behielt – wer, das sagte ihm nur sein Schuldgefühl. Er war geblendet, die Helligkeit war das innere Licht des Gewissens. ‹Mutter›, dachte er. ‹Herr Admiral›, dachte er.

Obwohl sehr bleich und mit einem Gefühl großer Schwäche, versteifte er sich, befestigte die Stimme und wiederholte seinen Befehl. Von der Tür, im letzten Augenblick rief er den Marschall noch zurück. «Aber nicht meinen Protestanten sagen Sie es! Nicht meinen Protestanten!»

Er wußte, daß sie es natürlich erfahren würden. Auch das Verhalten jedes einzelnen der alten Freunde konnte er voraussehen. Froh war er nur, daß er Mornay oder die Tugend nach England geschickt hatte. Bis dorthin das Gerücht dringt, ist es eine matte Fabel, und der Königin Elisabeth, die dennoch Verdacht schöpfen könnte, wird Mornay ihn ausreden. Statt des einen Abwesenden zeigten genug andere ihm ihre strengen oder traurigen Gesichter: mehrere hätte er für leichter gehalten, Roquelaure, der gerne glänzt, ehrgeiziger Turenne, ihr habt die Kraft, wahr zu sein, und einen König, der lügen will, zu mißbilligen! Sein Agrippa stellte sich wohl nichtsahnend, gedachte aber in Wahrheit, seinen König zu überrumpeln. «Sire!» begann er. «Ich bin in Gewissensnöten.»

«Du, Agrippa?»

«Ich. Wer denn sonst. Mir hat ein Freund aus Paris die Namen von Verschwörern verraten, schickt mir sogar ihre eigenen Briefe, daraus zu ersehen, was sie vorhaben gegen das Leben Eurer Majestät.»

«Gib sie mir!»

«Gerade Ihnen? Sire! Der spanische Gesandte wird mir mehr zahlen als Sie, wenn ich ihn in Kenntnis setze, daß dieses Unternehmen entdeckt ist. Aber obwohl ich auf Geld immer sehr bedacht bin, wie Sie wissen, erwerbe ich es doch niemals durch Verhandlungen mit den Feinden der Religion und meines Königs.»

«Wartest lieber, bis die Mörder mich haben? Oder welchen Preis machst du mir?»

Strafend wie jetzt hatte Agrippa noch niemals ausgesehen. In Minuten schien er um drei Zoll gewachsen.

«Keinen. Es ist dafür gesorgt, daß Sie diese Leute, wenn sie Ihnen unter die Augen treten, nicht einmal erkennen.»

«So werde ich dir nicht glauben, daß ich in Gefahr gewesen bin.»

«Sire! Wie Sie befehlen», schloß Agrippa kühn und auch wieder humorvoll nach seiner Art. Nun geschah es gleich darauf, daß mehrere spanische Herren im Auftrag Don Philipps dem König von Frankreich, der seine Hauptstadt belagerte, eine Infantin zur Ehe anbieten wollten. Henri in seiner Begierde nach Frieden mit seinen Untertanen, beeilte sich, die Unterhändler zu empfangen. Nur der erste von ihnen wurde zu ihm gebracht, und man hielt ihn bei den Händen, links ein anderer, aber rechts Agrippa, der sich stellte, als wäre dies eine unverfängliche Höflichkeit – hielt indessen dem Manne das Handgelenk fest. Henri begriff. Er fertigte den falschen Beauftragten schnell ab, fragte auch nicht, was mit ihm und den übrigen nachher geschah. Seinem Agrippa d'Aubigné bot er keine Belohnung für die Lebensrettung an, und noch weniger dankte er ihm die erhaltene Belehrung, wie man uneigennützig, gerade und der eigenen Sache beharrlich treu ist.

Er glaubte, daß ihm selbst die Untreue leider aufgetragen wäre von Gott, da beschlossen war, daß er sollte das Königreich retten. ‹Ich ehre Gott›, so rechtfertigte Henri seine Untreue, was sogar mit dem Allwissenden nicht leicht ist. ‹Ihm gehorch ich gegen das Andenken meiner Mutter und des Admirals, aller unserer Gewissenskämpfer, gegen das Bekenntnis der Pastoren und ungeachtet einer ganzen Million Opfer der Religionskriege.› Eine neue, erschreckende Einsamkeit befiel hier seinen Geist. ‹Nicht alte Freunde, nicht Partei noch die geschützten Städte, in denen wir beten durften, La Rochelle am Meer, nicht einmal du! Keine einmütige Verbundenheit mit denen meines Glaubens, kein Psalm in der Schlacht: nichts hält stand, da das Königreich ruft. Das Königreich, das ist mehr als Meinung oder Absicht, ist mehr sogar als Ruhm: es sind menschliche Wesen wie ich›; so beteuerte er und fühlte hier wirklich: er war gerettet. ‹Menschliche Wesen – aber einige von ihnen, über der Mauer, die ich mit Augen sehe, vergehen sich gegen die Natur! Dorthin kommt es mit ihnen, sobald nicht mehr der König sie bei ihrer Menschenpflicht erhalten kann. Das will ich tun, das allein soll mich retten bei Gott und Menschen.›

«Wollen wir denn die beiden Gottlosen empfangen», sagte er, meinte aber eine Zusammenkunft mit dem Kardinal von Paris und dem Erzbischof von Lyon. Er nannte sie gottlos, um seinen Glauben an das Königreich zu bekräftigen, während solche Wesen davon nichts halten. Mit mehr als tausend Edelleuten begab er sich an einem Augusttag um zwölf Uhr nach dem Kloster außerhalb der belagerten Hauptstadt, wo ihre Abgesandten ihn aufsuchten. Es waren Herren von Würde und Gewicht, hatten bis jetzt keinen Mangel gelitten, wie auch ihre gesamte Begleitung nicht. Sie verneigten sich vor dem König, aber nicht gerade zu tief: das hatte die belagerte Hauptstadt noch nicht nötig, wenn man ihre Gesandten sah. So gemessen wie diese konnte der König sich nicht benehmen, das Gedränge um ihn war zu dicht. Er sagte ihnen: «Wundern Sie sich nicht, wie ich gedrückt werde. In der Schlacht ist es ärger.»

Nun mochte er sich denken, daß sie hier nichts weiter wollten, als Zeit gewinnen, bis Mayenne die Hilfstruppen aus Flandern bekam und Paris entsetzte. Ihre Verhandlung mit dem König sollte das hungernde Volk von Paris hinhalten, weil es sonst versuchte, sich zu empören. Die beiden Bischöfe waren ihrerseits überzeugt, daß ihm der Hungertod einiger tausend Gemeiner so gleichgültig wäre wie ihnen selbst. Fragte sich nur, ob er dies zugeben durfte um seiner Volkstümlichkeit willen. Das Klügste schien beiderseits, alle Förmlichkeiten genau zu befolgen, weshalb der König von den Abgeordneten ihre schriftliche Vollmacht verlangte, und sie überreichten sie ihm. Darin stand verzeichnet, daß die Herren Kardinal und Erzbischof zu dem «König von Navarra» gehen sollten, um ihn flehentlich zu ersuchen, er möge in eine allgemeine Befriedung des Königreiches willigen; dann aber zum Herzog von Mayenne, damit auch dieser darauf bedacht wäre. Eitle Worte, und eine Mißachtung des kö[illegible]niglichen Ranges.

[illegible]ri wies sie darauf hin, daß ein «König von Navarra» natürlich nicht berufen wa[illegible] Paris und Frankreich den Frieden zu geben. Indessen wollte er sein Königreich [illegible] Ruh und Frieden sehen, und somit keinen Streit um Titel. Er versicherte sogar, er würde einen Finger geben, und legte weiterhin den zweiten dazu. Den einen Finger war eine Schlacht ihm wert, aber zwei versprach er für den allgemeinen Frieden. Die beiden geistlichen Diplomaten fanden ihn stark im Heucheln, und er stieg in ihrer Achtung. «Aber!» rief er zu ihrer vermehrten Überraschung. «Aber Paris würde vergeblich auf den allgemeinen Frieden warten, solange es die Schreckensherrschaft und Hungersnot in seinen Mauern hat. Was wären das für körperlose Friedensworte. Paris darf nicht länger hungern. Ich liebe meine Stadt Paris. Sie ist meine älteste Tochter.» Hiermit entlarvte er ihre Friedensbotschaft; aber nicht jeder, dessen Blöße schon offen ist, merkt es.

«Gefangen hat er gesessen in Paris, das ist alles», bemerkten für sich die beiden. «Vater dieses Volkes nennt er sich, aber nur an einer Niederlage hängt es, und er sitzt nochmals hinter Gittern, kommt auch lebend nicht mehr frei. Als er sich überdies mit der wahren Mutter bei Salomo verglich, und wollte auf Paris lieber verzichten, als daß er es aus Trümmern und Toten hervorzöge und an sich brächte» – bewunderten sie ihn nicht ohne Belustigung und streiften einander kurz mit den Blicken. Hierauf unternahmen sie es, ihn in der geschickten Falschheit noch zu überbieten. Sie stellten sich, als bezweifelten sie seine militärische Stärke sowie die Echtheit seiner Siege und rechneten mit einer Wendung. Wenn Paris vor der Herstellung des allgemeinen Friedens sich ihm ergäbe, würden Mayenne und der König von Spanien es wieder nehmen und hart bestrafen. Da aber erlebten sie etwas Neues.

Ein Soldat, dem die Gnade der Majestät zufällt vor ihren Augen. Sie begreifen nicht mehr, wer hier spricht, und von wo herab. Er schwört, unterbricht sich, selbst erschüttert, wiederholt aber den furchtbaren Schwur beim lebendigen Gott. «Wir werden sie schlagen.» Seine tausend Edelleute riefen durcheinander, was einen eingeübten Gleichklang weit übertrifft: «Wir werden sie schlagen! Wahr geschworen! Die Schande nie, solange Gott lebt!» Betroffen erkannten die Abgesandten, daß er eingesetzt war als Feind ihrer Welt; und gegenüber dem verkrüppelten Erdenbeherrscher Philipp, der unmenschlichen Weltmacht Habsburg, erhob ihren Anspruch eine lebendige Majestät. Man muß dies erblicken, damit man es glaubt. Im Leben geschieht fast alles ohne Auftrag – das ist die tägliche Erfahrung hochgestellter, ungläubiger Herren, die daher jeden Mächtigen für einen Betrüger halten und ihn dafür hinnehmen. Ein Schlag durchlief die Glieder dieser beiden, vor ihren Augen zitterte das irdische Bild, da sie die wirkliche Majestät erfuhren. Majestät – ein schwaches Wort für eine schlechthin überwältigende Gnade Gottes: – wie schwach und weitläufig verhält man sich zu Gott und Gnade. Zwei Kirchenfürsten hatten sich so lange nichts dabei gedacht, bis sie dies erlebten: ein Soldat, dem die Gnade der Majestät zufällt vor ihren Augen.

Henri hatte seitdem seine Gegner in der Hand während dieser Verhandlung. Nach dem Augenblick der hohen Berufung machte er von seinem Vorteil vor ihnen reichlichen Gebrauch. Er nahm sie nicht mehr ernst, sondern verlangte die Übergabe von Paris innerhalb acht Tagen, als wär es eine Kleinigkeit. Die Majestät darf niemals lange währen, wir werden sie nicht abnutzen, da die Gnade selten erscheint, und übrigens halten wir die guten Leute lieber zum besten, als daß wir sie durch Größe auf die Knie zwingen.

«Acht Tage habt ihr, meine Guten. Wollt ihr lieber warten mit der Übergabe, bis euch die Lebensmittel ganz ausgehen, dann schön, für euch eine Henkersmahlzeit und nachher der Strick.»

«So unbarmherzig wird kein König von Frankreich mit seiner Hauptstadt verfahren, und kein Christ mit zwei Dienern Gottes.»

«Dann laßt es darauf ankommen.»

«Zu fürchten ist allerdings, daß gerade wir beide wieder zu Ihnen hinausgeschickt werden, diesmal aber mit dem Strick um den Hals.»

«Dann übergebt mir die Stadt sogleich.»

«Wenn die Spanier und die sechzehn das hören, hängen sie uns auf.»

«Dann wartet auf Mayenne und die Hilfstruppen aus Flandern.»

«Eure Majestät könnten sie am Ende besiegen, um so sicherer würden wir aufgehängt.»

«Dann befürwortet die Übergabe.»

«Sire! Sie würden unsere Dienste vergessen und uns der Rache des Volkes ausliefern.»

«Dann laßt es nur ja weiter hungern.»

«Sire! Sie sind falsch berichtet, noch hungert niemand.»

«Dann mög es euch immer wohl ergehen. Es gibt noch viel mehr auf den Friedhöfen, und genug Kinder sind unbewacht, die Mutter hat einen Anfall von Schwäche.»

Hierauf wagten sie keine Antwort, sondern ließen die Köpfe sinken, so frech bis jetzt ihr Sinn gewesen war. Da sie wahrhaftig den Boden verloren, schien es ihnen, daß sie sich von dem König hatten hinreißen lassen. ‹Ja, ein Frag- und Antwortspiel hat er mit uns getrieben, nach dem Vorbild einer berühmten Szene in Rabelais, der nichts als ein Possenreißer gewesen ist. Das ist auch dieser König, und hält uns zum Narren.› Ihre Würde war dahin und ihre Verwirrung unaufhaltsam. Der König erlaubte ihnen nicht, sich zu fassen, im Gegenteil gab er ihnen den Rest. Das letzte sprach er nicht mehr schnell und leicht, sondern mit dem Nachdruck des Richters.

«Herr de Lyon», sagte er zu dem Erzbischof. «Vor kurzem sind Sie auf der Sankt-Michaels-Brücke in ein Gedränge gekommen. Leute warfen sich vor Ihre Pferde und schrien nach Brot oder Tod. Hat nicht ein alter Mann Sie angesprochen?»

«Ich weiß es nicht», stammelte Herr de Lyon, und alles in seinem Kopf drehte sich, wie es wahrscheinlich auch am Jüngsten Tage eintritt.

«Er hat Sie angesprochen und hat die Verzweiflungsschreie um Sie her eine letzte Bedenkzeit Gottes genannt.»

Bei dieser geheimen Offenbarung des Königs überkam Herrn de Lyon eine Schwäche, nicht anders als irgendeine niedrige Mutter, die ihr Kind in furchtbarer Absicht forttragen sieht. Seine Leute fingen ihn auf, bleich und verfallen stand der Kardinal daneben. Der König rief nach Wein zu ihrer Stärkung, und während sie ihn bekamen, stieg er schon zu Pferd. Im Fortreiten erklärte er den nächsten seiner Edelleute, wer auf der Brücke der Mensch gewesen war, der den Erzbischof verwarnte. Meister Ambroise Paré, ein Chirurg und fünfundachtzig Jahre alt, hatte auf der Brücke mit seiner letzten Kraft gesprochen, und jetzt lag er im Sterben. «Einstmals stand er dem ermordeten Coligny bei», sagte König Henri, schloß die Lippen fest und öffnete sie auf dem ganzen Weg nicht mehr.

Seine Begleiter schwiegen, die Hufe klappten dumpf. Henri gedachte alter Hugenotten. Als einer der Ihren unwandelbar, so ritt er hier.

Ein Künstler

Im Lager liefen sie ihm entgegen. «Farnese ist im Anmarsch! Farnese steht in Meaux!» Der König lachte geringschätzig, denn Meaux ist zu nahe, davon hätte er früher erfahren, auch seinen Freunden Erzbischof und Kardinal wäre es sicher hinterbracht worden, und sie hätten sich von ihm nicht bis zu Ohnmachten foppen lassen. Er zuckte die Achseln, wollte weiter, da erwarteten ihn zwei am Wege, die stritten. Herr de La Noue zügelte sein Pferd mit seiner eisernen Hand. Herr de Rosny saß auf dem seinen quer, anders erlaubten seine heldenhaften Wunden es ihm nicht, ein Arm lag im Verband.

Der König sagte: «Friedlich, ihr Herren!»

La Noue sagte: «Sire! Farnese.»

Rosny sagte: «Sire! Eine List. Er kann nicht in Meaux stehen.»

«Sire!» rief der Ältere. «Wem glauben Sie, diesem Naseweis oder mir? Farnese ist so schrecklich listig, daß er zuweilen sogar die Wahrheit verbreiten läßt.»

Rosny, quer im Sattel, am Hut Diamanten, aber das Gesicht vernünftig und kalt – er ließ den alten einfachen Mann links liegen und stellte sich neben dem König auf. «Geschwätz», sagte er hochmütig. De La Noue brauste auf: «Junger Mensch! Reiten Sie doch hin in Ihrem feinen Aufzug. Sie werden dem Herzog so gut gefallen, daß er Sie gefangennimmt!»

«Mein Herr!» entgegnete Rosny. «Ich habe einen Arm, Sie auch einen: wir können uns schlagen.»

«Das muß ich sehen», sagte der König, schien aber eher abwesend. Fröhlich war nur der Alte. Sein Gesicht hatte sich stark gerötet unter dem weißen Schopf, und dies zornige Gesicht lachte kind[illegible]

«Hab ich doch selbst bei den Sp[illegible] gefangengesessen fünf Jahre lang, und es war hart, Sire! Ich [illegible] meinem Kerker über die Religion und die Kriegskunst, nur so verlor ich den Mut nicht. Aber die Kriegskunst, die ich aufzeichnete, war die des Farnese. Er ist ein Künstler, vergessen Sie es niemals, Sire!»

«Unser König ist kein Künstler, sondern ein Soldat, was mehr heißt» – behauptete Rosny. Sein invalider Zustand wie auch sein Hochmut gaben ihm etwas wie starren Pomp. Um so heftiger bewegte der bretonische Hugenott seine Gliedmaßen, nicht ausgenommen den eisernen Arm.

«Was ich weiß, das ist die Wissenschaft von zwölf Jahren Flandern, an der Spitze protestantischer Heere. Bevor die Spanier mich in ihre Gewalt bekamen, nahm ich ihnen dort alle Städte fort, die ich wollte. Nach der Ankunft des Herzogs von Parma – keine mehr.»

Der König, mit seinen Gedanken abwesend, war im Fortreiten, und der Abend fiel. Des nächsten Tages erfuhr man, daß die Armee der Liga mit Mayenne und die spanischen Hilfstruppen unter Farnese sich bei Meaux vereinigt hatten. In dem Kriegsrat des Königs drang La Noue auf festes Ausharren vor Paris, während Biron, auch ein Alter, den Vormarsch verlangte. Angriff ist das erste. Wir haben noch immer angegriffen!

La Noue sagte: «Sire! Eure Majestät ist unübertrefflich in der Schlacht. Sie fanden indessen noch keinen Gegner, der den Schlachten ausweicht und alles, was er will, durch Kunst erreicht. Ich, Sire, kenne Farnese.»

Rosny wollte schon wieder losziehen gegen den unansehnlichen Feldherrn im Lederkoller; aber der Vizegraf von Turenne, nicht weniger edel und hübsch als Rosny, brachte ihn zum Schweigen. Sein besonderer Ehrgeiz befähigte diesen jungen Herrn vorzeitig, eine Lage und sogar Menschen abzuschätzen.

Marschall Biron konnte ungestört darlegen, daß das königliche Heer, um ganz Paris verteilt, notwendig schwache Stellen biete. Der Feind würde sie durchbrechen und Lebensmittel in die Stadt führen. Hierauf La Noue: «Gerade dabei muß er über einen Fluß oder durch ein Gehölz: das ist für uns der Augenblick.»

«Angreifen!» wiederholte Biron. «Vorwärts und an den Feind, wenn er noch weit ist und nicht dergleichen erwartet, so führt man Krieg.»

«Wie Sie ihn führen, weiß Farnese», rief La Noue. Langsam und ohne alle Fröhlichkeit schloß er: «Nur Sie wissen nicht, wie Farnese Krieg führt.»

«Das ist ja Aberglaube», meinte hier sogar der kluge Turenne, während Rosny kalt lächelte und Biron durch die Nüstern schnob. Der König befragte alle anderen, die zugegen waren, und da sie merkten, daß er angreifen wollte, stimmte die Mehrzahl für den Vormarsch.

Nun kam es anfangs derart, daß der berühmte Farnese, Herzog von Parma, alle braven Soldaten, seine Gegner, recht sehr zur Verachtung reizte. Wird man sich mit so großer Heeresmacht hinter einem kleinen Sumpf verschanzen? Die anrückenden Königlichen beachteten nur den Sumpf, weil er ihnen im Wege war. Weiterhin den Hügel sahen sie gar nicht, und gerade er verbarg ihnen ihr kommendes Mißgeschick.

Die Königlichen hielten alle Verbindungen mit Paris, besonders den Fluß La Marne und Lagny, einen Ort, dem Farnese wohl heimlich hätte beikommen wollen. Inzwischen verschanzte er sich hinter seinem Sumpf, als fürchtete er nichts so sehr wie den Angriff der neuen Berühmtheit dort drüben – ließ aber jedenfalls die neue Berühmtheit auf ihre Schlacht warten, einen Tag, eine Woche. Der König hatte ein schönes Heer von Edelleuten, die sich langweilten und mit ihren Truppen, einer nach dem anderen, davonritten. Die Einnahme der Hauptstadt: hätten sie noch ein Jahr vor der Mauer liegen müssen, endlich sollte die Einnahme wohl glücken und jeden von ihnen reich machen. Vor dem unzugänglichen Farnese hinter seinen Gräben, zwischen seinen Wagenburgen, war nichts zu erben: Edelleute, denen es nur um die Beute zu tun war, verzogen sich bis auf weiteres. Leute wie Rosny hielten stand, teils aus Ehrgefühl und auch, weil sie dennoch dachten: ‹Wer weiß, es ist spanisches Gepäck, Säcke mit Goldpistolen. Einmal werd ich sie aufschlitzen, und das Gold läuft mir in die Taschen.›

Henri mußte erkennen, daß sein berühmter Gegner schwierig, aber in rätselhafter Weise schwierig war. Der König schickte ihm einen Trompeter: die Herren Herzöge möchten sich doch aus ihrem Fuchsbau hervortrauen. Der Italiener antwortete kühl, er sei nicht so weit hergekommen, um sich Rat beim Feinde zu holen. Der König wurde ärgerlich, aber seine Schlacht bekam er nicht, bekam nicht einmal das Gesicht Farneses zu sehen. Täglich verließ Henri den Ort Lagny, den nicht nur sein Heer beschützte, von dem anderen Heer trennte ihn besonders der Fluß – umging den Sumpf und wartete auf Farnese.

Da hier die Tage verrannen, gelang es ihm zwar nicht, seiner ansichtig zu werden. Aber beschämender – seine Kundschafter berichteten, daß Farnese gefürchtet wurde, und kein Soldat lief ihm fort. Eisern zogen sie drüben auf Wache. Besonders durch die stille Nacht drangen zu dem Horchenden die Stimmen der Ablösungen in mehreren Sprachen, aber auf den Schlag. Eiserne Zucht trat mit ihnen auf. Die waren in demselben Tritt und Schritt von Flandern herbeimarschiert, nur zwanzig Tage, und hatten jeden Abend ihr Lager verschanzt, wie einst die Legionen Cäsars. Mit anderen Generalen stellten dieselben Truppen nicht mehr vor als eine vielsprachige Horde, wenig echte Spanier, viel Wallonen und Italiener; verwüsteten sonst das Land trotz einem Wildschwein – wurden aber nichts Geringeres als ein römisches Heer unter diesem Parma. Wer war er?

Henri schlief nicht, da er wußte: drüben wacht einer und [illegible] wie er meinen Ruhm vernichtet. Das ist sein Auftrag von Don Philip[illegible] ‹Ich m[illegible] ich hüten.› Umsonst versuchte er die Dunkelheit zu durchdringen. [illegible] Farnese, aber er schläft nie. Ich glaube, daß er im Dunkeln sieht und [illegible] Er soll ein Kranker sein, schon alt, und wer weiß, vielleicht ist er e[illegible] hat[illegible] und Dämon eher als ein Lebendiger.› In einer feuchten Nacht ohne [illegible] erschauert man leicht, besonders wenn die Gedanken in Richtung des Unb[illegible]nnten schwanken. Henri fuhr scharf herum, etwas hatte seine Schulter be[illegible]rt. Er sah, schneller als der Augenblick, in ein Gesicht. Es hat sich überra[illegible]hen lassen, und da es fort ist, verspürt die dunkle unbewegte Luft es noch, sie r[illegible] nach Sumpf und Moder.

Laut lachend verließ Henri den Platz. Der Widerhall seines Gelächters v[illegible]suchte wohl, ihn zu verhöhnen, er aber erinnerte sich rechtzeitig, daß der b[illegible]rühmte Stratege mit den Holländern nicht fertig geworden war, wie man nach gerade erfuhr. Hatte beträchtliches Unglück gehabt in Holland. Andererseits hielt er selbst von seinem Feldzug in Frankreich nichts: er war nur hier auf Befehl seines Herrn Don Philipp. Kann man auch ein Feldherr auf Befehl sein und ein Sieger für andere? Dieser ist doch selbst ein regierender Fürst, vergißt aber sein Herzogtum über den Dienst des Königs von Spanien – dem seine eigenen Beine zu nichts dienen, denn er sitzt nur. Sitzt allein, schickt Aufträge, die er geträumt hat, zur Eroberung fremder Königreiche an diesen anderen Kranken, der in der Fremde ist. Was wird daraus?

Gleich am Morgen nach dieser Nacht der Fragen begann Parma sie zu beantworten, denn er stellte sein Heer zur Schlacht auf. Eigentlich war es nur das Heer der Liga, er ließ die Hüte und die Feldzeichen vertauschen. Septembertag, der Kampf wurde heiß, die Franzosen des Königs meinten, sie stießen endlich auf die sagenhaften Spanier, vor ihnen zittert die Welt, und nur wir nicht! Im Nahkampf erwies sich erst, daß alle, hier und drüben, französisch sprachen. Einmal im Zuge, hieb man um so leidenschaftlicher auf eingebildete Spanier ein, mochten sie sogar altbekannte Gesichter tragen. Farnese inzwischen zog unbemerkt sein Zentrum aus der Schlacht. Nicht einmal dem dicken Mayenne, der sich vorn umherschlug, hatte er etwas anvertraut. Hinter dem Hügel, gedeckt durch die unbeachtete Erhebung, die ihm von Anfang an wichtiger gewesen war als Sumpf und Schanzen, ließ er seine Truppen auf einer Schiffsbrücke über die Marne gehen – still und heimlich, in eiserner Zucht. Überdies verbot der hohe Mut der Schlacht, daß die Kämpfenden etwas bemerkten. Von den beiden, Mayenne und Henri, ging diesem noch früher ein Licht auf. Schon war Lagny von drüben her genommen oder doch fast, und da diesseits des Flusses auch Mayenne, endlich aufgeklärt, mit Kanonen nach dem Ort schoß, wichen die Königlichen und hatten verloren.

Paris bekam daher Lebensmittel auf dem Wasser zugefahren, während der König hier und dort Handstreiche versuchte, vergeblich wollte er die Wälle seiner Hauptstadt erklettern. Farnese äußerte über ihn: «Ich erwartete einen König zu finden. Das ist ja ein Husar.» Noch lächerlicher hatte er den Herzog von Mayenne aus dem großen Haus Guise gemacht, als er ihn so tapfer und unwissend kämpfen ließ zum bloßen Schein, indessen er selbst durch einen Kunstgriff die Schlacht zunichte machte. Trotz Zorn mußte Mayenne froh sein, daß Farnese ihm drei Regimenter da ließ. Ihr Kunststück vollbracht, begab diese Berühmtheit sich auf ihren Rückmarsch nach Flandern. Der König schloß Paris alsbald wieder ein: das war dem Strategen einerlei.

Von dem König dachte er gewiß: ‹Eine überschätzte Mittelmäßigkeit. Braucht nur richtiggestellt zu werden. Jetzt ist das höchstens noch für Mayenne ein Gegner. Vale et me ama.›

Wir wollen leben

Henri war danach zwei volle Tage wahrhaftig der Geschlagene. Verhängnisvoller als in frühen Abschnitten des Lebens ist das jetzt, nach langen geduldigen Kämpfen, mehreren glänzenden Siegen und bei schon begonnenem Aufsehen der Welt. Die Einnahme der Hauptstadt auf lange verschoben, aber gerade ihretwegen die Provinzen von Truppen entblößt. Geld hat man ohnedies nicht, die zwei Tage wird kein Brot gebacken, und sogar die Hemden des Königs reißen aus. Dazu eine persönliche Umgebung – reden wir nicht davon! Totus mundus exercet histrionem, Komödianten sind wir alle, und wem es schiefgeht, der findet auch gleich, woher bläst es sie nur herbei, die rechten Freunde, lauter Ausschuß. Ein vertriebener deutscher Erzbischof, im Übermut war er Protestant geworden: an wen erinnert das? Auch wir haben im Sinn, unsere Religion zu verraten. Der Gauner d'O ist anrüchig, aber reich, er soll uns einladen und unsere Kuppler bezahlen.

Seit am Abend der Schlacht bei Ivry der Schatzmeister ein gewisses Wort gesprochen hatte – schlecht das Wort, unwürdig und unvergeßlich: Henri hat es nicht vergessen, und seinem Urheber ist er ausgewichen. Er hat nicht einmal darauf geachtet, ihn zu vermeiden; das tritt von selbst ein, wenn unser Inneres sich zur Wehr setzt, nicht nur gegen einen Fremden, eigentlich gegen uns selbst. Was ist ein Wort. Schlimm ist nur, es wiederzuerkennen, als hätte ich's schon gekannt und nur verschwiegen.

Jetzt wird der Schatzmeister in Gnaden wieder aufgenommen. Wer Geld ausgibt, ist unser Freund, sollte er, wie ein gewisser Gascogner Hauptmann, unser Landsmann, übrigens keine Nase mehr haben durch Unglück in der Liebe. Der König verkehrt mit Abenteurern, vor denen es manchem grausen würde.

Ja. Und er läßt sie um sich sein, damit er sich an ihnen prüft, seine Gesundheit, seine Kraft, zu widerstehen. Hört, was in Paris geschieht, wo sie die eigene Art schauerlich auf die Spitze treiben. Zuletzt trägt jeden sein Wahn und rechtfertigt sein Leben. Aber man kann sich, je besser man geboren ist, unmöglich jeden Augenblick auf der Höhe des Wahnes halten, das wäre schrecklich. Erkennen wir uns bei den Abenteurern bis zu dem Punkt, daß wir selbst einer scheinen! Noch heute kann eine Kugel treffen, und dieser kleine König in abgetragenen Kleidern wird verscharrt, hat nie dieses Land durchpflügt mit den Hufen seiner Pferde, sein Königreich war es nie. In Paris hängen sie soeben den Präsidenten des hohen Gerichtes auf, weil er für seinen König und gegen Spanien soll verschworen sein.

Es ist aber eine entscheidende Handlung und trennt eine Stadt vom Königreich sicherer ab als die stärksten Mauern, wenn sie den tötet, der noch das Recht behauptet. Daher hatten die Feinde des Präsidenten Brisson mit vielen Schlichen sich vorgesehen, Unterschriften gesammelt für den Tod eines Unbekannten und erst nachher den Namen des höchsten Richters eingesetzt. Hatten Rückhalt bei den spanischen Befehlshabern gesucht, Entlastung erbeten von der geistlichen Hochschule Sorbonne und das Volk im voraus bearbeiten lassen durch Redner wie Boucher. Bei grauendem Morgen war Brisson auf die Straße gelockt, war hinterrücks in das Gefängnis gestoßen mit zweien seiner Räte, ihre Feinde erhängten die drei an einem Balken und leuchteten sie mit der Laterne ab, bis die drei Körper ihnen lang genug ausgestreckt schienen und die Gesichter aussahen nach Wunsch. Dann brachten sie ihre drei Pflegebefohlenen, hergerichtet wie es sich gebührt, nach dem Grèveplatz und banden sie an den ordentlichen Galgen.

Der Rechtsgelehrte hatte nicht damit gerechnet, daß die Gesetzlosigkeit noch einmal ein solches Ausmaß annähme: es gab ein Gesetzbuch, das erste des Landes, er selbst war sein Verfasser. Aber geistige Taten entzweien uns nicht nur mit der schlechten Wirklichkeit: sie verdrängen diese auch, es wird schwer, an sie zu glauben. Anders steht es für das Volk. Es wird gewiß festlich erhoben sein, da in außerordentlicher Art der schimpflichste Tod den höchsten Richter trifft. Die Kraftprobe, die den Geist der Menschen in Bann zu schlagen pflegt, ist die Vergewaltigung des Rechtes. Da es Morgen wurde, füllte sich der Platz, und der Feind des Toten, der unter den Füßen des Erhängten stand, begann sogleich zu schreien, was für ein Verräter Brisson gewesen, und hätte Paris ausliefern wollen an den König, der die Stadt bestraft haben würde, und alle, alle wären sie in dem Fall hin und verloren gewesen. Volk! Du bist gerettet, da hängt Brisson. Allerdings, da hängt einer am Galgen, hat nur das Hemd an und ein schwarz unterlaufenes Gesicht. Das, der Präsident des königlichen Parlamentes, das, in unserm armen Lande eines der berühmten Kleinode, die noch übrig waren?

Sie regen sich nicht, die Menge ist erstarrt von dem Anblick, jeder Hinzugekommene wird sofort gelähmt. Aus den Ecken des Platzes rufen die aufgestellten Mordgesellen, daß die Verschwörer reich sind und daß ihre Häuser mit allem, was darin ist, von Rechts wegen dem Volk zufallen. Niemand regt sich. Geplündert wird nicht alle Tage, man sollte die Gelegenheit wahrnehmen, dennoch schleicht dies Volk nach Hause. Erst in einiger Entfernung vom Richtplatz sprach es lauter. Da hörte einer der Sechzehn es sagen, daß an diesem Morgen der König seine Sache gewonnen habe, und nur noch seine falsche Religion müsse er abschwören. Dem Mitglied der Sechzehn, einem Schneider, gab dies zu denken, so daß er wütend verkündete, er würde allen Sechzehn weniger einen die Kehle abschneiden.

Der König bei seinen Abenteurern vernahm aus Paris jedes Wort, tat aber nichts dergleichen, sondern ließ die Abenteurer reden – nicht aus Neugier. Er wußte ohnedies, wie solche Leute gesinnt sind und was sie ihm raten konnten. Abschwören, sofort, und die Hauptstadt öffnet ihre Tore! Solche Leute sind erfüllt von ihren eigenen Erfahrungen, Versäumnissen und begangenen Fehlern. Davon erzählten sie mehr als jemals dem Hof und Feldlager; und da sie zwei Tage lang die Freunde des Königs gewesen waren, fanden ihre Warnungen einige Beachtung. Henri hatte ein feines Gehör. Im Getümmel eines großen Saales und scheinbar seinem Leichtsinn ergeben, unterschied er die entfernten Gespräche, mehrere auf einmal. Eine Gruppe junger Leute, dem König verdeckt, aber zu erkennen an den frischen Stimmen, ließen sich von geprüften Lebenskennern belehren und stimmten zu. Der Dieb d'O verwarf die Armut, der man unbedingt entrinnen sollte. «So arm wie der König darf man nicht sein», bestätigte Rosny: Henri, der gerade lachte, erfaßte jedes Wort. Nach seinem Rosny vernahm er auch seinen klugen Turenne, wie er dem Hauptmann Alexis recht gab. «Vor dem Unglück muß man sich hüten», behauptete diese Erscheinung, die keine Nase mehr hatte.

Leise berieten der alte Biron und der alte La Noue. Sie waren nicht wieder laut, weil sie jetzt einer Meinung waren. Dem König blieb nach seiner Demütigung durch Farnese nur übrig, ein Ende zu machen. Das Ende, das Paris selbst zu dieser Stunde ihm anbot: ein anderes konnten sie nicht meinen, obwohl die Scham den beiden Feldherren verbot, die Sache bei ihrem Namen zu nennen; und hätte jemand das Wort vor ihnen ausgesprochen, sie wären hochgegangen aus Zorn, Biron so gut wie der Protestant La Noue. Als Soldaten sahen sie keinen Frieden gern, da der Krieg sie nährte. Am wenigsten gefiel es ihnen, nach einem Mißerfolg die Waffen niederzulegen. Dennoch sprachen sie von dem Gebot der gegebenen Lage, nannten es nicht beim Namen; aber Henri lauschte und verstand.

Seinen Hugenotten Agrippa hörte er die Stimme erheben. Agrippa d'Aubigné stritt mit dem deutschen Erzbischof, den der Übertritt zum Protestantismus seinen Thron gekostet hatte, und seither hielt er nur die Messe für die sichere Bürgschaft der Throne; weshalb er gerade hier sehr dringend zu der Messe riet. Henri löste sich aus seinem Kreis, drängte zu dem Hugenotten Agrippa hin und öffnete den Mund, um ihm ein Wort zu sagen, gerade ins Auge. Das Wort «Ich tu's nicht» wäre es gewesen; Agrippa sah auch genau, was kommen sollte. Da berührte ein Edelmann namens Chicot den Arm des Königs. Chicot durfte äußern, was jeder andere für sich behielt: deshalb hieß er der Narr des Königs, und aus ironischer Vernünftigkeit machte er sich daraus ein Amt. Auch der König tat, als hätte er es ihm wirklich verliehen und ließ den so gekennzeichneten Edelmann zuweilen Wahrheiten verbreiten, die er selbst noch nicht eingestehen mochte. Neue Wahrheiten sind zuerst dem Narren erlaubt. Chicot stieß den König an, schnitt ihm das Wort ab und äußerte vernehmlich: «Freund! Du siehst nicht gut aus. Nimm ein Weihwasser-Klistier.»

Über einen Mann, der nun einmal ein Narr sein soll, wird doch gelacht? Die Nächsten verstummten aber, und das Schweigen setzte sich durch den Saal fort, bis es drückend wurde. Die dicht gedrängte Gesellschaft bemerkte plötzlich, daß ihre Luft nicht länger zu atmen war; Fenster wurden aufgerissen in den Abend – und da alles hindrängte, fanden Henri und sein alter Freund Agrippa sich inmitten allein. Beide waren erbleicht, sie sahen es im Schein der hereingetragenen Lichter. Sie schwiegen, jeden beschäftigte hier nur das Gefühl, das letzte Wort wäre gesprochen.

Agrippa hatte sonst bittere Verse gemacht, wenn nach seiner Meinung der König ihn mit Undank belohnte. Er war hochgemut, wortreich und noch niemals verlegen gewesen um harte Wahrheiten für seinen König. Eine Verstimmung wagt man, erträgt sogar eine Ungnade. Anders diesmal; zu sichtbar war, daß der König litt. Agrippa senkte den Blick, um zu sagen: «Sie haben sich lange und tapfer gewehrt.»

«Es ist nicht aus», erwiderte Henri schnell.

Als einzige Antwort schlug Agrippa den Blick auf.

«Agrippa!» befahl Henri. «Komm, wir wollen den Herrn, unseren Gott anrufen.»

«Sie rufe ich an, Sire, und bitte Sie: Gib mir den Abschied, den mein Herz vermißt.»

«Dafür ist Du Bartas dann auch gestorben», sagte Henri von der Seite. «Ich und du – kennen uns doch. Wir wollen leben.» Womit sie schon abgingen.

Sie stiegen zu Pferd, und draußen auf freiem Feld fanden sie Wachfeuer, Zelte, ein Heerlager: niemand in der Umgebung des Königs hatte davon etwas geahnt, auch der wachsame d'Aubigné nicht. ‹So hast du, Henri, für eine neue Armee gesorgt anstatt der auseinandergelaufenen; hast heimlich eine große Zahl Briefe geschrieben, Boten entsandt, hast aus der Ferne deine Edelleute neu belebt und begeistert mit Sätzen, die nicht Agrippa, einem Dichter, gegeben wären. Das tatest du, Henri, in der Stille, während du augenscheinlich mit den Abenteurern umgingst und Vorkehrungen trafst, deine Religion abzuschwören.› – «Sire!» sagte Agrippa laut. «Ich will den Abschied nicht, mein Herz vermißt ihn keineswegs.»

Der König ließ nicht merken, daß er ihn hörte: er gab Befehle, alle bezogen sich auf den nahen Aufbruch nach Rouen. War Paris für diesmal nicht einzunehmen, dann sollte die Hauptstadt der Normandie alsbald der Liga entrissen, und Mayenne wie auch Farnese sollten nach Norden abgezogen werden auf die Schlachtfelder, die der eine schon kannte. Agrippa d'Aubigné, auf dem Ritt um das Lager, den er hinter seinem erstaunlichen König machen durfte, begriff die Absicht und freute sich seiner Klugheit. Gerade hier wurde er nochmals überrascht. Der König rief einen seiner Pastoren an. «Herr Damours! Beten Sie mit dem Heer.»

Derselbe Pastor hatte bei Arques den Psalm angestimmt auf Befehl des Königs, und das war schon der verlorene Sieg über das gewaltige Heer der Liga gewesen, es war die Rettung eines Heeres von Freiheitskämpfern, Gewissenskämpfern. Dieselben sind auch diesmal zur Stelle. Aus den Zelten, von den Wachfeuern springen Hugenotten in den Kreis, nach vorn die ältesten; tragen im Gesicht [illegible]ten wie ihr König, Narben am Leib wie er, und das zu wis[illegible] genug. Wir haben für ihn gekämpft, wir werden für ihn käm-[illegible]en jetzt mit ihm.

Agr[illegible] d'Aubigné, von rauhen, gläubigen Stimmen umgeben, versucht mi[illegible]sprechen, aber seine eigene innere Stimme fällt ihm in das [illegible]ort. Er d[illegible]kt: ‹Ein frommer Betrug, Sire! Sie täuschen Ihre alten Freiheits- u[illegible]d Gewissenskämpfer. Was Sie aber wirklich tun werden, ist fertig und beschl[illegible]ssen. Sie werden nichts ändern, da Gott es anders nicht will. Herr! Dein Wil[illegible] geschehe. Soll mein König den Glauben und die Treue verraten, halt ich [illegible]ch beides, Gott und ihm.› In diesem Geiste betete endlich auch Agrippa mit [illegible]d ließ sich nicht wieder stören.

Unser Teil

Der König belagerte die Stadt Rouen, ihre Einnahme drohte Paris die Lebensmittel abzuschneiden. Endlich zog Mayenne ihr zu Hilfe. Dieser Führer der Lig[illegible] hatte indessen Paris vermittels Hängens und Schießens halbwegs zur Vernun[illegible] gebracht, knapp bevor es vollends spanisch wurde im blinden Eifer. Hierau[illegible] mußte er im Gegenteil den spanischen Feldherrn aus Flandern zurückrufen[illegible] ohne Farnese hoffte er nicht mehr, den König zu vernichten. Sein gefährliche[illegible] Verbündeter hätte sich ebensogern der Stadt Rouen bemächtigt wie der König selbst: weshalb Mayenne sich anstrengen mußte, um ihn mit Ausreden von Rouen fernzuhalten. Der König, nach seiner Art auf eine Schlacht versessen, sollte ihnen gewiß entgegenkommen auf ein Gelände, das sie günstig fänden. Nun fing der König den Strategen Farnese zu kennen an, und anstatt einer offenen Feldschlacht gedachte er ihm Künste mehr nach seinem Geschmack zu zeigen. Daher näherte er sich nur mit leichter Reiterei, neunhundert Pferde im ganzen, wie denn? Niemand versteht, was er sich dabei denkt.

Unterwegs wurde gemeldet, daß die Spanier mit Trommeln und Trompeten anrücken, ein mächtiges Heer von achtzehntausend Mann Fußvolk, siebentausend Reitern, es bewegte sich in gedrängter Ordnung, die Kavallerie in der Mitte, seitwärts die Gepäckwagen, und die leichtesten Schwadronen flogen außen auf und ab wie Flügelschlagen. Es war ein reizvoller Anblick für Kenner, dieser Anmarsch Farneses auf dem gewellten Hügelland. Dem König kam das Bild zu Gesicht, als ihn und seine Reiter die Mauern von Aumale schützten; er wollte aber mehr sehen und verließ allein die Deckung.

Die schöne Armee hatte auf der Stelle angehalten, gebannt von einem Geist. Und Henri erblickte ihn am hellen Tag, er hätte es nicht gehofft. Der Geist zeigte ein altes, verwelktes Knabengesicht, bartlos, eigensinnig und müde. Gebeugt, wie Schmerzen einen Menschen kleiner machen, saß er in dem Karren dort vorn, an der Spitze der schönen Armee – und hatte die Füße in Pantoffeln. Derart rollte der Geist auf zwei Rädern vor der Front umher und regelte alles. Ein Wink von ihm, und ob zunächst vor seinen Augen oder am entferntesten Ende, jedes Manöver wurde ausgeführt, als wär es zwischen Kulissen, und Bühnenmaschinen versähen die höhere Ordnung des Vorganges, so daß Götter aus feurigen Wolken ihn zu lenken schienen; und gerade dies verhalf der menschlichen Kunst zur edelsten Wirkung. Es war ein vorzügliches Schauspiel; den Betrachter, der sich immer weiter auf das freie Feld hinauswagte, ließ es nicht los, ja, hätte ihn ganz befriedigt. Da war nur –

Da war das welke Knabengesicht, und da waren die Pantoffeln. Im Wind, der ihn hertrug, meinte Henri einen Krankendunst zu riechen. Er fragte sich, ob die Soldaten ihn nicht auch empfänden. Gesunde Leute müssen wohl Unheimliches ahnen an einem Feldherrn, der sich tragen oder fahren läßt, und keine Waffe führt er. Werden dem da keine Mörder geschickt? Nein. Genug, daß keiner es versucht hat. Er ist gebrechlich, aber unantastbar. Sänften und Karren tragen ihn vorsichtig durch Europa, damit er Siege für den Weltherrscher vollbringt. Er aber siegt, kalt und ohne Freude. Wie einen Verzicht übt er seine große Kunst aus und läßt sich weitertragen, während er den Gemeinen, als Erholung von der harten Zucht, das Mordbrennen erlaubt. Auf das Trompetenzeichen müssen sie es abbrechen und werden sonst aufgehängt. Ein Geist ist unberechenbar; man fürchtet ihn mitsamt seiner körperlichen Schwäche, seiner Freudlosigkeit. Die vielsprachig unterworfenen Völker des Weltreiches erkennen sich in ihm.

Der König von Frankreich, Henri, ungedeckt auf offenem Feld, mit wenigen Begleitern hinter sich, die leise beraten, wie sie ihn warnen können: er aber, kein Gedanke, daß er sich losreißt. Er steht hingeneigt, er hält den Atem an. Das wird er nie wiedersehn, will auch Sorge tragen, daß es nie wiederkehrt. Alexander Farnese, Herzog von Parma, meidet sein blühendes Land, sein Juwel von einer Stadt, die Marmorbilder und Gemälde, verläßt und meidet alles eines Feldzuges wegen, der ihn nichts angeht, den er für sinnlos und vermessen hält: ihn drängt es, seine Kunst zu üben. Geht über den Fluß bei Lagny, Paris bekommt Zufuhr wie durch Zauber: ein Kunstwerk. Hier, mit seiner großen Theatermaschine probiert er wieder eines, noch eine zauberhafte Überraschung, noch ein Kunstwerk der Strategie.

Die klare, vernünftige Stimme des Barons Rosny unterbrach den König und erinnerte ihn an die wirkliche Lage. «Sire! Die Herren hier lieben Sie mehr als ihr Leben. Sie dürfen das Ihre nicht länger aussetzen.»

«Ach was, ihr fürchtet euch wohl?» fragte der König, womit er seine Herren erstaunte und etwas kränkte. Übrigens erinnerte Rosny ihn in ihrem Namen, daß er mit neunhundert Mann eine große, kunstreich aufgestellte Armee unmöglich angreifen könnte. Er hatte nicht daran gedacht, es zu tun; aber in einer merkwürdigen Parteilichkeit für den anderen drüben warf er ihnen vor, der sei der erste, den sie fürchteten. Sie schwuren ihm, daß nur sein eigenes Leben ihnen wert sei. Er ließ sich begütigen, da waren schon die Reiter Parmas über ihm. Er und seine neunhundert mußten sich eines unverhofften Todes erwehren, viele erfuhren ihn dennoch. Der König wurde leicht verwundet, er entkam nur, weil sein berühmter Gegner nicht glauben wollte, er wär es und wäre so sehr Husar, so wenig König.

Diesen König sollte Farnese indessen noch kennenlernen, bevor er dann in die Ferne zog, um bald zu sterben. Es kam derart, daß Henri ihn mit Zügen und Gegenzügen auf eine Halbinsel zwischen dem Fluß La Seine und dem Meer drängte, was von vornherein seine Absicht gewesen war, und das Gefecht von Aumale diente nur, sie zu umnebeln. Auf einmal war es geschehen: der reisende Künstler und die Armee, sein schönes Werkzeug, alles gefangen. Keine Lebensmittel auf der Halbinsel, aber eine holländische Flotte segelt dem König zu Hilfe. Farnese, schon verwundet, schien verloren. Was tat er? Nichts anderes als bei Lagny. Hier ist die Seine breit wie ein Meer, er überschritt sie dennoch auf einer Schiffsbrücke, eines Nachts, in lautloser Stille. Als die Königlichen erwachten und nichts mehr da war von ihrem gefangenen Feind, schrie man vor Zorn. Henri lachte, gab übrigens die vorzügliche Manne zu. Sein entkommener Gegner hinterließ ein Wort, darin sich zeigte, daß er den König von Frankreich zuletzt doch anders verstand; und außerdem verriet es den Tod.

«Dieser König verbraucht mehr Stiefel als Pantoffeln.»

Später hörte man, daß Farnese in Paris eingetroffen war; er ließ aber dort seinen guten Freunden ebensowenig Zeit wie er fast seinen Feinden. «Ich bin fertig», sollte er nur gesagt haben, als Unterbrechung eines leeren Schweigens. In der Tat hatte er mehreres ganz Erstaunliche vollbracht, unbeirrt vom wechselnden Kriegsglück. Ein Künstler, dem sein Werk noch einmal geraten, ließ er zurück, was er nicht brauchen konnte, dies Land, dies Volk, und führte, unter Trommel- und Trompetenschall, seinen gealterten Ruhm ins Weite.

Henri, wir sind mitnichten «hier fertig». Eher müßten wir unsterblich sein: so endlos haben wir zu kämpfen um unseren Teil. Unser Teil sind die Menschen.

Wechselfälle der Liebe

Zeig sie mir!

Der König jagte in den Wäldern von Compiègne; an diesem Tage verfolgte er einen Hirsch bis nahe der Provinz Picardie. Dort verloren sie die Spur, der König und sein Großstallmeister Herzog von Bellegarde. Die Jagdgesellschaft war ihnen längst aus den Augen, die beiden Gefährten rasteten auf einer Lichtung. Der König nahm als Sitz einen gestürzten Baumstamm. Durch das Laub, das der Herbst schon lockerte, fielen Sonnenstrahlen, sie vergoldeten es, und verstreutes Licht umgab die beiden Gestalten, einen Vierzig- und einen Dreißigjährigen.

«Wer doch etwas zu essen hätte!» sagte der König. Zu seinem Erstaunen brachte der Großstallmeister augenblicklich, was man sich nur wünschte, legte alles auf den Baumstamm, und sie stillten Hunger und Durst. Während der Mahlzeit überlegte der König. Da Bellegarde in seiner Satteltasche die Vorräte mitgeführt hatte, mußte seine Absicht gewesen sein, die Jagd zu verlassen und zu verschwinden – wohin?

«Wohin wolltest du, Feuillemorte?» fragte der König geradeheraus und erwartete mit listigem Gesicht die Antwort, die ausblieb. «Du siehst hier noch gelber aus als sonst, Feuillemorte: das macht all das welke Laub. Sonst bist du ein schöner Mann und nur dreißig Jahre. Wer das noch wäre! Damals machten sie es mir meistens nicht schwer, und immer waren sie da. Blick doch scharf zwischen die beiden Eichen! Scheint es dir nicht, als wollte aus dem dunklen Raum eine hervortreten und wagt es nicht? Damals kamen sie gleich.»

«Sire!» sagte da Bellegarde. «Wollen Sie meine Geliebte sehen?»

«Wo denn? Welche denn?»

«Sie ist sehr schön. Das Schloß steht nicht weit von hier.»

«Wie heißt es?»

«Cœuvres.» Schnell gefragt, pünktlich geantwortet, und der König wußte sogleich Bescheid.

«Cœuvres. Dann ist sie eine d'Estrées.»

«Gabriele», sagte der junge Mann, und in dem Namen schwang sein Herz mit. «Sie heißt Gabriele, sie ist reizend. Sie ist zwanzig, ihr Haar ist reines Gold, heller als hier das Licht auf den Blättern glänzt. Ihre Augen haben die Farbe des Himmels, und manchmal glaube ich, daß nur von ihnen der Tag schön ist. Ihre Wimpern sind braun, ihre schwarzen Brauen beschreiben zwei schmale, edel geschwungene Bogen.»

«Sie wird sie ausrasieren», warf der König ein, worauf der Liebende erschrak und schwieg. Der Gedanke war ihm noch niemals eingefallen.

«Zeig sie mir! Heute seid ihr verabredet. Aber das nächste Mal nimmst du mich mit.»

«Sire! Gleich jetzt.» Bellegarde sprang auf, er konnte es nicht erwarten, dem König seine schöne Geliebte zu zeigen. Auf dem Wege sprachen sie von der Familie, der König erinnerte sich:

«Der Vater deiner Schönen heißt Antoine und wäre Gouverneur von La Fère, hätte nur die Liga ihn nicht davongejagt. Ah! Die Mutter. Sie ist doch durchgegangen?»

«Mit dem Marquis d'Alègre, schon vor Jahren. Vorher soll sie versucht haben, ihre Tochter zu verkaufen. Was beweist das? Sire! Sie haben den Hof Ihres Vorgängers selbst gekannt.»

«Er ließ an Reinheit der Sitten manches zu wünschen. Aber Ihre Gabriele war zu jung, um verkauft zu werden.»

«Sechzehn, und damals noch dürftig von Wuchs. Dennoch bemerkte ich sie gleich. Aber glücklicherweise habe ich sie erst bekommen, als sie schon ausgereift war.»

«Ah! Ihre Schwester.» Der König wollte sich weiter entsinnen. «Wie heißt sie?»

«Es sind sechs Schwestern. Aber Eure Majestät meinen die ältere, Diana. Sie hatte zuerst den Herzog von Epernon.»

Der König hätte fast gesagt: Und alle sechs mit der Alten müssen ein Regiment gehabt haben. Er rief sich auch ins Gedächtnis, daß sie zusammen die sieben Todsünden genannt wurden. Er äußerte statt dessen: «Eine schöne Familie, in die du kommst, Feuillemorte. Wirst du deine Gabriele heiraten?»

Der Herzog von Bellegarde erklärte voll Stolz: «Eine ihrer Ahnen mütterlicherseits wurde von Franz dem Ersten, Clemens dem Sechsten und Karl dem Fünften ausgezeichnet. Es liebten sie nacheinander ein König, ein Papst und ein Kaiser.»

Der König verließ indessen die galanten Damen, von denen die Geliebte des Großstallmeisters sich herschrieb. Der Name des Herzogs von Epernon war gefallen, ein Name, beschwert mit alten Kämpfen, die keineswegs beigelegt waren. Alle Sorgen seines Königreiches ergriffen den König, da ließ er sein Pferd im Schritt gehen trotz großer Ungeduld seines Begleiters und sprach von seinen Feinden. Sie hatten das Königreich unter sich aufgeteilt, und jeder in seiner Provinz spielte den selbständigen Fürsten, der sich einem ketzerischen König nicht unterwirft. Sogar ein Epernon, er hat angefangen als Lieblingsjunge des vorigen Königs! Sogar der darf den Vorwand der Religion gebrauchen. Laut sagte er: «Bellegarde, du aber bist katholisch und mein Freund, sag mir, ob ich denn wirklich den gefährlichen Sprung tun muß.»

Der Edelmann verstand den König; er antwortete: «Sire! Sie haben bestimmt nicht nötig, die Religion zu wechseln. Wir dienen Ihnen, wie Sie sind.»

«Wenn das wahr wäre», murmelte der König.

«Und Sie sollen meine Geliebte sehen», rief sein Begleiter in heller Freude. Der König erhob die Stirn. Jenseits eines waldigen Tales und rauschenden Gewässers, über Hügel, über Wellen bunten Laubes, in Wipfeln und Himmelsbläue schwebte das Schloß. So scheinen sie oft von Ferne wie aus Luft gebildet, bevor wir sie dann kennenlernen, und ihre Dächer blinken. Was erwartet uns? Sie sind bewehrt mit Graben und Mauern, oben mit Geschützen bestückt, aber Rosen ranken hinauf. Was erwartet uns in diesem? Die zehrende Unruhe wegen seiner Feinde und das Bangen vor seiner Bekehrung, beides machte den König empfänglich für Vorgefühle. Er hielt an, sagte, daß es spät würde, und wollte umkehren. Bellegarde verlegte sich aufs Bitten, begierig wie er war, von seinem Herrn gerühmt zu werden wegen seines unvergleichlichen Besitzes. Der König hörte von purpurnen Lippen, zwischen denen Perlen schimmern sollten; von Wangen wie Lilien und Rosen, aber hindurch drangen die Lilien, und ebenso weiß ist der ganze Körper, der Busen aus Marmor, die Arme gehören einer Göttin, die Beine einer Nymphe.

Da ließ der König sich bewegen, und sie ritten denn hin.

Das Schloß lag hinter Graben und Zugbrücke. Es hatte einen Haupttrakt und vorgeschobene Flügel, ein jeder mit seinem Türmchen in durchbrochener Bauart. Das Mittelgebäude bestand aus zwei Stockwerken, hohem Dach, offenem Säulengang, mächtigem Portal und verzierten Fensterrahmen. Ursprünglich rauh, jetzt elegant verschönt war das Schloß, und überall rankten Rosen, die letzteren entblätterten sich noch.

Der König wartete draußen, indessen sein Begleiter hineinging. Im Hintergrunde der Halle erhoben sich die beiden Arme einer gerundeten Treppe. Der Herzog de Bellegarde ging darunter weg in einen Saal, der grünes Licht empfing von dem jenseitigen Garten. Er kehrte wieder, neben sich eine dunkelhaarige junge Dame im gelben Kleid mit Rosenkränzen. Schnell und leicht kam sie dem Herzog zuvor und verneigte sich vor dem König. Aus der bescheidenen Stellung sah sie ihn schelmisch an. Die schmalen Augenspalten erteilten dem Herrn den Wink, die Bescheidenheit der hübschen Person nicht zu ernst zu nehmen, und das tat er nicht. Er sagte sogleich:

«Sie besitzen so viele Vorzüge, Fräulein, daß Sie ganz gewiß dieselbe sind, um derentwillen der Großstallmeister hierher zu kommen pflegt. Ich hatte nicht zuviel erwartet.»

«Sire! Sie sprechen gut: fahren Sie fort. Ihr Großstallmeister blickt inzwischen nach meiner Schwester aus.»

Wobei sie sich in die Halle zurückzog. Der König folgte.

«Sie sind Diana!» rief er und stellte sich erstaunt. «Um so besser. Sie sind frei. Wir werden uns verstehen.»

Schlag um Schlag sagte sie:

«Ich bin niemals ganz frei. Wer mich aber verstehen wollte, müßte erfahren sein. Wissen Sie wohl, wie viele Frauen er gekannt haben müßte? Achtundzwanzig.»

Genauso viele Geliebte sollte der König gehabt haben, flüchtige Bekanntschaften nicht mitgerechnet. Sie wußte Bescheid und zeigte ihren Witz.

«Sehr gut», bemerkte auch er, und dachte daran, dem Fräulein eine Verabredung anzubieten. In demselben Augenblick sah er auf dem Podest der Treppe eine Gestalt erscheinen.

Ihr Fuß schwebte hernieder zu der höchsten der Stufen. Ihr Samtkleid war grün und schwankte im Reifen. Oben fiel der Schein des nahen Abends ein, darin erglänzte das goldene Haargeflecht, und die eingewobenen Perlen schimmerten. Der König tat eine Bewegung vorwärts, stockte sogleich, und die Arme sanken ihm an den Seiten hin. Alles kam von dem nie geahnten Zauber der Herniedersteigenden. ‹Sie macht es wie eine Fee, wie eine Königin› – dachte der König, als hätte er nicht häßliche Königinnen gekannt, aber er fühlte sich im Märchen. ‹Wie gut, daß sie es als Fee und Königin doch kindlich und unbedacht macht!› Eine ihrer Hände lag an ihrer Perlenschnur, über das Geländer glitt die andere – und wie ein Körper sich niedersenkt und heranläßt, jeder Schritt dies Wunder von Gehaltenheit, Gelöstheit, Spannung, Größe, alles in einem: der König hatte es nie gesehen. Er hatte noch nicht schreiten gesehen.

Er stand im Schatten, sie wußte es nicht oder suchte ihn doch nicht. Bellegarde hatte sie verfehlt, er war voreilig über den falschen Treppenarm geeilt: sie lachte ihn aus, sie wendete den Hals, eine Regung lebhaft und naiv. Ja, sie ver-aß sich und sprang zwei Stufen hinauf, sie wäre zu ihrem Geliebten gelaufen. Zeichen von ihm hielt sie wohl auf, sie setzte ihr strahlendes Schreiten i. Der König erwartete sie nicht, er war rückwärts gewichen. Als sie unten ankan. efand er sich außerhalb des Portals.

Au. der Mitte seines Leibes stieg, äußerst schnell, ein Schluchzen auf, und im Ha angelangt, verhinderte es ihn zu sprechen. Da Gabriele d'Estrées ihm zugefüh. wurde, war er stumm. Der Großstallmeister ließ die Hand des jungen Mädc ns los, er erschrak. Sofort war ihm klar, was er getan hatte. Der König hatt. lie Sprache verloren, er erschien getroffen, erschüttert – entsetzt, mußte Belleg. de denken, und betrachtete das Gesicht seiner Freundin, ob es nicht in das H pt der Medusa verwandelt wäre. Sie war aber ein Mädchen geblieben wie an. e, gewiß schöner als andere, was Bellegarde am besten wußte. Sein Besitzersto. verhinderte ihn nicht, den Eindruck, den sie auf den König machte, übertrieben zu finden, abgesehen davon, daß er gefährlich war.

Gabriele senkte vor dem König ihre braunen Wimpern, sie waren lang und beschatteten die hellen Wangen. Kein Blick oder Lächeln erlaubte dem König, ihre bescheidene Haltung für unecht zu befinden. Hier wollte eine Frau ihm weder gefallen noch von ihm beachtet werden, als ob eine weiße und blonde Göttin beiseite stehen könnte. War es ihr bewußt? Dann war es ihr gleichgültig. Der König seufzte, er bat die himmlische Erscheinung, sich seinetwegen keinen Zwang aufzuerlegen, und machte eine Bewegung nach seinem Großstallmeister. Dieser nahm die Hand des Fräuleins und führte es wenige Schritte weiter, wo an der Mauer noch Rosen sich entblätterten.

Diana sagte: «Sire! Jetzt werden Sie für alle meine Vorzüge blind sein, aber ich bin eine gute Schwester.»

Er fragte hastig, ob außer ihnen beiden niemand zu Hause wäre. Sie antwortete, nein, und ihr Vater wäre ausgeritten, ihre Tante aber machte mit der Kutsche einen Besuch. «Ihre Tante?» Er hob die Brauen. «Madame de Sourdis», sagte sie, und mehr brauchte es auch nicht: er kannte sein Königreich genau.

Madame de Sourdis, Schwester der durchgegangenen Mutter Gabrieles und selbst galant. Betrügt Herrn de Sourdis mit Herrn de Cheverny, dem abgesetzten Kanzler des vorigen Königs. Herr de Sourdis, früher Gouverneur von Chartres, in derselben Lage wie Herr d'Estrées: stellenlos. Alle sind stellenlos, sie werden viel Geld brauchen. ‹Die Geschichte wird teuer werden› – dachte der König, hielt sich aber dabei nicht auf. Warum sich sträuben gegen die klare Gewißheit.

Während Diana noch mehr erzählte, starrte er mit Augen wie in der Schlacht hinüber auf Gabriele, und seine Lippen bewegten sich, so heftig und hingerissen fühlte er: ‹Das ist sie.›

‹Das ist sie, und ich mußte vierzig Jahre werden, bis sie erschien. Marmor sagen sie zum Vergleich, von Purpur oder Korallen, von Sonn und Sternen sprechen sie. Leerer Schall, wer kennt das Namenlose außer mir. Wer anders als ich kann das Unendliche besitzen. Göttin oder Fee, was ist das? Königin will nichts sagen. Ich habe immer gesucht, immer versäumt, und dies ist sie.›

Auch im Gespräch mit Bellegarde behält sie ihre bescheidene Miene, oder bedeutet es Kälte? Der Ausdruck der Augen ist ungewiß; sie versprechen und scheinen nicht zu wissen, was. ‹Sie liebt Feuillemorte nicht!› behauptete Henri gegen seine Eifersucht, die ihn quälte. ‹Hat sie mich denn aber beachtet? Sie hielt ja die Wimpern gesenkt. Jetzt neigt sie ihr Gesicht über eine Rose: ich werde nie vergessen, wie ihr Hals sich wendete und bog. Sie erhebt das Gesicht – wird mich ansehen, wird – gleich. Ah! Nein. Nicht länger so.›

Mit zwei langen Schritten war er dort und verlangte lustig: «Die Rose, Fräulein?»

«Sie wollen sie haben?» fragte Gabriele d'Estrées höflich und sogar hochmütig: Henri bemerkte es und war einverstanden, denn Hochmut gebührte ihr. Er küßte die Rose, die sie ihm reichte; dabei entblätterte sich die Rose.

Auf einen neuen Wink des Königs verschwand Bellegarde. Henri fragte sofort darauflos:

«Wie gefall ich Ihnen?»

Das wußte sie längst, so ungewiß und poetisch ihr Blick auch blieb, wenn sie ihn musterte. Sie entgegnete aber:

«Mir gesteht man sonst zuerst, wie ich gefalle.»

«Das hätte ich nicht getan?» rief Henri.

Er hatte vergessen, daß er sprachlos gewesen war, und meinte, sie müßte alles verstanden haben.

«Reizende Gabriele», sprach er vor sich hin.

«Wer hat es Ihnen gesagt? Ihr Blick ist anderswo», erwiderte sie ruhig.

«Ich habe schon zuviel gesehen», stieß er hervor – lachte aber leichtsinnig auf und begann ihr den Hof zu machen, wie sie es erwarten durfte. Er wurde süß, er wurde kühn, ganz der galante König der achtundzwanzig Geliebten, und vertrat seinen Ruf. Sie wehrte ab, ein wenig lockte sie auch, des Anstandes wegen, und weil man befriedigt ist, wenn jemand seinen Ruf bestätigt. Das war sein ganzer Erfolg, mehr nicht, und er fühlte es genau. Davon verwirrte er sich, ohne deshalb mit Reden aufzuhören, und so kam es auf einmal, daß er nach ihrer Mutter fragte. Ihr vollendetes Gesicht wurde kalt, Marmor wurde es wahrhaftig, und sie erklärte, daß ihre Mutter abwesend sei. «In Issoire, mit dem Marquis d'Alègre», äußerte er obendrein, da er einmal in der Fahrt war, und gerade wegen der eingetretenen Kälte. Gleichzeitig erkannte er, daß sie sich jetzt abwenden mußte und es nur unterließ, weil er der König war. Ein Blick allerdings überflog ihn von Kopf bis Fuß, und davon wurde er plötzlich müde. Was er erblickt hatte, als sie seine Erscheinung überflog, er verfolgte es in seinem Geiste, Zug um Zug. Die Nase fällt zu tief, wiederholte er innerlich einige Male, und immer nachdrücklicher, als ob es das Schlimmste gewesen wäre. Aber da war mehr.

Er sah sich nach Bellegarde um, er wollte vergleichen, sein eigenes verwittertes Gesicht und den schönen Menschen, der länger war, und was für Zähne. ‹Als junger König von Navarra ließ ich sie mir mit Gold überziehen. Auch wir kannten das, war nur viel anderes zu tun seither.›

Diana beobachtete den König, sie sagte: «Sire! Sie wünschen zu ruhen. Ein Zimmer steht bereit zur Nacht. Unser Teich hat herrliche Karpfen für Ihre Mahlzeit.»

«Geben Sie mir Brot und Butter, ich will die Hand küssen, die es mir vor die Tür bringt, bevor ich Abschied nehme. Das Haus des Herrn d'Estrées werde ich nur in seiner Gegenwart betreten.»

Alle diese Worte richtete er an Gabriele, sie war es auch, die hineinging, das Befohlene zu holen. Der König seufzte, es klang nach Erleichterung, worüber Bellegarde und Diana zusammen erstaunten.

Henri hatte gehofft, Gabriele würde die Treppe hinauf und sie nochmals hinunter schreiten. Indessen betrat sie einen der unteren Räume und war alsbald wieder hier. Der König aß im Stehen sein Butterbrot, während er scherzte, nach der Landwirtschaft und Nachbarnklatsch fragte. Von jedem Untertanen, den Bäckern in Mans, dem Ritter von der Pute, hätte er sich ähnlich unterhalten lassen. Dann stieg er mit seinem Großstallmeister zu Pferd. Nahm aber den Fuß aus dem Bügel, trat nahe zu Gabriele d'Estrées und sprach schnell, seine Augen waren lebhaft und geistreich, ihr war dergleichen nie begegnet und hätte ihr auffallen sollen: «Ich komme wieder», sprach er. «Meine schöne Liebe», sprach er. Saß auf, ritt voran, sah nicht zurück.

Als die Reiter unter Bäumen verschwunden waren, fragte Diana ihre Schwester, was der König ihr heimlich gesagt habe. Gabriele wiederholte es. «Wie!» rief Diana. «Und das läßt dich so ruhig? Begreif doch, was das ist! Nicht mehr und nicht weniger als das Glück. Wir alle sollen reich und mächtig werden.»

«Wegen eines Wortes, das er in die Luft spricht.»

«Zu dir, ob du nun die Mühe lohnst oder nicht, hat er es gesagt, und keine andere wird deshalb so bald von ihm hören, obwohl mindestens achtundzwanzig es vorher hörten. Wir sind beide nicht dumm und bemerkten genau, wie er sich hier verbiß.»

«Mit seinen schadhaften gelben Zähnen», ergänzte Gabriele.

«Das wagst du zu erwähnen, bei einem König!» Diana erstickte vor Entrüstung.

«Gib mir Ruhe», verlangte Gabriele. «Schließlich ist er ein alter Mann.»

«Du tust mir leid», sagte die Schwester. «Ein noch nicht Vierzigjähriger – und abgehärteter Soldat. Welch eine gestraffte Gestalt, so fest in den Hüften!»

«Die Haut wie geräuchert, zahllose Fältchen», bemerkte die geliebte Frau.

«Laß einen Herrn sein Leben im Felde verbringen. Da kann sich einer den Bart nicht gleichmäßig schneiden.»

«Den grauen Bart», ergänzte Gabriele. Ihre Schwester rief wütend: «Wenn du es wissen willst: sein Hals war schlecht gewaschen.»

«Meinst du, es wäre mir entgangen?» fragte Gabriele gelassen. Die andere ließ sich vollends hinreißen.

«Gerade deswegen hätte ich mich noch heute abend mit ihm hingelegt. Denn nur ein großer Sieger und hochberühmter Mann kann sich solche Seltsamkeiten erlauben.»

«Ich bin für das Übliche. Die Huldigungen eines Königs von Frankreich sind mir gleich, wenn er ein schadhaftes Wams und einen schäbigen Filz trägt.»

Damit entfernte Gabriele sich. Diana lief ihr nach, die Stimme lag höher als sonst: «Dein langer Geck! Dein schön Frisierter! Dein Wohlduftender!»

Gabriele [illegible] nicht gut.

Nächtlicher Ritt

Solange der König und sein Edelmann über Hügel und Wellen bunten Laubes ritten, war der Himmel gerötet vom Abend. Jetzt stand schwarz vor ihnen der Wald. Der König hielt an und sah dahinten über den Wipfeln das Schloß schweben. Ein Nachglanz des untergehenden Tages färbte milde die hohen Dächer. Sie hatten einst stechend gefunkelt und hatten versprochen – was nur? Mir war bang. Das ist recht und gewohnt; am Anfang meiner Schlachten erging es mir niemals anders. Ist mir doch zu Sinn, als sollt ich diesmal unterliegen und in Gefangenschaft kommen.

Zuerst errät man alles hellsichtig, um es sogleich zu vergessen über der Torheit des Erlebens. ‹Mein Teil›, dachte Henri, ‹wird diesmal Geduld sein. Ertragen und die Augen schließen, wir kommen nicht umhin, da wir, behaftet mit den Spuren der Erfahrung, unmöglich auf den ersten Blick gefallen können. Das allein entscheidet. Vor allem anderen, das mir zugedacht war, vor den Schrecken, vor den Mühen, frisch mit siebzehn Jahren, kannte ich die Gärtnerstochter Fleurette. Es ist Morgen, und der Tau blinkt. Ich habe sie genommen und geliebt, unsere Nacht war voll Entzücken, ich halte sie noch bei der Hand, der Brunnen spiegelt unsere beiden Gesichter; und so schnell wie das Bild im Wasser war auch die Liebe aufgelöst, schon winkt ich ihr von fern und mein berittener Haufen nahm mich auf. Jetzt – der schwarze Wald.›

Er lenkte hinein. Bellegarde war längst voran, allein für sich ließ Henri sein Pferd im Schritt gehen. «Ich werde sie lange belagern müssen», sagte er, «und Belagerungen hebt man sonst auf, wenn genug Zeit und Menschen verlorengegangen sind. Nicht diese, Freund, hier ist eine Grenze deiner Freiheit, und eher verblutest du dich.» Er erschrak, hielt sein Tier an, spähte in das Dunkel, das seine angepaßten Augen allmählich durchdrangen. So erst ist diese Sache, und es heißt mit ihr Glück haben! Da es aber gerufen wurde, erschien ihm das Glück: ließ sein Herz stärker schlagen, machte seinen Kopf leichter, und er besann sich, daß das Alter ein Irrtum sei, und nur vermöge unserer Nachgiebigkeit trete es ein. ‹Ich will glücklich sein, noch einmal der Siebzehnjährige, und das Versprechen des Glückes, heute heißt es Gabriele. Erfüll es selbst! Da ist nicht die Wahl, hilft auch die Scham nicht, und Müdigkeit ist unerlaubt. Kämpfe! Mach wieder den König von Navarra, der ein kleiner Mann war gegen mächtige Gefahren. Sie haben ihn nicht umgebracht, und sogar diese wird es nicht.›

Während er sich reckte, um aufzuatmen, erblickte er in der Ferne eine unbewegte Reitergestalt. Der gerade Weg lief lange dahin, Baumkronen neigten sich [illegible]rüber; dennoch unterschied Henri zwischen Laub und Schatten fern und noch kle[illegible] die Statue, die wartete. ‹Den liebt sie! Das ist wahr, und vor der Wahrheit be[illegible] ich mich. Wenn aber er sie liebte, dann stieß er mir hier und jetzt seinen D[illegible]h in den Hals. Tut er's nicht? So bin ich der Stärkere, weil ich der König bin. E[illegible]t schön und jung: töte mich, Feuillemorte, sonst verlierst du deine Geliebte. Sie [illegible]ird mich nicht immer alt und häßlich finden, dafür sorg ich, Feuillemorte. Mein [illegible]rt ist grau, aber nicht aus triftigen Gründen, denn ich selbst bin jung wie nur einer. Sie wird es lernen, soviel mich's kosten soll; und muß ich schenken, immer schenken, und mich blind stellen, und werben, bitten, den Kleinen spielen: zum Schluß liebt sie nicht mehr dich, Feuillemorte. Mich liebt sie, liebt mich.›

Angelangt. Er stellt sein Pferd neben das andere, er neigt sich zu dem anderen Gesicht. «Bellegarde! Wach auf! Was wolltest du tun?»

«Sire! Ihnen das Geleit geben, sobald Sie nicht mehr wünschten allein zu sein.»

Henri war erstaunt, eine höfliche, ruhige Stimme zu hören. ‹Wie? Den hat der Sturm nicht angerührt, nur ich wurde geschüttelt? Er wird doch wenigstens Mißtrauen fühlen, das kann ich verlangen.›

«Ich werde alt», sagte der König, als sie weiterritten. «Es ist daran zu merken, wie mir die Frauen neuerdings begegnen. Eine, ob du es nun glauben willst, hat mich sitzengelassen an einer Tafel, die für zwanzig Anwesende gedeckt war, sie aber schlich sich aus dem Haus und fuhr von dannen. Da merkt einer erst, wie es um ihn steht, und so auch heute. Du kannst zufrieden sein. Du bist doch zufrieden?» wiederholte der König, da keine Antwort erfolgte. Das Eingeständnis der Eifersucht! Der König triumphierte.

«Du wolltest es, Feuillemorte. Ich sollte durchaus deine Geliebte sehen, du hättest sie mir am liebsten im Bade gezeigt. Auch ist sie wirklich weiß und rosig, wie du sie schildertest. Mehr weiß als rosig, es stimmt genau. Nie gewahrte ich etwas so Weißes, Schimmerndes, und empfing allein durch einen Anblick noch kein solches Versprechen von Glück. Wie schade, daß ich alt bin!»

Das war mit aufrichtiger Trauer gesprochen, wenn nicht vermöge einer großen Begabung. Bellegarde wurde vom Anhören um so gewisser seines eigenen Glückes, denn sein Glück war Wirklichkeit und nicht leeres Versprechen. «Sie sagen es, ich bin glücklich», rief Bellegarde hinauf zu den stillen Wipfeln. Unvermittelt begann er mit halber Stimme.

«Ich habe die schönste Freundin von der Welt, bin Großstallmeister von Frankreich, dreißig Jahre alt, gut gewachsen, und der Abend ist gelinde. Ich habe die Ehre, neben dem König zu reiten. Sire! Sie möchten mir meine schöne Freundin wegnehmen, das wäre für Ihren Edelmann die allergrößte Ehre. Mich aber liebt Gabriele d'Estrées, und Sie würden betrogen werden.»

«Du wirst vergessen werden», sagte Henri, ebenso leise.

«Darum bleibe ich doch ihr Erster», sagte Bellegarde. «Schon an [illegible]m vorigen Hof, als sie sechzehn war, verliebten wir uns. Der verstorbene K[illegible]ieß uns zusammen tanzen, beide in dieselben Farben gekleidet. Es war se[illegible], daß wir damals unserem gemeinsamen Verlangen widerstanden. Ohne da[illegible] sie berührt hätte, war sie mir doch bestimmt, und weder dem Kardinal vo[illegible] Guise noch dem Herzog von Longueville. Die Flucht des Königs aus Paris trennte uns für drei Jahre, und durch reinen Zufall hab ich sie hier wiedergefunden, aber gibt es solche Zufälle?»

Viel zu wichtig genommen, hätte Henri gern dazwischen gerufen. Viel zu lang und wichtig; indessen brachte er nichts hervor. Bellegarde versenkte sich, je dunkler der Wald wurde, nur hingebender in den stillen Rausch seines Glückes.

«Man sagt mir: sie ist in Cœuvres. Ich reite hin, wer steht im Saal? Wir sehen uns an, schon ist es entschieden. Sie hatte auf mich gewartet drei Jahre lang, ich blieb ihr erster. Die Tante paßte auf, ich habe sie bezahlt, und die Tür des Zimmers wurde nicht verschlossen in jener Nacht. Die Treppe führt im Innern eines durchbrochenen Türmchens hinauf zu dem Seitenflügel – und dort schlief ich bei ihr», endete Bellegarde, hatte sich gerade durch dieses Wort ernüchtert, schwieg, und vermutlich hielt er die Lippen fest aufeinandergedrückt.

«Das ist alles?» fragte Henri merkwürdig beklommen, da es doch lustig ist, die Tante zu bezahlen und mit der Nichte zu schlafen.

«Ich habe zuviel gesagt», bemerkte der Liebhaber Gabrieles. Dasselbe empfand Henri: er schämte sich, dies alles gehört zu haben. Die innigen Geständnisse dessen, den ich berauben will, beschämen mich. Denn er hatte schon vergessen, was er vorhin, in dem Augenblick der Hellsichtigkeit, diesem Unternehmen alles zugestanden hatte, Demütigungen jeder Art, freiwillige Blindheit und Verletzungen der Scham.

Die Reiter gelangten aber auf eine Lichtung, dieselbe, wo ihr Abenteuer seinen Anfang genommen hatte, und hier hinein schien der Mond. Jeder sah auf einmal, daß der andere ernst und bleich war: da begann Bellegarde, in dieser tiefen Einsamkeit, wie ein Höfling zu sprechen.

«Sire!» bat er. «Verlangen Sie nicht, ich sollte mich meiner Jugend rühmen. Ein glücklicher König ist mit vierzig Jahren jung. Ich – bin's vielleicht nur noch heute.»

«Du bist auffallend gelb, Feuillemorte. Das Licht des Mondes verdeckt deine Farbe nicht. Außer der Jugend zählt auch die Gesundheit. Du solltest in ein Bad gehen, Feuillemorte.»

Reizende Gabriele

Wo Henri geht und steht, muß er auf Feinde achten, jetzt und immer. Eines Tages schleicht zwischen zwei feindlichen Heeresköpfen ein Bauer hindurch. Einen Strohsack auf dem Kopf, macht er vier Meilen Waldes, gelangt nach Schloß Cœuvres, über die Brücke, auf den Hof – hier ruft ihn eine Magd an. «Halt, Alter! Die Küche ist hinten.» Sie bekommt etwas in die Hand gedrückt, betrachtet es sehr erstaunt, führt endlich aus, was ihr leise aufgetragen wird. Aus dem Hause trat Gabriele d'Estrées.

Sie sah einen kleinen Bauer, graubärtig, gebückt, ein schwärzliches Gesicht it Furchen, wie das Volk hat. «Was willst du?»

«Ich bring eine Botschaft für das Fräulein. Der Herr will nicht genannt sein.»

Sprich, oder mach, daß du fortkommst.» Das Fräulein war selbst schon w. ler im Gehen. Noch rechtzeitig bemerkte sie, wie lebhaft und geistreich de. Iann blickte. War das ein Bauer? Wo sah ich diese Augen schon? Allerdin sie hätten dir beim erstenmal mehr auffallen müssen.

« !» rief sie, erschrak, und sagte gedämpft: «Wie sind Sie häßlich!»

«I atte mich angesagt.»

«In di ser Gestalt! Verdien ich nicht, daß Sie in Samt und Seide, mit Gefolge kommen?»

Henri l chte in seinen grauen, bestaubten Bart. ‹Ah! ich war ihr zu alt. Dieser Bauer ist älter, als ein König jemals sein kann. Soweit hab ich schon gewonnen. Nicht viel fehlt, und wenn ich in großem Aufzug einträfe, sie fände mich schöner als Feuillemorte.›

Gabriele sah sich unruhig nach dem Hause um; die Fenster waren bis jetzt leer. «Kommen Sie! Ich zeig Ihnen den Karpfenteich.»

Sie lief, und er nahm große Schritte, bis beide um das Haus waren. Henri lachte in seinen Bart. ‹Schon ist sie eitel auf ihren königlichen Bewerber, niemals würde sie ihn den Ihren als verschmutzten Bauer zeigen. Es geht vorwärts.›

Hinter den Gebäuden begann der Garten bald sich zu senken, es war gut, um nicht beobachtet zu werden. Zum Teich hinunter stieg in einer Wildnis, von Laub und mit gelben Blättern bedeckt, eine breite Treppe. Plötzlich macht Henri zwei, drei Sätze und ist am Grunde. Gestrafft, kein kleiner Bauer mehr, steht er und wartet, daß Gabriele schreiten möge wie das erstemal, als sie den Fuß angesetzt und schon sein Herz betreten hatte.

Droben hält sie noch, jetzt läßt sie den Fuß zur ersten Stufe nieder. Eine ihrer Hände liegt an ihrer Perlenschnur, über das Geländer gleitet die andere: genauso war es das erstemal. Ihre langen braunen Wimpern sind gesenkt. Sie schreitet. Dies Wunder von Gehaltenheit, Gelöstheit, Spannung, Größe, es vollzieht sich wieder. Sein Herz klopft, die Tränen schießen in seine Augen. Ewig wird dies sein, so fühlt er. Bei ihrer Ankunft verschleiern ihre Wimpern sie noch. Als aber die blauen Blicke geöffnet werden, haben sie ihre ganze bezaubernde Unbestimmtheit. Niemand könnte sagen, ob sie weiß, was sie tut.

Henri fragte danach nicht. Er sah dies Haar und dies Gesicht. Von dem gesiebten Licht eines Wolkenhimmels erhielt ihr goldenes Haar einen Glanz, gelassen wie die Gnade. Ihre Haut hatte davon ein gedecktes Weiß, das ihm zauberisch erschien: er schüttelte den Kopf.

«Sire! Eure Majestät ist mit Ihrer Dienerin unzufrieden», sagte Gabriele d'Estrées mit überaus feiner Bescheidenheit – bog ein wenig das Knie vor dem König, aber nicht zu tief. Henri griff schnell zu, um sie aufzurichten. Er umfaßte ihren Arm. Zum erstenmal fühlte er ihre Haut.

Henri fühlte ihre Haut und erinnerte sich zweier Empfindungen, die er ihr nie hätte gestehen dürfen. Die erste: ein Geländer aus zartem altem Marmor, den die Sonne erwärmte, dort unten in seinem südlichen Nérac. Er strich darüber und fühlte sich zu Hause. Die zweite: ein Pferd von ehemals, auch aus der Jugendzeit. Er streichelte das bebende lebende Fell, war Gebieter und war Bewunderer.

«Sire! Was tun Sie. Sie machen mich schmutzig.»

Er nahm die Hand fort, sie hinterließ einen schwarzen Fleck. Henri fing an, ihn mit seinen Lippen zu entfernen. Das wollte sie nicht erlauben, sie hatte ihr Spitzentuch; aber da es sein Gesicht berührte, wurde es berußt wie der Arm. «Auch das noch», sagte sie mit ungnädigem Lachen, er indessen hatte einen Augenblick der Entrückung und der Liebe ohne Grenzen oder Ende. Ihre Haut unter seinen Lippen: ‹Gabriele d'Estrées, deine Haut, die ich küsse, hat den Geschmack der Blumen, der Farnkräuter in meinem heimischen Gebirg. So schmecken Sonne und ewiges Meer – heiß und bitter, ich liebe die Schöpfung in Mühsal und Schweiß. In dir ist alles, Gott verzeihe mir, auch Er.›

Hier bemerkte er ihr ungnädiges Lächeln und lachte mit, sehr sanft und leise, womit er sie gewann und gnädig stimmte. Sie lachten grundlos weiter wie zwei Kinder, bis Gabriele ihm die Hand auf den Mund legte. Dabei sah sie sich um, eine der unvergeßlichen Wendungen ihres Halses – als hätten sie beide in dieser Wildnis bemerkt werden können. Sie wollte aber nur die Heimlichkeit ihres Zusammenseins zu erkennen geben, wie er wohl verstand. Da fragte er sie im Vertrauen nach ihrer Tante de Sourdis, und was diese vorziehe, Schmuck, Seide, Geld.

«Zweifellos eine Stellung für Herrn de Cheverny», erklärte Gabriele unbefangen. «Und eine für Herrn de Sourdis», fiel ihr noch ein. Dann zögerte sie kurz, setzte aber ruhig hinzu: «Ich selbst brauche einen Platz für Herrn d'Estrées, denn mein Vater ist furchtbar schlechter Laune. Von Schmuck, Seide und Geld weiß ich nicht, welches mir lieber ist.»

Henri versicherte, daß er das nächste Mal mit allem versehen sein werde. Damit er aber die drei genannten Herren zu Gouverneuren ernennen könnte wäre unerläßlich, daß er vorher mehrere Eroberungen machte, Städte, Land – und ein gewisses Schlafzimmer. Er bezeichnete seine Lage.

«Die Treppe führt im Innern eines durchbrochenen Türmchens hinauf zu dem Seitenflügel... Dort schlief ich mit ihr», schloß er plötzlich, und das war nichts anderes als die Stimme seines Großstallmeisters. Gabriele erkannte sie und biß sich in die Lippen. Die kleinen, schimmernden Zähne versanken darin. Henri sah ungläubig zu, alles an Gabriele war schön wie der Tag, ein ewiger erster Tag. Ihre Nase bog sich erst seit heute mit dieser Anmut, welche Wimpern wären jemals so lang und goldbraun gewesen. Die gleichen, hohen und schmalen Bogen der beiden Brauen! Keine Ahnung mehr, sie könnten ausrasiert sein.

Gabriele d'Estrées entließ ihn rückwärts über die Felder, damit er niemandem vom Schloß begegnete. Da er nun wieder als Bauer zwischen den Feinden durchschlüpfte, gedachte er anstatt der Reize von Cœuvres nur der guten Gelegenheit, Rouen einzunehmen. Die Liga hatte dieser schönen Stadt einen Befehlshaber gegeben – ach, ihm war schon vor Zeiten in der Bartholomäusnacht der Verstand abhanden gekommen, und jetzt stritt er sich mit den Einwohnern, anstatt die Befestigungen auszubessern und für Lebensmittel zu sorgen. Der König hätte wahrhaftig seine ganze Kraft an die Eroberung von Rouen wenden müssen, war dessen auch gesonnen und hatte es verkündet. Als er dennoch etwas anderes beschloß, suchte man, woher es käme, und fand unschwer die Sippe der d'Estrées und de Sourdis mitsamt ihrem Glanzpunkt und Lockvogel. Ritt doch der König offen und unter starker Bedeckung nach Cœuvres.

Gleich das erstemal erwarteten ihn alle vollzählig, denn sie waren unterrichtet: Madame de Sourdis in einem starrenden Reifrock, die Herren d'Estrées, die Sourdis, de Cheverny und sechs Töchter, von denen nur Diana und Gabriele zugegen blieben. Die Kleineren wußten schon, daß ernste Geschäfte zur Verhandlung standen, weshalb sie sich ausgelassen davonmachten.

Madame de Sourdis empfing mit strenger Miene den Beutel, den der König unter seinem roten Mäntelchen hervorzog. Es war ein ledernes Säckchen, sie entleerte es in ihre Hand; erst dabei erhellte sich ihre Miene, da Edelsteine hinlänglicher Größe herausfielen. Sie nahm diese als ein königliches Versprechen, daß noch größere folgen würden – zur gegebenen Zeit, wie sie vertrauensvoll äußerte. Während dieses einleitenden Handels stand die Dame allein vor dem König inmitten des weiten Saales, der aus dem Erdgeschoß zum Garten führte, und von den Wänden blickten hernieder die Büsten mehrerer Marschälle dieser Familie sowie die Waffen, die sie getragen, und die Fahnen, die sie selbst erobert hatten, alles feierlich angeordnet.

Der König denkt: Wie wird das werden. Schon diese paar Saphire und Goldtopase hat mein Rosny mir nur ungern geliehen aus seinem Bestand. Dies ist eine fürchterliche Frau, man kann den Blick nicht von ihr wenden. So klein und dürr sollen die Giftmischerinnen sein. Vogelgesicht – und weiß, ein solches

Weiß gibt es nicht›, denkt er mit tiefem Widerwillen, ‹weil es in Wahrheit nur zu klar ist, daß alle Frauen der Familie damit begabt sind, und was die eine begehrenswert macht, gemahnt bei der anderen an Gift und Tod.›

Der Schloßherr hatte einen Kahlkopf, der sich bei jeder Gemütsbewegung mit Röte überzog. Er war ein Jäger und Biedermann. Der Gatte de Sourdis war klein, breithüftig und gänzlich unverlegen, trotz verschlagener Leisheit. Um so länger wirkte de Cheverny, der abgedankte Kanzler. Er überragte alle und bedeutete hierselbst den schönen Mann, anderswo hätte man ihn fahl und aktenhaft genannt. Sein Anzug war indessen der sorgfältigste, er kam auf Rechnung seiner Beziehungen zu der Hausfrau.

Henri übersieht die drei Edelleute mit einem Blick. Seine Erfahrung bei Männern ist reich und verläßlich. Die Frauen? Es wird sich zeigen. Sie täuschen immer wieder; was nicht an ihnen liegt, Schuld daran hat unsere Einbildung. Gabriele steht mit ihrer Schwester Diana Hand in Hand. Häuslicher Kreis, beide bescheiden und lieblich. Henri hätte beinahe vergessen, daß hier eine begehrte Frau ist, unvergleichlich an Großartigkeit und Pracht, das Ziel des Lebens, und die ganze Liebe. Es scheint, wir haben das immer noch in der Hand bis zum letzten Augenblick und könnten uns auch zurücknehmen.

Dies weiß eine Frau wie Madame de Sourdis. Sie erteilte daher einen entschiedenen Wink seitwärts über die weit abstehenden Rippen ihres farbenreichen Kostüms hinweg. Infolgedessen ließ Gabriele die Hand Dianas los und traf inmitten auf Henri. Zuerst schwieg er nur, da er seine Liebe neu entdeckte, und so wird sie ihm aufgehen mit jedem Tag, unausbleiblich wie die Sonne. Nein, er kann sich nicht zurücknehmen, wie er einmal gemacht ist.

Inzwischen füllte sich der Saal. Seine Tür stand offen, das Haustor auch; und über die Vorhalle hinweg war zu sehen, wie draußen Kutschen anrollten ohne Unterlaß. Herren und Damen im Festkleid hatten sich vom ganzen Umkreis aus ihren Schlössern aufgemacht. Sie kamen wie zu einer Verlobung, sie drängten sich wispernd und gespannt gegen die Wände: da erblickten sie wahrhaftig, was der König tat. Er erhob die Hand der schönen d'Estrées bis nahe unter seinen Mund, und hier schob er über ihren Finger einen Ring – nun, es war kein Ring, der die Damen aufregen konnte. Einige Rosen unterbrachen den schmalen Reifen, ein jüngerer Sohn hätte dergleichen einer armen Stieftochter an die Hand gesteckt. Dies geschehen, gab die Hausfrau mit einem Stab das Zeichen für die Diener, Erfrischungen zu reichen. Alsbald hielten Fruchtwässer, Mandelmilch, Marmeladen und türkischer Honig ihren feierlichen Einzug, auch Tische mit Pasteten und Wein wurden fertig gedeckt an ihren Platz gestellt unter Aufsicht eines stattlichen Koches; er folgte nur den Weisungen des Stabes. Madame de Sourdis rückte diesen mit hartem, trockenem Griff ein klein wenig durch die Luft, beinahe eine Fee. Auf ihrer roten Perücke schwankten eine grüne und eine gelbe Feder. Wendete sie aber den Hals, dann tat sie es unverkennbar wie Gabriele – in höchst verwandter Art, ungeachtet, daß die Anmut sich zur Fratze verwandelte, und aus der Lust wurde ein Greuel. So nah ist alles.

Angezogen durch die Nahrung, vergaßen die Gäste ihre Scheu, drängten in die Mitte und stritten geräuschvoll um die Plätze. Die Vornehmsten ließen sich durch die Herren des Königs vor ihn hinführen, um ihn ihrer Treue zu versichern, was nötig genug war, denn erst kürzlich hatten sie gegen ihn im Feld gestanden. Obwohl dies lauter Gewinn für ihn war, behauptete er einfach, daß jeder gute Franzose ihn anerkennte und ihm diente – ließ übrigens alle stehen, und nur mit dem Herzog von Longueville sprach der König. Er ist der andere Bewerber Gabrieles: sie hat gezögert, vielleicht weiß sie noch jetzt nicht, ob der oder Feuillemorte. So sehen die aus. Dieser hat die Haare künstlich gebleicht und ein Mädchengesicht, wie sie am vorigen Hofe üblich gewesen sind. Ist dennoch tapfer, hat bei einer Dame, obwohl selbst nur im Hemd, den eindringenden Gatten niedergemacht. «Erzähl davon, Longueville!» Der König bringt ihn zum Reden, Gabriele d'Estrées zieht sich beleidigt zurück. Sie könnte wohl sagen, daß sie fortbewegt worden ist vom Gedränge, wie es durch den Saal kreist: Leute, die den Anblick des Königs oder etwas Eßbares erstreben. Das kreist, dünstet schwül, duftet scharf, über der Masse wippen Federn, und Hälse, die länger als andere herausstehen, tragen auf starren Krausen einen Kopf, er scheint körperlos durch den Raum zu schweben.

Der König wurde selbst umhergedreht, auf seiner Fahrt erreichte er das Ende des Saales; eine Kette kräftiger bäurischer Bedienter hielt es frei. Die Hausfrau erwartete ihn dort, den Stab erhoben, als hätte dieser den König herbeigezaubert. Er wurde an eine Tafel für sich allein gesetzt, die Herren d'Estrées, de Sourdis und de Cheverny bedienten ihn stehend: der erste mit Wein und Melone, der zweite mit einem fetten Karpfen, der dritte mit Wildpastete, die durch und durch getrüffelt war. Der König wurde plötzlich von großem Hunger befallen, dennoch befahl er zuerst noch, daß Gabriele d'Estrées sich neben ihn setzen sollte. Sie war nicht zu entdecken. Statt ihrer neigte Vater d'Estrées sich über den König, dem er einschenkte, und sprach mit ehrlichem Zorn, sein Kahlkopf lief rötlich an. «Sire! Mein Haus ist eine Hurenklappe. Wollte ich des Nachts durch die Schlafzimmer dieses Schlosses gehen, um die Ehre der Familie zu rächen, von dieser bliebe nichts übrig. Mit ihrem Aussterben ist mir nicht gedient. Mein Trost bleibt nur das ehebrecherische Paar in Issoire.»

Er meinte seine Frau und den Marquis d'Alègre. Der König fragte den Biedermann, warum gerade diese sein Trost wären. Herr d'Estrées antwortete, daß der Marquis d'Alègre in der Stadt, die ihm unterstellt war, den allgemeinen Haß genieße, da er sie ausplündern müsse für Madame d'Estrées und ihre unersättlichen Bedürfnisse. Sicher werde es ein großes Unglück geben. Hierauf kam der fette Karpfen. Herr de Sourdis, an dem es war, den König zu bedienen, sprach von keinem häuslichen Unglück, trotz dem endenreichen Geweih, das an seiner Stirne deutlich sichtbar war. Nein, er sorgte sich einzig um Stadt und Landkreis Chartres. Jene hatte einstmals er selbst verwaltet, in dieser war sein Freund de Cheverny der Herr gewesen, bevor sie alle beide waren vertrieben worden infolge der überhandnehmenden Gesetzlosigkeit und des Schwindens der königlichen Macht. Nach der Meinung des Karpfens, denn Herr de Sourdis ähnelte ihm, war nicht die Einnahme von Rouen geboten, sondern unbedingt nur die von Chartres. Ganz unbedingt, bestätigte der frühere Kanzler, der den Karpfen ablöste und dem König die Rebhuhnpastete, durch und durch getrüffelt, vorlegte. Dieser bleiche Beamte erwies sich geschickt wie keiner, erstens im Servieren, aber auch durch seine besondere Kenntnis der königlichen Gesinnung und Vorliebe.

«Sire!» sagte er ernst und eindringlich. «Sie könnten Ihre Stadt Rouen zur Übergabe zwingen, wodurch Ihre Provinz Normandie auf einmal gesichert würde. Indessen wäre dies eine überaus blutige Sache. Eure Majestät hat selbst geäußert, daß Sie nur mit betrübter Seele Ihre Untertanen auf den Schlachtfeldern liegen sehen, und wo Sie gewännen, da verlören Sie. Indessen wäre ein hoher Beamter, der im Landkreis alle kennt, durchaus geeignet, Chartres auf dem Verhandlungswege in Ihre Gewalt zu bringen.» So gut wußte er, was der König vorzog, und dazu die würdige Stimme.

Die Reihe war an Madame de Sourdis; ihr Stab winkte eine große verdeckte Schüssel herbei, und als die silberne Glocke abgehoben wurde, erschien als lebendes Figürchen Amor, das verschmitzte Kind, einen Finger am Mundwinkel, Rosen in den Locken und den Köcher mit Pfeilen wohlgefüllt. Während alle den lieblichen Bogenschützen bewunderten und ein Ah und Oh durch den Saal ging, erhob Madame de Sourdis, rothaarig, gelb und grüne Federn, vor dem König ihren Stab und fragte: «Soll ich ihn senken? Chartres für Herrn de Sourdis und für Herrn de Cheverny die königlichen Siegel.»

Die Lider des Königs bewegten sich kaum merklich, aber Madame de Sourdis hatte aufgepaßt. Sie senkte den Stab, da saß neben dem König, nah an ihm, die reizende Gabriele.

Tal Josaphat

Östlich der Stadt Jerusalem, dem offenen Mittelmeer entgegengesetzt, aber dem Toten Meer nicht fern, liegt Tal Josaphat. Es ist die Einsenkung zwischen der Stadtmauer, die kreisrund ist, und dem Ölberg. Wir kennen das Land, wir kennen das Tal, und wissen nur allzuviel vom Garten Gethsemane. Die Frömmsten wollen nur im Tal Josaphat begraben sein, denn die Posaune der Auferstehung und des Gerichts, dort wird sie zuerst gehört werden, wenn sie einst erschallt. Zwischen den Bäumen des Gartens aber, hier am Grunde war es, daß unser Herr versucht wurde. Judas will ihn verraten, was ihm keineswegs entgangen ist, da die große Neigung der Menschen, von Gott abzufallen, ihm durch die eigene Schwäche verständlich wird. Er stürbe lieber nicht, und im Garten Gethsemane, Tropfen der Angst auf der Stirne, spricht er zu Gott: «Mein Vater, ist es möglich, daß dieser Kelch an mir vorübergehe? Doch nicht, wie ich will, sondern Dein Wille geschehe.»

Tal Josaphat, so hieß das königliche Lager vor Chartres, und als eines Tages der König, mit Schlamm bedeckt, aus den Laufgräben stieg, wer wurde ihm auf einer Sänfte entgegengetragen? Henri lief wie ein Knabe, damit er seiner Gabriele die Hand beim Aussteigen reichte; darüber hätte er beinahe die Dame de Sourdis vergessen; und dann zogen beide, von ihm geleitet, in Tal Josaphat ein. Gabriele zeigte ihr grünes Samtkleid, das zu ihren goldblonden Haaren so gut stand; auf kleinen Schuhen aus rotem Maroquin ging sie durch Schmutz, lächelte aber sieghaft. Ein längliches Gasthaus wurde für die Geliebte des Königs hergerichtet; ohne ihn lange hinzuhalten, empfing sie darin noch dieselbe Nacht den, der sie so sehr begehrte.

Sie tat es, weil ihre erfahrene Tante de Sourdis ihr gesagt hatte, daß es sich lohnen würde, und der König wäre ein Mann, der auch nachher zahlte, ja, nachher nähme seine Verliebtheit nur zu. Was sich als scharfsinnige Wahrheit erwies, und die erste, die den Vorteil davon verspürte, war Dame de Sourdis selbst, da ihr alter Freund de Cheverny vom König die Siegel erhielt und «Herr Kanzler» genannt wurde. Ein langes Unglück macht ungläubig. Als der bleiche Beamte, ein Werkzeug der verstorbenen Katharina von Medici, Veranstalterin der Bartholomäusnacht, bei dem protestantischen König ins Zimmer trat, wie wurde ihm? Die Feuchtigkeit stand ihm auf der Stirn, denn er dachte nicht anders, als daß man mit ihm eine Komödie vorhatte, und alsbald wäre er insgeheim beseitigt. In dieser Art wurde es zu seiner Zeit gehalten.

Vorne im Licht war niemand mit dem König, als nur sein Erster Kammerdiener Herr d'Armagnac, ein grauhaariger Mann. Der hatte seinen Herrn überall die vielen Jahre begleitet, in die Gefangenschaft, in die Freiheit, durch die Todesgefahren, durch die glücklichen Tage. Er hatte ihm das Leben gerettet, ihm den Bissen Brot verschafft und ihn vor Schaden behütet, soweit dieser von Männern drohte. Vor den Frauen warnte er ihn nie, da auch er selbst wie sein Herr von den Frauen nichts Schlimmes gewärtigte, es sei denn, daß sie häßlich sind. D'Armagnac fand gerade die Dame de Sourdis schön, wegen ihrer roten Haare und ihrer frechen blauen Augen, die einen ritterlichen Mann aus dem Süden zur Bewunderung nötigten. Daher war es für Herrn de Cheverny im voraus gewonnen und trug nach Kräften bei, daß der Freund der Dame de Sourdis vom König gut empfangen wurde. Auf den leisen Wink nahm d'Armagnac die Siegel und die Schlüssel vom Tisch, überreichte sie dem König großartig, wie in öffentlicher Zeremonie, und dieser konnte gar nicht anders, er setzte die Bewegung seines Ersten Kammerdieners fort, umarmte den Herrn Kanzler, rühmte ihn und verzieh ihm das frühere Unrecht. «Jetzt», so sagte der König nach hinten, «wird der Herr Kanzler die beiden Pistolen, die diese Siegel sind, nicht mehr gegen mich, er wird sie gegen meine Feinde richten.»

De Cheverny, trotz großer Abgebrühtheit, blieb hier vor Staunen stumm. Hinten im Zimmer wurde geraunt, gemurrt, und wenn nicht alles täuschte, klirrten Waffen. Protestantische Herren waren es, und ihre Unzufriedenheit bezog sich nicht nur auf diesen Auftritt: die Anwesenheit der beiden Damen im Lager Josaphat mißfiel ihnen. Es erbitterte sie, daß um der Damen willen nicht das wichtige Rouen erobert, sondern vor Chartres die Zeit verdorben wurde. Auch befürchteten sie noch größeres Unheil von der neuen Leidenschaft des Königs, da sie seiner Religion nicht mehr trauten.

Den Ängsten dieses Zimmers glücklich entronnen, blieb Herr de Cheverny zuerst ganz dumm im Kopf, seine Freundin de Sourdis machte ihm klar, wer der Stärkere wäre in Josaphat. Auf keinen Fall die Pastoren. Indessen kam das Paar überein, daß Gabriele zu ihrer Bedienung nur Protestanten haben sollte. Sie selbst sah den Nutzen auch ein. Sonst aber tanzte sie. Jeden Abend wurde getafelt und getanzt in Josaphat, es war die unterhaltendste Belagerung. Wenn dann alle zu Bett gegangen waren, zog der König mit hundert Reitern auf Wache. Seine Nacht war kurz, die Sonne fand ihn bei der Arbeit, und am Tage jagte er – das alles, weil die Nähe dieser Geliebten ihm die Ruhe nahm, wie noch keine es vermocht hatte, und seine Kraft und Tätigkeit antrieb über jede frühere Erfahrung hinaus. Um so ungeduldiger wurde er, als die belagerte Stadt nicht fallen wollte. Gabriele d'Estrées, er wußte wohl, daß sie praktischen Ratschlägen, nicht aber ihrem Herzen gefolgt war, als sie sich ihm ergab.

Henri schwur sich, es sollte anders werden; denn Frauen haben vielerlei Gründe, ihre Berechnung schließt nicht ihr Gefühl aus. ‹Das wissen wir mit vierzig Jahren. Mit zwanzig hätten wir uns auf eine Geliebte schwerlich eingelassen, wenn sie einen ganzen Troß stellenloser Edelleute nach sich zieht. Wir hätten nie gedacht, daß wir uns die Mühe geben würden, ihr ansteigend verschiedene Gestalten vorzuführen – einen alten kleinen Bauer, zu dem sie sagte: Sind Sie aber häßlich; und dann den königlichen Aufzug, und dann den Soldaten, der befiehlt, ordnet, immer wacht; endlich aber soll sie den Sieger erblicken. Ihm wird ihr Sinn bestimmt erliegen, da die Frauen von den Bezwingern der Menschen und Plätze träumen und darüber jeden jungen Großstallmeister vergessen. Dann hab ich sie, und der Kampf ist entschieden.›

Endlich mußte Chartres wohl fallen, da die Königlichen sich bis unter die Mauer hindurch gegraben hatten. Nahmen ein Vorwerk nach dem anderen, zuletzt aber Burg und Stadt, und in dieser Art nahm Henri auch Gabriele, die ihn noch nicht liebte, als sie schon im Gasthaus «Eisernes Kreuz» das Zimmer mit ihm teilte. Der Anblick seiner Unermüdlichkeit gewann ihm ein Vorwerk ihres Herzens, und er hatte Grund zu glauben, daß er auch in ihre innerste Burg einzog, als er Chartres in Besitz nahm. Das war der hellste zwanzigste April, das waren schwingende Glocken, herausgehängte Teppiche, Kinder, die Blumen streuten, Geistliche, die sangen, der Bürgermeister mit dem Schlüssel, und vier Schöffen trugen den blausamtenen Baldachin, darunter, hoch zu Pferd, der König seine Stadt musterte, und kaum erobert, begrüßte sie ihn beifällig. Der schöne Tag! Der schöne Tag, an dem die geliebteste Frau seines Lebens hierbei zusieht.

Der feierliche Empfang vollzog sich in einer berühmten Wallfahrtskirche, und ganz vorn im Publikum erstrahlte die Geliebteste mit allen ihren Leuten, der König übte vor ihr seine Majestät aus, Seitenblicke überzeugten ihn, daß sie davon hingeschmolzen wäre. Ein geheimer Anlaß störte sie darin, so daß sie errötete, sich auf die Lippe biß - ja, Ironie verriet sie. Daher entdeckte der König leider, daß hinter ihr jemand sich vorsichtig im Schatten hielt: lange ist er dem nicht begegnet, hat auch nie nach ihm gefragt. Dort drückt er sich umher. Henri, im ersten Zorn, winkt alle seine Protestanten an sich, sie brechen ihm Bahn – er eilt zur Predigt in ein verrufenes Haus. So ist es, sein Pastor hat, um Gott zu dienen, nur diesen Ort, wo sonst Komödianten auftreten und Kuppler in Gemeinschaft mit Dieben ihr Unwesen treiben. Diesen Aufenthalt zog der König der Gesellschaft der anständigen Leute vor; es erregte so viel Anstoß, daß er gut daran tat, Chartres zu verlassen.

Vorher versöhnte er sich mit Gabriele, die ihm schwur, daß seine Augen ihn getäuscht hätten, jener Edelmann könnte sich unmöglich in der Kirche befunden haben, sonst müßte sie selbst es gewußt haben! Dies war ihr bester Beweis, Henri fühlte sich sehr geneigt, ihn für bündig hinzunehmen, obwohl der Fehlschluß auf der Hand lag. Wer sagte ihm denn, daß sie es nicht wirklich gewußt hatte? Der ungewiß schwimmende Blick ihrer blauen Augen wahrhaftig nicht. Der sprach: Hüte dich! Dennoch ließ er sich versöhnen, gerade weil er sie nun einmal nicht allein besaß bis heutigen Tages und weiter um sie kämpfen wollte.

Sie begab sich zurück nach Cœuvres, wo er sie besuchte, und wo Herr d'Estrées ihm eröffnete, daß die Ehre des Hauses durchaus nur leide unter dem Sachverhalt. Beide drückten sich als Männer aus. «Wie haben Sie Ihr Haus denn selbst genannt?» fragte der König.

«Eine Hurenklappe», knurrte der Biedermann. «Gewöhnliche Edelleute hatten es mißbraucht. Fehlte nur ein König, und auch den haben wir jetzt.»

«Gevatter, das einfachste wäre gewesen, Sie hätten Ihre Tochter nach Chartres begleitet. Erstens hätten Sie aufpassen können. Außerdem wären Sie jetzt dort Gouverneur. An Ihrer Stelle ist es Herr de Sourdis, aber den mag kein Mensch wegen seiner Häßlichkeit, und auch räuberisch ist er plötzlich geworden, aus einem Karpfen ein Hecht. Ich brauche biedere Männer, Gevatter.»

«Sire! Ich bin bestrebt, dem König gut zu dienen, wobei ich gleichzeitig mein Haus rein halte.»

«Es wird Zeit», sagte der König, «und bei mir wollen Sie anfangen?»

«Bei Ihnen will ich anfangen», versicherte Herr d'Estrées, während sein Kahlkopf sich mit Röte überzog.

Der König ritt fort, ohne seine Geliebte gesehen zu haben, und unterwegs bedachte er das Angebot der Königin von England. Von ihr konnte er drei- oder viertausend Soldaten bekommen mit dem Sold für zwei Monate, und auch eine kleine Flotte schickte sie ihm – falls er ernst machte mit Rouen. Das war ihre Bedingung, und war wohl einer alten Frau gemäß, da sie allein noch für ihre Macht lebt, und sonst für kein Heil. Der König versetzte sein Pferd in schnellere Gangart, zuletzt sogar in Galopp, seine überraschten Begleiter blieben zurück: er erfreute sich seiner Beweglichkeit, und in England sitzt eine Greisin.

Elisabeth, jetzt eine hohe Fünfzigerin, hat Günstlinge hingerichtet aus bloßer Sorge um ihre Macht und ist mit ihren Katholiken nicht anders verfahren. Henri hat niemals eine Frau geopfert, ja, Männer, die ihn töten wollten, hat er oft verschont. Er hat auch keine Armada besiegt, das nicht; einen Schlag wie den hat die Weltmacht von ihm nicht, leider nicht von ihm empfangen. Und wäre Elisabeth sechzig, ihr Volk sieht keine Jahre, ihm erscheint auf weißem Zelter eine große Königin, die schön ist wie je. Elisabeth kennt einen einzigen Willen, ihn bricht nichts, weder Erbarmen noch Liebe. ‹Der Name ‚Groß‘ paßt auf mich nicht›, denkt Henri.

Sein Tier ist in Schritt gefallen. ‹Der Name ‚Groß‘ paßt auf mich nicht. Übrigens aber, wieviel Zeit will ein Vierzigjähriger noch verlieren, bis er an seine Angelegenheiten geht? Ich seh schon, daß es mir mit Rouen nicht eilt, sondern vorher will ich Herrn d'Estrées versorgen.› Was er alsbald tat. Er eroberte die Stadt Noyon und setzte als ihren Gouverneur den Vater Gabrieles ein. Der Biedermann fühlte hier, daß nichts ihn fortan entehren konnte. Seine Tochter hatte sich ihm anvertraut: sie hoffte, Königin zu werden.

Ihre Dienerschaft war protestantisch. Sie gab den Pastoren Geld für ihre Ketzerei, und deren wurde sie selbst schon verdächtigt. Im Laufe des Sommers begann der König ihr so große Geschenke zu machen, daß auch für höhere Zwecke als den persönlichen Aufwand genug übrigblieb. Beraten von ihrer Tante de Sourdis, nahm sie Fühlung mit dem Konsistorium, ob es sich bereit fände, die Ehe des Königs zu scheiden. Andernfalls, so ließen die Mittelspersonen durchblicken, wäre zu befürchten, daß der König seine Religion abschwört. Dadurch würde er sogleich in den Besitz seiner Hauptstadt gelangen und wäre mächtig genug, beim Papst durchzusetzen, was er wollte – vielmehr, was die Dame de Sourdis und ihr bleicher Freund ihm unterschoben. Denn Henri, ein Mensch der liebte, hatte in diesem Sommer die Welt vergessen. So stand es leider.

Er blieb tätig im einzelnen, wie er es nicht anders kannte; gedachte nur leider der ferneren Entschlüsse kaum, und da sie im Grunde genau gefaßt waren, ließ er es denn gut sein. Wer erlaubte sich nicht Pausen, Störungen und Schwächen. Vielleicht sind es keine, sondern sollen den, der seiner Sache gewiß ist, um so fester machen für den nächsten Sprung. Das ist nicht dasselbe wie mit einer Frau, deren Ränke durch ihr Herz gestört werden. Die Sippe Sourdis bediente sich wohl des schönsten Werkzeugs, nur war dieses den Schwächen der weiblichen Natur ausgesetzt. Gabriele empfing in Schloß Cœuvres, wo außer einiger Dienerschaft niemand mehr wohnte, ihren Bellegarde.

Aus Noyon schrieb der englische Gesandte seiner Herrin, daß der König sich dort nicht losreißen wolle infolge seiner großen Liebe für die Tochter des Gouverneurs. Diese indessen verschwand mehrmals aus der Stadt, und der König brauchte ihr wahrhaftig nicht nachzuforschen, ihm wurde alles hinterbracht: das erstemal ihr Ziel, das zweitemal, was sie dort tat. Ihren dritten Ausflug begleitete er selbst von fern und ungesehen, weil es Nacht war. Er hatte seinem Pferde die Hufe verbunden. Kam eine Mondbreite, dann hielt er im Schatten. Sie hatte einen runden niedrigen Karren mit einem Widder davor, den lenkte sie, und ihr faltiger Mantel schleppte am Boden nach. Durch weißes Licht zog die Erscheinung dahin, sein Herz klopfte, und war sie um die Waldecke, dann ritt er in die Quere, bis er sie wiederfand.

Er erreichte Cœuvres von der Seite der Felder, band draußen sein Tier an und schlich in den Garten, der unter den Sommer versunken und so voll Laub war, daß niemand hier die Entdeckung hätte fürchten müssen. Henri aber roch seinen

Feind. Die Sinne wurden von der Eifersucht befähigt, in unbewegter, lauer Luft zwischen allen Ausströmungen der Gewächse den Menschen zu wittern. ‹Bieg den Busch fort, einen Busch nur, du legst ein Gesicht bloß, das dir nichts Gutes wünscht!› Indessen rührte Bellegarde sich nicht, er hielt so still wie Henri selbst, da ihre Geliebte die Treppe zum Teich herniederstieg.

Tiefe Stille der Natur. Das Blatt, das sie gestreift hat, raschelt noch, während sie stockt und nach dem Dunkel hinunter späht. Die ausgedehnten Stufen liegen zur Hälfte schwarz, zur anderen grellweiß. Drunten glitzert heimlich das Wasser. Die Falten ihres Mantels bergen Silber; auch die Hand, die ihn am Hals zusammenhält, ist in Silber gefaßt. Ein großer Hut, ihr Beschützer auf unerlaubten Wegen, beschattet das Gesicht bis zu dem Kinn, das ist sehr weiß. ‹O bleicher Verrat! O Frau in der Nacht, verzaubert und trügerisch alle beide!› Henri vergißt sich, den Blick verwirren ihm Tränen, er schlägt den Busch zurück, er nimmt drei Stufen auf einmal, er ist bei ihr, greift zu, bevor sie fliehen kann. Legt ihr den Kopf in den Nacken, sagt zwischen den Zähnen: «Davonlaufen, meine schöne Liebe? Vor mir, vor mir?»

[illegible]e versuchte sich zu fassen, ihre Stimme schwankte noch. «Wie konnt ich Ihre[illegible]wärtig sein, mein hoher Herr?»

Er zö[illegible]te mit der Antwort, weil er horchte. Auch auf ihrem Gesicht erkannte er die Span[illegible]ng. «Sind wir nicht geschaffen, voneinander zu wissen?» fragte er in einem roma[illegible]tischen Tonfall, der die Nacht und ihre schwebenden Geister nachahmte. «Ze[illegible] nicht uns beiden der Zauberspiegel unserer Ahnung, wo jeder weilt, was je[illegible]eibt?»

«Jaja. Gewiß, so ist es, hoher Herr» – was sie selbst gar nicht hörte. Sondern sie verfolgte das Knistern vom Gezweig: es wurde schwächer, es war aus. Sie seufzte erleichtert.

Henri wußte so gut wie sie, wer sich entfernte. «Süßer Seufzer! Verheißungsvolle Blässe! Leugnen Sie nicht länger, daß Sie um meinetwillen hier sind. Wie könnten wir einander versäumen. Sind wir nicht eines der ewigen Liebespaare, um sie her mag die Welt einstürzen, sie merken es nicht: Abélard und Heloise, Helena und Paris.»

Sie hatte große Furcht, er könnte auf den Gedanken kommen, daß er hier nicht Paris wäre, sondern Menelaus. Andererseits mußte sie dabei lachen – sah ihn ironisch an unter ihrem großen Hut und sagte: «Mich friert, lassen Sie uns gehen.»

Er nahm ihre Fingerspitzen, an schwebender Hand führte er sie über die Gartentreppe, den schlafenden Schloßhof und zu dem linken der Türmchen von durchbrochener Bauart. Erst droben in ihrem Zimmer wurde Gabriele der Wirklichkeit bewußt, und da nichts mehr zu ändern war, warf sie alle Hüllen schnell ab und glitt ins Bett. Darunter am Boden lag der andere – womit eine vernünftige Geliebte nicht rechnen konnte. Nur der Mann in seiner Leidenschaft begriff den tollkühnen Drang des anderen, war darauf vorbereitet, daß er es nicht werde lassen können, und gleich beim Eintreten hatte er mit den Augen das Zimmer durchsucht. Das Bett stand voll im Mondschein.

Henri legte sich zu Gabriele, bereitwillig empfing sie ihn in ihren schönen Armen. Als sie diese nun ausstreckte, sah er zum erstenmal, daß sie um eine Kleinigkeit zu kurz waren. Und mehr als alles erbitterte ihn, daß der andere auch den Fehler kannte. Nach der Liebe verspürten sie Hunger, und öffneten die Schachtel mit Konfekt, die Henri mitgebracht hatte. Beide stopften den Mund voll und sagten gar nichts. Indessen bemerkte Gabriele ein Geräusch, das nicht das Kauen ihres Gefährten war. Vor Schrecken hielt sie selbst mit Essen an und erstarrte. «Nimm doch!» sagte er. «Oder gäbe es Geister in deinem Türmchen? Ihr Stöhnen darf dich nicht erschrecken, ich hab die blanke Waffe gleich zur Hand.»

«Oh! Lieber Herr, es ist schrecklich. Schon manche Nacht habe ich hinter dem Schloß bei den Mägden verbracht, wenn es hier stöhnte.» Die Lust zu lachen kam ihr diesmal nicht. Henri sagte: «Wenn's nun der Geist von Feuillemorte wäre? Den sah ich lange nicht, er kann tot sein. Geist oder Mensch, jeder will leben», erklärte er und warf Konfekt unter das Bett. Beide warteten – und wahrhaftig hörten sie unter dem Bett ein Zähneknirschen: es klang mehr nach Wut als nach Genuß.

«Fliehen wir!» bat Gabriele schlotternd und umklammerte ihn.

«Wie kann ich, du läßt mich nicht aufstehen.»

«Nimm mich mit, ich fürchte mich. Öffne die Tür schon, ich werf dir die Kleider zu.»

Sie stieg über ihn weg, zog ihn am Arm und flehte entsetzt: «Nicht unters Bett sehen! Es wäre unser Unglück!»

«Geister sind meine schlimmsten Feinde nicht», sagte er undeutlich vor Qual und großem Angstgefühl um die Mitte des Körpers. «An Geister glaub ich gern. Was ich weder glauben mag noch wissen will, ist das Gewesene, das für dich Fleisch und Blut war, aber lebt vielleicht noch jetzt in deinen Gedanken.»

«Um Gottes willen, so laß uns fliehen!»

«Sie haben mir alles berichtet über dich: Feuillemorte, Longueville und was ihnen vorausging. Als der selige König deiner satt war, verkaufte er dich dem Levantiner Zamet, der mit Geld handelt.»

Er hätte noch mehrere aufgezählt, obwohl er an keinen glaubte, nur sein Schmerz brach aus. Sie aber fiel ihm zu Füßen, drückte seine Knie, bis er das Bett verließ, und auch dann blieb sie davor am Boden sitzen, damit die Dichtigkeit ihrer Glieder ihn hindern sollte, darunter zu sehen. Er kleidete sich an, er warf keinen Blick hin. Endlich legte er ihr den weiten Mantel über, hob sie auf, trug sie die gewundene Stiege hinab, zurück über den Hof, durch den Garten und bis auf das Feld, wo sein Pferd stand. Er setzte sie vor sich hin. Stille Nacht, umwickelte Hufe, weiche Ackerkrume – Gabriele verstand genau das Flüstern in ihrem Nacken.

«Es ist gut. Ich weiß. Versuchung, Prüfung, schwere Stunde. Und will dich doch gewinnen, meine schöne Liebe.»

Der Garten von Cœuvres war unter den Sommer versunken, Henri gewissermaßen unter die Liebe, und hierbei sieht niemand weiter als er den Fuß setzt. Auch dieses Dickicht der Gefühle lichtete sich bald zufolge der Jahreszeit, und der König betrieb wieder all seine Sachen, kräftiger als vorher, vielerlei auf einmal, aber mit dem klarsten Überblick, obwohl auch Überraschungen eintraten, man hätte leicht darüber den Kopf verloren. Ein Schlag aus heiterem Himmel war der Einfall seiner lieben Schwester, ihn zu verlassen und zu verraten, ihren geliebten Soissons zum König machen zu lassen, und anstatt ihres Bruders Henri hätte sie selbst mit ihrem braven Gatten den Thron bestiegen. Henri davon h[illegible]ren, und er führte Hiebe nach allen Seiten. Er bedrohte mit dem Tode jeden, [illegible]r in diesem Geschäft die Finger hatte. Seiner lieben Schwester befahl er, an s[illegible] reisendes Hoflager zu kommen, und wenn nicht, ließe er sie holen.

Er lie[illegible]ie gewaltsam fortführen aus ihrer alten Heimat Béarn, wo sie bedrohliche [illegible]mlichkeiten gegen ihn betrieb, nicht nur, daß sie Vetter Soissons zu heiraten [illegible]chte. Nachher hätte man versucht, ihren lieben Bruder zu töten, wie sie sic[illegible]hl sagen mußte. Man wird erfahren genug in diesem Leben, da man als Brude[illegible]d Schwester aufgewachsen ist, und zwar zusammengekettet bei Übergängen, [illegible] nirgends Halt war. Ganz im Grunde, wen haben die Kinder der Königin J[illegible]ne, als nur einander. Erstaunlich, Henri vergaß hier Gabriele d'Estrées, eine[illegible]mde, Gelegenheit mancher Irrungen und Verwirrungen, aber was bedeutet [illegible] gegen eine Verschwörung meiner kleinen Kathrin.

Er nannte sie wie als K[illegible], und er griff sich an die Stirn. Er verließ das Zimmer nicht mehr, während i[illegible]e Kutsche noch tagelang herbeirollte, zuletzt aber litt es ihn nicht, er jagte ihr [illegible]tgegen. Dort hinten die kleine Staubwolke, darin wird es sein – alles, was vo[illegible] seinem ersten Stück Leben übrig ist, und verschwände es, würde er sich selbst fremd. Die Staubwolke öffnet sich, die Kutsche hält. Niemand rührt sich, die begleitenden Edelleute zügeln ihre Pferde und sehen zu, wie der König zum Wagenschlag tritt.

«Madame, wollen Sie aussteigen», bat er förmlich, da kam sie erst hervor. Ein Gehöft stand unfern in den Feldern. Sie ließen alles, was ihnen gehörte, auf der Landstraße, sie gingen allein dorthin. Henri sagte: «Liebe Schwester, was für ein verstocktes Gesicht Sie machen, und ich freue mich doch so sehr, Sie zu sehen.»

Das war ermunternd, es war begütigend; in nichts glich es den strafenden Worten, die er sich vorgesetzt hatte. Eine Antwort folgte nicht, aber die Schwester wendete ihm das Gesicht zu, was auch genügte: er wurde betroffen. Das genaue Licht des weiten, bedeckten Himmels zeigte ihm ein verhärmtes Gesicht. In Schauern verwelkt wie eine helle Rose erschien ihm die aschblonde Kinderblüte – für seine Augen dennoch dieselbe Kinderblüte, solange sie leben sollte; Spuren der Unbilden blieben nur obenauf. Er vertröstete sein Gewissen, das bei dem Anblick schlug. ‹Bleiben obenauf, und alt – wer altert wohl? Doch wir nicht.› Gleichwohl griff er es hier mit Händen: sie alterten.

Plötzlich gestand er sich seine eigene Schuld, hatte aber vorher ihrer mit keinem Wort gedacht. ‹Ich hätte sie längst verheiraten sollen, warum nicht mit ihrem Soissons. Wie lange behält man denn Zeit, um glücklich zu sein. Sie hat genug mit sich gekämpft, weil er katholisch ist. Jetzt werde ich es bald selbst sein. Um was quälen wir uns? Jeder macht einen Komödianten. Totus mundus – Wozu wir berufen sind, ist größtenteils Farce.›

Durch das Bauernhaus konnte man hindurchsehen, die Leute waren fort. Henri wischte vor der Tür die Bank ab, damit Kathrin sich darauf setzte. Er selbst ließ die Füße vom Tisch hängen, der stand mit den ungehobelten Klötzen in der Erde.

«Um was quälen wir uns», wiederholte er laut. Von Verrat zu sprechen, wäre schrecklich unpassend, ja, falsch wäre es gewesen, wie man mitunter erkennt. «Schwester», begann er, «weißt du wohl, daß ich hauptsächlich aus Furcht vor dir noch immer nicht gewagt habe, unsere Religion zu verlassen. Wär sonst alles leichter. Da hätt ich nicht gedacht, du tätest es selbst und wolltest eine katholische Königin werden.»

Er sprach leicht, versöhnlich, beinahe heiter, sie sollte lächeln, wenn auch unter Tränen. Nichts dergleichen, sie behielt ihr armes verschlossenes Gesicht. «Bruder, Sie haben mich oft enttäuscht», sagte sie, als sie ihn durchaus nicht länger warten lassen konnte. Er griff sogleich zu.

«Weiß ich. Und hatte doch die besten Absichten, als ich unserem Vetter zu guter Stunde die Verbindung unserer Familie vorschlug.»

«Das tatest du, um ihn für deine Sache zurückzugewinnen, und kaum, daß er keine Partei mehr hatte, ihm auf den Thron zu helfen, brachst du ihm dein Wort» – schloß sie hart; hatte sich ereifert, so daß sie zugleich hart und vertraut war. Nur dieses einzige Geschöpf hienieden konnte ihm nahe genug kommen: sonst hätte er am Ende nie erfahren, daß er sein Wort gebrochen hatte. Schwerwiegend war es ihm bis jetzt nicht erschienen, eine Nebensache, wie der ganze Soissons. Die wirkliche Gefahr war Haus Lothringen gewesen, die wirkliche Gefahr war noch jetzt Haus Habsburg. ‹Den guten Vetter beseitigt man mit einem leichten Wort: Du bekommst meine Schwester. Ist gesprochen, was weiter.› Die katholischen Edelleute wurden zu jener Zeit besonders dringend, damit Henri ein Ende macht und abschwört, oder sonst drohen sie, den Vetter zum König auszurufen. ‹Das Ganze war nicht sehr ernst zu nehmen gewesen›, wiederholte Henri; ‹hätte ich es sonst ganz vergessen können? Jetzt ist das Verrat geworden. So verrät man denn wirklich.›

Seine Schwester nickte; sie hatte in seinem Gesicht gelesen. «Immer nur dein Vorteil», sagte sie – ernst, anstatt hart. «Das Glück der andern, du vergißt es ganz und bist doch gut, man nennt es human. Leider auch vergeßlich.»

«Weiß man, wie das kommt», murmelte er. «Hilf mir, liebe Schwester», bat er, in der Gewißheit, daß ‹Hilf mir› ihr Herz mehr rührte, als ‹Verzeih mir›.

«Was meinst du wohl?» fragte sie zum Schein, denn sie dachte an dasselbe wie er, die Ständeversammlung in Paris.

Er erklärte im Ton der Verachtung: «Mein besiegter Feind Mayenne bläst groß von sich und läßt Boten reiten wegen Berufung einer Ständeversammlung, damit das Königreich sich entscheidet zwischen mir und Philipp von Spanien. Verlorene Schlachten genügen ihnen nicht.»

«Das Königreich», so belehrte sie den Bruder, «es kann auch den Grafen von Soissons wählen, ein Bourbon wie du, aber schon katholisch.»

«Dann schwör ich noch vorher ab, Gott helfe mir!»

«Bruder!» sagte sie voll Schrecken – ihre tiefe Bewegung scheuchte die Arme von der Bank auf, und ungleichen Schrittes, man sah jetzt das Gebrechen, hastete sie die niedrige Wand der Meierei entlang. Ein Pfirsich hing vom Spalier, den pflückte sie und brachte ihn ihrem Bruder. Er küßte die Hand, aus der er ihn nahm.

«Trotz allem», sagte er. «Wir bleiben, die wir sind.»

«Du gewiß.» Die Schwester bekam die strenge, aber abwesende Art, aus Damenhaftigkeit abwesend, wie sie von seinen Liebschaften schon immer gesprochen hatte, und auch ihren eigenen unerlaubten Wandel behandelte sie so. «Du hast wieder einmal eine, die dich zu allem bringt. Nicht wegen der Ständeversammlung wirst du unsere Religion abschwören», behauptete sie, obwohl es zu den erwähnten Tatsachen wenig paßte. «Nein. Aber das Fräulein d'Estrées hebt nur den Finger, schon verrätst du unsere liebe Mutter samt dem Herrn Admiral, und uns, die wir es noch sehen können.»

«Gabriele ist selbst protestantisch», erwiderte er, der größeren Einfachheit wegen, denn jedenfalls verkehrte sie mit den Pastoren.

Kathrin verzog den Mund. «Eine Intrigantin, wie viele Feinde macht sie dir! Gewiß hat sie verlangt, daß du mich verhaftest, und auf ihren Befehl mußte ich hierher reisen.» Sie betrachtete entrüstet den schmutzigen Hof und das Federvieh. Er widersprach heftig:

«Kein Wort derart ist von ihren Lippen gekommen. Sie ist vernünftig und mir in allem ergeben. Du selbst hast mir allerdings in höchst strafwürdiger Weise schaden wollen, und dein Geliebter hat ohne Erlaubnis die Armee verlassen.»

Sie aber wurde von seiner Entdeckung ruhiger: es war merkwürdig. Er hätte abgebrochen. «Weiter!» verlangte sie.

«Was denn noch mehr, deine Verheiratung würde mich in Lebensgefahr bringen, ist das genug? Bekommt ihr Kinder, dann wird die Menge der Mörder, die mir nachstellen, kein Ende mehr nehmen, das sagen mir alle. Und ist doch das Messer mein Schrecken. Gott gewähre mir den Tod in der Schlacht.»

«Mein lieber Bruder!»

Sie trat vor, sie öffnete die Arme, damit er sich an sie lehnte, was er auch tat, die Stirn an ihrer Schulter. Sie behielt trockene Augen, die Prinzessin von Bourbon weinte weniger leicht als ihr königlicher Bruder; hatte auch nicht seine Phantasie, und die Lebensgefahr, die ihm von ihrer Heirat drohen sollte, erschien ihr als eine Erfindung ihrer Feinde. Um so unvergänglicher senkte sich in ihr Herz der Gram dieser Stunde; er, mit seinem feuchten Blick, nahm ihn nicht wahr auf ihrem gealterten Gesicht.

Nach diesem erinnerte sie ihn nur noch an einen alten Vorfall. Der hatte sich ereignet vor dem Ende seiner Gefangenschaft in Schloß Louvre, und eigentlich war er die Wendung vor der Flucht gewesen. Damals betraf er seine Schwester Catherine in einem Saal mit seinem Doppelgänger, gleiches Gesicht, gleiche Gestalt, aber beides wurde erst wahr und wirklich dadurch, daß der Mann genau das gleiche Kleid trug wie Henri, und seine Schwester stützte sich auf ihn in derselben Art, wie auf Henri von je.

«Ich hatte ihn herausstaffiert, damit er dir ähnlicher sähe als von Natur.» Dies sagte die Gealterte hier auf dem Meierhof. «Iß den Pfirsich. Ich sehe dir an, wie gerne du ihn äßest.» Das tat er, in Nachdenken versunken über die Zusammenhänge unterhalb des Dahinlebens.

Warf den Kern fort. Sprach versunken: «Wie hätte ich denn sonst alle, die uns trennen wollen, mit dem Tode bedroht. Nicht meine Gewohnheit, die Bedrohungen mit dem Tode – und um des Thrones willen täte ich es nicht, nur deinetwegen.»

Beide vollführten hier denselben, geschwisterlichen Abschluß eines Gespräches, das ans Ziel gelangt war, obwohl es viele Zweifel ungelöst gelassen hatte. Sie wendeten ungewollt die Hand um, das Innere nach oben; bemerkten es, lächelten einander zu, und der Bruder brachte die Schwester über die Felder zurück.

Geheim, als hätte es auf der Landstraße erhorcht werden können, flüsterte Henri ins Ohr von Catherine: «Glaub nichts, Kathrin, was ich demnächst tu und sage.»

«Sie – wird nicht Königin?»

Diese dringende Frage, um derentwillen sie hergereist war den weiten Weg, beantwortete er ungenau, aber in einem Ton, daß dennoch kein Mißverständnis aufkam.

«Du bist die erste.»

Die Prinzessin befahl ihren Leuten, mit der Kutsche zu drehen. Der König schwieg, und man gehorchte, trotz allgemeinem Befremden. Darum so weit hergereist. Die Prinzessin stieg ein mit ihren Damen und mit ihrer Mohrin Melanie, der König rief dem Kutscher zu, er solle fahren, was Zeug hält. Er selbst sprengte zur Seite des Wagenschlags, neigte sich auch, griff hinein und hielt eine Weile die Hand der Prinzessin. Ein Wald kam, die Straße wurde enger, der König mußte zurückbleiben. Da stand er, sah der Kutsche nach, bis sie ganz klein war, und machte erst kehrt, als die Staubwolke sie eingeschlossen hatte.

Agrippa, noch einmal

Vielerlei auf einmal, man hätte leicht den Kopf verloren. Die Ständeversammlung in Paris, ein lieblicher Mischmasch von verrückten Sektierern und der unsinnigen Frechheit einer Weltmacht in vollem Niedergang, die bis zuletzt noch Königreiche schlucken will. Den Possen spielen die Herren vor Zuschauern, die lauter verhungertes Volk sind, und wohler wäre ihnen, ihr echter König verteilte unter sie das Brot des Landes, wie gern arbeiteten sie dafür! «Das meiste, wozu wir berufen sind, ist Farce.» So spricht der alte Freund des Königs von Frankreich, jetzt hochberühmt, Montaigne genannt; derselbe, der auch spricht: «Was weiß ich.» Unvergeßlich war aber dem König sein Wort: «Ich bin kein Zweifler.» Nein, gewisse Seiten der äußeren Welt machen uns die Unentschiedenheit verhaßt und zerbrechen unsere Milde. Wir müßten sie hart belagern und sehr blutig bezwingen, was die äußere Welt meistens zu verzeihen geneigt ist, wenigstens für einige Zeit. Oder wir tun, um der Staatsvernunft willen, uns selbst Gewalt an, treten über und schwören ab. Gott weiß, was danach kommt. Aber F[illegible] scheint es zu befehlen, und bleibt kein Ausweg, bald auch kein Rand am Abgrund und Anlauf mehr für den großen Todessprung.

Beeile dich daher! Was tat hier Henri? Er zog seinen d'Aubigné an sich, seinen gepanzerten Feldprediger, sein tapferes Gewissen, immer die Psalmen im Mund und den Kopf erhoben und das überlegene Lächeln des Frommen. Der kleine Mann äußerte: «Ich stehe hoch in Gunst und kann mich vor Geschäften nicht retten», aber hinter seinem kühnen Gesicht war ihm schmerzlich bekannt, dies sei das letztemal. Das letztemal, Agrippa, daß dein König von Navarra dich kennt. Nachher sein Todessprung hinüber, und diesseits bleiben seine alten Freunde, die aus den Schlachten, die aus der Armut, die von der Religion.

Nach seiner einfachen Art benutzte Agrippa den Vorteil, daß er zu dem König sprechen durfte; sagte alles gleich heraus, begann auch wie gewohnt, daß er kein Geld habe. Und habe doch nachweislich fünf- oder sechsmal dem König das Leben gerettet. «Sire! Ihre Finanzen verwaltet ein übler Abenteurer, und gerade dieser d'O bearbeitet Sie, damit Sie katholisch werden. Sagen Sie selbst, was dabei herauskommen kann!»

Agrippa denkt: ‹Wenn es geschehen sein wird, gibt es kein Wort von mir, das er noch hören kann. Welch ein fürchterlicher Abstand zwischen Geschehen und Nichtgeschehen. Jetzt hält er den Kopf vor mir gesenkt. Jetzt spricht er.›

Henri: «Totus mundus exercet histrionem.»

Agrippa: «Der Papst, ich seh es wohl, bekommt einen schlechten Sohn. Uns aber verlassen Sie, und machen sich verhaßt bei Leuten, deren Mut und Treue Ihnen sicher war.»

Henri: «Kommt allein darauf an, wie vernünftig einer ist. Mein Rosny rät mir zu.»

Agrippa: «Der hat aber auch fayenceblaue Augen und eine Haut, die aussieht wie gemalt. Dem geht es nicht nahe, daß Sie in die Hölle steigen.»

Henri: «Und mein Mornay! Mornay oder die Tugend. Wir haben disputiert. Sind alle beide gegen das Fegefeuer. An dem Widerspruch halt ich fest gegen alle Pfaffen, verlaß dich. Aber das wirkliche Blut des Herrn, das trinken wir beim Abendmahl, und hab es damit immer gehalten.»

Agrippa: «Disputieren ist gut und der Seele dienlich, solange sie die Wahrheit noch kennen will. Der ehrliche Mornay glaubt an Sie. Ihn können Sie leicht täuschen und ihm ein großes Konzil versprechen – Theologen beider Bekenntnisse, versammelt zur Erforschung des echten Glaubens. Wenn aber der echte nicht der nützliche ist, welchen Zweck hat das große Konzil?»

Henri: «Ich sag, es hat Zweck. Denn schon mehrere Pastoren haben gestanden, daß in der einen so gut wie in der anderen Konfession die Seele gerettet werden kann.»

Agrippa: «Wenn das Fleisch solcher Pastoren schwach ist, sie haben auch keinen willigen Geist.»

Henri: «Mein Seelenheil ist mir wahrhaftig teuer.»

Agrippa: «Herr, das glaub ich wohl. Jetzt bitte und beschwör ich Sie, daß Sie die Ihren nach Verdienst erkennen. Wir sind nicht alle kalt und erzverständig wie Rosny. Wir haben nicht alle die Unschuld Ihres Diplomaten Mornay. Aber einer Ihrer besten Kriegsmänner, Turenne, hat gefragt, warum man Sie nicht sollte verraten dürfen: fingen Sie doch selbst damit an.»

Jetzt läßt der König wieder den Kopf sinken, so sieht Agrippa.

Henri: «Verrat. Ein Wort.»

Er denkt an sein Gespräch mit der Schwester. Die Nächsten verraten einander, werden dessen nachträglich inne und bemerken, daß sie, um nicht zu verraten, niemals hätten leben dürfen. Da hört er den Namen des Pastors Damours.

Agrippa: «Gabriel Damours. Bei Arques, als Sie verloren waren, stimmte er den Psalm an, da waren Sie gerettet. Bei Ivry sprach er das Gebet: Sie siegten. Eine Zeit ist angebrochen, da er von der Kanzel gegen Sie wettert. Sonst züngelte giftiges Gewürm nach Ihnen und blieb ohnmächtig. Diese rauhe Stimme ist die Wahrheit, wird aber dem Schuldigen zum Gift. Die Gemeinde der Frommen sieht von ihm weg.»

Es ist wahr: Der Pastor hat dem König geschrieben: «Wollten Sie auf einen Gabriel Damours hören, anstatt auf eine Gabriele!»

Henri: «Welches ist meine größte Schuld?»

Aber hierüber schweigt Agrippa – aus Keuschheit, oder weil sein Hochmut soweit nicht geht, das letzte Urteil zu sprechen. ‹Die große Hure von Babylon›, denkt er, wie auch Pastor Damours bei sich selbst gesprochen hat, wenngleich nicht vor der Gemeinde, des Ärgernisses wegen. ‹Wohin wird die d'Estrées dich noch bringen, Sire, sie betrügt dich, was du allerdings wissen könntest. Aber ihr Vater stiehlt, und das hat dir noch gefehlt.›

Agrippa: «Meine Seele ist betrübt bis in den Tod. Gut war die Zeit der Verfolgung. Ehrenhaft war das Exil. Die einsame Provinz im Süden, noch fern vom Thron, und wenn Sie für ein Ringelspiel kein Geld hatten, trugen Sie mir eine fromme Betrachtung auf, die unterhielt Ihren Hof kostenlos. Der Stern über unserer Hütte war indessen die Prinzessin, Ihre Schwester.»

Henri: «Ich habe dich immer mit ihr im Verdacht gehabt.»

Agrippa: «Sie setzte meine Verse in Musik, sie sang sie. Meinen vergeblichen Worten lieh sie den Klang, schlichte Frühlingsblumen band sie mit Gold und Seide.»

Henri: «Mein Agrippa! Wir lieben sie.»

Agrippa: «Wenn mir auch die Stimme versagt, gestehen will ich's doch, ich habe sie wiedergesehen. So heimlich und schnell Sie die Prinzessin zurückschickten auf die lange Reise, ich hatte gewartet hinter der Waldecke.»

Henri: «Verschweig nichts, was sagte sie?»

Agrippa: «Sie sagte, im Hause Navarra herrsche das Salische Gesetz und gebe alles dem männlichen Erben – nur die Standhaftigkeit nicht.»

Zuerst fielen dem König die Arme herab vom Schrecken über dieses Wort seiner Schwester. Hierauf verschlang er die Hände inständig und murmelte: «Bitt Gott für mich!»

Ein geheimnisvoller Gatte

Das tat Agrippa, und noch mehrere beteten zu dieser Zeit, jeder in seinem Herzen, für den König, da er ihnen von Gefahren bedrängt erschien: besonders an der Seele, aber leiblich auch. Rettung trat wirklich ein; wenigstens ein Anerbieten der Rettung widerfuhr dem König. Herr d'Estrées verheiratete seine Tochter.

Ihr voriges Abenteuer in Cœuvres, mit dem König im Bett und dem Großstallmeister darunter, war ihm mehr oder weniger zu Ohren gekommen. Bellegarde konnte nicht schweigen. Überdies rächte der Eifersüchtige seine Erniedrigung, er verliebte sich in Fräulein von Guise aus dem Hause Lothringen; aber dies Haus strebt noch immer nach dem Thron, der Herzog von Mayenne liegt wie je im Krieg mit dem König. Daher verschwand Feuillemorte aus dem Bilde – wurde nicht gesehen weder vor Rouen in den Laufgräben noch bei den vielen Ritten des Königs durch das Land in militärischen Geschäften. Vater d'Estrées benutzte die Abwesenheit beider, um Gabriele mit Herrn de Liancourt zu verheiraten – ein Mann von unbedeutenden Körperverhältnissen, den er sich selbst ausgesucht hatte. Geist oder Charakter fanden sich ebensowenig bei ihm vor, aber er hatte vier Kinder gezeugt, und zwei davon lebten. Dies hielt der Vater Gabrieles ihr besonders vor Augen: wohin die Liebschaften geführt hätten, und daß sie bei ihrem künftigen Gatten sicher wäre, Mutter zu werden. Es war die vornehmste Sorge des Herrn d'Estrées. Gelegen kam ferner, daß der Auserwählte ein sechsunddreißigjähriger begüterter Witwer war, sein Schloß lag nahe, sein Adel genügte.

Gabriele, den Tod im Herzen, leistete einigen hochfahrenden Widerstand, nur fehlte ihm von Anfang an die rechte Überzeugung. Von ihrem schönen Verführer fühlte sie sich aufgegeben, erwartete auch nicht die Hilfe ihres hohen Herrn, sonst hätte sie ihn herbeigerufen. Sie war noch froh, daß beide, hoher Herr und Herzensfreund, sich ärgern sollten. Mehr Umstände machte Herrn d'Estrées sein Schwiegersohn, der, schüchtern von Natur, nur mit Schrekken daran dachte, dem König eine noch ganz neue Eroberung streitig zu machen. Dies abgerechnet, wäre Fräulein d'Estrées ihm auf alle Fälle zu schön gewesen. Er begehrte sie zu heftig; was zusammen mit seiner Schüchternheit auf

Enttäuschungen hinauslaufen mußte. Er kannte sich, obwohl andererseits gerade die schwache Ansicht, die er von sich hatte, ihm ein Gefühl der geistigen Überlegenheit eingab. So war Herr de Liancourt beschaffen, weshalb er sich beim Herannahen seines Ehrentages niederlegte und den Kranken spielte. Der Gouverneur von Noyon mußte mit Soldaten seinen Schwiegersohn zur Trauung abholen. Niemandem war wohl bei diesen Angelegenheiten, bis auf den Biedermann d'Estrées, der sich recht im reinen fühlte: das fehlte ihm sonst. Die Tante, Madame de Sourdis, hätte den großen Aufschwung der Familie verloren geben und beweinen müssen. Indessen kannte sie die Wechselfälle des Glückes.

Als sie, drei Tage nach der Hochzeit, eigens die Reise von Chartres her machte und auf Schloß Liancourt vorsprach, was erfuhr Dame de Sourdis? Vielmehr, sie selbst legte es der Nichte mit Anstand in den Mund und holte es geschickt wieder heraus. Zuletzt war nicht mehr festzustellen, wie die Tatsache herbeigeführt worden war; nur diese selbst blieb unbestritten: Herr und Madame de Liancourt schliefen getrennt. Dies hören, der empörte Vater der jungen Frau ritt den ganzen Weg im Galopp – traf indessen verlegene Gesichter an und erlangte kein rechtes Ja so wenig wie ein klares Nein. Erst unter vier Augen gestand die Tochter ihm, daß ihre Ehe bis jetzt nicht wirklich vollzogen wäre, und nach ihren Erfahrungen mit Herrn de Liancourt bestände wenig Hoffnung. Der Biedermann mit seiner Glatze, rot vom Zorn, stürzte zu dem pflichtvergessenen Schloßherrn. Vater von vier Kindern, und wagt eine solche Beleidigung! Herr de Liancourt entschuldigte sich mit einem Huftritt, den ein Pferd ihm leider inzwischen versetzt habe. «Dann verheiratet man sich nicht!» schnob der Biedermann.

«Ich habe mich nicht, Sie haben mich verheiratet», erwiderte leise der Bedrängte. Er gab sich allerdings schüchtern, gleichzeitig aber war er einer Art von wolkiger Entrücktheit fähig. Man wußte nicht mehr, mit wem man zu tun hatte: ein Ungeheuer an Hinterhältigkeit, ein Geistesschwacher, ein Gespenst. Herrn d'Estrées entsank auf einmal der Mut, und er floh dieses Schloß.

Gleich darauf traf in Noyon der König ein, infolge erhaltener Nachrichten. Nicht allein den jähen Verlust der geliebten Gabriele, auch den schrecklichen Tod ihrer Mutter vernahm er um dieselbe Zeit. Issoire ist eine Stadt, weit fort in der Auvergne; ohnedies pflichtvergessen, hatte Madame d'Estrées sich nicht entschließen können, den Marquis d'Alègre allein zu lassen, lieber fehlte sie sogar bei der Hochzeit ihrer Tochter. Wäre sie doch gereist! Die Alternde wollte von der Liebe zuletzt noch den ganzen Rest, erließ ihrem Gefährten aber auch in Geldsachen nichts. Der Gouverneur von Issoire mußte die Bevölkerung unerbittlich auspressen, um den Ansprüchen seiner Geliebten zu genügen. Beide wurden den Leuten endlich bis zum Mord verhaßt – und der geschah. Er wurde verübt in einer Juninacht von zwölf Männern, darunter zwei Schlächter. Sie überrannten die Wachen, erbrachen das Schlafzimmer und schlachteten das Paar. Der Edelmann hatte sich tapfer verteidigt, dennoch wurden beide nackt zum Aas geworfen.

Der König sagte zu dem Gouverneur von Noyon, der von Issoire wäre fürchterlich umgekommen. «Und vergessen Sie seine Konkubine nicht», bemerkte Herr d'Estrées, wobei er nickte wie jemand, dessen berechtigte Erwartungen erfüllt sind. Der König hätte bemerken müssen, wie die Gebete seiner Freunde ihn umwehten: die angebotene Rettung, er hätte sie heraushören können. Die Mutter seiner Geliebten war den Weg vorausgegangen und an sein Ende gelangt. Nach menschlichem Ermessen wäre die Tochter davon nicht abzuhalten; der König aber unternahm gerade dies. Gabriele stand jetzt unter dem Schutz eines Gatten: Henri freute sich nur, daß es nicht Feuillemorte war, der hätte ihm mehr Arbeit gemacht. Unverweilt suchte er seine schöne Liebe heim und schwur ihr, was sie nur wollte, aber fortkommen sollte sie, mit ihm leben sollte sie, er ertrage es nicht anders. Sie auch nicht – gestand Gabriele endlich und schluchzte an seiner Brust, vielleicht flossen Tränen, Henri sah sie nicht. Jedenfalls seufzte sie den Namen des Herrn de Liancourt und noch ein Wort, von dem das Herz ihm stockte. «Das sollte wahr sein?» fragte er.

Gabriele nickte. Dennoch seufzte sie, daß sie bei diesem Gatten aushalten wolle trotz seinem Versagen. «Ich bin schrecklich gewarnt durch meine arme Mutter. Ich fürchte Herrn de Liancourt, denn ich verstehe ihn nicht. Was er spricht, ist leer, was er tut, ist rätselhaft. Er schließt sich in sein Zimmer ein. Ich habe versucht, durch das Schlüsselloch zu sehen: er hatte es verhängt.»

«Das werden wir herausbekommen», beschloß Henri und begab sich kampfeslustig zu dem Schloßherrn – fand nur keinen Gegner. Die Tür stand offen, ein Mensch ohne rechtes Gesicht verneigte sich, ihm schienen alle Dinge fern zu liegen, außer etwa seinem feinen Kleid, das silbern bestickt war, und seiner schimmernden Halskrause. Die Strumpfhosen wie auch das Wams saßen glatt wie nur selten, besonders in Anbetracht eines so kümmerlichen Wuchses. An irgendeine Wirklichkeit muß man sich halten, Henri fragte den Wohlgekleideten nach der Herkunft und den Kosten seiner Stoffe. In die Antwort hinein rief er: «Ist es denn wahr, Sie sind kein Mann!»

«Ich war es», sagte Herr de Liancourt und sah aus, wie gewesen. Er sagte in aller Förmlichkeit, mit Pausen und Verbeugungen: «Ich bin es zu Zeiten. Sire! Ich befinde selbst darüber, wann ich es zu sein habe.»

Das konnte der bare Hochmut sein. Oder Ergebenheit für den königlichen Liebhaber seiner Gemahlin lag darin: es schien unmöglich, diesem Menschen einen Sinn nachzuweisen und ihm eine Sicherheit abzugewinnen. Henri brachte vor, beinahe wie eine Bitte: «Und der Huftritt?»

«Ein Huftritt hat stattgefunden. Das Urteil der Fakultät über ihn und seine Folgen läßt mehrere Deutungen zu.» Dem König blieb von der Auskunft der Mund offen.

Ihm war nachgerade angst und bange. Das abwesende Gesicht, eine Bescheidenheit ungreifbar, eine Selbstgewißheit wie ein Schlafwandler oder Geist. Das Wesen gesteht nichts, will nichts; es erscheint nur, es bekundet sich, wenn auch schwach. Henri ertrug es nicht länger. Er schlug auf den Tisch und rief: «Die Wahrheit!» Seine Wut betraf beide, dieses Gespenst, aber noch mehr Gabriele, die ihn wahrscheinlich belogen hatte, und jede Nacht lag sie bei diesem.

Er durchmaß mit langen Schritten das Zimmer, fiel auf einen Sessel und biß sich in die Knöchel der Hand.

«Bei Ihrem Leben! Die Wahrheit!»

«Sire! Ihr Diener erwartet Ihre Befehle.»

Hier begriff der Eifersüchtige, daß die Wirklichkeit soviel wie ein Machtspruch ist. Er hätte früher daran denken sollen, beruhigte sich augenblicklich und diktierte.

«Sie übergeben mir Madame de Liancourt. Sie werden dafür mein Kammerherr. Gabriele bekommt von mir, als Beitrag zu ihrer ehelichen Gemeinschaft, Assy, das Schloß, die Wälder, Felder, Wiesen.»

«Ich verlange nichts», sagte der Gatte. «Ich gehorche.»

«Gabriele trägt weiter Ihren Namen. Vielleicht mache ich sie später zur Herzogin von Assy. Wenn sie stirbt, erben alles Ihre Töchter. Herr!» rief er dazwischen, weil der andere stehend einzuschlafen schien. Der König verordnete: «Dafür bestätigen Sie ohne Widerspruch, was wir behaupten werden, sonst wehe Ihnen: Die Dame d'Estrées hat Sie nur gezwungen geheiratet, und Ihre Pflichten haben Sie in der Ehe nie erfüllt, ob Huftritt oder geheime Krankheit. Verstanden?»

Herr de Liancourt verstand, wie man ihn jetzt schon kannte, trotz seiner merkwürdigen Erstarrung. Diese nahm zu, je mehr Geschenke, Todesgefahren und Wendungen des Geschickes auf ihn eindrangen. Henri ließ ihn und warf die Tür hinter sich.

Der Zurückgebliebene verharrte eine Weile mit dem Gesicht über den Füßen. Als er sich endlich aufgerichtet hatte, riegelte er ab und verhängte das Schlüsselloch. Aus der Truhe holte er ein dickes Buch in Leder mit dem Wappen des Hauses Amerval de Liancourt und begann zu schreiben. Er verzeichnete, wie schon bislang, die Vorfälle seines Lebens, so auch diesen jüngsten. Mit großer Genauigkeit gab er den König wieder, seine Reden, innerlichen Bewegungen und Gänge durch das Zimmer. Ob er es wollte oder nicht, die Gestalt und Rolle des Königs gerieten derart, daß der Schreibende auf sie herabsehen konnte. Mit seinem schönen Ehegemahl war ihm dasselbe schon längst gelungen.

Seine schriftlichen Niederlegungen beschloß er aber mit einer Mitteilung an die Nachwelt. Er setzte groß darüber: «Hochbedeutsames, wahrhaftiges Zeugnis, abgelegt von Nicolas d'Amerval, Herrn de Liancourt, zu lesen nach seinem Ableben und wohl aufzubewahren für alle Zeiten.

Ich, Nicolas d'Amerval, Herr von Lancourt und anderen Orten, bei vollem Verstand und meines Todes gewiß, aber ungewiß seiner Stunde –» Er kleidete, was er zu hinterlassen gedachte, in die feierliche Form eines Testamentes; dann folgte, daß alles, was ihm zustieß, Unrecht, Lüge und Vergewaltigung wäre. Er wäre weder unfähig noch ungeschickt für das fleischliche Werk der Zeugung – dies vor Gott gesprochen. Sollte er in einem Scheidungsverfahren das Gegenteil zugeben, dann geschehe es infolge Gehorsam gegen den König und aus Furcht um sein Leben.

Unverweilt kam Gabriele zu Henri. Er schickte ihr Edelleute, die sie an seinen reisenden Hof brachten, und beide waren sehr glücklich. Die Frau freute sich, entkommen zu sein aus ihrem gespenstischen Schloß, wo hinter den Türen verdächtige Dinge vorgingen. Den Mann entzückte es, daß sie ihn liebte; und gewiß, verglichen mit dem Verlassenen, liebte sie ihn. Ihr strahlender, berauschender Körper blieb in der Hingabe sanft, was dem stürmisch Begehrenden nicht auffiel. Der Abstand war unleugbar: einst die unlustige Fügung in seine Wünsche, jetzt soviel Geduld und Freundlichkeit. Henri glaubte alles erreicht zu haben, und wer auf dem Gipfel ist, fühlt sich frei. Vermeintlich steht es in seinem Belieben, bei Gabriele zu bleiben oder nicht. Das Ende ist so fern, daß man von einer Ewigkeit redet; weiß indessen durch oft wiederholte Erfahrung, wie lange es dauert, vielmehr, wie kurz. Nichts wußte Henri wirklich. Diese war anders und sollte ihm mehr zu tun geben als alle zusammen. Nicht Raum genug für ihn und sein Erleben in den Jahren, die ihr blieben, und dann erst ihr Tod, der größte Tod vor seinem eigenen. Jetzt gibt sie sich ihm freundlich hin, mehr nicht: da sie freimütig ist und nichts erheucheln will. Aber was sie noch nicht fühlt, er wird es erringen, nacheinander ihre Zärtlichkeit, ihr Feuer, ihren Ehrgeiz, ihre ergebene Treue. Er findet immer mehr zu entdecken, unruhig betritt er auf jeder Stufe dieser Beziehungen eine neue Welt. Wird auch ein neuer König und Mensch sein, sooft sie durch ihn eine andere wird. Sich selbst verleugnen und beschämen, damit sie ihn liebt. Die Religion abschwören und das Königreich haben. Sieger, Hort der Schwachen, Hoffnung Europas – groß sein. Bald schon gesättigt: das alles ist beschlossen und soll eintreten, eines zum andern. Endlich wird die Geliebte des großen Königs das letzte über ihn verhängen: sie stirbt, und ihm wird gegeben, ein Träumer und Seher zu sein. Genug für die Zeitgenossen, ihren Überdruß einzugestehen an ihm und seiner Art. Man wendet sich fort, indes er einsam höher steigt, indes er sich verliert. Nichts hiervon wußte Henri, als er Madame de Liancourt an seinen reisenden Hof kommen ließ und mit ihr sehr glücklich war.

Hier gefiel sie allen überaus und machte sich keinen Feind, auch keine Feindin. Die Frauen sahen und erkannten an, daß sie nichts Unkeusches hatte weder im Reden noch Gehaben. Sie erwies sich blutjung und bescheiden gegen jede Dame von höherer Geburt oder reiferem Alter. Nicht durch Ränke und Laster, nur von der Gnade des Königs hatte sie ihren Rang; es erschien unzulässig, ihn ihr zu verdenken. Die Männer dieses Hofes waren einfache Kriegsleute, der rauhe Crillon, der tapfere Harambure. «Einäugiger», nannte ihn sein Freund und Herr. «Morgen haben wir ein Gefecht, Einäugiger. Nimm dein Auge in acht, du wärest gleich blind!» Die älteren Hugenotten des Hoflagers waren sittenrein und hierin dem König ungleich. Die jüngeren nahmen ihn sich auf alle Fälle zum Beispiel; aber für beide Gattungen der Protestanten wie auch für seine papistischen Getreuen war Henri der große Mann, dem allein die Bewunderung gerecht wird, und ganz verstehen kann ihn nur die Liebe.

Dies verspüren, und unweigerlich wurde die schöne d'Estrées in den Dunstkreis um den König gezogen. Hier bekam er eine Persönlichkeit weit hinaus über den Liebhaber, an den sie sich hatte gewöhnen müssen, und sogar der Sieger von Chartres, dessen Glanz ihr geschmeichelt hatte, trat zurück. Diese Männer alle hätten jederzeit an seiner Stelle ihr Leben verschenkt, jede Frau aber hätte ihren Sohn dahingegeben. Und hätten, Männer wie Frauen, nur zu gewinnen geglaubt, da der König von ihnen das Beste, ihr eigenes, aber vollkommenes Wesen, ihr Glaube und ihre Zukunft war. Gabriele, eine gelassene Natur, eher vernünftig als ausschweifend, still beobachtete sie, machte sich leise lustig – lernte aber zugleich, wo ihre Aussichten lagen, wie sie sich verhalten mußte. Wenn ihr Herz nicht gerade gerührt war, ihr Sinn wurde verwandelt.

Sie war am Hof die ruhigste Person. Ihr hoher Rang bekundete sich fast allein in Unvordringlichkeit, manche fanden: Kälte. Ihr Verehrer Herr d'Armagnac, Erster Kammerdiener des Königs, nannte sie den Engel des Nordens. Niemand begriff, außer Henri, ihren Zauber wie d'Armagnac. Engel des Nordens, sagten auch die anderen Gascogner und suchten mit den unverhüllten Blicken der Anbetung ihre Augen, die hell und ungewiß waren. Edelleute, die selbst den nördlichen Provinzen entstammten, sprachen den Namen im Geiste ihres Herrn aus, mit wenig Ironie und vieler Gutwilligkeit. Endlich gestand sogar der starrsinnige Agrippa d'Aubigné, so äußerst schön Dame d'Estrées wäre, übte sie doch verbotenen Reiz nicht aus.

So vielen Lichtern ohne Deckung ausgesetzt, machte Gabriele kaum einen Fehler, und jedenfalls den entscheidenden nicht. Man wartete, ob sie den Namen Bellegarde in den Mund nähme. Wie sie es anstellte, und ob sie es tat oder ließ, sie mußte sich schaden. Zuletzt sprach sie dann wirklich von ihrem früheren Geliebten, das vorberechnete Ereignis wurde es aber mitnichten. Der junge Givry, ein Altersgenosse des Großstallmeisters und nicht weniger wohlgebildet, machte ihr ehrfurchtsvoll und anmutig den Hof; durch sie hindurch machte er ihn eigentlich dem König. «Herr de Givry, von Ihnen ist ein Wort, das der König Ihnen nie vergißt», sagte Madame de Liancourt, als mehrere zuhörten. «Beim ganzen Adel ein berühmtes Wort: ‹Sire! Sie sind der König der Tapferen, verlassen werden Sie nur von Feiglingen.› So sagten Sie und trafen durchaus das Richtige. Nun ist der Herzog von Bellegarde kein Feigling, der König wird ihn nicht lange mehr vermissen, sondern ihn sicher zurückkehren sehen.»

Das war alles. Keine Erwähnung des Fräuleins von Guise – womit deutlich genug gesagt wurde, von Liebesgeschichten sollte die Rede nicht sein, und was allein noch zählte, wäre die Treue zum König. Das war geschickt genug – erschien sogar freimütig und schlicht. Dem Skandal war zuvorgekommen – oder doch nicht? Der offene Anspruch, untadelig dazustehen, ging manchen zu weit in Anbetracht der wirklichen Verhältnisse. Die Pastoren des Hoflagers hatten auf diese immer verwiesen: der König und Madame de Liancourt, beide verheiratet, ein doppelter Ehebruch, der Welt zum Ärgernis und unter Nichtachtung der Religion. Die Pastoren erhoben diesmal die Stimme und sagten «Jesabel», indessen die Prälaten schwiegen. «Jesabel» sagten die Pastoren, als ob die Frau des jüdischen Königs Ahab, die ihn zu ihrem heimatlichen Gotte Baal bekehrte, hätte verglichen werden können mit der katholischen Freundin eines Königs von Frankreich. Allerdings war Jesabel verfolgt worden vom Propheten Elias, bis die Hunde sie fraßen mit Ausnahme des Schädels, der Füße und der flachen Hände. Der Prophet hatte es ihr richtig vorhergesagt. Die Pastoren dagegen konnten irren, sie zeigten sich hart und schon deshalb nicht klug. Sie ängsteten die Dame und enttäuschten ihren guten Willen.

Von den Priestern ihrer Kirche erhielt die Geliebte des Königs nur gütigen Zuspruch: nicht gerade die Hoffnung auf eine hohe Vermählung, soweit waren die Dinge längst nicht. Noch lag sogar die Trennung der Dame d'Estrées von ihrem Gatten im Dunkeln, um wieviel weniger wird ein kirchlicher Diplomat, der nichts verderben will, die Ehe des Königs berühren. Auch sein Glaubenswechsel, so sehr alles darauf hinlief, so nah er mittlerweile gerückt war, in den Gesprächen der Prälaten mit der Geliebten des Königs kam er nicht vor. Das bedeutete einen Wink für Gabriele, und sie verstand ihn. Ihre geheimen Stunden mit Henri hörten keine einzige geflüsterte Anspielung auf seinen Übertritt. Indessen entließ sie ihre protestantische Dienerschaft – unauffällig, infolge eines Rates ihrer Tante de Sourdis, die wachsam blieb.

Pastor La Faye war ein alter, milder Mann, der Henri einst auf seinen Knien gehalten hatte. Der war es, der sprach zu dem König. Er konnte es, weil weder frommer Eifer noch Tugendwächterei sein Fall waren. Er gab zu, daß man in beiden Bekenntnissen seine Seele retten könnte. «Ich soll bald vor Gott hintreten. Wär ich aber katholisch und würde mitten aus der Messe zu ihm gerufen, anstatt aus der Predigt, wie es meine Hoffnung ist, der Herr in seinem Strahlengewölbe würde darum das Auge nicht regen.»

In seinem Zimmer saß der Pastor, der König schritt vor ihm hin und her. «Sprechen Sie weiter, Herr Pastor! Sie sind kein Gabriel Damours, das Flammenschwert führen Sie nicht.»

«Sire! Dies ist die Wendung zum Schlimmen. Geben Sie Ihren Glaubensgenossen nicht das Ärgernis, daß Sie sich dem Schoß der Kirche mit Gewalt entreißen lassen!»

«Wenn ich Ihrem Rat folgte», erwiderte Henri, «bald gäbe es weder König noch Königreich mehr.»

Der Pastor führte die Hand schnell vor seinem Gesicht vorbei. «Die Rede der Welt», sagte er ohne Betonung, wie eine Sache, die wegzustreifen und abzutun wäre. «Der König fühlt sich von dem Messer bedroht, wenn er bei der Religion verharrt. Schwört er sie aber ab, werden wir Hugenotten nicht mehr sicher sein, weder unserer Glaubensfreiheit noch unseres Lebens.»

«Denkt selbst an Eure Sicherheit», mußte Henri sagen, und da es beschämend war, sprach er es stürmisch. «Ich wünsche Frieden allen meinen Untertanen, und mir selbst die Ruhe der Seele.»

Der Pastor wiederholte: «Die Ruhe der Seele.» Langsam, eindringlich: «So redet die Welt nicht: das sind wir, Sire! Nach Ihrem Übertritt werden Sie nicht mehr leichten Herzens und einfach, nicht einfach und furchtlos werden Sie dastehen vor dem Volk, das Sie geliebt hat, und darum liebte Sie auch der Herr. Sie waren gütig, weil Sie nichts verschuldet, und lustig, solange Sie nicht verraten hatten. Nachher – Sire! Nachher sind Sie keine Hoffnung mehr.»

Wahr oder falsch, und wahrscheinlich beides: gesprochen war es mit der Schwere der geistlichen Verantwortung, darum ließ dies Wort den König erbleichen. Dem alten Beschützer seiner Jugend widerstrebte der Anblick, er flüsterte schnell: «Aber Sie können nicht anders.»

Er wollte aufstehen, um zu zeigen, daß nicht mehr die Religion das Wort führe: nur ein demütiger Mensch. Der König hieß ihn sitzenbleiben; er selbst durchmaß das Zimmer mit großen Schritten. «Weiter!» verlangte er, dachte es mehr, als er es aussprach: «Hab ich denn andere Fehler und Tugenden bekommen?»

«Es sind noch dieselben», sagte La Faye, «nehmen aber einen anderen Sinn an, wenn die Jahre kommen.»

Der König: «Und darf ich nicht mehr glücklich sein?»

Der Pastor, mit Wiegen des Kopfes: «Sie nennen sich wohl glücklich. Von Gott aber kam Ihnen vorzeiten ein reueloses Glück. Demnächst werden Sie manch Unrecht erleiden und einiges noch schwerere sollen Sie selbst begehen – um Ihrer lieben Herrin willen.»

«Meine liebe Herrin», wiederholte Henri, denn so nannte er sie wirklich. «Was sollte sie mir wohl zufügen.»

«Sire! Sehen Sie allem entgegen, da es doch kommen soll. Geh in Frieden!»

Was hieß das? Der König verlor die Geduld bei den Ausfällen und den Rätseln des Alten; verließ das Zimmer und betrat die Straße seiner Stadt Noyon: da wälzte sich Volk, ein dichter Haufen. Erst beim Erscheinen des Königs lichtete er sich, und aus seinem Innern entließ das Gewühl keinen anderen als Herrn d'Estrées, Gouverneur der Stadt, aber seit dem großen Aufstieg seiner Tochter auch Gouverneur der Provinz. Nur schwer gelangte er hervor, noch mehrere Hände griffen nach ihm.

«Herr Gouverneur, wer erlaubt sich, Sie anzurühren?» fragte der König stark, und da seine Wache vorging, begann das Volk zu flüchten. Herrn d'Estrées waren die Kleider aufgerissen, sonderbare Sachen hingen heraus: Kindermützchen, ganz kleine Schuhe, eine Uhr aus Blech, ein hölzerner Apfelschimmel, glänzend lackiert.

«Ich habe ihn gekauft», sagte Herr d'Estrées.

«Mein Mützchen hat er nicht gekauft», behauptete eine Ladenbesitzerin. Ein Handwerker schloß sich an. «Meine Säuglingsschuhe auch nicht.» Ein anderer bat freundlich, aber nicht ohne Spott, ihm seine Spielsachen gefälligst zu bezahlen. Der König betrachtete in peinlicher Erwartung seinen Gouverneur, der unverständlich kollerte, aber besonders seine rot überlaufene Glatze verriet ihn. Sein Hut lag zertreten am Boden, unversehens zog ein gut gekleideter Bürger etwas daraus hervor – sieh da, ein Ring: keine Nachahmung, ein echter Stein.

«Aus dem Kasten, den Herr d'Estrées sich von mir vorlegen ließ», erklärte der Kaufmann.

«Nichts fehlt von den Sachen», sagte der König. «Ich hatte mit dem Herrn Gouverneur gewettet, daß er sie so still und heimlich nicht würde kaufen können. Hab verloren und bezahl euch.»

Sprach es und ging mit großen Schritten ab.

Der Diener des Königs

Hiernach verließ er schnell und ohne Abschied die Stadt: d'Armagnac hielt immer die Reisesäcke fertig, die Pferde waren gesattelt. Henri dachte zwischen sich und die Familie d'Estrées einigen Abstand zu bringen, Krieg zu führen und unbeschwert zu reiten. Aus Sehnsucht indes nach Gabriele, und auch weil er sich ihrer zu schämen hatte, setzte er in den Laufgräben vor Rouen sein Leben aus. Die Königin von England verübelte es ihm empfindlich, wie er durch Briefe seines Gesandten Mornay erfuhr. Mehrere katholische Edelleute warnten ihn inzwischen, daß sie nicht länger zusehen könnten, bis er sich bekehrte. Mayenne gab ihnen eine letzte Frist, um zu der Mehrheit überzugehen. Sie hatten noch die genaue Zeit, bis die Ständeversammlung zusammentrat. Es stand aber fest: nur einen katholischen König wählte diese. Inmitten aller seiner Bedrängnisse sieht Henri eine Sänfte die Straße von Dieppe herniederschaukeln. Er weiß sogleich, wen sie ihm bringt, sein Herz schnellt hoch, aber es ist nicht Freude und heftiges Verlangen, wie das erstemal, daß die Sänfte ankam in Tal Josaphat. Dazwischen liegt viel.

Er ging in sein Haus und erwartete sie dort. Gabriele, still und allein, betrat das Zimmer. «Sire! Sie demütigen mich», sagte sie – ohne Klage oder Vorwurf, in all ihrer gelassenen Schönheit, und diese quälte ihn wie etwas Verlorenes. An dem Vollkommenen entdeckte er Züge, die darüber noch hinausgingen: dies, während beide schwiegen, aus Furcht vor dem Gespräch, das sie führen sollten. Ein Anflug von Doppelkinn, sah Henri. Eine geringe Falte, sichtbar nur in einem gewissen Licht, aber wie über alle Maßen herrlich! «Ich bin bereit, Madame, Sie zufriedenzustellen», hörte er sich sagen, so förmlich wie zu einer Fremden. Sie behielt dennoch ihre würdige Vertraulichkeit.

«Wie konnten Sie die Sache nur so falsch anfassen», sagte sie mit Kopfschütteln. «Sie mußten meinen Vater und mich selbst in Schutz nehmen gegen die Leute von Noyon, die uns nicht mehr achten wollen.»

«Man kann es von ihnen nicht verlangen», sagte er hart – winkte aber gleichzeitig nach einem Sessel, in den sie sich setzen sollte. Sie tat es und betrachtete ihn um so strenger. «Sie selbst haben alle Schuld. Warum bestraften Sie nicht auf der Stelle das dreiste Volk, das Herrn d'Estrées bei Ihnen verklagte.»

«Weil sie recht hatten. Die Einkäufe hingen meinem Gouverneur aus allen Schlitzen seiner Kleidung. Mir war zumute, als hätte ich es selbst getan.»

«Wie kindisch! Es ist eine kleine unbedeutende Schwäche von ihm, in letzter Zeit mag sie zugenommen haben. Wir waren daran gewöhnt; aus bloßer Vergeßlichkeit versäumte ich, Sie vorzubereiten. Wie oft schon war meine Tante de Sourdis zu den Kaufleuten gefahren und hatte den Irrtum aufgeklärt. Übrigens pflegte es sich um wertlose Gegenstände zu handeln.»

«Der Ring ist nicht wertlos», stellte er fest und betrachtete mit Verblüffung ihre wunderbare Hand, wie sie auf der Lehne ruhte, wie der Stein daran glänzte. Der Ring, sie trug ihn!

«Ich staune», äußerte er, obwohl eher Bewunderung aus seinem Ton sprach. «Aber, Madame, erklären Sie mir, was mein Gouverneur mit Spielsachen für Kinder macht.»

Sie sah ihn an, und ihr Blick verwandelte sich. Vorher hell und freimütig infolge des Zornes über empfangene Beleidigungen, trübte er sich jetzt von einer Zärtlichkeit. Oh! die hatte sie nicht absichtlich herbeigerufen.

«Gabriele!» rief Henri halblaut; die schon erhobenen Arme sanken ihm wieder herab. «Wozu das Spielzeug?» flüsterte er.

«Es liegt nun bereit für das Kind, das ich bekommen soll», sagte sie – senkte die Stirn, bewegte die geöffneten Hände leise nach ihm hin. Demütig und ihres Rechtes gewiß, erwartete sie, geküßt und bedankt zu werden.

Bei ihrem nächsten Zusammensein verlangte sie mehr: der König sollte Herrn d'Estrées zum Großmeister der Artillerie ernennen. Er schulde ihrem Vater eine Genugtuung, darauf beharrte sie. Warum gerade diese? Sie erklärte es nicht. Henri versuchte den Fall leicht zu nehmen. «Was versteht Herr d'Estrées von dem Gebrauch des Pulvers. Den grauen Turm hat er nicht gesprengt.»

Sondern Baron Rosny hatte ihn gesprengt, als der König die Stadt Dreux belagerte. Rosny, der ein großer Rechner war, beherrschte auch die Kunst der Minen und Geschütze. «Die Mine des Herrn de Rosny» war vor Dreux ein geläufiger Ausdruck des Spotts für die umständlichen Arbeiten eines ehrgeizigen Pedanten, sechs Tage und sechs Nächte, bis die dicken Mauern des grauen Turmes mit vierhundert Pfund Pulver angefüllt waren. Das Hoflager mitsamt den Damen versammelte sich bei dieser Sprengung und erging sich in Witzen, als zuerst nur viel Rauch und ein dumpfer Knall kam, dann aber sieben und eine halbe Minute gar nichts. Die gelehrte Anmaßung des Hauptmanns schien bestraft – und dennoch, auf einmal spaltete sich der Turm von oben bis unten, einen Krach ergab es ohnegleichen, und er fiel ein. Niemand hatte es vorher geglaubt, auch die Belagerten nicht. Standen auf dem Turm und verunglückten in Massen. Einige Überlebende bekamen von dem König je einen Taler. Rosny, der Gouverneur hätte werden wollen, sah sich wieder einmal verdrängt, erstens, weil er «von der Religion» war. Sein Gegner, der dicke Schurke d'O, konnte überdies dem König einen Teil der öffentlichen Gelder versprechen, soviel er selbst davon nicht stahl. Wie wäre er nicht Gouverneur geworden.

Aber die Großmeisterei der Artillerie, sie wenigstens blieb offen, und Henri war entschlossen, sie seinem verdienten Rosny zu geben. Er wollte ihn damit belohnen, wenn der Brave aus der Stadt und Festung Rouen zurückkehrte, wohin sein König ihn entsendet hatte mit dem Auftrag, den Preis der Übergabe auszuhandeln.

«Schöne Liebe!» sagte Henri zu Gabriele d'Estrées. «Geliebte Herrin!» bat er. «Erlassen Sie mir diesen Wunsch. Wählen Sie für Herrn d'Estrées, was Ihnen sonst in den Sinn kommt, nur die Großmeisterei nicht.»

«Wie könnte ich Ihnen hierin gehorchen», antwortete sie. «Ich und mein Vater würden für gering geachtet werden vom ganzen Hof, gäben Sie uns nicht diese Genugtuung.»

Ihr gesegneter Zustand erklärte vielleicht ihren Eigensinn. Henri half sich für den Augenblick mit einer unverbindlichen Zusage, und alsbald schickte er nach Rouen einen dringenden Brief an Rosny, damit dieser sich beeilte. Am Geld sollte er das Geschäft nicht scheitern lassen und jedenfalls seinem Herrn das Tor öffnen. Gabriele konnte die ganze Großmeisterei vergessen haben, zog sie erst einmal stolz mit ihrem königlichen Geliebten durch die Ehrenpforten in die Hauptstadt des Herzogtums Normandie.

Vorerst stand es derart, daß der Gesandte des Königs seinen Brief nur zu nötig hatte. Ja, leicht hätte ohne diesen Brief der König seine Stadt Rouen überhaupt verloren, der Gesandte Rosny aber sein Leben.

Mit Herrn de Villars, der für Mayenne und die Liga in Rouen befehligte, stritt Rosny schon zwei Tage gewissenhaft über den Preis, focht alle Bedingungen des Gouverneurs an und behauptete, der königliche Schatz könne sie nicht tragen. Dies, während Abgeordnete der Liga und des Königs von Spanien demselben Villars ungezählte Haufen Gold anboten, und zwar unter jeder Bedingung. Rosny in seinem vernünftigen Kopf, der ganz von der Art dieses nördlichen Landes war, kam nicht darüber fort, daß man besser die Türme hätten sprengen und die Stadt zerschießen sollen, anstatt gutes Geld zu verschwenden. Andererseits war Rosny, später Herzog von Sully, überaus auf seine Würde bedacht, er neigte ihretwegen sogar zum Prunk. Persönlich wäre er gewonnen worden, da Herr de Villars ihn im ersten Hotel von seinen eigenen Leuten bedienen ließ, ihm auch seinen Sekretär schickte und ihn in das Haus seiner Geliebten bestellte. Soweit wäre alles gut gewesen. Der Gouverneur indessen, eine gerade Natur, kam alsbald mit allen Forderungen heraus, wie er sie sich ausgedacht hatte; und natürlich waren sie angewachsen in dem Maße, wie die Gegenseite ihm Haufen Goldes versprach. Zuletzt hatte sich eine lange Liste ergeben: Ämter und Würden, Festungen, Abteien, eine Million zweimalhunderttausend zur Bezahlung seiner Schulden, überdies eine Jahresrente, und dann folgten wieder Abteien. Es war nicht mehr im Kopf zu behalten. Herr de Villars als ordentlicher Mann hatte alles aufgeschrieben und las es vor.

Rosny gab nicht sogleich Antwort, denn er dachte bei sich: ‹Schnapphahn elender! Deswegen Ihre gute Bewirtung und der Empfang bei Ihrer Geliebten. Und streiche ich von der Liste einiges, dann verkaufen Sie sich an Spanien. Hätten übrigens recht, wenn nicht unsere Kanonen wären. Ich will Ihnen zeigen, wie man Pulver in Türme praktiziert. Das Ende wird sein, daß Sie hängen.›

Hierauf begann er, blauäugig und ohne daß sein glattes Gesicht mehr als nötig ausgedrückt hätte, mit seinen vernünftigen Gegenvorschlägen; aber der Gouverneur unterbrach ihn, er hatte noch etwas vergessen. Wenigstens sechs Meilen um Rouen sollte der protestantische Gottesdienst verboten sein – eröffnete er dem Ketzer und Abgesandten eines ketzerischen Königs. Infolgedessen erhitzte sich die Unterredung, sie konnte an diesem Tage zu nichts mehr führen. Allerdings wurde ein Vorvertrag geschlossen, aber nur, weil Rosny die Papiere und Unterschriften so sehr liebte; und ohne ein Papier, mochte es nichtssagend sein, verließ er keine Verhandlung. Durch Kurier unterrichtete er den König von den unverschämten Bedingungen. Bevor nun der Bescheid eintreffen konnte, setzte Herr de Villars sich in den Kopf, der nichtsahnende Rosny wäre sein Mörder. Es war eine Verwechslung: irgendein Abenteurer hatte den Plan gefaßt, der Person des Gouverneurs habhaft zu werden und Lösegeld herauszuschlagen. Genug, als sie wieder zusammenkamen, dachte der Gouverneur mit hervorquellenden Augen nichts als Hängen und Würgen. Dasselbe hatte Rosny beim vorigen Mal erwogen, nur daß er es nicht so sehen ließ. Jetzt sagte ihm sein gesunder Verstand, daß einzig noch eine Wahnsinnsszene helfen und das Schlimmste verhüten konnte. Daher überbot er unvermittelt das Wüten des Gouverneurs, ja, er nannte den Edelmann einen ehrlosen Verräter: worüber dieser in solchem Grade erstaunte, daß es ihm die Rede verschlug.

«Ich – ein Verräter? Sie sind zornig, Herr.»

«Sie selbst sprechen nur im unvernünftigen Zorn von einer Mordgeschichte, deren erstes Wort ich nicht kenne; ja, wollen sogar Ihre Treue brechen, denn ich habe einen Vorvertrag!»

Diese eindringlichen Worte riefen Herrn de Villars halbwegs zu sich, so daß er beim Eintritt seiner Geliebten sagte: «Schreien Sie nicht, Madame, ich schreie auch nicht mehr.» Dennoch hätte seine Besänftigung, die mehr ein Erstaunen war, schwerlich vorgehalten. Die Unschuld des Herrn de Rosny bedurfte dringend eines greifbaren Beweises, oder es konnte ihm immer noch übel ergehen. Genau in diesem Augenblick überbrachte einer seiner Diener ihm den Brief des Königs. Es war der Bescheid wegen der unverschämten Forderungen des Gouverneurs von Rouen. Aber die Forderungen der Dame de Liancourt waren der nächste Anlaß dieses Briefes gewesen: sonst wäre er vielleicht so erwünscht nicht eingetroffen. Übrigens bleibt unentschieden, ob der Gesandte Rosny ihn nicht eigentlich schon vorher in seinem Gasthof erhalten hatte. Die Wirkung des Überbringers hier während des spannenden Auftrittes war zu merkwürdig, bei späterer Überlegung glaubte man nicht mehr an Zufall. Die Geliebte des Gouverneurs äußerte bald Zweifel.

Gleichviel, der König nahm alle Bedingungen an, bis auf das Verbot der Religionsübung, wovon er nichts erwähnte, und so überging auch Herr de Villars diesen Punkt: sollte er doch Großadmiral werden. Dem Gesandten gab er alsbald Genugtuung, weil er ihn fälschlich für seinen Mörder gehalten hatte. Ein Handlanger des wirklichen Mörders war zum Glück gefangen worden. Diesen ließ der Gouverneur herschaffen, warf ihm eigenhändig den Strick über, und seine Leute hängten ihn vor den Augen der Herren aus dem Fenster. Dies getan, blieb nur noch übrig zu feiern, was so glücklich ausgegangen war. «Die Liga ist verratzt», rief der Gouverneur, rauh wie ein alter Soldat, aus dem Fenster, das schon die Aufmerksamkeit des Volkes erregt hatte, wegen des Gehängten. Der Gouverneur befahl: «Ruft alle: Hoch der König!» Das tat das Volk, und seine Stimmen erschallten bis an den Hafen, wo die Schiffe ihre Schüsse lösten. Auf den Festungswällen wurden Salven abgegeben, und keine Kirchenglocke, die nicht fröhlich schwang. Dankgottesdienst in Liebfrauen, mit Rosny in der ersten Sitzreihe; Empfang der städtischen Körperschaften und ihr Geschenk an den Gesandten des Königs, ein prachtvolles Tafelgerät aus vergoldetem Silber: hiermit verließ Rosny diese Stadt.

Als er während der Schlacht bei Ivry unter einem Birnbaum mit seinen Wunden lag, hatte er auch dort gesiegt und sogar einige reiche Gefangene gemacht, denn dieser Mensch gefiel dem Glück. Diesmal konnte er durch sein Verdienst, wozu das Glück nur beiträgt, dem König eine der besten Städte erwerben. Der gute Diener des Königs ist hier wahrhaftig seines Lohnes gewärtig. Indessen trifft er ein, wird umarmt, hält eine schöne Rede: das Tafelgerät aus vergoldetem Silber gehöre dem König; sein Diener nehme grundsätzlich von niemandem Geschenke an. Worauf der König ihm das Gerät beläßt und dreitausend Goldtaler noch dazulegt. Soweit gut. Als Rosny aber um die Großmeisterschaft der Artillerie bittet, umarmt der König ihn nochmals und ernennt ihn zum Gouverneur der Stadt Mantes. Rosny besinnt sich nicht. Mit kühner Stirn entgegnet er dem König, daß er undankbar ist. Hierauf der König, in seiner alten Bewitzelung der ernsten Dinge – Rosny hat niemals Sinn dafür gehabt: «Undankbar, das sagt man längst. Aber lassen Sie sich das Neueste vom Hof erzählen.»

Nicht lange, so wußte Rosny alles. Er schloß sich eine Stunde ein, dann ging er zu Madame de Liancourt. Sie begriff sogleich, daß er wegen der Großmeisterei kam, obwohl niemand ihm etwas anderes angesehen hätte als seine gewohnte Würde. Auf den Kleidern trug er viel Schmuck. «Madame, ich habe um die Ehre gebeten, Ihrem Erheben beizuwohnen. Der König bedient sich meiner, es wäre möglich, daß Sie mich einmal brauchen.»

Gabriele antwortete unbesonnen: «Danke. Der König bekommt meine Briefe, wenn er im Feld ist, durch Herrn de Varennes.» Das war ein früherer Koch und trug jetzt Liebesbriefe aus. Rosny erbleichte; die obstähnlichen Farben seines Gesichtes vergingen deshalb nicht, nur matter wurden sie. Gabriele sah wohl etwas dergleichen, versäumte aber, sich sofort zu entschuldigen, und sooft sie dies später versuchte, es gelang niemals mehr. Hätte sie in diesem Augenblick ihre Tante de Sourdis bei sich gehabt, sie wäre beraten worden, vielleicht hätte sie noch vermeiden können, sich diesen Feind für das Leben zu machen. Statt dessen, kaum daß sie ihren Fehler bemerkte, verstockte die Ärmste sich, sie betrachtete Herrn de Rosny hochmütig, so daß ihr Mädchen aufhörte, ihr die Haare zu pflegen, und eine große Pause eintrat.

Zuletzt ließ Herr de Rosny das Knie auf einen Schemel nieder und zog der Dame den Pantoffel wieder an: in der Erregung hatte sie ihn vom Fuß geschleudert. Gabriele sah ungeduldig zu und dachte bei sich, daß er auch damit nicht Großmeister der Artillerie werden könne, das war Herr d'Estrées. Der Beleidigte gab nichts zu erkennen, er sprach ein Kompliment über ihren kleinen Fuß und nahm Abschied. Kaum war er nicht mehr zugegen, erschrak Gabriele bis in das Herz: sie hatte ihn nicht beglückwünscht, hatte der ruhmvollen Erwerbung der Stadt Rouen nicht einmal gedacht. Jetzt war er gewiß unterwegs zum König. «Lauf! Hol ihn zurück!» befahl sie ihrem Mädchen. Vergebens, Rosny kam nicht. Er fragte sich, warum er diese schöne Frau aus tiefster Seele haßte. Noch fand er das Eigentliche nicht: ihre und seine Ähnlichkeit. Zwei Blonde aus dem Norden, helle Farben, kühle Verständigkeit. Dem König, einem Mann des Lachens und der Tränen, durch ihren Vorteil verbunden; aber langsam wächst beiden etwas zu, das über die Erfahrung ihres Wesens hinausgeht – ein Gefühl, nur der Mann aus dem Süden kann es sie derart lehren. Bald verlangt jeder mehr: nicht nur von der Gunst des Königs, auch von dem Vertrauen des Geliebten. Zwei Eifersüchtige, die beide denselben lieben, wollen einander schaden – und dies bis an das Ende.

Der König hatte sich schon nach Saint-Denis verfügt, woselbst er nachher seinen Glauben abschwören sollte. Davon wußte er noch immer nichts Gewisses und war im Herzen ungenau entschlossen, obwohl so viele Tatsachen feststanden, daß die letzte auch eingetreten wäre ohne Vorsatz. Indessen hielt er Konzile mit Geistlichen, horchte nach der Ständeversammlung drinnen in Paris, wartete nur lau auf Ereignisse, die abgelenkt hätten, wollte sich selbst hinhalten und mit seinem Gott vielleicht handeln. In seinen unruhigen Vorgefühlen war er begieriger als je nach der Gegenwart seiner schönen Liebe. Als er sie diesmal in einer anderen Stadt zurückgelassen hatte, fehlten ihm noch einige Erfahrungen, die er nächstens machen mußte: damit entschied sich allerdings, die beiden wären unzertrennlich. Der König wußte keinen besseren, ihm seine Geliebte sicher herzubringen, als seinen braven Rosny. Die Ergebenheit eines guten Dieners wird durch Enttäuschungen nicht erschüttert. Es ist unmöglich, daß er Gabriele nicht liebt, da er sein Heil in Henri setzt. So meinte Henri.

Rosny ordnete sogleich die Reise. Er mußte nicht erst bedenken, für wen er arbeitete und welchen Mittelpunkt die sorgfältige Veranstaltung bekommen sollte. Seine Feindin oder nicht, er war auf alle Fälle für einen abgemessenen Zug über Land und für ein feierliches Auftreten. Voran ritten er selbst und sein Gefolge, dann blieben hundert Schritte frei: dahinter gingen zwei Maultiere vor der Sänfte, worauf die Geliebte des Königs ruhte. Wieder Abstand. Nachher ein Wagen mit vier Pferden und den Frauen. Den Schluß machten, weit dort hinten, zwölf Tiere mit dem Gepäck. So war es feierlich und edel, mit ebensoviel ordnender Vernunft wie die anderen Unternehmungen des Barons. Hätte auch nichts geändert, wenn in der bedeutungsvollen Mitte die Königin Semiramis einhergefahren käme anstatt Gabriele d'Estrées. Leider sind nicht alle Wesen, wie Rosny, bloß sachlich und ihrer Verantwortung bewußt. Wo die Straße am schroffsten abfiel, stieg der Kutscher des vierspännigen Wagens vom Bock, anstatt wenigstens hier sein Bedürfnis zu zähmen. Ein neckisches Maultier galoppierte trotz der Last, die es trug, bis zu den Kutschpferden, klingelte mit seinen Schellen und bewies, wie furchtbar es brüllen konnte – um nichts weniger als der Esel des Silen im Tal Bathos. Davon nahmen die vier Pferde Reißaus; schon sah man es kommen, daß die schwere Kutsche die leichte Sänfte überrannte, sie zerstückelte und in die Tiefe fegte, mit ihr das Kostbarste im Königreich. «Haltet auf! Haltet auf!» riefen sie, aber niemand griff zu, infolge des allgemeinen Entsetzens. Die Deichsel indessen brach, der Wagen stand, die Pferde liefen allein weiter, und vorn wurden sie abgefangen von den Leuten des Herrn de Rosny.

Die Dame war einer so großen Gefahr entronnen, daß der Ritter nicht schnell genug zu ihr gelangen konnte. Der Schrecken verschlug ihm die Rede, nur Zeichen der Ergebenheit gab er von sich, und stieß heisere Freudenrufe aus, soweit er hierfür Stimme hatte. Die Dame schwoll zornig an, schon war sie stark gerötet. Niemand hatte sie bisher anders erblickt als in dem Schimmer der Lilien, diese überwogen bei weitem die Rosen. Der Ritter sah den Vorgang mit heimlichem Vergnügen, denn er gedachte mehrerer Geliebten des Königs, die dieser verlassen hatte, weil ihre Neigung, rote Flecken zu bekommen, ihm unerträglich wurde. Bei einer so jungen Person fehlten allenfalls zwanzig Jahre bis dahin; gleichviel. Rosny empfand Hoffnung und hätte einfach die Reise fortgesetzt. Dame d'Estrées dachte anders; jemand mußte ihren Zorn fühlen, und konnte nicht Rosny selbst es sein, dann sollte er doch mit eigener Hand den Kutscher durchprügeln für sein unzeitiges Bedürfnis. Das tat der große Diener des Königs, und etwas später lieferte er ihm die schöne Reisende ab, ganz in dem Schimmer der Lilien. «Alle waren bei dem Unfall vor Entsetzen grün», erklärte er dem ungeduldigen Liebhaber. «Nur Madame de Liancourt bekam reizendere Farben als je. Sire! Daß Sie nicht dabei waren!»

Die arme Esther

Das Paar teilte augenscheinlich dieselbe Wohnung in der alten Abtei, worüber der Kanzelredner Boucher sich vor ganz Paris den Mund zerriß. Sein Erfolg war indessen nicht mehr auf der Höhe. Sein Publikum drückte sich nicht tot, die Fallsucht trat seltener auf: dies erstens wegen des Versagens der Ständeversammlung. Man sah endlich, daß die verschiedenen Bewerber um den Thron Frankreichs auf schwachen Füßen standen, einer wie der andere, aber vor dem Tor der Hauptstadt wartete der wahre König, brauchte nur abzuschwören und konnte alsbald einziehen. Auch bewies er seine Zuversicht, da er keinen Versuch mehr machte, gewaltsam einzudringen. Die Tore standen offen, die Bauern brachten ihre Vorräte, die Pariser wagten sich heraus. Sie waren satt gegessen, davon faßten sie Mut, bekamen auch die längst abgelegte Wißbegier zurück: wer immer nur mit knurrendem Magen denselben Boucher lügen hört, vergißt zuletzt wirklich, daß man hinsehen und erkennen sollte.

In Massen zogen sie nach Saint-Denis, drangen aber nur einzeln bis in die Nähe der alten Abtei; höchstens waren es zwei Freunde, die sich gemeinsam zu verteidigen gedachten. Schließlich hatte man es hier mit dem Antichrist zu tun, dafür sprach das meiste, denn wie hätte sonst ein exkommunizierter Ketzer seine Person solange behaupten können gegen die ganze Liga, die spanischen Armeen, das Gold Philipps und den päpstlichen Bannstrahl. Zwei kleine Bürger stahlen sich heute in den Klostergarten, suchten ein Versteck und wollten ausharren mit Hilfe der mitgenommenen Lebensmittel. Nein, da ist das Ungeheuer, pünktlich, als ob man den Teufel beschwört, nur daß ihm keine Wolke von Schwefel vorangeht. Er hat nicht einmal seine Leibwache bei sich, ist ungerüstet, unbewaffnet; wie ein König ist der nicht gekleidet. Schon sind wir entdeckt, obwohl er uns hinter der Hecke nicht hätte sehen können. Es muß um ihn was Besonderes sein. «Sire! Wir haben keine bösen Absichten.»

«Ich auch nicht.»

«Wir schwören: Niemals haben wir geglaubt, daß Sie der Antichrist sind.»

«Euch mußt ich nun doch für dumme Teufel halten. Jetzt wird es Zeit, uns besser kennenzulernen. Sollen alle drei noch lang zusammen leben.»

Auf seinen Wink verließen sie ihre Deckung, und ehe es gedacht, lagen sie vor ihm auf den Knien. Er lachte gutmütig über ihre verdutzten Gesichter, fragte auf einmal ernst nach ihrer kürzlich verbrachten Zeit der Not; und da sie ein gewisses Mehl erwähnten, sie hatten es wirklich von den Friedhöfen geholt, was sie selbst schon nicht mehr glauben wollten: da schloß der König die Augen und erbleichte.

Von dieser Begegnung berichteten sie nachher einer großen Zahl begieriger Personen, die aber weniger seine Worte zu kennen verlangten als seine Miene und Gebärden. Ob er böse wäre, ob gut.

«Er ist traurig», bekundete einer derer, die ihm nahe in das Gesicht geblickt hatten. Der andere widersprach.

«Wie kannst du das wissen. Die ganze Zeit hat er sich lustig gemacht. Obwohl. Allerdings.» Hier stockte der Mensch, der ihn für einen Spaßmacher hielt.

«Obwohl. Allerdings», sagte in Zweifeln befangen auch der, dem er betrübt erschienen war.

«Groß ist er.» Darin waren beide einig. «Von hohem Wuchs, leutselig und so einfach, daß man erschrickt, ja, daß man –»

«Ihm die Hand gibt», schloß schnell der zweite. Der erste schwieg betreten. Er hätte fast verraten, daß sie vor dem König auf dem Boden gelegen hatten.

Der König empfing nun in seinem Klostergarten den Besuch des Pastors La Faye, der hielt an der Hand eine verschleierte Frau. «Wir sind ungesehen eingetreten», waren die ersten Worte des alten Mannes.

Henri konnte keinen Sinn darin finden, er sah von dem Pastor zu der Frau; ihr Schleier war aber dicht. «Ungesehen – und unerwartet», äußerte er in Eile; er war auf dem Wege zu Gabriele.

«Sire! Lieber Sohn», sagte der Alte. «Gott vergißt nichts, und wenn wir am wenigsten darauf gefaßt sind, führt er uns unsere Taten vor Augen. Wer sie beging, soll sie nicht verleugnen.»

Hier begriff Henri. Diese Frau mußte er gekannt haben, wer weiß wo und in was für Tagen. Vergebens suchte er nach einem Zeichen auf ihrer unbedeckten Hand. Kein Ring; aber die Finger waren gequollen und eingerissen von Arbeit. Innerlich riet er Namen, fürchtete übrigens, belauscht zu werden, gern hätte er sich nach den Fenstern des Hauses umgesehen.

«Sie ist von unserem Glauben», sagte La Faye und entschleierte sie. Da war es Esther aus La Rochelle: Henri hatte sie geliebt so gut wie zwanzig andere und vielleicht besser als zehn von ihnen, wer unterscheidet es noch. Er ist unterwegs zu Gabriele.

«Madame de Boislambert, wie ich sehe. Madame, der Augenblick ist schlecht gewählt, ich habe Geschäfte.» Er denkt: ‹Gabriele, der dies ganz gewiß hinterbracht wird!›

Pastor La Faye mit wehenden weißen Haaren, sehr fest: «Sehen Sie besser hin, Sire! Vor ihrem Gewissen fliehen die von der Religion nicht.»

«Wer spricht von Flucht.» Henri stellte sich zornig, aber im Verlauf seiner Rede wurde er es in der Tat. «Ich flieh ja nicht, hab aber Geschäfte und erlaube keinen Überfall. Auch Ihnen nicht, Herr Pastor.»

«Sire! Sehen Sie besser hin», wiederholte der Pastor. Da sank Henri eine Schwinge nieder, ihn trug nichts mehr, weder Verlangen noch Zorn. Vor ihm, jetzt wirklich entschleiert, eine gealterte, kranke und ärmliche Person – hatte aber einst sein Geschlecht entzückt und seine Kraft begeistert. Er wäre nicht soweit gelangt, nicht bis vor das offene Tor seiner Hauptstadt, wenn diese alle ihn nicht entzückt und begeistert hätten. ‹Esther! Das ist aus ihr geworden. La Rochelle, Festung am Meer, starke Zuflucht der Hugenotten, wir zogen aus ihr in viele Schlachten als Kämpfer für das Gewissen. Nicht nötig, Pastor, mich anzublitzen: wir sind einig. Es war der rechte Augenblick.›

«Madame, was ist Ihr Anliegen?» fragte Henri.

Er denkt: ‹Der Augenblick für die Hugenottin Esther, mir elend unter die Augen zu treten, ist genau dieser. Ich soll die Religion abschwören, dafür bin ich glücklich mit Jesabel, die den König Ahab zum Gotte Baal verführt. Wird aber dereinst von den Hunden gefressen. O schnell bestrafte Schönheit, unser Undank schwärzt sie: Esther aus La Rochelle haben nunmehr der Kummer und die Not im Gesicht geschwärzt!›

Hier wäre er dennoch geflohen, wenn sie nicht gesprochen hätte. Ihre rauhe, schwache Stimme sprach: «Sire! Ihr Kind ist tot. Seitdem zahlt Ihre Kasse mir nicht mehr. Ich bin von den Meinen verstoßen, bin allein und darbe. Barmherzigkeit!»

Sie versuchte ein Knie zu beugen, aber aus großer Schwäche wäre sie umgefallen. Nicht Henri, der alte La Faye fing sie auf. Sein Blick blitzte streng, und Henri beantwortete ihn trostlos. Dann ging er. Zuletzt hatte er dem Pastor zugenickt, als ein Versprechen, daß alles geschehen sollte. Hierüber dachte er nach, während sein Schritt, in den Gängen des Hauses, immer langsamer wurde. ‹Was hab ich getan, was kann ich noch retten. Dies ist das unverzeihlichste Beispiel meiner Gefühllosigkeit. Flüchtige Tränen, die ich weine, und bin jedesmal unterwegs zu der nächsten. Das ist auch mein Ruf, alle kennen ihn, ich selbst bemerke als letzter, wie es um mich steht.›

Ihm ging wahrhaftig ein Licht auf, und er staunte, was ihm zustieß. Er machte Opfer. Nach allen Regeln und seinem wirklichen Bewußtsein hätte er anders handeln müssen, da er die Mühen des Lebens aus eigenem sehr wohl kannte und der inneren Festigkeit immer bedurft hatte, sowohl in der Schule des Unglücks wie auf dem Weg zum Thron. Unsere gute Haltung wird aber bezahlt mit einigen geopferten Wesen. Henri erinnerte sich nochmals an Esther, weil ihm die Rente, die er ihr geben wollte, durchaus fehlte: er hätte denn um ebensoviel Gabriele, seine treue Herrin, kürzen müssen. Das hielt er für außer Frage und fürchtete sich davor, da sie gewiß nichts nachließ. Er brauchte nur das Bild zurückzurufen, wie ihre schöne Hand, auf der Lehne des Sessels, den Stein erglühen ließ, den Stein, den Herr d'Estrées gestohlen hatte.

In Sorgen vertieft, betrat er ihre Gemächer ungewöhnlich leise. Aus dem Vorzimmer spähte er durch die offene Tür: da saß die Schöne an ihrem Frisiertisch. Sie schrieb. ‹Eine Frau soll aber nicht schreiben, außer mir selbst. Welcher andere Brief wäre ganz unverdächtig.› Henri bewegte sich völlig geräuschlos, und jetzt nicht mehr infolge Vertiefung. Endlich blickte er der Schreibenden über die Schulter, ohne daß sie ihn bemerkte, obwohl alles, was sie taten, vor dem hellen Glas eines runden Spiegelchens geschah. Henri las: «Madame, Sie sind im Unglück.»

Er erschrak, wußte sogleich, worauf dies hinaus wollte, und folgte dennoch mit angstvoller Spannung der Feder, die knirschte, sonst hätte man vielleicht seinen Atem gehört. Sein Atem trübte den Spiegel. Die Feder malte groß hin: «Madame, das ist unser Schicksal, wenn wir schönen Worten geglaubt haben. Wir müssen uns hüten, sonst gehen wir mit Recht zugrunde. Sie tun mir nicht leid, denn Ihr Verhalten ist klein, und Ihr Auftritt hier im Garten entehrt mein Geschlecht. Damit Sie verschwinden, will ich Ihnen Geld geben. Der Vater Ihres toten Kindes könnte es leicht vergessen.» Es ging so fort, nur Henri hatte genug gelesen. Der Spiegel war von seinem Atem getrübt, sie fand darin kein Gesicht, als sie plötzlich aufsah. Alsbald verließ er rückwärts das Zimmer, überzeugt, daß sie wußte: er war da gewesen; und mehr für ihn als an die andere hatte sie geschrieben.

Er entfernte sich auf mehrere Tage, ja, überlegte den Bruch mit Gabriele. Sie war hoch und schwierig. Durch den Brief hatte sie ihm bekanntgegeben, daß sie niemals verzeihen würde, wenn er der anderen half. In Wirklichkeit wagte er es nicht. Seine Geschäfte in mehreren Städten sollten dienen, daß er die Launen seiner Herrin vergäße. Er vergaß ihre Launen, aber nicht sie; und vor großer Sehnsucht nach Gabriele blieb ihm kein einziger Gedanke übrig für eine Arme. Am dritten Tage erfuhr er, daß seine Geliebte den Herzog von Bellegarde bei sich empfangen hatte.

Er geriet in eine Hitze, anfangs ähnlich dem Fieber, das ihn während seiner ganzen Jugend nach außerordentlichen Anstrengungen befallen und niedergeworfen hatte – ein Versagen der selbstgewissen Natur, es öffnet sich das Nichts:

daher diese Hitze. Der Vierzigjährige läßt sich von ihr nicht mehr überraschen. Den offenen Spalt seines Lebenswillens schließt er mit eigener Hand: das vermag dies gesicherte Lebensalter. Aufs Pferd und den Verrätern zu Leib! Er ließ seine Begleiter hinter sich, und stöhnte in den Wind hinein seine Klage, seine Rache. Handeln! Auf kein Bett sinken und verzweifeln, das kann nicht vorkommen, aber die Strafe soll hereinbrechen über alle beide. Er jagte in voller Dunkelheit durch einen Wald, bis sein Tier stürzte und er auf dem dürren Laub saß. «Herr de Praslin!» rief er, als die Edelleute eintrafen.

In das hingehaltene Ohr sprach er Aufträge, nie im Leben hätte er sie zu geben gedacht. Bellegarde sollte sterben. «Führen Sie es aus! Sie haften mir mit Ihrem eigenen Kopf.» Praslin liebte den Großstallmeister wenig, er hätte ihn im Zweikampf wohl getötet: nur glaubte er dem König nicht. Das ist kein König für Meuchelmörder, hat nie einen persönlichen Feind zum Tode befördert, mit seinem Feuillemorte wird er nicht anfangen. Praslin antwortete vernünftig: «Sire! Wir wollen es Tag werden lassen.»

Der König fuhr auf. «Sie denken, ich wäre von Sinnen. Ich will aber, was ich Ihnen befehle. Nicht nur Bellegarde. Sie sollen nicht ihn allein töten, wenn Sie beide beisammen treffen.»

«Im Dunkeln hör ich schlecht», sagte Herr de Praslin. «Sire! Sie sind überall berühmt für Ihre Güte, sind der Fürst einer neuen Menschlichkeit und des Zweifels, den die Philosophen fruchtbar nennen.»

«War das?» fragte Henri rauh. «Weiß nichts mehr davon. Beide sollen sterben – die Frau noch eher, sie zuerst.» In einem Aufschrei: «Ich kann das nicht sehen» – und er verhüllte die Augen vor seinen inneren Bildern.

Der Zeuge der dunklen Stunde trat fort so weit als möglich, damit er ihr nicht länger beiwohnte. Zuletzt schwang der König sich wieder in den Sattel. Bei der Ankunft in Saint-Denis graute der Morgen. Henri rast die Treppe hinan, er verlangt Einlaß, muß eine Weile draußen stehen, und durch die unbewegliche Tür erkennt er, wie wenn er drinnen wäre, alle die Vorgänge eines überstürzten Aufbruchs. Eine Angst quält ihn: die drinnen können keine größere erleiden. Das Schloß springt endlich auf, seine liebe Herrin steht vor ihm – eine Wiedergekehrte, er bemerkt auf einmal, daß er sie verloren gegeben hatte. Sein Blut schießt zum Herzen, weil er sie zurück hat. Sie ist angekleidet wie zur Reise, eine völlig angekleidete Frau beim grauenden Tag, angesichts des Fensters, das geklirrt hat, als es aufgerissen worden ist. Auch der Sprung in den Garten war zu hören gewesen.

«Erklären Sie das alles, Madame.»

Sie trug den Kopf hoch und antwortete gelassen.

«Jemand, der bei Ihnen in Ungnade gefallen ist, bat um meine Fürsprache.»

«Er ist aus dem Fenster gesprungen. Man soll ihn aufhalten.»

Sie vertrat ihm den Weg. «Sire! Ihre Feinde von der Liga haben ihm Anträge gemacht; er aber hat Sie nicht verraten.»

«Mit der Liga und mit Ihnen! Madame, wie kommt es, daß Sie angekleidet sind und Ihr Bett ist zerwühlt? Fürsprache! Beim Tagesgrauen und einem zerwühlten Bett.»

Sie stellte sich mit ihrem breiten Rock davor. «Was Sie befürchten, ist nicht geschehen», sagte sie in aller Ruhe.

Er stampfte auf, damit der Verlauf weniger nüchtern würde. «Verteidigen Sie sich! Sie wissen noch nicht, daß ich gekommen bin, um Sie fortzujagen.»

Sie sah ihm prüfend in die Augen, wie wenn bei einem das Fieber im Anzug ist. «Setzen Sie sich», verlangte sie – tat es auch selbst und gab den Blick auf das zerwühlte Bett frei. Dann sprach sie: «Sire! Sie beleidigen mich nicht das erstemal. Sie haben Herrn d'Estrées mißachtet. Ferner würdigten Sie mich herab, als Sie dort unten jene Frau empfingen. Sie verreisten ohne Abschied, ich beging die Schwäche, einem verläßlicheren Freund auf seinen Brief zu antworten. Er erschien bei mir vor Tag, was Sie zartfühlend nennen sollten. Wäre es Ihnen lieber gewesen, wenn das erwachte Haus uns beobachtet hätte?»

Er hörte dies mit Anstrengung zu Ende, er klammerte sich an die Armlehnen, um nicht vom Sessel aufzuspringen. Statt dessen zog er ihn nahe vor sie hin und sprach ihr Wort für Wort ins Gesicht: «Er sollte dich holen: darum bist du angekleidet. Ihr wolltet fort. Ihr wolltet euch heiraten.»

«Mit Ihrer Erlaubnis», erwiderte sie – hielt das Gesicht erhoben, entfernte es aber nicht von dem seinen.

«Die geb ich niemals», murmelte er. «Der Mutter meines Kindes», sagte er plötzlich laut. Bei dem Wort schlug sie zweimal schnell mit den Wimpern – sonst nichts, dann eine Pause. Beide Knie an Knie, beinahe Kinn an Kinn, und eine atemlose Pause. Ihm war zuerst kalt geworden, auf einmal trockneten ihm Mund und Hals aus, er konnte nicht schlucken, ging zum Tisch und trank Wasser. Hierauf verließ er das Zimmer. Er hatte sie nicht mehr angesehen.

Madame de Liancourt wartete nicht länger, sie ließ ihre Koffer packen. Sie war im Ungewissen, ob sie verspielt hatte. Angezeigt schien eine Reise zu der Tante de Sourdis. Dame de Sourdis hätte gesagt: «Was auch kommt, bitte niemals und sprich um keinen Preis das Wort: danke.» Soweit hörte Gabriele ihre Beraterin sogar aus der Ferne, indessen sie den Mädchen wegen der Koffer zerstreute Weisungen gab. Sie besaß wohl keinen tiefen Geist, und aus einer Schwäche des Denkens beging sie folgenschwere Fehler, wie mit Herrn de Rosny. Diesmal aber war es genug, daß der erlernte Grundsatz ihr in den Sinn kam, um nichts zu bitten, für nichts zu danken, immer nur abzuwarten, bis der Gegner sich herbeiließ. ‹Er hat niemand›, bedachte sie. ‹Gar niemand in der Welt, da er vor einem Sprung steht, er nennt ihn den Todessprung, weiß auch warum. Seine Partei zu verlieren ist er sicherer, als das Königreich zu gewinnen. Wenn wir des Nachts zusammenliegen: ich sag nicht viel, er spricht mit sich. Es gefällt mir nicht übel, einfältig zu sein.›

Hier befahl sie ihren Dienerinnen, mit Packen aufzuhören. Allein geblieben, zog sie das leichteste, durchsichtigste Gewand an; auf einmal war es ihr gewiß, daß er zurückkehren mußte. ‹Seine Frauen haben ihn meistens betrogen, und er lachte darüber. Das ist er nicht anders gewohnt, zu viele erzählen davon. Er war niemals eifersüchtig, zuerst ist er es diesmal.› – «Das muß für ihn schlimm sein», sagte sie halblaut, und die Hände weich im Schoß, empfand sie einen vorläufigen Anflug von Zärtlichkeit für den, der um ihretwillen ein anderer wurde und seine Fähigkeit zu leiden mit ihrer Hilfe bereicherte. Sie ging bis nahe an die Reue. ‹Ich schlug mit den Wimpern, als er von seinem Kinde sprach!›

Er trat ein, hob ihre beiden Hände auf und sagte: «Madame, es soll vergessen sein.»

«Es tut Ihnen leid, Sire», erwiderte sie nachsichtig – bemerkte aber gut genug, was für eine furchtbare Stunde er verbracht hatte. Sein Gesicht wollte blaß und müde sein. Verwittert von allen Feldzügen und durch den Kampf von jeher gestrafft, wird ein Gesicht nicht müde, nicht blaß; man müßte denn unter die Haut blicken. Gerade dies tat sie mit Ergriffenheit.

«Sire! Sie haben die unwiderstehlichste Art, um mich zu werben.» Damit breitete sie ihm die Arme hin, nicht mehr geduldig und freundlich: endlich mit Verlangen.

Als beide den Augenblick der Hingabe beendet hatten, war darum nichts anders geworden – er, wie vorher ruhelos und stürmisch, sie aber ungewiß und gelassen. «Engel des Nordens», sagte er verzweifelt. «Schwören Sie mir, daß nichts Ihrer Treue gleichkommen soll, außer der meinen.» Er hörte aber gar nicht hin. «Welche Treue können Sie mir noch schwören, zweimal brachen Sie mir sie schon. Meinen schrecklichen Verdacht sehen Sie ruhig mit an, indessen Sie einem andern seine offenen Verrätereien verzeihen. Feuillemorte hat Furcht vor der Liga, und nicht nur um das Fräulein von Guise hat er geworben, daneben treibt er es mit ihrer Mutter. Sie sind ihm nichts, und mir gehört er nicht.»

Der Eifersüchtige tat sich nicht genug im Herabsetzen des Gegners, im Ansturm auf dieses unbesiegbare Herz. «Sie konnten ihm schreiben! Nach allen Ihren Versprechungen! Sie dürfen nie wieder sagen: Ich werde tun. Sie sollen sagen: Ich tue. Entschließen Sie sich, Herrin, nur einen Diener zu haben.»

Er stöhnte auf. Beide Hände um die Stirn gepreßt, lief er hinaus. ‹Ich kann nicht tiefer sinken›, fühlte er.

In dem alten Garten erwartete ihn Pastor La Faye. Henri, diesen sehen, und der Zusammenhang seines Unglücks mit seiner Schuld betraf ihn derart, daß er am Fleck anhielt. Der Pastor stand zehn Schritt davon, unter Bäumen. «Die arme Esther ist tot», sprach er.

Henri senkte das Kinn auf die Brust, er verharrte lange genug wortlos, daß dem alten Mann dort drüben im Schatten nicht geheuer wurde. Er sagte: «Und wär es auch Ihre größte Schuld, Sire! Die arme Esther hat den Sitz der ewigen Liebe erreicht.»

Henri erhob die Stirn, über die Wipfel hin bekannte er der Höhe: «In Tal Josaphat hatte ich zuletzt noch die Wahl» – und entfernte sich schnell.

La Faye blieb traurig und entsetzt zurück. Der König hat gelästert. Der König ist verwirrt. Bereitet sich vor, die Religion abzuschwören, wagt aber den Vergleich mit dem Heiland, als er versucht wurde, und widerstand.

Erst später erfuhr Pastor La Faye: Tal Josaphat, so hieß das königliche Lager von Chartres, und als eines Tages der König, mit Schlamm bedeckt, aus den Laufgräben stieg, wer wurde ihm auf einer Sänfte entgegengetragen? Das Wesen, vom Herrn erschaffen für seine unerforschlichen Absichten mit dem König.

Ein alter Protestant hätte nicht geglaubt, daß Gabriele d'Estrées ihrem Geliebten niemals zuredete, den Glauben zu wechseln. Henri selbst kannte die Wahrheit bis jetzt nur, soweit sie einfach im Sprechen und Verschweigen aufzufinden ist. Indessen gab er nachher an, wenn ein Vertrauter ihn über seine Bekehrung befragte: «Sire! Wer hat Sie eigentlich bekehrt?» Gab an: «Meine teure Herrin, die reizende Gabriele.»

Der Todessprung

Das Mysterium des Unrechts

Philipp Mornay hatte im ganzen nicht mehr als einen englischen Freund. Da der Gesandte nach allen vorigen Reisen jetzt nochmals über den Kanal fuhr, und diesmal mit dem peinlichsten der Aufträge, war er veranlaßt, in seinem Gedächtnis die Reihe seiner Bekannten durchzugehen. Das waren viele, aus verschiedenen Schichten, und manche so lange schon abhanden gekommen, daß er sie hätte vergessen können. Aber sein längster und ältester Aufenthalt war einst die Verbannung gewesen, eine Lehrzeit. Die Menschen, an denen er gelernt hatte, lebten in seinem Gedächtnis fort, und manche nur noch dort. Der Besitz des geflüchteten Protestanten war eingezogen, und wäre er selbst in seinem Lande betroffen worden, er hätte hinter Gittern, vielleicht auch auf dem Richtplatz geendet. Ein junger Mann in bedrängten Umständen, aber von um so größerer Heftigkeit des Geistes, suchte er in London jede Gesellschaft, und erfüllt von den apokalyptischen Gesichten der Bartholomäusnacht, gab er sie preis und entlud sich, wo immer. Die Gäste billiger Privatmittagstische hörten ihn an, und keiner verzog das Gesicht. Unerforschlich war, ob sie ihn ernst nahmen. Nach allen seinen ungeheuren Verwünschungen der Mörder, die zu jener Zeit in seiner Heimat die Macht hatten, den Greueln, die der Verbannte beschwor, den Prophezeiungen unfehlbarer Strafen, himmlischer und diesseitiger, nach allen fragten ihn die Leute: «Denken Sie wirklich so?»

Der Mornay jenes weit zurückliegenden Lebensabschnittes übergab eines Tages seine Kleidung zum Ausbessern einem Schneider, der ihn bereitwillig erzählen ließ, während er nähte; seine Frau holte noch andere Bewohner des Hauses herbei. Der Verbannte in seiner Besessenheit brauchte eine längere Weile, bis ihm aufging, daß er beinahe nur im Hemd, denn der abgelegte Anzug war sein einziger, ein Schauspiel gab und nach dem Leib die Seele entblößte. Hierauf verstummte er, und auch seine Zuschauer sprachen kein Wort, bevor nicht der Schneider ihn wieder angekleidet hatte. Dann brachte eine Nachbarin ihm einen Krug Bier, wobei sie sagte: «Gewiß ist alles geschehen, wie Sie es berichten, aber sehr weit von hier. Ich kenne keine einzige Frau, die so verrückt wäre, Blut zu saufen.»

Infolge dieser Belehrung vermied der junge Mornay, noch jemals sein Gefühl zu äußern. Erfahrungen, die scheinbar die ganze Welt aufbringen sollen, so furchtbar sind sie und schreien zu Gott so laut: schon hundert Meilen weiter, es ist dieselbe Christenheit, machen sie höchstens soviel Aufsehen wie eine Erfindung, und die könnte besser sein. Seither hielt der Verbannte sich an die Wissenschaft, die vor keiner Grenze ihre Wahrheit ablegt, und redet eine gemeinsame Sprache. Dies ist die Annahme.

Indessen besuchte er vergebens alle Buchhändler Londons, damit sie seine theologischen Schriften druckten. Die einen fürchteten sich vor gewissen Meinungen, die in diesem gleichwohl protestantischen Lande verboten waren. Die anderen verlangten, daß der Verfasser nicht lateinisch, sondern englisch schriebe. Sein Gewinn war, daß er in den Buchläden einige gelehrte und vornehme Personen antraf. Mehrere wurden neugierig, sie bestellten den fremden Flüchtling in ihre Häuser, um mit ihm zu disputieren, und ihre Kinder durfte er das Französische lehren. Einer war Lord Burghley.

Dieser hatte Söhne, der älteste von demselben Jahrgang wie Mornay und ein wahrhaft aufgeschlossener Mensch. Er nahm das Unglück des anderen nicht als selbstverständlich hin. ‹Vom gleichen Glauben wir beide, geistig bemüht und einer höheren Menschlichkeit ergeben wir beide, dazu von ähnlicher Herkunft, abgerechnet den ungleichen Wert des Adels, da der englische nun einmal mehr bedeutet – dennoch, er hat soviel von mir wie ich von ihm, und das Schicksal hätte, bei einigem guten Willen, uns beide vertauschen können.› Dies sah der aufgeschlossene Mensch, äußerte aber nichts von seiner Verwunderung, wie gut gerade er davongekommen war. ‹Ich sitz in Sicherheit, und der hat flüchten müssen. Er ist beraubt, bedroht, sein ganzes Wesen ist beleidigt. Mir kommt alles entgegen, die herrlichsten Aussichten eröffnen sich mir dafür, daß ich ihm verwandt, aber ein Engländer bin. Gott segne unsere Königin!›

Der Sohn des Lords war dankbar seinem Stern, aber aus innerer Lebendigkeit empfand er deutlich seine eigene Mitschuld an fremden Lebensläufen, deren Bruch vermeidbar gewesen wäre. Nicht beteiligt sind die Einfältigen. Wer aber weiß, ist gehalten, einzugreifen und zu handeln, damit die Christenheit, die ein Ganzes und ein einziger Bau ist, nicht selber brüchig wird durch verübtes Unrecht, dem wir zusehen. Denken wir uns die Christenheit als einen Bau, nach oben geteilt in immer schmälere Aufsätze, die höchstens entschwinden aus dem Bilde. Der lebhaft Fühlende entwarf sogleich das Bild, obwohl er sonst nicht zeichnete. Unten waren Säulen, freistehend, aber benachbart, wie England, Frankreich und die anderen Länder und Königreiche. Auf ihnen ruht der Bau. Jetzt läuft in das wohlgeratene Bild ein Unhold mit geschwungener Fackel. Weiß nicht, was er tut, und zündet die erste der Säulen an, worauf bald auch die zweite brennt und dann noch mehrere. Ein Christ steht dabei, drückt wohl die Hände auf seine beklommene Brust, verhindert aber das Unheil keineswegs. Höchst merkwürdig, es tritt nicht ein. Über zerstörten Stützen erhält sich der Bau, als ob er schwebte; seine Höhen entschwinden aus dem Bilde. Als dieses Bild von seinem Verfertiger dem Flüchtling vorgelegt wurde, erklärte er schon nach kurzer Betrachtung:

«Das Unrecht ist geheimnisvoll. Ihr Entwurf bedeutet nichts Geringeres als das Mysterium des Unrechts.»

Hierüber erstaunte der Urheber des Entwurfes und neigte sich zu dem Blatt, als sähe er es das erstemal. Mornay aber, soweit führt der Weg des Verbannten und soviel lernt er, wurde in demselben Augenblick auf sein erlittenes Unrecht stolz, da es ein Teil des Geheimnisses war. Hörte auch nie mehr auf, es bei sich so zu nennen, wenngleich er im wirklichen Leben das Recht behauptete; und beim Recht ist nichts Wunderbares.

In der Jugend mit seinem englischen Freund hat er mehr Ballspiel und Wettrudern getrieben als gelehrte Gespräche. Die beiden tauschten Bücher aus, noch öfter teilten sie dieselben Gefährten und Mädchen, brüderlich und unschuldig eins wie das andere. Die Themse, Fluß, Luft und Ufer liehen sich feuchte, leichte Farben, an einigen Sommertagen wurde man davon zum glücklichen Kind, nicht ausgenommen den Verbannten mit angekreuzter Stirn. Wie bald verweht, o duftiges Paradies – die Läufe, Lieder, Küsse, Sträuße, in der Laube eine heimliche Liebkosung, und hinter dem Hügel zittert ein Gegenton –: wie bald verweht, o duftiges Paradies. Der Verbannte kehrt in die Heimat zurück, er wählt sich den Fürsten, dem er dienen will, und reist für seine Zwecke an die Höfe, am häufigsten nach England: das ist wahrhaftig niemals mehr ein Kinderspiel. Die Menschen dort sind jetzt Gegenstände seiner diplomatischen Behandlung, und keine lieblichen oder leichten. Dennoch hat er die Küste, diese Kreidefelsen noch jedesmal aufatmend betreten, als landete er bei Freunden. Dabei kennt er hier nur einen Freund. Der hat ihm anstatt anderer seine Freundschaft für dieses Land gedankt. Man liebt ein Land wegen einer Gesinnung, eines Glaubens und alten Ruhmes, deren aller es sich weit weniger bewußt ist, als wer zuweilen eintrifft und landet unter den Felsen.

Lord Burghley hatte den Titel seines Vaters geerbt und war Großschatzbewahrer des Königreiches. Der Außerordentliche Botschafter ging zu ihm, bevor er auch nur den ständigen Gesandten des Königs aufsuchte. Er kam an ein Haus, um das die Wolken segelten, so allein stand es, und hatte zu seinen Füßen den Strand mit Fischerhütten. Mornay traf seinen Freund in einem mittelgroßen Zimmer, wo der Minister einige Schreiber beaufsichtigte; hierselbst wurden die Finanzen des Landes verwaltet. Beim Erscheinen des Besuchers sahen die Schreiber neugierig auf; er blieb ihren Blicken ausgesetzt, bis diese sich von selbst wieder senkten, da die Neugier nicht lohnte. Nach einer vernünftigen Wartezeit äußerte der edle Lord: «Ich hoffe, daß Sie gut gereist sind» – womit er ihn in sein eigenes Kabinett treten ließ. Dort erst schüttelten sie einander die Hand, und lange betrachteten sie ihre Gesichter. Als Vorwand sagten sie wohl: «Du bist unverändert»; ihr wahrer Grund war indessen, daß sie einander gern in die Augen sahen.

«Die Umstände sind schwierig», begann Burghley, als sie auf den harten schwarzen Stühlen saßen. Mornay begriff, daß ihm die Aussprache erleichtert werden sollte. Er schluckte mit Anstrengung hinunter. «Sie sind es gewohnt», erinnerte Burghley ihn.

«Und verliere den Mut auch nicht», konnte Mornay vorbringen.

«Das vorige Mal hatten Sie es hier nicht leicht, kamen aber zum Schluß mit einem guten Erfolg davon.»

«Weil Ihre Königin gerecht und beständig ist», ergänzte Mornay. Er wiederholte: gerecht, und sagte nochmals: beständig. An wen dachte er denn, der weder dies noch jenes wäre? Eilends verbesserte er seine stummen Gedanken und sagte laut: «Mein König hat noch dieselbe innere Festigkeit, um derentwillen ich ihm diene alle die Zeit. Nur seine Lage schwankt, nicht er. Ihre Königin ist unzufrieden, weil er seine Hauptstadt nicht durch Hunger hat bezwingen wollen. Noch schlimmer, das Gerücht ist zu Ihrer Britannischen Majestät gedrungen, als wäre mein König versucht, die wahre Religion abzuschwören.»

Da Burghley schwieg, ein strenges Schweigen, fragte Mornay leise: «Sie glauben es?» Mit erhobener Stimme: «Gott ist mein Zeuge, daß ich des Gegenteils gewiß bin.»

«Dann sind Sie der rechte Mann, die Königin zu überzeugen», war die Antwort.

«Wollen Sie mir beistehen, Burghley, wie das vorige Mal?»

«Alter Junge», sagte der edle Lord und versuchte sich in dem Ton wie einst, «das war eine verdammt klare Angelegenheit das vorige Mal – nicht zu messen an der, die jetzt zur Verhandlung steht. Die Königin hatte einen Mann im Kopf. Wir sind alle jung gewesen.»

«Jung? Es ist zwei Jahre her.»

Der Minister stutzte, er rechnete nach. Wahrhaftig, vor zwei Jahren liebte die Königin noch, litt noch. Er unterbrach aber Mornay nicht, und dieser sagte: «Zwei Jahre, was wird da viel anders geworden sein. Eine so leidenschaftliche Natur wie Ihre große Königin bleibt es, wäre der Antrieb ein Mann oder etwas unvergleichlich Teureres als ein Mann: das ist die Religion. Hab ich schon wegen des Grafen Essex Blut und Wasser geschwitzt –»

Abermals dachte der Minister sich das Seine, ohne dem Außerordentlichen Botschafter in die Rede zu fallen. ‹Den Leidenschaften›, bedachte er, ‹ist leichter beizukommen als der Weisheit. Was vermag ich, wo nicht mehr geeifert und nicht mehr gelitten wird.›

«Hab ich schon wegen Essex Blut und Wasser geschwitzt», sagte Mornay, «wie wird mir's diesmal ergehen.»

‹Du wirst staunen, alter Freund›, hätte Burghley voraussagen wollen. Er äußerte nur: «Mein Lieber, Sie selbst werden diesmal mehr reden und sich ereifern als Ihre Majestät. Die Heftigkeit der Königin haben Sie nicht zu befürchten.»

«Wirklich nicht, Burghley? Als Essex bei den Truppen in Frankreich verharrte trotz allen Rufen und Befehlen der Königin, denn lieber wagte er ihre Ungnade, als daß er die Ankunft des Herzogs von Parma versäumt hätte: was brach über mich herein von Drohungen und Beschwerden! Mein König hatte Essex nicht persönlich und mit gebührenden Ehren empfangen! Mein König setzte sein eigenes Leben leichtsinnig aus, aber das Unverzeihlichste, an der vordersten Front ließ er die englischen Truppen und Essex, Essex ließ er dort vorne kämpfen! Her mit dem Grafen Essex, und keinen englischen Soldaten mehr wegen des berühmten Parma, bevor nicht Essex am Hof zurück ist! Die französischen Geschäfte reichten Ihrer Majestät bis zum Halse. Nach einem letzten Ausruf des Zornes, sie hatte die Nacht nicht geschlafen, wurde der Königin nicht wohl, und so endete die Sitzung.»

«Vor zwei Jahren», wiederholte Burghley, die Augen gesenkt. Er erhob sie und sagte: «Mornay, erinnern Sie sich, daß Sie von vergangenen Zeiten sprechen. Sie haben zum Schluß die Regimenter dennoch bekommen, wenn auch erst nach Ihrer Abreise, als Essex zurückgekehrt war. Wir beide, Mornay, vermochten einiges bei der großen Königin, weil wir übersahen – nicht absichtlich, sondern nach unserer Natur und Gesinnung übersahen und vergaßen wir die Zustände, in denen eine Frau wie alle anderen ist. Sie, Mornay, sind der Königin angenehm.»

«Bin ich es geblieben? In meiner Abwesenheit soll etwas Ungünstiges ihr zugetragen sein.»

«Oh! Lächerlich», sagte Burghley, stand auf und lachte wirklich, froh, daß dies bedrückende Gespräch auf leichte Art ausklang. «An Ihrem Tisch, als ihr vor Paris lagt, hat jemand sich lustig gemacht über das schlechte Französisch der Königin. Daran denkt sie nicht mehr in ihrer Großherzigkeit, und Sie werden nach Verdienst empfangen werden. Sie sind der bewährte Freund dieses Landes und seiner Herrscherin.»

Alles in allem war das Wiedersehen ermutigend gewesen. Als gutes Vorzeichen ließ sich ansehen, daß die Königin schon am dritten Tage den Außerordentlichen Botschafter zu sich befahl. Sie schickte eine Galakutsche nach dem Hause des Gesandten, der bei ihr beglaubigt war, und Her de Beauvoir La Nocle begleitete Mornay. Eine englische Ehrengarde ritt mit dem Wagen. In demselben Augenblick, da die beiden Herren den prunkhaften Saal betraten, kam ihnen von drüben die Königin Elisabeth entgegen. Viel Personal, das ihr folgte, zerteilte sich und besetzte die Seiten. Wäre nicht der Aufwand von Kavalieren und Damen gewesen, Mornay hätte Ihre Britannische Majestät noch immer erwartet, als sie in Wirklichkeit schon da stand, wenn auch ein weiter leerer Boden dazwischen lag. Sie erschien ihm kleiner, als er sie kannte. Auf den hohen Beinen hielt der Rumpf sich bequemer, auch waren die Haare nicht wie früher hochgetürmt. Wahrhaftig, Elisabeth trug eine Haube.

Nur soviel erfaßte der Botschafter bei seinem Eintritt. Das übrige unterschied er erst drei Schritte von ihrem Angesicht, da kam er aus seiner ehrfürchtigen Haltung empor. Die Königin war nicht mehr geschminkt, abgerechnet etwas blaue und schwarze Tusche, die um die Augen gelegt, den Blick besänftigte. Die Kunst machte, daß er nicht spähte und starrte, wie bei Falken – graublau und scheinbar ohne Lid. Alle ihre Züge waren verschärft seit letztem, sie waren gealtert. Vielmehr, das Alter hatte die Erlaubnis erhalten, sie zu zeichnen – den Betrachter ergriff dies Nachlassen im Willen der großen Frau, sein Leben lang hatte er in Elisabeth von England die befestigte, unvergängliche Macht gesehen, sogar fleischlich gesprochen. Ohne ihre lange Regierung und hartnäckige Jugend, was wäre in Europa aus der Freiheit der Gewissen geworden, welche Versicherung und Bürgschaft hätte dem König von Navarra, nachher von Frankreich, den Mut gestärkt zu Zeiten größter Verlassenheit. Auf einmal bemerkte Mornay, wie unter ihrer Haube ein dünner Streifen grauer Haare hervorglitt. Er erbleichte und konnte nur schwer zu seiner Rede ansetzen.

Diese war übrigens Parade und Zeremonie, wie alles, was heute vorging. Die Königin hörte stehend die feierliche Huldigung des Königs von Frankreich, anfangs lateinisch, dann englisch dargebracht von seinem Außerordentlichen Botschafter. Um zu antworten, setzte sie sich – schritt vier Stufen hinan zu dem erhöhten Sessel, dies aber nicht leichtfüßig wie noch vor kurzem. Vielmehr bewegte sie sich langsam – täuschte die Langsamkeit vielleicht vor: Mornay fing hier an, ihr nicht mehr zu glauben. Die Veränderung war zu sichtbar, zu unvermittelt; überdies gab ihre absichtliche Schwere einem der Kavaliere den Anlaß, ihr die Hand zu bieten: das war Graf Essex. Elisabeth streifte ihn mit keinem Blick, seine Hand berührte sie kaum, hatte aber plötzlich ihre große Haltung zurück. Erhöht, das Mieder eng und straff, sitzt die Königin, in dunkelgraue Seide gekleidet, anstatt der leuchtenden Farben, die sie sonst über die Jahre hinaus getragen hat. Ihr Günstling, sechsundzwanzig Lenze zeigt er allenfalls, sein Gesicht ist zu eben, um es abzuschätzen, das Gehaben knabenhaft und unbesorgt, einigermaßen schlaksig, obwohl vornehm – und warum bleibt das eine der schlanken Beine in der Schwebe? Er hat der alten Frau hinaufgeholfen, und dies ist die Bewegung, in der er es tat. Man soll es wissen, die fremden Zuschauer sind zugegen, um zu berichten, daß er bei Hofe mehr darstellt, als die Königin eingesteht. Er wäre der Herr, gegen seine Reize hat sie sich nur den Rat gewußt, schnell alt zu werden. Dies gibt er zu verstehen durch seinen bloßen Anblick. Seine ganze Ergebenheit ist falsch, und sogar die unleugbare Anmut ahmt sich selbst nach. Gewiß wird der Liebenswürdige ausarten, wenn seine Beschützerin sich nicht hütet. Das hübsche Bein wird nicht lange in der Schwebe bleiben: Königin, paß auf die Schritte und Tritte eines unsicheren Burschen, der aus leerem Übermut dein Schrecken und Garaus werden könnte, von dem Spielkind, das er war.

Da der Günstling dem Außerordentlichen Botschafter ganz und gar nicht gefiel, erfreute diesen herzlich, was weiter geschah. Essex hatte sich die vorderste Stellung angemaßt. Admiral und Hofmarschall, alles, was der Handlung zunächst beiwohnte, umgab im Halbkreis den königlichen Sitz, indes sich Essex aufführte, als brächten sie hauptsächlich ihn zur Geltung, und die Königin wäre sein Schaustück. Er winkte seinem Onkel Leighton, dieser bemühte einen zweiten Herrn, und der dritte endlich rückte mit der Rolle beschriebenen Papiers heraus – nicht gern, wie zu bemerken: sie nahmen Anstoß. Essex, unbekümmert schnippte er mit den Fingern, damit die Staatsrede der Königin schneller in seine Hand gelangte, und er wär's, er überreichte sie. Kein anderer schien befugt, wenn man ihn, so nachlässig wie unterwürfig, der Majestät das ausgebreitete Schriftstück hinhalten sah. Gleich darauf lag es am Boden, infolge eines kurzen harten Stoßes der Majestät. Die Königin sprach schon. Der Günstling, nicht mehr benötigt, machte ein dummes Gesicht, und langsam verdüsterte es sich. Was weiter in ihm vorging, blieb verborgen, da er auf leisen Sohlen rückwärts glitt und hinter seinem Onkel untertauchte.

Die Stimme der Majestät war klar und herrisch wie je, sie trug bis hinter die Säulen und Teppiche, die Damen öffneten den Mund; denn eine Kraft wie diese wird auch eingeatmet. Elisabeth nannte den König von Frankreich den einzigen Fürsten der Christenheit, der das Schwert in der Faust habe gegen Spanien – wobei sie aufstand und das beifällige Gemurmel ihres Hofes vollends abwartete. Hiernach verabschiedete sie mit gnädigen Worten die beiden Gesandten. Als diese sich verneigten, sahen sie die Rolle beschriebenen Papiers unberührt daliegen wie vorher. Sie zogen sich zurück, wendeten während ihres ganzen Abgangs der Königin das Gesicht zu, und Mornay, der genau hinsah, bemerkte, daß Elisabeth seitlich von den Stufen stieg, und daher zertrat sie die Rolle.

Nur fünf Tage ließ die Königin warten, bis sie Mornay unauffällig zu sich rief. Er kam zu Fuß und fand Elisabeth allein vor ihrem Tisch mit Büchern. Im Schloß war er niemandem begegnet. Diesen Umstand benutzte der Diplomat, er rühmte die glückliche Lage einer Monarchie, die kein Heerlager war und an den Türen keine Doppelposten stellte; sondern in ihren gerechten Einrichtungen fand sie ihr Heil. Elisabeth, die ihn gnädig begrüßt hatte, senkte nach seinen ersten Sätzen den Kopf so weit, daß sie von unten blicken und ihn stumm befragen konnte, was er in Wahrheit meinte. Über ihre Sicherheit wachte sie, ob ihre Soldaten jedem gleich in den Weg traten oder nicht: natürlich wußte er es. Er dachte nur zu seinem Gegenstand zu kommen, daß sein Herr, der König von Frankreich, ein Zeitalter des inneren Friedens eröffnete, dasselbe, das England seiner großen Königin verdankte. Hieraus erklären sich im Verhalten seines Herrn gewisse Züge und Schwankungen, die sonst befremden könnten. Diese Worte sollten nach seiner Absicht zu den Gerüchten vom Glaubenswechsel überleiten. Die Königin beachtete sie nicht.

«Ich hatte mich über den König von Frankreich oft zu beklagen», sprach sie klar, mit einer Klangbildung, die viel geübt und öffentlich bewährt war. Merkwürdigerweise fuhr sie fort: «Er hätte Rouen mit den Waffen nehmen sollen, dafür hatte ich sie ihm geschickt.»

Mornay erinnerte sich: ‹Nur zwei Jahre, da schien sie eine gequälte Seele ohne Leib, weil ihr Essex von Rouen nicht fortzubringen war! Jetzt sitzt hier eine Frau, die verzichtet hat. Nun die Haube fehlt, erblickt man weiße Haarsträhnen, und dazwischen die roten nicht hervorgekehrten, sondern übersponnen, wie Gold, das jemand versteckt.›

«Paris hätte er durch Hunger haben können», sagte sie nachträglich, weniger betont als die andere Sache mit Rouen, Mornay gab sofort die Erklärungen, auf die er vorbereitet war: ein König muß das Leben seiner Landsleute schonen, selbst wenn sie gegen ihn empört sind. Denn er und sie sollen zusammen dasselbe Leben führen nach dem Willen Gottes.

Sie betrachtete ihn nochmals, inwieweit er wohl heuchelte. Hierauf bemerkte sie einfach: «Ich lobe Ihren Herrn.»

Der Botschafter verneigte sich zum Dank. ‹Und der Glaubenswechsel?› dachte er. Sie erklärte ihm, vertraulicher als vorher, was sie lobte.

«Ihr Herr ist ein König. Er kauft seine Städte lieber, als daß er sie in Trümmer schießt. Dafür verwendet er Händler und Tändler wie diesen Rosny.»

«Ein treuer Diener», wendete Mornay auf das bestimmteste ein. Elisabeth nickte.

«Der ist noch von den früheren Freunden. Ein König macht sich neue. Er läßt die alten fallen –» Handbewegung: «Wenn sie ausgedient haben.»

Gern hätte Mornay gefragt, ob die neuen auch Schurken und Verräter sein dürfen. Er schwieg und hörte weiter.

«Möglich, daß er ohne den Glaubenswechsel auskäme.» Da war das Wort. Dem Botschafter klopfte das Herz. Elisabeth ließ die Lippen geöffnet, sie lauschte in die Ferne. «Viel Blut würde es kosten», entschied sie halblaut, mit Achselzucken. «Das Zeitalter des Friedens bräche sobald nicht an. Nach jeder seiner Schlachten würden die Mächte überlegen, ob es übereilt wäre, ihn anzuerkennen. ‹Vederemo›, hat der Papst gesagt. Die Verbündeten des Königs von Frankreich aber, endlich hätten auch sie genug und verlören sowohl die Hoffnung wie die Geduld.» Unerwarteter, scharfer Blick in die Augen des Botschafters.

Er begriff, dies war sein Augenblick, und wußte nur nicht, wie beginnen. Er hatte erwartet, mit Vorwürfen überhäuft zu werden; jetzt nahm Elisabeth keinen Anstoß an dem verhängnisvollen Gerücht: sie sprach, als wär es wahr, und stellte sich, als wär es ihr erwünscht. Mornay glaubte ihr nicht. Die große Protestantin konnte weder die Hoffnung noch die Geduld aufgeben, weil ihr Verbündeter ausharrte bei der Religion. Sie war das nicht, ihr Verdacht betraf andere. Mornay setzte den Fall, daß sie unter dem vorgetäuschten Alter und Verzicht ihre bekannte Leidenschaft für den wahren Glauben verbarg: nicht anders hätte sie das Gespräch gelenkt. ‹Der Augenblick drängt; mach keinen Fehler! Gib nicht zu, der König könnte abfallen. Sie prüft dich, damit du aufrichtig sprichst. Das wollen wir auch und können es ohne Gefahr. Mein König fällt nicht ab!›

Als Mornay sich derart angespornt hatte, nur gerade ein Atemzug war darüber vergangen, kam ihm seine längst erworbene Geschicklichkeit zurück, mitsamt seiner ganzen inneren Kraft. Er fing daher maßvoll an, zählte die Erfolge des neuen Glaubens und der menschlichen Befreiung auf: sie wären dasselbe, und gerade deshalb ergreife der Protestantismus die Welt. Venedig, die älteste Republik, hatte dem König von Frankreich gehuldigt, sie sah auf ihn und seine Taten, um sich von Rom zu trennen. Der Papst selbst hatte gestehen müssen: «Wir werden sehen», weil er den Kirchenbann nicht länger über einem Herrscher halten konnte, dem das halbe Europa anhing. «Er ist der einzige Fürst, der das Schwert in der Faust hat gegen Spanien.» Mornay wiederholte genau die eigenen Worte Elisabeths. «Und Spanien mag noch Heere aufbringen in seinem Verfall, es mag auf den Völkern bis jetzt lasten schwer wie ein Toter: was kann und erreicht es zuletzt? Hier ist nicht nur der einzelne Held und Fürst, der das Schwert führt: hier sind die Völker Europas und eine Bewegung der menschlichen Befreiung. Die kann Rückschläge erleiden, um so eher dringt sie vor, und Niederlagen, um so sicherer wächst sie. Mein König kämpft und steht auf festem Grund: das ist der Wille Gottes in der Geschichte.»

Die Königin hörte und schwieg. Ihr Ausdruck wurde achtungsvoll, er ahmte eine Schülerin nach, zuletzt lag sie über den Tisch gebeugt und das Kinn in der flachen Hand. Mornay empfand flüchtig: ‹Eine Rede, ich führe mich vor, sie lauscht mir die Kunst ab, ist das alles?› Er hatte keine Zeit, dem Eindruck nachzuhängen. Ihm war aufgegeben, seine Wirkung zu steigern und die Königin hinzureißen – womit? –, da alle wirklichen Tatsachen gesagt waren. ‹Hab sie schon so gewendet, wie sie liegen müssen, damit mein Herr dem rechten Glauben treu bleibt. Unmöglich!› erkannte Mornay. ‹Ich kann nicht weitergehen, denn er bleibt ihm nicht treu. Er fällt ab.› Dies war die erste, unwidersprechliche Gewißheit, die der arme Mornay hiervon erhielt; und sie wurde ihm gebracht durch seine eigene Rede, unter dem anerkennenden Blick der Königin von England.

Er hob beide Arme von den Lehnen seines Sessels, hielt sie ungestützt und die Augen weggewendet. Auf einmal war sein Entschluß gefaßt, er stand auf, drückte die rechte Hand gegen die Brust und sprach einfach: «Ich gestehe. Mein König wird die Religion abschwören. Er wagt den Todessprung, wie er's auch nennt.»

Elisabeth gab ohne Worte zu verstehen: Wir sind einig. Warum erst jetzt? Mornay antwortete: «Weil es eine Tatsache und der Augenschein selbst, aber dennoch unwahr ist. Zwanzig Jahre Krieg um unser Gewissen sind nicht weniger wirklich und unauslöschlich. Er kann mit dem Herzen nicht abschwören.»

Die Regung ihrer Schulter sagte: Dann ohne Herz. Mornay wurde stärker: «Fünfmal hat er das Bekenntnis gewechselt. Dreimal war es eine Verfinsterung durch Not und Zwang. Diese wird die vierte sein und auch nicht dauern. Das bezeuge und weiß ich. Mein König hat, um groß zu sein, den Kampf um unsere Freiheit, und sonst hätte er nichts. Eure Majestät möge dieses Tages gedenken und eines bescheidenen Dieners, der Ihnen gut geraten hat. Nehmen Sie den Übertritt meines Herrn niemals ernst, entziehen Sie ihm Ihre Hilfe und Freundschaft nicht.» Mornay atmete tief, um das letzte zu wagen; aber eigentlich fiel es ihm erst während des Atemzuges ein.

«Der König von Frankreich wird seine eigene Landeskirche begründen: beide Bekenntnisse vereint, der Papst aus unserem Glauben verwiesen.» Fest, da er jetzt alles erfaßt hatte und einsah, schloß er mit der fertigen Formel: «Imminet schisma in Gallia.»

Elisabeth betrachtete ihn, nickte beifällig, und ihre ganze Antwort war, daß er aus Eifer etwas vermöge, was Natur ihm versagt habe: dichten.

«Si natura negat, facit indignatio versum», sagte sie. Allerdings hieß es auch: «Sie haben sich alles ausgedacht und sind von Sinnen.» Aber sie sprach es freundschaftlich. Im folgenden redete sie ihm zur Vernunft:

«Sehr gut, mein Lieber, Ihre Worte über den Freiheitskampf. Sonst hätte er nichts, um groß zu sein. Darum wird er nach seinem Übertritt die katholische Majestät Spaniens weiter bekriegen und besiegen. Dessen bin ich gewiß und will ihm beistehen. Der Glaubenskampf aber –» Ein einmaliger scharfer Ton fiel. «Herr Du Plessis, wo waren Sie die letzten zehn Jahre?»

Er sah: ‹Ich habe verloren und muß aus mir nichts mehr machen, darf sprechen wie ein Christ.› – «Der Ruhm Gottes ist gleich wichtig wie der Dienst des Königs», bekannte er.

Dies vernehmen, und Elisabeth wurde plötzlich ganz alt.

«Bei solcher Meinung bereiten Sie sich nur auf Ihre zweite Verbannung vor», sagte sie mit zittrigem Stimmchen, schien sogar bis zu Tränen gerührt. «Sie sind begabt mit Einbildungs- und Überredungskraft. Sie haben mir zugesetzt, aber ich bin eine alte Königin und weiß, wie's kommt. Euer Herr wird euch Protestanten umarmen, da er viel Herz haben soll; und widersteht ihr ihm ernstlich, wird er euch köpfen. Hab es selbst nicht anders gehalten mit meinen Katholiken, nur ohne Umarmung. Der Wille Gottes, hier ist er so, dort anders. Köpfen», wiederholte die Greisin wehmütig – und hätte sie anders gesprochen, in ihrer Herrschergestalt, mit ihrer klaren Stimme, es wäre abscheulich und unerträglich gewesen. Schon jetzt war Mornay versucht, davonzulaufen.

Sie sagte, als besänne sie sich auf ihn: «Daß ich Sie nur ausnehme! Sie sollen nichts erleiden, ich lege für Sie ein Wort ein. Sie haben mir gedient, wie Ihrem König: ich vergesse nichts. Als seinen Botschafter werde ich Sie nicht wieder begrüßen.»

Mit jedem Wort wurde sie natürlicher und weniger alt.

«Um seinen protestantischen Sieg hat er sich gebracht, da er seine neue Geliebte nahm.» Den Einwand Mornays schnitt sie mit der Hand ab. «Auch das kennt eine Königin. Wer wird sich jetzt gegen seinen katholischen Sieg verschwören? In Verschwörungen sind immer die Geliebten drin.» Steil saß sie da, die Hände hart um die Knäufe der Armlehnen, der Blick wurde der eines Vogels, graublau und scheinbar ohne Lid. Aufspringen, mehrere schnelle Schritte; den Kopf zurückgewendet fragte sie und schrie es: «Haben Sie ihn gesehen?»

Mornay erstarrte vom Anblick eines Ungeheuers. «Ich kenn ihn», schrie sie. «Hab angefangen ihn zu kennen. Damals holten wir ihn mit vieler Mühe von Rouen zurück, hätten ihn aber dort lassen sollen, ich war erfahren genug.»

Sie stürmte hochbeinig heran, sie beugte sich über Mornay. «Die beschriebene Rolle, wie? Haben Sie verstanden – den Sinn der Zeremonie, mit ihm ganz vorn, und ich sein Schaustück? Dann merken Sie sich, wie die Gefahr aussieht. Ihr König nennt es den Todessprung. Ich aber will nicht springen.» Das Schreien schlug in Gejammer um. «Ihr König wird köpfen müssen, wen er am meisten geliebt hat. Sagen Sie es ihm! Vergessen Sie nicht, ihn zu warnen, damit er allen Verschwörern zuvorkommt. Er ist genötigt, es ihnen anzusehen, daß sie selbst es wissen, wohin es mit ihnen noch kommt.»

Jetzt weinte die Frau unverstellt, sie warf sich lang über das samtene Kissen auf der Truhe; ein armes Ungeheuer litt arg- und schamlos. ‹Ich darf nicht zusehen›, dachte Mornay, tat aber keine Regung. ‹Es ist die Königin.› Ihn durchliefen Schauer, schwer zu unterscheiden, ob Abscheu oder Ehrfurcht. Unter dem vorgetäuschten Alter und Verzicht hatte sie gleichwohl ihre Leidenschaften verborgen, welche auch immer. ‹Die für den Glauben war es nicht, aber die um die Macht und um ihr Königreich› – sagte sich der Fromme, um nur des Ärgsten nicht zu gedenken. Dennoch, vor seinem inneren Auge stand ein schwarzes Blutgerüst, auch sah er, wer es erstieg.

Er wartete abgewendet. Als er endlich zurückblickte, saß Elisabeth vor ihrem Tisch mit Büchern, hatte eines aufgeschlagen und bewegte die Lippen. Bemerkte ihn und sprach ihn an: «Sie waren abwesend, Herr Gesandter. Ich las inzwischen Lateinisch – nicht Französisch, das ich mangelhaft beherrsche, wie Sie wissen. Sie haben gewiß schwerer Zeiten gedacht, und diese könnten Ihnen wirklich bevorstehen. Noch ein Exil in Ihren Jahren, die schon der Ruhe bedürftig sind. Aber ich bewahre Ihnen meine Gesinnung und biete Ihnen die Zuflucht.»

Hiermit war Mornay entlassen und konnte in sein Gasthaus an der Themse zurückkehren. Er war nicht gewillt, irgend jemand aufzusuchen, den ständigen Gesandten nicht, und fast noch weniger Lord Burghley. Sein Zimmer ahmte den Prunkt eines Schlosses nach – ohne Befugnis und Inhalt, worin der Unglückliche ein Gleichnis seiner selbst fand. ‹Wir sind von jetzt ab ein getünchtes Grab. Hätte ich wenigstens den Mut meines neuen Zustandes gehabt. Bei der Königin trat ich noch ein wie ein Mann des Lebens; sie mußte mir erst sagen, ich sei zu den Toten geworfen.› Er erinnerte sich: ‹Einige Male habe ich politische Geschäfte gemacht, da ich vorgab, mein Herr würde die Religion abschwören; sah es aber für Täuschung an. Ist nun wahr geworden, und der Belogene bin ich selbst.› Die Schultern gebeugt, stand er vor dem Fenster; drunten schwamm und blinkte der Strom. Einst waren Sommertage, die Themse, Fluß, Luft und Ufer liehen sich feuchte, leichte Farben. Davon wurde man zum glücklichen Kind, nicht ausgenommen der Verbannte. Einst waren hier Sommertage.

Mornay war nicht der Mann, bei weichen Gefühlen zu verweilen, und der Verzweiflung verfiel er nicht. Die nächste Woche blieb er in seinem Zimmer, ließ sich krank sagen, fertigte aber eine gelehrte, völlig bezwingende Schrift über die Notwendigkeit der gallikanischen Staatskirche. Hätte er das Konzil der Pastoren und Prälaten mitsamt dem König, hätte er es zu dieser Stunde hierher in sein Zimmer versammeln können, er wäre sicher, durchzudringen. Indessen war die Arbeit getan, das Zimmer öd und leer: da machte Mornay Feuer an und warf alle Blätter hinein. Dann besuchte er den Gesandten Beauvoir, berichtete unverschönt seinen Mißerfolg bei der Königin, berief sich aber auf seine Erfahrungen mit ihr: sie änderte Beschlüsse, wenn man nicht nachließ.

Noch eine einzige Audienz sollte Beauvoir ihm verschaffen: Mornay wäre jetzt stark genug, sie würde bei dem König Einspruch erheben gegen seinen Übertritt. Sie würde ihn vor einem schlechten Geschäft bewahren, dies betonte Mornay. Beauvoir sagte zu, obwohl er das Eingreifen der Königin von England nicht wünschte, und Herrn de Mornay hielt er eher für einen Theologen als für einen Praktiker der Staatskunst, ungeachtet der weltlichen Gründe, die er vorgab. Übrigens antwortete Elisabeth, daß ihre Zeit besetzt wäre, sie hoffte Herrn Du Plessis-Mornay bald wiederzusehen, ihr Admiral sollte ihm für die Rückreise ein Schiff der königlichen Flotte geben.

Bevor dieses zur Abfahrt bereit lag, verabschiedete Mornay sich von seinem einzigen englischen Freund. Der Großschatzbewahrer ersparte ihm diesmal, durch die allgemeine Schreibstube zu gehen; er öffnete ihm ein verborgenes Türchen. Mornay krümmte sich, und so gelangte er in das Kabinett aus schwarzem Holz. Auf dem Tisch stand aber zwischen zwei Gläsern eine Flasche Clairet, der tägliche Wein des Königs von Frankreich.

«Wir trinken auf sein Glück und Wohlergehen», sagte Lord Burghley, und das taten sie stehend.

Sitzen und schweigen. «Jetzt wissen Sie alles», sagte der edle Lord und verzog das Gesicht, als wäre der Wein zuletzt doch sauer gewesen. «Ihr König hat, wie je, eine Verbündete gegen Spanien.»

‹Auch gegen die Religion›, dachten beide. ‹Auch gegen das Recht. So ist die Welt›, dachten sie. ‹Kein Königtum bleibt rein von Fehl und Buße.› Mornay sprach sehr langsam, weil er versuchte nachzufühlen: «Der König wagt seinen Todessprung mit großer Selbstverleugnung, wir hätten sie nicht. Und wo fände ich Worte, um die Weisheit Ihrer großen Königin zu rühmen. Ihre Majestät hat mich höchst wunderbar über das Recht und das Unrecht belehrt.»

«Wunderbar», wiederholte Burghley. Er bekam glänzende Augen und stellte den Zeigefinger auf, als kehrten ihm vergangene Vorstellungen von Wundern in das Gedächtnis zurück. «Ich sehe», sagte er so einfach wie sonst, «Ihr Schritt war vergeblich. Verzeihen Sie mir, mein Liebling, daß ich unterließ, es Ihnen vorauszusagen. Ich kannte die Weisheit der Königin, wußte auch davon, daß der Weisheit schwerer beizukommen ist als den Leidenschaften, und die ihren hat sie besiegt.»

Mornay entgegnete nichts – ließ die Selbstentblößung Elisabeths im Dunkeln und wollte ihr nicht beigewohnt haben. Statt dessen sagte er: «Zwischen mir und meinem König soll nichts anders werden. Ich kenne meine Pflicht und will sie nach seinem Übertritt noch eifriger befolgen, da mein Herr in gefährlicherer Lage sein wird als vorher.»

Burghley streifte ihn hier von der Seite und warf hin: «Sie selbst werden übertreten müssen.»

«Nein», rief Mornay – faßte sich sogleich und schloß gedämpft; war es Demut, war es Starrsinn? «Wer bin ich, daß ich die Wahrheit verleugnen dürfte. Ich staune, weil Könige es tun, und der Weltenbau steht noch.»

«Trinken Sie ein Glas, während ich etwas suche», verlangte Burghley, stand auf und ließ durch einen Druck eine bestimmte Tafel der Wand sich drehen. Eine Weile verging, bis er gefunden hatte und auf den Tisch ein Papier breitete: es war vergilbt und in den Falten brüchig. Die Zeichnung zeigte wie je den alten Bau der Christenheit, nach oben abgeteilt in immer schmälere Aufsätze, die höchsten entschwinden aus dem Bilde. Beide betrachteten es schweigend – wie der rätselhafte Unhold mit geschwungener Fackel hereinstürmte, die Säulen schon brannten, in untätigem Entsetzen ein Christ daneben stand, und wie dennoch über zerstörten Stützen der Bau sich erhielt, als ob er schwebte. Endlich sprach Burghley: «Das Mysterium des Unrechts, so benannten Sie meinen Entwurf. Wieviel wir damals wußten – bevor wir es wußten.»

«Und was alles wir immer noch hoffen, entgegen aller Hoffnung», sagte Mornay.

Sein Freund übergab ihm das Blatt, er legte es in die brüchigen Falten und nahm es mit. «Leb wohl, Philipp», sagte sein Freund.

Keiner von ihnen hatte eine Träne, ihre Gesichter waren eher verhärtet. Aber ungewohnterweise öffneten sie die Arme.

Der Besiegte

Die katholische Majestät empfing kniend die Absolution. Der Beichtvater streifte mit der flachen Hand die dünnen Löckchen des gebeugten Hauptes, dann half er dem König aufzustehen. «Mach Licht!» befahl Don Philipp dem Pater mit so viel Nichtachtung, als wäre es ein Lakai gewesen. In diesem Augenblick war er von allen Sünden gereinigt und kannte durchaus keinen geistlichen Vorgesetzten. ‹Bis sie wieder gekrochen kommen›, dachte der Pater und übernahm in seine allgemeine Erfahrung auch die katholische Majestät. Indessen gehorchte er, zog von dem Fenster den Vorhang und löschte eine Kerze, die letzte noch brennende. Sie war zunächst dem Tisch an der Wand befestigt, ein Schild aus Silber warf den Widerschein der Flamme auf die Papiere. Ein Bündel von Flammen hatte sie anfangs beleuchtet, war nach und nach erloschen, darüber war dem Schlaflosen die Nacht vergangen.

Das früheste Grauen eines Frühlingsmorgens fiel ein. Der Pater sah die roten Lider des Königs und meinte, man sollte das Fenster öffnen. «Warte, bis ich es dir auftrage», brummte der Greis. «Ich habe keine Eile mit dem Tag.» Er saß und schloß die Augen. «Keine Eile mit dem Lärm und Gedränge, am wenigsten aber mit den müßigen Begierden der Menschen.» Er war gekleidet in Schwarz mit wenig Weiß. Jedes Stück des Anzuges war zerdrückt, auf den Händen erschienen Staub und Tinte. Sein Kinn sank schief herab; obwohl aufgeweicht, verursachte die Halskrause diese unbequeme Haltung eines Kopfes, der auf der eigenen Brust den Schlaf sucht, sonst fände er ihn nicht. Da der König röchelte, ging der Pater mit den Augen die Straße ab, wo nichts zu bemerken war. Drüben hinter der Ecke vermutete man den Leichnam eines Pferdes, ist dort vergessen worden seit gestern oder seit voriger Woche, sichtbar wird nur der aufgetriebene Bauch. Mit der Sonne werden die Fliegen kommen. Bis jetzt stehen die Häuser farblos, fest verschlossen in einem entfernten Halbkreis um das königliche Schloß; stellen sich noch niedriger, noch unterwürfiger, möge man die Leere ermessen zwischen hier und drüben, wie die Schatten dicht gelagert sind um die geringen Stätten, und nur das Schloß ragt hinan zu dem ersten Schein.

In der Tiefe unter dem Fenster tauchte ein Betteljunge hervor, nach sich zog er ein übermäßig dickes Weib, zerlumpt wie der Knabe, nur dreimal älter. Beide hatten zwischen Pfeilern des Palastes auf einer steinernen Bank genächtigt, man kannte das; jetzt lasen sie vom Boden die besten Abfälle auf, ehe andere zuvorkamen. Sooft der kleine Bursche etwas Eßbares erspäht hatte, klatschte er der Vettel einen drauf, und sie beeilte sich. Er war der Herr. Der Pater gedachte mit Verachtung aller weltlichen Herren über die Menschen, besonders dessen, der hinter ihm röchelte. Der Schlummernde schrak aber auf, sofort war er bei Besinnung und sagte: «Genug. Die Welt kennt keine Ruhe. Sie war noch niemals ganz und gar zur Ruhe zu bringen.»

«Nicht einmal der Platz unter Ihrem eigenen Zimmer», bestätigte der Pater. «Ruh und Frieden sind bei Gott. Der König ist eingesetzt, die Menschen abzustrafen für ihre eitlen Begierden – und Ihnen hinten drauf zu klatschen», dies letzte ließ er zwischen den Zähnen verschwinden.

«Ich bin eingesetzt», wiederholte der König. «Warum gelingt es dann nicht – gelingt immer weniger? Das Reich und seine ernste Ruhe, ich war mehrmals nahe daran, es über die Christenheit auszubreiten. Immer wieder steht ein Empörer auf und stört mich. Können Sie mir erklären, warum Gott zuläßt, daß ein dreister Hauptmann –»

«Ein Ketzer», berichtigte der Pater. «Die Ketzer sind Ihm unentbehrlich, ihr Untergang vermehrt fortwährend Seinen Ruhm.»

«Und meine Mühsal. Meine Schlaflosigkeit, leiblichen Verfall und Versuchungen des Geistes. Es ist ungesund, auf dieser verwilderten Erde. Ein Tag ohne Empörung und Ketzerei, ich wäre endlich reif für den hohen Frieden.»

«Amen», schloß der Pater.

«Statt dessen verliere ich Schlachten, und ein dreister Hauptmann gewinnt sie. Was hilft mir meine katholische Majestät. In Paris wählen sie ihn zum König von Frankreich. Ein Königreich entgeht mir, das einzige, auf das alles ankommt, das letzte, das ich dem Besitz meines Vaters, des Kaisers, beifügen muß, und diese Welt wäre unterworfen, sie wäre erlöst.»

«Es geht über Ihr Vermögen. Demütigen Sie sich.»

Don Philipp bekam eine unerwartet hohe Stimme. «Demütigt der Hauptmann sich denn? Er schwört ab und geht in den Schoß der Kirche ein, alsbald wird er König von Frankreich sein. Und ihr laßt es zu. Die Bischöfe des Königreiches Frankreich, heutigentags sind sie um ihn versammelt, sie belehren ihn im Glauben, er wird sie auslachen und alles bekennen, was sie wollen. Dann zieht er in Paris ein – mit seiner Geliebten, ein Empörer, Ketzer, Wüstling, und ihr laßt es zu.»

«Sie hat nur achtzigtausend Taler gegeben, um Frankreich zu kaufen.»

«Ich habe viel mehr getan, als zu bezahlen. Vom Papst Clemens erlangte ich, daß kein Priester in seine Nähe kommen darf. Aber sieh, alle sind um ihn versammelt, und eine unverantwortliche Nachgiebigkeit erweisen sie dem Heiden und Philosophen, der ihnen Bedingungen stellt. Ich bin nur deshalb um ein Königreich betrogen, weil ihr die Religion verratet.»

«Vielmehr haben Sie das Königreich versäumt aus menschlicher Schwäche.» Der Pater schob den Kopf vor. «Warum sind Sie nicht selbst in Paris zur Seite der Infantin und lassen sie zur Königin von Frankreich ausrufen. Der Hauptmann steht mit seiner Gegenwart für sich ein. Sie wollen auch dieses Königreich von Ihrem Tisch aus erobern, sind aber schon mürbe, und wie wacklig dieser Tisch!» Der Pater rüttelte an dem Möbel. Als der König auffahren wollte, wehrte er ab. «Die Frage ist keineswegs, ob die Kirche Ihnen richtig dient. Überhebung. Die Frage ist, ob Sie der Kirche noch dienen: das wird in Rom erwogen.»

Hier verfiel der König in sich selbst: der Sessel wurde um so größer, vor ihm der Pater ein schwärzlicher Riese. Don Philipp zog von dem erhaltenen Schlag das Gesicht zusammen, bis Augen, Nase und Mund ein faltiges Stückchen Haut waren. Übrigblieb von dem zerdrückten Gesicht ein dünner Bart, und dann die schmale Stirn, oben umgeben vom Morgengrauen. Seltene weißblonde Löckchen staken in dem spitzen Schädel.

Die Pause war vergangen, der Schrecken überstanden. Don Philipp wendete seinen Sitz mit dem Rücken gegen das Fenster, der Pater war genötigt, ihn zu umgehen.

«Dienst», sagte der König, wog ab und wiederholte: «Dienst – war mein Leben. Keine Erwägungen, auch Rom nicht, vermag das geringste gegen das, was ich gewesen bin!»

Der Pater, anstatt die Antwort zu finden, zwinkerte von der zunehmenden Helligkeit, indessen Don Philipp sein Gesicht zurückbekam, und was für eins, das eigensinnige Gesicht, das unmenschlich fremde, das katzenhafte der Stunden, in denen er herrschte. Er brauchte die Stimme nicht zu erheben: jeder, in seinen entlegensten Ländern und Königreichen hätte ihn begriffen aus bloßer Angst.

«Ich regierte das Weltreich hier vom Tisch aus ohne den Gebrauch der Gliedmaßen, der verächtlich und lächerlich ist. Mein Geist allein, ihm hat die Erde sich gehorsam erwiesen, dermaßen, daß eine Willensverfügung von mir sie umformte wie einen Kloß. Währenddessen sind einfältige Hauptmänner im Kreise geritten, ohne Weitblick, immer um denselben Fleck. Gelähmt? Der Hauptmann ist ein Lahmer, ich aber hatte die Schnelligkeit eines Engels.»

Keine Regung des Paters. ‹So weit mag es angehen›, dachte er. ‹Jetzt aber wird er sich versteigen und bei kindischen Lästerungen enden.›

«Auch seine Reinheit. Ich habe mich, wie der Körperlose, vom Fleisch enthalten, dies aber durch die Kraft meines Geistes, wie alles sonst. Ihr habt mich beten und beichten lassen: um so eher hätte ich dickes Fleisch umarmen können wie der Hauptmann, ihr hättet mir's vergeben. Nicht einmal der Herr der Höhe ist wirksam eingeschritten, damit ich würde wie einer der Seinen. Mein Geist und Wille haben alles getan – und darum regierte ich das Weltreich, ohne dem Fleisch der Menschen zu verfallen, und habe keines angegriffen. Das dicke Fleisch hat nicht nachgegeben unter meinen Händen, es hat mir seinen Geruch nicht zugeströmt, ist von der Lust nicht befeuchtet worden und hat nicht empfangen. Alles dicke Fleisch habe ich dem Hauptmann zugestanden, denn sein ist nie und nimmer das Himmelreich.»

‹Was hilft es›, meinte der stumme Pater, ‹da in Ihrer Rede das Fleisch zehnmal vorkommt, und in Ihren Gedanken ist es Legion.›

«Ihn schleudert zuletzt ein gelungener Wurf in den brodelnden Höllenpfuhl.» Don Philipp verhielt seine Inbrunst nicht mehr, er sprach singend, er verdrehte die Augäpfel. «Mich erheben bald die Hände Gottes bis nahe an seinen Thron. Geschweifte Säulen, von ihnen geht der Glanz aus, und nicht von dem Herrn: der hält sich im Schatten, wie hier ich. Im Glanz aber liegt das Fleisch – das wesenlose Fleisch der Engel. Sie haben weibliche Formen von wunderbarer Fülle und strecken sie zur Berührung hin, was überirdisch gemeint ist und nichts zu tun hat mit dem Genuß des dicken Fleisches, über das der Hauptmann verfügt.»

Der Pater fand seinen Augenblick gekommen. Er sagte mit betonter Nachsicht: «Was wissen Sie von dem Himmel, Don Philipp? Das Weltreich hat durch Ihre Tätigkeit nicht seinen leisesten Abglanz empfangen, sondern liegt im argen. Zwischen Ihnen, der Sie ganz und gar von dieser Seite sind, und dem ewigen Heil, steht die Kirche: vergessen Sie es nicht.»

Don Philipp bekam hiervon ein verstocktes, aber hilfloses Aussehen. Er versuchte einzuwenden, daß er spreche als ein Christ, der soeben gebeichtet hat und für den Augenblick von Sünden frei ist. Das konnte den Pater nicht beirren, im Gegenteil ging er zur Härte über.

«Gedankensünden. Was Sie gebeichtet haben und immer aufs neue beichten, sind Gedankensünden, darin sitzen Sie schon wieder bis an den Bauch. Sie wollen heilig sein? Das hängt einzig und allein von mir ab. Mein Wort macht Ihre Taten ungeschehen und hebt auf, was Sie gedacht haben.»

«Glauben Sie?» fragte Don Philipp in voller Verwirrung, der Pater erkannte sie an seinen blassen Augen.

«Schlafen Sie», befahl er, «hüten Sie sich zu träumen.

Der unbeherrschte Wandel des Königs von Frankreich ist die trübe Ursache Ihrer Versuchungen: ich habe es früher gewußt als Sie. Schlafen Sie, und ich werde durch meine Vermittlung erwirken, daß Sie ohne Sünden aufwachen, bis zum nächstenmal.»

Don Philipp drückte die Lider ein, fand aber auf seiner eigenen Brust die Ruhe des Hauptes nicht; es hätte liegen und sich vergessen sollen auf einer anderen; das ersehnte Fleisch hätte dem Gewicht des Hauptes nachgegeben und seinen Geruch hätte es ihm zugeströmt. Don Philipp war sehr in Sorge, daß der Pater, vor ihm auf Wache, jede seiner Gedankensünden erriete, ja mit den Augen sähe. Eine lange Weile stellte er sich schlafend. Als er dann auch das Erwachen nachahmte, war kein Pater da. Don Philipp erhob sich beschwerlich, bewegte sich schlurfend zu dem Fenster hin, er öffnete die Flügel wenig, und schob das Gesicht dazwischen.

Die Sonne hatte die Tiefe erreicht, ihre weiße Flut bespülte diesseits den Boden. Am anderen Rande der Straße, weit dahinten blieben die Häuser dunkel und noch immer verschlossen. Das Licht hob aus der ungepflasterten Erde die groben, harten Furchen hervor, die Einsenkungen starrten von Unrat, und der Morgenwind trieb Staub darüber weg. Um die Ecke rannten Betteljungen: Don Philipp zog den Kopf zurück, weil er sich entdeckt fühlte. Nein; sondern eine Sänfte bog auf den Platz ein, zwei Räder, drei Maultiere, ein seidenes Lager beschirmt von einem Himmel, der war mit Gold durchwirkt. Der Führer ging nebenher, nach den Jungen schlug er mit der Peitsche, obwohl vergebens. Das Gesindel war zahlreich, es hielt das Gespann an, wälzte sich vor die Tiere hin, ein Haufe menschlicher Gliedmaßen, sie hätten alles zu Fall gebracht. Der Knecht gab es auf, eine Dienerin warf Geld unter die Schreihälse. Von den Kissen erhob sich die Herrin.

Es war eine üppige und reiche Dame, aber nicht vom Hof, Don Philipp stellte es fest. Sie sah umher, nach Hilfe oder nach Zuschauern, natürlich begegnete sie niemandem zu dieser frühen Stunde. Don Philipp lugte nur noch aus dem Vorhang. Eine fleischige Schönheit, der große Busen in schwarze Seide gerahmt und offen dargeboten: die Spitzen waren verrutscht, die Schönheit bedeckte ihn nicht wieder. Im Gegenteil entblößte sie auch das Bein, mit dem sie die Sänfte verlassen wollte, um besser das Gebalge der Bettler zu betrachten. Don Philipp bekam indessen den Eindruck, daß sie bedacht war, selbst gesehen zu werden, und zwar von ihm – was ein falscher Eindruck sein mußte. ‹Die Stunde ist zu früh, eine Person wie diese verläßt das Bett nicht in der gewagten Berechnung, ein alter Weltbeherrscher werde nach durchwachter Nacht aus dem Vorhang lugen.› Ihn täuscht sein schlechtes Gewissen, und seine Gedankensünde hält ihn beim Fenster fest.

‹Wer bin ich? Die Völker müssen rudern auf meinen Galeeren. Und ich? Ein Sträfling – ohne Freude, ohne Fleisch. Zehn Schritte, durch jene kleine Tür in die Kapelle, dort habe ich den Verkehr des Herrn, ein anderer geziemt mir nicht. Was der Pater niemals erfahren wird: der Herr vertraut mir im Gespräch, wie dem einzigen seinesgleichen. Dann allerdings entläßt er mich an meinen Tisch.› Laut sprach er: «Ich bin ein Sträfling, ich Philipp, der Nächste an Gott.»

«Lästere nicht», sagte der Pater. «Nächster an Gott, und Sträfling dabei, hat man das gehört?» – dies mit plumpem Hohn. Der König zwischen den Zähnen:

«Schweige!» Er wendete den Kopf kaum bis zur Schulter, der Pater erschreckte ihn gar nicht, weder die unerklärte Gegenwart der Gestalt, noch ihre Wucht und Härte. Dem gewohnten Zuchtmeister befahl Don Philipp: «Sag, wer die Frau ist.»

Der Pater warf nur einen Blick hin. «Jeder kennt sie. Die berühmteste Hure. Sie beichtet mir. Daß Sie es wissen: so hab ich Verschwörungen gegen Ihre Sicherheit entdeckt.»

«Du sollst sie heraufholen.»

«Wozu. Sie hat gebeichtet; es gibt nichts Neues.»

«Bei deinem Leben, du gehst und bringst sie mir.»

Jetzt hatte der Pater begriffen und zeigte auch schon Abscheu. Dieser reichte vom frommen Entsetzen bis zur einfachen Verachtung; mit ihr zugleich erschien der Ausdruck der Vertraulichkeit. «Ich bringe eine schwere Sünde», sagte er geschäftsmäßig. «Außerdem würden wir Zeugen haben, denn einige sind im Palast schon auf. Warten Sie bis heute nacht.»

Don Philipp sah ihn nur an, was aber den Erfolg hatte, daß der Pater in Richtung der Tür zurückwich. «Ich muß meine Oberen fragen. Ihr Vorhaben könnte entschuldbar sein, wegen Ihrer überhandnehmenden Gedankensünden.» Hiermit war er draußen. Don Philipp ging wie auf Wache vor dem Fenster hin und her; sooft er wendete, überzeugte er sich, daß die Sänfte noch stand, und das Fleisch war halbwegs ausgestiegen. Von der Unzucht gemästet schrie und schimpfte das große Fleisch in gemeinen Lauten, weil das Gesindel einen Zügel zerrissen hatte, der Führer mußte das Tier wieder anbinden. Don Philipp machte kehrtum, schnell, ohne Schlurfen, der Füße, und bei jedem Wenden stieg seine Gereiztheit und Furcht. Die Sänfte mit dem Fleisch wird von dannen sein, bevor der niederträchtige Pater anlangt. Hier fühlte er bei allem erregten Laufen, daß etwas im Zimmer sich regte, ein Schatten an der Wand. Es war der Edelmann, der die Schokolade brachte; sein Auftrag war, unhörbar und unsichtbar wie ein Schatten zu sein. Don Philipp, außer sich, rief dorthin:

«Trink sie selbst!»

Die Tasse klirrte, der Edelmann war arg erschrocken. Er hatte eine Tasse von einem Haushofmeister bekommen, dieser von einem Pagen, dieser von einem Diener, der Diener von anderen seiner Art, alle zusammen hatten das Tablett entgegengenommen von dem feierlichen Koch, dem wieder eine lange Reihe von Angestellten der Küchen sie zugereicht hatte, und ganz am Ende befand sich irgendein schmutziges Ding, das hatte die Schokolade gekocht. Der arme Edelmann überlegte den Vorgang mit der Geschwindigkeit der Angst. Auf ihrem Weg durch die vielen Hände war die Schokolade abgekühlt, aber auch vergiftet konnte sie sein von einer unbekannten Hand. Der König hat Nachricht davon, der König beschuldigt mich selbst, darum soll ich trinken! Er trank, und gleich nachher fiel er ohnmächtig um. Don Philipp gab nicht acht, denn endlich war der Pater bei dem Fleisch angelangt.

Der Pater nahm nicht vier Wege, sondern den schnellsten. Die berühmte Hure empfing mit fünf nackten Worten die Bestellung, und geistesgegenwärtig lehnte sie ab, so daß alsbald der Preis stieg. Sie ist unterwegs zur Frühmesse, sie weiß warum, man halte sie nicht auf, ihr Heil zählt höher als die Laune eines alten Herrn. Don Philipp erriet beiläufig, was verhandelt wurde. Er rührte die Klingel, den ohnmächtigen Edelmann weckte es nicht; aber ein Sekretär, der draußen gewartet hatte, flatterte blindlings herein von dem schrillen Läuten. «Mach, daß du hinunterkommst. Überbiete den Pater. Nenn die doppelte Zahl.»

Die Zahl war ohnedies von einer Unverschämtheit, dem Pater blieb die Luft weg. «Eine Empfehlung, wie sie Ihnen zugedacht ist! Sie müssen noch draufzahlen, meine Tochter!» Sie blieb indessen dabei, daß sie zur Frühmesse wollte, und wüßte nur zu gut, warum. Als der Sekretär herbeiflatterte, lachte sie laut über sein Angebot.

«Schmutzian», sagte sie und erhob zum erstenmal ihr Gesicht, genau nach dem Fenster des Königs. Don Philipp erbebte davon bis ins Gebein. Er vergaß sich zurückzuziehen, und so sahen sie einander an und maßen sich, der Weltbeherrscher, das berühmte Fleisch. Ihre Augen glühten durch einen Spitzenschleier, seine Augen zerteilten angestrengt das Gewebe seines Wahnes, seiner Qual.

Die Frau bestieg ihre Sänfte, die bereit war weiterzuziehen, ihre Hand gab das Zeichen. Dem Pater und dem Sekretär antwortete sie nur noch über die Schulter. Don Philipp tat einen einzigen Satz bis zu dem Edelmann, der bleich aus seiner Ohnmacht aufkam. «Halte sie! Halte sie an, und was sie will, bekommt sie.»

Damit war es geschehen und nicht mehr zu verhindern, wie die berühmte Hure still für sich meinte, als sie umkehrte und mitkam. Sie hatte ihnen oft genug vorgehalten, daß sie zur Messe wollte und wüßte zu gut, warum. Sie hatte gewarnt. Seit gestern verspürte sie verdächtige Anzeichen, und hatte sich aufgemacht in der heimlichsten Stunde, um zu beten, daß es die Krankheit nicht sein möge. Man ließ sie nicht beten, und daher war es die Krankheit. Wenige Tage später zeigte sich: Don Philipp, Weltbeherrscher, war angesteckt.

Meditation

Die großen Wendungen seines Lebens, ein Mensch wie Henri vollzieht sie weder infolge langer Berechnungen noch durch sprunghaften Entschluß. Er nimmt die Richtung, während er es nicht weiß, oder weiß es schon und kann es nur nicht glauben. Er wird dorthin geführt, erkennt zeitweilig die ungeheure Zumutung, sie liegt aber in weitem Felde. Der Weg ist angetreten, die Umkehr wäre schwer, das Ziel wird bezweifelt, höchst unglaubwürdig ist die Ankunft, auf einmal ist man da, es war ein Traum. Keinen Augenblick hatte Henri sich als Träumenden gefühlt: er, der fortwährend handelte! Schläge und Gegenschläge, die Taten eines ausdauernden Willens zu diesem Königreich, einer beständigen Leidenschaft für diese Frau, die Siege und die Niederlagen, träumt man inmitten der Taten? Schlachten, Belagerungen und Geschäfte, viele eroberte Plätze, nicht weniger gekaufte, und mit den Menschen dasselbe; packeln, überlisten, bezahlen oder bezwingen. Wenn sein Gegner Mayenne ihm seine Katholiken zu verführen dachte, schnappte er dem anderen im Gegenteil die Seinen fort, überredete sie zu einer gemeinsamen Besprechung und erlangte von ihnen das Geständnis, ihr einziger Grund, den König auszuschließen, sei seine Religion. Worauf er der Versammlung natürlich erklären ließ, sogar durch einen Erzbischof, dann wäre alles in Ordnung, er werde sich bekehren.

Das hatte er oft versprochen, viele mißtrauten, es war nicht zu verwundern. Dennoch wählten sie in Paris weder den kleinen Soissons, der es im Ernst schwerlich erwartet hatte, noch die Infantin, da die spanische Partei in Schande und Greuel abgenutzt war. Sie wählten den rechtmäßigen König, ob er nun die Ketzerei abschwor oder nicht. Die Annahme blieb wohl, daß er abschwor, damit wurden Bedenken beruhigt. Hatte er sie nachher zum besten gehalten, fiel auf niemanden die Schuld, nicht einmal auf ihn. Sehr viele anerkannten nachgerade, daß er ein Gewissen und das Recht auf sein Gewissen hatte. Die Duldsamkeit dringt unter Menschen durch, wenn sie an ihrem Starrsinn lange genug gelitten haben. Eingeweihte, vorzüglich Unterrichtete leugneten kurzweg, daß er überträte. «Des bloßen Vorteils wegen wird der Béarneser die Religion nicht wechseln», sagte ein Gesandter. Henri selbst gab ihm recht, und dies, als er mit Händen greifen konnte, was bevorstand.

Bischöfe und Prälaten, die ihn umgaben, lehrten ihn damals den Glauben der Mehrheit, vielmehr begegneten sie seinen Einwänden oder unterlagen, denn der streitbare Sohn der Protestantin Jeanne stand in der Theologie seinen Mann. Es war drei Tage vor dem Ereignis, das er lang vorhergesehen hatte – er stritt gleichwohl unverdrossen gegen das Fegefeuer, das er einen schlechten Witz nannte: ob die Herren es vielleicht ernst nähmen. Schickte sie nach Hause mit ihrer Abschwörungsformel, und sie gingen, um mit einer anderen wieder anzutreten. Der Legat des Papstes aber hatte ihnen verboten, dem Ketzer überhaupt in Atemnähe zu kommen. Henri seinerseits beteuerte und gab zu Protokoll: was immer er täte, er versicherte sich einzig nur seines Gewissens, und spräche dieses dagegen, dann möchte er für vier Königreiche wie das seine nicht aufgeben und verlassen die Religion, mit der er genährt war. Als er diese Worte behauptet hatte und die geistlichen Schreiber sie aufnahmen, entstand eine große Stille.

Sie trat nicht in der Versammlung ein, dort wurde weiter bewiesen, abgestritten und das Geschäft betrieben. Die Stille legte sich dem Sohn der Königin Jeanne auf die Seele. Nie im Leben war ihm alles derart verstummt und er in diesem Maß allein. Zum erstenmal bemerkte er: ‹Ich träume. Gehandelt habe ich zum Schein, mein Wille und Begehren war ein Lallen aus dem Schlaf. Was mir geschieht, ich beherrsche es nicht. Ringe vergebens um das Wort, das die Betörung aufhöbe. Ich bin hierher im Traum versetzt. Mir fällt ein Wort nicht ein, sonst wüßte ich viel. Sonst wüßt ich, wer ich bin.›

Während derselben Nacht weinte Gabriele. Neben ihr lag Henri, betrachtete sie und sah doch nichts. Es war das erstemal, daß sie die nächtliche Vereinigung benutzte, um ihn anzuflehen, er möchte abschwören. Weder bei Tage noch unter dem Schutz des Schlafzimmers hatte sie ihn in Sachen des Glaubens bedrängt. Sie wußte ohne Nachdenken, daß ihr Körper und seine Liebe hierin den Ausschlag nicht geben könnten, oder sie gäben ihn stumm, ohne Worte, ohne Tränen. Besonders diese wurden ihr schwer. Die reizende Gabriele neigte wenig zu Tränen. Ihr Fall war das Bitten nicht, sie dankte ungern und verriet selten Rührung. Indessen war ihre Tante de Sourdis herbeigereist und hatte sie belehrt und bearbeitet, wie es stände. Der König war ein unsicherer Partner, er stritt mit den Prälaten, er berief sich auf sein Gewissen: wer tut das noch, wenn man einen Schritt beschlossen, ihn eigentlich vollzogen hat.

«Kein Schritt», erwiderte Gabriele der Dame. «Er nennt es einen Sprung, er hat mir geschrieben: ‹Sonntag mach ich den Todessprung.›»

Sie sagte dies mit unmerklich schwankender Stimme. Die kundige de Sourdis begriff gleichwohl, bei ihrer Nichte beginne das Gefühl sich einzumischen, nicht zum Vorteil der praktischen Vernunft. Daher verzichtete sie sogleich auf

Mancher, der ein Buch liest, murrt . . .

... wenn er Werbung findet, wo er Literatur suchte. Reklame in Büchern!!!? Warum nicht auch zwischen den Akten in Bayreuth oder neben den Gemälden in der Pinakothek?

«Rowohlts Idee mit der Zigarettenreklame im Buch (finde ich) gar nicht anfechtbar, vielmehr sehr modern. Hauptsache, es hat Erfolg und nützt dem Buch, was die deutsche Innerlichkeit dazu sagt, ist allmählich völlig gleichgültig, die will ihren Schlafrock und ihre Ruh und will ihre Kinder dußlig halten und verkriecht sich hinter Salbadern und Gepflegtheit und möchte das Geistige in den Formen eines Bridgeclubs halten – dagegen muß man angehen ...»

Das schrieb Ende 1950 – Gottfried Benn.

An Stelle der «Zigarettenreklame» findet man nun in diesen Taschenbüchern Werbung für Pfandbriefe und Kommunalobligationen. «Hauptsache, es hat Erfolg und nützt dem Buch.» Und es nützt auch dem Leser. (Für die Jahreszinsen eines einzigen 100-Mark-Pfandbriefs kann man sich beispielsweise zwei Taschenbücher kaufen.)

jede geringere Vorhaltung wie etwa das Interesse der Religion, der Bestand des Königreiches oder auch das so zweifelhafte Seelenheil, wenn eine Christin mit einem Ketzer lebt. Dies alles beiseite, griff sie zu den ernsten Beweisen, sie fragte: «Soll dein Vater aus Noyon verjagt werden? Herr de Sourdis aus Chartres? Und Herr de Cheverny soll die Siegel wieder hergeben, alles infolge deiner Widerspenstigkeit? Der König wird das Spiel verlieren und flüchten müssen, wir alle auch, und du wirst die Schuld haben. Aber ich bin noch da. Wie? Du hättest Mitleid mit deinem verliebten Hahnrei, du wolltest dich weigern, das einzig Richtige zu tun, damit er abschwört?»

«Was ist das Richtige?» fragte Gabriele, nicht ohne Erschrecken.

«Ihm deinen Körper vorenthalten. Dann handelt er, wie er soll. Und ich bin hergereist, dir solche Weisheiten zu eröffnen!»

«Ich glaube es nicht», sagte Gabriele.

Der Tante verschlug dies die Rede. «Du bist nicht wiederzuerkennen.» Zum Schein und mit Vorsicht betupfte sie ihre geschminkten Augen.

«Willst du unser aller nicht denken, und weder der Armut noch der Verfolgung, die wir zu gut kannten, und jetzt drohen sie uns nochmals: – mein geliebtes Kind, wenn nicht auf uns, so sei doch auf dich selbst bedacht! Nur sein Übertritt zu der rechtmäßigen Kirche sichert deine Zukunft. Er wird sich scheiden lassen, er wird dich heiraten – dich auf den Thron heben. Das alles steht heute noch in deiner Macht, und du weißt, wie diese aussieht: genau wie du selbst, mit Busen, Bauch und Hintern. Versäumst du es heute und in dieser selben Nacht, morgen holst du das Glück nicht mehr ein; es wird über alle Berge sein. Dann hast du ihm Unglück gebracht, dann ist er ein unglücklicher König, schlimmer als gar keiner. Da du ihn wegen des bißchen Abschwörens bemitleidest, erspare ihm lieber das Ärgste. Ihr werdet im Unglück leben; wohin du dich wendest, das Unglück. Im Unglück aber, heißgeliebtes Kind, glaube mir: im Unglück behält man keinen und besonders ihn nicht.»

Die Beängstigung, die Gabriele empfunden hatte, hier wich sie. Gabriele lächelte langsam und verneinte mit dem Kopf. Sie war versichert: ihn behielt sie. Dame de Sourdis geriet davon außer sich, und zwar völlig. Sie stampfte, tobte umher und schrie in gellenden Tönen eine ganze Reihe häßlicher Beschimpfungen.

«Zu dumm zur Hure!» war das letzte. «Und davon hängt man ab!» Womit sie die Hand erhob. Gabriele fing die Hand ab, bevor sie ihr Gesicht traf.

«Tante de Sourdis», sagte sie merkwürdig gelassen. «Einiges hast du vorhin geäußert, das mir Eindruck macht. Ich habe daher beschlossen, daß ich heute nacht weinen will.»

«Weinen. Gut, weinen.» Die Dame war schon beruhigt.

«Und ihm deinen Körper vorenthalten?»

Hierauf antwortete Gabriele nicht, sondern öffnete die Tür, damit ihre Frauen hereinkämen.

Als sie zur Nacht nun schluchzte in ihre schönen Arme hinein, fragte Henri nach der Ursache nicht; und was Gabriele trotz ihrer schmerzlichen Haltung erspähte: er blickte nicht mehr auf sie und ihren falschen Schmerz, sondern unverwandt zu der geschnitzten Decke hinan; der Widerschein des Nachtlichtes kreiste droben und verfing sich. Gabriele verstand ihn nicht, aber die verabredete Bedrängung ihres Herrn wurde ihr überaus schwer. Sie bat unter verstärktem Schluchzen, daß er doch um Gottes willen abschwören möchte, denn er hätte es versprochen und es wäre der einzige Ausweg. Hörte er sie? Sein Ausdruck war der des Lauschens auf etwas Unbekanntes. Plötzlich ließ sie das vorsätzliche Jammern, verstummte ganz, und dann sprach ihr Herz. Seine echte Stimme war leise und kaum zu vernehmen.

«Wir werden einen Sohn haben.»

Sie vergaß, daß sie zweimal schnell mit den Wimpern geschlagen hatte, wie ertappt, als er sie die Mutter seines Kindes genannt hatte, und seither war er davon still gewesen. In diesem nächtlichen Augenblick wußte sie es nicht anders, als daß er wirklich der Vater wäre, blieb auch künftig dabei und zweifelte nie wieder. Denn dies ist der Augenblick, da sie anfängt ihn zu lieben, aus Mitleid und weil er unbegreiflich ist. Er aber hatte die zarte Stimme ihres Herzens genau unterschieden, er legte seine Wange an ihre, sie umschlang seinen Hals, und eine ihrer Tränen, die wahre, fiel in seinen Mund. Das war für diesmal ihre Vereinigung.

Sie schloß die Augen, ließ den Schlummer kommen, fühlte gleichwohl, daß er dalag wie vorhin und sein Geheimnis hütete. Sie fragte, schon aus dem Halbschlaf: «Mein lieber Herr, was ist es nur, das Sie dort oben sehen?»

Er murmelte für sich selbst, denn ihr Atem ging tief: «Nicht sehen, hören will ich und warte auf ein Wort. Das Denken hilft nicht, nur das Lauschen. Wenn es in mir am stillsten wird, klingt eine Geige, ich weiß nicht woher. Sie hat einen dunklen Ton. Wär wahrhaftig die rechte Begleitung. Mir fehlt nur das Wort. Ich bin zu sehr erstaunt.»

Bei ihrem Erwachen fand Gabriele ihn nicht vor; er war wieder bei seinen Prälaten, die ihn in die Religion einführten, und das sollte die endgültige sein. Wahl und Prüfung waren nachher abgeschnitten. Daher behielten sie ihn heute, Sonnabend, den letzten Tag, fünf Stunden in einem Sitz, auch dachte er selbst nicht an Aufbruch, eher fürchtete er das Ende der Reden, die nur erst Reden waren.

In einem anderen Zimmer des alten Klosters zu Saint-Denis, wo der schwere Vorgang geschah, saßen beisammen die Geliebte des Königs und seine Schwester. Die Prinzessin Catherine war hier eingetroffen wie die Dame de Sourdis – auch nicht anders gesinnt als diese; aber die Gesinnungen kleiden nicht jeden gleich. Ihr lieber Bruder sollte die Religion abschwören, damit er Ruhm erlangte. Sie hoffte, es werde ihm vergeben werden, gewiß war sie des guten Ausganges keineswegs; wußte nicht, ob bei Gott ein Königreich vor einer Seele kommt. Daher bemitleidete sie ihren lieben Bruder überaus; er ist das Haupt unseres Hauses, das herrschen soll, und muß dafür bezahlen: wollte Gott, nicht mit dem ewigen Heil. ‹Zur Not›, dachte Kathrin, ‹hätte ich selbst den anderen Glauben angenommen, um mit meinem armen Soissons den Thron zu besteigen. Ich wäre verdammt, mein lieber Bruder aber wäre bewahrt. Jetzt wird er ein großer König sein, mein Soissons hätte nichts bedeutet, ich weiß es am besten. Hab im Ernst meinen lieben Bruder nie verraten gewollt: eher ihn retten.›

In Wahrheit war sie nicht einfach hergereist, war eigentlich geflüchtet – weil Soissons seinen Mißerfolg bei der Wahl auf Catherine schob. Er meinte, sie hätte gegen ihn und für ihren Bruder gearbeitet: weshalb der Abschied dieser beiden kalt gewesen war, eine ihrer Trennungen auf Widerruf. Man hat zusammen schon zuviel versäumt, als daß es sich lohnen könnte, auch noch die Gemeinschaft selbst zu opfern. Sie werden sich, wie die anderen Male, wiederfinden, was Catherine gegen Angstgefühle einstweilen nicht schützte. Sie saß bei der Geliebten ihres Bruders, beklommen sowohl um ihn, als ihrer selbst wegen. Gabriele war aber nicht anders daran, und wenn sonst nichts, die Ahnung, die vermittels der bloßen Sinne jede von der anderen alsbald bekam, verband sie schon. Hierzu half noch mehreres, und das Wichtigste: Catherine wußte, daß ein Kind unterwegs war.

Sagten die Frauen einander ein Wort, dann wurde es geflüstert, und meistens schwiegen sie, wie die Spannung und ernste Luft dieses Hauses es geboten.

«Schon vier Stunden, daß sie ihm zusetzen. Hat er unterschrieben?» fragte die Schwester.

«Für morgen ist alles bereit. Mir sagt er nicht ja, nicht nein, er lauscht aufwärts und ist geheim», antwortete die Geliebte. Eine lange Weile verging, bevor sie noch leiser anfing.

«Ich wollte doch, es bliebe ihm erspart. Gerade jetzt –» dies war so gut wie unhörbar, «wo ich erwarte. Wo er von mir einen Sohn erwartet.»

Die Schwester verstand durch das bloße Atmen der Geliebten, oder sie entnahm die Bedeutung der Worte aus dem schwachen Tasten ihrer Hand auf ihrem Leib. Sie umarmte Gabriele, sie sagte ihr ins Ohr: «Wir sind eine Familie. Mit dir erwarte ich dein Kind.»

Hiermit war ausgesprochen, was Gabriele im Sinn hatte, seitdem die Schwester ihres lieben Herrn bei ihr eingetreten war. Aufgenommen. Keine Fremde mehr. Fremd erschienen ihr dagegen die Berechnungen ihrer Tante de Sourdis. Sollte sie Königin werden, wahrhaftig Königin, dann kam es von Natur, durch ihren Leib, und weil die Schwester des Königs, die prüfend über ihn hinstrich, jetzt und künftig ihre eigene Schwester war.

Catherine ging sacht auf ihren Platz zurück. Dieses schöne Gesicht, so sah sie, zeigt Ermattung und Leiden, aber sie sind fruchtbar. ‹Mein eigenes verwelkt umsonst und wird nie wieder aufblühen, auch als ein anderes, kleines nicht, denn ich werde kein Kind haben. Da sollte man nicht neidisch sein? Mein leichtherziger Bruder, diesmal bleibe er beharrlich und treu, dabei ist nichts zu machen. Gut, meine Liebe, aber Königin? Du wirst nicht Königin, warte nur, ich kenn ihn. Er hält dich hin, bis es zu spät ist.›

Die Augen der Prinzessin rückten währenddessen durch das Zimmer, es war dürftig ausgestattet. Eine einzige Kostbarkeit: ein Bild der Mutter Gottes, besetzt mit zahlreichen Steinen in allen Farben. Als Catherine fragen wollte, errötete Gabriele und wendete sich ab; Catherine fragte nicht. ‹Gut, meine Liebe. Sie haben dir große Geschenke gemacht, damit auch du ihm zusetzest – mit Tränen, wie? Mit herzbrechendem Gestöhne, des Nachts während der Liebe.›

Dies kaum gedacht, bedeckte Catherine ihre Augen, um zu sagen: «Verzeihen Sie mir. Sie haben an dem, was er tun wird, nicht Schuld. Die liegt bei den Dingen und Menschen. Ihrer ist keines, das ihn nicht drängte, keiner, der ihn nicht verriete. Auch ich zu meiner Zeit, auch ich.»

Sie hatte zum erstenmal die Stimme erhoben, weil ihr Gewissen sprach. ‹Mein armer Bruder!› Hier öffnete sich die Tür – wurde nicht herzhaft aufgestoßen, als ob ihr Bruder käme. Aber er war es.

Da er aufsah, denn zuerst blickte er nur vor sich hin, und beide wahrnahm, die Liebsten, die er hatte, wurde er auf einmal laut und fröhlich. Er küßte sie, mit seiner Schwester drehte er sich umher, vor Gabriele kniete er hin, streichelte sie und lachte. Dennoch bemerkten sie seine Ungeduld, fortzukommen, und eigentlich war er bei ihnen nicht. Er verlegte sich auf die Nachahmung seiner Prälaten und Bischöfe, ihrer Stimmen und Gestalten. Der von Bourges hatte einen Schweinskopf, aber für den von Beaune war jeden Augenblick zu befürchten, daß er Flügel bekäme und die Himmelfahrt anträte. Die Frauen verfolgten alles, ohne das Gesicht zu verziehen. Plötzlich brach er ab, wendete das Ohr nach dem Fenster, lauschte, wartete, und ging hinaus.

«Das war er nicht», sagte Catherine tief erschrocken. Gabriele aber ließ den Kopf sinken, aus Schamgefühl, denn bei ihr war er traurig geworden.

Henri stieg in den alten Garten hinab, es war seine Freistunde. Er verglich sie mit denen im Collegium Navarra, als er ein kleiner Schüler gewesen war, und mit zwei Freunden, die schon nicht mehr lebten, hatte er gespielt zwischen dem Unterricht. Plötzlich fand er sich an der Stelle, wo geführt vom Pastor La Faye die arme Esther ihm erschienen war. Zwischen dem und jenem lagen Unschuld, Schuld, das Wissen und die Unwissenheit. Er hielt an und vernahm hinter der Hecke ein Gespräch. Es wurde halblaut geführt, wie jedes andere an diesem befangenen, nicht geheuren Tage.

Eine Stimme: «Er wird seine alten Freunde umbringen. Wer A sagt, muß B sagen.»

Eine andere: «Später – vielleicht. Wenn er's bis dahin nicht vergessen hat. Wir kennen ihn undankbar. Seine neuen Freunde sollen ihn erst noch ergründen.»

Die dritte: «Die Träne im Aug, vergeßlich, leicht – aber wer von uns liebt ihn nicht?»

Die vierte: «Den nicht, der er ist. Aber den, der das kleine Schiff bis in den Hafen geführt hat.»

Schon trat Henri vor, da begann der erste nochmals: «Retten wir uns! Sehe jeder zu.»

«Unnütz, Turenne», sagte Henri und zeigte sich. «Ich bin euer Mann, gedenk es auch zu bleiben. Das sollt ihr selbst bezeugen, wenn's an der Zeit ist.»

Aus den übrigen griff er Agrippa d'Aubigné heraus, zog ihn um zwei große Schritte beiseite und sagte ihm in das Ohr: «Für euch verlier ich mein Seelenheil.» Dies mit aufgerissenen, brennenden Lidern, nein, nicht die Träne im Auge, vergeßlich, leicht. Agrippa wurde vom Erbarmen geschüttelt. ‹Den sollt einer von uns nicht lieben?›

Dennoch war Agrippa der einzige, dessen Herz an ihm hing; was jetzt an den Tag kam, ob vorher die gefälligeren Umstände viel Freundschaft um Henri gleichmäßig verteilt hatten. Die Wärme des einen Menschen hielt ihn fest, noch diese Minute, bei der Gruppe verlorener Gefährten, bevor er weiterirrte, um nach seiner Gewohnheit allein zu sein und zu lauschen. Auf der anderen Seite der Hecke wendete er den Hals zurück nach Philipp Mornay, einem Gesandten, der mit den wichtigsten Meldungen angekommen war, und noch immer hatte der König ihn nicht empfangen.

«Herr Du Plessis, das kleine Schiff, Sie haben es mit mir zum Hafen gebracht; aber konnten Sie ihn wählen? Jetzt ist es dieser.»

Schnell gelangte er zum Rande des Gartens: die Vögel zwitscherten hier, nur leider waren sie nicht die einzigen. Über der niedrigen Mauer tauchten zwei Köpfe auf und nieder, bemüht, durch Vereinigungen und gespitzte Lippen einander von ihren süßesten Gesinnungen zu überzeugen. Madame de Sourdis flötete: «Seien Sie doch unser Freund, Herr de Rosny. Im Grunde sind Sie es schon, da Sie uns brauchen, wie wir Sie.»

«Ganz so und keine Spur anders verhält es sich, verehrte Freundin» – womit Rosny untertauchte, indessen Dame de Sourdis hochkam.

«Wer wird noch an die Großmeisterei der Artillerie denken», sagte sie schelmisch und voll Zuversicht. «Für eine entflogene Schnepfe schießen Sie zehn.»

«Daß nur Sie nicht davonflattern», bat der Baron und versank schon wieder.

«Der König wird sich scheiden lassen, um Madame de Liancourt zu heiraten. Raten Sie ihm gut, dann sind Sie selbst beraten. Spitzbube», kicherte die Dame und ging unter. Statt ihrer erschien der Kavalier mit seinem Gesicht ohne Falten, das unbeschadet der Würde alles sagen konnte.

«Habe mit ihm im voraus den Plan gemacht, gute Dame. Er schwört nur ab, damit er seine liebe Herrin zur Königin erheben kann. Ist einmal der Streich gespielt, werden alsbald alle protestantisch, König, Königin und sogar Sie, gute Dame.»

Hier blieb die de Sourdis eine Weile unten, und als sie sich aufrichtete, waren ihre Augen hart. Sie hatte verstanden, daß sie verhöhnt wurde. «Das wird Ihnen leid tun», zischte sie. Ihr Kleid pfiff durch die Luft, so schnell wendete sie. Eine Pforte schlug. Rosny, immer das unbewegte Gesicht, nahm im Garten den weiteren Weg, auf einer Bank saß der König. Er ließ seinen verständigen und treuen Diener nahe herantreten, bevor er seine gedämpfte Frage stellte:

«Und Ihre wahre Meinung, jetzt, in der letzten Stunde?»

«Sire, wenn der katholische Glaube im rechten Sinne erfaßt und empfangen würde, könnte er vom größten Nutzen sein.»

«Weiß ich von Ihnen längst. Sonst aber nichts?»

«Die andere Welt», Rosny hielt an. «Für die verbürg ich mich nicht.» Sein glattes Gesicht bereitete sich umständlich auf ein Lachen vor. Ehe es ausbrach, war der König auf und davon. Was Rosny merkwürdig fand: er sang. Es dunkelte unter den Bäumen, und wie ein Kind im Dunkeln sang er.

Das Refektorium der alten Abtei war inzwischen beleuchtet worden, der Schein fiel heraus. Als er den König traf, hörte nicht nur sein merkwürdiges Singen auf, im Halbgeschoß droben endeten einige maßvolle Unterredungen, und die Rechtsgelehrten, die er zu sich berufen hatte, traten von den offenen Fenstern fort, um ihn zu erwarten.

Henri nahm die Stufen schnell. Der Gang vor der hellen Tür war um so dunkler, Henri konnte nicht gesehen werden, während er dort stand und den einsamen Saal überblickte; durch eine so kleine Versammlung wurde der Raum weiter und leerer. ‹Die Meinen›, dachte Henri – und so sahen sie auch aus, die Präsidenten und Räte in abgenutzten Kleidern, tiefe Schatten unter den Augen, und diese glänzten vom Fieber, den Entbehrungen, der lange ertragenen Lebensgefahr. Justizbeamte wie ihresgleichen vor und nach ihnen, hatten sie dennoch im Namen des Rechtes hartnäckig der Gewalt widerstanden. Justiz ist allerdings nicht Recht. Man weiß sogar, daß sie gewöhnlich eine geschickte Vorkehrung gegen den Sinn des Rechtes und seine Ausbreitung ist. ‹Kein einziger Hugenott bei ihnen›, dachte Henri, ‹dennoch haben sie gekämpft für das Königreich wie meine Alten von Coutras, Arques, Ivry, und ohne ihre Schlachten wären meine vergeblich. Sie haben es mit den Verfolgten gehalten, anstatt mit den Mächtigen, und standen zu den Armen gegen die großen Räuber. So mein ich es selbst, und habe wohl Tausenden und noch mal Tausenden von Bauern ihre Höfe zurückerobert, jeden einzeln, und das war mein Königreich. Das Ihre ist das Recht: so meinen sie's mit den Menschen.»

Er trat vor, den Hut auf dem Kopf, wie auch sie ihre schlechten Hüte oben ließen; er sprach sie an: «Meine Herren Humanisten. Wir haben zu Pferd gesessen und das Schwert geführt, meine Herren Humanisten. Weil wir aber höchst streitbar waren, stehen wir jetzt hier, und das Tor unserer Hauptstadt ist für uns offen. Das Parlament von Paris hat es mir aufgemacht, da der abscheuliche Tod Ihres Präsidenten Brisson das erste Zeichen und die letzte Warnung war.»

Der König nahm den Hut ab und neigte die Stirn, dasselbe taten seine Parlamentarier. Nach Ablauf des stummen Gedenkens redete der Erste Präsident von Rouen, Claude Groulart; obwohl ein Katholik, wie sie alle, bestand er ganz auf der Sorge, daß der König seinen Glauben nicht abschwören möge, wenn es entgegen seinem Gewissen wäre.

Henri antwortete: «Ich habe nur immer mein Heil gesucht und allezeit gebetet zu der göttlichen Majestät, daß sie es mich möge finden lassen. Die göttliche Majestät gab mir zu wissen durch die unmenschlichen Greuel, die in Paris von anderen ausgeführt wurden, aber ich selbst mußte sie verantworten – gab mir zu wissen, daß mein Heil dasselbe ist wie die Herstellung des Rechtes, und dieses ist die vollkommenste Gestalt, die ich vom Menschlichen kenne.»

Seine Worte waren nach dem Sinn der Rechtsgelehrten, laut riefen sie: «Es lebe der König.»

Henri wollte keinen Abstand mehr wahren, sondern ging mitten unter sie und erklärte den einzelnen vertraulich, wie schwer er es gehabt hatte mit Seiner göttlichen Majestät, bis sie seinen Übertritt guthieß. Er sagte nicht Todessprung, obwohl er es dachte. Es war ihm geschehen unter der Mauer seiner Hauptstadt, und drinnen war nur Grauen. Da bekam er es endlich mit Gott zu tun. Es heißt: Du sollst nicht töten; und dieses Gesetz ist so menschlich, daß es wahrhaftig von Gott sein könnte.

«Wie auch der König, der die Menschen achtet mitsamt ihrem Leben», schloß ein anderer statt seiner. Er selbst wendete seine Sache zur Bescheidenheit und versicherte, daß hauptsächlich der Unterricht der Prälaten bei ihm Früchte getragen habe, und dank dem Heiligen Geist begönne er, ihren Lehren und Beweisen einigen Geschmack abzugewinnen. Worauf er seine Parlamentarier nach hinten zu einer gedeckten Tafel führte und ihnen andere Früchte als die geistlichen darbot, Melonen und Feigen in Menge, sowie reichlich Fleisch und Wein. Sie hatten lange dergleichen nicht genossen, befriedigten ihren Hunger, und als jemand aufsah, war Henri fort.

Er legte sich nieder, ohne daß er gegessen hatte, und schlief sofort ein. Als er erwachte, war Morgen, und an sein Bett trat Pastor La Faye. Henri ließ ihn hinsitzen, er umfaßte mit seiner Hand den Nacken des alten Mannes und fragte ihn nochmals: ob es wahr wäre, daß die Eigenschaften des Menschen mit der Zeit ihren Sinn ändern, wie La Faye es ihm vorgehalten hatte. So wäre es, erwiderte der Pastor.

«Und auch sein Glaube?» fragte Henri weiter. «Bedeutet er jetzt das Falsche, wenn er früher das Wahre gewesen ist?»

«Sire! Ihnen wird verziehen. Gehen Sie nachher zur Kathedrale mit Freuden, damit unser Herr und Gott sich freut.»

Henri saß aufgerichtet, er stützte die Stirn gegen diese welke Brust, die ihn trösten wollte. An der Brust des Pastors aus Jugendtagen sprach er: «Ganz und gar weltlich sind meine Gründe, weshalb ich abschwöre und übertrete. Ich habe von ihnen drei. Erstens fürchte ich das Messer. Zweitens will ich meine liebe Herrin heiraten. Drittens tracht ich nach meiner Hauptstadt und ihrem ruhigen Besitz. Jetzt sprechen Sie mich frei.»

«Ihre Qual war groß, darum sprech ich Sie frei», sagte Pastor La Faye und ging.

Sein Erster Kammerdiener Herr d'Armagnac kleidete den König ganz in Weiß – wie einen Firmling, sagte Henri für sich. Wie einen neuen Menschen, man würde nicht glauben, daß es das fünftemal ist. Ein Gott sähe dabei längst nicht mehr zu. Der Teufel, wenn es ihn gibt –

«Daß Sie vorher kein Bad nehmen wollten», mahnte d'Armagnac.

«Nachher werd ich es nötiger haben», erwiderte Henri.

Dem Ton entnahm der kundige Mann, daß er gehen mußte.

Henri blieb allein, verstand aber nicht, zu welchem Ende er es gewünscht hatte. Warum ist Gabriele nicht hier? Nach schweigender Übereinkunft teilt sie heute das Zimmer mit Kathrin. Alle sind gegangen, indessen soll er alsbald abgeholt werden mit Gepränge und großem Andrang, damit ganze Mengen Volkes ihm zusehen, wie er abschwört. Nicht nur abschwören, was er gewesen: den Frieden machen mit der Mehrheit und ihresgleichen sein. ‹Was bin ich? Ein Sack voll Staub wie die anderen. Hab noch bis gestern besonders getan und um Worte gestritten mit den Prälaten. Gott hat nicht hingehört, ihn langweilen die Dinge des Glaubens, und ob ein Bekenntnis oder das andere, ihn rührt es nicht. Er nennt unseren Eifer kindisch, unsere Reinheit aber verwirft er als baren Hochmut. Meine Protestanten kennen ihn nicht, da er sie diesen dornigen Weg nie geführt hat, und maßen sich an, Verrat zu sagen, wo einer dem Leben folgt und gehorcht der Vernunft.›

Seine Beschäftigung war indessen nicht, zu denken, sondern über seine festliche Tracht, weiße Seide dick mit Gold bestickt bis zu den Fußspitzen, hängte er um die Schulter den schwarzen Mantel, setzte auch den schwarzen Hut auf und bog den schwarzen Federbusch, damit er nickte. Unverhofft vernahm er den Geigenton, denselben, der schon einige Male sich anmelden wollte, wenn er gelauscht hatte, während dieser beanspruchten Tage; und das gesuchte Wort war ausgeblieben, kam nichts als nur der eingebildete Anflug von Musik. Da dieser jetzt zunahm, als wär er nicht mehr eingebildetes, sondern wirkliches Spiel, begriff Henri, daß er fertig und in Ordnung war, mit seiner Meditation so gut wie mit seinem weißgoldenen, tiefschwarzen Anzug. Er hatte seine Meditation tätlich abgehandelt in Schrecken, Zweifeln, Erhebung und Versöhnung, wie die Seele ihre Schöpfungen erbaut aus Berechnung und Traum. ‹Für euch verlier ich mein Seelenheil! Dies ächzte ich, obwohl ich bald nachher auftrumpfte, mein Heil wäre das wiederhergestellte Recht. Sang im Dunkeln, weil einer mir Furcht machte vor der anderen Welt. Weiß aber doch, daß wir geboren sind, die Wahrheit zu suchen, nicht, sie zu besitzen: gerade dies kann nur die jenseitige Macht. Ich soll diesseits herrschen; hier nun ist mein Schrecken das Messer. Ein schlimmes Geständnis, ich hab es dennoch gemacht. Lieb ich mehr Gabriele? Fürcht ich das Messer mehr? Halt aber auch die Unmenschlichkeit für das ärgste der Laster, und nichts, sogar die Frau nicht, verehr ich wie die Vernunft.›

Gleichzeitig und mühelos glitt dies alles durch seinen befreiten Sinn, weil er es vorher abgehandelt und erfahren hatte, er wußte schon nicht mehr, wie bedrängt und dunkel. Sondern er meinte durch reinen Zauber, wie Musik, in das hohe Glück versetzt zu sein, weiß und golden, meine Lieben, aber der Ton der Geige schwingt nunmehr voller und süßer, obwohl sie nicht gerade meisterhaft gespielt wird. Wer sollte das sein, wenn nicht Agrippa. Henri tritt auf den Balkon hinaus, hinter dem nächsten Gebüsch unterscheidet er die Hand, die den Bogen führt. Er lacht, winkt, und Agrippa zeigt sich in seinem gewöhnlichen Wams, kein Festkleid, zur Kirche wird er nicht mitgehen. Er wird nicht zugegen sein, wenn Henri die Religion abschwört; aber er spielt ihm auf, beseelter Klang des Instrumentes, das Viola d'amour heißt.

Zuerst bebte ihm etwas das Kinn, denn bekanntlich, man ist der Leichtsinn, dem die Tränen locker sitzen. Rechtzeitig bemerkte er, daß sein guter Agrippa sich lustig machte in aller Unschuld und Liebe. Da kniff auch Henri ein Auge zu, und das taten sie abwechselnd, drunten der alte Freund mit seiner Huldigung aus Ironie und Tröstung, hier oben der weiße Firmling, sein Bart ist grau, die Haut verwittert. Zuletzt verloren beide ihre anständige Haltung; Henri machte eine Dame im vollen Staat, die ein Ständchen bekommt, Agrippa aber fiedelte und wollte dazu noch krähen, was nicht mehr anging. Die Glocken der Kathedrale setzten ein, und gleich mit voller Macht. Diese beiden erschraken davon, der eine verschwand im Gebüsch. Der andere war mit einem Sprung in dem Zimmer, zog seine Kleidung zurecht, strich über den Federbusch, damit er gehörig nickte – und schon ging auch die Tür auf. Sie holten ihn.

Die Vereinigung

Das ist der Tag, den Gott gemacht, fünfundzwanzigster Juli 1593, er kann nur tiefblau und außerordentlich warm sein. Das Volk von Paris hat es vorhergewußt, es hat sich gerüstet mit zierlicher Gewandung, sofern sie über die Zeit der Not gerettet werden konnte. Die Leute haben die Arme mit Blumen beladen, ihre Hände sind beschwert von Körben voller Lebensmittel. Dieser ganze Sonntag soll in Saint-Denis verbracht werden, da der König abschwört und sich bekehrt, was eine sehenswerte, aber zeitraubende Veranstaltung ist, allenfalls könnte die ehrwürdige Stunde des Mittagessens darüber versäumt werden. Es sei entschuldigt um der Seltenheit des Ereignisses willen. Wird man sich denn nachträglich auf den Wiesen lagern. Die Körbe setzt man vorher ab, gestohlen wird nicht, wir freuen uns alle.

Die Blumen aber werden auf die Straße gestreut, den ganzen Weg des Königs entlang. Er soll in Weiß gekleidet sein, das Gerücht hat es ermittelt und trägt es voraus. Seine weißseidenen Schuhe werden vom Saft der Rosen gefärbt werden. Die Frauen glauben fest, daß er ein schöner Prinz ist, und ihre Liebe soll seine Schritte in die Farbe der Rosen tauchen; deshalb schieben und stoßen sie einander über den Damm, bis mehrere umfallen. Was weniger ihnen selbst mißbehagt, als den Garden. Zuerst warnen diese; das wird nicht gehört im Getöse der Kirchenglocken und bei soviel vorweggenommener Begeisterung. Darauf wenden die Soldaten ihre gute Kraft an, nicht die böse, und so gelingt es dem Regiment, die beiden Ränder der Straße zu besetzen. Es ist der Augenblick, da der Zug erscheint.

Was bemerkt der König, nun er den schmalen Durchgang betritt zwischen Massen gestauten Volkes? Er sieht bunte Gewebe aus den Fenstern hängen, er sieht den Boden von Blumen bedeckt, und noch immer werfen Kinder über die Köpfe der Garden hinweg Rosen. Alle Leute tragen die weiße Schärpe der Königlichen, glücklich sind alle Gesichter – manche fromm versunken, andere mit hin und her bewegter Zunge vor heftiger Erwartung, aber die meisten schreien: «Es lebe der König!» Die größeren Stimmen der Glocken nehmen die Rufe auf; sie bleiben arm und niedrig zufolge der Gewalt des Vorganges – und nahe betrachtet, verraten nicht auch die Gesichter einen Rest Ängstlichkeit? Der König denkt: ‹Fünf Jahre der Angst, Not und schlechten Leidenschaften liegen hinter ihnen. Hätt ich nichts weiter getan, als ihnen dieses Fest zu geben, es wäre beinahe genug. Soll aber besser kommen, kann niemals genug sein für die Erwartung so vieler Menschen.› Hier hätte er den Kopf senken wollen unter dem Druck des natürlichen Unvermögens; kann man Menschen glücklich oder auch nur alle satt machen? Mußte ihn aber hochhalten, damit sie den Ruhm und die Macht erkannten, seine und ihre.

Das Volk erblickt ihn umgeben von Prinzen und Herren, Beamten der Krone, Edelleuten und Rechtsgelehrten, diese zahlreich. Aus seiner Familie gehen nicht viele mit, immerhin, der Graf von Soissons ist zuletzt noch eingetroffen. Voran und hinterher Leibwachen und Schweizer mit Trommeln, die sie nicht rühren. Zwölf Trompeten werden stumm vor den Mund gehalten, des Glockengeläutes wegen und um der Handlung ihre Heiligkeit zu lassen. Das empfindet das Volk, es ist der Dinge im Grunde wohl bewußt – wenn es den Greuel und die öffentliche Trunkenheit mitmacht, wenn es der Größe und Güte beiwohnt. Erfreut sich allerdings der prachtvollen Kleidung seines Königs, seiner straffen Gestalt und soldatischen Miene. Der hohe Bogen der Brauen ist aber schmerzlich, die Augen zu weit aufgerissen; vierzig Jahre oder etwas mehr, und ein so sehr ergrauter Mann. Es ist nicht sicher, wieviel Reue, wieviel eigener Jammer anklopfen möchten bei allen diesen langjährigen Feinden des Königs – haben sich etwas verspätet besonnen, ihn zu feiern, und stehen als willige Masse jetzt da. Hier war es auch, daß in dem allgemeinen Schrei des Lebehochs einige Stimmen wider Willen abstarben. Einige Knie versuchten eine Beuge – kamen nur nicht weit damit in der Dichte von Menschen.

Eine Gevatterin, die gewiß erfahren war und mehr gesehen hatte, sagte vernehmlich für ihre Umgebung wie für den König, der vorüberkam: «Das ist ein schöner Mann. Er hat eine größere Nase als die anderen Könige.» Worüber ganz unverhältnismäßig gelacht wurde. Der König hätte gern angehalten; seine angestrengten Brauen legten sich bequemer. Noch einmal war er versucht, stehenzubleiben, als mehrere Zuschauer in abgewetzten Lederkollern ihn schweigend, unverwandt betrachteten – oder wenn ihn nicht, dann seinen Hut: daran leuchtete der weiße Amethyst. ‹Hab ihn zuletzt bei Ivry getragen. Die Alten hier sind von weiter her, die sahen ihn schon bei Coutras.› Er suchte ihre Augen, sie trafen genau in die seinen, und er wendete den Hals, bis andere sie ihm verdeckten

Am Fuß der Kathedrale, bevor Henri die unterste der Stufen betrat, wurde ihm nicht wohl. Es war ein sehr eigenes Gefühl, er verliert den Weg unter den Füßen; obwohl die Pflastersteine natürlich vorhanden sind, müssen sie ertastet werden, und auch die Gegenwart der Menge wird schwach. Gesichter und Stimmen entfernen sich. Dies geschah während der Dauer eines Schrittes; dann wurde alles wie vorher, nur daß Henri, indessen er die Rampe erstieg, noch diese Erinnerung behielt: blinzelnder Riese. Im Gedanken an einen Riesen, der unter Geblinzel das Funkeln seiner Augen versteckt hatte, verließ er die unterste Stufe: von da an war er mit Leib und Seele bei seiner Aufgabe.

Er trat durch das große Portal ein. Fünf oder sechs Fuß weiterhin fand er sich vor dem Erzbischof von Bourges, der saß auf weißem Damast in einem Lehr- und Gerichtsstuhl, um ihn her die Prälaten. Es fragte der Erzbischof, wer er sei, und seine Majestät antwortete: «Ich bin der König.» Besagter Herr de Bourges, der keineswegs mehr den früher bemerkten Schweinskopf hatte, sondern wie er dreinschaute, war Würde, und was sein Mund sprach, war geistliche Macht – dieser begann nochmals: «Was verlangen Sie?» – «Ich verlange», sagte Seine Majestät, «aufgenommen zu werden in den Schoß der katholischen, apostolischen, römischen Kirche.» – «Wollen Sie es aufrichtig?» sagte der hohe Herr von Bourges. Worauf Seine Majestät zur Antwort gab: «Ja, ich will und begehr es.» Und hingekniet auf ein Kissen, das der Kardinal Du Perron ihm unterschob, legte der König nunmehr sein Glaubensbekenntnis ab – vergaß auch nicht sich zu verwahren gegen jede Ketzerei, und die Ketzerei schwor er auszurotten.

Dies alles war angehört, und sogar das selbstgeschriebene Bekenntnis seines neuen Glaubens überreichte der König dem Erzbischof, der sitzend die Hand ausstreckte: da endlich bequemte sich der Erzbischof von seinem Stuhl. Einen flüchtigen Schatten lang glaubte man während seines Aufstehens, daß er zögerte und wüßte nicht weiter. Das kam von dem angestrengten Blick Seiner Majestät, den aufgerissenen Augen, dieselben, die bei Ivry eine Anzahl feindlicher Lanzenreiter gebannt und aufgehalten hatten, bis die Hilfe nachrückte. Hier dagegen erwartet niemand die Seinen, vielmehr ist er der Unsere. Daher erhob der Erzbischof sich vollends. Ohne daß er die Mitra vom Kopf nahm, gab er dem König das Weihwasser, ließ ihn das Kreuz küssen, erteilte ihm Ablaß und Segen.

Sowohl Herr de Bourges wie Henri kannten genau die weitere Reihenfolge, nur kostete es viel Mühe, durch die Kirche in den Chor zu gelangen: das Volk quoll über das Schiff, bis unter die Gewölbe hing es, und keine Öffnung der bunten Scheiben, durch die nicht Leute krochen. Im Chor hatte Henri einfach seinen Schwur zu wiederholen; diesmal erlaubte er sich einige Ungeduld und mehrere Flüchtigkeiten. Dann ging es hinter den Hochaltar, und beim Gesang des Tedeums beichtete Henri: so war die Annahme. In Wirklichkeit verschnaufte Herr de Bourges hörbar, Henri schloß die Augen, und wenig wurde gesprochen. ‹Meine liebe Herrin›, dachte Henri. ‹Ich durfte nur von unten auslugen: weiß sie, daß ich sie hinter dem Pfeiler bemerkt habe? Schöner als die Frauen des Paradieses, verheißungsvoll wie die Nacht, und wär es schon glücklich Nacht!› Dies wünschte er sich aus einem besonderen Grunde, weil er auf seinem Weg durch das Gedränge von einem der Seinen ein gewisses Wort gehört hatte. Wenn das die Seinen sagen, was denkt erst Herr de Bourges? War doch der Mann ein richterlicher Beamter; hatte mit den anderen seinen Herrn im feierlichen Zug zur Kathedrale geleitet. ‹Jetzt hab ich den Todessprung vollführt, da raunt er Unheil. Sein Nachbar hat ihn nicht verstanden bei dem Lärmen der dichten Menge. Nur ich, der Ohren hat, vernahm das Wort: eine Voraussage, schrecklich und schlimm.›

Hiernach hörte er die Messe, der Erzbischof von Bourges zelebrierte sie, und war für den König ein Oratorium erbaut, roter Samt und goldene Lilien, der Himmel aus Goldstoff. Der König empfing die Kommunion. Jetzt war der schwierige Vorsatz, den Zug zu bilden, damit er in derselben Ordnung wie vorher nach der Abtei zurückkehrte, dort wartete das Mittagessen. Die Personen aus der Begleitung des Königs waren inzwischen einzeln abgedrängt worden, es währte lange, bis die meisten aus dem Gewühl wieder herausfanden. Sogar dann vermißte Henri unter den Edelleuten seinen Chicot, den sogenannten Narren – hatte aber gerade ihn gern bei sich, denn Chicot war ein Glückspilz. Hallo, was geht da vor? Unter dem spitzen Gewölbe ist Streit und Geschrei, wer zuerst loskommt von dem langen Drachentier: das steht aus einem Pfeiler oben vor, und ein menschlicher Knäuel umklammert es mit Armen und Beinen. Jemand stößt ab und saust durch die Luft. Hallo, Chicot.

Er saust, stürzt, reißt Leute um, aber einem großen Kerl, der mit allen vieren daliegt, kommt Chicot rittlings auf den Nacken zu sitzen. Zerrt ihn, als wär's eigene Lebensangst, an den haferblonden Haaren, bis das pockennarbige Gesicht des Kerls offen hinaufgewendet ist – und Henri erkennt es, oh, dies Blinzeln ist ihm seit kurzem bekannt. Der Kerl wird hier und jetzt von Wut verzerrt, merkwürdigerweise auch von Schmerz, obwohl Chicot ihn immer nur an den Haaren zerrt. Macht keine Anstrengung, mitsamt seinem Reiter hochzukommen, ein so gewaltiger Kerl ist es. Gibt sichtlich sogar das Kriechen auf, weil es ihn schmerzt, man sieht nicht warum; aber noch bei seinem Austritt aus dem Portal hörte Henri den Kerl dahinten brüllen. Er dachte sich das seine, führte inzwischen den edlen Zug durch alles andrängende Volk, die Garden dämmten es nicht mehr ein. Auch achteten Trommler und Trompeter das Glockengeläute nicht mehr, sie lärmten nach Kräften dagegen.

Ein Aufenthalt entstand an der Ecke, wo ein krummes Gäßchen einmündete. Hunderte waren vermittels ihrer Ellbogen bestrebt, an den König zu gelangen und ihm nahe in das Gesicht zu sehen; wem aber wurde es zuteil? Niemandem sonst als einer uralten Frau: die stieß keiner fort, und so fand sie sich auf einmal, von allen gesondert, vor dem König Henri, wußte gar nicht, wie ihr geschah. Da er nun ihre beiden Hände erfaßte, küßte sie ihn mit ihren Lippen, die für diese Gelegenheit noch einmal weich wurden, auf den Mund. Zu der Neunzigjährigen sagte hiernach der König: «Meine Tochter.» Er sagte: «Meine Tochter, das war ein guter Kuß, ich will seiner gedenken.» Blumen, die ihm zugeworfen wurden, sammelte er zu einem Strauß, legte auch ein Band darum, man reichte es ihm, und eine so schöne bunte Garbe schob er in den Brustlatz der Urahnin, daß alles Volk vergehen wollte und raste vor Rührung.

Eine Weile wendete Henri das Gesicht nach verschiedenen Richtungen, damit sie es sähen und seines Einverständnisses versichert wären. Hierbei traf er in das krumme Gäßchen und gewahrte als einziger, obwohl er nichts davon merken ließ: Chicot führte den Kerl ab. Er hielt ihm die Arme auf dem Rükken fest, der Kerl, dreimal stärker, wehrte sich nicht, er humpelte, er krümmte den ungeheuren Rücken. Chicot, lang und dürr, überragte ihn mit seinen eckigen Schultern. Den Hut hatte er verloren, sein sonderbarer Schopf war aufgestanden über der kahlen Stirn, und da er seinen Gefangenen genau im Auge behielt, wurden die Hakennase, die engen Wangenknochen und der kühn gebogene Kinnbart besonders scharf in die Luft gezeichnet. Wo die krumme Gasse ein Knie machte, hielt jenes bucklige Häuschen den geschmiedeten Zierat mit dem trockenen Kranz hinaus, unverkennbar ein Wirtshaus, wird ganz vereinsamt sein zu dieser Zeit, da die Stadt und alle Fremden mit dem König gehen, den anständigen und einzigen gebotenen Weg zum Mittagessen. ‹Mögen Chicot und sein Riese nur eintreten und in der leeren Trinkstube ihre Sachen verhandeln. Wird danach sein, kann mir's denken.›

Henri hatte Hunger wie alle; ja, die Freude an dem schönen Fest ihrer Vereinigung mit dem König verdoppelte ihre Eßbegier wie auch seine: zu schweigen, daß er heimlich erleichtert war und aufatmete seit dem Blick in das krumme Gäßchen. Im Refektorium der alten Abtei war sein erstes, zu rufen: «Alle herein!» Daher zogen die Wachen ihre Hellebarden von der Tür fort, und auf einmal war der Saal vom Volk so voll wie vorher die Kirche. Das Gedränge hätte den Tisch mit allen Speisen umgestoßen. Glücklicherweise herrschte gute Laune, und eine Menge, die ihren König soeben erst für sich gewonnen hat, ist beflissen, nichts zu verderben. Lieber treten sie einander auf die Füße, als daß sie eine Schüssel herabwürfen. Andererseits verteilten die Herren des Königs alle erdenklichen Höflichkeiten – nicht, daß er sie ihnen befohlen hätte; einem gemeinen Mann machten sie Platz an der Tafel und sprachen mit ihm.

Die meisten waren nur bedacht, den König zu sehen, da er ein merkwürdiger König war und sie vielfach beschäftigt hatte, bevor er ihnen zu Gesicht kam. Da saß er obenan, auf seinem erhöhten Platz für sich allein. Sein Appetit läßt nichts zu wünschen, bemerkte jeder, der wollte. Er gönnt auch uns was Gutes; die Zeiten sind nicht mehr, als wir seinetwegen das Mehl von den Friedhöfen aßen. Er sieht nicht aus, als hätte er es gern dahin gelangen lassen. Das waren schon die Besinnlicheren, die soweit gingen. Er ähnelt nicht den Bildnissen, die sie uns auf den Pariser Kanzeln von ihm gemacht haben, kein apokalyptisches Tier, nicht einmal ein gewöhnlicher Wolf. Ich, der ruhige Bürger, denn trotz der Ausgelassenheit der Zeit war ich im Seelengrunde nur immer ein ruhiger Bürger, ich werde in Zukunft bezeugen, daß er aussieht wie du und ich. Jetzt kriech ich nicht mehr in seinen Garten hinter Büschen, um ihn zu ertappen, knie nicht im Lehm und die Augen werden blöde, so daß ich nachher nicht weiß: war er groß oder klein, bekümmert oder lustig. Jetzt betracht ich ihn unverlegen. Schon begibt man sich auf die Wiesen zum Mittagessen, im Saal wird Platz, ich könnte ihm wünschen: Wohl bekomm es Ihnen, Sire! Soweit geh ich nun doch nicht. Liegt es an seiner vornehmen Tracht? An seinem grauen Bart und den erhobenen Brauen? Der Grund ist, daß er alle, alle zu sich hereingelassen hat, nicht ausgenommen die Kranken und die Bettler. Ich möchte es nicht wagen in meinem Haus. Wer muß er sein.

Soviel einmal festgestellt, schlich diese Person, eher als daß sie noch trabte, zu den übrigen auf die Wiesen. Getafelt wurde lange. Einige Male erhob Henri sein Glas bis zu den Augen, bevor er es an den Mund führte; dann gaben ihm alle Bescheid, sie wendeten ihm die Gesichter zu – auch der Parlamentarier, den Henri meinte und ansehen wollte. Der war ein Rechtsgelehrter nach seinem Sinn, gefaltete, aber leuchtende Augen. Hatte eingesunkene Schläfen und volles weißes Haar, der ehrliche Bart beschützte den ironischen Mund. Der Richter hatte erst unlängst gehungert, aber mit Ironie. Er hatte im Kerker gelegen voll begründeter Zweifel an dem menschlichen Treiben, das nicht nach seiner Natur geprüft und vom mitgeborenen Rechte der Sterblichen nicht bestätigt war, sondern nur Macht und Schwäche bestimmten das zufällige Treiben: es hing vom Zorn ab. Seinen Unstern hatte er verglichen mit dem der mißhandelnden Kinder, die Krüppel bleiben und die öffentliche Sache weiß noch nicht, daß es ihre eigenen, beschädigten Glieder sind, so weit entfernt befindet sich die öffentliche Sache bis jetzt vom Recht.

Henri liebte den Mann, sonst hätte sein aufgefangenes Wort ihm nicht viel ausgemacht, man hört manches, besonders mit geübten Ohren. Vorhin im Dom, Henri hatte soeben abgeschworen, er ging an dem Mann vorbei. Der flüsterte zu seinem Nachbarn, im Lärm verstand nicht dieser das schreckliche und schlimme Wort, nur Henri fing es auf. Jetzt setzte er das Glas nieder, winkte, und der Rechtsgelehrte kam zum Sitz des Königs. «Freund und Gefährte», redete Henri ihn an.

«Als Sie auf dem feuchten Stroh lagen und leicht, wenn nicht die königliche Sache gewann, konnten Sie am Fenster hängen, gestehen Sie es nur, Freund und Gefährte, daß Ihr Puls schnell ging. Sie waren kein Zweifler mehr, wie Sie es gerne gewesen wären, sondern in Ihrer Erregung hätten Sie Ihre Feinde gevierteilt, geköpft und auf dem Scheiterhaufen verbrannt: gesetzt, daß in demselben Augenblick Sie selbst der Herr geworden wären und Ihre Feinde Ihnen ausgeliefert.»

«Sire! Sie sagen es. Die reine Wahrheit ist, daß ich, die Stunden der Besinnung ausgenommen, in meinem Gefängnis so und nicht anders gewillt war. Als ich indessen herauskam, war ich abgekühlt und wollte niemand mehr töten.»

Näher zu ihm geneigt, fragte Henri: «Wären Sie nun so sehr der Herr, daß Sie nicht nur zu töten vermöchten: sondern Sie könnten sich mit denen, die Ihre Feinde waren, vereinigen durch ein bloßes Glaubensbekenntnis?»

«Sire! Ich hätte es abgelegt, wie Sie.»

Hier erblaßte Henri und sprach: «Jetzt erkenne ich erst, wie schlimm und furchtbar ist, was Sie unter dem Gewölbe und bei dem Pfeiler zu einem Mann sagten, er trug einen grünen Mantel.»

«Sire! Auch ohne den grünen Mantel wüßte ich mein Wort noch. Wollte Gott, daß es falsch ist. Ich bereue, daß ich es Sie hören ließ.»

«Ist es, wie Sie gesagt haben? Dann wär all euer Recht umsonst. Ihr seid keine Richter, wenn ein Mensch bestraft werden soll, weil er weniger schuldvoll handeln und sich vereinigen wollte.»

«Wer spricht von Strafe», sagte der andere – zu laut für diese Tafel, so belebt sie war. «Es handelt sich um eine ganz ruchlose Untat, die ich befürchtete.»

«Und für die ich reif wäre», schloß Henri.

Der Rechtsgelehrte konnte sich für entlassen halten. Er machte eine beschwörende Wendung zurück, um eine letzte Abbitte zu hinterlassen. Er kleidete sie in Sätze des Humanisten Montaigne. «Ein Mann von guten Sitten kann falsche Meinungen haben. Die Wahrheit kommt vielleicht aus dem Munde eines Bösewichtes, der gar nicht an sie glaubt.»

Henri sah ihm nach. ‹Natürlich, das alles haben wir von unserem Freunde Montaigne. Es ist genau die Weisheit, die ein kränklicher, aber standhafter Edelmann, mein alter Bekannter, aus uns allen schöpft und gibt sie uns vollendet zurück. Um so schrecklicher das Wort, das ich im Gedränge auffing, um so schrecklicher und schlimmer.›

Hiermit im nächsten Zusammenhang gedachte er seines Narren. Was wird inzwischen aus Chicot und seinem Wilden? Man sollte nachsehen, welcher mit dem anderen fertig geworden ist. Henri war im Begriff, Soldaten auszuschikken nach dem buckligen Wirtshaus im krummen Gäßchen. Er unterließ es aus mehreren Gründen, nicht zuletzt aus Selbstachtung. So oder so wär zutage gekommen, daß er Furcht hatte. Aber unerwartet stand er vom Platz auf, seine Gäste hätten sonst noch Stunden getafelt.

Zurück zur Kirche, denn als geistliche Nachkost sollte eine Predigt des hohen Herrn von Bourges genossen werden, und auf ihr letztes Amen folgte alsbald Abendandacht. Beflissen hörte Seine Majestät allem zu. Stieg dann wohl zu Pferd, aber nur, damit er in einer anderen, entfernten Kirche sein Dankgebet verrichtete. Als er zu Saint-Denis wieder eintraf, wurde es Nacht, Freudenfeuer brannten: Menschen, die ihre Eßkörbe sowie den Kelch der Begeisterung heute geleert hatten, tanzten um die großen Fackeln, die Rüstigen auf einem Bein, und wer nüchtern zusah, verkannte schwerlich, daß ihre Freude keinen Grund mehr hatte. Am Morgen früh hatten sie ihrem König zugerufen, weil er ihnen zuliebe den dornigen Gang tat und um geschehener Leiden willen, die begütigt werden sollten, sich mit ihnen vereinigte.

Jetzt zur Nacht empfingen sie ihn ungleich lärmender, er fand darin keinen Sinn, war übrigens ermüdet von diesem Tag, mehr und tiefer, als wäre von früh bis spät eine Schlacht gewesen. Hielt zu Pferd und dachte: ‹Was aber ist seither im Wirtshaus vorgegangen. Davon wissen sie nichts. Tanzen um die Flamme. Sogar Freudenfeuer verbrennen die Haut, schreit nur auf, wenn ein anderer Dummer euch hineinstößt. Ich ritte jetzt nach dem Wirtshaus. Fänd es wohl leer, auch dort wird's aus sein wie dieser Tag, und ich bin herzlich müde.›

Die alte Abtei lag ohne Licht, wer hätte ihn wohl erwartet. Nicht seine liebe Herrin, wenn sie gewiß auch lag und lauschte. Aber weder rief sie ihn, noch wünschte sie, daß er bei ihr eintrete. Allein sein, bis die Sonne kommt, etwas anderes getrauen wir uns nicht, sind durch Ahnung einer vom andern benachrichtigt, ob eine Stunde schwierig oder geheuer ist. Aber nach seinem Bade verlangte er jetzt, und sein Erster Kammerdiener Herr d'Armagnac ließ sogleich alles Gesinde um Wasser laufen. Von den Geräuschen des eiligen Wesens im Dunkeln wurden einige Personen aus ihren Betten vertrieben, darunter Protestanten, und diese waren vorschnell im Urteil. Er wäscht sich von seiner Sünde, da er eine so schöne Messe gehört hat!

Das war es nicht.

Geschichte eines Anschlages

Chicot, lang, dürr und ohne Hut, hielt dem Kerl die Arme auf dem Rücken fest, der Kerl humpelte und beugte den ungeheuren Rücken. Als sie dergestalt dahinschlichen durch das krumme Gäßchen, das sonst leer lag, auch keine lahmen Greise sahen aus den Fenstern: welcher von beiden führte eigentlich den anderen? Chicot schien seinen lieben Freund zu stützen, damit dieser nicht umfiele vor unbegreiflicher Schwäche – wenn er ihn nicht vielmehr bemeisterte und in Verwahrung brachte. Nun kannte nur einer von ihnen den Weg; das war der Narr des Königs nicht, es war der Kerl. Der wußte Bescheid im krummen Gäßchen, war unversehens, unter Gewinsel um die Ecke gestolpert, und auch das Wirtshaus lag ihm schon im Sinn, als sein Gefährte noch nicht einmal ahnte, wohin er geriet. Er meinte bis jetzt nichts weiter, als daß sie aus dem Gedränge heraus und für den festlichen Zug des Königs kein Ärgernis wären. Dort draußen blieben alle bedacht, die ehrwürdige Stunde des Mittagessens einzuhalten. Hier drinnen duftete es nach keinem warmen Schmalz, sondern der Schatten wurde modriger mit jedem Schritt. Der Tag war heiß, die Kühle dieses krummen Gäßchens erfrischte es doch nicht: das Gäßchen nahm nur Gelegenheit, seine angesammelten Laster auszudünsten, das erste Haus seinen schmutzigen Geiz, das nächste seine armselige Unzucht, das letzte schwitzte eine unheimliche Feuchtigkeit und roch nach einem Mord, der nicht entdeckt war.

Der Kerl konnte nicht weiter, oder tat so. Allerdings rann unter seinen Füßen eine Blutlache zusammen: Chicot wußte zur Genüge, woher und wie. Er wartete immer noch, daß eine Streife käme, dann hätte er den verunglückten Königsmörder, dies und nichts anders war sein Fang, den Soldaten übergeben. Kam aber keine. Statt dessen wurde sein Riese zu schwer, fiel ihm aus der Hand und gegen die bauchige Mauer eines kleinen Hauses. Chicot mußte ihn hinaufstemmen, sonst rutschten sie beide schief abwärts. Diesmal hätte der Kerl auf Chicot gelegen. Der konnte ihn nicht einmal beim Namen rufen, denn der Name war dem Kerl nicht anzusehen, nur daß er ein ausgedienter Soldat sein mußte. Der sogenannte Narr pfiff nach Hilfe. Nun zeigte der Wirt sein Gesicht, das auch ein Allerwertester sein konnte, so schnell, als hätte er hinter der Tür gewartet. «Ihr seid zwei?» bemerkte er und äußerte es, bevor es überlegt war. Dies Wort gab dem Narren in Eile viel zu denken.

Das erste mußte sein, daß der Wirt mitstemmte; derart gelang es, den Riesen aufrechtzuerhalten bis in die Stube. Kaum lag er auf der Bank, verlor er das Bewußtsein. Der Wirt war kurz und dick, er keuchte nach der Anstrengung, dagegen redete Chicot sofort. «Ja, wir sind zwei, denn er hatte mich wiedererkannt als einen alten Bundesbruder von der Liga. Wir standen beide beim Fußvolk des Herzogs von Mayenne, der nur leider den Béarneser nicht gekriegt hat, weder lebend noch tot. So haben wir heute nach der Messe die Tat vollbracht.»

«Wenn ihr's getan hättet, müßtet ihr jetzt unsichtbar sein», sagte der Wirt, sah sich nach dem Besinnungslosen um, schielte mit dem anderen Auge auf Chicot, aber beides befriedigte ihn nicht. «Er hat es sicher gehabt wie die andere Welt, daß er nur den Stoß zu führen brauchte und würde davon unsichtbar werden. Ich seh ihn aber – und auch dich erblick ich hier, das mißfällt mir doppelt. Ich verstehe nicht, daß ihr zu zweit auftretet. Warum hat er dir getraut? Es sieht ihm nicht ähnlich. Ich kenne La Barre.»

«Ich auch», versicherte Chicot mit tiefer, biederer Stimme, womit er gewöhnlich den Leuten die Narrheiten sagte, die sie erst später für Wahrheiten erkennen sollten. «Meinen Kumpanen La Barre lieb ich länger als du. Nimm zum Zeichen, daß er, wie er dort liegt, mein eigenes ledernes Wams anhat, aus der Zeit, als ich seinen Leibumfang besaß. Bei zunehmender Abmagerung durch die Schuld eines Bandwurmes, der an mir zehrt, gab ich meinem alten La Barre das Wams: der Bandwurm konnte es nicht sein, trotz unserer beschworenen Freundschaft.»

Diese Einzelheiten erschütterten die Zweifel des Wirtes, er ließ sie als den Anfang eines Beweises gelten. «Aber warum seid ihr beide noch zu sehen?» fragte er, mehr wißbegierig als mißtrauisch.

«Das kommt», erklärte Chicot, «weil unser Vorhaben nur zum Teil geglückt ist.»

«Der König wäre nicht tot? Gelobt sei Jesus Christus», stieß der kurze Dicke hervor; er plumpste sogar auf eine Bank infolge der Erleichterung.

«Das ist nicht hübsch von dir, du Feigling», belehrte Chicot ihn von oben her. «Zuerst einen wackeren Meuchelmord verabreden, dann aber hinhocken die ganze Zeit bei verschlossener Tür, verhängtem Fenster, und den Rosenkranz beten.» Denn dieser lag noch auf dem Tisch. «Damit die Tat mißlingen und wir beide sollten abgefaßt werden. Wie?» fragte er. «Darum hast du gebetet.»

Der Dicke stammelte: «Ich hab gebetet, teils daß es geschehen, teils daß es nicht geschehen möge. So ist es denn halb geschehen. Und ich seh euch auch nur halb!» ächzte er. Denn was seine Angst nicht alles machte, in seinem allerwertesten Gesicht bedrängten die Fettsäcke die Augen, so daß sie zugedrückt wurden.

«Bis jetzt sind wir noch zur Hälfte da» – Chicot blieb weise, sein Ton wurde indes warnend. «Erliegt nun der König seinen sieben Wunden, die wir ihm beigebracht haben, ich und La Barre, dann verschwinden wir und werden nicht mehr gesehen. Wer zurückbleibt, das bist du allein, und hast es verdient für deine Gebete, die uns die Sache gebracht haben. Dich holen sie von hier ab, verhören dich, setzen dich mit dem Hintern auf glühendes Eisen, aber zufolge eines leichten Irrtums nehmen sie dafür dein Gesicht.»

Hier fiel der Wirt vornüber und heulte. Der Besinnungslose erwachte davon und rührte den Kopf. Chicot, zu seinem Unglück, ließ es sich entgehen, und fuhr fort, dem Dicken die Folgen zu beschreiben, wenn man gevierteilt wird: wie die Gelenke krachen, dann lösen sie sich, und man sieht seinen eigenen Gliedern nach, da die Pferde sie entführen. Am Wege warten schon die behaarten Teufelchen, springen und fangen die Stücke frischen Richtfleisches, um sie einzusalzen. Dies alles erzählte Chicot dem heulenden Wirt, aber der Kerl drüben hörte zu, ohne nochmals den Kopf zu rühren.

Als der Wirt endlich verstummte vor völliger Verzweiflung, befragte Chicot ihn ernstlich, ob er den Hals wohl aus der Schlinge ziehen möchte? Das wäre das einzige, sagte der Wirt, um das er noch beten wollte, und sollte es nachher bei ihm aus sein mit allen Todsünden, deren leider schon mehrere seine Seele drückten. Ob er, fragte Chicot weiter, sich selbst lieber habe als den Mann auf der Bank. Das sei gewiß, sagte der Wirt. Dann stehe alles zum besten, meinte Chicot, und sie beide, obwohl sie den König natürlich gestochen hätten so gut wie ihr Kumpan, könnten diesmal ihr leibliches Leben noch erhalten, auf Kosten ihres guten Kumpanen La Barre und seines Erdendaseins, das übrigens lange genug gewährt habe. «Lauf, Gevatter, hol die Wache, wir liefern ihn aus und machen uns einen weißen Fuß.»

Der Wirt wendete zaghaft ein, dies werde schwerhalten in ihrer Lage: sonst wäre er der Mann nicht, dem es auf eine Guttat mehr oder weniger ankäme, und La Barre sei nun einmal Henkerswild. «Wir sind aber leider von derselben Gattung, und den König haben wir alle zusammen gestochen. Sie werden unsere Lügen nicht glauben, sondern uns mitnehmen.»

«Meine Lügen sollen wörtlich für voll gelten», behauptete Chicot. «Ich weiß den Blutrichtern zu erzählen, daß ich mich in der Kathedrale befand, als der König abschwor, und bemerkte einen Mann, den ich nie vorher gesehen hatte. Dieser hatte Zug für Zug das Gesicht eines Königmörders, aber daran nicht genug, er schützte sich immer nur von rechts gegen den Druck der Leute; daraus entnahm ich, daß er sein Messer zwischen die Strumpfhose und das Hemd geklemmt haben müsse. Als ich mich nahe an ihn herangemacht hatte, konnte ich den Umriß des Messers erkennen: es war eine Elle lang, sehr spitz und beiderseits geschliffen, weshalb er bei jeder Berührung die Fresse verzog. Ich dachte: ‹Du sollst sie dir anders zerreißen›; erkletterte einen Pfeiler und hängte mich an ein vorgestrecktes Drachentier, worauf schon viele Personen wimmelten. Mein Freund stand nur wenig entfernt, und als der König vorbeikam, das war die scharfe Ecke, schon griff mein Freund sich zwischen die Kleidungsstükke – los, ich sprang ihm in das Genick. Umgerissen wurd er, Geschrei erhob er, die Lende zerfetzt hatt er. So erhielt ich unsern König, wie Gott ihn erhalten möge. So macht ich den Mörder unschädlich und bracht ich ihn her, weil keine Streife zu finden war. Nun, Gevatter, werden die Blutrichter mir das glauben?»

«Deine Lügen sind geschickt genug, um jedem einzugehen», bestätigte der Wirt. Da er indessen nochmals aufgefordert wurde, zu laufen und Soldaten zu holen, kratzte er sich den Kopf und gestand seine Abneigung. Er wäre doch mehr dafür, daß sie selbst, ohne das Dazutun von Uneingeweihten, die Sache in Ordnung brächten. «Glaube mir, es ist bekömmlicher, wir schlachten ihn und salzen ihn ein. Nebenan in dem dunklen Gelaß steht ein außerordentlich großes Faß, darin wird er Platz haben, denn ein Mann wie er gibt viel Salzfleisch.»

«Ich bin deiner Ansicht», versetzte Chicot mit sachlichem Nachdruck. «Meine Vorliebe gehört dem Vierteilen. Das ist ein eingeführtes, ordentliches Verfahren, wohingegen das Einsalzen, soviel ich weiß, von der Religion mißbilligt wird.» Seine lange Übung verführte ihn, sogar diese Narrheit über die Religion von sich zu geben. «Könnte auch uns selbst mehr Nachteile einbringen, als unserm Kumpanen – der es mit seiner Dummheit wohl verdient hätte», so schloß er.

Die beiden beredeten diese Frage ausführlich, jeder blieb zwar bei seinem Standpunkt; aber zum Unterschied von dem Narren, der unbeirrbar bieder sprach, erregte es den Wirt, daß solch ein Vorrat an Gepökeltem verlorengehen sollte. Trotzdem erübrigte ihm nur, zu seufzen und nachzugeben. «Du bist hier der Stärkere. Den König hast du mit gestochen, auf das Lügen verstehst du dich. Erwarte mich mit den Soldaten.»

Der Wirt war fort, da rührte der Besinnungslose den Kopf, ließ ihn rückwärts, mit den haferblonden Haaren, über die Bank hängen und bekam Chicot überquer zu sehen. «Mein Kumpan», sagte er schwach. «Hier bin ich, mein Kumpan», antwortete Chicot, obwohl er erschrocken war. La Barre sagte: «Du hast den Wirt nach den Soldaten geschickt, jetzt hilf mir, daß wir von hier fortkommen. Haben wir doch zusammen den König erstochen.»

«Wie?» machte Chicot, starr vor Staunen. «Wir hätten den König gestochen?» La Barre aber: «Ich schlief wohl und habe geträumt. Mein guter Kumpan, befrei mich von dem Messer. Hab so viel Blut verloren, daß ich nicht mehr weiß, wie es zugegangen ist, als wir den König stachen.»

Sein Gedächtnis hatte ihn aber keineswegs verlassen, vielmehr erkannte Chicot an seinen Worten, ein wie tückischer Riese dies war. Den eigenen Narren des Königs würde er in seine Mordangelegenheit verstrickt haben, wäre die geringste Aussicht gewesen, daß er selbst dem Henker auskäme. «Ich hätte dich sollen einsalzen lassen», warf Chicot ihm kurz und bündig hin. Er ging in der Stube umher, während der Kerl ihm überquer mit den Augen folgte. Ein Kapitalverbrechen bleibt eine Gefahr für den, der darum gewußt hat. Oder er muß mehr, er muß alles herausbringen, damit er ein guter und glaubwürdiger Zeuge wird, der den anderen unter allgemeinem Beifall auf das Rad und an den Galgen schafft. ‹Wofür hält mein König Henri mich?› bedachte Chicot.

‹Für seinen treuen Narren? Für seinen gedungenen Meuchelmörder? Beides wäre möglich, und in Zeiten wie diese macht jeder sich leicht verdächtig. Ich muß vorbeugen, den Kerl hier ausfragen und selbst den Richter spielen, damit sie mich nicht richten.›

Dies einmal klargestellt und beschlossen, befreite der Narr Chicot den Soldaten La Barre von dem doppelt geschärften Messer, womit dieser den König Henri gern getroffen hätte; jetzt aber hatte es ihm selbst die Lende zerfetzt, und als es fortgenommen wurde, fiel ein ganzer Batzen Blut auf einmal zu Boden. Der Riese, wehleidig von Natur und nicht darin geübt, im Saft seines Leibes zu schwimmen, dachte nochmals von Sinnen zu kommen, Chicot erlaubte es ihm nicht. Er ohrfeigte ihn, bis es genug war, dann verband er die Wunden mit dem Hemd des Riesen, das er in verdünnten Essig tauchte, setzte ihn auf, gab ihm Wein zu trinken – nach dem allen verlangte er bündig, La Barre sollte seine Geschichte erzählen.

«Sie ist lang.» – «Mach's kurz!» – «Der Wirt kommt bald mit den Soldaten.» – «Wird sich besinnen stundenweise.» – «Worüber?» – «Daß sie ihm sagen: dem König ist in Wahrheit nichts geschehen.» – «Ist ihm denn nichts geschehen?» An dieser Stelle verlor Chicot die Geduld.

«Kerl! Hier hab ich dein Messer. Dir in die Nähe komm ich nicht. Du bist verbunden, der Wein gibt dir vielleicht mehr Kraft als nötig. Aber aus dieser sicheren Ecke werf ich nach dir das Messer. Dir in den nackten Hals – treffe dich, wie du den König, über das Volk hinweg, getroffen hättest. Denn so und nicht anders wolltest du ihn töten.»

«Du weißt zuviel», sagte La Barre. «Ich ergebe mich. Magst du denn alles hören.»

«Und daß du nicht lügst! Ich bin ein Beamter Seiner Majestät, und lügt dein Mund, vernehm ich doch dein Gedärm, das mir die Wahrheit zuruft.»

Infolge dieser Ankündigung wäre La Barre von der Bank gefallen, er erschrak ganz unverhältnismäßig, so daß Chicot sich selbst fragte: ‹Hab ich mich nun wie ein Richter ausgedrückt oder wie ein Narr?› Darüber vergaß er den Anfang des Verhörs, bis sein Patient unaufgefordert sagte: er heiße Peter Barrière, genannt La Barre.

«Und von Beruf bist du Königsmörder. Du hättest es in keinem anderen weiterbringen können, denn noch die fernsten Zeiten sollen von dir reden.»

«Das ist nicht mein Beruf.» Der Kerl wimmerte elend. «Daran haben alle anderen Schuld, nur ich nicht. Ich war ein Schiffer auf der Loire und mit zweiundzwanzig Jahren noch immer so unschuldig wie am Tage meiner Geburt zu Orléans.»

«Wer hat dir die Unschuld geraubt?»

«Ein Werber gab mir Handgeld, ich wurde Soldat der Königin von Navarra, verliebte mich aber in eine ihrer Frauen, es war mein Unglück.»

«Ich achte das Unglück», bestätigte Chicot ernst. «Zuerst sprechen wir indessen von Madame Marguerite von Valois, die du die Königin von Navarra nennst. Sie hat ihrem Gemahl, unserem König, nach dem Thron und Leben getrachtet, dafür wird sie in einem Schloß gefangengehalten, heuert aber deinesgleichen an, damit sie sich befreien und uns nochmals gefährlich werden kann. Auch mir, der ich ein Beamter Seiner Majestät bin! Da du dich in die Dienste der Dame von Valois begabst, hast du eigentlich einen Anschlag gegen meine Person unternommen.»

«Sprechen Sie nicht wie ein Narr?» brummte La Barre. Im Grunde fand Chicot dasselbe. ‹Sonst›, dachte er, ‹rede ich einfach wie ein Edelmann, aber man lacht, weil ich nun einmal den Titel des Narren führe. Hier soll ich feierlich sein und verlege mich auf Possen. Es ist ein Jammer um meine Natur.› La Barre rief ihn zur Ordnung. «Es kam nur alles von meiner unglücklichen Leidenschaft für die Dame, die auf nichts anderes bedacht war bei Tag und bei Nacht als auf lustige Unterhaltung der Gesellschaft. Lag ich ihr am Busen, dann konnte es niemals fehlen, daß wir in den Teich fielen, oder der Heuboden brach ein, oder in unserem Zimmer erschienen Geister. Es war aber der Hofstaat, der sich belustigen wollte, und dafür sorgte das Fräulein, das ich unglücklich liebte.»

«Endlich eine wahrhaft aufopfernde Treue», gab Chicot zu. «Darauf beschlossest du natürlich, den König zu töten.»

«Langsam», verlangte jener. «Es träumte mir. Die Frau Königin befahl mir, während ich schlief, daß ich ihren Gemahl, den König von Frankreich, in die andere Welt befördern möchte: dann würde sie mich in dieser mit meinem Mädchen in Ruhe lassen, sogar die Mitgift zahle sie.»

«Hat dir das nur geträumt? Denke nach, ob die Königin es dir nicht wirklich aufgetragen hat.» Chicot fragte tief eindringlich. Der Spaß war ihm vergangen.

La Barre antwortete: «Nicht sie: ich selbst trat bei ihr ein, als sie allein war, und teilte ihr meine Absicht mit. Da fing die Königin zu weinen an, wendete sich gegen die Wand, und in dieser Haltung beschwor sie mich, es nur ja zu lassen und mich davor zu hüten. Alsbald entfernte sie mich aus ihren Diensten, und ich zog vom Schloß ab.»

Chicot schwieg, ihm klopfte das Herz. ‹Wie könnt ich das dem König berichten. Seine eigene Frau hat den Mörder ausgeschickt, anstatt daß sie ihn festsetzte im untersten Verlies.›

Die innere Bewegung trieb ihn aus der Ecke hervor, er lief und fuchtelte mit dem spitzen Messer des Mörders. Sooft er an diesem vorbeikam, duckte La Barre sich, aber er beobachtete Chicot mit Augen, die blinzelten und funkelten. Chicot beachtete es nicht, ihn bestürmten die schrecklichen Dinge, die er jetzt wußte. Er hatte ein glaubhafter Zeuge werden wollen, war aber nunmehr ein gefährlicher. Plötzlich tat der Kerl einen Griff, nicht viel und er hätte das Messer erwischt. Chicot sprang rückwärts bis nahe der Tür des dunklen Gelasses. Er streckte den Arm aus und öffnete es. «Da hinein!» befahl er. Sofort verlegte der Kerl sich wieder auf das Winseln. Nur in die Finsternis nicht, nur in das Faß mit Salzfleisch nicht! Er habe noch vieles zu gestehen.

Da sein Richter unschlüssig schien, begann La Barre von einem Pater zu Lyon, der ihm zugeredet habe, den König zu töten. Derselbe habe ihm versprochen, nach vollbrachter Tat sollte er unsichtbar werden. Durch eben denselben sei er vor einen Großvikar des Erzbischofs gelangt, habe sein Herz erleichtert und nichts zur Antwort bekommen. Aber keine Antwort ist auch eine. Um so mehr, da noch ein Kapuziner ihn in seinem Vorhaben ermutigt und sogar ein angesehener italienischer Mönch ihm nach dem Munde geredet habe. Kurz, der Königsmörder hatte sich so zahlreichen Personen geistlichen Standes anvertraut, daß die halbe Lyoner Klerisei auf seinen Anschlag nur gewartet haben mochte. Dem Narren des Königs blieb davon der Mund offen; sollte sein Herr besonders viele Todfeinde in seiner guten Stadt Lyon haben? Indessen La Barre, einmal im Zuge und mit Geblinzel nach dem verhängnisvollen Gelaß, kam auf seine Pariser Reise zu sprechen: da schloß Chicot den Mund. Er war auf dem laufenden über die herzlichen Gesinnungen der Prediger von Paris gegen den König.

Unheilvoll hörte es sich an, weshalb ein bekannter Pfarrer die Mordtat gebilligt haben sollte: weil der König, ginge er zur Messe oder nicht, katholisch auf keinen Fall sein werde, und würde der Pfarrer dies niemals glauben. ‹Was jetzt?› dachte der Narr. ‹Da haben wir nun abgeschworen und hätten's lassen können. Sie stechen um jeden Preis.›

«Aber warum stachst du den König nicht, bevor ich dich abfaßte?» fragte er noch. Die Antwort war: daß ein geheimer Schauder den Mörder verhindert habe; er fühlte sich rückwärts gezogen, und der Strick, daran man zog, schien mitten um seinen Leib zu liegen. Chicot versank deswegen in Grübeln, ja, vergaß, wo er war. Hierüber wurde es in der Stube stiller und stiller, bis ein Geraune anfing. Chicot überhörte es; allmählich wurde es stärker, klang übrigens, als spräche jemand draußen vor dem verhangenen Fenster: «La Barre, hast du ihn?»

«Ich habe ihn nicht», sagte La Barre nach dem Fenster.

«Dann bekommen wir ihn.»

«Wie viele seid ihr?»

«Wir sind fünf.»

«Gute Kumpane, wieso seid ihr hier?» fragte La Barre wieder.

«Der Wirt hat lieber uns geholt als die Soldaten.»

La Barre sagte: «Wartet! Ich spreche mit dem Offizier, ob er sich ergibt und freiwillig das Messer herausrückt. Was meinen Sie dazu?» fragte er den überrumpelten Chicot – schon tat er einen drohenden Schritt. ‹Nur das Messer festhalten›, denkt Chicot – springt rückwärts in das Gelaß; noch ein Satz; aber bei dem dritten trifft er keinen Boden mehr, sondern stürzt in ein Loch.

Er erwartete fest, daß ihm Hören und Sehen verginge; aber solch ein Abgrund war dies nicht. Chicot kam sogleich hinten hoch, von einem Haufen Unrat allerdings, schwang aber sein Messer. Dann horchte er. Einzig die Stimme des Kerls Barrière, genannt La Barre, meldete sich und fragte ihn, ob er gut angekommen wäre. «Steigt nur herunter», antwortete Chicot. «Du und deine fünf Kumpane, hübsch einer nach dem anderen, damit ich jedem für sich den Kopf abschneide.»

«Hier ist nur mein einziger Kopf», sagte der Königsmörder, «den will ich ohne Verweilen in Sicherheit bringen. Meinen Kopf und meinen Bauch, mit dem ich reden kann, und haben fünf Kumpane aus meinem Bauch geredet. Mein Gedärm wird dir die Wahrheit verkünden, das hast du Quacksalber mir vorher weismachen wollen, und wahrhaftig erschrak ich. Jetzt hat die Rede meines Gedärmes dich in die Mistgrube versetzt. Bleib drin, gehab dich, ich laufe. Der Wirt läuft schon stundenlang, ich will ihn einholen und ihm ein ernstes Wort sagen wegen des Einsalzens.»

Fort war La Barre, zuerst seine Stimme, dann sein Schritt. Chicot trug in der tiefen Finsternis zusammen, was er fand, um über wacklige Stützen wieder zur Höhe zu gelangen. In der Stube aber fiel er auf die Bank, ließ den Kopf hängen und hatte keine Eile. Es wurde Nacht.

Das Bad

König Henri saß in dem Wasser, das Knechte und Mägde mit viel Laufen zusammengeholt hatten. Es wurde auf das Feuer gestellt und dann aus den Kesseln in die mittlere Vertiefung der Badstube gegossen. Diese war eng und niedrig, die eingesenkte Wanne mit Ziegeln ausgemauert, Stufen führten zu ihr hinein, auf der vorletzten ruhte der nackte König und ließ die Flut ihn umspülen. Sie wurde bewegt von seinem Ersten Kammerdiener Herrn d'Armagnac, er ruderte belaubte Zweige darin umher, verursachte auch Regen, wenn er sie auf seinen Herrn abtropfen ließ. Für eine so feuchte Tätigkeit hatte d'Armagnac sich großenteils entkleidet, er trug hauptsächlich einen Schurz. Henri sprach zu ihm die Übersetzung von Versen des Lateiners Martial, die zwischen diesen beiden üblich waren.

«Ein Sklave, gegürtet mit der Schürze aus schwarzem Fell, steht und bedient dich, wenn du warm badest.»

Der Erste Kammerdiener antwortete mit denselben Versen in der Ursprache, wobei es ihn wie den König jedesmal belustigte, daß keine männliche Person von dem Dichter gemeint war, sondern eine römische Dame war es, die ließ sich von dem Sklaven im Bad abreiben. Der dienende Edelmann erwartete wohl auch diesmal einen galanten Scherz des Herrn, wunderte sich indessen wenig, daß er ausblieb: der Herr war heute nacht recht träumerisch. Sehr die Frage, ob er nicht noch mehr als das war, in trüben Betrachtungen, ja, den etwa erhaltenen Vorzeichen hingegeben. D'Armagnac verhielt sich schweigsam, er ließ es vom Laube leise niederregnen auf Kopf und Brust des Herrn; aber endlich, da Henri sich ausstreckte und die geweißten Balken ansah, legte der Erste Kammerdiener die Zweige auf den Rand des Bades und trat zurück, so weit es ging. Der Raum um die eingesenkte Wanne war schmal, in der Ecke hier stand ein eiserner Dreifuß mit brennenden Kerzen, gegenüber, hinter dem König, auf dem Stuhl lagen seine Kleider. Vielmehr, ihre dichte Stickerei aus Gold hielt sie aufrecht; die Strumpfhose und das Wams saßen da wie ein Mensch ohne Kopf und ohne Hals.

‹Auch Freudenfeuer verbrennen die Haut›, dies besann Henri in seinem Bad.

‹Trauriges und böses Freudenfeuer, sie stoßen hinein, wen sie können, ich wär ihnen gerade recht. Sie sind unsicher, unsere Vereinigungen bleiben unverläßlich. Mit einer Messe ist nichts getan. Ich soll die Menschen immer neu erobern, nicht anders, als mir bisher schon bestimmt war. Bei dem Pfeiler in der Kirche hörte ich ein Wort sprechen und erschrak, denn es klang schrecklich und schlimm. Was tut Chicot? Das Wort ist wahr geworden, noch bevor es gesprochen worden war. Ein blinzelnder Riese hätte es gar zu gern wahr gemacht. Das Messer! Der Rechtsgelehrte hat gesagt: Jetzt ist er reif. Wo bleibt Chicot? Kann auch nicht helfen. Der Todessprung, ich hab ihn nun gewagt.›

Hiermit streckte Henri sich auf den Stufen aus, das Wasser zitterte, ihn überkam der Schlaf. Herr d'Armagnac wartete aufrecht und ohne Regung, bis die Entspannung seines alten Kampfgefährten ihm vollkommen schien. Er dachte: ‹Wir werden alt. Es hilft nichts, sich unentwegt zu stellen, obwohl dies die einzige erlaubte Haltung ist.› Der Erste Kammerdiener in seinem Lendenschurz verließ auf bloßen Sohlen die Badstube, schloß umsichtig die Tür und hielt Wache vor ihr. Von Zeit zu Zeit blickte er durch das Loch, ob drinnen etwas Neues vorgehe. Einmal legte er das Ohr daran; der Schlafende hatte hörbar gesagt: «Wo bleibt Chicot?»

Als aber der Gerufene wirklich auftauchte am Ende des Ganges, besetzte Herr d'Armagnac die Tür mit um so breiteren Beinen. Er fühlte schon von fern, daß die Erscheinung dem König in seinem Bad nur Unruhe verspräche. Beim Näherkommen des Edelmannes vermehrten sich die Gründe, ihn nicht hineinzulassen; Herr d'Armagnac verschränkte die Arme, er straffte sich wie in jungen Tagen. Chicot indessen sagte: «Fürchten Sie nichts, mein Herr. Ich will nicht eindringen.»

«Es verbietet sich, mein Herr. Sie stinken wie ein Bock und sind betrunken.»

«Der Bock sind Sie selbst, mein Herr, mit Ihrem Schurzfell und behaarten Schenkeln. Meinen Geruch angehend, verdanke ich ihn einer abscheulichen Mistgrube; ein Bauchredner veranlaßte mich, hinabzuspringen. Der Wein aber, den ich nach meiner Heraufkunft etwas hastig zu mir nahm, erklärt sich durchaus. Ich war niedergeschlagen durch ein schlecht verlaufenes Abenteuer und sah nicht, wie ich Seiner Majestät melden könnte, was ich erlebt hatte, außer allenfalls im Zustand des Rausches.»

«Sie werden nicht eintreten», wiederholte Herr d'Armagnac unerschüttert, aber nur zum Schein. In der Badstube hatte das Wasser geplätschert, der König war erwacht. Der andere Edelmann sprach mit ungedeckter metallener Stimme. Er war überaus nüchtern und berechnete genau, was für den König bestimmt, was dagegen zu verschweigen, abzuschwächen oder ahnen zu lassen war.

«Sire! würde ich sagen, wenn der König mich hören könnte», rief er höchst vernehmlich. «Sire! Ihr Mörder oder der Mann, der es werden wollte, war ein Soldat, der sich nie vorher etwas Böses gedacht hatte. Die Liebe ganz allein hat ihn auf Abwege geführt. Es scheint unerträglich zu sein, wenn der Liebhaber von dem geliebten Gegenstand fortwährend mißbraucht wird, um einen galanten Hof zu belustigen. Welcher galante Hof mag es gewesen sein?» fragte Chicot selbst, da kein anderer sich erkundigte. «Meine Geschichte spielt in dem Schloß der hochberühmten Dame, genannt die Königin von Navarra. Was mag dort nicht alles vorkommen!»

Er holte Atem. Drinnen das Wasser rauschte auf, als ob der Badende sich herumwarf. Aber einen Einwand oder Befehl erwartete Chicot vergebens. «Müßiggang ist aller Laster Anfang», erklärte er endlich. «Liebe und nichts als Liebe im ganzen Schloß: da tut sich ein armer Soldat hervor und macht sich wichtig. Den König will er töten. Natürlich hat die berühmte Dame von Navarra ihn in das tiefste Verlies gestoßen.»

«Heda! Lüg mal nicht!» kam es aus dem Badzimmer.

«Aber geweint hat sie» – Chicot sprach reumütig und betreten. «Sie hat sehr geweint, hat den Soldaten aus dem Schloß gejagt –»

«Und mir davon nichts melden lassen», seufzte Henri in seiner Wanne aus Ziegelstein.

«Wie konnte sie das wohl», klagte Chicot – erfand zwar, hielt aber für wahrscheinlich, was er beklagte. «Mönche, Pfarrer und Prälaten setzten ihr unbändig zu, ja, die arme Dame wurde selbst am Leben bedroht, bewacht und ihre Briefe abgefangen, so daß sie allerdings verstummen mußte, obwohl im Kämmerlein ihre Tränen flossen.» Hier entrang sich ein unvermutetes Schluchzen der Brust des Herrn d'Armagnac. Die Königin von Navarra, die der andere Edelmann erwähnte wie eine erdichtete Figur, für den Ersten Kammerdiener war sie die wirkliche Gefährtin aus alten Mordnächten, der durchlaufenen Schule des Unglücks, aus allen Mühen des Lebens, die er selbst mit seinem Herrn bestanden hatte in vielen Jahren. Dort hatte sie ein Gesicht getragen zwischen Glut der Sinne und hohem Stern, kam aus dem Bett, führte zum Thron und hieß Margot. Sie war vergöttlicht worden von einem ganzen Geschlecht, das ergeben gewesen war der menschlichen Schönheit, der Erkenntnis des Menschen – darunter dieser Edelmann, dem sie ihre unvergleichliche Hand gereicht hatte. Im Gedenken hieran schluchzte er nochmals und vermochte nicht mehr aufzuhören. ‹Unsere Margot›, dachte der Alternde, ‹haßt uns nunmehr bis in den Tod.› Unfähig, seine starke Bewegung zu unterdrücken, verließ er seinen Posten. Indes er abging mit seinem Schurz, würgten ihn seine gestauten Tränen, und unter herzbrechenden Lauten rang er nach Luft.

Hingegen blieb es im Badzimmer still. Dort sitzt einer, der leicht weint, und um so weniger sicher scheint er den meisten. Warum weint er diesmal nicht? Chicot nickte vor sich hin, sein sonderbarer Schopf nickte über seiner kahlen Stirn. Er hätte durch das Schlüsselloch sehen können, ließ es aber. Der drinnen ist allein, unbeobachtet, ein nackter Mensch dem Messer ausgesetzt, und eine unvergleichliche Hand, einst über alles geliebt, hat es nicht aufgehalten. Es ist eines der Messer aus der Menge, die um Freudenfeuer springt, die Rüstigsten auf einem Bein, und allen, allen hat er sich vereinigt. Hat um ihretwillen die schöne Messe gehört, den Todessprung gewagt. Soll es so sein! Soll es denn kommen! – denkt wohl einer, der in der Zelle sitzt. – «Chicot!»

Eine lange Weile war vergangen. Der Mann draußen horchte nicht mehr, er träumte. Da sein Name fiel, schrak er auf und stürzte in die Badstube. «Die Tür fest schließen!» befahl der nackte König. «Wie viele sind in den Anschlag verwickelt?» fragte er leise.

Chicot zählte sie genau her, auf Beschönigungen war er nicht mehr bedacht. In seinem harten Narrensinn lag der Weg des Mörders offen, und so erzählte er ihn. Blieb nichts übrig vom Königreich, was nicht eigentlich eine Mörderhöhle gewesen wäre, gleich der, woher er kam. Nun sind Mörderhöhlen spaßig, und sowohl über den Soldaten, der mit dem Bauch redet, und nach vollbrachter Tat hoffte er unsichtbar zu werden, wie auch über den Wirt kann man allenfalls lachen. Gleichwohl herrschte in dieser Badstube eine Spannung, die Gesichter erstarrten davon. Höchst komisch, nicht durch Absicht, sondern Berufsübung, wiederholte der Narr seinen Streit mit dem Wirt wegen des Einsalzens oder Räderns. Beide Gesichter erstarrten. Der Tölpel mit der zerfetzten Lende infolge unvorsichtiger Mordlust; das Bauchreden, die fünf Kumpane und das Mistloch: höchst komisch, aber erstarrte Gesichter. Der Tölpel ist flüchtig, tut nichts, über ihn ist entschieden. Er wird ein neues Messer beiderseits schleifen lassen, wird nochmals dem König aufpassen und wird gefangen werden, da man ihn jetzt kennt. Genug von ihm.

Chicot war fertig und schwieg mit dem König, der auch nur schweigen mochte. Plötzlich erhob er den Kopf. «Eins will ich wissen. La Barre ist mir niemals nahe genug gewesen, um mich zu stechen. Wie hätt er's denn gemacht?»

Schnell zog Chicot aus seiner Strumpfhose das Messer, zog es von derselben Stelle, wo vorher der Mörder es getragen hatte, und warf es – man sah nicht, wohin, so schnell ging das. Der König wendete den Kopf durch das Zimmer. Hinter ihm sein weißseidener Anzug saß im Stuhl, als wär's er selbst, nur ohne Hals, und wo der Hals gewesen wäre, stak in der Wand das Messer, eine Elle lang, genau in dem Hals, der nicht da war. «Gut gezielt», sagte Henri. «Hundert Taler dafür, wenn ich sie gerade hätte.» Nackt, wie er war, lachte er. Ja, sah nochmals nach dem Messer um und lachte laut. Chicot verzog aus Höflichkeit den Mund. ‹Ich bin Ihr Narr›, bedeutete dies. ‹Bei meinen Witzen bleib ich ernst.›

Bis es Henri einfiel zu sagen: «An dem Pfeiler in der Kirche stand noch ein anderer Mann, der redete heimlich zu seinem Nachbarn, aber ich hörte es. Er war mein Rechtsgelehrter und sprach: ‹Ach! Jetzt ist er verloren. Vorher war er nicht, was er seit heute ist: schlachtreif!›»

Über dies Wort – schlachtreif – brüllte Chicot, nicht bescheidener als eine Trompete, denn der Witz war nicht seiner. Auch Henri belustigte sich, aber gemäßigt. Er mußte, um guter Dinge zu bleiben, wiederholt das Messer betrachten, wie es genau dort stak, wo sein Hals hätte sein können, aber nicht war.

Fröhlicher Dienst

Die feierliche Handlung

Das heilige Öl, um einen König von Frankreich zu salben und zu weihen, wurde in Reims aufbewahrt; aber diese Stadt gehörte bis jetzt der Liga. Auch die Hauptstadt war noch immer in der Hand des Feindes. Dringend darauf bedacht, nach Paris hineinzugelangen, mußte Henri vorher durchaus gesalbt und gekrönt sein. Wenn er selbst diese Verpflichtung unterschätzt hätte, alle anderen hatten es mit ihr höchst wichtig; daher wurde nach einem heiligen Öl gesucht. Das Beste, das sich vorfand, war mit dem Andenken des heiligen Martin verbunden: dies entschied bei Henri. Er kannte von seinem Königreich, um das er lange gekämpft hatte, jeden Fußbreit, er wußte, weil er selbst gegen sie geritten war, in jeder Ortschaft ihren Schutzherrn: am häufigsten kam Martin vor. Gut, wir bleiben bei Martin – und statt Reims nehmen wir die Stadt Chartres mit ihrer allgemein verehrten Kathedrale. Kein guter Katholik wird die feierliche Handlung für gering ansehen, wenn die Kathedrale von Chartres ihr Schauplatz ist.

Nun erinnerte Henri sich wohl, daß schon in Saint-Denis, als er abschwor und den wahren Glauben annahm, allgemeiner Beifall geherrscht hatte, und es war viel Volk aus Paris, mit dem er sich festlich vereinigte, wonach allerdings ein Mörder auftrat. Vielmehr war der Mörder von vornherein zur Stelle gewesen; er unterschied sich nicht wesentlich von dem Volk, in dem er verborgen war und das dem König hingegeben schien mit Herz und Hand. Nein, Irrtum, man sticht, wie man singt und kniet. Die Gelegenheiten wechseln, der Geist der Menschen ist vielfach. Unsere Schuld, unsere große Schuld, daß wir die guten Leute, wie man sie nennt, nicht anhalten konnten, immer gut zu sein. Freudigkeit, Mäßigkeit und Milde wären der vernünftigen Wesen allein würdig. Das Reich soll erst erfunden werden, worin sie herrschen. Um so unerläßlicher sind die feierlichen Handlungen, da sie die Sittigung der Zuchtlosen begünstigen. ‹Wiederhol ich sie häufig›, dachte Henri, ‹vielleicht, daß endlich sogar meinen Mördern die Tränen der Sittigung in die Wimpern treten, obwohl dies ungewiß ist. Ich kann nur mit dem Beispiel vorangehen. Nicht töten, sondern leben helfen. Das wäre erst die Macht des Königs, wäre wahrhaftig die Macht› – erkannte er, nicht das erstemal, denn die Richtung war ihm mitgegeben, vermochte aber auch aus einem so gehobenen Anlaß seiner Erkenntnis der Macht nicht nachzuhängen bis an ihr fernes Ende: es gab zuviel zu tun.

Die feierliche Handlung von Chartres war von Grund her aufzubauen; alles fehlte, die handelnden Personen wie die Gegenstände, die in Händen gehalten werden sollten. Krone, Zepter und das übrige Zubehör, die Aufständischen hatten es, je nach seiner Beschaffenheit, eingeschmolzen, zerbrochen, zerrissen oder einfach geraubt. Die Würdenträger, die zufolge ihrem Amt die Berufenen gewesen wären, standen entweder auf seiten des Feindes oder befanden sich in seiner Gewalt, besonders die Bischöfe. Einige weltliche Herren entschuldigten sich, weil sie der königlichen Macht mißtrauten. Paris bleibt spanisch, wozu dann feierliche Handlungen. Zum Glück gibt es immer Getreue, die kurzweg die nächste Arbeit anfassen, wie zum Beispiel die Justizhand mit den beiden Eidesfingern, das heldenmäßige Schwert und die gewirkten Stoffe, groß genug, um die Mauern einer Kirche zu verkleiden. Das wurde in Eile angefertigt oder beschafft; andere Komparsen ersetzten die ausgebliebenen, mit ihnen wurde der Vorgang erprobt, damit keiner aus der Rolle fiele; und am Morgen der feierlichen Handlung standen zwei Edelleute um drei Uhr auf: die Kathedrale mußte fertig werden.

Der König hatte den ganzen vorigen Tag voll ausgefüllt, um Predigten zu hören, worin die Bedeutung der feierlichen Handlung ihm erklärt wurde; um zu beichten und zu beten. Am siebenundzwanzigsten Februar früh geleiteten ihn zu der feierlichen Handlung zwei Bischöfe und mehrere Große, unter denen er den Ersten vorstellte. Er trug eine Gewandung, die er nie für möglich gehalten hätte: ein umfänglicher Überwurf, Leinen versilbert, darunter ein langes Hemd, karminrote Seide. Sah aus wie eine Erscheinung jenseits der Zeiten, aber seine Damen hatten es so gewollt, seine liebe Schwester, seine treue Herrin, und dahinter eigentlich die Dame de Sourdis, da ihr Freund, der Kanzler de Cheverny, auf hohe Form hielt. Der Kanzler und mehrere andere Herren seines Ranges folgten dem König auf dem Fuß, darunter der Großstallmeister, Herzog von Bellegarde. Henri unterschied den Schritt seines alten Freundes Feuillemorte von denen der anderen, hätte sich gern umgewendet und ihm zugelacht; seine sonderbare Tracht, um nur sie zu erwähnen, verbot es ihm. Übrigens war er auch in dieser Kathedrale wieder den Blicken einer Menge ausgesetzt, Herolde und ein großer Pomp von sichtbaren Zeichen der Macht, sogar ein Connétable mit entblößtem Schwert, betraten vor ihm die Fliesen des Schiffes. Danach folgte er selbst ganz allein, mit einer Feierlichkeit, die niemand ganz verstand, am wenigsten er selbst, und zweifelte: ‹Ist sie großartig? Ist sie am Ende drollig?›

Die Herolde begannen Namen zu rufen, die altüberlieferten zwölf Namen, wie die Großen des Königreiches sie einst getragen hatten. Natürlich antwortete den Herolden kein Herzog von Aquitanien, weil es längst keinen mehr gab, und konnte nicht wohl zur Stelle sein, sonst hätte er ein vergessenes Maskenkostüm vorgeführt, wie Henri selbst. Sondern seinen guten Soissons, den Geliebten seiner Schwester, hörte Henri antworten, und des weiteren antwortete jeder, der hier war, für einen Abwesenden: der war entweder hundert Jahre tot oder er hatte sich von der feierlichen Handlung gedrückt. Da nun der Bischof von Chartres an Stelle des Erzbischofs von Reims den König salbte mit dem heiligen Öl, das aber nicht das echte war, kitzelte es den Gesalbten, und um nicht zu lachen, hustete er. Dies in der frömmsten Haltung, die Stirne hingeneigt; nur in seinem geheimen Sinn verständigte er sich mit der reizenden

Gabriele dort oben auf ihrer Galerie – oder glaubte doch, die reizende Gabriele sähe dem ganzen Aufwand mit ähnlichen Gefühlen zu, wie er selbst. ‹Bemerkst du wohl Feuillemorte, und weißt du noch, meine schöne Liebe, wie er unter dem Bett lag und ich warf ihm Süßigkeiten hinunter? Hier macht er den Feierlichen.›

Indessen, die reizende Gabriele kannte auf ihrer hohen Galerie im Mittelschiff keine einzige Erinnerung der Art und wurde davon nicht angewandelt. Ihr lieber Herr hatte wieder einmal alle gebotenen Schwüre abgelegt, besonders den gegen die Ketzer; jetzt setzte der Bischof ihm die Krone auf – wahrhaftig, die Krone, und ihr lieber Herr war gekrönt. Sie hätte es in ihrer tiefsten Seele nie geglaubt. Hör, Gabriele d'Estrées, wie sie rufen: Der König soll leben! Das Tedeum stimmen sie an um seinetwillen – und er war doch in anderer Gestalt der kleine Alte mit geschwärztem Gesicht, der sich zu Fuß nach Schloß Cœuvres geschlichen hatte und du sagtest ihm: Sire! Sire! Sind Sie häßlich. Hierauf hieltest du ihn lange zum besten, betrogst ihn fleißig, ließest dich erst allmählich gewinnen, da er an seinem reisenden Hof als der große Mann galt. Was war das schon für ein Hof, dessen Aufenthalt wechselte je nach dem Kriegsglück. Du mußtest dich geschickt verhalten zwischen Pastoren und Prälaten; deine Sache war die Bereicherung deiner Familie, Herr d'Estrées stahl und du schütztest ihn, Herr de Rosny wurde dein Feind infolge deines Familiensinnes. Du arbeitetest für die Bekehrung deines Ketzers, anfangs leis und heimlich, nach empfangenem Auftrag: da liebtest du noch immer den anderen und wärest beinahe fortgelaufen. Erst ganz am Ende, in einer Nacht der Tränen und unbegreiflichen Erscheinungen, entdecktest du, von wem du unter deinem Herzen das Kind trugest und wer im Ernst dein lieber Herr war. So ist es gekommen, reizende Gabriele, daß du oben im Schiff der Kirche vor Stolz und Freude bebst, ja, dein Blick erblindet durch übermäßige Seligkeit, da dein Herr die Krone empfängt.

Wie man irren kann. Henri hütete sich, zu seiner teuren Herrin hinaufzuspähen; er befürchtete, sie würde husten müssen wie er selbst infolge der Versuchung, zu lachen. Feierliche Handlungen gewinnen nicht durch Wiederholung, sofern einer das Falsche verspürt und der Komödie bewußt ist. Henri hat seinen ganzen Ernst verbraucht im Kampf um sein Gewissen, während seiner schwierigen Meditation und durch den Todessprung. Ist geschehen, wir fragen nicht mehr, wozu. Wenn es um der Macht willen wäre, die durchschauen wir, haben uns lange genug bis in ihre Nähe hinaufgearbeitet. Der Herold ruft einen Toten auf, es antwortet einer, der am Leben ist. Der Bischof, den man eben hat, erhebt die Ampulle, die von den erhältlichen noch die beste war. Alsdann senkt sich auf einen Kopf, der nicht glaubt, sondern zweifelt, die Krone: sollte ehrwürdig sein, kommt aber frisch aus der Werkstatt. Soweit die Macht, wie sie dargestellt aussieht. Ein Sonnenstrahl läßt das Schwert blitzen, der Marschall de Matignon hält es steil vor sich hin, es soll das Schwert des Connétable sein. Nun ist Matignon in Wirklichkeit kein Connétable, aber er macht galante Verse sowohl lateinisch als in der Volkssprache: wahrscheinlich hält er schon welche bereit, in dem Augenblick, als das furchtbare Schwert blitzt. Soweit diese Macht.

Henri indessen gedenkt einer anderen, die er im Herzen trägt, und Macht über die Herzen wäre sie eigentlich. Die feierliche Handlung mißfällt ihm; er sieht nicht, wie sie der Sittigung der Zuchtlosen dienen könnte. Allerdings fühlt er hier auch nicht die Gegenwart des Mörders – was erstens eine große Erleichterung ist; es könnte dennoch bedeuten, daß Salbung, Krönung und die Wucht des heutigen Vorganges seine Person für einige Zeit unverletzlich machen. Der Rechtsgelehrte hat mit seinem bitteren Wort zuletzt geirrt. Zweitens, da die Lebensgefahr sich von ihm entfernt, wird dieser König ernst, er bekommt den Ernst zurück, und der war vorher liegengeblieben in einem buckligen Wirtshaus, wo ein Narr agierte, oder auch in einer Badstube, beim Auftreten desselben Narren. Ganz anders, wenn der König seinen treuen Rosny betrachtet.

Während der Dauer der Zeremonie kehrte Henri immer wieder zu dem Gesicht des Barons zurück, und mehrmals erschrak er: der war der einzige Echte hier. Den hätten sie von der Front der Kathedrale herabnehmen können: er würde auch dort seinen Mann stehen, als Steinfigur mit einfachen, großen Zügen, und nichts bewegte sie. Der Protestant hörte den König die Vernichtung der Ketzer beschwören, sein Angesicht blieb fest. Er war zugegen, er wirkte mit und stand seinen Mann, indessen sein Inneres sprach: ‹Larifari.› Das sprach für ihn allein die kahle Schlichtheit des Hugenotten, es war seine Ansicht von der feierlichen Handlung. ‹Tand, Weiberfang, dem Herrn ein Greuel›, hätte die innere Stimme gerufen, wenn der Baron sie hätte etwas melden lassen. Der weltkluge Rosny verurteilte die störende Stimme, zu schweigen, und was er wirklich äußerte durch Gestalt und Miene, war treu und fest der Diener seines Königs. Henri, mit Männern ohnedies erfahren, kannte seinen Rosny; aber hier, inmitten der feierlichen Handlung, wurde ihm gewiß, daß er sein Mann für immer wäre.

Nicht lange danach berief er ihn in seinen Rat. Weiter besorgte Rosny es selbst, daß er der Herzog von Sully wurde, allmächtig in den Finanzen des Königreiches, Großmeister einer Artillerie, derengleichen nicht war gesehen worden, und praktisch der Arm des Königs – solange sein großer König da war, und keine Minute länger. Dem hat er sich verschrieben und seine Sache auf ihn gestellt, ungeachtet innerer Stimmen eines alten Hugenotten. So viel ich dir bin, so viel sollst du mir sein. Der Anfang eines Aufstieges, hier lag er, einbegriffen in eine feierliche Handlung, als Henri immer wieder zu dem Gesicht des Barons zurückkehrte, und mehrmals erschrak er. Denn er blickte in das Gesicht der Pflicht und des steinernen Ernstes trotz heimlichem Larifari. Henri dachte: ‹Ein mittlerer Mann, um nicht zu sagen eine Mittelmäßigkeit. Könnt er mein Beispiel sein!› So dachte Henri, weil Einfachheit ihm damals sehr zu wünschen schien. Sie ist aber das schwerste, außer, man wäre Rosny.

Der König verließ die Kathedrale königlicher als er gekommen war. Schritt und Haltung schienen seither erhaben geworden; die unwahrscheinliche Gewandung, er trug sie glaubhaft. Dank einem solchen Mittelpunkt wurde der Pomp des Aufzuges gewaltig, vergleichsweise war er vorher schlottrig gewesen. Die Menge Volkes schwieg am Wege, und sie kniete. Hierauf allerdings zog Henri sich zum Mittagessen um – wies Herrn d'Armagnac ab, als dieser ihm das Weißseidene hinhielt, er wollte bequem sein wie alltäglich. Im Festsaal saß er unter einem Baldachin, was seine Eßlust nicht verringerte; saß an seinem Tisch allein, überblickte rechts die Tafel der geistlichen, links die Tafel der weltlichen Herren, alle eifrig dabei, sich zu sättigen: darin waren sie wie er. Sie sollten nach der Annahme auch sonst seinesgleichen sein, er der Erste von ihnen, und alle zusammen das Königreich. Das war nicht seine Meinung; er hielt es für angemaßt und fand andererseits, daß es nicht genug wäre. Ließ wieder einmal die Tür öffnen und alles Volk herein. Er fürchtete kein Gedränge, nur die Herren beschwerten sich.

Bald stellte er die gute Laune wieder her. Den Edelleuten, die ihn bedienten, sagte er, Don Philipp, der Weltbeherrscher, habe sich die Krankheit geholt. War das ein Staunen über die Katholische Majestät, ihre sonderbare Verirrung nach so langer Enthaltsamkeit. Eine einzige Sünde, schon ist er bestraft. Wenn ein jeder galante König gleich hineinfallen wollte. Da wendeten alle, rechts und links, mit einem Ruck ihre ganzen Personen gegen den Tisch, der quer stand, nach dem König unter seinem Baldachin. Der König lachte, somit durften alle lachen. War das eine Belustigung über die Katholische Majestät von Spanien und ihr possenhaftes Mißgeschick. Manche der Herren nahmen die Geschichte für einen Witz, wenn auch für einen gewagten: diese jubelten am längsten. Es gab hohe Herren, geistliche besonders, die Augen gingen ihnen über und sie klatschten nach dem König hin in ihre erhobenen Hände, als Zeichen der Anerkennung. Unvergleichlich öfter, als der von Spanien, hat dieser König die Krankheit herausgefordert und sie dennoch nicht bekommen. Aber obendrein zerstört sie jetzt seinen Feind. So viel Glück verdient Beifall.

Mehrere wurden nachdenklich, ihnen verging das Lachen. Wer so viel Glück hat, ist zu fürchten. Ein Doppelspiel auf seine Kosten könnte schlimm ausgehen, und sofern einer, der hier mittafelt, zu den Spaniern in Paris noch Beziehungen unterhielte, wäre es für ihn Zeit, sie zu lösen. Die Spanier werden in Paris nicht bleiben, wenn ihr Herrscher sich angesteckt hat. Den Wink gibt das Glück: man beachte ihn. Jemand sagte laut, daß nicht nur der Weltbeherrscher, nein, sein Weltreich die Krankheit habe, infolge derer es faule und Glied für Glied von ihm abfalle. Dies wurde die ganzen Tische entlang wiederholt und äußerst lebhaft besprochen. Inzwischen waren schon vom Wein und den Speisen die Gesichter rot, die Stimmen stark geworden. Dieses Herrenessen hätte vermöge der spanischen Nachrichten das Ansehen eines Gelages angenommen, der König wünschte es abzubrechen: wer gewandt genug war, bemerkte es. Gewandt war der Kardinal Du Perron, derselbe, der für Henri das Kissen hingebreitet hatte, als er seinen falschen Glauben abschwur.

Du Perron reichte dem König die Fingerschale, verneigte sich und bat um die Erlaubnis, ein Lied zu singen – ungewöhnlich für einen Kirchenfürsten, daher horchte man auf. Der Kardinal sang dem König in das Ohr: es war nicht viel, es schien sehr zart, der König bekam feuchte Augen. An den oberen Enden der beiden Tafeln erlauschte man diese wenigen Worte: «Die Lippen sind Korallen, die Zähne Elfenbein. Verführerisches Doppelkinn!» Da nun der König weinte, begriffen zuerst die Näheren, dann die Ferneren, wem das Lied galt. Einer nach dem andern erhob sich, zuletzt standen alle stumm hingewendet und huldigten dem Glück des Königs, vorher hatten sie nur Beifall geklatscht.

Das Gleichnis seines Glückes hieß Gabriele: dessen wurden sie meistens gewahr, die Beschränktesten wenigstens infolge der guten Mahlzeit. Andere verglichen den Schatz, der sein war, mit der beklemmenden Nachricht aus Spanien. Vereinzelte dachten tiefer, sie erkannten diese Verwandlung des Unbeständigen, in seiner Treu und Festigkeit vermuteten sie den Beschluß, seßhaft zu sein und zu besitzen. Was er besitzen sollte in dieser Welt, konnte nicht wenig sein. Er war streitbar bis an den Rand der Größe. Der Streitbarkeit fehlt nur der Besitz, damit sie Größe heißt. Dies wenigstens ist die Meinung der Vernünftigen: der Vernünftigste von allen, Herr de Rosny, verband den Gedanken der Größe ganz unbedingt mit dem des Besitzes. Daher nahm er sich, entgegen seiner Natur und Bestimmung, hier dennoch vor, mit Madame de Liancourt seinen Frieden zu machen.

Eine starke Mahlzeit war abgeleistet, aber schon am frühen Abend stand eine zweite bevor, diese mit den Damen. Andere schliefen inzwischen oder ergingen sich in Gesprächen. Was Henri betrifft, er spielte Ball, mit schweren, langen Bällen aus Leder, anstrengend zu werfen für Leute mit gefülltem Magen, und wo sie aufschlagen, hinterlassen sie mindestens Beulen. Verheerend ist ein Treffer gegen den gefüllten Magen, weshalb einer der Herren alsbald den Rasen deckte und andere sich noch vorher besiegt gaben. Henri wollte durchaus weiterspielen, und da es ihm an Edelleuten fehlte, rief er Bürger, die zusahen. Wer von ihnen der Beste im Ballspiel wäre, fragte er, und zu ihrem Erstaunen benannte er sie gleich selbst, denn er schätzte ihre Körper ein. Die Auserwählten waren ein Fleischhauer, ein Faßbinder, zwei Bäcker und ein Gauch, dieser versehentlich unter die ehrsamen Leute geraten; im Ballspiel verdiente er nun einmal Ehren und Gewicht. Sonst will niemand viel gemein haben mit einem Seiltänzer, Gaukler und vorbehaltenen Henkerswild. Nur das Spiel macht alle gleich, und vorübergehend wurde vermöge seiner fachlichen Ausbildung etwas Ordentliches aus dem Gauch.

Der König warf mit seinen langen Bällen zuerst einen der Bäcker aus dem Spiel. Nahezu eine Stunde hielten die anderen aus, bis auf einmal Fleischhauer, Faßbinder und der zweite Bäcker genug hatten; alle drei machten kehrt und hinkten von dannen. «An uns!» sagte der König zu dem Gaukler – und von jetzt an schleuderten sie einander die Bälle zu, nicht wie Wurfgeschosse, sondern mit einer unnatürlichen Leichtigkeit, als zauberten sie. Flogen von Ort zu Ort wie Merkur, streckten nur die Hand aus, und ungebeten begaben die Bälle sich hinein, nicht einer, sondern drei, vier, fünf und schienen luftig wie Seifenblasen. Das war eine Augenweide und ungemeine Darbietung. Dichtes Volk stand angesammelt umher, weltliche wie geistliche Herren vergaßen ihre Verdauung, und alle sahen zu, wie der König wunderschön spielte mit dem Gauch.

Indessen gebärdeten diese beiden sich bedeutend geisterhafter als sie waren, was sich bald genug herausstellte. Man verwechselte die Wirklichkeit mit der Kunst. Sie schwitzen dennoch, und als ihnen das Wasser von der Stirn in die Augen lief, so daß jeder beinahe seinen Ball verfehlt hätte, da zogen sie, beide zur gleichen Zeit, ihr Wams aus – an einem Februartag gegen Abend, und man sah sie in Hemdsärmeln, den König und seinen Spielgefährten. Man sah noch etwas mehr. Der Seiltänzer und Gaukler trug ein gutes Hemd, aber dem König klaffte es im Rücken auseinander. War alt, mürbe, und der heftigen Bewegung hatte es nicht standgehalten.

Henri verstand noch nicht, was im Umkreis geraunt und gewispert wurde. Er hörte Murren, er unterschied Seufzer, aber endlich wagte jemand auszusprechen: «Sire! Ihr Hemd hat ein Loch.» Als es heraus war, ging die peinliche Überraschung sofort in Fröhlichkeit über. Zuerst lachte der König selbst, während er andererseits bemüht war, einen großen Zorn hervorzukehren. «D'Armagnac!» rief er, und da der Erste Kammerdiener sich meldete, fragte Henri: «Hab ich denn nicht sechs Hemden?»

«Ach», erwiderte d'Armagnac, «es sind noch drei.»

«Schlimm genug, daß man mich nackt laufen läßt. So sieht ein König aus, der den Städten ihre Abgabe erläßt und kauft sie zurück von den Gouverneuren der Liga, die sie mit Steuern platterdings erdrosselten. Den Bauern aber schenk ich ihre Höfe, nachdem ich sie einzeln erobert habe. Da langt es wohl für den Ornat zur Krönung, wenn auch für kein Hemd.»

Dies gesagt, ging er ohne weiteres ab – was im rechten Augenblick geschah, denn den Ton seiner Rede bewahrten alle im Ohr. Er hatte kühn und groß gesprochen. Das Loch im Hemd war zu einem Opfer an das Königreich geworden, es vermehrte den Ruhm des Königs. Ein wirklicher König. Alle sahen ihn in ihrem Geiste nochmals durch die Kathedrale schreiten, mit der unwahrscheinlichen Gewandung, die er glaubhaft trug – sie verglichen, und fanden sogar erhabener, wie er dort abging in seinem zerrissenen Hemd.

Henri legte seine besten Sachen an, denn das große Bankett, das folgen sollte, war mit den Damen, an ihrer Spitze als Gastgeberin seine treue Herrin Gabriele. Der große Saal des erzbischöflichen Palastes zu Chartres wurde von zahllosen Kerzen beleuchtet in Tönen aus warmem Gold. Bündel von Kerzen in glitzernden Kronleuchtern, vor Wandspiegeln und auf der Tafel umgaben die beglänzte Menge der Gäste mit einem Schein, der jedem schmeichelte und ihn hervorhob. Das ging so weit, daß unter den Frauen an dieser Tafel nur Schönheiten saßen, und Männer, die schon gelebt hatten, wurden angenehm verjüngt, frische Wangen und eine helle Stirn. Alle erhielten durch das gesammelte Kerzenlicht den Anschein des Adels und einer verschwenderischen Gesittung; sie selbst erkannten einander kaum wieder, solch ein ungewöhnlich gut beleuchteter Saal war dies. Auf die Tafel und sonst nichts hatte man allen

Glanz und Schimmer vereinigt, indessen außerhalb des geselligen Bezirkes die festen Formen alsbald aufgelöst wurden und ein ungewisses Weben, wie Nebel mit schwachem Mondlicht darin, bis unter der Decke schwamm.

Der König und Madame de Liancourt saßen einander gegenüber wie Hausherr und Hausfrau. Zu beiden Seiten Gabrieles waren Edelleute aneinander gereiht. Henri hatte zu seiner Linken Madame Catherine von Bourbon, seine liebe Schwester; es folgten die Prinzessinnen und Herzoginnen von Conti, Nemours, Rohan und Retz. Rechts von ihm kam als erste die Prinzessin von Condé, die Verwandte seines Hauses; ihr schlossen sich an die Damen von Nivernois und von Nevers. Diese Namen zählte er selbst im stillen her, denn es waren große Namen seines Königreiches, und ihre Trägerinnen befanden sich hier, als ob es sein müßte; er aber wußte, was es gekostet hatte. Noch immer hielt der Gatte der einen oder anderen zu seinen Feindinnen, wenn auch nur des Anscheins wegen, und befehligte zum Schein in Paris, während seine Frau schon mit dem König tafelte. Solch ein Tafeln geht nicht ohne vorherige Machenschaften, die weitläufiger sind als die längste Speisenfolge. Diese schöne Tafel steht am Ende von viel Schweiß, viel Nacht, viel Blut. Wüßte man auch nur, daß sie am Ende steht!

Dies bedachte Henri und zählte seine Nachbarinnen, deren jede teuer war, sie selbst konnten nicht bemessen, wie sehr. Zugleich unterhielt er sie munter, als säßen sie einfach hier, weil es sein müßte. Mehrmals fiel zwischen ihm und Madame de Liancourt ein Blick, der besagte: So weit wären wir. Der Blick gab zu verstehen: Es hätte anders kommen können. Der Blick bedeutete ihm und ihr: Ich danke dir. Ich liebe dich.

Henri sah seine Gabriele schöner als je zuvor, da er sie gleichzeitig mit Stolz und mit Rührung betrachtete. Die Pracht ihrer Kleidung wäre herausfordernd gewesen; den Damen wurde es schwer, von ihr das Auge zu lassen. Wie schmiegsam dieser Samt, welch eine unnennbare Farbe, Altgold, Herbstlaub, milder Sonnenschein, und die großen Ärmel spanischer Art. Wer sah schon einmal ein Kleid, das an Vollkommenheit dem Tag und dem Abend gleichkommt. Nun trägt die Freundin des Königs den Kopf auf einer zart gefältelten Halskrause, um so schneller wird ihr goldblondes Haar bestrahlt von einer Sonnenscheibe aus Diamanten und bricht davon selbst in herausfordernden Glanz aus. Gewiß, die Damen würden nur widerwillig bewundern, so sehr das Bild sie anzieht; sie wären innerlich aufgelehnt und nicht weit entfernt, zu wünschen, daß diese Sonne unterginge.

Aber Gabriele rührte sie. Ihr Zustand der Erwartung lieh ihr gerade heute ein Gesicht: nicht nur ihren Herrn ließ es erbeben in Güte und in Furcht. Es war so blaß, es war so schmal, kaum der flachste Streifen übrig von dem besungenen Doppelkinn, und durchsichtig die Haut, wie Perlen sind. Die Augen allein waren vergrößert, ihr armer Fieberglanz brachte in Vergessenheit und machte verzeihlich, daß ihr weißer Busen perlengleich schimmerte und daß auf ihm ein Gefunkel war von getriebenem Gold mit Rubinen und wirklichen Perlen. Die Edelleute zu ihren Seiten wurden leise, aber viel mitfühlender schlugen die Herzen der Damen, die über den Tisch geneigt der Schwangeren gute Worte gaben. Madame Catherine, die Schwester, paßte auf, wann die Hausfrau eine Weisung hätte erteilen müssen, und winkte die Schüsseln und Kannen herbei statt ihrer. Einer ihrer entfernteren Nachbarn, es war Herr de Rosny, sprang vom Stuhl und eilte, damit er vor dem Bedienten ankäme und einen Löffel aufhöbe: der unsicheren Hand Gabrieles war er entfallen.

Da das Fest sich dieser Art verwandelt hatte, und aus dem Bankett für den gekrönten König war eine Huldigung an seine teure Herrin geworden – Henri besann sich nicht lange, er verkündete laut, daß er bei dem Papst die Auflösung seiner Ehe betreiben wolle, um Madame de Liancourt zu heiraten. Das geistliche Gericht sollte diese wohl scheiden von einem Gatten, der selbst zugab, daß er einen Huftritt abbekommen hatte. Da gelacht wurde, nahm er es für die allgemeine Zustimmung – ging noch weiter und sagte, seine teure Herrin werde bald den Rang und Titel einer Marquise führen. Damit nicht genug, gegen die Frau Marquise erhob er sein Glas und sah sie an, so lange und ernst mit aufgerissenen Augen, gewölbten Brauen, daß jeder begriff: ihr Weg führt höher.

Die Erhöhung der reizenden Gabriele ist nicht beendet, eh daß sie nicht ihm zur Seite den Thron des Königreiches schmückt: Sie soll unsere Königin sein.

Die allgemeine Zustimmung bestand nicht. Er nahm sie auch nur an, solange er glücklich und gerührt war. Übrigens weiß jeder, wie sie sich eine Königin von Frankreich denken: sie darf vor allem keine von hier sein, man darf sie vorher nicht gekannt haben und durch sie nicht ausgestochen sein – wovon keineswegs die Damen allein sich getroffen fühlen. Herr de Rosny leistet von diesem ersten Augenblick an denselben gründlichen Widerstand, dessen Gabriele sich von allen anderen zu versehen haben wird, solange sie lebt und über den Krieg herrscht. Indessen, hier wird Gabriele von der Feindschaft noch verschont. Sie wird nicht immer leben, vielleicht übersteht sie das Kindbett nicht, ihr Aussehen verspricht wenig Gutes, es stimmt für sie milde. Vor allem kennt man den König und seine Heiratsversprechungen. Wenn er sie weiterhin stumm abgelegt hätte wie bis heute, wären sie allenfalls zu fürchten. Ausgesprochen, schon gebrochen. Genug, die schöne d'Estrées steckt in keiner guten Haut, weder so noch so.

Daher empfing Gabriele große Beweise des Mitgefühls und der Verehrung, als nach dem Beispiel des Königs auch die Gesellschaft vom Tisch aufstand. Henri führte die Prinzessinnen von Bourbon und Condé zu ihr: diese umarmten und küßten sie. Von allen anderen Frauen war keine, die, endlich vor ihr Angesicht gelangt, ihr nicht versichert hätte, daß es reizender wäre als je. Jede meinte es überdies redlich, sie empfanden weder Abneigung noch Neid, sondern die Verwandtschaft mit der Frau wegen ihres Zustandes; dazu die menschliche Verwandtschaft, weil der Versammlung zu ihren Ehren möglichenfalls ein unsichtbarer Gast beigesellt war, und seinetwegen erschauerten sie. Wer lobte nicht die prachtvolle Schönheit, die mit ihrer Dauer prunkt wie ein Kunstwerk. Vor der Schönheit, die verdächtig ist, im Bunde zu sein mit dem Tod, neigt man sich.

Zuletzt wurde die Tür geöffnet, dahinter war sogleich die Treppe. Einige der Edelleute nahmen von den Dienern die Halter mit den vielen Kerzen, beiderseits besetzte jeder eine Stufe. Dem gefeierten Paar voran gingen die Prinzessinnen des königlichen Hauses, mit Abstand folgten ihm die anderen Damen und Herren. Inmitten führte Henri seine Gabriele an schwebender Hand, ihnen wurde geleuchtet, sie stiegen. ‹Die feierliche Handlung!›, so fühlte Henri, jung und begnadet. Die feierliche Handlung erlitt einen Zwischenfall, aber eher war es eine Verstärkung. Ein Schwäche überkam die Leidende, ihr Liebster mußte sie umschlingen und ihr weiterhelfen. Man blieb hinter ihnen zurück, die letzten Lichter ließen sie unter sich, tauchten oberhalb in ein ungewisses Weben, wie Nebel mit schwachem Mondlicht darin, und entschwanden, als wären sie aufgelöst.

Die maskierte Dame

Paris war reif und überreif, den König einzulassen. Nicht einmal der Herzog von Feria, der drinnen noch immer befahl an Stelle der Katholischen Majestät, auch er konnte nicht glauben, daß eine spanische Partei nach wie vor da wäre. Höchstens war zu rechnen mit der Hartnäckigkeit einzelner Unbelehrbarer und der Angst einer größeren Zahl, die nicht hofften, ihnen könnte verziehen werden. Die Führer der Liga, mitsamt Mayenne, hatten sich selbst und ihr bewegliches Eigentum für alle Fälle in Sicherheit gebracht. Keiner der Sechzehn, die den Bezirken der Hauptstadt vorstanden, hatte versäumt, den König seiner heimlichen Treue zu versichern; jener Schneider war nur der erste gewesen, zu der Zeit, als die Feinde des Königs seinen hohen Richter aufhängten. Aus mit Greueln! Kanzelredner, die Greuel predigten, hatten beim Volk kein Glück mehr, eher liefen sie selbst Gefahr. Dies Volk war mittlerweile begeistert für Nachsicht und Verständigung – neigte sogar zu Gewalthandlungen, um seine Güte durchzusetzen. Daher kamen Aufstände vor; wurden wohl niedergeschlagen, aber mehr der Form wegen. Welcher Machthaber, der es zur Not noch ist, wird abdanken und verduften, solange er hierorts die Waffen hat – wenn auch nur die Waffen, und kaum noch die Armee. Der spanische Befehlshaber verfügte über viertausend Mann fremder Truppen, die hielten wenigstens die Wälle und die Tore.

Der König wird nicht einfach hineinkommen. Mit den viertausend wäre fertig zu werden – nicht aber mit der Güte des Volkes, das auf einen guten König wartet. Der König hat ihnen erlaubt, Vorräte zu holen von außerhalb und zu essen; wie dürfte er jetzt ihre Häuser beschießen und inmitten eines Gemetzels seine Hauptstadt überwältigen. Ihm ist es nicht erlaubt. Er muß gemäß seiner Volkstümlichkeit handeln und ist angehalten, die Macht zu ergreifen als der volkstümlichste Mann. Henri verbrachte hier mehrere Wochen mit der absichtsvollen Steigerung des Begriffes, den die Leute von seiner Umgänglichkeit hatten. Nihil est tam populare quam bonitas. Er verriet sich wieder einmal beim Jagen, was immer nützliche Gelegenheiten herbeiführt, kam nachts zwei Uhr ganz allein an ein Haus – nun, es war keine Räuberhöhle. Es gehörte einem seiner Finanzbeamten, was ihm nicht ganz verborgen war: er wußte in seinem Königreich Bescheid. Das Fräulein aber, das ihn empfing, erkannte ihn nicht; er sagte ihr einfach wer er war, aß einfach etwas Butter, streckte sich vor dem Kamin aus anstatt im Bett, und am Morgen wollte er vor allem andern die Messe hören: drei Meilen weit mußte der Priester geholt werden. Kann ein König so schlicht, ein gewesener Ketzer so gut bekehrt sein!

Manche wollten es nicht wahrhaben, zum Beispiel ein Schweinehändler, mit dem er zu Tische saß – hatte sich auch wieder verirrt. Die Leute an dieser ländlichen Wirtstafel merkten ihm nicht an, wer er war, oder vielleicht taten sie dumm; wenn ein König die List anwendet, der Bauer ist schlauer. Genug, der Schweinehändler getraute es sich und sagte ihm anzügliche Dinge, unter dem Vorwand, daß er ihn nicht kannte. Da blieb dem König nur übrig, es mit dem großen Auftreten zu schaffen. Er sah aus dem Fenster, gleich trabten einige seiner Herren heran und hielten: hatten den verirrten König gewiß gesucht. Die Dörfler aber: Ja, was denn gar! Der König wär's, dem wir die Wahrheit gesagt haben? Und er verträgt sie. Schlägt dem Schweinehändler auf die Schulter, gibt ihm eine gute Antwort, und nichts geschieht dem Mann.

Diese Dörfler sprachen hiernach untereinander von Paris, und daß die Stadtleute mit dem König keine Erfahrung hätten: sonst ließen sie ihn ein. Hilft doch alles nichts gegen den wendigen Mann.

Besonders eine maskierte Dame wurde hierüber von Henri selbst belehrt. Sie kam eigens aus Paris nach Saint-Denis, wo er wieder wohnte; sie berichtete ihm vertraulich, was drinnen zu seinen Diensten vorgehe: dies so leise, daß die Zuhörer nebenan bei geöffneter Tür kein Sterbenswort verstanden. Außer Leuten des Königs waren hier Gäste aus Paris wie zufällig heut eingetroffen. Nicht einer im benachbarten Zimmer ließ sich völlig täuschen über die maskierte Dame. Jeder fragte: «Das will eine wohlgesinnte Bürgersfrau sein? Erstens, was weiß sie dann viel, und weiter, der König, der das Messer fürchtet, spricht heimlich mit einer Person, die ihm sogar ihr Gesicht vorenthält? Höchst unwahrscheinlich, muß man sagen.» Jetzt ertönte aber die Stimme des Königs, und die hatte nichts Vertrauliches; sie sollte gehört werden, wenn möglich bis nach Paris hinein. Sein Auftrag an die maskierte Dame war, daß sie seinen guten Freunden drinnen zu wissen gäbe: er stehe hier mit starken Kräften und denke nicht zu weichen, bis er hineinkäme, und zwar ohne Gewalt. Daß sie nur dem Herzog von Mayenne nichts glaubten. Friedlich sei allein ihr rechtmäßiger König, und wolle sich den Frieden mit seiner Hauptstadt etwas kosten lassen. Er erinnerte die maskierte Dame an alle die anderen Städte, die ihm zu ihrem Glück das Tor geöffnet hatten. Zehn Jahre lang sollten seine Pariser ihm nichts zahlen – wie denn, adeln wollte er alle ihre städtischen Körperschaften; seine guten Freunde, die für ihn arbeiteten, sollten auf immer glücklich und zufrieden sein. «Wer mich verraten hat, den soll nur Gott richten.»

Dies alles trug er der maskierten Dame vor, als wäre nicht sie allein mit ihm in diesem Zimmer, sondern ein ganzes Volk, dem zu mißtrauen er sich weigerte, ob es ihm das wahre Gesicht zeigte oder nicht. Hiernach entließ er sie, ohne daß sie die Larve hinaufgeschoben hätte. Sie ging aus der Tür und in ihrem großen Mantel, der sie ganz verhüllte, zwischen den Herren hindurch. Diese folgten ihr, bis sie ihren Wagen bestieg. Zwei von ihnen blieben abseits, vermieden, in den Wagen zu spähen, verständigten sich auch mit keinem Blick. Der eine war Agrippa d'Aubigné, der andere ein Herr de Saint-Luc, in königlichen Diensten.

Währenddessen traf ein bestaubter Reiter ein, gerade überraschte er noch den Abgang der maskierten Dame, die das Vertrauen des Königs empfangen hatte. Der Mann mit dem Lederkoller meinte wohl, es gebühre auch ihm. Er machte keine Umstände. Inmitten des leeren Saales stand der König, nicht stolz, nicht hochgemut, sah zu Boden und hob den Kopf erst, als er die schweren Stiefel stampfen hörte.

«Pastor Damours!» sagte er. «Sie hätte ich erwarten müssen, genau in diesem Augenblick.»

«Sire! Ihnen soll geschehen, was Sie eigentlich wünschen. Zu Ihnen spricht eine harte Stimme aus alter Zeit.»

«Im rechten Augenblick», sagte Henri.

«Sire! Das seh ich wohl, da eine Person entwich und zeigte ihr Gesicht nicht. Nur Sie haben es gesehen, und wissen allein, ob es der Teufel war.»

«Mit ihm laß ich mich nicht ein. Lieber sterben. Lieber alle Macht verlieren.

Der Pastor schlug im Stehen auf seine beiden Knie, er lachte rauh. «Die Macht! Für die Macht haben Sie die Religion abgeschworen: was heißt da noch sterben. Für die Macht spielen Sie jetzt eine listige Komödie auf Schritt und Tritt. Von Ihren Schlauheiten reden die Leute, lachen manchmal in einer gewissen Art – ich wollte nicht, daß über mich die Rede und das Lachen umgingen.»

«Hab ich keinen Erfolg, Pastor?»

«Das ist es gerade. Sie fangen die Menschen ein. Ich möchte keinen Weißling so angeln.»

Auf einmal warf der Mann sich in die Brust, nahm den Hut ab, was er bisher versäumt hatte, und sang – wahrhaftig, begann zu singen, wie einst in der Schlacht.

«O Gott, so zeige Dich doch nur,
Und plötzlich wird sich keine Spur
Vom Feind mehr blicken lassen.»

Das dröhnte im Saal. Pastor Damours hob den rechten Arm, setzte auch den Fuß an. Nochmals in die Schlacht, nochmals den alten Hugenotten voran, ihre Toten marschieren bei ihnen mit, alle stimmen ein, der Psalm – der Psalm der Entscheidung steigt, der Feind erschrickt und wankt. Sieg der Gewissenskämpfer.

«Wenn er denn ab sein Lager bricht,
Vergehn vor Deinem Angesicht
Sie alle, die uns hassen.»

Das dröhnte im Saal. Der König winkte, da war es zu Ende. Der Pastor senkte nicht nur den Arm, das Kinn fiel ihm auf die Brust. Er hatte sich vergessen. Jetzt vergaß aber Henri die Gegenwart, diese beiden verstummten, sie versanken in den inneren Anblick ihrer vorigen Taten, die waren gerad und schlicht.

Dann nahm Henri die Hand des Mannes und sprach: «Ihr Haar und Bart sind weiß geworden, und sehen Sie meine an. Sie haben nicht nur Ihr hartes, haben ein Gesicht voll Gram. Jetzt zeig ich Ihnen meines offen. Ist es lustig? Dennoch, Ihnen gesteh ich's, ist die Machtergreifung stellenweis ein Jux.» Er wiederholte: «Ein Jux» – und schnell weiter: «Die Menschen verdienen, daß derart die Macht ergriffen wird. Die Macht will so ergriffen sein.»

«Und Sie sind dafür der Rechte», schloß der Alte. Der König erwiderte ihm sanftmütig: «Jeder handelt nach seinem Auftrag. Darum laß ich Sie ausreden, Pastor Damours.»

«Sie müssen den Zorn des Herrn wohl ausreden lassen», sagte der Alte heftig, ihm schwollen die Adern.

«Das muß ich.» Immer noch sanftmütig; aber es war Zeit für den anderen, seinen Ton zu ändern. Das tat er wirklich, sein Blut floß von den Schläfen ab.

«Dem armen Menschen Gabriel Damours verzeihe Eure Majestät, daß er vor Sie hintritt.»

Da breitete Henri beide Arme aus. «Ich kenn euch wieder. So will ich euch haben: der Zorn des Herrn allerwegen vor euch her, und unwandelbar euer treues Herz.»

Er wartete mit ausgebreiteten Armen. Es war der Augenblick für alle seine Protestanten. Die Vorwürfe können noch bereinigt werden, er will, daß es wahr sei. In Mißtrauen leben, alles erwogen schadet es den Königen mehr, als es ihnen dient. Wenn nur auch alte Freunde so dächten, nachdem sie verraten und ihres Vorranges verlustig sind. In die ausgebreiteten Arme stürzte sich niemand. Henri senkte sie, sprach aber noch dies: «Pastor, was ich tun muß, ist auch für euch getan. Ihr sollt euer Recht bekommen, wenn ich die Macht habe.»

«Sire! Verzeihen Sie dem armen Gabriel Damours: er glaubt Ihnen nicht.»

Henri seufzte. Er bat nachgiebig. «Dann hören Sie eine lustige Geschichte von der maskierten Dame. Die ist bestimmt wahr, denn Rühmens kann ich von ihr nicht machen.»

Aber der Pastor zog sich schon gegen die Tür zurück. «Was wollt ihr dann?» rief Henri dorthin. «Daß ich meine Hauptstadt mit Kanonen niederlege? Daß ich durch Gewalt alle zu der Religion bekehre? Krieg soll ich führen und unmenschlich handeln, solang ich lebe?»

«Sire! Verabschieden Sie den armen Gabriel Damours.»

Das klang nicht mehr nach Vorwurf noch Zorn des Herrn, bei weitem nicht. Wer dort hinten, mit viel Abstand zwischen ihm und dem König die Tür in der Hand hielt, schien kleiner geworden, und nicht allein durch Abstand, mehr durch den Verfall der Gestalt.

«Ich will Ihnen beichten, Gabriel Damours», sagte drüben der König.

«Sire! Nicht ich, einzig Ihr Gewissen soll die Wahrheit kennen.» Hart gesprochen, dabei schwach. Henri verstand es nur, weil er sich eigentlich dasselbe sagte. Er wendete das Gesicht weg. Als er wieder hinsah, war er allein.

Jetzt nahm er Stellung, in Front gegen die Wand, und durchdrang sich ganz mit der Wahrheit, daß dies der Abschied von seinen Protestanten gewesen war. Oh! Kein Abschied fürs Leben, er wollte ihnen schon zeigen, wie er's meinte, wer er geblieben war. Bei dem Stand der Dinge aber glaubte ihm keiner – die anderen nicht williger als dieser. ‹Und sei auf deiner Hut vor Verrätern!› so ermahnte Henri sich selbst. ‹Niemand eignet sich dafür wie die alten Freunde.› Er sah die Wand an und ging alle durch, wer ihn verraten würde. Merkwürdig, das Bild Mornays erschien, und seiner war er doch sicher. Mornay oder die Tugend – wird ihm weiterhin dienen in aller Pflicht und Gerechtigkeit. Verlang nur nicht, er sollte dich billigen bei deiner Machtergreifung und sollt um deinetwillen auch nur ein Quentchen weniger tugendhaft sein. Das kränkte den König sehr, da Verrat und Verräter ihm zu dieser Zeit bequem und sein Umgang waren. Er sah den sokratischen Kopf seines Mornay nicht gern erscheinen – wischte ihn weg und ließ einen anderen kommen.

«Kein Freund, wir sind allein bei dem witzigen und bitteren Geschäft der Machtergreifung. Aber Kumpane und Spießgesellen, die haben wir. Lassen uns maskierte Damen zuführen – nur gut, daß der Pastor nicht wissen wollte, wer die Maske war, der Streich soll immer verborgen bleiben. Wer dächte denn wohl, daß sie die eigene Tochter des Gouverneurs von Paris ist, und mit ihrem Vater bändele ich insgeheim. Was aus den Menschen wird, hab ihn früher für ehrlich gehalten. Mir gefällt die Tugend Mornays nicht. Ebensowenig gefällt mir, daß Brissac verrät. Schon sein Vorgänger hat sich mit mir verdächtig gemacht. Mayenne setzte ihn ab, ernannte den Grafen Brissac, eigens wegen seiner Einfalt. Wenn das Einfalt heißt, bin ich selbst nicht tiefer und geheimer als ein kleines Kind. Wahrhaftig, der Mann verführt mich, meine Hauptstadt mit Betrug zu nehmen: ich mag ihn nicht.»

Dies alles sprach Henri in die Wand hinein – war aber eher gewohnt, seine Sache im Umhergehen zu betrachten, schnelle lange Schritte und um die Stirn den Wind. An der Tür wurde gekratzt, was ihn erschreckte in seiner beklommenen Heimlichkeit. Dann traten zwei muntere Boten ein: unmöglich, ihnen anders zu begegnen, als sie selbst sich gaben. Der erste, sein guter Agrippa, war sichtlich geladen mit Neuigkeiten und nur schwer imstande, sie zurückzuhalten. Der junge Herr de Saint-Luc konnte warten; seine ausgeprägte Selbstzufriedenheit erlaubte es ihm. Er befleißigte sich der besten Formen, legte Anmut und sogar Schlichtheit in seine ganz ergebene Aufwartung vor dem König, worauf er Herrn d'Aubigné den Platz überließ.

«Wir haben uns verspätet», sagte Agrippa, «weil wir alle Zuhörer versorgen und beseitigen mußten: sie wären nach der Abreise der maskierten Dame nicht mehr von Nutzen gewesen.»

«Eher unerwünscht», bestätigte Henri. «Seit ihrer Abreise hatte ich einen anderen Besuch – ein kurz und guter Auftritt, aber nicht für dritte Personen bestimmt.»

Agrippa fragte mit keinem Wort nach dem Besuch. «Sire! Sie ahnen nicht, wer die Maske war.»

«Ihr hattet mir für ihre Unschädlichkeit gebürgt. Ich bin nicht neugierig.»

«Was würden Sie sagen, Sire, wenn jemand Ihnen erzählte, daß ich in Paris war?»

«Du? Unmöglich.»

«Wie ich hier stehe. Allerdings sah ich aus wie eine alte Bäuerin und gelangte auf einem Wagen mit Kohl durch das Tor.»

«Erstaunlich. Und du hast den Gouverneur gesehen?»

«Er hat mir auf dem Markt meine Zwiebeln abgekauft, Brissac wie er leibt und lebt. Dabei sind wir übereingekommen, zur größeren Sicherheit der königlichen Person und Sache sollte Madame de Saint-Luc, ja, die eigene Tochter des Gouverneurs Brissac sollte zu Ihnen herausfahren und Ihre Aufträge entgegennehmen. Ist das eine Überraschung?»

«Ich kann mich nicht fassen vor Staunen», sagte Henri, dem Brissac selbst die Ankunft der Madame de Saint-Luc gemeldet hatte. Denn jeder muß vor dem anderen immer noch ein Geheimnis behalten. Je verwickelter die Rolle, um so besser scheint sie ihm. ‹Totus mundus exercet histrionem, warum nicht auch ich. Meinem Agrippa würde die Eroberung von Paris keinen Spaß machen, hätte er nicht die Bäuerin spielen können. Die Schmerzen des armen Gabriel Damours, ihm fallen sie gar nicht ein vor lauter Theatersucht – und wer weiß, in welche Rolle der arme Gabriel Damours sich selbst versetzt hat. Sein Auftreten war biblisch.›

Dies nebenbei. Seine Gedanken hinderten Henri nicht, seinen alten Gefährten auszufragen, und zwar so kindlich genau, daß der junge Herr hinter Agrippa sich auf die Lippe biß, um nicht zu lachen. Vielmehr, er tat so, damit der König deutlich erkennen sollte: erstens, Herr de Saint-Luc ist dem Mann der älteren Generation weit überlegen, teilt aber mit dem König die zarte Absicht, ihn zu schonen. Henri sah das Gesichtsspiel des Herrn nicht gern; daher fragte er jetzt ihn: «Madame de Saint-Luc war trefflich vermummt, Sie selbst können sie nicht erkannt haben?»

Wenn der König erwartet hatte, der junge Herr würde seinerseits mit einer eitlen Klugheit glänzen wollen, oh, da irrte er.

«Sehr wohl, Sire», bestätigte Saint-Luc, «ich habe sie nicht erkannt.»

«Sie lügen», sagte Henri. «Sie lügen, um etwas vor uns –» mit Blick auf Agrippa – «voraus zu haben, und wär's nur die Bescheidenheit.»

«Sire! Sie sind Moralist.»

«Gerad heute», sagte Henri. «Darum will ich wissen, warum Herr de Brissac den Verräter macht. Nun? Sie kennen Ihren Schwiegervater wahrscheinlich von anderen Seiten als ich: er muß einige haben. Mir zeigte er ein einfaches Gesicht am vorigen Hof und sammelte Bilder. Ich war mit dem König, meinem Vorgänger, verbündet. Brissac hätte gleich mir bleiben können, wäre auch klug genug gewesen, richtig zu wählen. Mußte er zu den Spaniern übergehen, wenn es darauf hinauslaufen sollte, daß er sie jetzt betrügt und an mich verrät?»

«Eure Majestät ehrt mich absonderlich, da Sie mir Aufschlüsse geben, die, falsch angewendet, Ihrer Sache schaden könnten.»

Endlich eine kluge und freie Antwort, sie stimmte Henri bereitwilliger. Beiseite warf er hin: «Brissac kann nicht zurück, hat sich zu weit mit mir eingelassen.» Dann traf er den jungen Mann in die Augen und erwartete seine Erklärungen. Der räusperte, sah sich nach Hilfe um, gestand aber, es wäre nur ein Stuhl, den er benötigte. «Um nachzudenken, muß ich sitzen.»

«Ich muß umherlaufen. Aber nicht ich, Sie sollen nachdenken: setzen wir uns», bestimmte Henri.

Auch Agrippa ergriff einen Sitz, sehr erstaunt, was hier eigentlich ernst oder sogar feierlich genommen wurde. ‹Brissac? Unsoldatische Haltung, verschmitzte Einfalt, kauft der falschen Bäuerin ihr Gemüse ab, feilscht, geht weiter, kehrt um, und jedesmal fallen ein paar geheime Worte. Zum Lachen das alles, wenn überhaupt des Erwähnens wert.›

«Herr de Brissac ist ein ernster Fall für jeden Moralisten», behauptete dagegen der junge Saint-Luc, sowohl eifrig als selbstzufrieden, da er sich hier zuständig fühlte. «Als ich mich um seine Tochter bewarb, führte er das Fräulein ins Zimmer – maskiert, wie sie auch Ihnen erschienen ist. Ich erkannte trotzdem, daß nicht sie es war, sondern eine andere. Er glaubt, daß niemand wirklich unterscheidet, was er sieht: nur er, der Kenner von Bildern.»

«Der Ernst des Falles ist zugegeben», sagte Henri.

«Er hat unzählige Bilder studiert, nicht gerechnet die Bücher.»

«Er hält sich unsoldatisch», ergänzte Agrippa.

«Mehr als das.» Saint-Luc bewegte die Hände suchend, etwas Unsichtbares legte er auseinander. Dabei fiel auf, daß er einen seiner Handschuhe, den linken, anbehalten hatte.

«Herr de Brissac sammelte die schönen Gegenstände nicht einfach, um sie an die Wand zu hängen oder in Fächer zu stellen: er bereicherte unermüdlich seinen Geist um verschiedene Gestalten und Beleuchtungen. Er übt sie ein. Er lebt sie.»

«Bis von ihm selbst nichts mehr übrig ist.» Henri hatte begriffen. Saint-Luc ging noch weiter.

«Er macht nicht den Verräter. Sire! Er ist es durch Pflege und vermöge angelegentlicher Kunst.»

«Nennt er sich auch einen Humanisten?» fragte Agrippa d'Aubigné und fuhr vom Stuhl auf. «Wir unserseits waren es auf ehrliche Art. Ich dichtete meine Verse im Reiten und Dreinschlagen. Himmlische Gesichte hatte ich, wenn ich als rechter Erdenwurm mit nackten Füßen die Schanzen aufwarf für eine Schlacht des streitbaren Humanisten, dem ich diente.»

Henri sprach ins Leere: «Das ist die eine Art. Bliebe die andere, vielfältigere; sie macht ungewiß und nimmt dem Mann das Gesicht.» Zu Saint-Luc zurückgekehrt, lachte er kurz auf. «Soll sie gut sein, die Methode des Grafen Brissac, Bilder zu sammeln und die alten zu lesen, da sie ihn dahin bringt, mir mit viel Witz meine Hauptstadt auszuliefern. Hat der Spanier Feria ihn in keinem Verdacht?»

«Wie könnte er? Herr de Brissac selbst hat dem Herzog von Feria vorgeschlagen, mehrere Tore zu vermauern, behufs leichterer Verteidigung der Umfassung. Feria ist kein Soldat, er übersieht, daß von vermauerten Toren die Wachen abgezogen werden, so daß Eure Majestät gerade dort eindringen sollen. Es versteht sich, daß die Öffnungen in Wirklichkeit nur mit Erde gefüllt sein werden.»

«Das wird vor der Zeit aufkommen.»

«Wenn mein verschmitzter Schwiegervater nicht im Bunde wäre mit dem Vorsteher der Kaufmannschaft, den Schöffen und aller Welt. Es geht so weit, daß man fragt, wer noch betrogen wird, außer Feria, der sich beglückwünscht wegen der Einfalt seines Gouverneurs.»

«Wird jeder wissen, was er verdienen will bei dem Geschäft.»

«Herr de Brissac erwartet von der Gnade Eurer Majestät, daß Sie ihn zum Marschall von Frankreich machen.»

«Ein Jux», sagte Henri, zuerst mit ernster Miene. Er sagte das Wort nochmals, da ergriff ihn mit ungewohnter Kraft die widerwärtige Komik der Dinge. Ein Mann, der gekämpft hat alle seine Lebenstage: das war er selbst. Hat mit eigener Hand die Waffe geführt, bewahrt hat er mit eigenem Sinn die Festigkeit – alle seine Lebenstage. Um sein Gewissen und Königreich hat er gekämpft alle seine Lebenstage; wär alles umsonst, ohne den Bilderfex und Verräter aus Narrheit. Die Komik überfiel den König, aber er erstickte sie, obwohl er blau im Gesicht wurde. Das Gelächter, das er hätte anschlagen sollen, war ihm zu schlecht.

Er verließ seinen Sitz und trat vor ein Fenster. Saint-Luc wartete eine Minute, bevor er auf leisen Sohlen folgte, er verstand sich nun einmal auf die Bewegungen der Seelen. Er nahm die Freiheit, zu sprechen; damit er aber der Unterlegene wäre, sprach er schrecklich geziert und stieß mit der Zunge an. Der König verachtete ihn auch wirklich, nur freute es ihn nicht, wenn das der Zweck sein sollte. Er wiederholte, ohne den Kopf zu wenden, was ihm berichtet wurde: «Der gute Mann läßt seine Schärpe sticken, ich höre. Der Erzengel Gabriel, sehr sinnreich und passend, Gabriel auf weißer Seide. Die verehrt mir mein Marschall am Tage meines Einzuges – wer weiß, wann», schloß er, wegen der Unwahrscheinlichkeit einer solchen Inszenierung.

«Wir haben den vierzehnten. Es wird in einer Woche sein», lispelte Herr de Saint-Luc. Henri, es hören, er warf sich herum.

«Sie wissen mehr als Ihnen zukommt, außer, Sie hätten den Gouverneur gesehen. Waren Sie verkleidet in Paris?»

«Keineswegs. Indessen sind hier zur Verfügung Eurer Majestät aufgezeichnet alle Einzelheiten des Komplotts.»

Womit der Junge aus seinem Handschuh, dem linken, den er anbehalten hatte, ein Papier zog. Henri entriß es ihm. «Wer hat es Ihnen gegeben?»

«Brissac selbst.»

«Dann ist er hier.»

«Oder war hier – mit Erlaubnis des Herzogs von Feria übrigens. Er kam mit zwei Notaren, um dringende Familienangelegenheiten mit mir abzuhandeln. Ich verließ die Herren, sobald ich das Papier hatte.» Dies ohne die vorige Verlegenheit gesprochen, und ebensowenig wurde die Absicht, zu verblüffen, herausgehört. Ein junger Mann, der stets das Rechte trifft: kein Grund, sich länger mit ihm aufzuhalten.

«Mein Pferd!» rief Henri aus dem Fenster.

«Sire! Sie werden ihn nicht finden.»

Henri war schon draußen, saß im Sattel und jagte den Weg nach Paris. Bald schaukelte vor ihm her ein übermäßig großer Wagen, nahm die ganze Breite ein, nicht an ihm vorbei zu gelangen. Es blieb nur übrig, durch den Wald zu reiten und zwischen zwei Bäumen zu halten, bis das Gefährt schwerfällig näher kam. Vorn hatte es Fenster genug, daß Henri die Notare sah: ihrer waren drei. Schwarz gekleidet mit spitzen Hüten einer wie der andere, trockene Gesichter, alle schon alt und von den Anstrengungen der Reise ermüdet, so daß nicht einer von ihnen gesonnen schien, ungebetene Reiter zu beachten. Vielmehr schlossen sie die Augen, öffneten die Münder und waren um so weniger voneinander zu unterscheiden. Henri wollte rufen, ließ es gleichwohl, und so wäre der Spuk vorbeigeholpert. Im letzten Augenblick regte einer der drei Notare die Hand – kehrte die hohle Hand langsam, ganz langsam, hervor, bewegte sie nach der Nase dessen, der ihm gegenüber döste, und hasch, er hat die Fliege. Ei, die Freude auf dem einfältig verzwickten Gesicht.

Die Fliege gefangen von einer Nase weg, und der König, dem er seine Hauptstadt ausliefern wird, sieht zu. Jetzt wußte Henri genug, gerade darum ließ er den Wagen weiterziehen. Er bedachte ernstlich, ob der Mann bei Trost wäre.

‹Sie geben sich eine unfaßbare Mühe, um weder einfach noch vernünftig zu sein.› Dies beschäftigte ihn, als er im Schritt zurückritt. Nun hatte er wohl in seinem Gedächtnis ein gut Teil erkrankter Vernunft von Menschen gesammelt, angefangen bei der Bartholomäusnacht und immer so zu. Sein Amt war, eben dies zu ändern, und hätte nicht gewußt, weshalb sonst König sein. ‹Sie werden fortfahren, dir's schwer zu machen, Henri. Fliegen fangen, als Erkennungszeichen, und dir maskierte Damen schicken behufs geheimer Verständigung: du mußt mithalten.›

Die Machtergreifung

Alles geschah wie verabredet. Umsichtiger als Brissac konnte niemand sein. Er sagte den Spaniern, sie möchten ihm nur vertrauen und ganz still bleiben, damit die Verräter nichts merkten. Es gäbe Verräter in der Stadt, müßten sie wissen, und diese könnten leicht merken, daß Brissac vorhabe, sie zu fassen. So ließen die stolzen Spanier aus Nichtachtung dem Schicksal seinen Lauf.

Henri arbeitete seinem Mitspieler vorzüglich in die Hände. Allerdings hätte er ihn versehentlich gefangengenommen. Um vier Uhr morgens, den zweiundzwanzigsten, wurde Brissac schwach, weil von den Königlichen nichts zu sehen war. Es lag nur an einem dichten Nebel, und sobald Brissac die Umfassung verließ, traf er auf sie. Glücklicherweise befehligte an dieser Stelle sein Schwiegersohn, Herr de Saint-Luc, so kam kein Irrtum vor.

Die beiden verschlossenen Tore waren frei gemacht, und gerade begann das Geläute der Morgenglocken, da drang der König in seine Hauptstadt ein. Seine Edelleute konnten nicht mehr warten: in voller Bewaffnung nahmen sie springend die letzten Hindernisse. Er selbst stützte eine Hand in die Seite, trug den Kopf ein wenig schief und gab sich den Anschein, als käme er nach einigen Stunden von der Jagd zurück. Er war aber achtzehn Jahre fort gewesen.

Der erste, auf den er stieß, war ein Brissac mit Engelsgesicht. Eine solche Reinheit der Züge und der Gesinnung kommt nicht leicht vor, und Menschengesichter tragen sie selten eingeprägt. Das Knie gebeugt bis auf den schmutzigen Boden, die Augen hinaufgewendet, bot Brissac dem König eine weiße Schärpe dar. Der König legte ihm sogleich seine eigene über die Brust, umarmte ihn und nannte ihn «Herr Marschall».

Hierfür dankte Brissac ihm mit einem guten Rat: der war, doch lieber die Rüstung anzuziehen. Man kann nicht wissen. Es ist sehr hübsch, im einfachen Wams unter das Volk zu gehen, wie Seine Majestät, es wohl zu tun wünschte. Henri erschrak. Das Messer, er hatte es vergessen. Nein, Brissac meinte den Volksauflauf, das künstliche Gedränge und Gemenge, das in einer so großen Stadt leicht veranstaltet wird und gefährlich werden kann, auch ein König geht dabei verloren, er fällt in die Hand seiner Feinde.

Henri antwortete, daß sie ihn gewiß nicht fangen sollten. Das wär auch ihr Begehren nicht. «Vögel wie mich will niemand im Käfig haben.» Aber er fügte sich und betrat seine Hauptstadt gepanzert unter dem Mantel. Anstatt des Hutes mit dem schönen weißen Busch, der Frieden versprochen hätte, trug er den eisernen Helm. Dieser Aufzug dämpfte sein Hochgefühl, wenn nicht schon der Regen und die leeren Straßen es taten.

Niemand war draußen in der Morgenfrühe, wenige an den Fenstern; die königlichen Truppen, die sich geteilt hatten, zerstreuten unterwegs einige Spanier, machten dreißig Landsknechte nieder oder warfen sie ins Wasser: das war fast alles. Herrn de Saint-Luc und seiner Abteilung begegneten Bürger, die ein festes Gebäude verteidigen wollten; der König auf seinem Weg erfuhr nichts derart. Er schickte zum Herzog von Feria: der sollte wissen, daß er die Stadt zu verlassen habe, und damit gut. Ein zweiter Bote ging nach der Kirche Notre-Dame, zu melden, es käme der König.

Als die Pariser erwachten und aufstanden, wollten sie es nicht glauben, obwohl sie es von Haus zu Haus weitergaben: der König ist in der Stadt. Sie erschraken sehr. Ihr erster Gedanke war Brandschatzung und Gemetzel: dies, obwohl viele ihn in Saint-Denis, als er abschwur, oder auch bei seiner Krönung in Chartres von nahem angeblickt und sich ihm ergeben hatten mit Herz und Hand. Hilft nichts. Etwas anderes ist ein Festtag, unter Gepränge, etwas anderes dic Stunde des Siegers, die natürlich blutig sein wird.

Ihm lag dergleichen nicht im Sinn, und mit der Angst des Volkes rechnete er nicht. Der neue Marschall Brissac war es, er entsendete Gendarmen auf besonders hohen Pferden, und weittragende Stimmen mußten sie haben, um erstens Gnade und Verzeihung auszurufen, sodann aber, daß der König schon überall in der Stadt die Macht habe. Die Pariser sollten ruhig in ihren Häusern bleiben. Hierauf kamen sie im Gegenteil hervor, begrüßten die weißen Schärpen der Franzosen, die Trompeten des Königs, und ihn selbst trugen sie auf ihren Schultern in die Kathedrale.

Es läuteten alle Glocken von Notre-Dame, jede in ihrem eigenen Ton, nach dem man sie erkannte und benannte. Vor dem König einher gingen hundert französische Edelleute, so mußte es wohl der rechte König sein. Aber dieselbe alte Kirche hatte noch kürzlich Umzüge gesehen des Sinnes, daß die heilige Genoveva ihre Stadt Paris vor ihm bewahren möge. Dessen gedachten andere, der Erzpriester, der die verabredete Ansprache hielt, und der Kardinal, der unsichtbar blieb. Wer es alsbald vergessen hatte, war das Volk: nicht die einzelnen, die seine Menge bildeten; jeder für sich bewahrte im Gedächtnis manches. Das Volk aber, wie wenn nichts wäre, quoll ein, feierte, war beglückt und war fromm.

Der König mußte sprechen, er ließ auf sich beruhen, was nicht in den Augenblick gehörte; dennoch, sein Kopf war benommen. Vorher hatte er klarer gewußt, wie die Dinge verlaufen würden, und hatte den Vorgang in seinem Geiste heller angeschaut. Er antwortete dem Erzpriester: «Ich will mein Volk schützen und erleichtern, dafür geb ich mein Leben bis auf den letzten Tropfen Blut!» Beteuerte auch seinen katholischen Glauben, dessen nahm er zu Zeugen sowohl Gott als die Jungfrau. Aber sein Kopf blieb benommen. Er hatte das Gefühl, daß er nicht dabei wäre, und auch die anderen wären es nur zum Schein. Was wirklich vorging, war ihm zu wenig. Das kam, er hatte zu lange darauf gewartet.

‹Paris, ich habe Paris, man gibt zu, daß ich es habe. In jener Kapelle das Bild stellt mich selbst als Teufel dar. Ich sehe es, man bemerkt, daß ich es sehe, man räumt es fort.› Er kniete im Chor hin und hörte die Messe. Als er nachher draußen den gepflasterten Platz betrat, vergaß er eine Minute lang die Gegenwart und vor seinem inneren Blick erschien ein hölzernes Gerüst mit Teppichen behangen, es hatte an dieser selben Stelle gestanden in unvordenklichen Zeiten. Darauf war er getraut worden mit der Prinzessin von Valois.

Er erkannte, an der Front der Kirche gemessen, die Höhe des Gerüstes. Frei dargeboten mit der Blüte des Königreiches blickte er damals aus heiteren Lüften hernieder auf festliches Volk, als wäre ein leichtes Leben seines und könnt ihm nicht fehlen. Dann begann erst die Schule des Unglücks, er lernte die Blässe des Gedankens und wurde vertraut mit den Mühen des Lebens. ‹Jetzt – Paris. Und was besagte das jetzt? Daß ich mich mühen soll wie je, noch mehr erkennen, aus jedem Unglück ein Verdienst machen soll, und Paris – ich hab es zu erobern, so lang ich lebe.›

Die Minute, die er mit sich allein verbracht hatte auf dem Vorplatz von Notre-Dame, diese kurze Abwesenheit des Königs hatte genügt, damit seine Soldaten das Volk vertrieben bis an die entfernten Ränder der Straßen. Er erschrak, als er zurückkehrte. «Ich sehe wohl», sagte der König, «daß dies arme Volk tyrannisiert worden ist» – wodurch er bemüht war, seinen eigenen, langen Kampf nachträglich mit diesem Volk zu teilen. Er befahl, die Leute sollten ihm wieder nahe kommen dürfen. «Sie sind heißhungrig nach dem Anblick des Königs», meinte er und äußerte es, um geltend zu machen, was er für alle getan und erlitten hatte.

Er nahm sich wichtig, wie es unvermeidlich ist an solchen Tagen. Schon heute früh in der halbdunklen Straße hätte er sich bald an einem Soldaten vergriffen, nur weil der Soldat ein Brot fassen wollte ohne Bezahlung. Er kannte es nicht anders. Der König aber war in seinem Paris. Plündern, in seinem Paris! Nicht einmal den Bäcker hätte es gewundert. In dem Eckhaus stand ein Mann am Fenster, behielt den Hut oben und musterte den König frech. Er glaubte wohl, daß er nichts zu verlieren habe und wäre ohnedies auf einer schwarzen Liste. Die Leute des Königs wollten hin, ihn holen, der König verbot es ihnen, und man fand, daß er die ordentliche Übung verletzte.

Auf seinem Gang von Notre-Dame nach Schloß Louvre rührte den König jeder Hochruf; aber heimlich wehrte er sich gegen die unziemliche Harmlosigkeit der Rufer und wurde von ihr gereizt. Öffentlich maßen seine Schritte die Hauptstadt, die endlich in seiner Macht war – er wußte durchaus, daß er sie ihr beweisen mußte, und hätte im geringsten nicht zulassen dürfen, daß hier ein Häuflein und dort ein Häuflein einmal hochrief. Die tausendfache Zahl aber tat in der Küche und im Laden dasselbe wie sonst, und höchstens sagten sie zwischen dem Geschäft: «Gibt der König sehr an, weil er jetzt in Paris ist? Wird schon zur Ruhe kommen.»

In einer Landstadt namens Eauze tafelte, zu den unvordenklichen Zeiten, ein junger König von Navarra auf dem Marktplatz mit arm und reich, die mehr oder weniger erwartet hatten, er würde sie niedermachen, weil sie ihm das Tor nicht freiwillig geöffnet hatten. Indessen aß er mit ihnen. Durch ihn erfuhren sie eine Neuigkeit, mit Namen «Menschlichkeit», und erstaunten ungemein. Da wir lebenslang die gleichen sind, hätte Henri seine Hauptstadt, so groß sie war, auf einmal umarmen und auf beide Wangen küssen wollen. Zwischen Eauze und Paris stand nun auf der ganzen Strecke, durch die Jahrzehnte, eine doppelte Reihe Gepanzerter: das waren die Erfahrungen, und daher reizte den König jedes Hoch, obwohl es ihn rührte, hier zwischen Notre-Dame und Louvre. Im Grunde war er gefaßt auf Gewalttaten – die nicht ausblieben.

Ein Pfarrer, mit der Partisane bewaffnet, rief das Volk gegen ihn auf. Ein alter Totschläger, noch aus der Bartholomäusnacht, kam vor Tollheit zu Fall, wobei sein Holzbein und seine Flinte zerbrachen. Aus den Fenstern legten sie auf die Leute des Königs an. Auch dem Versuche, eine Barrikade zu bauen, wohnte Henri bei wie einem echten Stück Wirklichkeit und hätte anders zuletzt seinen Weg verloren. An den Anschlägen seiner Feinde erkannte er ihn und kam glücklich nach Schloß Louvre. Saß zu Tisch in der großen Galerie, das Mahl war bereit, alle Höflinge und Diener zur Stelle, das sah aus und begab sich, als hätte man ihn erwartet achtzehn Jahre lang. Er aß und ließ sich nichts kümmern, vermied es, umherzusehen; nur seinen Befehl wiederholte er: um drei Uhr hätten die Spanier abzuziehen, wenn ihnen ihr Leben lieb wäre.

Der Herzog von Feria, Statthalter der Katholischen Majestät, sah es noch immer nicht ein: bis jetzt hielt er Teile der äußeren Stadt. Henri ließ ihm harte Worte sagen, und Feria, kein Militär, fügte sich denn. Er gab etwas früher nach als der Pariser Anhang Philipps, die Bezieher seiner achtzigtausend Taler, die aber verausgabt waren, und auch der Glaube an den Weltbeherrscher ging zu Ende. Außerhalb des Mittelpunktes, der fest in der Hand des Königs war von Notre-Dame bis Louvre – draußen wälzte die ehemalige Liga ihre mäßig großen Trümmer. Das waren Wütende jeden Grades und Standes, sie schwangen Waffen, zeigten Gesichter – sollten eine Stunde später lächerlich erscheinen; hier aber waren sie noch fruchtbar und sogar achtungswürdig, da sie eine verlorene Sache über die Zeit hinaus behaupteten.

Was geschah? Eine Volksmenge, waffenlos, begegnete ihnen auf ihrem eigenen Gebiet. Es waren meistens Kinder, die riefen hell: «Es lebe der König!» Davon stockte ihr wütender Marsch. Den Kindern folgten berittene Herolde mit Trompeten: sie verkündeten Frieden und Vergebung. Nach diesen kamen richterliche Beamte; die waren es zuletzt, vor denen die Wütenden die Waffen streckten. Sie sahen sich um, fanden nichts mehr zu tun, da man ihnen entgegenkam wie anderen Menschen auch und die Hand darbot. Manche blieben stecken mit all ihrem Lebensgefühl, sie konnten ihre Gewohnheiten so schnell nicht beilegen; was wird auf einmal aus Wut, Gewalt und noch so hanebüchener Ansicht der Welt, wenn Kinder und Rechtsgelehrte zur rechten Zeit den Mut der Friedlichkeit sichtbar dartun. Mehrere Wütende verunglückten tödlich an dieser Stelle infolge ihres zu schnellen Übertrittes vom Wahnsinn zur Vernunft.

König Henri wünschte von allem, was heute geschah, und das war nicht wenig – nur eins wünschte er angelegentlich bis zum äußersten und wollte unbedingt dabei sein. Er erstieg das Tor Saint-Denis und trat an ein Fenster. Drei Uhr, sie kommen. Warum kommen die Spanier noch immer nicht! Das macht, sie setzen die Füße leise und tragen den Hut in der Hand. Niemand spricht, gesenkt sind alle Augen. Diese Sterblichen waren die stolzesten, und wenn nicht ihre Personen, ihr Reich hatten sie für unsterblich gehalten. Mochten sie schon Städte verloren haben, aus keiner waren sie bis jetzt abgezogen wie hier, ohne Kampf, einfach nur, weil ihre Zeit vorbei war, und waren aufgegeben von ihrem eigenen Herrn.

Der Regen schüttete auf sie herab. Sie beugten ihre Rücken nicht; auf Karren führten sie ihre Habe fort, die gering war, da sie nie gestohlen hatten. Ihre vielen Kinder trippelten ahnungsvoll mit, ihre Hunde ließen die Ohren hängen. Eine Frau auf dem Karren rief: «Zeigt mir den König!» Sah ihn lange an, erhob die Stimme und rief: «Guter König, großer König, ich bete zu Gott um dein Glück.» So stolz war die spanische Frau. Ein streng verschlossener Wagen trug den Legaten des Papstes fort. Der König winkte hinterher: hier begriff er selbst noch nicht, warum seine ironische Handbewegung steckenblieb. Der Herzog von Feria, ernst und hager, verließ seine Karosse, um den Formen, die dem Besiegten auferlegt sind, zu genügen. Er verneigte sich edel, bewegte die Beine steif abgemessen und war an Henri vorbei, eh der ein Wort fand. Spanische Soldaten schlossen den Wagen des Herzogs wieder ein. Der Rest der Truppen waren Neapolitaner, deutsche Landsknechte und Wallonen, ein verkürzter Auszug des Weltreiches. Die letzten Kompanieführer wendeten straff nach ihm die Köpfe, als der König ihnen noch auftrug: «Grüßt euren Herrn, aber kommt nicht wieder!» Leiser, zu seiner Umgebung sagte er: «Ich wünsch ihm gute Besserung.» Worüber gelacht wurde.

Henri bezwang seine Freude, sie wäre ausgeartet, er mißtraute sich. ‹Wenn unser Leben ein Ziel hat – wir wissen nicht welches, erreicht wird es nie. Gleichviel, wir stehen auf dem Tor, und die Spanier verduften.› Er fühlte mit großer Wonne seine feuchten Füße. ‹Die Spanier werden in sumpfigen Schuhen ihren weiten Weg machen. War wohl liebliches Wetter, als ihr heraufreistet von da unten, und nahmt mein Königreich und saßet in meiner Hauptstadt? Ich war ein Kind, da ich erstmals hörte, daß es Feinde gäbe, und meine wäret ihr. Seht meinen grauen Bart, ihr habt mir's schwer gemacht. Schwer nur, wenn ich es bedächte; aber ein braver Feind erhält mich unbedenklich und fröhlich das halbe Leben lang. Heute hab ich den Preis bekommen – für zehnmal mehr Arbeit als andere, aber ich hab ihn. Zieht weiter, gehabt euch, brave Feinde!›

Sein Blick verwirrte sich, beim Abstieg nahm er eine falsche Stufe. Im Louvre warteten Geschäfte, er sagte: «Ich bin vor Freude betrunken. Was redet ihr?» Lange lief er wortlos durch die Galerie, stockte plötzlich, stolzierte mit steifen Knien und senkte einen eingebildeten Hut. Ja, den edlen, traurigen Gruß des Herzogs von Feria zog er ins Lächerliche. Man erkannte und mißbilligte es. Er aber blieb den Rest des Tages dabei, daß er nicht wisse, wo er sei. «Herr Kanzler», sagte er zu dem Freunde der Dame de Sourdis, «soll ich glauben, daß ich dort bin, wo ich bin?»

Er kam zu sich, als einige hochgestellte Mitglieder der Liga es zu eilig hatten, ihm aufzuwarten. Er antwortete schroff und drehte den Rücken; man schloß vorschnell, daß jeder den Lohn haben werde, den er verdiente. Nun, die zornige Regung des Königs gehörte noch in den Abschnitt seiner ungebundenen Freude. Wenige Stunden später hatte Henri gewisse Unterwerfungen angenommen, die nicht ehrlich genannt sein konnten; die Stadtältesten brachten ihm Met und Lichte sowie die Versicherung ihrer Armut, worauf er wenigstens ihre Herzen rühmte. Vor allem schickte er Reiter dem Legaten des Papstes nach, damit er zurückkehrte. Was der Legat gewollt hätte, wär's auch ein Kniefall, von dem getreusten Sohn der Kirche konnte er jede Selbstverleugnung sämtlicher Gliedmaßen und das schlechthin Unglaubliche haben.

Der Priester in dem streng verschlossenen Wagen fuhr indessen weiter. Ob die jagenden Boten des Königs ihn ereilten, an diesem Abend wurde davon nichts gemeldet in Schloß Louvre. Das Schloß steht inmitten der Hauptstadt, heute hat der König die Macht ergriffen. Morgen werden der ganzen Welt die Ohren dröhnen, das Gesicht fliegt in diesen Nachtstunden auf allen ihren

Straßen; morgen ist das Gedächtnis der Lebenden von der Größe des Königs erfüllt, da der erlangte Preis seiner Mühen sie alle auffrischt. Nichts widerstände seinem Namen, er wäre auf Erden der meistgerühmte – aber unter dem fallenden Regen, die grundlosen Straßen hin, die alle nach Rom führten, bewegt sich, immer entfernter, ein streng verschlossener Wagen.

König Henri in seinem Louvre sah ihn vor Augen, klein wie ein Insekt, wenn auch deutlich gezeichnet. Und dieses kriechende Tierchen wird schneller sein als Fama, die geflügelt ist. Überall wird es schon zur Stelle sein, wenn der Name des Königs eintrifft. Sooft an den Höfen und bei den Völkern gesprochen wird: ‹Der König von Frankreich sitzt in seiner Hauptstadt, er hat die Macht ergriffen›, werden dieselben Stimmen entgegnen: ‹Rom verwirft ihn.› – ‹Dann wird nichts geschehen sein, und ich bin in Wahrheit nicht hier, wo ich bin.› Er sagte gewohnheitsmäßig zu eintreffenden Besuchern: «Ich freue mich unsinnig, weil ich bin, wo ich bin»; aber das war hingesprochen.

Die unwillkürliche Bewegung seiner Schulter zeigte immer mehreren, daß sie unerwünscht wären, und sie verschwanden nach und nach. Der König hätte nicht zu sagen gewußt, durch welchen Saal oder Kabinett seines Schlosses Louvre er gerade hin- und zurückirrte. Manchmal blieb er stehen, er griff sich an den Kopf, als fiele ihm etwas ganz Neues ein; war aber immer dasselbe. ‹Den Wagen hab ich durchgelassen und ihm noch nachgewinkt. Die Handbewegung blieb mir stecken: jetzt weiß ich erst warum.› – «Was bringt ihr?» rief er aufgeschreckt, da mehrere Unerwartete vor ihm standen – behielt auch recht mit seiner Eingebung, sie wären Unglücksraben. Sie erzählten, daß ein vorlauter Kapuziner totgeschlagen war in seinem Kloster, weil er den Mönchen geraten hatte, sie sollten den König anerkennen. Henri versuchte über eine solche Kleinigkeit die Achseln zu zucken.

Aber wie er es anstellte, ihm kamen Tränen. «Sehr schön von meinen Feinden», sagte er den Zuträgern wohl, «sehr schön, daß sie sich selbst auf das Rad liefern: so ersparen sie es mir.» Worauf auch diese Herren seiner Schulter ansahen, daß sie gehen mußten. Er rief einen Edelmann zurück und trug ihm auf, zu den Damen Guise und Montpensier zu eilen: sie waren seine Feindinnen, jetzt zitterten sie gewiß vor seiner Rache. Sie möchten getrost und seiner Freundschaft versichert sein, dies ließ er bestellen. Zuletzt blieb er so gut wie allein. «D'Armagnac, wohin sind alle die Leute?» Der Erste Kammerdiener kam aus einem verschwiegenen Winkel hervor, zuerst schritt er in alle Richtungen, fand auch bestätigt, daß niemand mehr da war. Dann äußerte er sich in längerer Rede – darum, weil er seinen Herrn schon längst beaufsichtigte; hatte es jederzeit getan und kannte auch den genauen Verlauf des heutigen Tages, an dem sein Herr die Macht ergriffen hatte.

«Sire! Alle die fremden Personen sind wieder gegangen und sogar Ihre Edelleute haben das Schloß geräumt aus mehreren Gründen, ich sehe davon drei. Zum ersten haben Sie niemand aufgehalten oder eingeladen zu bleiben, ganz im Gegenteil. Zweitens haben Sie sich heute sehr gefreut, in einer ungemeinen Art, die meisten halten mit Ihrer Freude nicht Schritt. Die Spanier, wohl. Es sind die einzigen, die Ihnen völlig gerecht werden, darum sind sie auch ins Weite gezogen, als rechte, ausgemachte Feinde Eurer Majestät. Die Hiergebliebenen dagegen dürfen Ihre Feinde nicht mehr vorstellen, das käme gegenwärtig ungelegen. Sie sind angehalten, augenblicks Ihre guten Freunde und Untertanen zu werden: nicht einfach aus Furcht vor Strafe, was denkbar wäre und der menschlichen Natur entspräche. Sondern straflos und dank Ihrer unbegreiflichen Milde, Sire, sollen lauter Verräter, Mörder, gewaltige Hetzer und Lügenmeister auf einmal klein beigeben und ihr Herz umkehren. Sire! Sie sind der erste, zu begreifen, daß keiner das will, gesetzt, er könnte es. Da haben Sie den zweiten der Gründe, weshalb diese Säle leer sind.»

«Und der dritte?» fragte Henri, da d'Armagnac aufhörte zu reden und sich zu schaffen machte. «Es gab doch drei?»

«Es gibt noch einen», wiederholte der Edelmann langsam, bis er Feuer geschlagen und einige Wachskerzen angezündet hatte. «Gut, daß Ihre ehrenwerten Stadtältesten die Lichte mitgebracht haben. Sire! Jetzt sehen Sie sich um. Sie haben den ganzen Tag noch nicht umhergeblickt in Ihrem Schloß Louvre.»

Das tat Henri und bemerkte endlich, daß alles ausgeräumt war. Hatte er nicht inmitten seiner verwirrten und mehrdeutigen Freude schon längst die Empfindung gehabt, als wäre er nicht wirklich, wo er war? Der Louvre – aber ausgeräumt: von solcher Beschaffenheit erwies sich sein Aufenthalt vermittels einiger Kerzen, die er selbst und Herr d'Armagnac durch hallende Galerien und die Treppen hinauf und hinab trugen. In dem Zimmer der alten Königin Katharina von Medici, genannt Madame Catherine, fiel sein erster Blick auf die Truhe, wo Margot, seine Margot, zu hocken pflegte, in große Lederbände vergraben. Alsbald erkannte er, daß die Truhe nur eine Vorspiegelung des Kerzenscheins und seiner Erinnerung gewesen war, und die Wirklichkeit war ein leerer Fleck.

Tot, wie die meisten einstigen Bewohner, waren ihre Gelasse. In dieses hier traten eines alten Tages zwei Schwarzgekleidete, breiteten auf den Tisch ein Blatt mit der Abbildung eines offenen Schädels, die Mutter des jungen Henri aber war soeben an Gift gestorben, und die Verdächtige saß ihm gegenüber. Kein Tisch mehr, und daher auch das übrige nicht. Die stärkste Vergangenheit verblaßt, wenn Tisch und Truhe fehlen. Indessen blicken wir in ein anderes Zimmer: dort tragen den hohen Kamin noch immer die steinernen Figuren des Mars und der Ceres, von einem Meister, Goujon genannt. Durch ihren Anblick kehrt wieder, was hier einst gespielt hat. Aus seiner geisterhaften Versenkung steigt hervor der Spieltisch mitsamt der unheimlichen Kartenpartie. Blut war damals unversiegbar unter den Karten hervorgeronnen, als ein Zeichen für die Spieler, die denn auch sämtlich dahingeschieden sind, und unauffindlich wie ihre Karten ist nunmehr ihr Blut.

Zwischen diesen Wandteppichen, die jetzt fehlen, ist Karl der Neunte schreiend einhergestapft, dieses Fenster, von seinen Behängen derzeit entkleidet, hat er zugeworfen, damit er das Mordgeschrei nicht hörte. Vor seiner Bartholomäusnacht flüchtete er in den Irrsinn. Er stellte sich tobsüchtig auf dem ganzen Gang durch das Schloß, der ein Gang durch die Unterwelt war. Leichen unabsehbar – ‹Freund und Feind, wo seid ihr? Wohin ist Margot geraten? Wenn die umgestürzten Sessel fort sind, und keine Stickerei, sie war gelb und veilchenfarben, bedeckt an dieser Stelle die beiden jungen Leichen, wie sie dort übereinander lagen – dann ist wohl alles nicht wahr gewesen? Keine Dekoration, keine Handlung, und die Geschichte wankt mit der ausgeräumten Stätte. Ich freue mich und kann nicht glauben, daß ich bin, wo ich bin› – die Formel lief in dem Kopf des Einsamen ab, während er, seine Lichtstümpfe vor sich her, langsamer, immer stiller wanderte oder genaugenommen die Wände hinschlich.

Kein einziger lebender Gefährte war zu dem alten Hof hinabgestiegen, genannt der Brunnenschacht des Louvre, damit er in den Küchen nach dem Gesinde aussähe und vielleicht ein Nachtessen fände. Von unten rief er von Zeit zu Zeit ermutigende Worte, da d'Armagnac von dem gegenwärtigen Zustand seines Herrn nichts Gutes hielt, und wünschte nur, er könnte ihm Wein mitbringen. Henri war tatsächlich nahe daran, Gesichte zu haben. In der großen Galerie verspürte er einen heftigen Luftzug. Fenster, die vorher nicht geöffnet waren, zeigten ihm in ihren bleichen Rahmen menschliche Schattenrisse: er unterschied Herren und Damen der vorigen Hofgesellschaft, sie drängten sich einer über den anderen nach der Sicht auf die Raben. Ein Schwarm der Vögel sank rauschend nieder in den Brunnenschacht des Louvre; Geruch, der ihnen wohlgefällig war, hatte sie versammelt, und bei eingetretener Dunkelheit machten sie sich an ihre Beute.

Die Erscheinung wurde zerstreut, da d'Armagnac heraufrief, er glaube weit hinten einen Spalt mit Licht gefunden zu haben. Irrte er sich aber, dann werde er Soldaten von der Torwache ausschicken, damit sein Herr nicht nüchtern bleiben müsse an einem Abend wie heute. «Nur ein wenig Geduld, Sire!» Nein, die Geduld war von den Seelenkräften des Herrn im Augenblick die unterste. Plötzlich fuhr er herum, schleichende Schritte nahten – unhörbar eigentlich, sogar für ein Gehör wie seines; aber ihn benachrichtigte ein Sinn: er glaubte, derselbe Sinn für die Wiederkehr, der ihm die vorige Hofgesellschaft gezeigt hatte. Nun müssen die Geister bestanden werden, als wären sie Lebende. Wer sie merken ließe, daß er sie für etwas anderes hält, gegen den würden sie ausarten. Er hob seinen Lichtstumpf sehr hoch und erwartete festen Fußes, was kommen wollte.

Es war eine gebückte Gestalt, nicht unähnlicher der des neuen Marschalls

Brissac; während der Dauer eines Schrittes beging Henri die Verwechslung. Aber gerade mit diesem Schritt trat die Gestalt in den schwachen Lichtschein und zeigte ein fremdes Gesicht, mehr als fremd, wahrscheinlich von hier überhaupt nicht mehr. Die Augen waren erloschen, der Umriß verschwamm, zwischen weißen Haaren lag ein anderes, gehaltloses Weiß: man hätte mit der Hand nicht hineinfassen dürfen, dann wäre alles weg gewesen. Was auch wieder schade gewesen wäre. «Ich heiße Olivier», sagte eine schattenhafte Stimme. Henri bemerkte, daß die Gestalt sich noch mehr krümmte und daß sie zweifellos Furcht hatte. Nun ist Furcht das letzte, was Geister jemals zu erkennen gegeben hätten. Wovor in der Tat sollten sie noch zittern. Die Gestalt, die sich Olivier genannt hatte, zitterte.

«Mach, daß du fortkommst», rief Henri, nicht so sehr aus Zorn, als um die Erscheinung zu prüfen. Sie antwortete dann wirklich: «Ich kann nicht. Ich bin in dieses Schloß gebannt.»

«Das tut mir leid», sagte Henri, schroff wie vorher, wenn auch in Ungewißheit wegen der Mächte, die jemanden in den ausgeräumten Louvre gebannt haben mochten. «Wie lange bist du schon hier?»

«Unendliche Zeiten», wurde gehaucht. «Die kurzen vergnügten Jahre des Lebens und dann die unendlichen der Vergeltung.»

«Drücke dich bestimmter aus», verlangte Henri, dem recht unheimlich wurde. «Soll durchaus etwas überbracht werden, dann will ich, daß es verständlich sei.»

Die Erscheinung Olivier tat hier einen Kniefall – zwar einen sachten und geräuschlosen; indessen war die Bewegung nun einmal nicht gespenstisch, das stand jetzt außer Frage; sondern ein elender Mensch sank in seiner körperlichen Haltung um eine Stufe tiefer, alsbald wimmerte er auch. «Sire!» wimmerte er. «Verschonen Sie mein armseliges Alter. Sie hätten nichts davon, daß Sie mich aufhängen ließen. Die Möbel kämen nicht zurück. Ich büße schwer und lange, daß ich ein ungetreuer Verwalter Ihres Louvre war.»

Henri hatte begriffen, das genügte, ihn zu befriedigen. «Du hast hier ausgeräumt», stellte er fest. «Gut. Du hast gestohlen, hast beiseite geschafft; das ist eine Tatsache, an die ich mich halten will. Fehlt nur noch die nähere Auskunft, wie es zuging, und besonders, warum man einen Falotten wie dich über dies Schloß der Könige von Frankreich setzen konnte.»

«Heute frag auch ich so», antwortete aus der Höhe seines Knies das Stück Ungemach. «Als ich indessen den Auftrag empfing, war man allseits einverstanden mit der Wahl eines würdigen Mannes, der seinen eigenen Besitz stets ordentlich verwaltet hatte. Niemand dachte anders, als daß er auch die Krone Frankreichs vor Schaden bewahren würde. Ich selbst hätte darauf geschworen. Sire! Ich war nichts weniger als ein Falott, habe nur leider erlebt, wie man es wird.»

«Das wäre?»

«Es sind mehrere Gründe.»

«Drei wahrscheinlich.»

«Wahrhaftig, drei, Sire! Woher wissen Sie?»

Der Mensch unterbrach sich, um besser zu wimmern. Worauf er flehend die Handflächen zeigte. «Ich kann nicht noch länger eine Fußspitze und ein Knie als Stütze meines Körpers gebrauchen, was eine künstliche Stellung ist, ich bin so gut wie verhungert. Jahrelang hat die Furcht vor dem Strick mich in dieses verlassene Schloß und seine tiefsten Keller gebannt. Meistens wage ich kein Licht zu brennen, mit Rücksicht auf einen sichtbaren Spalt, und nach einiger Nahrung schleiche ich nur des Nachts.» Zugleich machte er vor, wie er schlich: auf Händen und Füßen, es sah recht hündisch aus. Von dieser tiefsten Stufe her sagte er: «Als ich aber einstmals hier einzog, schritt ich gewaltig aufrecht, hatte hinter mir ein Regiment von Dienern, und Reichtümer ohnegleichen waren mir untertan. Auf diesem Geviert stand ein Tisch aus purem Gold, seine Füße prangten mit Zehen aus Rubinen. In diesem Gebreite die Teppiche zeigten mit fünftausend Perlen eingewirkt die Hochzeit des Samson und der Dalila sowie die Großtaten des Heliogabal.» Bei seinen Worten kroch der ehemalige Gebieter des Hauses nach den bewußten Stellen auf allen vieren, und zwar überraschend geläufig; es wurde anschaulich, daß er sich schon längst nicht anders fortbewegte.

«Genug!» befahl Henri. «Aufgestanden!» Eine weiße Mähne wurde am Boden geschüttelt wie die eines Pudels, aber der alte Geselle kam hoch, wenn auch schwankend. «Alter Geselle», sagte Henri und gebrauchte einen ermunternden Ton. «Vertrau mir deine Geheimnisse!»

Denn er hoffte, der Wahnsinnige hätte von den verschwundenen Schätzen dennoch einige untergebracht in Löchern und schwer zugänglichen Hintergründen des Louvre; Henri wurde erinnert, daß er mehrere Schlupfwinkel selbst entdecken mußte, zu der Zeit, als es hier für ihn um Tod und Leben ging. Der Wahnsinnige sprach indessen etwas anderes, völlig Unerwartetes. «Sire! Ich traf Sie im Dunkeln allein, als ich Ihrem Edelmann auswich, da er mein Licht schon gefunden hatte. Gewiß hatten Sie im Dunkeln alte Bekannte gesehen. Der vorige Hof war zurückgekehrt. Die Luft sättigte sich mit den Düften der Damen und Herren, beigemischt waren die Wohlgerüche der Küche, große Fackeln warfen rotes Licht auf die strotzende Pracht der Säle und Kabinette.»

«So weit ging es nicht», murmelte Henri, betroffen und vom Grauen nochmals berührt, wenn auch zu seinem Ärger.

«Für mich kam es dahin», sagte der alte Geselle, versuchte auch ein schwaches Gelächter. «Ich fühlte mich stets und ständig unter den wachsamen Augen von Unsichtbaren, die es nicht immer blieben. Ich mußte büßen, daß ich der Vergangenheit kundig und ein Humanist war. Damals hätte ich entweichen und mein Amt als Verwalter zurückgeben sollen. Was tat ich anstatt dessen? Ich gab Feste, ich tafelte großartig mit anderen Reichen meiner Gattung. Schmarotzer waren zugelassen, sofern sie die alte Hofgesellschaft glaubhaft genug darstellten. Besonders verfügte ich über schöne, kostbare Damen, lauter Juwelen von Damen, und verschlangen dann wirklich mein Vermögen.»

«Das war leicht vorauszusehen, alter Geselle», warf Henri ein.

«Wäre ich aber eine einzige Nacht allein im Schloß geblieben», flüsterte der Wahnsinnige, «die Unsichtbaren, die überall zugegen waren und plötzlich ein Gesicht hervorstreckten, hätten mir unzweifelhaft den Hals umgedreht.»

«Du vertrugst den Aufenthalt nicht», bemerkte Henri.

«Und zweitens?»

«Das zweite waren die Zeitläufte. Ganz Paris verfiel der Ausschweifung durch schwere Wirren, während Eure Majestät den Sieger machten in Ihren berühmten Schlachten, und gefiel es Ihnen gerade, belagerten Sie die Stadt und hungerten uns aus. Wer kein Geld mehr zu verschleudern hatte, vergoß Blut. Ich verschweige, ob nicht auch hierselbst, bei andauernden Orgien –»

«Genug!» befahl Henri noch einmal. «Weiter! Allmählich drängte es, daß du den Platz räumtest.»

Die armselige Gestalt bückte sich tief genug, daß die weißen Haare über das ganze Gesicht fielen. «Indessen war ich sowohl verzweifelt als hochmütig. Sire! Hören Sie von einem kundigen Humanisten, daß die Verzweiflung hochmütig macht und der Hochmut an die Verzweiflung grenzt. Ich wollte das Ende der begonnenen Dinge sehen, das war meine Versuchung; ich bin noch heute stolz auf sie, denn sie ist ausgegangen, wie es einem ehemals großen und mächtigen Mann gebührt, nachdem er seine Lust gebüßt und das Schloß der Könige von Frankreich ratzekahl ausgeräumt hat.»

Henri faßte zusammen. «Das erste war, daß du nicht hierher gehörtest, zum zweiten verübtest du, was zu deiner Zeit irgend üblich wurde, sogar die Menschenfresserei. Endlich maßtest du dir die Neugier auf den Tod an. Du sollst ihm jetzt begegnen.»

Hier ertönte die Stimme eines Lebendigen, es war Herr d'Armagnac. Er sprach von draußen, unter einem der Fenster, zu dem er halbwegs hinaufgeklettert war; nur mit den Augen reichte er bis herein. Hatte doch erforschen gewollt, mit wem sein Herr im Dunkeln verhandelte. Der letzte Lichtstumpf flackerte, auf den nackten Boden geklebt. D'Armagnac hatte vieles gehört. «Sire!» sagte er. «Werfen Sie mir den Falotten heraus, damit ihm das Seine besorgt wird.»

Die Gestalt, die sich anfangs Olivier genannt hatte, schien nachgerade von nichts Irdischem zu wissen, ausgenommen ihre eigenen, vertieften Angelegenheiten. Sie hatte die Worte des Königs so wenig wie den Zuruf seines Edelmannes beachtet. «Jetzt laufe ich wie ein Hund», hauchte sie, wie für sich allein, ließ sich tatsächlich auf die Hände und machte höchst geläufig eine Runde. Richtete sich auf, so weit ihr dies noch gegeben war, und beinahe mit der Kraft eines Menschen sagte die Gestalt: «Der Hund, das ist die unendliche Vergeltung, vorher waren die kurzen, vergnügten Jahres des Lebens. Unmittelbar vor dem Hund bewundere man gefälligst den Hauptkerl und Hahn im Korbe: hier steht er. Als ich nun die ehrwürdigen Reichtümer der Könige ausräumte und zu Geld machte, oh! wie meine teuren Damen es mir abnahmen. Wie sie stolz waren auf die ehrwürdige Herkunft meiner Mittel und mich dafür liebten, mit dem Herzen liebten.»

«Alle?» fragte Henri, voll widerwilliger Teilnahme.

«Alle. Und war ihrer eine stattliche Zahl, zweistellig, die zweite Ziffer das Vierfache der ersten.»

Was noch niemals geschehen, das weiße, unfeste Gesicht verlegte sich darauf, zu blinzeln, und unter dem Geblinzel erschien ein kleines Funkeln: Henri hatte es bei dem vorigen seiner Mörder bemerkt. Übrigens war er vorbereitet auf die Zahl, dieselbe, die ihm nachgesagt wurde in Anbetracht seiner Geliebten. Die und keine andere sollte alsbald aus dem Munde des Wahnsinnigen fallen; nein, dieser ist nicht wahnsinnig genug, daß er es versäumen möchte, den König selbst in seine Angelegenheiten zu ziehen, damit er sie beschönigt und in letzter Stunde rettet.

«Achtundzwanzig», hauchte der Hund und Haupthahn, falsche Prinz, Vampyr, ungetreue Vogt und gespenstische Falott. Da griff Henri ihn ohne alle Umstände am Kragen, setzte ihn aus dem Fenster und ließ ihn fallen. Herr d'Armagnac fing das Päckchen auf, trug es auch gleich an seinen Bestimmungsort. Sein vereinzelter Schritt entfernte sich.

Der letzte Lichtstumpf war herabgebrannt, zerlief, erlosch; der König aber, der heute die Macht ergriffen hatte, entbehrte an diesem Punkt noch mehr den Stuhl, der nicht da war. Es war ein strenger Tag gewesen, und die letzte seiner Stunden hielt Henri für die strengste. Die beendete Begegnung hatte ihm zugesetzt; sie war die dunkelste, sie war gewiß auch die sinnreichste. Oder fehlte ihr der gesunde Sinn, anzüglich blieb sie, und der Wahnsinnige, der sich, o wie anzüglich, einen Humanisten nennt, zieht nicht ganz umsonst den König in seine verfahrene Sache. ‹Schließlich habe ich eine Frau, die allein mehr kostet, als wenn die berühmte Zahl der Geliebten voll wäre. Ich besitze drei Hemden. Meine Hauptstadt habe ich für zehn Jahre von allen Steuern, Zins und Abgaben befreit, wodurch es mir nicht leichter gemacht ist, den Rest meines Königreiches zusammenzukaufen. Die Gewerbe zur Blüte bringen, anstatt des Krieges, der das wichtigste Geschäft war! Noch seh ich nicht, wie jeder meiner Untertanen, wär's dann und wann, ein Huhn im Topf haben sollte.›

Er trat unter das Fenster, das endlich, aus zerteiltem Gewölk, vom Licht des Mondes gestreift wurde. ‹Arbeit›, so besann er, ‹für mehr als einen Mann. Den zweiten weiß ich noch, der mit mir arbeiten wird, dann keinen rechten mehr. Dies Königreich verlangt alles auf einmal und muß als das erste des Abendlandes dastehen an meinem Todestag. Haltet euch gut, König Henri und sein treuer Diener Rosny, solange ihr da seid. Was kommt nach mir? Ich bin verheiratet und habe keinen Erben. Meine teure Herrin, gib mir den Sohn, damit ich im Besitz meines Königreiches bin.› – «Kann's nie besitzen ohne dich und deinen Leib.» Das letzte sprach er nicht mehr in sich hinein, er schickte es zum Mond hinauf, vertraulich, wie auch sein Licht war.

Von hier ab richtete der König, der heute die Macht ergriffen hatte, seine Gedanken an das Gestirn, worin aber nach seiner augenblicklichen Meinung die reizende Gabriele wohnte. Hatte er selbst sie doch einquartiert in einem gesittet schimmernden Palast nicht weit von hier: so nah erscheint nunmehr das sanfte Gestirn. ‹Kränze von Wachskerzen werden in Ihren Sälen leuchten zu dieser Frist, Madame. Ich stehe, lausch und atme Ihren Abglanz, Marquise.›

Bei einer Schwärmerei dieses Grades betraf ihn der Erste Kammerdiener, der sogleich Ordnung machte mit Eröffnungen greifbarer Art. Vor allem war es ihm gelungen, für den König ein Schlafzimmer aufzufinden, und er zeigte es ihm. Henri ließ hinter sich eine größere Anzahl von Treppen und Gängen, auf die er nicht achtete. Ihm war auch gleichgültig, was d'Armagnac draußen sonst noch besorgt hatte. Dieser begann selbst, während er seinem Herrn die Schuhe auszog.

«Der sogenannte Olivier liegt in Ketten und schwerer Verwahrung.»

«Verwahrt wäre er hier im Louvre schon längst gewesen», meinte Henri, der gähnte. D'Armagnac berichtigte nicht ohne Strenge: «Der Erste Präsident Ihres Parlamentes ist aus seinem Bett herbeigeeilt und hat ihn verhört. Der Delinquent ist geständig aller Verbrechen, sie bilden eine Liste, für die es mehrerer Schreiber bedarf. Bei Tagesanbruch wird ihm der Prozeß gemacht.»

«So eilig. Wo soll er hängen? Und was tust du mit meinen Schuhen, daß du nur immer zerrst?»

«Auf der Brücke zum Louvre soll er hängen, damit Paris mit Augen sieht: so straft der König. Sire! Ihre Schuhe werde ich aufschneiden müssen. Sie rühren sich nicht. Sind voll vom feuchten Schmutz der ganzen Stadt und festgesogen an Ihren Füßen.»

«Der dichteste Regen fiel, als die Spanier abzogen. Laß mir die Schuh an den Füßen, damit ich der Spanier im Schlaf gedenke. Das Urteil gegen Olivier unterschreib ich nicht.»

«Sire! Sie werden vom Volk nicht geliebt werden, es sei denn, daß der Hund, Hahn oder Falott, der Ihre Möbel verkauft hat, auf der Brücke des Louvre hängt.»

Unversehens schnitt d'Armagnac das verhärtete Leder auf, und als er die Füße seines Herrn befreit hatte, erwärmte er sie in seinen Händen. Hierbei erhob er das Gesicht zu ihm, und Henri bemerkte, daß dieser d'Armagnac nicht derselbe wie vor zwanzig Jahren war. Der hätte nicht gesagt: «Sire! Sie werden vom Volk nicht geliebt werden.» Wäre darum im geringsten nicht besorgt gewesen – erstens, weil er es nicht für fraglich gehalten hätte, und besonders, weil der kühne Fechter jener Zeiten den Fragen gemeinhin nicht nachhing. Er traf pünktlich ein, wenn sein Herr in leibliche Verlegenheiten geriet, und den Herzog von Guise, einen vergötterten Liebling des Volkes, hätte d'Armagnac haargenau in zwei Teile gespalten, wie er nach seinem gelungenen Dazwischentreten bekanntgab in großartiger Rede; der Herzog erbleichte nachträglich.

«Alter Freund», sagte Henri besorgt. «Was wird aus dir?»

Das Gesicht des Edelmannes zeigte eine Sanftmut, sie ging bis zur Zaghaftigkeit.

«Früher hättest du meine Volkstümlichkeit nicht von der Errichtung eines Galgens abhängig gemacht.» – ‹Er wird alt›, meinte der Herr, ohne daß er es aussprach. ‹Das Selbstvertrauen soll dann abnehmen›, dachte er.

«Erkennen Sie dies Zimmer wieder?» fragte d'Armagnac plötzlich. Überrascht sah Henri sich um. Eine Kammer von gewöhnlichen Maßen, das kärgliche Lager aus Latten mit Stroh: nur sonderbar, daß oberhalb, an der schadhaften Decke, die Überreste eines Himmels hingen. Hatten durch die langen Jahrzehnte gehaftet und gehalten über der Stelle, wo einst der junge König von Navarra mit seiner Frau im Ehebett lag, seine vierzig Edelleute um das Bett her; hatte es aber zu früh verlassen. Noch war die Nacht, die eine Mordnacht sein sollte bis in den hellen Tag.

«Warum bin ich hier?» fragte der König, der heute die Macht ergriffen hatte. «Ich will davon nichts wissen. Hängt euren Dieb auf der Brücke, damit meine Hauptstadt sieht: die Gespenster sind ausgetrieben. Mir soll keines mehr begegnen. Ich will im Louvre wohnen wie in einem neuen Schloß, kein Wort von dem alten, nie wieder die Erinnerung. Hab auch ein neues Volk, das vom gewesenen schweigt, wie ich selbst, unverbrüchlich. Ich will arbeiten mit meinem neuen Volk. Das Gespenst hängt, und weg damit. Mein Volk wird mich lieben, weil ich mit ihm arbeite.»

Zwei Arbeiter

Ein sonderbares Paar besuchte diesen Morgen die Werkstatt des Gerbers Gérôme, ein offenes Gewölbe zwischen Straße und Hof in sehr verkehrsreicher Gegend. Der kleinere Mann war der König, der länger gewachsene sein treuer Diener, Rosny genannt: so viel erfuhr die Straße gleich bei ihrem Auftreten. Einige Soldaten räumten die Mitte und riefen: «Platz! Der König!»

Das Drollige begann, als der König den alten Handwerker fragte: «Guter Mann, wie ist es? Kannst du einen Gesellen brauchen?» Der Gerber in seiner Überraschung sagte ja, und schon stand der König in Hemdsärmeln, die er bis zu den Schultern aufrollte; dergestalt machte er sich frischweg an das Geschäft, wie er es dem Meister abgesehen hatte. Dabei beging er Fehler, besonders ließ er das Leder fortschwimmen in dem Abfluß, der durch den Hof und bis in ein Loch lief. In das Loch waren mehrere Stücke Leder gestürzt, bevor der alte Gerber den Schaden bemerkte. Zuerst besann er sich, ob der Vorfall ehrfürchtig in Anbetracht der königlichen Person oder im Gegenteil nach Art des Meisters zu behandeln wäre. Dann entschloß er sich tatsächlich als Meister, nicht als Untertan vorzugehen, und kurzum, der Schaden müßte ihm ersetzt werden.

Im Eingang drängten Zuschauer. Der tüchtige Geschäftsmann dachte nicht anders, als daß er zum wenigsten so viele Goldstücke aus dem König herausholen werde, als Häute in das Loch geschwemmt waren. Mußte aber entdecken, daß jemand hier ihm überlegen in Geldsachen war: der Edelmann und ansehnliche Diener. Dieser Herr de Rosny drückte den Preis hartnäckig, bis er dem Wert der Ware beiläufig gleichkam. Der erstaunte Gerber kratzte sich den Kopf, während die Leute von der Straße ihn auslachten. Der König, der so lange wortlos zugefaßt hatte, winkte, damit es still würde, und nahm das Wort, wobei er sich reinigte und anzog.

«Gute Leute, ich habe mich hier in einem Handwerk versucht und will zugeben: viel war es nicht mit meiner Arbeit, aller Anfang ist schwer; übrigens solltet ihr von mir nicht sehen, wie Leder in bewährter Weise hergestellt wird. Vielmehr wollte ich euch vor Augen führen, warum unser heimisches Leder, einstmals in Europa hochgeschätzt, jetzt nicht mehr verlangt wird. Das rührt daher, daß nach dem ewigen Brüderkrieg mit seiner Unordnung und Arbeitslosigkeit nur noch so schlechte Gerbergesellen vorkommen, wie ich selbst einer bin. Mein Meister Gérôme stellt keine mehr ein, sie ließen ihm nur die Felle fortschwimmen. Stimmt es, Meister?»

«Sire! Ihre Rede ist Gold», sagte der Mann, denn er hatte überlegt, daß nunmehr zur Ehrfurcht überzugehen wäre. «Woher mag ein Herr wie Sie diese gemeinen Dinge wissen?»

Henri kannte sie durch seinen guten Diener, der sie herausgefunden hatte, niemand ahnte, wie. Die Begabung des Soldaten Rosny für alles Wirtschaftliche war ungemein; sein König hatte beschlossen, sie nützlich zu verwenden; daher die Besuche des sonderbaren Paares in den verkehrsreichen Straßen. Unvermerkt streifte der König seinen Diener mit einem Zwinkern; dann wendete er sich nochmals an die Leute. «Kinder!» sprach er sie jetzt an.

«Kinder, der gute Ruf unseres Gewerbes: bedenkt ihn! Wollt ihr harte Taler in den Strumpf stecken, ja?»

Sie sagten ja – noch etwas zögernd. Der König fragte weiter.

«Gut essen, Kinder, das habt ihr gern. Sonntags ein Huhn im Topf.»

Jetzt erhoben sie schon die Stimmen, um ihr Einverständnis zu bezeugen. Zwei arme Frauen riefen, der König sollte leben.

«Und mein Volk soll essen», antwortete er ihnen. «Habt ihr Söhne?» fragte er weiter. «Wie alt? Was tun sie?»

Er erfuhr, daß die jungen Leute gar nichts taten, denn das Gewerbe liegt darnieder.

«Weil eure Söhne nichts lernen. Wo sind sie? Her mit ihnen!» befahl der König, und da die Knaben natürlich unter den Gaffern waren, wo denn sonst, die Straße, in der einer geboren ist, verläßt er nicht so leicht – übergab der König sie alsbald dem Meister. Wobei er ihnen mit der Hand durch die Haare strich. Hierüber und über nichts anderes weinten die beiden Mütter. Andere Frauen stimmten ein, und der Vorgang wäre ausschließlich moralisch und gefühlvoll gewesen, hätten nicht Rosny und der Gerber nochmals hartnäckig gehandelt wegen des Lehrgeldes. Endlich zahlte der Diener des Königs es dem Meister aus, und zwar mit Schwung, wobei die Steine auf seinen Fingern glänzten. Der König erinnerte den Meister noch, daß die Jungen gehörig Weißbrot und Wein bekämen; wären sie aber für die Arbeit entschieden ungeschickt, dann verfalle die Hälfte des Lehrgeldes; den Rest sollte der Meister in den Louvre zurückbringen.

Die Genauigkeit des Königs befriedigte die Leute mehr als seine Großherzigkeit. Daher ließen sie ihn auf die Straße und räumten die Mitte, ohne Einschreiten der Soldaten. Nun geschah es, daß an diesem wohlberechneten Punkt eine Sänfte die Straße entlangkam; Federn schwankten auf ihrem bemalten und lackierten Verdeck, und vor dem Haus des Gerbers wurde sie hingestellt. «Ist dies die Straße de la Ferronnerie?» fragte die Dame, die darin saß, einen ihrer Träger. Da war auch schon Herr de Rosny bei der Sänfte, er flüsterte dringlich: «Madame, um Gottes willen, schweigen Sie. Der bloße Zufall führt Sie her, so haben wir es ausgemacht.»

«Verzeihen Sie. Mein Kopf! Ich vergesse meine Rolle», sagte Gabriele, sah auch blaß und müde aus. Herr de Rosny sprach ihren nächsten Satz lieber selbst, damit er nicht durcheinander käme. «Oh! Wie erstaunlich, in einer so großen Stadt findet man sich, als ob es nur die eine Straße gäbe.»

Dies war das Stichwort für Henri, der es nicht verpaßte. Gleichzeitig läuteten die Glocken der nächsten Kirchen zu Mittag. «Madame», sprach der König, den Hut in der Hand, «gerade war ich auf dem Weg nach Hause, damit wir zusammen das Brot brechen, wie alle anständigen Leute zu dieser Stunde.» Hierbei murmelte das Volk beifällig, weil seine Sitten eingehalten wurden. Als die Sänfte schon aufgehoben werden sollte, äußerte Gabriele noch schnell eine Bemerkung; übrigens störte sie beträchtlich die vorgesehene Anordnung.

«Sire! Das Haus, aus dem Sie getreten sind, hat ein merkwürdiges Schild.»

Henri sah um. Die Mauer oberhalb des Gewölbes trug das Wahrzeichen: Gekröntes Herz von einem Pfeil durchbohrt.

Henri erschrickt, weiß nicht warum, er fühlt den kalten Schauder nach seinem Herzen greifen. Gekrönt und durchbohrt. Zu Gabriele gewendet spricht er: «Madame! Es gibt ein Herz, dem Sie dasselbe Schicksal bereiten: gekrönt, durchbohrt.»

Er sagte es leise, für sie allein. Berührte die Spitzen ihrer Finger, die sie herausstreckte, und geleitete die Dame in ihrer Sänfte durch das beifällig murmelnde Volk. Rosny folgte, das Gesicht ohne anderen Ausdruck als den der stolzen Zuverlässigkeit. Hinter der Maske dachte er: ‹Larifari.› Das hatte sie nötig – obwohl seine Meinung von der schönen d'Estrées ohnedies nicht mehr zu ändern war, und die lautete: sie war dumm. Indessen, über ihren Mangel an Geist wie über ihre noch gefährlicheren Seiten war er bereit, hinwegzusehen und vorerst mit ihr zusammenzuhalten. Das ist unumgänglich für das Personal eines neuen Reiches, wenn an die beginnende Herrschaft geglaubt werden soll, so daß sie für den Sinn der Leute die feste Gestalt bekommt.

So gingen sie, die Sänfte mit ihren Trägern, der König, sein guter Diener – gingen unter dem Schutz weniger Wachen durch das volkreiche Paris, das sie noch unlängst nicht ungeschoren vorbeigelassen hätte. Rosny achtete, Straße um Straße, auf alles, was gesprochen wurde. Henri tat, als hörte er nichts und wäre mit seiner Dame beschäftigt. Er versäumte aber das wenigste. Jemand in der Menge fragte vorlaut: «Wer ist die schöne Person?» Darauf antwortete ein grober Soldat, der ihn aus dem Weg stieß: «Es ist die Hure des Königs» – was der Soldat am Ende nicht abschätzig meinte, er brauchte die Bezeichnung, die er kannte. Immerhin war es der eigene Wächter des Königs, man lachte, und bevor das Gelächter unheilvoll werden konnte, stimmte Henri mit ein. Auf diese Weise blieb es unschuldig.

Er wollte, daß alles unschuldig bleibe. Der Übergang von der bisherigen Gesetzlosigkeit zu der Macht des Rechtes sollte vor sich gehen, als geschähe nichts. Er war aber im Gegenteil davon durchdrungen, daß es in diesen Tagen um alles ging, sowohl für ihn wie für das Königreich, und was man jetzt laufen ließ, wie es wollte, war nie mehr einzuholen. Er war König dem Namen nach schon das fünfte Jahr. ‹Woher nahm ich so viel Geduld›, dachte er bei sich. Eine innere Spannung war eingetreten, als würde er erwartet, überall gleichzeitig, und von jeder Minute hinge das Heil ab. Davon ließ er nichts merken, weder die Leute auf der Straße und an seinem neu möblierten Hof noch seinen Geheimen Rat. War einfach, mild und guter Laune, und gerade infolgedessen sollte er nachher das heftige Fieber bekommen – dasselbe, das ihm für seine großen Anstrengungen und die erreichten Wendungen des Lebens jedesmal die Quittung erteilte. Noch mischte sein Körper insgeheim die Krankheit zusammen, war ihm nichts anzumerken – es wäre denn unter den vielen, die ihn vor Augen hatten, ein nachdenklicher Beobachter gewesen. Der hätte wenigstens nachher etwas erraten. Als Seine Majestät darniederlag, an einem später vorgesehenen Zeitpunkt, und in die Bettdecke hinein leise sang, was nur seine Schwester und der Erste Kammerdiener hörten, hugenottische Psalmen waren es – da hätte man sagen können: Halt! So war das. Manches Sonderbare erklärt sich hiermit.

Sein gewöhnlicher Begleiter, Rosny, behielt für Betrachtungen solcher Art nichts übrig; ein bis jetzt ausstehendes königliches Fieber sah er gewiß nicht kommen. Ökonomie und Ballistik im Verein beanspruchten ihn, nicht gerechnet die Sorge um sein eigenes Fortkommen. Gouverneur der Stadt Mantes war alles, wohin er es bis jetzt gebracht hatte. Sein gnädiger, aber vorsichtiger Herr führte den Protestanten keineswegs in das Finanzkollegium ein; die Mitglieder, lauter Katholiken, hätten seine Ernennung als das Anzeichen einer Umwälzung aufgefaßt. Dies weniger aus Besorgnis für die Religion, sondern um ihrer überzähligen Einnahmen willen. Der Diebstahl an den Einkünften des Königreiches war für das Heer der Finanzbeamten bis zu ihren höchsten Spitzen so lange das Natürliche, Erlaubte gewesen. Auf einmal sagte ihnen ein feines Gefühl, daß die Machtergreifung des Königs Henri ihre Gebräuche in Frage stellte, wenn noch nicht bedrohte.

Der König ließ ihnen Warnungen zukommen, zuerst nur in scherzhafter Art, bei den volkstümlichen Anlässen, die ihm niemals fehlten. Er versagte sich noch immer nicht, mit gewöhnlichen Leuten zu verkehren, reiste in Geschäften irgendwohin, gewann beim Ballspiel den Einwohnern ihr Geld ab und verwahrte es in seinem Hut. «Das halt ich fest», rief er, «und niemand soll mich darum erleichtern, es geht nicht durch die Hände meiner Finanzbeamten.» Was diesen alsbald zu Ohren kam. Dennoch fürchteten sie wenig von seiten des Königs, der in guter Laune ein Wort zuviel sprach: sie spürten die Gefahr aus einer anderen Richtung herannahen.

In einem Hause, das Arsenal genannt, saß einer und rechnete ihnen alles nach. Soviel wußten sie. Aus dem entlegenen Haus drang kein Wort, oder es war das Flüstern ihrer Spione. Der Mann in seinem wohlbewachten Arbeitszimmer stellte lange Reihen von Zahlen auf; sie bewiesen, wie die Preise gestiegen waren, als noch die Mengen spanischen Goldes hereinflossen. Die Löhne waren niemals nachgekommen, und seit dem Austrocknen der Ströme von Pistolen, was blieb? Teures Leben; für die wenigen, denen es anschlug, das beste Leben, aber gar keines für die Mehrzahl. Daher viele Selbstmörder und andererseits unsichere Straßen. Beides, die Versündigung am eigenen Leib wie auch die kriminellen Raubüberfälle, erklärt man gewöhnlich durch einreißende Mißachtung der Religion und offene Auflehnung gegen den geordneten Staat.

Der lautlose Arbeiter in dem Hause, das Arsenal genannt, erforschte andere Ursachen, ihr Bekanntwerden war vielen unerwünscht. Gern hätten sie ihn aus dem Haus geholt. Bis zum Gewässer der Seine sind hundert Schritt; es wäre von Vorteil, den Mann mitsamt seinen Zahlenreihen bei dunkler Nacht hineinzutauchen, gründlich genug, daß er nie wieder heraufsteigt. Leider ist der Fachmann der Wirtschaft zugleich ein Artillerist. Seine Denkschriften für den König betreffen Industrie und Landwirtschaft, aber ebensowohl die Verbesserung der Geschütze. Im Hof seines Hauses stehen Kanonen mitsamt ihrer Bedienung, daher ist er nicht leicht zu fangen. Reitet niemals ohne Wachen aus, besonders wenn er dem König seine Denkschriften bringt. Gewiß bedeutet es Hoffart, das Geleit und der Schmuck, in dem er glänzt. Vor allem aber weiß er, woran er ist mit den ehrbaren Benutzern dieses Staates, die gut an ihm verdienen. Alles spricht dafür, daß er seinen Herrn zu den gewagtesten Maßnahmen drängt.

Das gerade nicht. Niemand verstand diesen Rosny, obwohl alle ihn immer bei der Arbeit gesehen hatten. Was war er viel, worin bestand sein Anspruch? Mit großen Mengen Pulvers einen Turm sprengen konnte jeder. Wenn ein Gouverneur zu kaufen war, bekam der Unterhändler ohne viel Witz die Stadt Rouen, nicht aber die Großmeisterei der Artillerie. Die gehörte dem Vater der teuren Herrin, einem Tropf, der täglich verrückter wurde. Herr de Rosny verzieh es bekanntlich nicht. Jeder wußte, daß er nicht nur mit der teuren Herrin wie Katz und Hund stand: im Herzensgrund, gesetzt, daß der Mann mit dem steinernen Gesicht einen Herzensgrund gehabt hätte, haßte er auch seinen König, daran war kein Zweifel. Herr de Villeroy versicherte es im Vertrauen, und so kam es herum. Herr de Rosny haßt den König, er fürchtete nur mit Recht, getötet zu werden, wenn er ihn verließe. Andererseits ist seine Geldgier erstaunlich; mit Versprechungen und einer Anzahlung, die wir ihm nach seinem vorzeitigen Tode wieder abnehmen, bringen wir ihn leicht auf unsere Seite. Das ist eigentlich sein Ansinnen an uns; einzig um uns zu erpressen, fertigt der Spitzbube seine Denkschriften an.

Herr de Villeroy, der Rosny gröblich mißverstand, dachte sich überhaupt die Welt voll Spitzbuben; er würde aus eigener Erfahrung nicht begriffen haben, wie man anders zu etwas käme. Er hatte nach- und durcheinander den

König an die Liga und diese an den König verraten – ohne die besondere Gabe der Kunst und Verstellung, die etwa den Humanisten und Fliegenfänger Brissac vermocht hätte, eine geschickte Szene hinzulegen und zu betrügen, gleichviel wen, einzig um der Schönheit willen. Dies war nicht die Art des Herrn de Villeroy, eines weit derberen Schuftes. Henri, der mit Männern Bescheid wußte, berief ihn am ersten Tag in seinen Finanzrat. Dort stahl Villeroy, hatte alle Hände voll zu tun und verfiel auf die ärgsten Übungen nicht, als da gewesen wären: den König entführen, ihn in eine der bis jetzt aufrührerischen Provinzen schaffen und einen Handel um sein Leben und Sterben eröffnen. Zahlen die großen Rebellen mehr, dann kam er um. Oder er selbst, so blieb er erhalten.

Über Herrn de Villeroy und seinesgleichen reichlich belehrt, überließ Henri sie zuerst ihrer Selbstbereicherung, was nicht hinderte, daß er sie warnte, immer scherzhaft, immer volkstümlich, auch wenn er die Warnung nicht mehr dem Gerücht anvertraute, sondern sie selbst überbrachte. Herr de Villeroy hat einen herrlichen Landsitz, der König kehrt ein, es ist ein zufälliger, bescheidener Ausflug, zwölf oder fünfzehn Herren, aber weder Dienerschaft noch Gepäck, und sie haben Hunger. Der König geht geradewegs in den Kuhstall, eine gute Frau ist beim Melken.

«Sire, guter Herr», sagt sie.

«Das bin ich für alle, die redlich arbeiten wie du», spricht er und läßt sich Milch einschenken. Alle Edelleute mitsamt dem König setzen sich zu Tisch bei dem reichen Villeroy, und kein anderes Gericht darf aufgetragen werden außer den Schalen mit Milch. Das macht den reichen Villeroy nicht verlegen. Der König ist romantisch, er schwärmt für Natur. «Dies Wirtshaus wäre zu teuer, wenn man mehr äße», redet er nach dem Verschlingen der Milch, denn er muß reden und man soll lachen. Herr de Villeroy lacht mit den anderen. Dieser muntere Vogel ist noch nicht der König, der ihn fangen wird. An Ludwig den Elften und seinen Henker darf man nicht denken. Die Zahlenreihen eines Rosny werden den Draufgänger und Kavalleristen bloß langweilen. Der Artillerist wird dem Kavalleristen in den Ohren liegen mit wirtschaftlichen Maßnahmen, die Volk und ehrbare Leute gegen ihn aufbringen, wenn er sie ausführt. Kosten ihn unbedingt das Königreich, äußerte Villeroy nachher im Finanzrat, wo er Anklang fand. Die neue Herrschaft hält von selbst nicht, wozu sie abkürzen, bis zu ihrem Sturz schuldet sie uns viel Geld.

Herr de Rosny aber ritt in den Louvre. Dies waren immer noch die ersten Tage der neuen Herrschaft, Aprilwetter, ein Regenschauer fiel auf den Edelmann. Er schätzte gute Kleider; der Hut darf durch Nässe nicht formlos, die Krause nicht aufgeweicht werden: wohin käme es mit den Diamanten, die diese Gegenstände sowie den Mantel des Herrn verzieren. Vor der alten Sankt-Michaels-Brücke, die unter dem vollen Guß lag, lenkte Herr de Rosny sein Pferd in ein Torgewölbe; seine Leute mochten draußen bleiben. Da wohnte er nun einem Auftritt bei, leider war es kein ungewöhnlicher. Ein Mensch schickte sich an, in den Fluß zu springen. Seine Vorbereitungen waren unverkennbar; die verödete Brücke gab ihn den Blicken preis, sofern die Häuser diesseits und jenseits nur einige Zuschauer bargen. Dies war nicht der Fall, oder sie scheuten die geöffnete Wolke, oder der Vorgang war ihnen nachgerade geläufig. Der Mensch entledigte sich seiner Schuhe, wozu wohl, es schienen nur noch Teile von Schuhen zu sein. Auch sein Wams warf er voran ins Wasser, ein Kleidungsstück, mehr Loch als Stoff. Darunter war er nackt, eine traurige Leiblichkeit, Herr de Rosny fand sie wenig erhaltenswert. Er hätte dennoch seinen Leuten gewinkt, indessen hißte die kraftlose Gestalt sich auf die Brustwehr, rutschte hinüber und brauchte sich einfach fallen lassen, niemand wäre zeitig bei ihm angelangt.

Doch. Von drüben, in der Schnelligkeit war nicht zu erkennen, woher, flog jemand sozusagen durch die Luft herbei, solche Sätze nahm er. Hatte den Fuß des Selbstmörders gefaßt und riß ihn zurück. Der Mensch schrie auf, der rauhe Stein, über den er gezogen wurde, zerriß ihm die Haut. Blutend, gedemütigt, wütend stand er vor seinem Retter, erhob gegen ihn die Faust – ließ sie plötzlich wieder sinken und brach in die Knie. Sein Retter war der König.

Die emailleblauen Augen des Herrn de Rosny konnten diesmal nicht weit genug aufgemacht werden. Er sah ungern, was er sah, während er doch fühlte, daß er nicht der einzige Zuschauer, die Ufer nicht hätten leer sein sollen. Eine Volksmenge gehörte zu dem Auftritt, den der König und der Gerettete gaben. Herr de Rosny war überzeugt, oder nahezu, daß hier mit verteilten Rollen gespielt wurde, wenn auch die Anordnung weniger genau war als letzthin bei dem Gerber. Außerdem hatte das schlechte Wetter das Publikum vertrieben. Immerhin kam einiges zusammen, da die Wolke droben verweht wurde und nur noch tropfte. Herr de Rosny sah den König seinen Mantel abnehmen – wahrhaftig, dem nackten Menschen legte er ihn um.

Herr de Rosny versicherte sich durch einen Blick in die Runde, daß wenigstens dieser Zug nicht unbemerkt geblieben war; dann fand er es geboten, seinen eigenen Platz in der Handlung einzunehmen. Er führte sein Pferd auf die Brücke, untertänigst bot er es dem König an: so hätte er es sonst seinem Herrn niemals, aber beiläufig dem heiligen Martin angeboten, falls er ihn gekannt hätte. Henri lachte denn auch herzlich, er sagte: «Sehen Sie den Mantel an! Ist er viel besser als das fortgeschwommene Wams? Geben Sie dem Menschen Geld! Wenn ich keine Arbeit für ihn habe, muß ich ihn ernähren. Schicken Sie einen Ihrer Leute mit ihm in das Krankenhaus, daß man ihn aufnimmt.»

Gut damit und aufgesessen. Die Szene war kurz gewesen, aber jedes Wort traf. Wer von den Zuschauern nicht verstand und mitging, war die Szene nicht wert. Der Gerettete verbeugte sich höflich und sprach seinen letzten Satz. «Sire!» sprach er nicht ohne Wohllaut. «Ich werde sterben. Meinesgleichen soll nicht von Eurer Majestät erhalten werden, wenn weder Tuch noch Leder hergestellt wird und auch die Feldarbeiten liegenbleiben. Da ich Theologie studiert habe, werde ich in der anderen Welt zu melden wissen von der großen tatkräftigen Liebe unseres Königs Henri.»

Hiermit ging er ab, begleitet von einem Soldaten, und hatte vor allem Volk, inzwischen war es zur Menge angewachsen, die wichtigste Rolle infolge seines nahen Verhältnisses zu der anderen Welt. Gern hätte man ihm Aufträge dorthin mitgegeben. Der König wurde durch ihn zu einer Nebenperson von Rang, die aber nicht bestimmt ist, die Herzen zu packen. Er mochte sein Pferd in Trab setzen, man wich aus, da der Schlamm spritzte, und gab ihm nichts kund, weder Zu- noch Abneigung. Er ließ das Tier um so flotter traben, es war der Schimmel des Herrn de Rosny, der um eine halbe Pferdelänge hinter ihm das Tier des abgesessenen Soldaten traben ließ. Das kleine Getrappel, sechs oder sieben Reiter mit ihren Monturen, war ohne viel Aufsehen alsbald angelangt in Schloß Louvre. Da Rosny um Gehör bat, führte Henri ihn in ein großes, leeres Zimmer; es ging auf den Fluß hinaus, es ließ Wind und Sonne ein, Aprilsonne, die richtig hervorbrach. Henri sagte im Umhergehen:

«Dies soll leer bleiben, bis meine Möbel aus meinem Schloß in Pau hier aufgestellt werden, und in keinem anderen will ich wohnen. Denn es sind meine Möbel in Pau die schönsten und besten, die mir in den Schlössern des Königreiches mein Leben lang zu Gesicht gekommen.»

Rosny, so begrenzt die Gebiete seines Wissens waren, hier begriff oder ahnte er. Sein Herr wollte die gewichtigeren Umstände, in die er jetzt gestellt war, verbinden mit den leichteren von einst. Brauchte er Ermutigung? Sollte die ererbte Einrichtung seines mütterlichen Hauses ihm vor Augen halten, wie hoch er gestiegen war?

«Sire!» begann der gute Diener. «Die Machtergreifung eines Prinzen mit Geblüt leuchtet jedem ein. Der echte König muß nicht mit Ketten und Ringen bedeckt sein wie ein Edelmann, der noch nicht einmal Amt und Titel besitzt. Verlassen Sie dennoch Ihren Louvre nicht ohne die Bedeckung einiger Personen, die aussehen wie ich! Dann dürfen Sie selbst, wenn es sein muß, einen alten Mantel tragen, um ihn denen zu schenken, die nackt sind.»

Henri war erstaunt über die Rede, nicht wegen ihrer Kühnheit, sondern sie enthielt Voraussetzungen, die fehlgingen. Er hatte nicht in Wirklichkeit ohne alle Begleitung das Ufer und die Sankt-Michaels-Brücke aufgesucht, weil ein Selbstmörder darauf wartete, von ihm gerettet zu werden. Anstatt einer Antwort erzählte er das folgende.

«Gestern ritt ich ganz allein die Straße nach Saint-Germain. Wollt ansehen, ob wirklich die Feldarbeit liegenbleibt und meine Bauern wegen zu großer Bedrückung lieber unter die Räuber gehen. Da hab ich es nun erlebt und wurde von Räubern angehalten. Ihr Anführer war kein Bauer, ein Apotheker war's. Ich fragte ihn, ob er sein Geschäft auf der Landstraße treibe und lauere den Reisenden auf, um ihnen Klistiere zu geben. Die Bande mußte lachen, schon hatt ich halb gewonnen. Als ich meine Taschen nach außen wendete, durft ich weiterziehen.»

Rosny war, wie man es nehmen wollte, erschrocken, entrüstet, erschüttert; jedenfalls behielt er das ungerührte Gesicht. Nur währte sein Schweigen um eine Ahnung zu lange. Als der König von einem schnellen Gang durch das Zimmer zurückkehrte und ihn musterte, holte Rosny nicht ohne Überstürzung seine Denkschrift hervor.

Henri stand auf dem Fleck, etwas Ungewöhnliches bei ihm, und sah in die

Blätter, woraus Rosny las und las. Wenn Zahlenreihen kamen, zog Henri sie mit dem Finger nach – nicht nur, daß seine Augen und hochgezogenen Brauen ihnen folgten. Sie kamen zu den sechstausend arbeitslosen Tuchmachern. «Sie haben die Zahl richtig errechnet», sagte Henri, und da es Herrn de Rosny die Rede verschlug: «Mir hat sie jemand auf der Sankt-Michaels-Brücke verraten – ein Theologe, der in der Not zum Tuchmacher wurde, aber da gab es erst recht nichts zu essen, hungerten schon sechstausend. Die Pariser Färbereien bearbeiteten früher sechsmalhunderttausend Stück Tuch im Jahr, jetzt nur noch den sechsten Teil. Haben Sie die Ziffern, Rosny? Gut, hier sind sie verzeichnet. Sie rechnen gut. Ich höre gut, besonders wenn ein Student, der Tuchmacher werden wollte, der anderen Welt schon ganz nahe war und mir über die diesseitige berichtet. Ich und Sie, mein Freund, sind zwei brauchbare Arbeiter. Übrigbleibt uns, zu ermitteln, was wir tun müssen, damit alles anders wird.»

«Eure Majestät weiß es», sagte Rosny ohne Demut oder Schmeichelei, damit er nicht als ein Höfling dastände. «Sie haben von den Dingen eine frühe und glänzende Kenntnis, ich kann mich ihrer nicht rühmen.» Worauf er im Gegenteil sein Programm entwickelte, zuerst im Hinblick auf die Landwirtschaft. Er verlangte die Säuberung der Straßen von Räubern.

«Meinem Apotheker habe ich sie versprochen», warf Henri ein.

«Sire! Wie schon bemerkt, ich bringe nichts Neues. Räuber sind auch die Wilddiebe. Man muß einige hängen, als Warnung für alles Bauernpack, das auf den königlichen Domänen jagt.»

«Und was tu ich mit den Edelleuten, Herr de Rosny, deren Pferde und Hunde den Bauern die Ernte zertreten?» fragte Henri und war der Antwort nicht sicher, man sah es seinem schief geneigten Gesicht an.

«Sire! Die Jagd ist ein altes Vorrecht des Adels. Ihre Landedelleute haben nicht viel mehr als das und sollen Ihnen Offiziere geben.»

«Man muß gerecht sein», sagte Henri. Es konnte das eine und das andere heißen. Das folgende betonte er stark, setzte auch den Kopf wieder gerade. «Den Bauern erdrücken die Lasten.»

«Hier», entgegnete Rosny nur, blätterte und hielt dem König die Seite hin.

Henri erbleichte, als er hineinsah. «So genau wußte ich es nicht», murmelte er. «Es steht schlimm.»

«Sire! Das ist nichts Neues. Aber neu ist, daß jetzt ein König erfahren und mutig ist. Hat dasselbe, was er tun soll, in seinem kleinen Königreich Navarra ehedem gewagt, und es war Krieg.»

«Krieg soll nicht mehr sein», entschied Henri. «Ich will nicht Krieg mit meinen Untertanen. Lieber kauf ich meine Provinzen, und sollt ich betteln gehen in England, in Holland. Rouen und Paris haben mich Kaufgeld gekostet. Sie wissen wieviel, und ob's noch lange so geht.»

«Allerdings» – Rosny nickte, er schickte einen Blick durch das kahle Zimmer, das den Eindruck des Vorläufigen und der Gefährdung nur verstärken konnte.

Henri für seinen Teil warf alle Bedenken über die Achsel. «Was sonst auch kommen will, die Lasten der Bauern müssen um ein Drittel erleichtert werden.»

Wortlos zeigte der Rechner ihm den fertigen, wohlgeordneten Plan, der die bäuerlichen Abgaben schrittweise abbaute. Henri las und sprach: «Nicht ganz ein Drittel. Aber gestaffelt auf Jahre hinaus. Damit gewinn ich mein Landvolk nicht.»

Noch eine Seite legte sich wie von selbst um. Die inneren Zölle waren hier aufgestellt, sie schlossen die Provinzen voneinander ab und erdrosselten den Handel der Produkte. Von allen Zahlenreihen war hier die dichteste. Henri schlug sich auf den Schenkel.

«Das ist das Neue. Da faß ich zu. Herr de Rosny, Sie sind mein Mann.»

Dies Wort wurde gehört. Die Tür war aufgegangen, darunter erschien die teure Herrin; der gute Diener mißbilligte die Störung, so tief er sich verneigte. Henri indessen eilte ihr entgegen. Ernst und Sorge verließen ihn augenblicks, er führte sie festlich herein. «Teure Herrin», sagte er, «niemals waren Sie willkommener.»

«Sire! Herr de Rosny ist Ihr Mann», wiederholte sie. Ihr kränkliches Lächeln tat ihm weh bis in das Herz, und ebenso tief beglückte es ihn.

«Er hat bei Ihnen wichtige Geschäfte. Ich wollte Sie nur sehen.»

Darauf erwiderte er förmlich: «Madame, wo Sie erscheinen, vergißt jeder, was er sagen wollte, sogar Herr de Rosny.»

«Sire!» rief Herr de Rosny. «Dessen hätte ich mich selbst gerühmt, wenn Sie mir Zeit ließen. Einen Stuhl für Madame!» rief er, und bevor einer gebracht werden konnte, holte er ihn. Bei seiner Rückkehr in das Zimmer stockte er und war versucht, sich abzuwenden. Der König hatte ein Knie gebeugt, hatte den Fuß der teuren Herrin darauf gestellt und streichelte ihn. Der kluge Rosny begriff, daß er auch dies gutheißen mußte. Er trug den Stuhl herbei, und Gabriele ließ sich nieder. An ihrer hingereichten Hand stand der König auf. Als ob nichts gewesen wäre, sprach er wie vorher: «Das ist das Neue, Herr de Rosny. Das Getreide hat keinen sicheren Preis, solange die Provinzen durch Zölle voneinander getrennt sind. Ich schaffe sie ab. In der einen wird gehungert, in der nächsten bekommt der Bauer seinen Überfluß nicht bezahlt. Ich schaffe sie ab. Mein Wille ist, daß im ganzen Königreich die Waren frei verkehren.»

Rosny öffnete den Mund, aber Henri winkte ab. «Verkehr, wollen Sie sagen. Es gibt keinen. Ich richt ihn ein. Auf Landstraßen und in Querwegen sollen Fuhren laufen überall, früh und spät, mit Pferdewechsel jede zwölf oder fünfzehn Meilen.» Er klopfte auf den Deckel der Denkschrift, die Rosny geschlossen hatte, als wäre sie nunmehr überflüssig.

«Steht darin», sagte er beifällig.

«Sire! Es steht darin, aber auf einem späteren Blatt, Sie haben es nicht gesehen. Ihr Geist ist beflügelt. Die Feder meines Schreibers schleicht.»

«Wie finden Sie uns, Madame?» fragte Henri. Gabriele stützte ihre Wange mit einem Finger ihrer schönen Hand, und sie schwieg.

«Da machen wir uns Arbeit für zehn Jahre. Gott weiß, ob wir das Ende sehen sollen», sagte er, und auffallenderweise bekreuzigte er sich. «Aber wir fangen an», rief er fröhlich. «Gleich heute, wenn wir die ersten tausend Taler beisammen hätten, das alles zu bezahlen.»

«Sire! Ihre Finanzen können verbessert werden», sprach Herr de Rosny ruhig und sicher. Henri und Gabriele, beide waren aufmerksam.

«Wenn Eure Majestät kein Geld und nicht einmal Hemden besitzt, der Grund ist die allgemeine Unordnung, Unregelmäßigkeiten jeder Art, Unterschleife und Vergeudung ohne Ende, Freigebigkeiten ohne Aufsicht.» Was er noch weiter aufzählte, entbehrte immer mehr der Ruhe des Gemütes. «Die ganze Stufenleiter der Mißwirtschaft, die Verwaltung Ihres Schatzes hat sie durchlaufen, vom einfachen Betrug bis zu den schamlosen Vergebungen der öffentlichen Einkünfte an mächtige Personen, die ich nennen kann, zu nennen gewillt bin und ausdrücklich verzeichnet habe.» Scharf klopfte er auf den Deckel. «Will auch nicht ruhen, bis sie erniedrigt und bestraft sind.»

Hier beachteten sowohl Gabriele als Henri seine Augen, sie waren dunkel und stürmisch geworden. Die merkwürdig genau abgezeichneten Farben des Gesichtes flossen zusammen von einem inneren Wogen. Das geschah sonst nicht, soviel sie wußten. Sie erblickten einen Rosny, der alltägliche war es nicht, aber es mochte der wahre sein. Gabriele bekam Furcht, sie fühlte: der wird mir nie verzeihen. Henri war betroffen und höchst aufmerksam auf seinen guten Diener. Er bemerkte, schlüssiger als je vorher, daß Treu und Glauben nichts Geringes sind und in ihrer Vollkommenheit vom Manne nicht nebenbei geübt werden. Sondern sind eine Leidenschaft. ‹Der Ritter von Stein, den ich mir herabgenommen habe von der Front einer Kathedrale, jetzt hat er Leben, und was für eines. Ließe ich ihn, er würde wüten. Seine ungeheure Rechtlichkeit könnt ihn leicht das Leben kosten, das geht ihn an. Mir aber schadet sie zuletzt mehr als alle Diebe zusammen. Vorsicht mit dem Mann von Stein!›

«Mein Freund», sagte Henri. «Ihr Treu und Glauben sind mir wohlbekannt, viel besser als Ihre Zahlenreihen, und will großen Gebrauch davon machen für mich und mein Königreich. Arbeit ist Ihnen gewiß für all Ihre Lebtage. Soviel Geld können Sie aus meinen Finanzämtern niemals herausholen, wie dort hängenbleibt.»

«Ich kann es», behauptete Rosny ehrerbietig und ganz beruhigt, hatte auch wieder blaue Augen und mädchenhafte Wangen.

«Wie denn?»

«Mit dem Einsatz meiner Person.»

Mehr erklärte er nicht, aber ihm glaubte man es.

Henri: «Nun gut. Zeigen Sir mir Ihr nächstes Feld und wen Sie schlagen wollen.»

Rosny: «Viele, und gerade dort, wo sie sich im Recht glauben; denn der ärgste Mißbrauch geschieht rechtens. Die Salzsteuer ist verpachtet. Kaum ein Viertel davon gelangt in die Staatskasse. Alles andere bereichert einige Herren und Damen. Haben die Anteile unter sich vergeben, aber nicht einmal wirklich eingezahlt. Sire! Was Sie schwerlich ahnen: dabei ist sogar der Generalintendant Ihrer Finanzämter, Herr d'O.»

«Nichts als nur ein O» – Henri lächelte rätselhaft, mit Blick auf Gabriele. «Ein alter Junge, ganz Bauch, oder war doch Bauch. Jetzt wird er weggetrocknet sein.»

Gabriele sprach: «Wissen Sie denn nicht, Herr de Rosny? Er liegt im Sterben.»

Nein. Der Mann aus dem Arsenal erfuhr eine Neuigkeit. Er hatte die Tage mit Rechnen verbracht. Hielt sich aber beim Staunen nicht auf, er schlug vor: «Enteignen wir ihn, sobald er tot ist. Seinesgleichen verliert mit dem Leben auch die Spießgesellen, die ihm beistehen.»

«Das ist zu überlegen», sagte Henri, der entschlossen war, es noch eine ganze Weile zu überlegen. «Sie sehen indessen, Herr de Rosny, daß wir nicht voreilig anderen die Arbeit abnehmen sollen, und so dem Tod nicht.»

Hierüber verstummte die Figur von der Kathedrale, der Mann aus dem Arsenal. Henri ließ das Schweigen andauern. Gabriele war's, ihre Stimme erhob den reinen Glockenklang.

«Sire!» sprach Gabriele d'Estrées. «Ich erbitte eine Gunst. An die Stelle dessen, der sterben wird, setzen Sie Herrn de Rosny.»

Mehr sagte sie nicht, sondern wartete. Herr de Rosny war ihr Freund nicht, sie wußte es leider. Aber der König hat zu ihm gesagt: «Sie sind mein Mann», und am Anfang der neuen Herrschaft müssen ihre Träger zusammenhalten. Sind ohnehin nur drei bis jetzt, die drei in dem kahlen Zimmer. Die Augen der Frau wurden überaus beredt, sie bedeuteten dem Diener des Königs: Wir sind aufeinander angewiesen. Ich helfe dir. Hilf du mir!

Der ungerührte Rosny dachte: ‹Larifari. Du, meine Schöne, wirst niemals Königin. Ich aber arbeite und komm an mein Ziel, so weit ich bis dahin haben mag.›

Henri äußerte nichts – oder äußerte viel. Er nahm die Hand seiner teuren Herrin und küßte sie.

Das Fieber

Der Tag begann erbaulich. Der König hörte die Messe in der Kirche gleich hinter dem Louvre, deren Glocke der größte Brummer von Paris war. Sie hatte einst tüchtig gebrummt, als der Admiral Coligny – ruhig hiervon. Der König betete andächtig, da wurde ihm zugeflüstert, der Kardinal Pellevé sei gestorben. Dieser war Präsident der Ständeversammlung und Wahlmacher für Spanien gewesen. Seit der Machtergreifung des Königs lag er in Raserei, er hatte geschrien: «Fangen soll man ihn! Fangen soll man ihn!» – bis er jetzt tot war. Bevor der König die Kirche verließ, befahl er, daß für den Kardinal gebetet werde. Er dachte hinzuzusetzen: ‹Und für die Seele des Herrn Ad –› Nicht einmal sein Gedanke führte den Namen zu Ende.

Auf dem kurzen Rückweg nahmen seine Herren sich die Freiheit, ihm seine Milde und Nachsicht vorzuhalten. An Feinden muß man Rache üben: es wird erwartet und vermißt. Man schätzt den nicht hoch ein, der sich nicht rächt. Der

König hat hundertundvierzig Personen verbannt, teils aus dem Königreich, manche nur aus der Hauptstadt. Keine einzige Hinrichtung, wer soll das achten, wen kann es abschrecken. Herr de Turenne, ein mächtiger Protestant, voraussichtlicher Erbe des Herzogtumes Bouillon, eines Grenzlandes im Osten, Turenne warnte Henri dringend vor Verrätern, hatte auch Grund, da er später selbst verraten sollte wie noch andere. Henri antwortete ihm und seinen Katholiken: «Wenn ihr, und alle die reden wie ihr, jeden Tag euer Vaterunser aufrichtig sprächet, dann würdet ihr anders reden. Ich bekenne, daß alle meine Siege von Gott kommen; ich bin ihrer unwürdig; aber da Er mir verzeiht, muß ich die Fehler meines Volkes vergessen, muß noch gnädiger und barmherziger zu ihm sein als bisher.»

Der Tag begann erbaulich. Überdies war es ein Sonntag mit erster Frühlingssonne. Alle Arbeit ruht, gearbeitet wird höchstens im Arsenal. Henri ließ seiner Cousine, der Herzogin von Montpensier, seinen Besuch anmelden. Es war acht Uhr; um zehn wollte er kommen. Nicht, daß dieses sein Beginnen noch ganz und gar erbaulich gewesen wäre. Er hatte zuweilen mit einer Heiterkeit, die nicht von Schärfe frei war, der Furie der Liga gedacht: auch die rief wahrscheinlich, daß man ihn fangen solle. Rief es nur noch durch ihr Haus, nicht auf die Straße hinaus. Den Studenten, die sie bewundert hatten, konnte sie den Königsmord nicht mehr von ihrem Balkon herab anempfehlen. Durfte keinen kleinen schmutzigen Mönch verführen durch ihre mächtige Schönheit, so daß er mit einem Messer zum König ging und es ihm in den Leib stieß. Henri vergaß keineswegs, daß sie eben dies an seinem Vorgänger getan hatte.

Er sah voraus, daß sein Besuch mißbilligt werden würde, weshalb die Herren, die ihn begleiten sollten, erst ganz zuletzt davon erfuhren. Ihm selbst machte sein Vorhaben einerseits Unbehagen; sein Freund, der vorige König, hätte nicht hinblicken dürfen von dort, wo er jetzt war. Anders betrachtet, fand er den Weg zu der Furie sowohl barmherzig als klug. Das Haus Guise, den Thron wird es nie mehr besteigen: soll es denn verschont und versöhnt werden wie alle seine Untertanen. Dennoch, was ihn hinzog, bis er nicht mehr widerstand, war Heiterkeit mit Schärfe. Die ehemalige Furie in ihrer Ohnmacht, und auch Angst wird sie haben, wie denn nicht, obwohl er ihr gleich am Abend seiner Ankunft hat bestellen lassen, sie möge nichts befürchten – genug, sie muß komisch sein. Das war es, das gab den Ausschlag, und gerad heute. Er gönnte sich ein Sonntagsvergnügen, meinte es aber daneben erbaulich.

Die Herzogin, was Henri nicht vermutete, war inzwischen wahnsinnig geworden – oh! nicht offen, nicht vor der Welt oder angesichts des wenigen, das ihr von der Welt noch übrigblieb. Kam jemand, war sie die stolze Dame wie je; nur, daß fast niemand sich mit ihr verdächtig machen mochte: dies schon einige Zeit vor dem Einzug des Königs und vollends seither. Ihre Säle standen leer, man verleugnete die Feindin des neuen Herrn, um bei ihr nicht betroffen zu werden, wenn seine Leute sie abholten. Früher oder später war der Fall zu erwarten. Der eine greift nach seinem Opfer sofort, ein anderer genießt seine Rache langsam. Sehr haltbar befestigt muß man bei der neuen Herrschaft sein, um den Umgang mit der Ausgestoßenen wagen zu können.

Als der Herzogin von Montpensier der Besuch des Königs für zehn Uhr gemeldet wurde, schlug es achteinhalb. Der merkwürdige Auftrag war lange von Mund zu Mund gegangen, bis jemand ihn ausführte. Madame de Montpensier schickte ohne Besinnen zu Madame de Nemours. Sie rief eine Hilfe an, die ihr sicher schien. Madame de Nemours war haltbar befestigt, eine der Ersten unter den Damen, auf die der König sich etwas einbildete. Zaunkönig, so hatte die alte Katharina von Medici zu ihrer Zeit ihren kleinen Gefangenen genannt. Der ist inzwischen so weit herangewachsen, daß er einen Hof großer Damen um sich versammelt. ‹Bedarf ihrer dringend› – dachte seine Feindin. ‹Hat keine Königin, die Geliebte aber lacht ihn aus und betrügt ihn. Gegen Madame de Nemours erlaubt der Kleine sich nichts. Sie wird kommen und mich beschützen. Im Grunde wird er gegen mich nichts wagen.›

Dies war ihre letzte klare Überlegung. In ihrem Ankleidezimmer rief sie plötzlich nach Ambroise Paré, dem Arzt, der lange tot war. Er hatte sie einst zur Ader gelassen, als sie drei Stunden ohnmächtig lag infolge ihres stürmischen Hasses, der zweideutig war und sie gerade darum entsetzte. «Navarra», wie sie den König nannte, um nicht «Frankreich» zu sagen, aber ihr verwirrtes Gefühl sprach «Henri», hatte den Prior ihres Mönches von Pferden zerreißen lassen; er hatte den König, seinen Vorgänger, gerächt. «Ist er schon da?» fragte damals die Dame den Chirurgen, der sie wiedererweckte, hatte noch nicht ihre volle Besinnung, aber einen Ton, ein Gesicht, daß der Greis zurückwich. So flüchteten jetzt ihre Kammerfrauen in die Ecken, als sie aufsprang und nach dem Toten rief.

Madame de Montpensier behielt es einigermaßen in der Hand, wahnsinnig zu sein oder nicht. Gewöhnlich enthüllte sie sich weder einem Arzt noch ihren Frauen. Sie war einsam, war verlassen; der Herzog, der dem König diente, blieb ihr absichtlich fern, und ihre Jahre waren von selbst die zweideutigsten. Fehlte allein der Mann, der ihr half, zu sein, was sie wollte: von Sinnen, und der nahte ihr heute. Durch das Zimmer stürzend, schwenkte sie ihr Rabenhaar, weiße Strähnen flogen mit, und sie preßte den unbändigen Busen. Sie war von hohem Wuchs, festem Fleisch und starken Knochen. Hielt sie auf eine der Ecken zu? Alsbald ließ die Frau, die dort verkrochen war, ihre schwachen Glieder zu Boden fallen, und so schielten diese Geschöpfe mit Zittern und Beben unter den Möbelstücken hervor nach einem Gewitter der Hölle. ‹Die Verdammten!› hätte jeder gedacht. So ächzen sie. Das ist ihr Geschrei.

Die Unselige beschwor Tote, deren Aufenthalt sie vermöge ihres Wahnsinns jetzt schon teilte: ihren Mönch, seinen Prior, beide fesselte ihr wilder Geist an Pflöcke für die Ewigkeit und ließ die Pferde ihre Glieder nach zwei Richtungen zerren. Es waren aber Glieder, die sie in toller Freude mit dem Namen Henri rief, worauf sie noch viel schrecklichere Laute der Qual ausstieß. Es fühlte ihr eigenes Fleisch, was sie über einen anderen verhängte, und sie erlebte ohne Barmherzigkeit ihre eigene Hinrichtung, wie manchen im Traum geschieht.

Diese wachte, wenn sie träumte. Als es vorbei war, fand sie sich auf einem Sitz wieder, erschöpft, von Kälte geschüttelt, und verlangte dringend nach einem Dolchstoß. Wer ihn ihr beibrächte, befahl sie inständig. Ihre Frauen ließen sie an Salzen riechen; darauf erinnerte sie sich, daß sie geträumt habe, dasselbe wie schon oft. Der Traum der eigenen Hinrichtung wiederholt sich, wenn einer erst damit angefangen hat. Was hinzukam und zugrunde lag, ließ sie vernünftigerweise beiseite.

Sie wollte frisiert werden, es sollte schnell gehen, nach einer langsamen Dienerin schlug sie. Ein Page, der vor der Tür schon wartete, lief weg; aber die Herzogin hatte ihn bemerkt, und so erfuhr sie, Madame de Nemours sei angekommen. «Fertig», befahl sie. «Keine Schminke weiter. Ich will mich nicht jung machen.» Ihre Jahre sollten ihr im Gesicht stehen: es war der sicherste Schutz, nicht nur vor dem Gefängnis, wahrscheinlich auch gegen neue Abschweifungen. Auf dem Gang hinunter in die Säle wurde ihr überdies klar, daß sie sich aussprechen und Madame de Nemours ins Vertrauen ziehen mußte, um gewappnet zu sein. Tatsächlich erzählte sie der Dame als erstes den Traum ihrer Hinrichtung: gerade heute habe er sie wieder heimgesucht.

Madame de Nemours wurde neugierig, besonders da Madame de Montpensier ihr seit kurzem stark zu verfallen schien. Sie forschte nach den dunklen Umständen des Traumes und ob der König darin vorkäme. Die Herzogin leugnete hartnäckig, aber ihre Freundin, die ihr in die Augen sah, glaubte kein Wort. «Er stirbt mit Ihnen, wenn Sie träumen. Sagen Sie es ihm doch. Er glaubt an Vorzeichen und wird um seiner selbst willen wünschen, daß Sie lange, lange leben.» Statt ihrer Rede meinte sie vielmehr: ‹Schrecklich. Diese Frau denkt noch immer an Mord, dabei hat sie selbst große Furcht, getötet zu werden. Ich muß den König warnen.› Gerade schlug es zehn, und aus dem Vorzimmer, das aber das dritte von hier war, hörte man die Ankunft seiner Edelleute.

Er ließ sie dort zurück, allein und eilig nahte er, an hohen Fenstern vorbei, eine sonnig flimmernde Strecke; seine Abspiegelung im Boden nahte ebenso genau und nur verkehrt. Da am Ende des Weges zwei Frauen ihm entgegensahen, setzte er die Hand an die Hüfte, mit der anderen schob er den Hut zurück, um sie besser zu erkennen. Seine Ärmel wie auch die Strumpfhosen waren oben weit gebauscht, die Gestalt wirkte um so schlanker. Gewölbte Brust, leichtes Spiel der Muskeln beim Ausschreiten, das war ein fester, eigentlich knabenhafter Mann – tritt ein wie zu Hause, begrüßt die liebe Verwandte, als käm er von einer kleinen Reise. Bevor die Damen aufstehen konnten, saß er schon bei ihnen, fragte und lachte. Aus den Winkeln seiner Augen sprach die Ironie mit; die war an ihm das älteste, da sie auch traurig war.

Ob die Damen sehr verwundert wären, ihn in Paris zu sehen, so fragte er geflissentlich alle beide, und weiter, ob man sie bestohlen habe. Nein? Aber auch ihr Krämer sollte ihnen berichten, daß alle ihn bezahlten, sogar das letzte Gesindel, das mit den Truppen eingerückt war. «Was sagen Sie dazu, liebe Cousine?»

Madame de Montpensier antwortete: «Sire! Sie sind ein sehr großer König, gnädig, mild und hochgesinnt.» – ‹Der richtet mich in meinen Träumen hin›, dachte sie enttäuscht und versprach sich selbst, nie wieder zu träumen. Er nahm an, daß sie Furcht habe, und spielte eine Weile mit ihr. Herrn de Brissac, der ihm seine Hauptstadt ausgeliefert hatte, wünschte sie sicherlich das Schlimmste? Sie versicherte dagegen, daß sie gewollt hätte, anstatt des Marschalls wäre ihr eigener Bruder Mayenne es gewesen. Lustig rief er, darauf hätte er zu lange warten müssen.

Im Verlauf der Rede und Gegenrede wuchs die Dame, ihr Stolz erhob sich gegen ihn, je einfacher er sich gab. Entweder er weiß nichts von allem, was eine Frau tut, was sie träumt. Er kennt nur Staatsaktionen und wird klein vor ihrer Leidenschaft, die sie verschwendet hat und bereut. Oder geht er dennoch auf ihr Verderben aus, dann darf er nicht länger damit spielen. «Sire!» sagte sie kalt. «Ein Sieger erfüllt niemals, was man von ihm erwartet.»

Er besann sich nicht. «Sonst stände ein Schafott vor jedem Hause», rief er hitzig, hätte nicht gedacht, ihm würde so heiß werden.

Die Herzogin fiel im Sessel zusammen, sie hatte die Augen geschlossen. Henri entfernte sich um einen Schritt, dann noch um mehrere, er wäre fortgegangen. Madame de Nemours hielt ihn auf. «Sehen Sie denn nicht, daß sie krank und alt ist?» flüsterte sie ihm zu. Plötzlich ergriff sie seine Hand.

«Aber Sie sind erblaßt, und Ihre Hand glüht. Ihnen selbst ist nicht wohl.»

«Mir ist nicht wohl», wiederholte er. «Aber ich habe mich niemals völlig daran gewöhnt, daß ich Feinde habe, außer auf dem Schlachtfeld.»

Madame de Nemours sagte mütterlich, eine Matrone, die einen Athleten bewundert: «Wie wären Sie denn groß, ohne all Ihre Feinde!»

Da fluchte er, den Fluch der ihm eigen war, selbst erfunden, ohne Sinn für alle anderen, und rief: «Soll doch jeder in sich selbst nachsehen, dort fänd er genug zu bekämpfen. Mich könnt er bei meiner Arbeit lassen, ich will mehr tun, als nur auf Mörder passen.»

Um solche Dinge zu äußern, war er nicht hergekommen, ihm selbst fiel es auf. Er führte eine Hand, die zitterte, an die Schläfe. Sah nach Madame de Montpensier: sie hat sich von ihrer Schwäche erholt, richtet ihre schwarzen Augen groß auf ihn. «Liebe Cousine», Henri spricht vertraulich wie am Anfang. «Mir ist warm. Eine kleine Erfrischung, wenn es Ihnen beliebt. Nur ein wenig Eingemachtes.»

Die Herzogin steht wortlos auf und geht zur Tür. Er will verhindern, daß sie sich bemüht. Madame de Nemours sagt: «Sire! Sie wird nicht wiederkommen, sondern sich bei Ihnen entschuldigen lassen.»

Aber sie kam in Begleitung eines Dieners, der das Verlangte hinstellte. Es war ein Topf mit Aprikosen: sie tauchte den Löffel hinein, wonach sie ihn zum Munde führte. Henri fing ihre Hand ab. «Tante, Sie denken doch nicht!» Infolge seines Erschreckens nannte er sie seine Tante, da sie es wirklich war.

«Wie?» erwiderte sie. «Hab ich nicht genug getan, um verdächtig zu sein?»

«Sie sind's nicht» – hierbei verschlang er schon einen Bissen. Madame de

Nemours hatte versucht, ihn ungeschickt anzustoßen, damit das Kompott zu Boden fiele. Sie hielt für möglich, daß es vergiftet wäre: sie wurde fahl, als der König es schluckte. Er dachte: ‹Hat die Furie etwas daruntergemischt? Dann war sie bereit, es selbst einzunehmen. Geschehen ist geschehen. Ich bin nicht in der Laune, Furcht zu haben.› Hierbei aß er weiter.

Madame de Montpensier sagte plötzlich: «Ach! Man muß Ihr Diener sein.» Folgte ein verhaltenes, äußerst qualvolles Schluchzen. Henri war erleichtert – nahm Abschied von diesen beiden Damen, sie hatten ihm eine heiße Stunde bereitet, und die liebe Cousine lud er nach Schloß Louvre ein. Wenn er seinen feierlichen Einzug in seine Hauptstadt nachholte, sie sollte dabei sein. Wann das wäre, fragte Madame de Nemours. «Nachdem meine teure Herrin mir einen Sohn geschenkt hat», sagte er, schon über die Schulter. Das Gesicht brannte ihm merkwürdig.

Eine der Zurückgebliebenen sagte zu der anderen:

«Wahrhaftig, das Kind ist von ihm.»

«Sie hatten gezweifelt», bemerkte die andere.

Mittags aß er kaum, was durchaus gegen seine Natur schien, wollte dann aber ausreiten. Bellegarde mußte mitkommen. Unter den übrigen war ein Herr de Lionne, hübsch, jung, ein allgemeiner Liebling vermöge seiner guten Sitten. Herr de Lionne besaß die Kunst, Menschen derart einzunehmen, daß sie von sich selbst entzückt waren, besonders die Frauen. Sie fühlten, wieviel Verständnis und Zartsinn er aufwendete, nicht nur um ihnen zu gefallen, sondern damit sie glücklich wären. Ein seltener Kavalier, er tat keiner weh, nicht daß sie wüßten.

Henri hatte ihn gern dabei, eigentlich des Großstallmeisters wegen, damit sein alter Feuillemorte auf Schritt und Tritt zu sehen bekäme, daß es Beliebtere gäbe, und die beste Zeit des Rivalen sei auch bald vorüber. Dies, weil Henri seinen Mitbewerber bei der reizenden Gabriele noch immer fürchtete – ungeachtet ihrer Ergebenheit, der er nicht blind vertraute, und ihrer Umstände, die sie noch weiblicher machten.

Sie ritten durch den Ort Boulogne, die Herren hatten unreifen Flieder gebrochen und boten ihn vom Sattel herab den Mädchen an. Die jungen Bäuerinnen lachten ermunternd, wichen aber der Gelegenheit aus, auf das Pferd gehoben zu werden. Nur eine nahm den Zweig mit geschlossenen Blüten, lachte nicht mehr und saß auf, bei Herrn de Lionne. «Feuillemorte!» rief Henri. «Da sehen wir, wie es war, als man hübsch und noch nicht gelb im Gesicht war.»

«Sire! Die Zeiten hab ich längst vergessen», versicherte Bellegarde, und indessen gelangten sie auf freies Feld. Mehrere Hütten, mit Stroh gedeckt, standen umher; die Bauern waren sonntäglich vor der einen versammelt. Der lange Tisch hatte zwei Bretter auf drei Pflöcken. Die Gläser waren leer, aber die Stimmen gehoben. Sie sangen, ließen auch nicht nach, als die Herren absaßen. «Heda!» rief der Großstallmeister des Königs. «Wollt ihr Lümmel unsere Pferde umherführen!»

Sie sahen sich um, mehrere antworteten ohne viel Ehrfurcht. «Hier sind wir zu Haus», sagte einer.

Der nächste: «Bis eure Eintreiber uns auch noch das Dach über dem Kopf wegnehmen.»

Der König saß unbeachtet mitten unter ihnen. Er fluchte, seinen Fluch, den sie im Lande kannten: da blickten einige ihn an. «Gebt es nicht her!» rief er. «Sonst nehmen sie mir zuletzt mein eigenes Dach.» Alle schwiegen, sie drehten auf dem Tisch ihre knotigen Hände ineinander, die Faust in den Teller; auch ihre Rücken, ihre Schultern drückten Stummheit aus. Die älteren unter ihrer schmutzfarbenen Wolle zeigten Verkrümmungen, die waren das Ergebnis von Jahren und Jahrzehnten derselben Griffe, Lasten und eines einförmigen Zwanges in Haltung und Gang.

Die nach dem König den Kopf nicht gewendet hatten, betrachteten ihn abwechselnd aus den Winkeln der Augen, und dann wieder ihre eigenen unruhigen Fäuste. Die Augen gingen hin und her, manche Köpfe wackelten vor- und rückwärts: es befriedigte nicht ganz unseren Anspruch an das echte Leben, es konnten Zerrbilder und Erscheinungen des Fiebers sein. Der König stand auf, er suchte Kühlung unter einem Nußbaum. Mehrere seiner Herren mit Bellegarde stellten sich bei ihm auf, da die Lage ihnen unsicher schien. Hier rettete Herr de Lionne sie, immer angenommen, daß sie dessen bedurft hätten.

Er verließ drüben einen Busch in Gesellschaft des hübschen Mädchens, das ihm aufgesessen war. Unleugbar entstiegen sie den Büschen; Herr de Lionne aber führte die junge Bäuerin an den erhobenen Fingerspitzen, wie eine Dame vom Hof, und so nahten sie mit übereinstimmendem Lächeln dem Tisch und dem jüngsten der Männer, die ihn zahlreich umgaben. Dieser Junge war noch ganz unverkrümmt, war wohlgestaltet wie ein Edelmann, wenn auch nicht geschmeidig durch Fechten und Ballspiel, sondern schwerer und etwas zu langsam. Seine Nachteile traten hervor, als er sich auf Herrn de Lionne stürzen wollte: er wurde mühelos aufgehalten von dem Herrn, der auf einmal eiserne Kräfte bewies. Verlor aber darum weder Anmut noch einnehmende Sitten. Er hob den Hut vor dem Bauernjungen, der auf die Bank zurückgeplumpst war. Er sagte, daß er die Ehre habe, ihm sein Mädchen zu bringen, höchst besorgt wie er sei, daß keiner Frau auf der Landstraße eine schlimme Begegnung widerfahre.

Alte Leute, die daneben saßen, nickten beifällig. Dem Jungen, der dennoch die Zähne zeigte, bot Herr de Lionne zum Scherz einen Faustkampf an – begann diesen im voraus mit Stößen in die Luft, was ein unwiderstehlicher Anblick war, heiter, frisch, sehr gutartig. Jetzt wurde ihm zugelacht; den Erfolg benutzte Herr de Lionne, den jungen Bauern kurzweg zu umarmen, was dieser zuließ. Die öffentliche Meinung hätte ihn verpflichtet, die Umarmung zu erwidern, es unterblieb nur infolge seiner Langsamkeit. Henri sagte zu seinem Großstallmeister: «Feuillemorte, trotz allem bist du mir lieber. Der dort ist der erste ganz untadelige Mensch, den ich sehe. Und da ich ihn sehe, wird mir angst.»

Ein Bauer, der schon bei Jahren schien, hatte die steifen Beine aus der Bank gezogen. Er stellte sich auf, den König zu begutachten. Ihm selbst waren die Schultern nach vorn gedrückt, die Arme und knotigen Hände hingen über der Erde, und er hatte das traurige Gesicht eines Sechzigjährigen, der wirklich niemals froh zu leben gewesen war. Der König fragte den Bauern: «Wie alt bist du?»

«Herr», antwortete der Bauer. «Nach Ihrem Alter hab ich einen Ihrer Leute gefragt, wir zählen genau die gleichen Jahre.»

«Und noch anderes zählen wir beide», sagte der König. «Dieselben Spuren von Unbilden, will ich meinen. Unsere Gesichter, meines und deines, in ihnen steht viel Müh und Arbeit.»

Der Bauer schwieg und blinzelte, bevor er sagte: «Das ist wahr.»

Er besann sich, wollte sprechen, aber zögerte. Der König ließ ihm Zeit. Er hatte weit geöffnete Augen, die Brauen hinaufgezogen, so wartete er.

«Sire! Kommen Sie», verlangte der Bauer. «Es geht nur bis zu dem Bach.»

Herrn de Bellegarde, der folgen wollte, winkte der König dazubleiben; er selbst schritt aus. Der Bauer führte ihn zu einer Stelle am Ufer, hier war das Gewässer glatt wie ein Spiegel. Der König neigte das Gesicht darüber; es brannte sehr, er hätte es gern hineingetaucht. Indessen schwoll es an, schien in dem Spiegel zusehends anzuschwellen, obwohl er erriet, das wäre Täuschung und in Wahrheit wäre das Übel seit einigem unterwegs. Der Bauer hatte jetzt einen tiefen, eingeweihten Blick. Er sprach: «Sire! Reiten Sie alsbald nach Ihrem Königsschloß. Denn Sie sollen sterben oder leben, wie Gott es beschließt.»

«Besser ist für mich und für dich, daß ich lebe», sagte Henri und versuchte zu lachen. Sein Gesicht wollte sich nicht fügen: das war von den Eindrücken des Tages der ärgerlichste. Gleichzeitig hörte er schnarchen, ein Schnarchen aus vollem Bauch: auch das wurde sogleich zum Ärgernis. «Was ist es?» Der Bauer erklärte: «Das ist der Mann, der für sechs ißt.»

Henri begriff nicht. Er sah bei dem Bauern zum erstenmal ein fröhliches Lächeln. «Wie?» fragte er. «Du freust dich über den, der für sechs ißt, aber du selbst hast nicht für einen!»

Statt jeder Antwort zeigte der Bauer dem König einen Grashügel: dahinter hob und senkte sich ein gewaltiger Bauch. Der Bauer stieg hinüber, er rüttelte den Schnarcher. «Gevatter!» rief er. «Gevatter Freßsack! Auf! Der König will dich bewundern.»

Lange währte es, bis der Mann hochkam. Er bot zur Schau die ungeheuersten Körperteile und ein Gesicht wie ein Oger. Gleich über den dicken Brauen setzte der Schädel an. Das Maul und die Backentaschen enthielten Raum für ganze Pfunde von Nahrung, die Augen waren vom Fett geschlossen. Die gesamte Masse Fleisch wankte vor Schläfrigkeit.

Der König fragte: «Ist es wahr? Du kannst für sechs essen?» Ein Grunzen erfolgte.

Der Bauer beteuerte: «Er kann. Er hat alles verzehrt, was er besaß, jetzt ernähren wir andern ihn. Unverzüglich wird er für sechs essen. Lauf, Gevatter! Zeig's dem König.»

Die Masse setzte sich in Bewegung, der Grasboden bebte unter ihrem Getrampel! Die Bauern an dem langen Tisch empfingen ihn mit Ausbrüchen der Freude, einige sangen endlich wieder. Da sie aber hörten, der Mann wäre bereit, nochmals für sechs zu essen, schleppten sie augenblicks zusammen, was sie in ihren Hütten hatten. Ehe man umsehen konnte, lagen die langen Bretter von Schinken, Speck, Eiern voll, daß es sie bog, und die leeren Gläser verschwanden hinter mächtigen Krügen. Hierauf umringten die mageren, durch Arbeit verkrümmten Gestalten die Fleischmasse und schoben sie, damit sie sich an den Tisch setzte. Der König indessen gab ein Zeichen, seine Herren vertrieben die Lümmel, und der König fuhr den Wanst hart an.

«So frißt du meine Bauern auf. Für sechs essen, das kannst du. Arbeitest du auch für sechs?»

Der Wanst antwortete mit Grunzen, daß er gewiß arbeite nach seinem Alter und seiner Kraft. Das Verdauen ist eine schwere Arbeit, die verlangt man von ihm, denn er muß für sechs essen.

Der König gab noch ein Zeichen, da legten mehrere seiner Herren mit ihren Reitpeitschen gegen den Fleischberg aus und trieben ihn im Kreis umher. Wie der laufen konnte, wenn es sein mußte! Die Bauern grölten vor Gelächter, aber der König meinte es ernst. Hochrot, mit seinem verquollenen Gesicht schrie er auf sie ein, daß sein Königreich nicht ausreichte, solche unnützen Fresser zu stopfen. «Wenn ich viele wie dich hätte», rief er dem Dicken entgegen, da der Dicke unter Hieben vorbeilief, «hängen würd ich euch. Ihr Schurken hättet bald mein Königreich ausgehungert.»

In all seinem Zorn wurde ihm plötzlich kalt; es schüttelte ihn, und er dachte, es wären die aufsteigenden Nebel. Er befahl noch den Bauern, bevor er zu Pferd stieg: sie sollten den Tisch selbst leer essen; erkannte aber an ihren Gesichtern, daß sie es nicht tun würden. Sondern sie gäben weiter alles, was sie sich abgeizten, ihrem gefräßigen Ungeheuer, das ihr Stolz war. Ungeduldig sprengte der König davon. «Ist dir kalt, Feuillemorte?»

«Sire! Die Füße sind uns allen erstarrt auf der feuchten Wiese.»

Die meisten der Herren fanden ihre Tiere nicht schnell genug wieder, erst lange nach dem König und seinem Großstallmeister ritten sie ab. Der letzte war Herr de Lionne. Er wartete, bis alle anderen fort waren. Vom Gebüsch gedeckt, sah er nach den Bauern um; die waren noch ganz verdutzt durch die Zumutung des Königs, sie sollten selbst essen. Herr de Lionne hob auf das Pferd dasselbe Mädchen, mit dem er gekommen war, und zuerst führte er das Pferd am Zügel, damit es sanft und leise ginge.

Angelangt in Schloß Louvre mußte Henri zugeben, daß er krank war. Er sah nicht mehr klar und wußte, daß er unzusammenhängend sprechen würde, wenn er spräche. Er legte sich nieder, die Ärzte verrichteten an ihm, was sein mußte, wodurch die gesteigerte Erregbarkeit umgewandelt wurde in Teilnahmslosigkeit. Als es Nacht war, betrat Bellegarde das Zimmer, sogleich begann er, verstört und außer sich:

«Sire! Herr de Lionne –»

«Ein zu untadeliger Mensch», flüsterte Henri. «Mir wurde angst.»

«Sire! Mit Recht. Denn etwas abseits der Landstraße hat er einem Mädchen den Bauch aufgeschlitzt und in den offenen Leib seine Füße gestellt, um sie zu wärmen.»

«Das fehlte heute noch», flüsterte Henri. Um Empörung zu äußern, gebrach es ihm gerade an Kraft. Beschwerlich fügte er hinzu:

«Meinem Gericht zu übergeben, wird öffentlich gevierteilt.»

«Sire! Ein Edelmann», sagte Bellegarde zu laut, hob auch beide Arme bis über den Kopf, wegen des unbegreiflichen Entscheides.

«Bist du keiner?» fragte König Henri ohne Ton, aber mit aufgerissenen Augen. Bellegarde senkte die seinen und verschwand in der Stille.

Wenig später besuchte den Kranken seine liebe Schwester, Madame Catherine von Bourbon. Sie war aufgeweckt worden, die Ärzte hatten den Zustand ihres lieben Bruders gefährlich genannt. Als sie sein Gesicht sah, brachen ihre Tränen hervor, denn sie erkannte es nicht. Aber der Erste Kammerdiener, Herr d'Armagnac, wies vom Fußende des Bettes auf seinen Herrn, der die Lippen bewegte. Die Schwester neigte das Ohr hin, ahnte mehr als daß sie hörte, kniete nieder und sang leise mit ihm den Psalm. Der Tag endete, wie er begonnen hatte, erbaulich.

Die Liebe des Volkes

Viel schneller als vorgesehen war die Krankheit bewältigt, schon nach sieben und einem halben Tag – da sie nichts anderes gewesen war als das Zeugnis, das der Körper dem Geist ausstellte über eine neue Wendung und Schicksalsstunde. Dann behielt Henri aber kaum einen Monat, um Kräfte zu sammeln, und mußte alsbald ins Feld ziehen. Aus den Niederlanden war ein spanisches Heer eingefallen, diesmal unter einem Grafen Mansfeld; aber wirklicher Führer der Unternehmungen gegen das Königreich blieb noch immer Mayenne aus dem Hause Guise, und hatte auf seiner Seite die meisten von seinesgleichen. Der König ist in Paris; den größten Eindruck macht überall, daß er seine Hauptstadt hat. Eine Stadt und Provinz nach der anderen unterwirft sich ihm einfach deshalb, manche Gouverneure tun es gegen bar. Übrig sind die Großen, die an der Schwäche des Königreiches und dem Elend beider, des Königs und seines Volkes, zuviel verdienen. Die können es nicht lassen. Zu ihrem Glück ist nach wie vor der König vom Abendmahl ausgeschlossen. Bis der Papst ihn anerkennt, was sobald nicht geschehen soll, bleibt die Auflehnung gegen ihn ein gutes Werk.

Der König belagerte den starken Platz Laon, und gleichzeitig schlug er Feldschlachten gegen die eingefallene Armee, die Don Philipp schickte, obwohl er angesteckt war. Sie können es nicht lassen, eh sie nicht ganz verfault sind. Mut denn! Henri bewies seine Frische vollauf. Zwischen den Mühen und Gefahren schrieb er der reizenden Gabriele die gegenwärtigsten Briefe, nie hatte sie derengleichen von ihm bekommen. Sie faßte sogar den Verdacht, daß er sie ebenso gern und gut aus der Ferne liebte; sie wurde eifersüchtig auf seine Sehnsucht und ihr eigenes Bild, die ihn begleiteten. Der Sohn, dessen Geburt nahe war, hieß im voraus Cäsar, denn er war ein Kind des Krieges, wenn nicht noch anderer umwälzender Ereignisse. Der Vater dort hinten trug ihn schon auf Armen, als die Mutter ihrer schweren Stunde noch entgegensah. Diese Briefe umgaben sie mit seiner Person, derart, daß kein Gedanke des Unheils an sie herankonnte. So gebar sie ihm seinen Cäsar.

Als die gute Botschaft bei ihm anlangte, ein schöner Tag im Juni war's, Henri war die vorige Nacht über alle Abhänge des Berges von Laon geklettert, wo er die Festung angreifen könnte: da wusch er den Schmutz der Arbeit von Händen und Füßen und ritt nach einer Meierei im Walde. Die kannte er von Kind auf, sie gehörte zu den auswärtigen Domänen seines kleinen alten Landes Navarra. Er hatte dort einstmals Erdbeeren in Sahne gegessen und wollte sie wieder schmecken, das Glück eines Kindes im Herzen. Jetzt hießen sie alle Cäsar, das Glück, das Kind und sein eigenes Herz.

Nach der Ruhe am Nachmittag war er, wie als Junge, auf einen Pflaumenbaum gestiegen, da holten sie ihn. Unweit von hier flögen andere Pflaumen durch die Lüfte. Feindliche Reiterei sei gesichtet und könnte ihm leicht einen Imbiß zugedacht haben, der wäre schwer verdaulich. Aufs Pferd, aufs Pferd – und da er vor Laon eintraf, kam er dennoch nur zurecht, seinen Marschall Biron fallen zu sehen. Da lag der Mann, war seit alten Zeiten hart und hager gewesen, jetzt aber schlaff und wehrlos, wie wenn der Tod herantritt. Den erkennt Henri unfehlbar beim Soldaten; weiß sogleich, wo er sich noch abweisen läßt, wo nicht mehr. Hebt Kopf und Schulter seines Biron vom Erdboden, der ihn nächstens decken wird. Sie sehen einander in die Augen, letzter Ernst des Abschieds und Endpunktes. Wir waren Feinde: darum seither unsere feste Treue. Vergiß mich nicht, du kannst mich nicht vergessen. Auch du nicht, an dem Ort, wohin du gerufen wirst. Auf Wiedersehn. Nein doch. Womit wohl sähen wir uns wieder – da diese Augen jetzt in Staub zergehen. Henri blickte dringlich hinein, bis sie erstarrten und gebrochen waren.

An einem Tage hat er seinen Cäsar empfangen, seinen Biron verloren. Deutlich fühlt er den Wechsel und Wandel, gegen dessen Ansturm wir uns erhalten, und müssen standhaft sein. Ihr Söhne rückt nach. Ich zieh euch an mich, ihr befestigt mich. Biron hinterläßt einen Sohn beim Heer, der König ruft ihn zu sich.

«Marschall Biron», sprach er den Sohn an; so erfuhr dieser, daß er seinem Vater folgte. Hatte es nicht anders erwartet, obwohl er unterwürfig dankte, und beim Anblick der königlichen Tränen brach er selbst, wie auf Befehl, in ein wüstes Heulen aus. Der Mensch war von ungewöhnlichem Umfang der Muskeln und sonst auch nicht hager, nur hart. Seine Treue sollte der König dereinst kennenlernen. Vorläufig betätigte er seinen Schmerz, der eigentlich nicht der angemessene war bei einem gewaltigen Mann von fünfunddreißig Jahren – so lange, bis der König, der genug hatte, von seinen Bezügen als Marschall von Frankreich anfing. Da verlegte Sohn Biron sich auf den Handel. Er unterstützte seine Ansprüche mit allen Gründen, die erreichbar waren. «Sie haben Feinde», hielt er dem König vor. «Ich kann jeden anderen Mann mit meinen Armen erdrücken. Wie wenn ich Ihnen gegenüberstände! Sire, Sie können von Glück sagen.» War das nur plump und schlecht erzogen? War es auch hinterhältig? Der König wollte nichts hören außer dem Stolz einer wohlgelungenen Natur auf ihre hervorragende Leiblichkeit. Als Biron ferner seine mächtige Verwandtschaft anrief, empfand der König dies sogar als Mahnung. Denn er selbst, König Henri, war berufen und gewillt, die Sippen und Rotten der Mächtigen zu sprengen und weitaus zu verkleinern, zum Besten seines Volkes und Königreiches. Sohn Biron wußte davon nichts, Henri sah ihn sich an. Der runde Kopf mit dem tief angesetzten Haarwuchs erinnerte ihn an den Bauern, der für sechs aß, eine Bekanntschaft, die er im Fieber gemacht hatte. War aber, trotz finsterer Sturheit, der Kopf eines Edelmannes und Sohn des alten Gefährten. Henri liebte in diesem Menschen den Vater, umarmte ihn und gewährte ihm, was er wollte.

Im Juli ergab sich die Festung Laon dem König, weil sie mußte; aber Amiens und mehrere andere Städte hatten die Gelegenheit erwartet und taten desgleichen. Da die Spanier oder was so hieß, wieder einmal vertrieben waren, kehrte der König zurück in seine Hauptstadt und in die Arme seiner reizenden Gabriele. Neben ihrem Bett stand eine Wiege, es war eine merkwürdige Überraschung. Henri hatte seinen Sohn im Geist wohl an sich gedrückt. Hier erblickte er ihn wirklich – ein Ausruf des Erstaunens war alles, und der Vater griff schnell nach einem Stuhl, ihm wäre schwach geworden, vor Freude zweifellos, vor Freude. Und recht bedacht, auch darum, weil der kräftige, gesunde Junge sein war, und sollte ihm die Zukunft und das Fortleben über seine eigene Zeit hinaus sichern, was beides vorher unverbürgt war. Daher das nachträgliche Erschrecken des Vaters.

Er bedachte über der Wiege, daß er so lange allein und eigentlich ohne Aussicht seine viel und großen Mühen hinter sich gebracht hatte – und leicht wäre alles auszulöschen gewesen: eine Kugel genügte. ‹Jetzt nicht mehr. In Zukunft sind wir zwei.› Dies wiederholte er sich oft, sprach es endlich hörbar, indessen die Mutter geduldig auf ihn lauschte: war doch sie selbst der Schoß seines Glückes, so sehr sein Glück ihr Verständnis überstieg. Er dachte, während er vor sich hin sprach: ‹Groß und stark. Mir kann nichts mehr an› – während er wenige Worte fallen ließ, bedachte er im Fluge sein ganzes Leben, besonders die Jugend. Die Königin, seine Mutter, hatte ihn frühzeitig abgehärtet. Er selbst, der Sohn einer Kranken, war nicht gleich groß und stark gewesen, sie hatte ihn wetterfest gemacht. Davon hatte er gezehrt, wenn er im Feld auf dem nackten Erdboden schlief, und ritt dem Feind entgegen, immer Feinden entgegen, viele Male um das Königreich. Schlachten, Belagerungen, das Blut, der Schlamm, sie gleiten, sie fallen, ich steh. Und du, mein Sohn?

Entgegen aller eigenen Erfahrungen versprach der Vater seinem kräftigen Jungen, daß er es leicht haben sollte, weder Feinde noch Hindernisse, vielmehr Frieden, Freude, ein befestigtes Königreich, ein Volk, das uns liebt. ‹Das schaff ich, mein Sohn, und gewinn uns die Liebe des Volkes.› Hob das Kind aus der Wiege, küßte es und reichte es der Mutter, damit auch sie es küßte. Hierbei beteuerte er, daß sie alsbald heiraten sollten. Das erste wäre, unverzüglich wär's: ihre Scheidung von Herrn de Liancourt; dann seine eigene von der Prinzessin von Valois. Der Papst wird müssen. Was will er machen, wenn der König von Frankreich und Sieger über Spanien droht, wieder Protestant zu werden.

Der Papst hebt den Bann auf, eigenhändig reicht er den Gesandten des Königs das Abendmahl. Er scheidet den König, verbindet ihn mit seiner teuren Herrin und befiehlt allen Gläubigen, ihm zu gehorchen. Das alles liegt im Ungewissen, ist aber hier so gut wie geschehen. Denn der König hat einen Sohn, trägt ihn auf Händen: davon wird vieles leicht und fügt sich geläufig. Solch eine glückliche Nacht war dies, und war ein Rausch – nicht einmal in den Armen der reizenden Gabriele hat er ihn nachher wiedergefunden.

Nun muß aber die reizende Gabriele zuerst genesen. Ein Gesuch an das geistliche Gericht zu Amiens, dem sie mit Herrn de Liancourt unterstand, mehr geschah nicht, bis ihre ganze Schönheit hergestellt wäre und sie mit dem König einzöge. Geboten war, daß er seine Hauptstadt in Besitz nahm, nicht mehr heimlich zur frühesten Morgenstunde, sondern förmlich und durch große Majestät. Ihn drängte es nicht, was er im Ernst errungen hatte, als Schau und Apparat, noch einmal vorzuführen. Aber mit ihm einziehen sollte die teure Herrin: daher sein ganzer Eifer, der Hof bemerkte es wohl.

Niemand widersprach, und kaum daß geflüstert wurde bei Hof und in der Stadt; beide waren verblüfft durch die Kühnheit des Königs. Mit seiner Geliebten denkt er sich auszustellen vor uns und den gemeinen Leuten. Bis zu den anderen Höfen und Nationen soll die Kenntnis dringen, daß der König an seinem Triumph diese Gefährtin beteiligt hat und beschlossen hat, sie an seine Seite zu ziehen. Die erste Stufe zum Thron, die schöne d'Estrées hat sie betreten, als sie dem König den Sohn schenkte. Man bedenke, daß seit fünfzig Jahren kein König von Frankreich seine Männlichkeit bewiesen hat! Die zweite Stufe, die schöne d'Estrées hebt schon den Fuß nach ihr. Vorsicht und Abwehr! Daß alle zusammenhalten, sonst bekommen sie wahrhaftig eine Königin vom Blut dieses Landes und Volkes.

So war die Meinung. Im Grunde entging ihr niemand – auch nicht Gabriele selbst. Ihr war beklommen, besonders am Tage vor dem Einzug, ihr lieber Herr hatte den fünfzehnten September bestimmt. Den vierzehnten verließ ihre Tante de Sourdis sie so wenig als möglich. Dame de Sourdis persönlich legte ihr an, was sie morgen tragen sollte, das Kleid, den Schmuck, einen Glanz und Reichtum für Fürstinnen, sonst aber unerhört.

«Keine Frau unseres Standes war jemals angetan wie du», sagte die Tante.

Die Nichte sagte:

«Mir ist angst.» Ein großes Schmuckstück entfiel ihr.

«Dumme Gans», sagte die Tante.

Auch sie war reizbar, denn merkwürdig, nunmehr befand Dame de Sourdis sich selbst in gesegneten Umständen: vielleicht von ihrem bleichen Freunde de Cheverny, aber noch andere kamen in Frage. Eigentlich beneidete sie die Nichte um den königlichen Aufwand – sah zugleich mit Gabriele in den großen Spiegel und schätzte, daß ihre eigene Haut von noch grellerer Weiße wäre. Blendend hätte das Kleid aus schwarzer Seide die Farbe ihres Körpers gehoben. Glitzernd bestickt hing es über dem breiten und flachen Korb, der um die Gestalt her schaukelte, höchst verführerische Wellen beschrieb und schöne Gliedmaßen gegenwärtiger machte, anstatt sie zu verdecken. Die Dame war überzeugt, daß auch die ihren das Kunststück vertragen hätten. Aus der vorderen, sehr weiten Öffnung schimmerte der Rock, war vielfach silbern übersponnen und vollends bedeckt mit Perlen in langen Kränzen, mit großen Sternen von Edelsteinen. Die Tante verspürte Lust, der Nichte in das Genick zu schlagen. Sie war nur die erste der vielen, die morgen vor Begierde erröten, vor Neid erblassen sollten.

Wenigstens suchte sie Gabriele noch unsicherer zu machen, als die Schöne schon war. «Du solltest zur rechten Zeit unpäßlich werden, meine Schöne», sagte sie. «Ein solches Übermaß der Verschwendung gibt man der Schaulust nicht preis. Es ist gefährlich, nicht nur für dich, sondern für uns alle. Herr de Rosny wird nachrechnen, wieviel an Geldeswert dein ganzer Umfang darstellt. Dem König hat man seine Pferde zurückgebracht aus Mangel an Futter. Halt eins zum andern!»

Gabriele durchschaute Madame de Sourdis. Bei aller inneren Bedrängnis sprach sie zuversichtlich: «Ich und Herr de Rosny sind aufeinander angewiesen. Er wird mir helfen, wie ich ihm.» Und obwohl ihre Tante fortfuhr, zu warnen, beschloß Gabriele, noch heute abend wollte sie bei dem König durchsetzen, daß er Herrn de Rosny in den Finanzrat einführte.

Nun bestieg aber der König desselben Abends mit ihr eine Kutsche, was niemand wissen durfte, und die Namen der Reisenden sollten unbekannt sein. Die Fahrt dieses Paares ging nur bis Saint-Germain. Bei ihrer Ankunft stand das alte Schloß schwarz im Brand der Sonne. Der vorige Hof hatte es einst bewohnt, und dieselben Zeichen von schwärzlichem Lodern hatten einen kleinen Knaben empfangen: mit seiner Mutter Jeanne war er hergereist fern und fremd. Gerade von hier soll morgen groß eingezogen werden in die Hauptstadt des Königreiches. «Ihre Hand, Madame, wir sind zu Hause. Werden überall, wo wir den Fuß hinsetzen, bei uns zu Hause sein.»

Dies sprach er beim Verlassen der Kutsche, da er wohl fühlte, ihr wäre nicht geheuer. Das erste Königsschloß, darin sie schlafen soll. Ihr ist nicht geheuer, sie teilt die Meinung aller, daß es vermessen wäre. Der allgemeine Begriff vom Königtum ist abergläubisch; nie wird dem König Henri verziehen werden, daß seiner anders ist. Er will begütigen, die edle, beschränkte Stirn der Frau, die ihm den Sohn geboren hat, er umfaßt sie mit seinen Händen. Gabriele schloß aber die Augen, ihr Zittern nahm zu, und mit geschlossenen Augen bat sie, daß er sie allein ließe in dieser Nacht.

Daraus hätte er viel lernen können, zog aber dann groß ein und fand alles gut. Abend war, das Licht der Fackeln wehte durch die engen Straßen über das Gewimmel des Volkes hinauf zu den geschmückten Häusern. Noch an den Giebeln und Balken hingen Menschen. Vom Boden und aus den Lüften rief es, er solle leben. Der König soll leben, und das ist er, auf seinem Apfelschimmel und die Brust in grauer Seide, starrend von Gold. Diesmal trägt er den Hut mit dem weißen Busch, denn Friede besteht, dies Volk und sein König sind eines.

Nun hatte er die ganzen Garnisonen von Mantes und Saint-Denis um und vor sich mitsamt den Stadtältesten und Schöffen, die allenfalls für Geiseln gelten konnten; so mußte wohl Friede sein und der König leben. Indessen hatte einstmals eine Raserei von Begeisterung ein anderes Pferd bestürmt, darauf saß ein silberner Ritter, silbernd und blond mit nichts im Sinn als Tod. Gemetzel, Verrat, viele Jahre der fanatischen Wirrnisse, bis der geliebte Held dieser Stadt endlich selbst durch Mord fiel. Denken wir an den seligen Herzog von Guise nicht: die Liebe des Volkes wäre heute vergleichsweise schwach, sie könnt uns traurig machen. Wir tun fröhlich Dienst. Besonders um die Liebe des Volkes will fröhlich gedient sein. Statt eines mörderischen Lieblings der Massen bieten wir dem öffentlichen Anblick die schönste Frau in Zeit und Ewigkeit. Ihre Sänfte ging allem voran, dem König, seinen Truppen, Edelleuten, Stadtherren, Würdenträgern. Vorn, mit Abstand, ging die Sänfte, zwei rot aufgeschirrte Maultiere trugen sie, umgeben war sie von einer Kompanie Schützen. Die Vorhänge aus rotem Damast waren zurückgeschlagen; wer wollte, ließ sich rühren von dem schüchternen Lächeln der Frau. Die ist nicht stolz, sagten die einen. Sie hat dem König einen Sohn geschenkt. Wie wäre sie denn das unzüchtige Geschöpf der Hölle, von dem man gehört hat. Die anderen entgegneten: Ihr Kleid ist zu reich, das darf nicht sein. Man sehe die Gesichter der Weiber. Wer müßte eine sein, um standzuhalten all dem Neid. Sie tut's, wurde erwidert. Der König will es. Sie ist sein Schmuck, sein Stolz, und seine Ehre ist sie.

Das letzte sprachen die Rechtsgelehrten seines Parlaments, während er selbst mit seinem ganzen Zuge nach der Kirche Notre-Dame lenkte. Er grüßte, so viele ihm zuriefen und jeden, der herandrängte, ihn und seine Herrin zu betrachten. Sein Hut mit weißem Busch, er hielt ihn öfter in der Faust als auf dem Kopf. Drei sehr schöne Frauen in Trauer standen an einem Fenster, die grüßte er tief. Seine Humanisten im gepflasterten Vorhof von unserer lieben Frau sprachen: Hat er uns dennoch zum Sieg geführt, und dies ist unsere Zeit. Sahen aber wohl, daß sie inzwischen grau geworden waren wie auch ihr König. Sie sprachen: Macht und Besitz kommen spät, damit sie um so besser benützt werden. Hiermit gingen alle ihm entgegen, mehr als hundert in roten Roben.

Nach dem Tedeum wurde derselbe Zug noch einmal gebildet, zog aber nicht mehr die Menge der Zuschauer an wie vorher. Es war acht Uhr und hohe Zeit, zur Nacht zu essen. Der König erreichte seinen Louvre so gut wie allein. Schon vorher waren alle abgeschwenkt, jeder nach seiner Seite. Als er seine Mahlzeit aufgetragen bekam, fror ihn. Das alte Schloß ist kalt. Die Gegenwart seiner treuen Herrin könnte es erwärmen. Eine öffentliche Staatshandlung, die erste, an der Gabriele teilgenommen hatte, verbot natürlich diesen beiden, daß sie den Abend beisammen wären. Friert es nicht auch die Geliebte in ihrem Hause? Jeder von ihnen ist einsam, und was denkt sie über ihren großen Auftritt vor dem Volk von Paris? Es wäre gut, einander zu sagen, ob wirklich alles glücklich verlaufen ist, und wenn nicht, warum. Sie wird die wahren Regungen um sich her so gut erfaßt haben wie er selbst. ‹Sogar im Rücken verspürt unsereins die Meinung der Leute – und gerade im Rücken, wenn man an ihnen vorbei ist, und ihr

Lebehoch haben sie gerufen. Soviel an mir lag, hab ich getan›, darüber war Henri beruhigt. ‹Mein Apfelschimmel tänzelte, als ich die drei Frauen in Trauer grüßte. Mein Sitz war weder steif, als wär ich die spanische Majestät, noch ritt ich wie ein kleiner Hauptmann. Die drei Frauen antworteten mir holdselig. Aber der Anblick meiner Herrin muß sie bis zu Tränen beglückt haben, es wäre sonst nicht natürlich, die Frauen sowohl als die Männer.›

«War sie nicht schön?» fragte er leise in den Tisch hinein, ohne umzusehen, welcher seiner Edelleute ihn gerade bediente. Nun war es an dieser Stelle der tapfere Crillon, ein Mann, bedeckt mit Narben aus ungezählten Gefechten und der Treuesten einer. Hatte vor Laon seinen Mann gestellt und als Lohn ausbedungen, daß er heut abend dem König einschenken dürfte. Das tat er und antwortete: «Sire! Ja, sie war zu schön.»

Henri wendete den Kopf. «Tapferer Crillon, setz dich zu mir.»

Die anderen Herren nahmen es für ein Zeichen fortzutreten. «Sag mir jetzt, was du ihr vorwirfst.»

«Herr, ich bete sie an», bekannte der Soldat. «Weil ich der Ihre bin, verehr ich Ihre Liebste, mir macht es kein Kopfzerbrechen. Die Leute, wie sie einmal sind, nahmen Anstoß an dem Taschentuch, das man in ihrer Hand bemerkte: es soll zwanzig Taler kosten, solch ein Tuch zu sticken. Und wenn es hundert kostete! Es ist die Liebste meines Königs.»

«Trink mit mir, tapferer Crillon. Was redet man noch?»

«Sire! Vielerlei und meistens Unsinn.»

«Heraus mit der Sprache.»

«Ich bin nur ein Haudegen wie andere, geh unscheinbar durch das Volk, da hör ich sagen, Sie hätten die Pension Ihrer Liebsten von vier- auf fünfhundert Taler monatlich erhöht und ihr ein Landgut gekauft, indes Sie selbst nur Schulden hätten. Mir verschlägt es nichts. Wo Kriegsmänner sind, gibt's Wucherer. Eure Majestät haben fürs Geld Ihren Gondi, Ihren Zamet, lauter ausländische Spitzbuben, die Sie auspressen – sagt das Volk. Daher müssen Sie selbst das Volk besteuern, sagt es. Ungerecht besteuern, behauptet es.»

Henri sprach – nicht mehr für den tapferen Crillon, den er dabei ein Glas trinken ließ, oder waren es mehrere.

«Die Armen! Sie sind mir noch böse. Wollen bis jetzt nicht zugeben, daß ich ihnen das Leben keineswegs schwerer mache, sondern nach Kräften erleichtere ich es ihnen. Werden aber zu mir kommen mit ihrer Liebe, hab ich erst alles gut gemacht nach meinen Absichten und wie es ausgerechnet wird im Arsenal.»

Der Soldat an seinem Tisch hörte «Arsenal» und brummte.

«Den im Arsenal halten die Leute für den Schlimmsten. Kann auch ein Soldat sich auf die Finanzen verlegen!»

«Ist das alles?» fragte Henri wieder seinen Kriegsgefährten. Dem erröteten auf Stirn und Wangen die Narben – nicht infolge der getrunkenen Gläser, davon vertrug er mehr, im Gegenteil erlaubte nur der Wein ihm, eine Rede vorzubringen: die hätte sonst gewiß gestockt.

«Sire!» sagte der tapfere Crillon. «Wären Sie doch ein Hugenott geblieben!»

«Dir wenigstens habe ich schon als Ketzer gefallen» – Henri klopfte ihm die Schulter und lachte.

«Meinetwegen dürften Sie der Großtürke sein.» Der Soldat wurde leise, er wurde schamhaft. «Ich nenne Sie weder Verräter noch Heuchler; das tun aber die Prediger auf den Kanzeln und die Mönche, die in alle Häuser gehen. Die Leute denken meistens, Sie hätten überhaupt keine Religion.»

Noch leiser als der andere, unhörbar in den Tisch hinein sagte Henri: «Das denk ich oft selbst. Was weiß ich.»

Der tapfere Crillon: «Die Meinung ist, daß Sie sich bekehrt haben einzig um des Nutzens willen, damit der Papst Sie anerkennt. Besonders soll er Ihre Ehe scheiden, dann heiraten Sie Ihre Liebste.»

Hier stieß Henri seinen Fluch aus. «Das tu ich.»

«Ja. Wenn er will. Und so müssen wir zusehen, wie Sie demütig sind vor dem Herrn Papst. Unser König war sonst vor niemand klein.»

Henri: «Der ist der Stellvertreter Gottes.»

Der tapfere Crillon: «Und wer ist Gott? Ein Gott der Mönche, die umgehen und munkeln, Sie wären der Antichrist? Ihr Geschick wär Ihnen aufgespart und werde Sie ereilen.»

Henri: «Das geht um?» Er wußte wohl, daß es umgehe; nur hätte er nicht geglaubt, die Zeit wäre gekommen, daß ein Getreuer es ihm hinterbringen müßte.

Bei dem Kriegsgefährten brach offener Zorn aus, er verstieg sich zu großen Kühnheiten.

«Sire, geschieden oder nicht, hätten Sie Ihre Liebste heiraten sollen, und heute groß einziehen mit Ihrer Königin. Wollen die Leute ihn sehen, dann zeigen Sie ihnen den Antichrist. Keine Bange, die hätten gekuscht. Nicht der König wäre demütig: der Papst in Rom wär's ein für alle Male und tät Ihnen den Willen, samt Pfarrern, Mönchen und der ganzen Gemeinde. Amen.»

«Tapferer Crillon, jetzt gehen wir schlafen», schloß Henri.

Eine Hinrichtung

Der König ließ die alten Pläne eines verstorbenen Baumeisters hervorsuchen; nach ihnen vergrößerte er sein Schloß Louvre, während er es bewohnte. Allmählich beschäftigte er zweitausend Arbeiter, die alle Gebäude mit Lärm erfüllten. Der König sollte aber im Verlauf der Arbeiten noch oft auf Reisen gehen. Seine Reisen waren Feldzüge, die er so nannte.

Er versah die südliche Gartenfront mit Ornamenten: ein H und ein G umwanden einander. Sogleich unternahm er auch die große Galerie vom Louvre nach den Tuilerien, und diesen Endpunkt besserte er reich aus. In Jahren und Jahren wird er den weiten Umfang des Palastes dahinführen, über den Flügel, der nach der Göttin Flora heißt, und zurück bis zu dem reichen Endpunkt. Wenn alles dereinst vollendet dasteht, wird auch seine Zeit schon um sein. So hat er auf Lebensdauer im eigenen Haus das Unfertige, die Unruhe, die fröhliche Arbeit und die Sorge um ihre Kosten.

Er begann mit einem Haus, und zum Schluß war vieles umgebaut, man bemerkte dann: das Königreich. Solange dies vor sich geht, überblickt man es nicht, die Gefühle sind ungewiß. Den Nutzen für alle begleitet immer das Mißtrauen und kommt längst vor dem Dank. Sollen aber wenige etwas verlieren – ihr ungerechtes Übermaß an Macht, Geld, Landbesitz und Einfluß, unfehlbar kommt die Verwandlung in den Ruf der öffentlichen Plage. Dafür ist gesorgt. Die großen Herren, die von diesem König aus ihren Gebieten hinausgesetzt wurden, hatten natürlich jeder ganze Scharen von Kunden. Deren jeder einzelne lebte mißbräuchlich vom Volk, vergleichbar der Gestalt des Mannes, den Henri im Fieber erblickt hatte, der für sechs aß, und die verhungerten Bauern kannten es nicht anders.

Rosny, später Herzog von Sully, erst spät, der König beeilt sich nicht, denn dieser Mann von der Front der Kathedrale ist sein bester Diener und macht ihm die meisten Feinde – nun, Herr de Rosny gelangt zunächst wirklich in den Finanzrat. Gabriele d'Estrées ist es, die seine Ernennung erreicht hat, und der König selbst bezeugt dies Herrn de Rosny. Daher einige Nachsicht und ein zugedrücktes Auge des Rates für die Geldbedürfnisse der teuren Herrin und ihrer weitverzweigten Familie.

Der königliche Rat Herr de Rosny setzte, wie er versprochen hatte, seine Person ein. Ließ sich vom König die Nachprüfung der Finanzämter im ganzen Königreich anvertrauen – unter Umgehung aller älteren Mitglieder des Kollegiums. Schon deshalb viel Haß, und jetzt erst die Kontrolle. Kein Amt, aus dem Rosny nicht Geld holte nach Aufdeckung der verwickelten Unterschleife und Abbruch der frechen Vergeudung – dies, wenn nötig, mit Gewalt. Denn der königliche Rat kam in bewaffneter Begleitung, wurde auch selbst aus einem Rat alsbald ein Soldat. Und er ist Protestant, bleibt es hartnäckig und bietet all denen, die ihre Beute an ihn verloren haben, die Gelegenheit, vom Glauben zu reden. Eure Religion wird verfolgt! Dies hörte das Landvolk von allen Seiten. Jetzt ackert ihr wieder, liefert aber euren Gewinn an uns Amtspersonen nicht ab, das ist Sünde. Frei von Versteigerungen, füttert ihr euer Vieh wie schon lange nicht, und auch die Straße ist frei, keine Zölle mehr. Das Gericht der Provinz, das über sie dennoch Zölle verhängt, wird abgesetzt. Das ist Gewalt, zwei Ketzer verüben sie. Habt acht auf euer Heil!

Das taten sie und machten sogar Aufstände; entgegen dem Augenschein glaubten sie, es geh ihnen schlechter. Soviel erreicht ein Gerede, das unaufhörlich die Menschen berieselt wie der Odel die Felder. Das Gerede war, daß gedeckt von dem offenen Ketzer Rosny ein anderer, schlecht bekehrter, jetzt König genannt, die Religion zerstören wollte und wär Antichrist.

König Henri lachte. Ihm gehe es auch nicht besser, und wär er ein Bauer, er stände wahrhaftig auf. Übrigens bedrängten ihn sogar Gutgläubige, damit er Rosny unschädlich mache. Ja, im stillen war er versucht, seinen Rosny zur Ruhe zu setzen, gedachte aber der Festigkeit, deren er immer bedurft hatte; mit dem

Alter wird sie strenger, mit der Zeit noch gefahrenreicher. Seinen Rosny belohnte er vielmehr, weil der keine Bestechungen annahm. Das Geld der großen Räuber, Herr de Rosny verachtete es aus Überzeugung; aber gern ließ er sich von seinem Herrn für seine Ehrlichkeit entschädigen. Die Säckel, die der Lohn seines braven Dienstes waren, die sammelte er so nüchtern wie vor Zeiten, als man die eroberten Städte noch plünderte und er seinen Anteil davontrug. Hatte übrigens Rückfälle und riet seinem König, einen großen Herrn doch lieber aufzuhängen, anstatt gutes Geld an ihn zu wenden, damit er seine Provinz räumte. «Dummkopf», mußte König Henri ihm sagen. «Krieg gegen einen meiner Untertanen kommt mich teurer zu stehen, als wenn ich ihn kaufe.»

Wankelmut und Mißtrauen, dies beides war bisher die Ernte, die der König einnahm, abgesehen von den baren Erträgnissen der Rosnyschen Reisen. Ähnlich erging es ihm mit den Läden in seinem Schloß Louvre. Zu ebener Erde errichtete er Läden, hier arbeiteten sowohl Handwerker als Künstler, er machte keinen Unterschied. Wollte, daß alles Volk und die Fremden an bevorzugter Stelle betrachteten, wie die Gewerbe seines Königreiches den Aufschwung nahmen. Er ging weiter und begann in seiner Hauptstadt die Anlage des Königsplatzes: lange Bogengänge rund um ein riesiges Wasserbecken, künftig sollte dort den Beschauern dargeboten werden, worauf der König stolz war, sein Werk, die Seidenindustrie. Die führte er ein, er pflegte sie.

Nun wird erst nach ihm von anderen sein Königsplatz benutzt werden, und nur für veraltetes Gepränge, nicht aber im Dienst des Gewerbes. So erging es dem Gelände der Industrie, weil auch der größte Fleiß dieses Königs nicht ausreichte für alle Dienste, die er allein verrichten mußte zu seiner schnell ablaufenden Zeit. Außerdem mißtraute seine Hauptstadt den Neuerungen, genau wie das Landvolk; sie zog aus ihnen dieselbe Lehre, der König wäre denn doch gegen die Religion. Bürgersleute besuchten mit ihrem Anhang das unfertige Gelände; ihnen und ihren Sachen war es dereinst zugedacht. Das mißfiel ihnen, sie standen umher und bezweifelten den rechten Glauben des Königs. Die Arbeiten des städtischen Volkes finden nach göttlicher Vorschrift in der Enge statt. Ein luftiges Gebreite, Bogenhallen und inmitten ein Wasserbecken, das ist für Herren gut. Mögen sie Ringelspiel und Lanzenstechen hier treiben, wie es mit der Einwilligung des Himmels schon immer war.

Wird auch wieder so kommen, wartet nur. König Henri erregt schon Anstoß genug mit seinen Läden, die er im Louvre wirklich einräumt und besetzt. Das Geklapper des Handwerks, die Bedienung von Kunden, das Aus und Ein im Arbeitskleid: alles unter dem gleichen Dach mit der Majestät. Wär es erlaubt und sollt nicht Lästerung sein? Gut, der König baut. Gut, sein erstes war gewesen, daß er den Gärtner Lenôtre große Blumenbeete anlegen und viele hohe Gänge aus gestutzten Hecken errichten ließ. Verschwendete die Einkünfte, die sein Finanzrat Rosny herauspreßte, an ausländische Bäume, Pinien, Orangengebüsch und Sykomoren; schloß alles ab und erging sich allein in seinen grünenden Sälen. So ist es königlich. Ärgerlich ist sein Aufenthalt bei den Läden, die Einmischung in das gemeine Treiben. Da können Zwischenfälle nicht ausbleiben: ein König darf hinein nicht verwickelt werden, am wenigsten dieser, um den es locker bestellt ist.

In dem Laden eines Steinmetzen wurde eine Frau fallsüchtig. Viele haben es gesehen: das hohe Übel brach bei ihr aus infolge des Anblicks eines Kreuzes, das ein Heiliger, aus Stein gemeißelt, ihr entgegenhielt. Den Teufel, der in sie gefahren war, litt es nicht, er wollte heraus. Ein Priester wurde geholt, sprach über der Besessenen alle kräftigen Worte, die hier geboten waren, und der böse Geist hätte auch sicher die Flucht ergriffen. Die Frau schlug furchtbar um sich, ihr Geschrei war das von Dämonen. Kommt der König mit seiner Wache. «Was geht da vor?» ruft er und fährt dem Teufel unsanft ins Gesicht. Alle haben es gesehen: das Gesicht der Hölle tritt durch die Ohrfeige grauenhaft hervor, es schäumt, die Frau ist am Ersticken. Inzwischen trifft ein Arzt ein, der König hat ihn herbefohlen. Der Arzt schlägt dem heimgesuchten Leib die Ader, als ob das erlaubt wäre. Er entkleidet die Person zu Hälfte, umwickelt, alles unter Anwendung von Zwang, ihre Schultern und den Kopf mit Tüchern, die in kaltes Wasser getaucht sind. Da wird draußen das Allerheiligste vorbeigetragen, und obwohl die Frau unter dem nassen Leinen nichts sehen kann, brüllt sie auf, gräßlich wie nie vorher.

Der König hat unrecht. Er verläßt den Laden zwischen dem feindlichen Schweigen der Menge. Zu seinem Glück begleitet ihn die Wache. Der Mißbrauch der Besessenen, die dann übrigens aufstand und ihrer Wege ging, wird ihm so bald nicht verziehen. Eine solche Heilung gilt nicht. Die Läden in Schloß Louvre, der Königsplatz und viel anderes mehr, seine Brücken, mit denen er die Teile von Paris erst zu einer einzigen Stadt machte, nichts gilt. Noch nicht. Der König verzeiht – er verzeiht aller Welt, seinen Feinden von der Liga, die ihn gehängt hätten, den großen Herren, die er hängen könnte, anstatt sie abzufinden. Laufen läßt er die Bauern, obwohl ihr Elend sie bis vor kurzem zu Straßenräubern machte; und nicht einmal den Protestanten, seinen früheren Glaubensgenossen, geschieht etwas. In Paris ist nicht mehr hingerichtet worden seit dem Einzug dieses Königs, das gefällt den Leuten nicht. Noch nicht.

Eines Tages wurden dennoch auf dem Grèveplatz die lieb gewohnten Vorbereitungen getroffen, die Henkersknechte schlugen das Gerüst auf, sie schmierten das Rad, damit es den Patienten glatter drehte, während der Henker ihm die Glieder zerbrach. Zu allem Überfluß standen vier schwarze Pferde bereit, ihn viermal auseinanderzureißen. Die Häuser, oben breiter als unten, sahen aus ihren Giebeln neugierig herab, was da werden sollte. Die Leute im Gedränge rissen die Augen auf, unter ihren hohen Filzen und eckig zugeschnittenen Haaren bekamen sie spitze Nasen vor übermäßiger Gespanntheit. Sie wollten es bis jetzt nicht glauben, und hörten doch das Armesünderglöckchen schrill anschlagen. Aber das Unwahrscheinliche ereignete sich wirklich: von Soldaten in die Mitte genommen, erschien ein Edelmann.

Er ging unbehindert, da von selbst eine freie Bahn entstand, man wich beiseite. Seine Schritte waren sogar anmutig, nicht überstürzt und auch nicht langsam, den Kopf hielt er gewinnend und zeigte ein reizendes junges Gesicht. Die

Blicke der Frauen hingen an ihm, und er erwiderte sie mit einer zarten Dringlichkeit, die unbegreiflich schien in seinem Zustand und angesichts seiner begangenen Taten. Den Frauen, in die er seine Augen senkte, klopfte das Herz vor Angst – sie wußten aber nicht, war es Grausen oder sorgten sie sich um ihn. Zwei Frauen in mittleren Jahren und von derber Beschaffenheit machten den Anfang zu lautem Einspruch, sogleich erhoben andere ihre Stimmen. Ein Herr mit so liebenswürdigem Blick darf nicht auf das Rad geflochten werden! Ein Herr von so sanften Sitten hat nichts verbrochen und am wenigsten den Greuel, dessentwegen er gevierteilt werden soll!

Einige Männer wurden von ihren Gattinen als Feiglinge gescholten, daraufhin murrten sie unbeholfen gegen das Gericht des Königs und ihn selbst. Ein Drang und Schub nach dem Gerüst setzte ein und durchlief den Körper der Menge. Nicht viel fehlte, daß die vordersten am Gerüst Herrn de Lionne den Soldaten entrissen hätten, bevor diese ihn dem Henker ablieferten. Das gelang schließlich nur, weil der Henker hinkniete und betete. Da glaubte man, der Anführer der hohen Werke schräke selbst zurück; übrigens würde alsbald ein Bote des Königs erscheinen, den Edelmann zu befreien. Anstatt dessen ergriffen ihn die Henkersknechte, aber auf der Treppe zum Blutgericht stand plötzlich ein junger Bauer, der sprach in das bestürzte Schweigen, seine Stimme klang bald hoch, bald tief vor Wut und Haß. «Mein Mädchen war es. Ihr hat er seine Füße in den offenen Leib gesetzt.»

Dies machte, daß mehrere Frauen schrill aufheulten in demselben Ton wie das eilende Glöckchen. Denn sie hatten es gewußt und hatten nur verweigert, es zu glauben, solange der hübsche Edelmann dermaßen gewinnend auftrat. Das konnte er nicht mehr, sondern wurde schon festgebunden, die Arme waren bis hinter den Kopf gestreckt, die Beine vom Knie abwärts hingen über das flache Rad – indessen aber dem jungen Bauern andere Zeugen folgten. Jetzt wurde ruchbar und umhergesprochen, zaghaft, entsetzt, wild, daß der Bube denselben Greuel schon öfter, besonders auf seinen eigenen Besitzungen, vollführt hatte. Nur aus Furcht vor seinem Stand und Einfluß war niemals ein Kriminalfall aufgeworfen worden. Bedenken hatten die Ämter zurückgehalten, die Bauern aber ihre alte Knechtschaft.

Wär es faßbar, daß es anders kommt? Die Köpfe wurden gereckt: noch immer kein rettender Bote – sondern der Henker dreht das Rad, er schwingt den Stab aus Eisen. Da streicht ein Seufzer über den ganzen Platz. Diese große Menge Volkes auf dem Grèveplatz zu Paris atmet vereint ihre ungeheure Spannung aus. So ist wahrhaftig die Neuheit eingetreten, und zu Tod gebracht nach gemeinem Gesetz für Diebe und Mörder wird ein Herr. Nicht mit dem Schwert enthauptet wie seinesgleichen und keineswegs als Strafe für einen Anschlag gegen die Majestät. Sondern gerädert und gevierteilt zur Vergeltung seiner Untaten an armen Leuten. Ein Mann, der vorher auf Geheiß seiner Frau gemurrt hatte, bekam ein Gesicht wie Feuer, er rief erbittert: «Der König soll leben!»

Volkes Stimme, die ihm diesmal geneigt war, drang in derselben Stunde nicht bis zu Henri. Er ging allein und mit langen Schritten durch die grünenden Säle seines abgeschlossenen Gartens; sein Gedanke war: ‹Möchte der Mensch es überstanden haben!› Das Armesünderglöckchen zeigte ihm den Beginn der Hinrichtung an, da blieb er stehen und trocknete seine Stirn. Sein Gedanke war: ‹Wahnsinnige gibt es allerwege. Ich kannte solche, die ihr Haß, und andere, die ihre Liebe um den Verstand brachte. Sie töten für das Zeitliche und für das Ewige, um den Himmel, den sie erwerben wollen, um die Frauen, die sie begehren. Der Himmel und die Frauen, beide geben uns das Leben, sind aber Ursache, weshalb wir töten. Manche werden zu Propheten, wie die Prediger, die meinen Tod vorauswissen und mir schreiben. Einige nehmen Zaubereien mit meiner Wachsbüste vor, damit ich sterbe. Gedenk ich meines Fiebers, meiner Tante Montpensier und des Mannes, der für sechs aß; erinnere ich mich an Herrn d'Estrées, der stahl aus Narretei, oder des Fliegenfängers Brissac, oder des zwecklosen Feldherrn Parma, des unbelehrbaren Mayenne; hab ich vor Augen nur meinen nüchternen Rosny, der doch das Geld wie seine Ehre achtet: – helf Gott, ich hab's mit Verrückten zu tun. Ihre leeren Ansprüche, trügerischen Taten und Sucht nach Blut, ich soll noch viel davon erfahren. Treffen sie mich zuletzt – treffen sie mich, dann sehen sie aus vernünftigen Augen darein und haben um ihren Wahnsinn nie gewußt.›

Das Armesünderglöckchen schlug ein letztes Mal und schwieg. Henri beugte die Stirn, zuinnerst bat er für Herrn de Lionne: ‹Sei ihm gnädig, Herr. Er hat die Frauen zu sehr geliebt.› Der Sinn des Beters aber umfing mit den Knien des Herrn zugleich seine teure Herrin: die sollt ihn behüten vor allem Äußersten und Abscheulichen, vor Ausartung, vor Erniedrigung. Immer drohen sie, da unsere Vernunft schmal wandelt zwischen Abgründen, die sie verlocken und rufen. Bei dir den Frieden, die Sicherheit bei dir!

An der Wiege

Die Jesuiten wollten ihm einen Beichtvater bestellen, und er hielt sie hin. Er fühlte durchaus, daß sie ihm gefährlicher wurden, je länger er ihnen auswich. Aber er konnte die Demut nicht weitertreiben; seine Franzosen beider Bekenntnisse wußten ihm dessen nicht Dank. In Rom nur immer den getreuen Sohn und armen Bittsteller machen und noch verhöhnt werden – was er verdient fand und antwortete wohl mit Flüchen, aber einzig Herr d'Armagnac hörte sie. Kaum, daß er eine Messe zu versäumen wagt und wären seine Geschäfte noch so dringlich. Er versuchte, sich zu entschuldigen. «Ich arbeite für das öffentliche Wohl, anstatt die Messe zu hören. So scheint mir's, ich verließe Gott und ginge doch zu ihm hin» – indessen wurde die Ausrede von den Prälaten nur gerade durchgelassen. Und das waren noch die Bequemen.

Die ganz frische Kampftruppe der Jesuiten ließ nichts durch, vergaß nichts. Der Hof war gegen sie aufgebracht, das Parlament von Paris machte ihnen den Prozeß, weil diese Väter die weltliche Majestät der Könige nicht, wie jetzt in

Europa üblich, zu den Göttern erhoben, sehr im Gegenteil. Henri, der einzige, der hierüber ihre Meinung teilte, gab dem Prozeß den mildesten Abschluß. Ganz anders handelten diese Väter. Sie hielten Milde und das Übersehen ihrer Feinde für ein Verbrechen, sogar für das einzige, dessen sie nicht schuldig werden durften. Der Fall des Königs von Frankreich wurde sowohl hierzulande als auch in Spanien von ihnen geprüft. Ihre streitbaren Bücher vermehrten sich zu dieser Zeit um mehrere Kapitel – Schluß und letztes Gebot war unfehlbar der Tyrannenmord.

Seine eigenen geistlichen Truppen, seine Hugenotten – Henri sparte sie auf, mochte er ihrer künftig benötigen oder nicht. Das kann eintreten. Arques und Ivry sind keine ewig vergangenen Schlachten, so gern wir sie vergessen machten. In Schloß Louvre stehen insgeheim einige gepackte Koffer – sollen bis an das Ende dieser Regierung immer zur Hand sein. Will's Gott, so brauchen wir weder die Koffer noch unsere Hugenotten; sind auch gesonnen und voll Zuversicht, dem Geschick den Weg zu verlegen. Ein König und Vater seines Volkes kennt keine Lieblinge, seinem Herzen zunächst darf niemand sein. Die im Weinberg nur die letzte Stunde gearbeitet haben, werden so hoch belohnt wie die ersten. Mit seinen ersten verfuhr Henri sogar strenger als mit den spät eingetroffenen.

Philipp Mornay hörte beizeiten eine innere Stimme, daß er seinem König fortan eine Verlegenheit wäre. Niemals hatte er über seine Sendung in England berichten dürfen wie früher, vertraulich von Mund zu Mund. Er übergab dem König eine Denkschrift, darin versicherte er ihn der unverbrüchlichen Freundschaft Elisabeths. Kurz nachher berief sie all ihre Hilfstruppen aus Frankreich ab. Da entwich Mornay schweigend nach seiner Stadt Saumur; er war ihr Gouverneur schon seit dem vorigen König. Er tat noch etwas mehr: er befestigte die Stadt an der Loire. Verfaßte theologische Schriften nach seiner Gewohnheit – dies nebenher. Dem König unterbreitete er den fertigen Plan der gallikanischen Staatskirche, dies aus der sicheren Entfernung. Hinzugefügt waren Beteuerungen, daß von seiner Seite nichts verändert sei, seine Ergebenheit bleibe unwandelbar. Übrigens halte er den Glaubenswechsel des Königs für eine kurze Verfinsterung. Befestigte sich aber in Saumur, und den Rufen des Königs, nach Paris zu kommen, begegnete er mit Ausflüchten. Schließlich reiste er, sein Mißtrauen hielt der alten Liebe nicht stand.

Turenne, der andere große Protestant, begab sich niemals wieder freiwillig in die Macht des Königs, er mußte nachher mit List gefangen werden von dem verläßlichen Rosny, der dafür Herzog wurde. Als Turenne das Ländchen Bouillon geerbt hatte, befestigte er sich nicht nur, wie Mornay in Saumur: er spielte den unabhängigen Fürsten nach dem Beispiel der Herren, die es anderswo in dieser Art noch trieben. König Henri ist bestimmt, protestantische Europäer kennenzulernen nach den gewohnten anderen. Viele von der Religion, die zu schwach waren, gegen ihn aufzustehen, vernahmen doch, wie er sie verhöhnt haben sollte. Ein Arzt war katholisch geworden, der König lachte seine Protestanten aus. «Eure Religion muß sehr krank sein, die Ärzte geben sie auf.»

Er scherzte auf ihre Kosten und verlangte, daß sie seine tiefere Meinung erraten sollten; aber das konnten sie nicht. Begriffen am wenigsten, daß er sie aufsparte – nicht für den Kampf, den der Himmel verhüte, oder sonst laß er es unsere Sorge sein. Sondern Henri ging darauf aus, sein altes Bekenntnis dem der Mehrheit gleichzusetzen im öffentlichen Recht und in der Geltung. Es wird ein weiter Weg sein; seine ersten Schritte sind Demütigungen vor dem Papst, das Hinhalten der Jesuiten, die Strenge gegen seine Freunde, ein leichtfertiger Scherz. Er hat das Ziel im Auge, kein anderer sieht es, er selbst muß davon still sein. Wenn er «die Religion» in seinem Königreich dereinst gesichert und völlig befreit hat, das wird seine eigene Rechtfertigung und wird ein Glanzpunkt seiner Herrschaft sein. Sehr groß muß er werden, bis er das kann.

Sein bester Diener, Rosny, was weiß er im Grunde. Oder Agrippa, der ihn liebt wie keiner. Rosny hat sich dem Staat verschrieben und daher dem König. Er ist eine Gestalt von Stein; wer dem Aufstieg des Königs hinderlich ist, muß hinweg, auch die teure Herrin Gabriele: es bleibt dabei, trotz zeitweiligem Augenzudrücken. Um so weniger bekümmert den besten Diener der Fortfall seiner eigenen Glaubensbrüder. Jedem nach Verdienst. Er selbst steht fest in seinem Harnisch; läßt sich auch malen als Gepanzerter, hängt das Bildnis in das Arsenal, wo er rechnet und Verordnungen schreibt. Seine eigene Laufbahn ist voll von ritterlichen Abenteuern gewesen, bisher ergäbe sie einen Roman – den Rosny gewiß nicht schreiben wird, sondern er sammelt fortan Unterlagen für sein Buch über die Wirtschaft des Königreiches. Aus mit der Romantik, gesetzt, daß Rosny jemals anders gewesen wäre als nüchtern unter romantischen Umständen.

Romantisch blieb Agrippa, dem es von selbst gegeben war. Herr d'Aubigné stieß einmal mit Herrn de Rosny hart zusammen – in der Art alter Freunde, die im Grunde vertrauen, daß keiner den anderen verrät, daher gehen sie im Streit bis zu Geständnissen. Agrippa verlangte: «Kein Wort gegen die schöne und reizende Frau, die den König begeistert über ihn selbst hinaus. Ohne die teure Herrin sähen wir sein Genie nicht die Vielfalt und Kraft erreichen. Wir selbst könnten auch nichts dazugewinnen, und besonders Sie, Herr de Rosny, wären der mittelmäßige Offizier geblieben – der Sie eigentlich sind», sprach Agrippa beiseite.

Rosny gestand in seinem kalten Zorn: «Recht und gut. Indessen, die teure Herrin betrügt den König mit Herrn de Bellegarde, von dem sie auch den Sohn des Königs hat.»

«Schlagen wir uns, Herr!» forderte der hitzige kleine Mann. Sein Gegner belegte ihn von oben mit einem drückenden Blick aus blauer Emaille.

«Bevor ich Sie absteche», äußerte Herr de Rosny, «beschreiben Sie nur schnell den schönen und reizenden Gegenstand unseres Streites in Versen, die mittelmäßig sein werden – wie Sie als Offizier und Dichter sind», sprach auch er beiseite.

Agrippa war zu stolz, um sein Talent zu verteidigen. Dichten und sich schlagen, darüber redet man nicht. Aber er sagte – und wuchs dergestalt, daß beide den Eindruck hatten, er sähe jetzt herab: «Der König bekommt Schmähschriften zugesteckt. Ich möchte der nicht sein, der's übernimmt.»

«Wovon reden Sie», sagte Rosny, nicht im Ton der Frage, sondern mit Geringschätzung. Er hatte feste Begriffe von seinen Pflichten. Der Raufbold, Phantast und Habenichts Agrippa war keiner Wirklichkeit jemals bewußt geworden, aber Pflicht ist für einen Rosny dasselbe wie das Erfassen der Wirklichkeit.

Rosny versetzte des weiteren: «Ihr Feld sind die Worte, gleichgültig, welchen Sinn sie haben, sobald sie nur klingen. Wenn mir recht ist, dürfen Sie sich vor der Majestät nicht blicken lassen, denn Sie haben geschwatzt. Haben hingeschwatzt, daß an dem Elend des Volkes die teure Herrin schuld sei. Die Dame bezieht allerdings mehr Geld als Sie. Übrigens steht dieselbe Anklage in den Schmähschriften, und es muß ein Mann der Pflicht sein, der sie dem König selbst zu lesen gibt, anstatt unverantwortlich zu witzeln hinter seinem Rükken.»

Agrippa hatte nur eins gehört. «Ich darf mich vor ihm nicht blicken lassen? Ich?»

«Oder es ist um Sie geschehen. Er tötet Sie, das ist sein Wort.»

Agrippa war schon draußen, saß auf und ritt Galopp nach Schloß Louvre. Auch Henri traf gerade ein. «Sire! Ich komme, damit Sie Ihr Wort einlösen und mich töten.»

Die Antwort war, daß Henri seinen Agrippa umhalste. Brust an Brust verbargen beide ihre Tränen. Der König führte den alten Gefährten in das nahe Haus Gabrieles, sie selbst war nicht zugegen. Aus der Wiege nahm er seinen Cäsar und legte ihn Herrn d'Aubigné in den Arm.

«Sire! Ihr Ebenbild», sagte der Gute trotz dem Augenschein, da der Junge groß, blond, helläugig und in allem nach der Mutter war.

Henri sagte: «Du siehst es. Er ist mein und ich nenne ihn Cäsar.»

«Ein ehrgeiziger Name», sagte Agrippa. «Der große Julius Cäsar hat in seinem Reich die Klassen abgeschafft: alle lagen fortan gleich tief unter dem Souverän. Die Nationen um das Mittelmeer wurden durch ihn geeint. Das heißt für Nationen, daß sie einem einzigen Herrscher gehorchen.»

«Und gerade darum aufhören, Sklaven zu sein», sagte Henri schnell. Er ging sogleich weiter.

«Dieses Kind ahnt nichts von solchen Absichten hinter seinen Augen, die noch die früheste Reinheit oder Leere haben. Und was wird ihm und seiner Herkunft schon jetzt nachgesagt! Rate mir doch!»

Der Gute riet mit Wärme: «Herr, lachen Sie über das Gerede, die Schmähschriften, und auch über den dummen Witz, den ein armer Hund verbricht, weil seine Pension nicht ausreicht.»

«Wir erhöhen sie – ein anderes Mal» – Henri nahm seinen Cäsar wieder an sich. «Aber lachen und mich töricht stellen muß ich schon genug, erst heut hab ich einen Prediger ausgelacht, vor allen Leuten kanzelte er mich ab, weil ich meiner teuren Herrin ins Ohr flüsterte.»

«Während der Predigt?» fragte Agrippa. Er antwortete selbst. «Der König darf es», rief er heftig. «Soll mit ihr durch die Straßen reiten, Jagden für sie veranstalten und lieber sie anhören, als einen Mann ohne Anmut wie Herrn de Rosny.»

Henri: «Laß meinen Rosny. Die Grazien halten von ihm nichts; aber er steht auf gutem Fuß mit der Göttin Minerva, zu schweigen von Merkur. Deinen eigenen Rat hab ich verlangt in den Schwierigkeiten, die nicht Gabriele mir verursacht – beileibe nicht sie. Wohingegen –» Folgte sein erfundener Fluch. «Ihre Tante de Sourdis macht mir's sauer. Die Tante mag der Teufel holen.»

«Warum?» fragte Agrippa harmlos, blinzelte aber schelmisch.

«Muß ich es dir noch sagen? Sie hat es sich einfallen lassen, Mutter zu werden. Was das Beispiel nicht tut, sie konnte es nicht länger unterlassen.»

Den guten Agrippa erbarmte die große Verlegenheit seines Herrn. «Sprechen Sie nicht weiter. Sire! Ich weiß alles. Die Nichte wird den Sohn der Tante über die Taufe halten, und Sie sollen Pate stehen.»

«Hab auch beflissen zugesagt», gestand Henri.

Agrippa: «Erklären Sie einen Krieg, dann kommen Sie darum hin.»

Henri: «Im Ernst. Was denkst du im Ernst?»

Agrippa: «Daß ich nicht weiß, ob Sie Madame d'Estrées oder die Liancourt oder die Marquise de Monceaux jemals heiraten werden, und sie soll unsere Königin sein.»

Henri: «Das soll sie.»

Er ging schnell durch das Zimmer bis an das Ende, Agrippa bis an das entgegengesetzte. Von dort drüben wagte Agrippa: «Und Herr de Rosny? Er verhandelt wegen dreier Prinzessinnen auf einmal. Alle wollen Sie heiraten, und noch Ihre Liebste?»

«Laß ihn verhandeln», sagte Henri über die Schulter. «Meine Stunde kommt dennoch.»

Agrippa, von drüben: «Ihre schöne und reizende Herrin ist die würdigste, auch uns zu gebieten. Denn sie ist unseresgleichen und nur durch Ihre Liebe über uns erhöht. So soll es sein. Ich sehe es in meinem Geist, der vorauseilt. Dem Hof und den Leuten werden die Augen aufgehen, wenn es wirklich geschehen ist.»

«Gib mir die Hand», sagte Henri, denn er hatte gehört, was ihm zu hören nötig war. Trat in die Mitte, auch Agrippa kam hin, aber eine Weile blieb er tief über die Hand seines Herrn gebeugt. Ihm war nicht ganz wohl, sein Gewissen schlug, er bezweifelte seinen eigenen Rat wie auch die Entschlossenheit des Königs. Dieser sagte für sich allein: «Dann kann ich auch der Tante den Willen tun und Pate stehen.»

Agrippa richtete den Kopf, nur den Kopf auf. «Das ist noch das wenigste», murmelte er von unten und legte Schelmerei hinein, damit es nicht traurig klänge.

Die Taufe des kleinen de Sourdis oder was er sonst war, begab sich in der alten Kirche mit dem größten Brummer und hätte nicht glänzender sein können. Die Zuschauer erfüllten die ganze Straße, sie hatten genug zu bestaunen, wenn nicht zu begeifern. Der König trat als Pate groß auf, und seine Liebste als Gevatterin hielt sich mühsam gerade, ihre Kleinodien belasteten sie über das Maß. Die größten Damen des Königreiches dienten ihr als Kammerfrauen, ein hoher Herr trug das Salzfaß, ein anderer das Wasserbecken, und der Täufling lag in den Armen einer Marschallin. Er war dick und schwer; als die Gevatterin ihn nahm und ihn über die Taufe halten wollte, hätte sie ihn fallen gelassen. Eine witzige Dame vom Hof äußerte, der Täufling wäre so gewichtig von den königlichen Siegeln, die hingen ihm bekanntlich am Hintern.

Hiermit sollte gesagt sein, der wirkliche Vater wäre der Kanzler de Cheverny, der Herr mit dem Wasserbecken. Andere nannten den eigenen Onkel des Kindes als seinen Erzeuger, und der war niemand anderer als der Bischof, der es taufte. Gute Leute, was für Zustände! Der Hof nahm sie heiter; je weiter von dem Vorgang entfernt, um so geringer wurde die Neigung zu scherzen. Draußen auf der Straße gingen böse Worte um, aber alle endeten bei dem König.

Der Souverän – Gott hat ihn über uns gesetzt, wir werfen uns vor ihm nieder; wer seine Knie geküßt hat, wagt den übrigen Tag keine Nahrung an den Mund zu führen. Der Schauder der allerhöchsten Majestät ist von ihr selbst in die Person des Herrschers gelegt. Jeder wüßte es – und er nicht? Mit lästerlichen Angelegenheiten wie diese vermischt er seine geweihte Person. Leider selbst ein Ehebrecher, hält er mit der Ehebrecherin, die er neben sich zu erheben gedenkt, auch noch fremde Bankerte über die Taufe. Liebkost dabei seine Genossin auf mehrere Arten – wer drinnen dabeistand, sah genug. Aber erst draußen, wo sie sein Verhalten mit eigenen Augen nicht feststellten, wurde es die vollendete Schändung eines Sakramentes und der Majestät.

Ein junger Mann, ehrbar und anständig in Schwarz gekleidet, sprach zwischen der Menge verloren mit sich selbst. Er wußte es nicht, und sooft er es bemerkte, warf er scheue Blicke umher. Sein Gesicht war grau mit bläulichen Flecken, unter den Augen blasse Halbmonde, und ihm flatterten die Wimpern. «Immer besser», sprach er zu sich selbst. «Nur zu. Begeh inmitten der heiligen Handlung die Fleischessünde. Ich bin dabei, ob ich auch draußen bin. Ich weiß, wie's tut. König, du wirst es nicht beichten, auch ich hab es für mich behalten und trag in meiner armen Seele, wo ich geh und stehe, die ewige Verdammnis.»

«Jetzt hast du dich verraten», raunte eine Stimme hinter ihm. Der Mensch fuhr herum, er riß die Augen auf; er versuchte zu unterscheiden, wer ihn bedrohte, hielt aber dem Blick, in den er traf, nicht stand.

«Endlich», stöhnte er. «Ich hätte es nicht länger ertragen, nehmen Sie mich gleich mit.»

«Folge mir», befahl der Unbekannte. Er brachte aber den ehrbar Gekleideten auf keine Polizeiwache: er führte ihn in das Kloster zunächst der Kirche, darin die unzüchtige Taufe geschah. Sie wurden eingelassen, das Tor schlug, die Kette klirrte, sie betraten ein leeres Gelaß. Der Unbekannte versicherte den Eingang. Das Fenster lag hoch und war vergittert. Der Abend sank, der bleiche Junge wurde derart hingesetzt, daß ein Rest des Tageslichtes sein Gesicht und seine Hände aus dem Dunkel hob. Der Unbekannte gab ihm ein einziges Zeichen, schon redete die entsetzte Seele. Die Finger begleiteten sie mit Verrenkungen.

«Ich heiße Jean Chastel. Mein Vater Pierre Chastel ist Tuchhändler, er hat seinen Laden gegenüber dem Gericht. Ich war ein Zögling der Jesuiten, jetzt studier ich die Rechte. Meine Natur ist die eines Wüstlings, und das von Kind auf, ich kenne mich nicht anders. Sonst aber kennt niemand mich» – hierbei erschauderte der Mensch und stöhnte.

Der das Verhör vornahm, fuhr ihn an. «Du Wurm willst hochmütig sein, weil du deine schmutzigen Sünden für dich allein behalten hast. Reckst und streckst dich, versteckst die Augen und röchelst im scheußlichen Genuß deiner Natur. Die hat Gott gemacht, wir werden noch sehen, wozu. Du hast deine lasterhaften Vergehen nie gebeichtet, dessen rühmst du dich und meinst, daß darum deine Erzieher nichts wissen.»

«Oh! Die wissen leider nichts», murmelte der Entsetzte. Dennoch ahnte ihm, hier endlich bräche das Gericht herein. Die Furcht davor hatte ihn lange von einer widernatürlichen Handlung zur anderen gejagt. Nie gebeichtet, was er beging, und darum wurde das Laster erst gänzlich unaufhaltsam.

«Nie gebeichtet», flüsterte er. «In der Beichte die Todsünde immer verschwiegen. Zu spät, jetzt spricht kein Priester mich noch frei, das Abendmahl ist für alle, nur für mich nicht. Wär ich ein Mörder, verübt ich sogar einen Anschlag auf die Majestät!»

«Deine Väter, die Jesuiten, haben schon beschlossen, was aus dir werden soll. Wir wissen um dich Bescheid und haben über dich beschlossen» – der Unbekannte, der an diesem Punkt ein Bekannter wurde, senkte den Ton, er sagte nochmals: «Wir.»

Der Mensch, der wider die Natur war, rutschte vom Stuhl, umklammerte schreiend ein paar Knie, aber in das hineingeneigte Ohr begann er stimmlos seine grauenvolle Seele zu entleeren. Der Jesuit hörte alles an, worauf er ohne unnützes Erbarmen die Ängste des Menschen bestätigte.

«Für einen Sodomiter wie du kommt selbstverständlich die Beichte zu spät. Du kannst keine Ruhe finden, weder hier noch dort. Vielleicht, allenfalls kaufst du dem Himmel deine ewige Verdammnis ab, wenn du dafür den irdischen Martertod hinnimmst.»

«Daß ich doch ein Mörder wäre!» jammerte das Stück Elend.

«Du hast es schon gesagt. Eine traurige Gestalt wie du wünscht sich das immer nur, tut es aber nie.»

Der Sünder: «Wie beneid ich den Herrn, der dem Mädchen seine Füße in den aufgeschlitzten Bauch gestellt hatte, und wurde in vier Stücke gerissen. Der hat sich losgekauft.»

Der Jesuit: «Viel zu wenig für dich. Du gehörst schlankweg in denselben

Schlund der Hölle wie ein gewisser anderer, der auch mit seiner Unzucht das Heiligtum befleckt und richtet seine scheußlichen Begierden – woran richtet er sie auf? Die Gottheit selbst muß ihm herhalten. Er macht es in allem wie du. Dabei bist du ein Wurm, er aber das geweihte Gefäß der oberen Hoheit, der Majestät. Die Majestät, an ihr vergeht er sich.»

Der Sünder: «Dennoch bin ich nach seinem Muster gemacht und er nach meinem. Das nimmt mir keiner.»

Der Jesuit: «Fährst auch mit ihm von hinnen. Wenn er's darauf ankommen läßt; das ist noch nicht so sicher. Unzüchtig erschaffen, rächt er seine eigene Natur an den anderen Unzüchtigen, läßt sie grausam hinrichten und schmeichelt sich, derart hätte er sein Heil erschlichen, da seine Sünden abgebüßt sind von seinesgleichen.»

Der Sünder: «Jetzt haben Sie selbst mich seinesgleichen genannt. Ehrwürdiger Vater, ich sehe wohl: wie alles liegt und sich verhält, muß ich ihm zuvorkommen und an ihm tun, was er mir zudenkt.»

Der Jesuit: «Das habe ich nicht gesagt, du sagst es.»

Der Sünder: «Ich tu's.»

Der Jesuit: «Und verdienst dir den Martertod: wie willst du Stück Elend den aushalten. Allerdings im anderen Fall sind dir die ewigen Martern gewiß und wirst auch nicht gefragt.»

Der Sünder: «Hab ich für ein gutes Werk die himmlische Gnade zu erwarten?»

Der Jesuit: «Verhärteten alten Sündern ist für ein bloßes Almosen verziehen worden, das einzige, das sie in ihrem ganzen Leben verschenkt hatten. Andererseits steht dahin, ob selbst die frömmste und nützlichste Tat das einmal verwirkte Heil der Seele zurückbringt. Mit der Gnade macht man kein Geschäft, sondern ergibt sich ihr auf Gedeih und Verderb.»

Der Sünder, nach vielem Gewimmer: «Ich ergebe mich ihr.»

Der Jesuit: «So weit wären wir. Bliebe zu untersuchen, was ich allein in meiner Demut nicht entscheiden will. Ist die von dir gewählte Tat fromm und nützlich?»

Der Sünder: «Kann er sich mit meinem Tod vielleicht entsühnen, um wieviel leichter ich mit seinem – da er der König ist.»

Der Jesuit: «Hör endlich auf mit deiner Entsühnung, die Väter werden an sie nicht ihre Zeit verschwenden. Prüfen werden sie die Lage und Schuld eines Königs, der die Religion verfolgt, aber duldet die Ketzerei.»

Der Sünder: «Sie hatten recht, Ehrwürdiger, daß ich ein Wurm bin. Mach mir denn meinen Stolz daraus, ein Wurm zu sein.»

Noch nicht

Am zwölften Dezember erschien in der Stadt Amiens der König und die Marquise de Monceaux. Sie waren ohne große Begleitung und suchten sogleich den geistlichen Richter auf, nicht anders als ein gewöhnliches Paar, das heiraten will und um die Scheidung des einen Teiles einkommt. Sie wurden dahin abgefertigt, daß sie warten müßten, bis der beklagte Gatte ausgesagt und sich verteidigt habe. Herr de Liancourt war bisher der Vorladung nicht gefolgt. Aus Selbstachtung verzögerte er die Schande, die ihm zugedacht war, hatte aber in Wahrheit schon eingewilligt, wenn auch mit den persönlichen Vorbehalten, die er sich schuldete. Bei ihm in der Truhe lag sein hochbedeutsames, wahrhaftiges Zeugnis, zu lesen nach seinem Ableben und wohl aufzubewahren für alle Zeiten.

Am siebzehnten, als das Paar fünf Tage gewartet hatte, begab er sich zuletzt dennoch in das Haus des Offizials; hatte zur Seite seinen Notar, aber der Anwalt der Dame Gabriele d'Estrées bestritt die Aussage der beiden. Zugegen war niemand sonst, das Haus des geistlichen Richters stand unter Klausur. Wie man Herrn Nicolas d'Amerval de Liancourt kennt, ist gewiß, daß er sich demütig ausgedrückt hat. Andererseits wird er seinem Gegner und Bedränger, der die Dame d'Estrées vertrat, so wenig Stoff zum Zugreifen gewährt haben wie nur ein geistiges Wesen.

Der Anwalt riet nachher der Klägerin, kam auch mit ihr und ihrem königlichen Geliebten überein, daß sie nicht mehr ausschließlich auf dem männlichen Versagen des Angeklagten bestehen wollten. Sondern die erste Frau des Angeklagten war eine Stiefcousine des Herrn Jean d'Estrées, Vater der Klägerin, gewesen. Eine greifbare Tatsache, er wird sie zugeben können ohne großen Schaden an seiner Ehre; sie genügt indessen, damit seine zweite Ehe für ungültig erklärt wird.

Nun blieb es hierbei nicht, da der geistliche Richter alles auf das strengste und unparteiisch verfolgte, wenn auch mit der ungewohnten Beschleunigung, zu der die Anwesenheit des Königs ihn trotz seinem Gewissen bewog. Herr de Liancourt wurde der Klägerin gegenübergestellt. Er mußte sich verantworten, weil er ihr niemals habe beiwohnen können, sooft der Versuch unternommen wäre. Anhören mußte er die Zeugnisse der beiden Ärzte, eines Doktors der Medizin, eines Meisterchirurgen, die ihn nach ihren Angaben untersucht haben wollten. Zu verstehen war es nicht, wie sie das gemacht hatten – schlechthin geisterhaft hätte der Vorgang sich abspielen müssen. Man sah ein abwesendes Gesicht, eine Gestalt vor Bescheidenheit unzugänglich, ja, seine verborgene Selbstgewißheit entfernte das Wesen in merkwürdiger Art von allen, die es der Unfähigkeit zu überführen gedachten.

Der Offizial ließ von dem Beklagten ab, er richtete an die Klägerin die genaue Frage: «Wären Sie in Kenntnis seines Zustandes einverstanden, mit Herrn de Liancourt wie Bruder und Schwester zu leben?»

«Nein», erwiderte Gabriele.

Hierauf erfolgte das Urteil, das die Ehe ungültig erklärte – der entscheidende Grund blieb die Stiefcousine. Um so unabweisbarer war der Eindruck, daß Herr de Liancourt eigentlich obgesiegt habe. Von dem König erbat er seinen Abschied mit den Worten: «Sire! Ich hoffe in allen Stücken nach Ihrem Willen getan zu haben.» Es konnte der bare Hochmut sein, obwohl der Mensch den Kopf auf seine Füße gebeugt hielt, auch so verharrte, bis das Paar hinaus war. Eine Antwort hatte niemand gefunden.

Genug, die teure Herrin war frei, das weitere findet sich. Beglückt und eilends kehrte das Paar nach Paris zurück und landete vor dem Hause Gabrieles. Sie ging, sich umzukleiden. Der König, gestiefelt und bestaubt wie er ankam, war alsbald umringt: seine Vettern Conti und Soissons hatten wenigstens dreißig Edelleute mitgebracht. Hinzu stießen von selbst noch mehrere Herren, die am Hofe neu waren. Die Türwächter kannten sie nicht, bekamen aber die Weisung, sie einzulassen, so daß zuletzt jeder, der wollte, hineingelangte in das Zimmer, wo der König niedersaß, und dieses war nicht groß.

Der König in seiner guten Laune scherzte mit der Närrin Mathurine, eine wohlgestaltete hübsche Person, nur eben närrisch, die mit Fug und Recht bei Hof ihr Wesen trieb. Gibt es einmal das Amt des männlichen Narren, dann soll auch die weibliche Narrheit vertreten sein; ein König tut gut daran, beide, Chicot und Mathurine, fleißig zu beobachten zwecks Kenntnis der Menschen. Der König wechselte zwischen den Begrüßungen der Herren mit der Närrin galante Reden, die weder er noch sie ernst nahmen, obwohl Mathurine mit verdrehten Augen um einen Kuß bat. Plötzlich ein Geräusch wie eine Ohrfeige, in der Enge sieht niemand, was vorgeht.

«Zum Teufel, die Verrückte beißt», ruft der König. Er führt die Hand an seine Lippe, Blut läuft darüber. Ein Herr de Montigny, der tief verneigt stand, um dem König das Knie zu küssen, fuhr auf, und hinter dem König sah er ein unbekanntes Gesicht, das bleich und verstört war. «Sie oder ich», ruft de Montigny in heller Wut, «einer von uns hat den König verwundet.» Da ergriff man den bleichen Jungen und fand zu seinen Füßen das blutige Messer. Nach einigem Leugnen gestand er, daß er den König gestochen habe. Infolge des Spieles, das der König mit der Närrin trieb, hatte der Mörder seinen Hals verfehlt und nur die Lippe getroffen. Der König sagte: «Laßt ihn laufen.» Der Mensch hielt aber die Hände hin, damit sie ihn packen und abführten. Wer er war, wollte er nicht angeben, nur sein Alter: achtzehn Jahre.

Der Chirurg nähte sogleich die Lippe. Er hätte die Nadel noch mehrmals hindurchgezogen, nur daß der König den Schmerz nicht länger ertrug. Darum ist nachher sein Mund merklich verkrümmt geblieben – man versäumte nicht, zu sagen, weil er unaufrichtig wäre. Die reizende Gabriele war herbeigerannt, als die Operation begann. Sie hielt ihrem lieben Herrn den Kopf, sie küßte ihn auf die Augen, damit er nur sie und sonst nichts fühlen sollte. Da er stöhnte, warf sie ihr schönes Angesicht von einer Seite zur anderen, traf in lauter kalte Blicke und erkannte: ‹Nur die Breite einer Hand hat dazwischen gelegen, dann wär ich allein zurückgeblieben, hätt abgehen müssen, gesetzt, die ließen mich noch durch.› Ihre Züge verzerrten sich, das war die reizende Gabriele nicht.

Dem König tat die Wunde weh, erschrocken war er kaum, sondern erklärte, daß er wegen der Kleinigkeit nicht früher zu Bett gehen werde. Vielmehr suchte er die Kathedrale auf und wohnte dem Dankgottesdienst bei. Der verunglückte Mörder wurde drei Tage später abgeurteilt und hingerichtet, ohne daß er seine

Anstifter genannt hatte, trotz peinlicher Befragung. Sie wurden dennoch bekannt, das königliche Parlament ließ einen seiner ehemaligen Lehrer aufhängen. Alle Mitglieder der Gesellschaft Jesu verbannte er aus dem Königreich.

Eine solche Entschiedenheit vermochte endlich den Papst, nachzugeben; nicht lange, so nahm er den König von Frankreich in den Schoß der Kirche auf. Die letzten Anhänger der Liga hatten sich nach Kräften bemüht, es zu verhindern. Während ihre knappe Frist noch lief, erhoben sie überall die Waffen, Mayenne, Nemours, Epermon, Joyeuse und Mercœur, lauter mächtige Herren, jeder in seiner Provinz. Aus den Niederlanden riefen sie die Spanier, ein letztes Mal mußte König Henri dem Aufstand und inneren Krieg begegnen – die zwar verurteilt waren, und ihre Zeit bestand nicht mehr. Genug gleichwohl, daß dieser König, bei all seiner inneren Festigkeit, für eine kurze Weile den Mut sinken ließ und verzweifelte an seinem fröhlichen Dienst.

Zwanzig Jahre fröhlichen Dienstes, angefangen als ein kleiner König von Navarra, der Kampf, die Arbeit, Siege, Machtergreifung, der Todessprung und immer Arbeit – schien jetzt alles umsonst und nichts erreicht, kein Friede, keine Liebe des Volkes, kein sicherer Besitz. Erschrocken, nein, als wieder einer uns an das Leben wollte; betrübt schon eher und müde, die erste Müdigkeit. Man sah sie ihm an. Eine Dame vom Hof erlaubte sich die Bemerkung, was das für eine neue Art sei bei ihrem wohlgemuten Herrn. Wär er wohl unzufrieden? Da stieß er seinen Fluch aus und erleichterte sich in Worten – gegen das Volk: beileibe nicht gegen die Mächte, die es aufbrachten und losließen. Davon still, auch vor der harmlosen Dame. Undankbares Volk! Anschläge auf seinen König, sonst sinnt es nichts.

Ein sehr trauriger Tag war der fünfte des neuen Jahres: Große Prozession, der König fährt in seinem Wagen mit, die Pferde gehen im Schritt wie bei Begräbnissen. Wem gilt es? ‹Mir nicht›, denkt Henri. ‹Sie haben mich nicht bekommen. Noch nicht.› Das dichte Gewühl enthielt da oder dort ein besonderes Schandmaul, unmöglich, es herauszufinden; das sprach vernehmlich: «Auf dem Karren nach dem Grèveplatz sitzt er schon.» Nun gibt es Worte, über die man, je nachdem, lacht oder weint. Henri verzog die Miene nicht, saß da wie der Schuldige, ganz in Schwarz, das Pflaster auf der Lippe. Das unerfindliche Schandmaul war sozusagen gerechtfertigt. Ging die Fahrt wirklich nach dem Grèveplatz?

Als er vor der Kirche ausstieg, ließ sein Volk ihn hochleben, wozu seine Herren ihn beglückwünschten. Er murmelte: «Ein Volk. Was will man. Meinem größten Feinde täten sie dasselbe und mehr.» Das war ein trauriger Tag. Indessen folgen andere und wieder andere; was man einmal ist und bleiben soll, gewinnt nachgerade die Oberhand, wenn auch bereichert und beschwert. Die tüchtige Natur läßt sich's nicht bald wieder so nahe gehen, daß Unvernunft und Bosheit in der Welt sind, können auch mit der redlichsten Mühe nie daraus entfernt werden. Im Gegenteil prüft die tüchtige Natur sich selbst, sie lernt, ihr Sinn für das Leben wird nur fügsamer.

Henri fand denn seinen Ulk wieder – war sein Ulk von jung auf und noch immer aus demselben Stoff. Nur, daß er auf einer anderen Lebensstufe geübt wird, und dahinter blickt mehr hervor. Besonders verfuhr er gegen sich selbst nicht immer nach den Regeln der Majestät, weder geheimnisvoll noch erhaben. Hierüber verständigten sich, auf unbekannten Wegen, die gemeinen Leute mit ihm. Mancher fühlte, wie weit er im Unerlaubten dennoch gehen durfte, unter der Bedingung, er käme damit zur guten Stunde. Henri besucht den Jahrmarkt, da erscheint ihm vor einer der Buden ein Spaßmacher in seiner eigenen Gestalt und dem genauen Aufzug eines gewissen Tages: schwarze Kleidung, Pflaster auf der Lippe. Plötzlich springt in der Armesündermiene ein Funke auf, ganz geschickt gemacht, und der Possenreißer als König, mit heller Stimme redet er Zoten. Das gab mal ein Gelächter.

Nichts zu machen offenbar, und Henri wollte auch nicht. Fertigte den Menschen mit Geld ab, ging seiner Wege und wußte wieder um etwas deutlicher, warum er die Liebe des Volkes verfehlte und sie nicht gefangen hatte wie einen Ring beim Ringelspiel. So leicht ist ihm die Liebe des Volkes nicht gemacht. Sie verlangen von der irdischen Majestät dasselbe wie von der himmlischen: Strenge, Unberechenbarkeit, sichtbaren Abstand. Die Hoheit im Gewande der Einfachheit wird weder verstanden noch verziehen; rechtfertigen muß ihn dereinst eine Größe unvergleichbar und der ruhmvollste Besitz. Am Ende, vielleicht erst nach dem Ende, soll er die Liebe des Volkes haben. Noch nicht. Getötet werden, geliebt werden – noch nicht.

Sein Agrippa sagte ihm nach dem letzten Mordversuch: «Sire! Sie hatten die Religion erst mit den Lippen abgeschworen: diesmal traf das Messer den Mund. Wehe, wenn Ihr Herz abschwören wollte!» Der König nickte dazu. Er begegnete zuletzt dennoch dem Rechtsgelehrten, der damals in Saint-Denis das unheilvolle Wort gesprochen hatte, längst bevor es durch einen mörderischen Anschlag erfüllt wurde. Der Mann war dem Wiedersehen ausgewichen, jetzt schlug er die Augen nieder. Der König tröstete ihn durch milde Freundlichkeit, ohne daß er des vorigen Zusammenseins erwähnte, und einige Schwere legte er nur in den Schluß. «Nihil tam populare quam bonitas.» Sein Bewunderer betrachtete ihn groß.

So werden auch die schroffen, abgründigen Erfahrungen eingeebnet, der Sinn betritt sie endlich ohne Furcht – fast ohne Furcht. Nicht, daß König Henri eine unbewachte Volksmenge, die zufällig um ihn her zusammenlief, mit eben denselben Gefühlen begrüßt hätte wie zuvor. «Viel Volk», sagte er. «Bin froh, mein Volk zu sehen. Ich muß mich nur erst gewöhnen.» Auch den jungen Herzog von Guise zu empfangen freute er sich und war glücklich, zu verzeihen. Der junge Herr hatte begriffen, was den Alten noch nicht einging, die Zeit der Auflehnung wäre abgelaufen, die Ansprüche seines Hauses wären überholt. Kam in das Schloß Louvre und bot dem König seine Unterwerfung an, damit aber den Verzicht des Hauses Lothringen auf die Krone Frankreichs. Sein Vater war der glänzende Held der Liga gewesen; die Liebe des Volkes, der hatte sie besessen. Der König sprach zu Herrn de Guise, der recht verwirrt vor ihm stand: «Lassen wir das, Redner sind wir beide nicht. Ich weiß schon. Sie sind da, es soll Ihnen besser gehen bei mir als dort, wo Sie waren. Für Sie nehme ich Vaterstelle ein.» Und umarmte den ersten seiner Feinde. Sogleich benutzte er den Gewinn, er erklärte den Krieg an Spanien.

Philipp, einstiger Weltbeherrscher, wurde geschlagen von König Henri. Es war sein erster offenkundiger Sieg über die Weltmacht. Undenkliche Zeiten haben die spanischen Truppen nur immer unter dem Mantel seiner inneren Feinde gefochten, niemals ein sauberes Bekenntnis zum Krieg und zur Eroberung des Königreiches. Endlich hat Henri den alten, verhaßten Gegner ohne Maske vor sich. Umgekehrt sinkt der innere Feind zur schwachen Hilfstruppe herab, wird geschlagen mitsamt Spanien – dies in der gewagten, fragwürdigen Art, wie Henri noch jede Schlacht angeboten und gewonnen hat. Er setzt seine eigene Person ein. Mit wenigen hundert Reitern treibt er eine Übermacht dorthin, wo er sie haben will, und löst sie auf. Er bleibt der gleiche: macht den König von Navarra, als wär er jung. Den König von Navarra zu machen verjüngt in der Tat. Alle sehen es, allen schlägt ihr Herz es zu, mit offenem Mund erlauschen sie, was Fama über Land trägt: Wir haben einen junggebliebenen König, er ist der erste der Welt, ist einzig, und unser ist er. In ihm haben wir zueinander gefunden. Parteien, Ligen und nicht einmal der Glaube soll uns trennen. Wir kämpfen nicht länger verhetzt und trübe. Wir kämpfen groß.

Nun, das sind Wallungen, Henri weiß es. Bis in den Rausch des Sieges hinein behält er gegenwärtig, was ein Volk ist, und das seine liebt ihn nicht. Noch nicht. Schlachten sind Festtage, obwohl gewagte Festtage, und Siege greifen der Wahrheit beträchtlich vor. Viel Müh und Arbeit soll die ganze Wahrheit über ihn erst hervorbringen. Nach einem Sturm des Erfolges erscheint das Leben allerdings geglättet, oh, wie glatt und gefügig. Die letzten großen Herren, oder doch die vorletzten, unterwerfen sich, auch der dicke Mayenne. Seine Beleibtheit ist nachgerade ein Jammer; warum besiegt man die feindlichen Gestalten immer erst an dem Punkt, wo sie schon ein Jammer sind. Henri empfing diese in Monceaux, dem Besitz der Marquise – mit Musik, Komödie, guter Küche und allen Ehren. Sah zu, wie Mayenne drei Verbeugungen machte, wobei zwei Adjutanten ihm den schweren Bauch halten mußten. Hinzuknien erlaubte Henri ihm nicht. Nun in dem Park nachher machte er seine längsten Schritte, bis dem Dicken der Atem ausging: das war seine ganze Rache. «Ihre Hand, Herr Vetter, mehr geschieht Ihnen nicht.» Und ließ dem Kranken von seinem Rosny zwei gute Flaschen einflößen.

Wie nicht anders erwartet, wollte sein Parlament den Krieg nicht bezahlen. Das Volk sei gar zu elend. Aber zwanzig Jahre lang war es niemals elend genug gewesen, um abzulassen von dem Wüten gegen sich selbst. Hier ist der König, der es vor sich selbst errettet, noch mehr als vor dem Feind. Der König antwortete seinem Parlament: «Ich rede, wie mir um das Herz ist. Die Franzosen sind einmal so von Natur, daß sie nicht lieben, was sie sehen. Wenn ihr mich nicht mehr seht, dann werdet ihr mich lieben.»

Er sprach es weder traurig noch bitter, sondern in einem Ton, der sein bekanntester war; sie hörten heraus: Liebt mich oder liebt mich nicht. Ich tu meinen Dienst und tu ihn fröhlich.

Der Sieger

Das Feuerwerk

Zwei kleine Kanonen schossen harmlos wie Spielzeug zum blauen Himmel an. Über dem Park schwebten Rauchwölkchen, aber schnell vergingen sie in der lieblichen Luft. Die Damen auf der breiten Freitreppe des Schlosses wurden deshalb nicht abgehalten, zu lachen und schön zu tun, stellten einen weißen Arm in ein rotes Kissen, fächelten sich, und den Hals wendeten sie mit geübter Anmut nach Kavalieren, die eine Stufe höher saßen. Wenn seine Schlankheit es dem Herrn erlaubte, beugte er ein Knie und verharrte dergestalt hinter seiner Dame, solange das Schauspiel währte.

Beim Zeichen der Böllerschüsse waren Hecken, Lauben, grüne Säle auf einmal bevölkert von Hirten, Hirtinnen und ländlichen Gottheiten. Musiker, die man nicht sah, nur hörte, spielten eine ernste Pastorale. Die vorgeführten Gestalten, wie sie aus der Natur entsprungen waren und das ursprüngliche Leben darstellten, blieben dennoch gemessen nach der Kunst, setzten ihre Füße, daß es richtig war, wiegten und drehten ihre Schultern zufolge der Regel; ja, der kleine Faun stieß seine Hörnchen nach der jungen Schäferin im Takt, indessen sie ihre Aufschreie dem Ton der Hoboen anpaßte.

Es war schön und dauerte wohl eine Stunde, da alles wiederholt werden mußte. Die Schloßfrau inmitten der vordersten Reihe klatschte in die Hände, ihr reizendes Gesicht war vom Vergnügen gerötet. Neben ihr der König rief: «Noch einmal!» So lief das Spiel noch einmal ab. Zuletzt waren die Hirten in rosenfarbener und gelber Seide sämtlich Sieger, jeder über einen Waldgott in nachgemachtem Fell mit Spitzen, den der Hirt anmutig auf den Rücken legte. Dann hob er das eroberte Mädchen vom Boden, trug es am Ende seiner ausgestreckten Arme, und mit seiner schönen Beute drehte er einen Wirbel. Nichts als silbernen Staub sah man anstatt eines weiblichen Körpers droben blitzen vom Sonnenstrahl, das war aber die Schäferin. Ihr Freund loderte unter ihr als Flamme. Sechs Paare, sechs dieser bewegten Flammen und brennenden Wolken wirbelten so lange, bis ein sehr dringlicher Beifall die Tänzer erinnerte, daß sie anhalten dürften.

Jetzt ließ ein jeder eine jede zum Boden hinab, und alle zwölf, Hand in Hand, verbeugten sich vor den Herrschaften, lächelten auch scheinbar mühelos, als hätte es alles nichts gekostet. In Wahrheit wankten sie wohl ein wenig, ihren Blicken war anzumerken, daß sie noch nicht wieder sehen konnten. Der jüngsten der Tänzerinnen rutschte ihr Kranz aus Narzissen bis auf die Nase, sie wußte sich nicht zu helfen. Da ging nun die Schloßfrau zu ihr, schnell genug, daß nichts dazwischenkam – legte der Kleinen den Kranz zurecht und küßte sie in das heiße Gesicht.

Der König führte seine teure Herrin an der Hand zurück, daher war nur beifälliges Gemurmel statthaft an Stelle der Mißbilligung, die Gabriele und ihre übereilte Gebärde eigentlich herausforderten. Übrigens traten die Hirten und Hirtinnen weg, den Schluß vollführten die Waldgötter mit lächerlichen Bocksprüngen. Zuerst setzten sie einer über den anderen, dann über niedrige Hecken, endlich nahmen sie die höchsten, und fort war alles, vernehmlich wurde das Rauschen der Wipfel. Hiernach forderte die verborgene Musik zu einem Gang auf, er war zierlich und getragen, genau in seiner Art bewegte sich die Gesellschaft zum Schloß hinein und um den ganzen Festsaal an die gedeckten Tafeln. Der König hatte einen kleinen Tisch allein für sich und die Marquise. Ihre Gäste saßen an dem größeren, der gebaut war wie ein Galgen; mehrere Edelleute versäumten nicht, den dicken Mayenne hierauf hinzuweisen. Sein Hunger, wenn sonst nichts, machte ihn unempfänglich für den Scherz. An seiner Seite führte den Vorsitz die dunkelhaarige Schwester der blonden Schloßfrau.

Diana d'Estrées, jetzt Marschallin von Balagny, hatte nicht gerade Glück gehabt. Die Stadt Cambrai, wo ihr Gatte befahl, war von den Spaniern überrascht und eingenommen. Nun liegt Cambrai im Artois, fast schon in Flandern, dem König gehört es einmal und einmal wieder nicht. Von seinem Ruhm kommt nichts abhanden, wenn er Cambrai verliert: der Sieger über Spanien bleibt er. Die Welt weiß nur von seinen Siegen und gar nichts von Cambrai. Er ist ein großer König, der erste und einzige nach der katholischen Majestät Don Philipps, dessen Verfall und abnehmender Name das Werk des Königs von Frankreich sind: dies für das ganze Europa, das es so haben will und das man dabei lassen soll. Nadelstiche werden besser nicht beachtet, dem Besiegten selbst ist ihre Nutzlosigkeit bewußt. Feste wie das heutige möchte er stören, kann auch weiter nichts wollen; in diesem Königreich tritt er niemals mehr auf, als ob es seines wäre. ‹Mein ist es, ich hab dafür bezahlt›, dachte Henri.

Dies bedachte er bei allem, was er an der festlichen Tafel sonst tat: Gerichte verzehren, der teuren Herrin in das hübsche Ohr galante Worte sprechen, das Glas heben gegen Mayenne, den unterworfenen Feind. Er ließ einen Hofmann, Herrn de Sigongne, berichten, was der ersonnen und mit seinen Schauspielern eingeübt hatte, ein allegorisches Stück, Personen aus den Sagen der Alten, aber alles zum Ruhm des Königs von Frankreich.

Noch denselben Abend wird es aufgeführt werden hier in dem Saal, obwohl schon am Morgen großes Ballett war. Die Gesellschaft, die Schloßfrau und nicht weniger der König sind nach Augenweide begierig, sie bekommen nie genug vom schönen Schein und der gefälligen Bedeutung. Die Wirklichkeit hat leider keinen heiteren Sinn, sie muß im vollen Ernst bestanden werden. Tage erschienen und vergingen, an denen Henri nur wünschte, daß sie ihm leichthin vertrieben würden; war der Gefahren müde und nur des Vergnügens nicht.

Bei Tische wurde gemeldet, Calais wäre gefallen. Keine Stadt mehr, auf die allenfalls für eine Zeit verzichtet wird; diesmal war es Calais, einer der Schlüssel des Königreiches. Bei Tische trat zuerst Schweigen ein. Man verstummte, die einen vor Überraschung, andere, weil sie erschraken, in heimliche Gedanken fielen, und manche, die ein finsteres Gesicht annahmen, freuten sich. Sieh da, der Kardinal von Österreich mit einer deutschen Armee tut unvermerkt den Schlag auf Calais, die Stadt und Seefestung gegenüber England. Wie steht es danach mit dem Königreich und der neuen Herrschaft? An seiner Küste hat es nunmehr Spanien, drüben aber, die Königin verleugnet ihren alten Freund, den entlaufenen Protestanten. Wird hier bald schlecht tafeln sein. Eine Marquise, deren Stand und Name ganz anders heißen sollten, nicht mehr lange empfängt ihr käuflicher Schoß unsere Renten, nachdem ihr Kumpan, Herr de Rosny, uns darum erleichtert hat. Die Schuld hat aber der König, jetzt kommt sie über ihn.

Gefühle der Art lagen nahe bereit; der Fall von Calais drängte sich bis auf die Lippen, einige verschlossen ihren Mund mit der Hand. Sahen dabei nach Mayenne aus, was der sich dachte. Mayenne hat ungeheuer seinen Bauch gepflegt, er hätte gewünscht, ihn hinauszutragen. Die Nachricht kam ihm ungelegen; bei begonnener Verdauung sollte er überprüfen müssen, ob seine Unterwerfung verfrüht und ein Fehler gewesen war. Er glaubte es nicht, erstens um seiner Verdauung willen, ferner, weil er nicht gern umsonst der Besiegte war. Der Kardinal von Österreich war ihm peinlich, wie er es auch äußerte. Mayenne brach das Schweigen als erster, er murrte in sein Glas, das die Worte hohl und verstärkt zurückgab: «So ein Dünner. Mickrig zum Umblasen. Der schafft's auch nicht.» Hiermit kippte er das Glas.

Das war die Sprache eines Kenners – hatte selbst erprobt, ob mit diesem König fertig zu werden ist. Daher wendeten alle, die vorher Mayenne belauscht hatten, das Gesicht nach dem König. Henri war darauf gefaßt; seine Heiterkeit, mochte sie entwichen sein, während niemand achtgab, jetzt hielt er sie fest. Er sagte über den Tisch, der wie ein Galgen gebaut war: «Geschehn ist geschehn, Calais ist weg. Deswegen keine Schwachheit. Ich hab im Krieg mehr erlebt. Jetzt ist der Feind an der Reihe, dann kommen wir wieder daran. Gott hat mich nie verlassen, sooft ich ihn aus dem Herzen bat. Nun denn, ehren wir das Andenken der Toten – dann aber Vergebung mit Zins und Zinseszins.»

Dies seine Worte. Übrigens blieb er noch eine Weile sitzen, gab auch jemandem einen Wink und Auftrag. Als er «Zins und Zinseszins» gesagt hatte, fielen die Blicke von selbst auf Herrn de Rosny, den Großgeldeintreiber des Königs. Sein unbewegtes Gesicht erschien fürchterlich; jeder aus der Gesellschaft fragte im stillen, wieviel ihn selbst der Fall von Calais noch kosten sollte. Mit seiner kalten Stimme, ohne jemand anzusehen, sagte Rosny: «Der Kardinal von Österreich nahm nicht gleich Calais. Zuerst bekam er Cambrai.»

Die Marschallin, Schwester der Marquise, fuhr auf, sie hätte zornig erwidert. Die steinerne Haltung des Herrn de Rosny erlaubte es nicht; vielmehr nötigte sie die arme Diana, ihren Teller zu betrachten, und dasselbe taten alle anderen. Sie hätten sonst leicht verraten, was sie dachten: die Familie der teuren Herrin und sie selbst, die sind es. Bereichern sich, und die Städte des Königreiches liefern sie dem Feind aus.

Inzwischen wurde dem König gebracht, wonach er geschickt hatte. Ein Bildnis der Königin von England, er dreht und wendet es, bis alle sich überzeugt haben, wen es darstellt: die Sechzigjährige, straff und unermüdet. Ihr gehen keine Städte verloren, während sie tafelt und Ballette genießt. Der König führt das Bild an die Lippen, er küßt es, wie alle meinen. In Wahrheit berührte sein Mund es nicht, sondern hinter dem Rahmen, der seine Augen verdeckte, gingen diese zu seiner Gefährtin, sie allein teilte mit ihm den kleineren Tisch. Gabriele begriff, daß er sie trösten wollte, hörte aber auf seine Schwüre diesmal nicht, mochten sie nun geflüstert oder ganz lautlos sein. Sie war erbleicht. Feinde umher. Zu dieser Stunde kann auch ihr lieber Herr sie vor dem Haß nicht schützen. Da lehnte sie öffentlich ihre erhobenen Hände aneinander, wie bloß zum Beten im Kämmerlein. Neigte sich über den Rand des Bildes – und nicht die große Elisabeth, nur das Holz, das ihre nachgeahmte Form umspannte, empfing von Gabriele den demütigen Kuß.

Trotz allem durfte Herr de Sigongne sein sinnreiches Schauspiel noch diesen Abend vorführen. Mit hoher Bewunderung wurde es aufgenommen – wie denn auch nicht. Sein Held war ein König, so sieghaft, gelehrt und wohlgestaltet, daß Gott Mars zuletzt nicht anders konnte, er überantwortete ihm die leibhaftige Venus, und diese Göttin versprach ihm schöne, mutige Söhne. So geschehen, gab es zum Nachtessen die kleinen Austern, die dem König sonst gefielen, und auch diesmal tat er, als schmeckten sie ihm. Wenigstens brauchte er nicht zu sprechen – konnte überlegen, daß es noch einige Zeit geboten wäre, den Müden und Gleichgültigen zu machen. Der Krieg war nicht zu Ende, er wußte es seit heute, gesetzt, daß der Ruhm der Welt ihn bis jetzt hätte beirren können. Eine doppelte Gefahr rückte an, wenn er Calais von der See her zurückeroberte, was am nächsten lag, und die Königin von England hätte gewiß geholfen. Ebenso wahrscheinlich aber gab sie nachher Calais nicht mehr heraus, und er hatte nur die Wahl, ob an seiner Küste das hartnäckige England sitzen sollte anstatt Spaniens, das seine letzten schwachen Streiche führte.

Andererseits kam dem König der Verdacht, schon heute wär es eigentlich ein neuer Feind, der im Lande stände. Der Kardinal von Österreich, seine deutschen Fürsten, ihre Truppen: vom alten Feind eine andere Front. Habsburg hat mehrere, es ist das Weltreich, eine Hydra. ‹Hab ich den einen Kopf erstickt, zwölf züngeln gegen mich. Ich muß das ganze Ungeheuer töten. Ich muß es aufnehmen mit dem römischen Kaiser, der universalen Monarchie und allen ihren Provinzen; sogar Spanien ist von ihnen nur die eine, der Weltbeherrscher Philipp war ein Beauftragter, und ihrer sind mehr. Ich allein, wie es nun gewollt und alles gemacht ist, steh gegen die ganze Hydra, die aber die Christenheit heißt.›

Die Zumutung entsetzte ihn. Einige Pulsschläge vorher hatte er nicht gewußt, sie würde an ihn gestellt werden. Stellte sie jetzt selbst, und es war das erstemal. Ein großes Unglück stieß ihm zu: das war sein eigener Gedanke – der früheste. Einblick in seine letzte Sendung, und die ging über die Kraft.

Er erhob sich vom Tische, er hätte sich ganz allein zurückgezogen, wo es dunkel wäre und niemand etwas wahrnähme von seinem großen Schrecken und dem hereingebrochenen Ereignis. Seine Gefährtin berührte aber angstvoll seinen Arm. Er sah sie an und bemerkte: sein Erschrecken wurde geteilt von der Gefährtin – die es nicht ermaß und den Grund nicht ahnte. Dennoch litt sie mit ihm und war nachgerade ein Stück von ihm durch Blut und Sinne bis an ihr Ende. Daher zog er sie an sich und verschwand mit ihr in der Nacht des Gartens.

Sie erstiegen die vorgeschobene Terrasse unter ihrem Schlafzimmer, dort hörte niemand sie. Gabriele flüsterte: «Vielgeliebter Herr, wir haben Feinde. Damit Sie den Kardinal von Österreich besiegen können, will ich alles, was ich besitze, verkaufen und den Erlös in Ihre Kriegskasse legen.»

«Meine teure Liebe», antwortete Henri. «Mein unvergleichlicher Besitz bist du allein. Laß uns die Feinde vergessen: leicht könnten es ihrer zu viele werden, wenn man sie ruft.»

Geheimnisvolle Andeutung, Gabriele verstand weder, noch fragte sie, beide wurden still, als wäre nunmehr die Zeit für Liebkosungen. Diese erlitten einen unnützen Aufschub durch dasselbe Unglück, das vermittels eines Gedankens an Henri herangetreten war. Er wollte es von sich weisen, es sollte ihm nicht mehr begegnen. Nur leider, die Abweisung selbst erforderte ein inneres Zwiegespräch mit der empfangenen Sendung. Über die Kraft oder nicht, sie war empfangen.

Er dachte: von Jugend auf seien ihm Mühen und Kämpfe von dem einen Spanien geschickt worden, gegen wen immer er ritt, welche Kugel jemals vor ihm einschlug, wie viele Städte er gewann und Menschen an sich brachte, bis sie zusammen sein Königreich ergaben. ‹Das halbe Leben und mehr hat es gekostet. Endlich will ich Ruhe haben und die Arbeiten des Friedens tun. Wahrhaftig, die Pyrenäen sind hoch genug, ohne daß ich den Ossa über dem Pelikon stürzen muß. Nach mir der neue Feind oder von dem alten Untier die nachgewachsenen Köpfe. Ich hab meinen Teil› – wobei er seinen Fluch ausstieß, dies sogar laut vernehmlich.

Gabriele wurde mit erregt von seinem inneren Gespräch, das sie doch nicht kannte; sie sagte: «Sire! Bin ich in Wirklichkeit Ihr Unglück? Es fällt Calais, und mich haßt man, Herr de Rosny gibt mir die Schuld.»

«Meine teure Liebe», sprach ihr Herr nah an ihren Lippen, aber er atmete zornig. «Dafür soll Herr de Rosny schon morgen zurückkehren in das Arsenal, wohin er gehört. Wir bleiben und verbringen den Tag in deinem reinlichen Meierhof, bei deinen vierzig wohlgepflegten Kühen, auf dem saftigen Gras. Um dich her werden alle Damen ihre ländlichen Kleider ausbreiten. Du bist die Mitte und bist mein Glück.»

«Teurer Herr», sagte sie, «ich erwarte von dir nochmals ein Kind.»

Hierbei schloß sie die Augen, obwohl es dunkel war; fühlte indessen, wie ihm das Herz vor Freude klopfte. Seinen heftigen Atem hörte sie nicht mehr, empfing seine Lippen auf ihren, und die tiefe Stille ihrer gemeinsamen Liebkosungen wurde gemessen von den Pulsen der beiden.

Bis drunten im Garten ein Schlag und Zischen folgten, da schoß himmelan ein feuriger Schweif, beschrieb seinen gelassenen Bogen, sank ab, tropfte Funken und erlosch. Ah! verlautete es währenddessen von den Stimmen aller, die sich ergingen in der Gartennacht, oder auf der Freitreppe und an den Fenstern spähten sie nach der Begebenheit, was daraus würde.

Nun weiß man natürlich, wie es kommt. Nach der ersten, vereinzelten werden scharenweise die Raketen aufsteigen, und das geschah wie vorgesehen, die Höhen waren während eines Hin- und Wegsehens durchrauscht von Flammen in Gestalt von Springbrunnen, Strahlen, Garben oder Kugeln, die leuchteten oder zerplatzten blau, weiß und rot. Auf dem Rande der Hecken schwang zuletzt ein Rad, es entsandte silbernen Regen – weithin sprühte der glitzernde Trug, zu schön, als daß fortan hier eine irdische Gegend sein könnte. Aus der Nacht gehoben, verwandelt, schwebt der Garten, ein Aufenthalt für Feen. Der Schwan! Über diesem Reich der Glücklichen, ah! in Lüften ruht ein Schwan, schimmert, regt die Flügel, ruht – und vergeht klingend mit dem wunderbaren Klang, den sie haben sollen, wenn sie sterben.

Auf einmal war Dunkelheit wie vorher, und man rieb sich die Augen. Ein Feuerwerk, sonst nichts, man lacht nachher, weil man mit eigener Zustimmung getäuscht und bezaubert worden ist. Indessen es aber abbrennt, steigen in dem oder jenem kühne Gedanken auf und wären sonst am Grunde geblieben. Erheben sich zu seinem inneren Himmel, der davon wunderbar anzusehen ist. Henri erblickte das Feuerwerk in sich selbst, sein ganzer Himmel flammte. Freudig über die Natur hinaus ergriff er die bewußte Sendung – hatte sie gerade vorher abgewiesen. Jetzt sagte er, daß er es vollbringen wollte und wollte stürzen das Reich der Finsternis.

‹Sie oder ich, von meinem Untergang lassen sie nicht. Sie betreiben aber mit meinem Untergang einen größeren, den der Freiheit, Vernunft und Menschlichkeit. Überwältigt hat ihre universale Monarchie und Weltherrschaft viele Glieder der Christenheit, die wird davon zum Ungeheuer, ein unförmlicher Leib und giftige Köpfe. Meine Sache ist, daß die Völker leben sollen, und sollen nicht statt der lebendigen Vernunft an bösen Träumen leiden in dem aufgedunsenen Bauch der universalen Macht, die sie alle verschluckt hat. Ich bin gemacht, um zu retten, so viele von ihnen noch die Wahl haben und wollen mit mir den engen Pfad gehen.›

Hier sprühte draußen das Rad sein Silber, und darüber plante der Schwan. ‹Gleichviel›, denkt Henri. ‹Nichts ist sicher, warum das böse Ende. Mich sollen sie nicht bekommen: haben dies Königreich verfehlt. Ich will denn in Gottes Namen einen freien Bund gründen mit den Königreichen und Republiken, die bis jetzt verschont sind und die Stirn erheben dürfen gegen Habsburg.›

Draußen fielen die Funken, bevor es dunkel wurde. ‹Was ist zuletzt Habsburg?› denkt Henri. ‹Ein Kaiser, den seine Mönche in derselben Finsternis halten wie alle seine Völker. Dazu der Angesteckte über den Bergen, der hat besonders großgetan. Ihre Personen bekrieg ich nicht, und ihr Land: – genau gerechnet zeigt keine Weltkugel, wo ihr Land liegt. Es liegt im argen. Mein

Reich beginnt an der Grenze, wo die Menschen weniger dumm und nicht mehr ganz unglücklich sind. Mit Gott, erobern wir's!›

Das erste, was er hiernach zu seiner Gefährtin Gabriele sprach: «Madame, wahrhaftig, mein Rosny, welch eine tüchtige Mittelmäßigkeit!»

Ein freier Bund von Königreichen und Republiken, seinem besten Diener kam er niemals in den Sinn, da mochten feurige Strahlen durch die Lüfte rauschen und Schwäne darin ruhen.

«So hab ich nicht Schuld am Fall von Calais?» fragte Gabriele. Er sagte: «Calais, der Kardinal von Österreich. Sie selbst und ich: die Zusammenhänge sind unendlich. Einer mag sie ahnen, solange das Feuerwerk währt, und dann nicht mehr.» Er sprach es müde.

«Wir wollen hineingehen», verlangte sie, und er geleitete seine teure Herrin in ihr gemeinsames Gemach, das schönste des Hauses. Er schüttelte den Kopf, als säh er das Bett zum erstenmal. Es hatte Matratzen aus weißer Seide, die Kopfkissen waren mit Silber derart bestickt, daß ein H und ein G sich umschlangen. Am unteren Ende lag zurückgeschoben die Prunkdecke, die war Damast. Karmesin und goldene Streifen. Von dem Baldachin hingen die gelben Vorhänge aus Genueser Samt. Ein Bett wie dieses hatte den armen König früher nicht aufgenommen. Seine Liebste bemerkte, daß er zögerte.

«Geliebter Herr, Sie denken wie ich, daß wir alles verkaufen müßten, um Ihre Kriegskasse zu füllen.»

«Ich habe leider viel gewagtere Träume gehabt», antwortete Henri. «Hielt sie für den wahren Sinn der Dinge, solang das Feuerwerk abbrannte. Wahrhaftig gelangte ich währenddessen in ein hohes Gefilde – weiß nicht mehr, wieso ich dorthin abirrte. Wir sind hier unten, tun immer nur das nächste, dabei bleibt es, und das allernächste ist, daß ich dich liebe.»

Gewonnen

Die nächste Sorge war, wie gewöhnlich, Geld zu erlangen; nur artete sie diesmal in eine wahre Angst aus. Jeden Tag konnte das Verhängnis hereinbrechen, und für Spanien, das nur noch zuckte, wäre mit voller Macht das Römische Reich aufgetreten. Feindliche Heere, die das Königreich niemals erblickt hatte, barbarische Völkerschaften aus dem Osten des Erdteiles, krumme Säbel, kleine wilde Pferde, Menschen mit gelber Haut und schiefen Augen, das alles hätte diese Felder zerstampft, diese Städte in Brand gesteckt. Niemand sah den Schrecken voraus und malte ihn sich aus, als nur der König. Er machte sich davon in seinen Nächten einen Greuel in übertriebenen Farben: dies, weil er die Sorge allein trug. Seinen Leuten blieb alles fern, seinem Pariser Parlament, das die Ballette der Marquis überzahlt zu haben meinte – und sogar seinem Rosny, er fand den König überreizt.

Wenn der König Zahlen nannte, die stimmten selten; dieses Gebiet hätte er meiden sollen, nach Ansicht seines guten Dieners. Acht Finanzräte, außer Rosny, verzehren heute nicht mehr anderthalb Millionen Taler, wie der König sich einbildet, Rosny paßt auf. So einfach sind Kriegskosten nicht einzutreiben, daß man acht Personen ihren Mehrgewinn abnimmt. Überhaupt wollte Rosny an die Zunahme der Ordnung auf der Welt glauben, da er in seinem Bezirk dafür tat, was vernünftig war. Noch weniger wären die Parlamentarier, deren Verhältnisse endlich geregelt waren, auf die Vorstellungen des Königs eingegangen. Krummer Säbel, kleine wilde Pferde, Menschen mit gelber Haut und schiefen Augen, hier kann das nicht vorkommen. Schließlich herrscht Gesittung.

Und wer gibt ihr mit viel Müh und Arbeit den Anschein, als ob sie herrschte? So hätte der König seinen Freunden, den Rechtsgelehrten erwidern können. Er schwieg aber – wollte die Gefahr durch das Aussprechen nicht größer machen und seine schlechten Nächte nicht anderen bereiten. Mit seiner teuren Herrin begab er sich nach Rouen; sie sollte mitkommen; er selbst hatte mehreres vor. Nach einem Einzug in die Stadt, der kühl verlief, wartete er nicht unnütz: er hielt der Ständeschaft seiner Provinz Normandie die Rede, die er lange besonnen hatte. Dies geschah in dem Kapitelsaal der Abtei Saint-Ouen, einer hochangesehenen Stätte: ein König, der hier das Urteil einer nationalen Vertretung herausforderte, und dies zum erstenmal, durfte keinen Mißerfolg haben.

Bevor er auftrat, war die Versammlung vollzählig und konnte vermerken, welchen Anteil jeder Stand aufwies: neun Bischöfe, neunzehn große Herren, aber zweiunddreißig Bürgerliche mitsamt Handwerkern und Bauern. Keine große Ständeschaft, aber von einer Zusammensetzung, die nie gesehen war, und a[illegible]r König hat sie gewollt – beim erstenmal, daß er sich den Abgeordneten des Volkes stellt. Vorsichtig, in der Art von Normannen, redeten sie hin und her über seine Art, die ihnen neu war und ungewohnt blieb, soviel sie mit ihm zu tun gehabt hatten und er mit ihnen. War ein Ketzer und verdächtiger Abenteurer aus dem Süden gewesen, als er ihre Stadt hart bestürmte, zuletzt aber kaufte er sie: das hatten sie klug und achtbar gefunden. Andererseits gedachten sie seines persönlichen Verhaltens, damals genügte es keineswegs ihren Ansprüchen an die Würde und Zurückhaltung eines Herrschers, noch nicht gerechnet, was Majestät heißt und ihm völlig abgeht. Darf ein König seine Geliebte mitbringen, wenn er das vernünftige, regnerische Rouen erobert, und sogar jetzt nochmals bei seinem Einzug? Man hatte denn der Marquise das Brot und den Wein nicht dargereicht, obwohl sie hier in der Abtei die beste Wohnung bezog. Jedem nach Verdienst. Übrigens waren seit der Anwesenheit des Paares die Straßen beleuchtet, wenn auch nur auf höheren Befehl, warum das Geld nicht lieber sparen.

Aufstehn, aufstehn, der König! Er betritt den Saal, umgeben, wie er irgend kann, zwölf Herren wohl gezählt, einer höher und mächtiger als der andere: fehlt auch der Legat des Papstes nicht. Setz dich unter den Baldachin, kleiner Mann von irgendwo, der jetzt groß ist, und bedurfte einer ungeahnten Wendigkeit, nächst dem bekannten leichten Herzen, das nun einmal verdächtig bleibt. Aber wie? Die vermißte Majestät, da ist sie dennoch, sie erklärt sich sogleich. Er steht erhöht, spricht zu ihnen von oben, braucht alltägliche Worte, einen natürlichen Ton – dennoch, in dem Ton und den Worten erscheint die Majestät. Sie ist fremdartig. Man könnte nicht sagen, daß sie aus anderen Gegenden kommt, eher aus einem Wesen ganz für sich, und dieser Mann, wie man wohl weiß, gebraucht sie nicht immer. Aber er hat sie.

Henri hielt in den Händen einige Blätter, schob sie bequem ineinander wie ein Kartenspiel – traf gleichwohl mit jedem zufälligen Blick das Wort, das er suchte. Die Buchstaben waren übergroß, er hatte sich vorgesehen, hatte eigenhändig die Sätze aufgeschrieben, damit keiner fehlging und jeder saß. Redete jetzt, als ob der Ausdruck nichts verschlüge, so genau er in Wirklichkeit geprobt war. Er sagte: «Wenn ich als Redner glänzen wollte –» Dabei glänzte er zusehends. «Mein Begehren geht nach zwei ruhmreichen Titeln. Heißen will ich Befreier und Wiederhersteller dieses Staates.»

Zuerst schob er alles Erreichte auf seine treuen Beamten, seinen tapferen, hochherzigen Adel; plötzlich war er es selbst. «Ich habe Frankreich davor bewahrt, daß es verlorenging; bewahren wir es nunmehr vor dem neuen Verderben!» Womit er alle einbezogen hatte, so viele hier vertreten waren, die Mehrheit aus den arbeitenden Klassen. Sie sollten ihm helfen – nicht einfach durch ihren Gehorsam: er verlangte ihr Vertrauen, ihren Rat erbat er. Dies war merkwürdig und neu. «Meine lieben Untertanen», nannte er sie allerdings, wollte sie aber nicht gerufen haben, wie seine Vorgänger getan hatten, damit sie ja sagten zu allem, was er beschloß. «Ich hab euch versammelt, um bei euch Rat zu holen und ihn zu befolgen. Kurz, in eure Hände, unter eure Vormundschaft begebe ich mich.»

Dies Wort! Das geräuschvolle Atmen der Versammlung bei dem Wort «Vormundschaft», im Manuskript war es vorgesehen mit mehreren leeren Zeilen. Ein zufälliger Blick des Redners auf das letzte der Blätter und seine ausgedehnten Schriftzüge: da sprach der König in voller Größe und Majestät.

«Solche Lust wandelt sonst wohl nicht die Könige an, die Graubärte nicht und nicht die Sieger. Leicht und ehrenvoll wird alles dem, der euch liebt wie ich, und will Befreier heißen.»

Setzte sich, ließ sie hinsitzen und die Pause vergehen, gelassen angelehnt, als hätte er niemals gehobene Bekenntnisse gemacht, nur zu einfachen Leuten einfach geredet. Drunten steckten sie die Köpfe zusammen, bis einer sich räusperte, aufkam und Worte vorbrachte: die Sekretäre verstanden sie schlecht. Der Bauer sprach den ländlichen Dialekt, außerdem war er sowohl befangen als bewegt. Er versprach dem König, für seinen Teil wollt er ihm von jedem Pfund einen Groschen geben, und dies, sooft er ein Stück Vieh oder einen Sack mit Korn verkaufte. Andere, die weiter sahen und sich geläufiger ausdrückten, fügten das Ihre hinzu. Deswegen glaubte doch niemand, daß sehr viel Geld herausfallen würde. Sonst hätte jeder von ihnen, der reich war, gleich sein halbes Vermögen opfern müssen. Wer wenig, aber etwas besaß, verlangte das von den Großen nicht. Geschehen war dies eine. Sie hatten den König in seiner Demut und in seiner Majestät gesehen. Sie mißtrauten ihm nicht mehr.

Er stieg von seiner Bühne und verschwand rückwärts, die Zuschauer wußten so schnell nicht, wohin und wie. Der Eindruck, den er ihnen gemacht hatte gewann dadurch an Unbegreiflichkeit. Sie mißtrauten ihm wohl nicht mehr – nicht alle, und wenigstens vorläufig nicht. Das Fremde behielt er, möglich, daß es ihm seit seinem neuesten Auftreten sogar zustatten kam. Die Normannen besprachen vorsichtig, was nach allem von ihm zu halten wäre. Sie standen weiter im Saal umher, etwas unschlüssig, nicht abgeneigt, Belehrungen entgegenzunehmen von solchen, die den merkwürdigen König besser kennen mußten. Das waren seine Leute, mit denen er sich bei der Vorstellung umgeben hatte: mehrere waren von ihm ausgesucht und sollten die Normannen belehren. Auf die konnte er sich verlassen; weniger auf die anderen, freiwillig Zurückgebliebenen.

Henri, hinter dem Vorhang, durch den er abgegangen war, flüsterte mit Gabriele.

«Wie hab ich gesprochen?»

«Glänzend. Das kann außer Ihnen niemand. Nur, warum Vormundschaft? Sie haben das Wort gut gebracht, ich mußte weinen. Aber wollen Sie wirklich Vormünder haben, anstatt Untertanen?»

Er fluchte leise, weil sie ihn nicht verstanden hatte. Nahm ihre Hand und legte sie auf seinen Degen. «Mit dem zur Seite», sagte er.

Dann bat er seine Gefährtin, wegen ihrer beschwerlichen Umstände möge sie ruhig im Sessel bleiben, indes er selbst am Vorhang horchte. Zuerst vernahm er Stimmen aus dem dritten Stand, sie klangen schleppend, aber Spott und Widerstand fehlten ganz. Der Dialekt verhinderte nicht, daß er die Gesinnung erriet. Wenn der Feind jetzt wieder einfiel, mochten es beiläufig Spanier, Deutsche oder sogar Engländer sein, ihren eigenen König zogen sie vor. Sie hätten gar keinen Kriegsherrn gewollt, und den Krieg überhaupt nicht. Schlimmstenfalls hielten sie es doch mit einem König, der nach dem Augenschein ihr Mann war – hatte ihnen schon gute Gesetze gemacht und fragte sie nun selbst, wieviel sie zuzusteuern gedächten! «Ist es dann zu wenig, kann er uns immer noch seine Gendarmen schicken», bemerkte ein Bauer, der den Satz von der Vormundschaft richtig auslegte.

Ein Bürger erklärte, der Augenschein wäre meistens zuverlässig, und persönlich sehe er jedem Kunden an, ob er zahlen werde. Ein unehrlicher Mensch ist entweder zu nachgiebig oder zu dreist! «Der König hat bei allem, was er sagte, das richtige Gesicht gehabt.»

Diese kaufmännische Ansicht wurde von einem der Rechtsgelehrten bestätigt. War es der Präsident des Parlaments von Paris oder anderswo, Henri hinter seinem Vorhang unterschied nicht genau, er hörte vieles gleichzeitig. «Auf dem Gesicht erscheint sichtbar alles, Freude und Angst», äußerte der Präsident, den gemeinen Leuten zugewendet, damit sie ihren Nutzen daraus zögen.

Für die normannischen Herren, Bischöfe und Edelleute wiederholte er es in der Sprache Juvenals.

Deprendas animi tormenta –

Einer der einheimischen Herren erwiderte überaus vorsichtig: Wenn es ausgemacht wäre, daß die Kunst des tragischen Schauspielers seinem Gesicht den Ausdruck beliebiger Gefühle beibringen kann, die Griechen hätten ihn darum bekanntlich nicht weniger geachtet.

«Verdammt», murmelte Henri, «der hält mich für einen Komödianten.»

Die Handwerker und Viehzüchter beruhigten ihn wieder, für sie war entscheidend, daß er es zu etwas Rechtem gebracht hatte. «Das vorige Mal, als er bei uns auftauchte, war er ein Schlucker. Jetzt – der Aufzug und die Pracht! Der verdient Geld, unter dem läßt sich leben.»

Hier ging durch die Leute ein Schauder der Ehrfurcht. Den Schauder benutzte der Marschall de Matignon, den Henri ausgesucht hatte, damit er nachhülfe.

«Gute Leute», sagte der Marschall. «Womit der König euch alle und noch ganz andere Nummern in die Tasche steckt, das ist eine Sache ohne jeden Vergleich, sie kommt nicht vor, außer durch eine seltene Verleihung von Gott. Es ist die Majestät.»

Je weniger sie dieses Geheimnis erfaßten, um so mehr wirkte es auf sie ein. Ihre zunehmende Geneigtheit, von der gewohnten Nüchternheit abzuweichen, wurde ermutigt durch das Wort «Majestät»; denn sie hatten dergleichen bei ihm wirklich gefühlt, und nur benannt hatten sie es vorher nicht. Nachgerade hätten sie fünf gerade sein lassen, und als Matignon ihnen weitererzählte, daß der große Mann noch niemand in seine Nähe, sein Vertrauen gezogen habe gleich ihnen, da wurden diese nördlichen Menschen endlich laut. Sie redeten durcheinander, sie priesen ihre Tapferkeit und Bereitschaft hinzugeben, was sie besaßen, und nicht mehr den Groschen vom Pfund: das halbe Pfund und darüber. Auf einmal kannten sie die Ausdrücke «großer Mann», «Majestät» – ja, «Geliebter des Volkes», auch dies Wort fiel.

Henri hinter dem Vorhang hörte es heraus; in allem Gewirr der Stimmen, dies Wort entging ihm nicht. Das erste war, daß er erschrak und die Stirne neigte. Sogleich richtete er sie um so höher auf; er sprach: «Gewonnen.» In Gedanken setzte er hinzu: ‹So lange es dauert. Gib, o Herr, daß es vorhält, bis ihre Begeisterung meine anderen Provinzen erfaßt hat, und die sind leichter zu erwärmen als diese. Ich weiß, warum ich hier begonnen habe. Mein ganzes Volk und Königreich soll früh aufgestanden und zum Empfang bereit sein, wenn von Osten die kleinen wilden Pferde und krummen Säbel anstürmen.›

Im Saal schlug der Staatssekretär Herr de Villeroy stark auf den Tisch, wo die Protokolle angefertigt wurden. Er verkündete, alle Gemeinen, die hier getagt hätten, die Majestät erhöbe sie zu Adligen. Die Stille wurde hierüber sehr tief und wollte nicht weichen – bis einem Landmann, vielleicht aus Bestürzung, etwas Unanständiges entfuhr, und dies mit voller Kraft. «Die Majestät mag verzeihen, aber irgendwo muß das Gemeine heraus», sagte der Landmann zur großen und allgemeinen Belustigung.

Am wenigsten hingenommen von der Majestät und ihrem durchschlagenden Erfolg waren begreiflicherweise seine eigenen, mitgebrachten Herren, voran die geistlichen. Einer der beiden Kardinäle erinnerte den anderen an einen Vers des Horaz, der bedeutet: Er läßt beiseite, was er ohnedies hat, und bemüht sich um solche, die ihn nicht wollen.

«Transvolat in medio posita, et fugentia captat» – in reinster italienischer Aussprache führte der Kardinal den Vers an. Das Latein des anderen hatte französische Färbung.

«Nil adeo magnum –»

Dafür reimte er den Lukrez auch gleich in der Volkssprache.

«Nichts ist so groß und anfangs so verehrt,
Daß man ihm schließlich nicht den Rücken kehrt.»

Diese Kenner blinzelten einander zu, wohingegen der Legat des Papstes: er war allerdings hergereist, hatte gewiß erwartet, den König unrettbar absinken zu sehen. Jetzt war er selbst erschlagen, er jammerte vor sich hin; sein Gedächtnis für die Klassiker stand indes hinter dem der vorigen nicht zurück.

«Weiß nicht, warum lassen meine saubern
Lämmchen sich von seinem Blick bezaubern.»

So übersetzte er die Stelle im Vergil: Nescio quis teneros oculus mihi fascinat agnos – und geradezu mit weichen Knien verließ der Legat diese Stätte. Nach ihm brachen alle auf.

Ein normannischer Herr sagte unter der Tür zu einem der hohen Richter: «Sogar mir fällt ein altes Wort ein. Fortis imaginatio generat casum. Wer eine Sache lebhaft im Sinn hat, macht Wirklichkeit aus ihr.»

Der Rechtsgelehrte erwiderte ihm noch in der Tür: «Mein Herr, Sie haben das Wesen unseres Königs ausgezeichnet verstanden.»

Da sie als letzte über die Schwelle traten, hatte Henri sie deutlich gehört. Er streckte den Kopf aus dem Vorhang, um ihnen nachzusehen, und bemerkte, daß der Normanne den langen, hohlen Rücken und die helle Haut wie sein Rosny hatte. Natürlich ist nicht jeder eine Figur von der Kathedrale. Auch in der Nüchternheit und steinernen Strenge gibt es Fälle geringeren Grades. Das Vollkommene im Nördlichen, mein Rosny bringt es mir, hat auf mich sein Sach gestellt, und das gilt bei ihnen, solang ich dauere. «Gewonnen», sprach er nochmals. «Gerade die gewinn ich.

Teure Herrin!» rief er – war mit wenigen langen Schritten bei ihr und hielt sie in seinen Armen, ihren Kopf aus blondem Gold, die Fleischtöne gleich Rosen und Lilien, die Augen vom Grau dieser Meere.

«Dich zu gewinnen, hätt ich noch länger gedient», sprach er ihr in den reizenden Mund; sie vernahm es mit einem Glück, einem Stolz, daß sie lachte, ihn auslachte. Er faßte sie sacht an wegen ihres hoffnungsvollen Zustandes.

Sieben Tage danach gebar die Liebste des Königs ein Mädchen. Sehr schön, so nannte Henri die Kleine, er ließ sie taufen feierlich wie ein Kind Frankreichs. Ihre Namen waren Catherine-Henriette, er selbst und seine Schwester gaben sie der Tochter Gabrieles. Madame Schwester des Königs konnte ihr Patenkind nicht in Person aus der Taufe heben, da sie Protestantin war und blieb. Indessen hatte sie das Recht, am Bett der Wöchnerin zu sitzen als beste Freundin, die Gabriele bei Hofe gefunden hatte, und fand sonst keine.

Madame Schwester des Königs beschrieb der Mutter die wohlgelungene Körperbildung ihrer Tochter; sie legte fromme Begeisterung hinein, da eine untadelige Leiblichkeit schon das Neugeborene der himmlischen Gnade versichert und ihm eine glückliche Erdenzeit voraussagt. Ihr eigenes Leben, obwohl sie jetzt Madame Schwester des Königs hieß, hatte keine Hoffnung mehr, glücklich auszugehen; Catherine war aber geneigt, den Ursprung ihres Mißgeschikkes in dem Übel ihres Fußes zu erblicken. Sie verriet ihre eigene Meinung nie, allen zeigte sie Hoheit, im alternden Gesicht viel kindliche Hoheit. Gabriele allein kannte sie anders, vor ihr wurde Kathrin innig bis zur Andacht. Ihrem lieben Bruder schenkte diese Frau schöne, gesunde Kinder, eines nach dem anderen. War ausersehen und begnadet. An dem Bett der Wöchnerin saß Madame Schwester des Königs wahrhaftig nicht einer Gefälligkeit und Gunst wegen, sondern um zu verehren.

Nach den wohlgelungenen Gliedern des Täuflings beschrieb sie das Kissen, auf dem er zu derselben Stunde lag und wurde als Kostbarkeit durch die Kirche Saint-Ouen getragen. Herren und Damen im Glanz nahmen das Kissen mit dem Kind Frankreichs einander aus den Armen, so viele es berühren durften. Von dem bestickten Kissen hing ein silberner Stoff und geschwänzter Hermelin, sechs Ellen lang, aber den Vorzug, diese Schleppe zu halten, genoß das Fräulein von Guise.

«Alle hassen mich sehr», flüsterte Gabriele. Sie verriet ihre Sorge, weil sie noch geschwächt war. Gleichwohl fühlte sie, die Schwester ihres Herrn dürfte die Wahrheit hören. «Madame, wird unser Herr mich heiraten?» flüsterte sie.

«Du mußt nicht zweifeln», sagte Kathrin, kniete hin und streichelte der jungen Mutter die linke Hand, dieselbe, an der ihr lieber Bruder diese Frau zum Altar führen sollte. «Du hast Freundinnen, die eine bin ich.»

«Gäb es denn noch eine andere?» fragte Gabriele, vor Erstaunen richtete sie den Kopf und Nacken auf.

«Die Prinzessin von Oranien wünscht wie ich, daß der König zu seiner Königin die Rechte macht.»

«Die Rechte wär ich? Nach der Meinung einer strengen und frommen Dame, die gewiß dort hinten in ihren Niederlanden über mich nur Nachteiliges erfährt?»

Stehend, damit ihre Rede eindringlich und nachhaltig wäre, sprach Madame Schwester: «Die Prinzessin von Oranien ist von meiner Religion. Wir Protestanten glauben an die Freiheit der Gewissen und die Wahl der Herzen. Der König, mein Bruder, hat die einzige, die er haben und behalten will bis zum Ende – in seinem Königreich hat er sie gefunden.»

Mehr sagte sie nicht, es war genug für lange. Daher verließ sie gleich nachher das Zimmer, verbot auch den Frauen Gabrieles, bei ihr einzutreten, da sie ruhen müsse.

Gabriele lag und machte sich über die Neuigkeiten die ersten Gedanken, soweit ihr Kopf, der noch blutleer war, es zuließ. Freiheit der Gewissen – sie begriff den Sinn nicht, nur, daß er ihr günstig war. Zwei Protestantinnen, und sonst niemand, standen ihr zur Seite; sie wollten, die Königin von Frankreich möchte aus diesem Lande sein. Keine Prinzessin eines fremden, noch so großen Hauses, Infantin, Erzherzogin, reiche Fürstin. Nicht das viele Geld und die mächtige Verwandtschaft, worauf Herr de Rosny immerfort bedacht war und suchte in ganz Europa nach der Verbindung, die für den König die nützlichste wäre.

Davon hatte Gabriele seither gewußt. Die kalte Rechnung des guten Dieners, der Haß aller, die auf sie und ihre Herkunft herabblickten, beides war ihr geläufig und leider kein Geheimnis. Einzig die Liebe des Königs und die «Wahl der Herzen» erlaubte ihr, harte und grausame Tatsachen dennoch gedämpft durch rosige Schleier anzusehen. Sie fürchtete die Infantinnen, empfing aber die innere Warnung erst in neuester Zeit – seitdem ihr lieber Herr die krummen Säbel aus dem Osten erwartete. Ja, ohne sein Gefühl für die Gefahren hätte das ihre gar nicht gesprochen; jetzt war sie von seinem Fleisch und Blut ein Teil vermöge ihrer Kinder. Das zweite Kind hatte sie ihrem Herrn geboren, da schienen die Gefahren stillzustehen: schritten allerdings nur heut und morgen nicht fort; ihr ahnte wohl, nachher ginge alles weiter.

Gabriele wendet das Gesicht aus dem Licht, um weniger beschwerlich zu denken. ‹Ich habe zwei Freundinnen, die sind von der Religion. Wie denn, von der Religion bin ich nicht. Um den König sind keine Protestanten, nur Herr de Rosny, der mich haßt. Was will da werden? Was meinte wohl Madame Schwester? Keine Antwort zu finden, nicht jetzt, und niemals wird sie leicht sein. Schlaf ein, träum unschuldig von deinem Hochzeitskleid.›

Gabriele ist in ein großes Spiel von Gewalten geraten, ist darin befangen, ohne um das meiste recht zu wissen, fühlt nur: dies Spiel ist nicht geheuer. Die Bälle fliegen für einen zu hohen Einsatz; der könnte wohl sie selbst sein. Die Spieler zielen, fangen und verfehlen; der letzte greift alle Bälle, er trägt den Einsatz fort. Der König spielt so gut, wird er ihn nicht gewinnen? Hat allerdings den bekannten Todessprung getan, womit im voraus vieles entschieden ist. Auch über das Spiel um Gabriele? Sie ist eingeschlafen, unschuldig träumt sie von ihrem Hochzeitskleid.

Henri, Gabriele und der Hof verließen Rouen und kehrten nach Paris zurück, als Karneval war. Merkwürdig ausgelassen verlief dieser Karneval; darin erschien aber die erste Folge des ehrlichen Spiels von Rouen, das der König gewonnen hatte. Auch Paris gab sich besiegt. Die Vornehmen und sogar die ehrbaren Leute stiegen herab zu den Vergnügungen des gemeinen Volkes, weil sie meinten: der König hat eine Schwäche für das gemeine Volk und seine Sitten. Herren und Damen trieben es wie die Menge, auf dem Jahrmarkt und den überfüllten Straßen tauchten die Kavaliere in das Gewühl von Ausrufern, Schülern, Sänftenträgern, und hätten derengleichen früher nur von ihren Lakaien prügeln lassen bei der ersten Unverschämtheit. Jetzt riefen sie selbst den Umgang und Streit hervor, steckten manche Schläge ein, ja, ein Advokat, von dem man es am wenigsten erwartet hätte, verlor in einer Kneipe seinen Hut.

Die Damen vergaßen ihre gute Erziehung, beim Rummel betraten sie die Buden, wo Mißgeburten gezeigt wurden. Noch mehr, sie machten die Bekanntschaft öffentlicher Frauen von der niederen Art. Es soll vorgekommen sein, daß die Dame mit der Dirne dasselbe Haus aufsuchte, allerdings unter der Maske, und wird diese sogar äußersten Falles nicht vom Gesicht genommen haben. Gabriele, die darüber unterrichtet war, drehte beim nächsten Empfang dieser Dame den Rücken, obwohl sie gegen alle die Höflichkeit selbst war. Ihr nützte es nicht, ihren eigenen Ruf konnte nichts verbessern, weder guter Anstand noch das einmalige Zeichen von Ungeduld.

Auf den König, die Marquise d'Estrées und den Kardinal von Österreich, der Calais weggenommen hatte, wurde in diesem Karneval ein Vierzeiler gemacht, und alle Pariser sagten ihn her.

«Der große Henri wollt es schaffen
Und war dem Spanier auf der Spur.
Jetzt reißt er aus vor einem Pfaffen
Und hängt am Hintern einer Hur.»

Gabriele gedachte der befreundeten, guten Stadt Rouen, dort hätten sie solche Verse weder gereimt noch herumgesprochen. Sie wünschte ihre Verbreitung aufzuhalten, sie bezahlte sogar einige handfeste Kerle, die dagegen einschreiten sollten. Umsonst, eines Abends, als beide allein waren, verriet Henri, daß er die Verse kannte. Inmitten der zärtlichsten Beschäftigung sagte auch er sie her.

Als Antwort wehrte Gabriele ihn ungehalten ab. Sie bat ihn erst, er möge das Spielen lassen: auch das Ballspiel, so hübsch er es konnte, so gern sie ihm zusah, es kostete schließlich viel Geld; aber besonders die Karten, die würden ihn in die Hände von Wucherern bringen. Sie wußte, wen sie zuerst im Sinn hatte: einen Menschen namens Zamet. Sein Haus war zugleich Spielhölle, Leihbank, Bordell, und dorthin ging der König.

Da es noch das beste schien, ihn zu begleiten, wenigstens nach dem berühmten Jahrmarkt Saint-Germain, nahm Gabriele mehrere Damen mit, ihre Tante de Sourdis und Madame de Sagonne. Diese war klatschhaft; Gabriele rechnete darauf, daß alles sogleich zur Kenntnis des Hofes kam. Daher ließ sie den König um einen Ring handeln, von dem König verlangte der Portugiese einen unvernünftigen Preis. Gabriele verzichtete. Aber sowenig wie die Sittenstrenge nützte ihr die Enthaltsamkeit. Wer unfreundliche Erklärungen braucht, ist nie darum verlegen.

Am Faschingsdienstag war großer Ball bei Madame Schwester zu Ehren Gabrieles. Die Tuilerien, die Catherine bewohnte, strahlten vom Licht, es blieb kein einziges dunkles Gelaß, kein heimlicher Winkel. Versammelt um die Schwester des Königs und seine teure Herrin, zeigten alle Damen des Hofes dasselbe Kostüm aus meergrüner Seide: meergrün, weil es die Farbe der blonden Gabriele war, und Seide aus den Werkstätten des Königs. Alle trugen Masken; um die eine von der anderen zu unterscheiden, mußte man die Verhältnisse ihres Körpers genau kennen oder mit der Dame verabredet sein.

Die Musik erklang von oben, leis und würdevoll, nur ernste Tänze waren vorgesehen, und gewisse Fräulein flüsterten, es würde langweilig werden. Indessen fiel die Verspätung der Herren auf, und dann, daß alle gleichzeitig kamen. Ihr Einzug war sonderbar, denn einige hockten am Boden, warfen in schweriger Art die Füße voran und tanzten dergestalt um den Saal, wobei sie klapperten. Andere schritten aufrecht zwischen ihnen, sie waren gewachsen vermittels verborgener Stelzen und der hohen Mützen, die astrologische Bilder aufwiesen. Geklappert wurde auch von diesen, und zwar mit Becken und hölzernen Messern. Der langen Gewandung der Aufrechten war anzusehen, daß sie Zauberer sein wollten. Gleichwohl hatten sie auch von Barbieren etwas, während den Hocktänzern zum Bader überhaupt nichts fehlte. Sogar Blutegel oder etwas, das so aussah, zogen sie aus ihren Taschen.

Die Damen betrachteten anfangs nur befremdet, was hier vorging, die umständliche Runde ihrer Herren, die entstellt waren nicht nur durch Larven und ausschweifende Nasen. Die Vermischung von Zauberei mit Bartschaben, die man vorführte – und wie, teils waren es Stümpfe, die hopsten, teils hochgetragene Köpfe im Zeichen der Gestirne, jene an den Boden gebunden, diese über ihn entrückt, kein richtiger Mensch dabei, lauter Figuren, die eine Schlange tanzten, das Ganze ein aufgezogenes Spielwerk: wahrhaftig, den Damen wurde es nicht geheuer. «Sind das denn auch unsere Herren?» fragten sie, solange das Ding sich drehte. Gerade darum begannen mehrere zu kichern, und endlich lachten viele unbändig. Zwei oder drei ließen ihr Gelächter in einen Anfall ausarten, sie bogen sich über einen Stuhl und schrien.

Ihr Verhalten sowie der ganze Vorgang zog die Hausleute an. Sogar die Torwächter und Soldaten, die drunten auf die Neugierigen paßten, verließen ihren Platz, jeder in der Annahme, ein anderer würde sein Amt versehen. Der andere dachte ebenso, daher waren endlich alle droben. Sie drückten sich entlang einer Galerie, durch deren offene Türen sie den Saal begafften. Jetzt folgten die Neugierigen, auf die niemand mehr aufpaßte, und bald war dieser ganze Umgang angefüllt mit fremden Zuschauern. Die Soldaten, die auch nicht hierher gehörten, versäumten es, das Volk zu vertreiben. Wegen der Enge, die sie selbst verursachten, drängten die Leute einander bis in den Saal, wo der Hof sein Barbier-Ballett aufführte. Die Herrschaften hatten oft genug zu der Straße gefunden. Jetzt erwiderte die Straße den Besuch.

Unter denen von der Straße war ein wirklicher Barbier. Eine Nase aus Pappe mit Auswüchsen trug er gleichfalls. Die Nase und sein Stand verliehen ihm, wie er meinte, das Recht, mitzutanzen in dem Ballett, da es zu seinen Ehren stattfand. Er hockte hin wie die anderen Barbiere, klapperte mit seinen Geräten, die echt waren, und wollte die Füße werfen nach der Kunst. Die hatte er nicht erlernt, daher stieß er den um, der vor ihm tanzte, und dem Rückwärtigen fiel er in die Arme. Der Fall des vorderen Barbiers riß einen der Zauberer mit, er glitt auf seinen Stelzen aus und bedeckte nach seiner unnatürlichen Länge mehrere der Hocktänzer. Schon kam der nächste Zauberer ins Schwanken. Vor Schrecken und Erwartung kreischten sowohl die Damen als das Volk. Niemals hat man erfahren, wo der Schrecken und wo die Erwartung größer war.

Indessen lag der echte Barbier in den Armen des falschen, und dieser erkannte die Echtheit des anderen: er roch sie. So sagte er denn: «Dreckskerl, willst du dir einen Taler verdienen?»

«Das glaube ich!» sagte der echte.

«Du siehst die grüne Person, die sich hinter der gläsernen Tür versteckt. Die sollst du abscheren, ratzekahl abscheren, wie die Straßenpolizei es mit solchen Mädchen macht», erklärte der falsche. Der echte erwiderte: «Sie könnte aber eine Dame sein. Das ist zu gefährlich für einen Taler, es kostet ein Goldstück.»

«Meinetwegen ein Goldstück» – der falsche Barbier ließ es ihn sehen. «Merke dir, daß die Person eine Perücke trägt, du sollst alles zum Schein machen. Es ist ein verabredeter Scherz. Halte dich bereit, bis du gebraucht wirst.»

Hier waren die Figuren des gestörten Balletts endlich auseinandergewickelt, die Barbiere standen in natürlicher Größe auf ihren Füßen, die Zauberer ohne Stelzen. Die Damen zeigten lebhafte Besorgnis um ihre Herren, ob sie bei dem Unfall zu Schaden gekommen wären. Jede suchte den ihren, fand ihn übrigens leichter heraus als er sie. Gabriele d'Estrées ergriff im Gewühl den Arm des Königs, schon längst hatte sie ihn als den mittleren der sieben Zauberer erkannt. «Sire! Fort aus dem Gewühl. Liebster Herr, denken Sie an Jean Chastel und sein Messer.»

Damit zog sie ihn in eines der umliegenden Kabinette, dort blies sie sogleich die Kerzen aus, so viele sie mit dem Atem erreichen konnte. Niemals ließ sie ihren Herrn von der Hand, deckte ihn mit ihrer Gestalt, damit er unsichtbar wäre, und sie flüsterte ihm zu: «Das hätten Sie nicht tun dürfen.»

«Teure Herrin, an der Aufführung bin ich unschuldig. Sie wissen, daß ich einen Zauberer machen wollte, das war alles. Der Barbier ist von selbst hinzugekommen. Das Ballett der Zauberer und Barbiere, obwohl höchst sorgfältig eingeübt, ist doch nur ein Zufall und Versehen, ich versichere und schwöre es dir», Henri küßte ihr reizendes Kinn. Über den schönen Mund hingen die Spitzen der Larve.

Merkwürdig still wurde es währenddessen im Saal. Diese beiden sahen sich um, entdeckten aber das Geschehene nicht. Eine verstellte, komische Stimme fiel durch ihr Meckern auf. «Soldaten, gehorcht mir, ich bin ein Herr vom Hof. Ihr sollt die grüne Person festnehmen, sie ist mir fortgelaufen und hat meine Edelsteine mitgenommen.»

Eine heisere Stimme rief dagegen: «Ganz recht hat das Mädchen getan, daß sie sich und mich schadlos hielt. Denn auch meinen Kuppellohn sind Sie alter Geizhals mir schuldig geblieben.»

Die grüne Person, wie sie genannt wurde, verlegte sich auf ein Geschimpf: an der Heiserkeit erkannte man, daß es echt war. Die Sprache der Straße ließ sich nachahmen, nur ihr Ton nicht. Kurz, eine komische Szene wurde gespielt – von einem herbeigeholten Mädchen und zwei Herren, denen sowohl der König als seine Liebste nach der Sprechweise ihre richtigen Namen geben konnten.

«Das ist Herr de Roquelaure», sagte Henri.

«Das ist Herr de Varennes», sagte Gabriele. Noch leiser sagte sie: «Wie schrecklich!»

Denn ihr ahnte, bevor der König es begriff, daß sie beleidigt werden sollte. Herr de Roquelaure ist ein Gefährte des Königs aus seiner frühen Zeit, sein Altersgenosse, hat auch die leichten Sitten von damals behalten. Mich haßt er nicht. Er ist ein Protestant. Aber er lacht gern – und um komisch zu sein, verrät er mich hier an meine Feinde, ob er es weiß oder nicht.

«Die beiden Dummköpfe!» Henri wollte vortreten. Gabriele hielt ihn zurück.

«Was fällt meinem Roquelaure ein?» fragte er. «Und Varenne? Der hat einstmals den Boten zwischen mir und Ihnen gemacht. Dafür ist auch aus einem Koch ein reicher Mann geworden. Jetzt spielt er den Kuppler, als ob er keiner wäre. Helf Gott, ich habe es mit Verrückten zu tun.»

«Weniger verrückt als Sie meinen», murmelte Gabriele, und an seiner Brust wurde sie schwer. Da sah er, daß in der Larve ihre Augen mit Tränen überzogen waren. «Meine Schöne», murmelte er. «Mein Herz.» Vor dem hereingebrochenen Jammer fühlte er sich hilflos. Dort drüben gab man vor, zu scherzen. Nun ist es niemals gut, Dinge, die leicht aussehen, schwer zu nehmen, wenngleich sie es wären.

Gabriele flüsterte dringend: «Dies Kabinett hat einen geheimen Ausgang. Wer die Stelle in der Wand nur wüßte! Fort von hier, mein liebster Herr!»

So schnell war aber der Kunstgriff nicht zu finden, da man ihn einmal nicht innehatte. Henri kam zwischen dem Abklopfen der Tafeln nach vorn – setzte mehrmals den Fuß ein, um dareinzufahren, wo sie ihre komische Szene weitertrieben; denn ihm entging nicht, wie anzüglich, frech und giftig sie gemeint war. Zwei Wachsoldaten übernahmen gleichfalls Rollen, und während der

Kuppler sich zur Wehr setzte, rief der vorgebliche Herr vom Hof unaufhörlich nach einem Barbier samt dem Schermesser. Das Mädchen vermaß sich indessen, mit heißerem Gekreisch, eines gewissen Schutzes, gegen den die Beteiligten machtlos wären. Kurz, es wurde höchste Zeit – höchste Zeit wird es, jeder Satz macht gewisser, daß sie mich und meine teure Herrin meinen.

Er sah nach Gabriele um: sie lehnte gegen die Wand, ihre Hand tastete daran fieberhaft. Gleichwohl erwartete sie die Rettung nicht mehr von dem geheimen Ausgang. Er selbst sollte sie schützen, wie auch sein Wille und heftiges Begehren war. Daß ich dreinfahren und mich mit offenem Gesicht zeigen dürfte!

Das hätte er getan, nur daß ein anderer ihm zuvorkam. Auch der war als Zauberer verkleidet, hatte übrigens das Körpermaß und die schnellen Bewegungen des Königs, ja sogar seinen Griff erkannten die Gaffer, als er sie an den Schultern auseinanderriß. Den Barbier packte er, daß ihm sein geschwungenes Messer entfiel, und warf ihn zu Boden. Der Kuppler de Varennes bekam einen Tritt in das Gesäß, die beiden Soldaten machten von selbst kehrt. Blieb allein Herr de Roquelaure, der immer noch meckern wollte wie ein Bock. Die Lust verging ihm, als der neue Mitspieler die Maske abriß.

Es war der Graf von Soissons: welch eine Überraschung für die meisten. Er hatte einigermaßen die Gestalt und, wenn man wollte, auch das Gesicht seines königlichen Vetters; man sehe nur davon ab, daß er ohne Witz und Hoheit ist. Beides ersetzte Soissons unter Umständen wie diese durch eine grobe Furchtbarkeit der Züge, der Zorn rötete sein Gesicht von der Stirn bis zum Hals. Er trug keinen Bart, sonst hätten einige vor Schrecken noch immer gemeint, es wäre der König.

Als der gute Vetter alle Feinde der grünen Person in die Flucht geschlagen hatte, nahm er ihre Fingerspitzen, wie wenn er eine wirkliche Dame angefaßt hätte. Wer weiß, welche Dummheiten er noch plante. Nun war das Mädchen von der Straße nicht nüchtern. Leider hatten sträfliche Verschwörer sie zu Hofe gebracht, ohne Rücksicht auf ihren Zustand. Diesen verschlimmerte ihre jähe Wut sowie die allgemeine Aufmerksamkeit – so daß sie ihr Äußerstes tat und ihren Schädel dem guten Soissons in den Magen rannte, obwohl er ihren Kavalier vorstellte. Der Barbier, unter seinem Bemühen, sie abzuscheren, hatte ihre Perücke gelockert, wilden Bewegungen hielt das Gebilde nicht stand. Es geschah, daß es der Person vom Kopf fiel, und die Person war kahl, durchaus kahl. Sie selbst bemerkte es erst infolge des Jubels, der auf einmal aufkam, beim Hof und bei den Leuten. Zuerst erstarrte sie, dann suchte sie Opfer ihrer Rache, fand sich auf freiem Feld allein, und heulend hetzte sie nach dem Hintergrund.

Kläglich war es, beschämend überaus, ganz gleich, wer man war, vom Hof oder von der Straße. Zu Hilfe allen Beleidigten konnte nur noch der König kommen, und das tat er. Mit Madame d'Estrées, seiner teuren Herrin, trat er aus einem der umliegenden Kabinette; sie hielten einander die Hände, ihre Gesichter waren unbedeckt. Der König sprach laut für alle.

«Das war ein Spaß, den ich befohlen habe, von Anfang bis Ende. Ich danke der liebenswürdigen Dame, die das betrunkene und abgeschorene Mädchen gespielt hat, ist aber nüchtern, hat die herrlichste Mähne, und ich schenk ihr einen schönen Edelstein.»

Bei den Leuten erregte die Rede große Freude, und der Hof atmete auf. Herr de Roquelaure, dem ein Licht aufgegangen war, näherte sich dem König, er wäre auf die Knie gefallen. Seine Majestät erlaubte es nicht, sondern lobte seinen guten Einfall und die komische Szene.

«Ziehen Sie sich zurück, mein Freund, und schließen Sie hinter sich die Tür. Madame ist vom Lachen ermüdet, sie bedarf einer kurzen Ruhe.»

Da die Zeit verging, wagte man das Kabinett zu öffnen. Der König und Madame d'Estrées hatten es verlassen, nicht zu begreifen, wie.

Er brachte sie in ihr Haus, das an den Louvre grenzte.

«Sire! Gehen Sie nicht fort. Ich bin allein.»

Henri: «Teure Herrin, bald sind wir ganz vereint.»

Gabriele: «Sie denken nicht, was Sie sprechen. Sie denken, daß ich verhaßt bin. Denn das haben Sie gesehen.»

Henri: «Und ich? Wir sind gleichzeitig hochberühmt und wehrlos. Je mehr wir das eine sind, um so mehr auch das andere.»

Gabriele: «Haben wir nicht Freunde?»

Henri: «Die verschlimmern unsre Sache, wie mein Vetter Soissons die komische Szene.»

Gabriele: «Mein hoher Herr! Mit der komischen Szene endet dieser Tag noch nicht.»

Sie drückte ihren Kopf in ein weiches Kissen, damit sie selbst nicht hörte, was sie sprach. So wartete sie, bis er fort war.

In seinem einsamen Louvre legte er sich zu Bett. Es war elf Uhr, er hatte den Ball beizeiten verlassen. Noch war er nicht vollends eingeschlafen, da trat Herr d'Armagnac bei ihm ein.

«Sire! Amiens.»

An dem Wort erstickte d'Armagnac und brachte kein zweites vor. Schon war Henri auf die Füße gesprungen. Die Festung Amiens überrascht, weggenommen, vierzig Kanonen weg, und nichts, kein Fluß, kein Heer verlegt den Weg nach Paris. Er kann kommen.

«Er ist verloren», sagte Henri, der im Nachthemd war.

Sein Erster Kammerdiener fragte zitternd, wer.

«Der Kardinal von Österreich.»

Schuster Zamet

Rosny in seinem Arsenal wurde geweckt und zum König befohlen. Der König ging rastlos durch sein kleines Zimmer, es lag hinter dem Kabinett mit den Vögeln. Die brennenden Kerzen täuschten die Vögel nicht, sie duckten sich ohne

Laut. Der König war stumm, er hielt den Kopf gesenkt, zog die Pantoffeln nach, und sein Schlafrock schleppte. Mehrere seiner Edelleute lehnten stocksteif an den Wänden. Kein Wort, kein Laut. Herrn de Rosny, als er eintrat, ahnte Unheil.

«Ha! Freund! Ein Unglück», rief der König ihm wirklich entgegen.

Als der gute Diener erfuhr, Amiens wär's, und weggenommen wären Stadt und Festung – er begriff es nicht.

«Wer hat das getan? Wie ist es geschehen?»

«Die Spanier. Am hellen Tage», sagte der König. «Und das kommt, weil die Städte meine Garnisonen nicht aufnehmen wollen. Jetzt muß ich nochmals in den Krieg ziehen – sogleich, bei Tagesanbruch. Gegen die Spanier», wiederholte er und betonte es, damit niemand erriete, was er in Wahrheit befürchtete und voraussah: er bekäme es mit dem Heiligen Römischen Reich zu tun.

Ein Verstand, wie der seine denkt richtig, aber er denkt zu schnell. ‹Die deutschen Fürsten, von deren Glauben ich früher war, jetzt werden sie mir nicht beistehen›, das meinte er mit Recht. ‹Diesmal geht es für mich um alles.› So ist es, war übrigens immer für ihn um alles gegangen. Der Kardinal von Österreich, ein Feldherr des Heiligen Römischen Reiches: gewiß, und ihrer ziehen gegen dich noch viele. Das Reich selbst aber setzt sich erst in Bewegung, wenn wieder mehr als zwanzig Jahre um sind. Du wirst nicht zugegen sein, Henri. Dein Teil an der Lenkung des Geschickes wird sein, daß du diese zwanzig Jahre gewinnst. Nach dir, der große Krieg, sein langes Elend. Von deinem Königreich wirst du ihn fernhalten, obwohl leiblich nicht zugegen. Noch dein Schatten hält ihn fern, da du richtig gedacht hattest, wenn auch zu schnell. Sire! Nur selten denkt einer in der Zukunft und handelt in der Zeit.

Der gute Diener Rosny handelte und dachte ausschließlich in der Zeit, das war sehr gut. Hätte sein Herr ihm hier von dem Römischen Reich gesprochen, würde Rosny bei sich Larifari gesagt haben, während sein Gesicht wie Stein blieb. Der König verlangte einfach Geld und Kanonen für Amiens. Damit kam er an den Rechten, Rosny hatte vorgesorgt ohne Befehl, wenigstens für das zweite. Schlechter stand es um das Geld, das aber allem anderen vorgeht. Zu dieser Stunde hätte es da sein müssen und wär auch. Man denke an die ausgefallenen Abgaben, Erleichterungen der Bauern, Darlehen für das Handwerk, man berechne den Rückkauf der Städte.

Die drängende Stunde gebot Herrn de Rosny, ohne Schonung zu reden. Wieviel haben die Bauten des Königs gekostet, wieviel seine Festlichkeiten, seine Neigung zum Spiel. Läge doch auf diesem Tisch nur das Geld, das die teure Herrin verschlungen hat! Drei Tische trügen es nicht. Er hatte kaum geendet, und im Zimmer stand sie selbst. Das Unglück war ihr gemeldet, während sie in Ängsten schlaflos lag. Sie hatte ihr voriges Kleid angelegt, sogar die Larve, und war zu ihrem Herren geeilt, wollte die schwere Stunde mit ihm teilen, suchte auch Schutz bei ihm.

Henri nahm sie bei der Hand, als eine Unbekannte mit verhülltem Gesicht führte er sie vor Herrn de Rosny hin, sie neigte anmutig den Kopf, und Henri sagte: hier wäre die schöne Dame in Meergrün, die ihm zum Kriegführen das Geld anschaffen werde. Schon ließ er sich von d'Armagnac das Kostüm des Zauberers überziehen, band die Maske vor, und sie gingen aus. Ihr Gefolge vermehrte sich um viele der Gäste, die bei Madame Schwester getanzt hatten. Die Nacht war vorgeschritten, die Straße noch immer voll und laut. Henri hatte niemals so viele Bettler gezählt; seine Lage machte ihn hellsichtig, die Grenze zwischen dem Übermut und Elend wurde auf einmal furchtbar schroff.

Der König tat diesen Weg zu Fuß, damit alles Volk ihn sähe und an das Unglück nicht glaubte; so erreichte der nächtliche Zug die Straße de la Cerisaie und eine leere Mauer – wäre nichts dahinter vermutet worden. Indessen kannte jeder den eingehegten Garten, das verschwiegene Haus; auch der König ließ schon längst kein Geheimnis an seinen Besuchen beim Schuster Zamet. Da nun die eiserne Pforte aufging, stürzten Diener mit Fackeln durch den Garten, nahmen Aufstellung und beleuchteten ihn sprunghaft. Es war ein Garten im italienischen Geschmack, mehr Säulen als Bäume, mehr Stein als Rasen, anstatt grüner Säle enthielt er Tempel, und diese waren als geborstene Ruinen gebaut. Die niedere Front des Hauses zeigte keine Handbreit ohne Verzierungen, sie war ein einziges Juwel aus Marmor verschiedener Farben. Der Hausherr, nicht weniger kostbar angetan, erwartete den König am Fuß der kleinen Freitreppe, er begrüßte die Majestät derart, da alle seine gespreizten Finger über den steinernen Boden streiften.

Die Marquise zwischen dem König und dem Schuster, der jetzt ein reicher Geldverleiher war, nur zur Erinnerung an seine Anfänge hieß er Schuster: so betrat dies wichtige Dreigespann die warmen kleinen Säle. Alle drei nährten gegeneinander viele Absichten. Die kleinen Säle hatten nicht nur eine erwärmte Luft, sie verwöhnten das Auge mit ihrer gesiebten Beleuchtung und sanften Herrlichkeit. Auch der Nase wurde geschmeichelt durch Zerstäuber, die man nicht sah. Bei Zamet rochen alle Menschen gut, am erfreulichsten aber waren die Düfte einer offenen Musterküche, wo die Herde fauchten und weiße Köche arbeiteten zur Schau.

Das Dreigespann, von dem jeder mit dem anderen ein Geschäft hatte, machte langsam die Runde. Zwei trugen Larven, niemand war gehalten, sie zu erkennen, an den kleinen Tischen wurde ohne Unterbrechung getafelt oder gespielt. Wo nicht Schüsseln kreisten, fielen Karten. Henri entdeckte einen freien Platz bei den Primespielern. Ihm gefiel die Prime fast noch mehr als das Brelan: daher hatte der schlaue Zamet, Florentiner, Moriske, man weiß nicht, die Schritte des Königs dorthin gelenkt, und der leere Stuhl war vorgesehen.

«Zamet», sagte Henri in seiner Ungeduld den Stuhl einzunehmen, «die Frau Marquise wird Ihnen die Ehre eines Gespräches unter vier Augen gewähren.»

«Ich weiß mich darüber kaum zu fassen», stotterte der kleine Fremde, die Augen kugelrund in dem Gesicht, das schwärzlich, eingedrückt und breiter als hoch war. Hüften hatte er wie eine Frau.

«Dann benehmen Sie sich in dieser Sache, als ob Sie ein Edelmann wären», sagte Henri. Er wollte schon wegtreten, wies aber auf mehrere aus seinem Gefolge. «Barbiere hab ich mitgebracht. Trotzdem sind Sie der einzige, der hier alle einseift. Merken Sie wohl auf: ich als Zauberer kann auch was.»

Hiermit eilte er zu seinem Platz am Spieltisch. Zamet sah der schönen Maske gerad in die Augen; um sie beide war ein Kreis frei. Kalt fragte er: «Wieviel?»

«Sebastian, Sie sind ein schöner Mann», hauchte Gabriele, girrte, lachte perlengleich und bog den Kopf rückwärts, damit er den Anblick ihres reizenden Kinnes habe. Da sie ihn berückt sah, ging sie schroff zum Befehl über.

«Fünf Säcke Gold», befahl sie, hatte auf einmal die Stimme tief wie Glocken, wenn leis angeschlagen wird, und schnell vorgebeugt, drückte sie den Kleinen nieder – einfach, weil sie Gabriele, die teure Herrin war. Ihm wurde es wirklich, als versänke er unter seine eigenen Marmorplatten. Vor Schrecken nannte er sie Hoheit.

«Hoheit mögen zuerst erlauben, daß ich Atem schöpfe», dies würgte er aus seinem kurzen Hals und wollte sich davonmachen. Sie schlug den Fächer zu und raunte:

«Eine geheime Nachricht. Der König hat über die Spanier gesiegt.»

Dann wendete sie selbst den Rücken.

Gabriele wählte einen der Tische, wo gegessen wurde. Von allen ihren Aufregungen hatte sie endlich einen Heißhunger. Keine der anderen Masken erkannte sie oder tat dergleichen. Gabriele schwatzte wie sie, trank auch ein Glas, da sie wohl wußte, nachher wäre der heißeste Kampf. Hinter ihr flüsterte jemand:

«Kommen Sie!»

Gabriele sah über ihre Schulter, sie wartete, wer das wäre.

«Sagonne», flüsterte die Maske in dem meergrünen Kleid, das alle Damen vom Hof trugen. Gabriele folgte bis zu einer Tür, dahinter war die Beleuchtung noch sparsamer gesiebt, das Zimmer schien leer. Die Schwelle betrat sie nicht. Ihre Begleiterin sagte schnell und heimlich:

«Gehen Sie nicht hinein.»

Sagte es, als schon entschieden war, daß Gabriele sich hütete. Darauf wurde ihre Zunge geläufig.

«Seinesgleichen ist alles zuzutrauen, wie würde denn ein Schuster so reich. Dem vorigen König hat er weiche italienische Schuhe gemacht, die unersetzlich sind für empfindliche Füße. Dann lieh er den Edelleuten Geld, die Zinsen stiegen, niemand bei Hof, der nicht in seine Schuld geriet. Der vorige König hatte zuletzt gar nichts mehr, Zamet aber schaffte alle Schätze des Königreiches in die Weite. Nur was wir Frauen ihm abnehmen, bleibt im Lande. Für uns hat Schuster Zamet eine Schwäche, Madame.»

«Sagonne» – hiermit unterbrach Gabriele die Rede. «Ich will hören, was Zamet Ihnen aufgetragen hat, oder gar nichts.»

Die Dame stotterte, dann beschloß sie, entrüstet aufzuschreien. Da Gabriele aber schneller als der Schrei war, konnte Dame Sagonne der Entschwundenen nur nacheilen. Gabriele richtete es ein, daß Henri sie kommen sah. An seinem

Spieltisch zeigte er allen, die zusahen, seine helle Freude, denn vor ihm lagen Haufen Gold, seine Mitspieler aber boten den Anblick geschlagener Menschen. Als er seine teure Herrin kommen sah, schloß er in seiner Larve das linke Auge: es bedeutete mehr als nur sein Vergnügen am Gewinnen. Er hatte ihr Verfahren mit Sagonne bemerkt. In genau bemessenem Abstand hielt Gabriele an; bis hierher kann ihr lieber Herr noch hören, was Sagonne sagen wird. Die Vermittlerin des Schusters wird leise reden und auf das Gewirr der Stimmen ringsum vertrauen. Wer hätte ein so feines Ohr, daß er unterscheide, was ihn selbst betrifft. Gabriele kennt die Gabe ihres Herrn, dem nichts entgehen wird.

Madame de Sagonne, eine zarte Person mit einer scharfen Nase, die verdeckt war, einem dünnen Mund, der freilag – ihr fehlte es an Atem vor großer Bestürzung, oder weil sie die Bestürzung nachahmte. «Hoheit», sagte plötzlich auch sie, mochte es gerad erst von dem Schuster gelernt haben.

«Hoheit! Für die fünf Säcke, die er dem König leiht, wollte er zehn zurück haben. Ich habe mich widersetzt, ich schrie wie ein Papagei, Sie haben mich nicht schreien gehört?»

«Ihre Stimme war schwach», sagte Gabriele. «Ein halber Sack war gewiß für Sie bestimmt.»

«Und ein ganzer für Sie», zischte Sagonne. Die Geduldigste war sie nicht, nur auf das Geld bedacht wie jede. Schuster Zamet hätte keine Anfängerin nehmen sollen für das Geschäft. Gabriele sagte ruhig:

«So würde ich den König um fünfzigtausend Taler kürzen. Das ist nicht mein Wille.»

Sagonne hatte ihre Besonnenheit zurück. «Sie sind reich» – beugte leicht das Knie und schwärmte: «Sie können unserem Herrn und Gebieter noch mehr als Ihre Schönheit darbringen. Aber glauben Sie mir, daß auch ich das meine tue. Schon hatte ich die unverschämte Forderung des Schusters von zehn auf sieben herabgedrückt.»

«Das geht – beinahe», entschied Gabriele. Sagonne sprach hinter ihrem Fächer.

«Warten Sie das Ende ab. Jemand rief ihn beiseite. Als der Schuster wiederkam, wußte er, Amiens wäre gefallen, und er keuchte vor Zorn, jetzt wären es ganz bestimmt zehn Säcke, würden morgen wahrscheinlich zwölf sein.»

Gabriele war sehr erschrocken, wie es um ihren lieben Herrn jetzt stände. Sie brauchte etwas zu lange, bis sie das nächste vorbringen konnte. Dies bemerkte Henri besonders, gerade ihr entgeistertes Verstummen vernahm er: die Tränen rannten ihm unter der Larve, während er Goldstücke raffte und zu dem Haufen schob.

Mit einer Selbstbeherrschung, die ihn entzückte, sprach Gabriele:

«Sagonne, entschuldigen Sie mich. Sie haben diesmal wie meine Freundin gehandelt. Jetzt bitte ich Sie: sagen Sie Herrn Sebastian Zamet, daß ich mich mit ihm unterreden will. Ich gehe sogar in das wenig beleuchtete Zimmer.»

«Aber er nicht», erwiderte die Dame. «Er fürchtet Sie mehr als den König. Was er bietet, muß man nehmen oder kriegt nichts.»

«Tun Sie, wie ich will.»

Der Ton Gabrieles ließ Ungehorsam nicht zu, Madame de Sagonne machte den Weg, wenn auch unentschlossen und mit mehreren Aufenthalten. Ihr Benehmen war natürlich: so verhält sich ein Vermittler, der nicht wünscht, daß die Parteien selbst zusammenkommen. Aber es warnte den aufmerksamen Henri, daß Gefahr bestände. Sogleich winkte er seinem alten Gefährten Roquelaure, und Herr de Roquelaure konnte nicht eifrig genug das Ohr hinhalten. Er hoffte, jetzt ließe sich wiedergutmachen, was er aus Leichtsinn verschuldet hatte mit der komischen Szene.

Nach empfangenem Auftrag ging er und drückte sich, so heimlich er konnte, in das verdächtige Zimmer – hinter den geschlossenen Flügel seiner Tür; der andere stand offen. Gabriele, der Madame de Sagonne ein Zeichen gab, wollte hinein; vor der Schwelle rief jemand sie ab: kein anderer als der Hausherr selbst. Er bat die Frau Marquise, hier zu bleiben, unter der Gesellschaft, wo allerdings Trubel herrschte. Wenn sie dennoch belauscht würden, mit der teuren Herrin der Majestät könnte ein Mann wie er unmöglich Geheimnisse haben. Und er lehnte sich an die halbe Tür, deren andere Seite Herr de Roquelaure besetzt hielt. Den schlauen Zamet fange sonst jemand, der König wird ihn nicht bekommen.

Gabriele sprach:

«Sebastian Zamet, ich sehe, daß ich geirrt habe. Sie sind mehr als ein Geldverleiher, dessen Herkunft und Geschäft keine adelige Denkungsart zuließen. Ihnen schenk ich reinen Wein ein. Ja, der König ist in mißlichen Umständen. Amiens hat er verloren. Aber den Krieg wird er gewinnen. Ich weiß, was ich sage, und wär andernfalls nicht bereit, wie ich es bin, Ihnen alles, was ich besitze, zu verpfänden.»

Da er schwieg und runde Augen voll Bewunderung hatte, fing sie nochmals an.

«Ich habe meine Nachrichten vom Krieg, solche können Sie nicht haben. Daher überlasse ich Ihnen Monceaux, das Schloß und ganze Gebiet, das einmal ein Herzogtum sein wird, als Pfand und Sicherheit für fünf Säcke Gold.»

Zamet hatte schon überlegt und entschieden, als sie noch sprach. Diese Frau verstand ihr Geschäft, soviel war gewiß. Mit Empfindsamkeit bringt keine es dahin, daß ihre verfallene, fragwürdige Verwandtschaft wieder hochkommt, und sie selbst, was wird noch aus ihr? Das Wort von dem Herzogtum bewegte ihn wie kein anderes. Er staunte über die kalte Selbstgewißheit der Frau und dachte, sie wäre seinesgleichen oder überträfe ihn sogar. Dieser Eindruck, so verfehlt er war, hinderte ihn an den gebotenen Maßnahmen der kaufmännischen Vorsicht. ‹Welche Botschaft hatte sie aus dem Krieg erlangt? Woraufhin wagte sie ihren ganzen Besitz an den so zweifelhaften Sieg des Königs?›

Sie setzte auf ihn, weil sie ihn liebte. Wäre seine Niederlage viel gewisser gewesen, einzig gewiß war ihre Liebe. Längst erwiderte sie ihrem Herrn und darüber hinaus, was er ihr darbrachte aus dem Herzen: auch Monceaux, Schloß und Gebiet, war sein. Es zu begreifen, überschritt das Vermögen eines Zamet.

Herr de Roquelaure, hinter der Tür, bewahrte jedes Wort der teuren Herrin für seinen König auf.

Zamet sagte zu Gabriele d'Estrées:

«Ihr Besitz ist keine fünf Säcke Gold wert, ich gebe aber sechs. Nicht Ihnen, ich will Ihr Pfand nicht. Dem König geb ich sie, in der Zuversicht auf seine Größe. Nach dem Sieg wird er dessen gedenken.»

«Das wird er», verhieß Gabriele. Sie berührte die Hand des Schusters mit dem Fächer, was er als bedeutende Auszeichnung empfing und sah ihr versonnen nach, wie sie dahinging. Das Geld, das er auslieh, mischte ihn in die Schicksale der Menschen ein. Oft war es sein Vorteil, über sie nachzudenken.

An einem der Spieltische blieb sie stehen und verlor, dreimal. Zamet mußte sich eines Gefühles von Kälte erwehren. Als sie bei dem König anlangte, nahm er ihr die Maske ab, zeigte auch sein eigenes Gesicht und sagte: «Das sind wir», worauf er seine Liebste vor den Leuten umfing und küßte. Seine Mitspieler, die alles an ihn verloren hatten, saßen vor dem Haufen Gold wie wächserne Puppen, Henri aber zerstörte den schönen Haufen; höchst angenehm klang und rann das Gold, und er sprach:

«Meine Herren, teilen Sie sich alles. Ich habe meistens gemogelt; Sie sind mir bestimmt darauf gekommen und ließen es sich gefallen, weil Sie mich kannten, obwohl Sie mich nicht kennen durften. Wenn ich indessen verloren hätte, vielleicht wär es von schlechter Bedeutung gewesen. Ihr müßt wissen», er erhob die Stimme, «daß es kaum noch zwei Stunden sind, bis ich mit euch allen in den Krieg ziehe.»

Da war die ganze Gesellschaft auf den Füßen und rief: «Es lebe der König!»

Dieser König verließ eine Gesellschaft selten ohne einen letzten Witz. Herhalten mußte Herr de Varennes, einst Koch, dann Liebesbote, zuletzt Edelmann, und an der komischen Szene, womit die teure Herrin gekränkt werden sollte, trug er die meiste Schuld. «Eine weiße Schürze und Mütze für Herrn de Varennes», befahl der König. «Er soll mir einen Eierkuchen backen.»

Alsbald schnob und fauchte der Herd in der offenen Musterküche, wo zur Schau gearbeitet wurde. Herr de Varennes, weiß angetan, mit einer Mütze so hoch wie er, bereitete einen Eierkuchen, das war kein gewöhnlicher, übrigens erfand er ihn zu derselben Frist, denn es ging um seine Ehre. Er schnitt ein Stück Orangenschale hinein, auch etwas Ingwer, und mehrere Liköre spritzte er mit Schwung in das Gericht – eine Flamme erhob sich daraus, fiel nieder, und der köstliche Duft versetzte alle Zuschauer in Entzücken. Sie belagerten die Küche; aber die ergriffensten Bewunderer des Meisters waren die Köche selbst, ihr Oberhaupt und seine Gehilfen. Im Zuge geleiteten sie Herrn de Varennes, als er die goldene Schüssel auf fünf Fingerspitzen forttrug zu dem Tisch, woran der König saß.

Herr de Varennes ließ sich auf das Knie, alle Köche knieten hinter ihm, von seiner Hand nahm der König die Schüssel, kostete das Gericht und nannte es sehr gut. Hier klatschte die ganze Gesellschaft in die Hände. Herr de Varennes stand und hatte seinen Ruhm zurück. Einige sagten ihm: «Mein Herr, ein solches Ding mißrät wohl auch. Der König hätte Sie trotzdem gelobt. Dieser König macht sich gern lustig, aber niemanden demütigt er.» Der Meinung war nach alldem auch de Varennes.

Der König und die Marquise verließen das italienische Haus des Schusters Zamet. Dieser verabschiedete sich von ihnen derart, daß seine zehn Fingerspitzen über den steinernen Boden seines Gartens streiften – während seine Diener die Fackeln schwangen und Säulen oder geborstene Tempel vor- und zurücktaumelten ins Licht und in die Finsternis. Auf der Straße warteten die Pferde sowie die Sänfte. Neben dieser ritt Henri, er sprach hinein.

«Teure Herrin, mir ist keine Ruhe mehr vergönnt, Sie aber sollen schlafen. Ich bringe Sie zu meiner Schwester Kathrin und laß Ihnen hundert Wachen zu Ihrem Schutz.»

«Wären es auch tausend: mein geliebter Herr, reisen Sie nicht ohne mich! Hier bin ich nicht sicher.»

Unterwegs war es dunkel, aber er hielt ihre Hand, und fühlte an ihrer Hand, wie sehr sie sich ängstigte.

«Es geschieht, was Sie wollen», sagte er sogleich. «Ich will dasselbe.» Da hörte er sie erleichtert seufzen. «Mein Herz», sagte er in das Innere, das er nicht sah. Er hörte: «Man soll nicht wissen, wo ich bin. Ich will Ihnen in aller Stille voranfahren.»

«Die künftige Königin flieht nicht», erwiderte er, und bestimmte: «Sie fahren unter der Bedeckung von zwei Regimentern, und mit Ihnen fahren die sechs Säcke, die ich Ihnen allein verdanke.»

Zur gleichen Stunde hatte Schuster Zamet die letzten Spieler, die nicht aufhören konnten, von seinen Knechten an die Luft setzen lassen. Das Haus war endlich leer, seine gesamte Dienerschaft sperrte er eigenhändig ein; dann stieg er hinab in seinen untersten Keller, er allein kannte den Zugang. Sechs schwere Säcke schleppte er, einen nach dem anderen, bis an die Oberwelt. Die Laterne hielt er mit den Zähnen. Er hatte schwache Schultern, breite Hüften, und auf den gewundenen Treppen seiner drei Keller brach er mehrmals zusammen, aber er schleppte.

Als alles oben war, setzte er sich auf seine Säcke, in Schweiß gebadet und nicht ohne Furcht um sein Leben. Sein Gespräch mit der hohen Dame war belauscht worden. Bevor nun die Leute des Königs die Säcke abholten, konnten Räuber sie mitnehmen, nachdem sie ihn erschlagen hatten. Er hatte alles Licht verlöscht bis auf seine Laterne, die er mit seinem Rücken verstellte, und vor die Haustür hatte er sowohl Ketten als eiserne Stangen gelegt. Während der peinlichen Erwartung kamen ihm Gedanken – ach, nichts mehr von der vorigen Genugtuung über sein adeliges Verhalten, keine Spur der Zuversicht in die Größe des Königs. ‹Der siegt nicht›, dachte Schuster Zamet.

‹Darf auch nicht siegen›, dachte er. ‹Ich mache einen schweren Fehler. Der florentinische Gesandte, dessen Vertrauter ich bin, wird nach Haus berichten, daß ich die spanische Sache verraten habe. Womit er übertreibt, ich dien ihr schon. Wie sollt ich nicht Habsburg dienen, in seinen Ländern arbeitet mein

Geld. Sie werden es hier noch spüren, wie mächtig Habsburg und mein Geld sind. Warum hab ich mich nur hinreißen lassen und adelig gehandelt. Niederträchtige Geschäfte macht man, oder gar keine. Herr, o Herr, gib, daß es diesmal noch gut geht!›

Da Minuten verstrichen waren, er hielt sie aber für Stunden, verlegte Schuster Zamet sich aufs Beten.

In sein Geplapper hinein wurde draußen ein verabredetes Wort gerufen. Es waren die Leute des Königs.

Gefährliche Geschäfte

Die Regimenter, die der Masse des Heeres voran nach Norden marschierten, wurden befehligt von Marschall Biron, dem Sohn. Dieser Mann ohne Feingefühl, gegen die teure Herrin des Königs verhielt er sich musterhaft. Er war dickköpfig und sollte aus bloßer Verstocktheit noch zum Verbrecher werden. Klein war er nicht, blieb immer der Sohn eines eigenartigen Vaters und hätte den König mit seiner Truppe wohl überfallen, gesetzt, die Dinge lägen derart. Niemals wäre er davon abgewichen, Madame d'Estrées zu ehren und zu schützen.

Voran Kanonen, dann Fußvolk, darin eingeschlossen ein eiserner Kasten auf Rädern, sie fuhren die sechs Säcke Gold. Die Reiterei, in ihrer Mitte die zweite Kostbarkeit, ein Reisewagen. Dann wieder Infanterie, dann wieder Bombardiere – derart bewegte sich diese Heeresschlange den ersten Tag bis Pontoise. Biron wäre auch nachts marschiert; einzig das unschätzbare Wesen, das er bewachte, ließ ihn haltmachen, so beteuerte er oder gab es vor. Gegen Abend war er immer öfter an ihren Wagen herangeritten und hatte nach ihrem Befinden gefragt. Sie wünschte in ihrem Wagen zu schlafen und die Nacht hindurch zu reisen. Dennoch wurde ihr das Zelt errichtet.

Der Morgen erhellte, daß der vordere Teil der Heeresschlange fehlte. War aufgebrochen, die Provinz Île de France hinter sich zu bringen und mit ehestem die Provinz Picardie zu erreichen. Gabriele hatte verschlafen, da keine ihrer Frauen sie aufweckte. Sie erschrak sehr, als sie den Marschall verlangte und statt seiner ein Briefchen bekam. Es war galant und besagte, daß ihm zu seinem großen Ärger und Gram nicht länger vergönnt sei, die Reise der Allerschönsten anzuführen. Mußte leider vom Weg ab die Ganison einsammeln und mitnehmen. Daß nur die anbetungswürdige Dame ohne Sorge sei wegen der Treue ihrer Truppe. Alle Mann hoch würden sie sich für den teuersten Schatz des Königs in Stücke hacken lassen. Die allergnädigste Frau, bat Marschall Biron zum Schluß, möge nicht eilen, sondern verweilen. Nächstens würden mehrere Herren zu ihr stoßen. Über der neuen Begleitung doch seiner nicht zu vergessen, ersuchte sie ihr gehorsamer Biron.

Sie forschte vergebens, wer beim Heer erwartet würde. Ungeachtet der plumpen Huldigung des Marschalls versprach sie sich von einem Aufenthalt nichts

Gutes. Der König konnte, während sie schlief, an ihr vorbeigaloppiert sein, in dunkler Nacht und allein, um sie früher einzuholen; aber weil ein Gehölz die Lichter des Lagers abhielt, war er vorbeigaloppiert. Hatte sie nun ihn nicht und war er nicht bei ihr, dann fürchtete sie auch schon Feinde, die hinter ihr wären und sie fangen wollten. Sie kannte zuviel Haß, brauchte nur die Augen zu schließen, dann sah sie Gesichter: ach! ihr Tod stand darin beschlossen. Es hatte aber Zeit damit, bis jetzt griff sie vor. Aus Paris kam sie als eine andere. Fortan ist ihre Mitgift die Furcht, wird nie ganz zerstreut, zuweilen schwillt sie an, und nur mit der Hand des Königs in ihrer Hand kann Gabriele gestillten Gemüts und sicher sein.

Sie befahl den Aufbruch, erlaubte auch nicht, daß übernachtet würde, sondern nach dem Essen und kurzer Ruhe mußte der Marsch weitergehen. So machte sie mit der Truppe bis nächsten Abend die Strecke vom Fluß Oise zu dem Fluß La Somme, wo Amiens liegt und das Heer des Königs stand. Wie denn, er selbst wäre nicht hier, wär abgezweigt, hätte sie allein gelassen? Nach zwei Tagen der schlimmsten Unruhe schrieb er ihr, daß er einen Handstreich auf die Stadt Arras versucht habe, umsonst übrigens; aber er greife lieber an, als daß er's dem Feind erlaube, und Furcht – nur er selbst wollte Furcht verbreiten dadurch, daß er überall zugleich wäre.

Das beschämte die Frau sehr. Ihr Herz war guten Mutes, wo es um sein Königreich ging, für sie um ihr weniges Leben. Sie beschloß, als Königin zu handeln und gesinnt zu sein. Zu derselben Stunde erschienen die Herren, die Marschall Biron ihr angekündigt hatte. Es waren große Herren, besonders der Herzog von Bouillon, daneben sein Freund de la Trémoïlle: beide Protestanten. Ihr erster Schritt war zu Gabriele d'Estrées. Beide glaubten, daß auch sie von der Religion wäre. Der Meinung waren sie, weil sie wußten: der Hof haßte Gabriele, und ihre Freundin ist Madame Schwester des Königs.

Das Zelt hielt die Mitte des Heerlagers auf einem Hügel zunächst dem Fluß. Der protestantische Fürst hatte sein eigenes Regiment herangeführt, mit ihm umstellte er den Hügel. Marschall Biron erfuhr davon zu spät. Das Zelt war außen Leder, sein Inneres mit Geweben gelb und selber ausgeschlagen. Oben wehte der Wimpel des Königs, sein Weiß und seine Lilien. Die Frau des Königs wollte auf keinem niedrigen Kissen ruhen, nahm vielmehr den höchsten Sitz ein, und so empfing sie diese Herren.

Turenne, jetzt Herzog von Bouillon, war stattlich geworden seit der Zeit, als er den jungen König von Navarra begleitet hatte auf seiner Flucht nach langer Gefangenschaft im Louvre und auf seinem ersten freien Ritt durch das Königreich, das Henri dereinst gewinnen sollte. Damals versammelte Henri seine Ersten – es war in waldiger Gegend auf einer Lichtung. Die Schatten des Himmels ordnen sich zeitweilig, so daß sie über die vordere Ansicht fallen und auch den Hintergrund bedecken. In bestrahlter Mitte, breit flutendes Licht, winkt Henri einen nach dem anderen zu sich. Mit jedem steht er einmal allein, umhalst ihn oder schüttelt ihm beide Schultern oder drückt seinen Arm. Es sind seine Ersten. Wäre er wissend, dann erkennte er in den einzelnen Gesichtern ihre künftige Bedeutung, sähe im voraus ihren letzten Blick und wäre ebenso erschüttert als entsetzt.

Turenne, jetzt Herzog von Bouillon, damals nur ein Fant, war vor seinen König von Navarra hingekniet, falls es knien heißt, locker den Boden zu berühren und schon einen Sprung in die Luft zu tun vor lauter Leichtigkeit. Hier in das Zelt trat ein Mann von ansehnlichem Umfang der Person, mit einem stolzen Gesicht, das gewohnt ist, auf Kniende herabzusehen. Der dient nicht, ist selbst ein Herr und hält es mit dem König von Frankreich nur, sofern der ihm nützt, sonst aber mit den anderen. Schuster Zamet ist nicht durch Erbschaft der Herzog von Bouillon geworden: der Unterschied sei festgehalten. Auch desselben unentwegten Selbstgefühles darf Schuster Zamet sich nicht rühmen. Gleichwohl, aus kleinen Leuten werden große.

Turenne und hinter ihm de la Trémoïlle verbeugten sich nach Gebühr vor der künftigen Königin von Frankreich. Damit nicht genug, erklärte der Herzog von Bouillon ihr mit Kopfnicken und einem Blick des Einverständnisses, daß er sie anerkenne und die Kunst, im Leben vorwärtszukommen, beherrsche sie beiläufig wie er selbst. ‹Oder wie Schuster Zamet›, dachte hierzu Gabriele, der die beiden mißfielen. Herr de la Trémoïlle äußerte geradheraus, was sein Freund nur zu verstehen gab.

«Madame, das müßte Ihre Familie sehen: der Wimpel des Königs auf Ihrem Zelt. Respekt, Respekt. Daß die Frau Mutter es nicht erlebt hat!»

Anzüglich und geschmacklos, Herrn de la Trémoïlle war die Rede erlaubt, weil er komisch war. Dies ohne sein Dazutun, er bewegte keine Miene. Seine Länge und Hagerkeit, die schiefe Nase falsch angesetzt, der gewaltige Bart, besonders die Augen wie Kohle und zu eng beisammen, all und jedes sprach für eine besonders düstere Persönlichkeit. Kaum öffnete der Mann den Mund, war es damit aus. Man erwartete eine tiefe, furchtbare Stimme, es kam aber das Genäsel und Gequäke eines Spaßmachers vom Jahrmarkt. Die Bildung seines Mundes und wohl auch ein Gebrechen der Nase verboten es dem Herrn de la Trémoïlle, wie ein Edelmann zu sprechen. Er machte aus der Not eine Tugend und verhielt sich im ganzen nach der Beschaffenheit eines einzelnen seiner Organe.

Gabriele, mit Menschen jetzt schon erfahren, begriff sogleich, welch ein gefährliches Werkzeug die Stimme dieses Menschen wäre für Verstellung und Niedertracht aller Arten. Das hinderte nicht, daß sie über Herrn de la Trémoïlle lachte, sooft er den Mund auftat.

«Da fällt mir ein: wir suchen den allerhöchsten Herrn», sagte de la Trémoïlle, wobei er die Glieder zum Klettern bewegte, da der Gesuchte hoch oben weilte.

Gabriele lachte herablassend; der Spaß war leider unpassend, mit jedem Wort wurde er es wahrscheinlich mehr. Wäre nicht dies zu befürchten gewesen, wie gern hätte sie sich wieder einmal kindlich belustigt.

Herr de Turenne beruhigte ihr Mißtrauen, er rühmte den König. Wo immer der König auf seiner Reise vorbeikam, belebte er den Mut der Bevölkerung, stärkte ihren Widerstand und sicherte die Städte gegen den Feind. Daher natürlich mancher Aufenthalt. ‹Die Frau Marquise muß Geduld mit ihm haben, setzte er hinzu und meinte hiermit vieles: auch die Heirat Gabrieles, auch ihre Krönung. Sie verstand seinen bedeutsamen Blick und hielt ihn aus. Als ihre Hand ihn das zweitemal aufgefordert hatte, geruhte der stolze Fürst, einen Stuhl zu nehmen. Der Stuhl war niedriger als der Sitz der künftigen Königin.

«Ich stehe», sagte dagegen Herr de la Trémoïlle. «Will auch nicht niedersitzen, solange mein Herr und Gebieter wegen der Unbequemlichkeit zu Bett liegen muß.»

«Der König ist krank?» Sie hätte sich nicht verraten dürfen, kam aber vor Schrecken im Sessel auf, die Hände um beide Armlehnen. Da die Fremden jetzt wußten, daß Gabriele ohne Nachricht war, sahen sie schnell einander an, worauf Herr de la Trémoïlle zu quälen begann.

«Die Nieren. Die Nieren drücken ihn, so steht es mit dem Herrn. Die Verrichtung wird ihm schwer.» Der Komiker wendete seine vordere Seite gegen die Wand, wahrhaftig wollte er die Verrichtung vornehmen. «Au weh!» stöhnte er. «Geht nicht. Indessen ist dies Organ für schönere Zwecke geschaffen.» Der düstere Spaßmacher fuhr herum, der Dame ins Gesicht quäkte er: «Und daran fehlt es bei dem König nicht, wie allgemein bekannt.»

«Nein», erwiderte sie ruhig. «Daran fehlt es nicht. Auch das andere ist in bester Ordnung. Sie, mein Herr, lügen.»

«Wir wollen es hoffen», sagte Turenne anstatt seines Freundes, der einfach auf seine schiefe Nase schielte. «Das Gerücht wird falsch sein. Andererseits erinnert es uns, daß die Krankheiten eines Königs seinen wichtigen Entschlüssen zuvorkommen können.»

Gabriele hörte und wartete. «Seiner teuren Herrin hat er den Thron versprochen – oft und oft», betonte Turenne, «darin irr ich schwerlich. Allerdings nicht öfter, als er uns Protestanten unsere Rechte und Freiheiten zugesagt hat, und erfüllt hat er noch nichts, weder uns noch Ihnen, Madame.»

«Ich vertrau ihm», sagte Gabriele. «Vertrauen Sie dem König, er erfüllt alles zur rechten Zeit.»

Turenne: «Die rechte Zeit ist jetzt. Denn er will Amiens zurückholen und eines sehr bösen Feindes ledig werden. Ein Fürst wie ich gebietet aus eigener Hoheit, und Verbündete jenseits der Grenze hab ich, die sind von meiner Religion. Ich kann dem König ein Aufgebot von Truppen zuführen oder keine und werde wählen nach meiner Schuldigkeit gegen mich selbst und die Religion.»

Gabriele: «Mehr gegen sich selbst, so scheint mir.»

Turenne: «Madame, verstehen Sie Ihren Vorteil so schlecht, wie Sie vorgeben? Um unserer Religion zu helfen, helfen Sie sich zuerst!»

Gabriele: «Was verlangen Sie von mir?»

Turenne: «Daß Sie dem König vertraulich zureden und nicht nachlassen, bis er ein Edikt verordnet, wodurch im ganzen Königreich die Protestanten den Katholischen gleichgestellt werden. Sollen ihren Gottesdienst halten überall, dagegen bleibt in ihren festen Plätzen die Messe verboten.»

Gabriele: «Das hat er nie versprochen.»

Turenne: «Aber handeln wird er jetzt, wie die Not ihm gebietet.»

Gabriele: «Er wird nicht, denn die Not sieht aus wie Sie und trägt Ihren Namen, Herzog von Bouillon.»

Turenne: «Heut oder nie erreich ich, daß der König meine Hoheit anerkennt und mein Gebiet unabhängig wird von seiner Macht. Pflücke den Tag.»

‹Wenn du Verräter nur diesen Tag hast, ich habe ihrer viele›, dachte Gabriele – beschloß aber hier, aus ihrem wahren Innern nichts mehr hervorzubringen, sondern leere Worte zu machen und den andern kommen zu lassen.

«Schön und gut», sagte sie. «Nun ich. Wo bleibt in der Rechnung meine Sache?»

Er nickte gnädig. «Wir fangen an, uns zu verstehn. Madame, Sie wollen den Thron von Frankreich besteigen. Es gibt viele, die Sie eher töten werden, als Sie hinaufzulassen.»

Gabriele entgegnete fest: «Keiner meiner Feinde ist stärker als das Glück des Königs. Hier vor Amiens entscheidet das Kriegsglück meine Sache.»

«Und über das Glück entscheiden wir.»

Turenne betrachtete die schöne Frau, als ob er sich ernstlich die Mühe nähme, ihr Schicksal zu bedenken.

«Sie drehen im Kreis, Madame.» Er legt den Kopf von einer Seite auf die andere, um sie besser zu sehen. «Es ist schade um Sie. Verkennen Sie nicht länger Ihre Partei, das sind die Protestanten. Sie haben Freunde, die bereit sind, die Hand unter Ihren Fuß zu halten, damit Sie sich aufschwingen können.»

Dies führte Herr de la Trémoïlle sogleich vor. Er kniete hin, nahm behutsam einen Fuß Gabrieles und setzte ihn auf die ausgestreckte Fläche seiner Hand. Sie ließ es geschehen, vergaß auch vorläufig ihre Absicht, kalt zu bleiben. «Ist es wahr?» fragte sie angelegentlich.

Der Hansnarr im Bart hob ihren Fuß von dem Teller der Hand bis auf die Spitzen der Finger. Von hier ließ er ihn fallen, und ihre Sohle traf seinen gebeugten Schädel, eine Platte erstreckte sich darüber.

Der stolze Turenne wies hin, er sagte nur: «Wie Sie es sehen, Madame.»

Jetzt tat sie geschmeichelt und überzeugt, hatte aber erkannt, daß diese Freunde gefährlich waren. Herrn de la Trémoïlle bat sie, seine unbequeme Stellung zu verlassen. Was er meinte, habe er unverkennbar ausgedrückt.

«Die Protestanten helfen mir hinauf, und ich ihnen. Stürz ich dann ab, trifft es sie selbst, und mehr als ein Kopf könnte fallen.» Sie zeigte auf den Glatzkopf.

Die beiden schwiegen verdutzt; so weit waren sie noch nicht in ihrer Voraussicht gegangen. Es war aber eine Anzeige, an die sie denken sollten.

«Unser Bündnis birgt Gefahren für jeden von uns», sagte sie. «Ohne Umschweife, wir verraten den König.»

«Dasselbe tut er selbst, an uns und Ihnen», sagte Turenne, wobei er aufstand. Seine Verbeugung war lässig, sein Abgang nicht ernst gemeint. Er kehrte zurück, näher an Gabriele als zuvor, sprach auch hinter der vorgehaltenen Hand, wie Schuster Zamet.

«Madame, unser Risiko übernehmen wir. Wie hoch schätzen Sie Ihr eigenes ein? Zehntausend Pfund jährlich, so will ich es berechnen. Sie bekommen diese Pension von der Partei der Protestanten, und ein reicher Fürst bürgt Ihnen für pünktliche Zahlung.»

Gabriele wußte nicht gleich, wie ausweichen. Der Spaßmacher half ihr. Er machte einen Marktschreier, dessen Stimme er schon hatte. «Acht und einen halben Groschen zum ersten, wer bietet mehr?»

«Man muß mehr bieten», bestätigte Gabriele. Sie verabschiedete die beiden mit einer Bewegung, die unwiderruflich war; wendete das Gesicht ab und rief nach ihren Frauen.

Am Fuß des Hügels nahm Turenne sein Regiment wieder mit.

«Sie haben recht, nichts dazulassen», stieß Herr de la Trémoïlle durch seine außerordentliche Nase. «Diese Person wird ihrem Hahnrei kein Wort sagen. Ich habe eine Ahnung, daß sie ihn liebt, wie Penelope den Ulysses.»

«Ich habe eine Ahnung, daß sie auf das Geld bedacht ist, wie nur noch Herr de Rosny», erklärte Herr de Turenne.

Beide sahen um nach dem erhöhten Zelt mit dem Wipfel des Königs.

Sie schreiben

Als er eintreffen sollte, kam seine teure Herrin ihm zu Pferd entgegen. Im Sattel umarmten sie einander. Ihr Gespräch aber bei diesem Ritt hatte nichts vom Gefühl.

«Sire!» begann Gabriele. «Sie sollen wissen, daß der Herzog von Bouillon und andere protestantische Herren entweder für Sie kämpfen oder abziehen wollen, je nach Ihrem Verhalten.»

«Sie wollen mehr Macht unter dem gewöhnlichen Vorwand, ihre Religion verlange mehr Freiheit. Seien Sie unbesorgt, mein teuerstes Gut! Ich bin entschlossen, die Religion zu befreien, ihre Parteigänger aber, die sich mehr Macht nehmen, will ich einsperren.»

«Sire, mein geliebter Herr, seien Sie auf Ihrer Hut, vor denen von der Religion und vor mir. Das ist meine Partei und will Sie nötigen, mich zu Ihrer Königin zu machen.»

Er sah sie an, die Augen aufgerissen von Bewunderung und Erstaunen. So wies sie ihre Partei zurück und vertraute nur ihm. Ihr reizendes Gesicht war nicht bemüht, ihm ihre Scham und Erregung vorzuenthalten.

«Was noch mehr, mein teuerstes Gut?»

Sie schwieg, bis das Lager erreicht war. In ihrem Zelt gestand sie: «Sire, mein geliebter Herr, ich sollte gegen Sie mit Geld verpflichtet werden.»

«Lohnte es?» fragte er, und da sie die Höhe des Angebotes genannt hatte, riet er ihr, es anzunehmen. «Wenn eine Kasse schon wieder zur Neige geht, ist alles willkommen.»

Sie holte aber einen Sack hervor, stellte ihn auf den höchsten Sitz im Zelt und führte ihren Herrn davor hin.

«Ich habe mein Eigentum verpfändet. Schuster Zamet gab mir diesen Sack. Mehr bin ich nicht wert. Wie ich bin, gehör ich Ihnen bis in den Tod, mein Herr und mein Herz.»

Dies war ihr Geständnis, er hatte keines dem gleich vorher bekommen. Da sie sogar niedersinken wollte, umfing er sie fest. Stieß von dem hohen Sitz den Sack, der klirrte, und hinauf hob er die Frau.

Sein Rosny brachte ihm gleichfalls Geld zum Kriegführen, nur ging es anders vor sich. Jeden Monat, solange die Belagerung von Amiens und dieser Feldzug währten, erschien Herr de Rosny mit einem der großartigen Geleite, auf die er hielt, und hatte nochmals hundertfünfzigtausend Taler herausgeschlagen: von den Mitgliedern des Parlaments, von reichen Herren, wohlhabenden Bürgern, besonders aber von den Steuerpächtern. Diesen drohte er mit der Untersuchung durch eine Justizkammer, sofort verglichen sie sich. Der großartige Zug mit zahlreicher Bedeckung des Schatzes konnte abgehen, Kanonen, Fußvolk, wieder Geschütze, Herr de Rosny in einem Viereck entfalteter Fahnen, vor ihm Kanonen, die Kasse hinter ihm, und er der Herr über beides. Er war leicht gepanzert, trug um den Hals die zarten Spitzen einer Dame, und seine goldene Schärpe wurde auf der Schulter von einer Klammer geschlossen, die funkelte groß und blitzte weithin.

Dem König berichtete er von den Versuchen, ihn zu bestechen. Er selbst war gegen sie gewappnet, andere weniger. Die eigene Tante der teuren Herrin, Madame de Sourdis, hatte Geschmeide eingesteckt von einem Finanzmann, der übrigens dreist genug gewesen war, auch bei Madame de Rosny einen Diamanten im Wert von sechstausend Talern liegenzulassen. Das sollte er nicht noch einmal wagen. Herr de Rosny hatte es dem Verderber der Geldmoral alsbald abgewöhnt. Was verdankte der König, vom Geld ganz abgesehen, seinem treuen Diener nicht. Wie wär er ohne ihn durchgekommen. Herr de Rosny schloß Verträge mit Schlächtern und ernährte zwanzigtausend Mann. Herr de Rosny errichtete bei den Heeren, was sie nie vorher gekannt hatten, musterhafte Ambulanzen und rettete ungezählte Verwundete.

Damit er nicht überhandnähme, mußte Henri seinen unvergleichlichen Diener daran erinnern, daß der König selbst nicht mehr am Leben wäre ohne die Tat eines einfachen Soldaten. Sein Landsmann, ein Gascogner, wer weiß wie unter die Verteidiger der Festung geraten – von der Mauer herab hat er gerufen: «He! Müller von Barbaste.» So nannten sie ihn in seiner alten Heimat. «Vorsicht! Mieze kriegt gleich Junge», rief der Gascogner in seiner Sprache, die hier nur Henri verstand. So erfuhr er, daß er auf einer Mine stand, die hätte ihn zerrissen, wär er nicht fortgesprungen.

Da er lebte und zu Pferd saß, bekam er endlich auch Amiens. Mehr als drei Monate kostete die Arbeit, nicht gerechnet seine Reisen nach Paris, wo er Reden wie Blitz und Donner halten mußte, sonst versagte seine Hauptstadt. Der Kardinal-Erzherzog Albrecht von Österreich wurde zuerst geschlagen, dann fiel Amiens. Er wurde geschlagen und aus dem Königreich vertrieben, um es niemals wieder zu erblicken: dies durch die erworbene Kunst eines Feldherrn, der wie ein Parma gelernt hatte, den gewagtesten Schlachten auszuweichen. Sondern er verbrauchte den Gegner in Gräben, auf Schanzen, mit Minen und Gegenminen. Als für den Kardinal die Hilfe aus Niederland ankam, war er selbst schon zu schwach, ließ sich schlagen und zog ab. Die Hilfe war gering gewesen. Warum gering? Henri hat, lang ist es her, in seinen Gedanken den Punkt berührt, da das ganze Römische Reich sich gegen ihn in Bewegung setzen wird. Der Punkt ist überschritten.

Nichts ist geschehen, als daß er eine seiner Städte zurückgenommen und dem alten Don Philipp eine Niederlage beigebracht hat: es wird die letzte sein, der Alte will Frieden schließen. Der Friede, sechsundzwanzig Jahre bestand er kaum oder gar nicht, bald umging, bald brach man ihn. Jetzt soll er zu Papier gebracht werden, was ihn unverletzlich machen wird, die mächtigsten Heere vermöchten es nicht. Er wird besiegelt werden: in das brennende Wachs fließt die Ehre der Könige ein. Er wird beschworen werden, dabei steht Gott.

Was heilig und endgültig sein soll, verlangt Weile. Bis die Gesandten mit ihren Aufträgen und Vollmachten unterwegs sind und die Verhandlungen beginnen können: König Henri erwartet sie in Unruhe. Läßt Habsburg seinen alten Philipp, lange genug Weltbeherrscher, wirklich allein? Bis sie unterwegs und da sind, stündlich empfängt er über sie Bericht, täglich handelt er, damit sein Sieg die entschiedene Tatsache wird, und ihn zu bestreiten, bleibt nichts übrig.

Noch in seinem Lager vor Amiens ernannte er Rosny zum Großmeister der Artillerie. Dies nicht ohne Nötigung von seiten des besten Dieners. Seine Verdienste ließen dem König keinen Ausweg mehr, auch seine strenge Miene nicht, so oft Herr de Rosny erwähnte, daß er nach allem ohne Amt und Titel wäre: ein Generalintendant der Finanzen, der nicht so hieß, aber Großmeister war nach wie vor Herr Jean d'Estrées, ein unnützer Greis, wennschon der eigene Vater der teuren Herrin. Diese war es zufrieden, daß der König ihrem Vater die Großmeisterei abkaufte. Viel Geld, und kam auch wieder an die bekannte Familie; das ergab einen neuen Vorwurf des besten Dieners gegen Gabriele. Sie hatte seine Gesinnung zu mildern gehofft. Nein, ihre Nachgiebigkeit stimmte Herrn de Rosny ihr feindlicher, und dasselbe hätte ihr Widerstand getan.

Der König aber erhob vor Amiens seine Liebste zur Herzogin von Beaufort. Das war die Beglaubigung seines Sieges und war das öffentliche Zeugnis, daß seiner Liebsten zum Thron nichts fehlte als der letzte Schritt. Sein Glück deshalb war reiner als das ihre. Um sie her wuchsen fortwährend die Gefahren an; sie spürte ein böses Tasten nach ihr. Keinen Tag mehr durfte sie ohne den König sein, und mochte ihm doch ihre Furcht nicht zeigen. Er hat seine Zeit der Freude, des schnellen, leichten Aufstieges zur Größe, zum Besitz. Auch damit, o arme Schönheit, steht es nicht einwandfrei, wie du denkst. Er hütet sich wie du und sucht mit Umsicht seinen Weg. Aber wahr ist: er hat gesiegt, diese Weile kann niemand ihm an.

Henri schrieb: «Tapferer Crillon, häng Dich auf, daß Du Montag nicht dabei warst. So schön trifft sich's vielleicht nie wieder, glaube mir, Dich hab ich hergewünscht. Der Kardinal kam bei uns an mit rotem Kopf, aber als er sich davonmachte, war er abgeschwollen. In Amiens bleib ich nicht, muß ein Ding unternehmen.»

Gabriele schrieb: «Madame, meine große Freundin! Ihr lieber Bruder, mein teurer Herr, ist auf Erden der mächtigste König. Wär es möglich, daß seine Hauptstadt mich verkennt, und sogar an seinem Hof ginge ein Name um, wahrhaftig, den Schimpf verdien ich nicht. Madame, ich lasse nicht ab und will den König durchaus besänftigen wegen des Grafen von Soissons, dem er zürnt. Unser Freund war schlecht beraten, als er seine Truppen von den Königlichen fortnahm, und vor der Schlacht zog er ab mitsamt dem Herzog von Bouillon, der ein schlechter Protestant ist. Sonst wär er treu wie Sie. Hiernach, Madame, sagen Sie mir, wenn es Ihnen beliebt: Wie wollen Sie mich aufnehmen, und sind Sie meine große Freundin?»

Kathrin schrieb – setzte aber erschrocken die Feder ab. Beinahe wäre herausgeflossen: «Herzogin von Schweinsheim», der Name, der überall zu hören war, und die Leute fanden ihn geistreich. Nicht allen war Gabriele gleich verhaßt. Die einen sprachen nach, was ihnen witzig schien oder was in Mode war. Andere sahen keinen Grund, sich selbst Feinde zuzuziehen, wenn sie die Partei der Unbeliebten nahmen. Die nüchternsten vermieden den anstößigen Namen. Madame de Sagonne begnügte sich, ein Gesicht zu schneiden, wenn auf Gabriele die Rede kam; auch das Gesicht wurde schnell zurückgenommen. Es ist noch weit bis zur Hatz und dem Halali. Im Gegenteil, wer nüchtern ist, sieht für die teure Herrin eine nächste Erhöhung voraus. Die Hälfte des letzten Schrittes wird sie tun, und nur den ganzen nicht. Man vermeide, voreilig die Beziehungen zu trüben!

Kathrin schrieb: «Frau Herzogin von Beaufort, meine liebe Freundin. Ich bin mit Ihnen so zufrieden, daß ich Ihre Rückkehr kaum erwarten kann, um Sie auf beide Wangen zu küssen. Sie haben bei meinem lieben Bruder, dem König, gehandelt und ihn beraten, als hätt ich es selbst getan. Sie rühmen sich nicht, aber ich kenne Ihren Auftritt mit Herrn de Bouillon. Weiß auch, daß gerade nach dem Abzug des schlechten Protestanten der König einen besseren zu sich berufen hat. Ich spreche von Herrn de Mornay: seine neue Gunst bei unserem Herrn ist Ihr Werk. Liebste, Sie wissen es nicht. Denn Sie sind reinen Herzens und berechnen nicht, wenn Sie der Religion dienen. Wir aber wollen für Sie beides: beten und berechnen. Ich vertraue Ihnen an, daß die Prinzessin von Oranien hier ist und still in meinem Hause lebt. Sie hat so viel Leiden und Kampf bestanden, daß ich in ihrer Gegenwart meine Fehler bedauere, lägen sie auch in meiner Natur und wären unverlierbar. Den Grafen von Soissons sehe ich nicht während der Zeit; er bereut sehr, daß er vor Amiens mit seinen Truppen den König verlassen hat. Wir sind schwach. Aber Madame d'Orange, die stark und fromm ist, nennt meine Freundin Gabriele eine tugendhafte und gute Christin.»

Henri schrieb: «Herr Du Plessis! Der König von Spanien will mit mir Frieden machen, tut auch gut daran. Ich hab ihn geschlagen mit zwanzigtausend meiner Truppen, davon viertausend Engländer, dank der Freundschaft der Königin Elisabeth. War doch gut, daß ich jemand hatte, Herr de Mornay, der besaß ihr Vertrauen, wie er meines besitzt, und konnt uns wieder zusammenbringen. Zum Zeugnis meines Vertrauens schicke ich Sie jetzt in meine Provinz Bretagne, damit Sie Herrn de Mercœur zum Verhandeln bewegen. Er ist in schlechter Lage, seine Leute fallen ab. Jetzt kann er von mir noch Geld erlangen für die Herausgabe meiner Provinz: nach meinem Frieden mit Spanien nichts mehr, sondern ich komme mit der Armee. Zeigen Sie Ihre Kunst, Sie waren immer mein Diplomat – haben auch schon erraten, wie ich es mit der Religion meine und allernächstens beweisen will. Als jemand mich in die Lippe stach, habt ihr alle es für eine Warnung angesehen. Wollen wir's glauben, besonders, da es nicht die einzige geblieben ist; sondern so vernünftig ich immer denken und handeln mag, gewisse Erscheinungen, die mir begegnen, widersprechen der Vernunft. Ich zog in meine Stadt Amiens ein, da stand an meinem Weg ein Galgen und hing daran ein längst Gerichteter. Man hatte ihn aber, mir zu Ehren, neu bekleidet mit einem weißen Hemd. Verwester Leib, und angetan, als wenn die Toten auferstehen. Ich behielt mein Gesicht. Anders mein Marschall Biron: so stark er ist, der Gehenkte setzte ihm heftiger zu. Er mußte sein Pferd nach einem Haus lenken, fiel im Sattel gegen die Mauer und die Sinne schwanden ihm.»

Der Protestant

Mornay ist nun selbst ein Wiedererstandener, einige erschrecken vor ihm wie Biron vor dem Gerichteten im frischen Hemd. Mercœur, der letzte aus dem Hause Lothringen, der in einem Teil des Königreiches noch die Macht hat, gibt sie auf: erstens weil er muß, und spanische Landungen an der bretonischen Küste, so viel er damit droht, er weiß am besten, daß er sie vergebens erwarten würde. Aber Mercœur wird die Macht schneller fahren lassen als nötig, wenn vor ihm Mornay stehen wird. Noch hat Mercœur ihn in seinem Schlosse nicht, er erwartet die Ankunft des Königlichen Gesandten.

Dieser Mornay hat aus dem kleinen Navarra einen großen König gemacht – sofern Henri es nicht selbst besorgt hätte. Das zuzugeben ist ein Lothringer am wenigsten geneigt. Eher rät er auf die Außerordentlichkeit eines Mornay. Hat der fertiggebracht, die Königin von England zurückzugewinnen nach ihrer zornigen Abkehr von dem treulosen Glaubensgenossen – welche Beschwörungen wird er noch vornehmen an Verlorenen und Toten. Eh daß man es denkt, entsteigen ihren Gräbern der Admiral von Coligny, die Ermordeten der Bartholomäusnacht die gefallenen Hugenotten der alten Schlachten. Warum nicht, waren doch die Überlebenden ebenso gewiß im Boden versunken, mit den Protestanten schien es aus für immer. Ein bekehrter Ketzer wie dieser König, die Seinen darf er am wenigsten zu sich rufen.

Hat aber jetzt diesen Mornay gerufen, das ist der Anfang. Der bekehrte Ketzer geht zweifellos damit um, die Protestanten einzusetzen in Rechte: vor ihm hätten sie selbst sich so viele nicht angemaßt. Wer will ihn hindern, er ist Sieger über Spanien. Zuerst wird er die Ketzerei groß einsetzen, dann erst gewährt er der Katholischen Majestät den Frieden.

Der Herzog von Mercœur betrachtete alles, was geschah, als schlechthin ungeheuer, gegen die Ordnung und die heiligen Vorrechte, übrigens hielt er es für mehr oder weniger unbegreiflich, wenn nicht dämonisch. Ein König stürzt vieles um und siegt immer. Ehrwürdige Einrichtungen, er beseitigt sie, die größten Familien, zuletzt Haus Lothringen, er geht über sie hinweg: über meinen Bruder Guise, den Liebling des Volkes, meinen dicken Bruder Mayenne, jetzt endlich über mich, der ich auf diesem entferntesten Vorsprung des Festlandes sitze und infolge meiner langen Dauer schon geglaubt hatte, ich wäre ewig wie der Ozean oder wie die Weltmacht. Die Weltmacht stellt sich nunmehr als vergänglich heraus, ich selbst muß anfangen, mich zu bezweifeln, und daher wird bald auch der Ozean sich zurückziehen. Dies Schloß wird auf dem Trockenen sitzen.

Noch stürmten die Wellen mit ihrem gewohnten Getöse die Felsen, die das Schloß trugen, und flossen durch eiserne Gitter bis in seine untersten Verliese. Der Herr hier oben öffnete das Fenster; das Lärmen seines Meeres war ihm angenehm, es sollte ihn mahnen, wer er war, wenn jetzt der Protestant mit königlichem Geleit in dieses Zimmer trat. Der Herzog hatte sich vorgesehen. So viel Geleit der Gesandte mitbrachte, so viele sollten von seinen eigenen Leuten links und rechts durch die Türen dringen. Der Herr des Meeres war eigen geworden, nicht gerechnet, daß er der Bruder der Furie Montpensier war. Indessen bemerkte er, wie sein Hofmarschall ihm von draußen ein Zeichen gab, worauf er bis auf einen schmalen Spalt die Tür schloß. Mercœur fuhr herum; im Saal stand nur einer, der Protestant.

Der Protestant blickte ruhig, während der Herr aus großem Hause, obwohl vom Licht abgewendet, mit den Lidern schlug. Schnell war er gefaßt, hatte den Mann dennoch begutachtet und winkte ihm, näher zu treten. Mornay wartete, bis der Herzog saß; dann wendete er den angewiesenen Stuhl derart, daß er nicht das Licht in den Augen haben sollte. Der Herzog war genötigt, ihm nachzurücken, so begegnete jeder dem Gesicht des anderen auf der gleichen Höhe des Saales ohne erkennbaren Nachteil. Mercœur denkt: ‹Es bleibt noch das Getöse der Wellen, an die er nicht gewöhnt ist. Die Flut setzt ihn in Nachteil.› Ließ den Protestanten eine Weile sprechen, worauf er die Hand an das Ohr legte und Mornay alsbald seine Rede abbrach.

Er wartete. Das Fenster wurde nicht geschlossen. Mornay betrachtete Mercœur wie dieser ihn. Erwartet man Menschenscheu von einem, der sein Leben mit Reisen an die Höfe Europas verbracht hat, und die größte Königin wurde vor ihm, in denkwürdiger Stunde, eine Frau wie alle? Menschenscheu von dem, der Gott fürchtet! Seine Stirn hat sich noch erweitert, da der Haarwuchs zurückweicht; nachgerade ist sie größer als das übrige Gesicht, zeigt aber keine

Falte, sondern empfängt den Schein des Himmels auf glatter Fläche. Der Gott des Herrn Du Plessis de Mornay liebt die gefurchten Stirnen nicht. Auf dem Schädel ist viel zusammengekämmt, noch immer sind um beide Ohren die Locken gewunden, wie alte Protestanten sie aus den Zeiten ihres Ruhmes aufbewahren. König Henri trug sie einstmals.

Der Mann hat schwarz und weißes Gefieder wie alle diese Raben. Vornehm dabei. Gewählte Stoffe, punktierter Überwurf, am Hals ein Ausschnitt – hiermit kommt zum Vorschein, daß in das Wams ein Kreuz gewirkt ist, schwarz in schwarz, vornehm, leise, aber das Kreuz. ‹Was kann man tun? Sie sind hochmütig, und leider gibt es Lagen, die sogar einem Fürsten verbieten, ihren Hochmut zu bestrafen. Zum Beispiel, sie durch den Fußboden dieses Saales in das unterste Verlies zu stürzen. Die Flut wird es inzwischen so hoch erfüllt haben, daß von einem aufrechten Mann nur gerade der Kopf hervorsähe› – denkt der Fürst bei dem einsamen Getöse, das ihm eigen gemacht hat.

Wüßte man, ob der Protestant lächelt. Stirn und Augen zeigen unantastbaren Ernst; um so beunruhigender die dünne Rinne, wie sie die Wange hinabläuft und führt vielleicht ein verdächtiges Lächeln mit. Die Rinne läuft von der Nase, deren Spitze gerötet ist, bis zu dem grauen Quast am Kinn: der paßt genau in die Lücke der weißen Halskrause. Wüßte man, ob die Rötung der Nase vom Schnupfen oder Wein kommt, besonders aber, ob der Protestant lächelt. Da haben wir die Drohung mit Zauberei. Der Herzog von Mercœur fühlte sich bis in das Innerste erkannt, ihn täuschten einige abergläubische Vorstellungen von den geistlichen Eigenschaften der Protestanten. Mit ihnen allen war etwas nicht geheuer. Diesen nun nannte man ihren Papst.

Da das Fenster nicht geschlossen wurde, begann Herr de Mornay seine Rede von vorn. Er meinte einfach, daß der bedrängte Gegner es ihm so schwer wie möglich machte. Natürlich kann ein geübter Sprecher nach vielen Erfolgen auf den stürmischen Konzilen seiner Glaubensgenossen auch gegen das Lärmen des Meeres durchdringen, dies, ohne die Stimme anzustrengen, mit seiner bloßen Kunst. Herr de Mercœur wurde bald davon überzeugt, übrigens hatte ihm nicht hieran gelegen. Etwas früher oder später mußte er nachgeben und seine Herrschaft abtreten; kam höchstens auf den Preis an. Etwas anderes beunruhigte ihn mehr.

«Haben Sie nicht einen Sondergott?» fragte der große Herr, der auf diesem äußersten Vorsprung des Festlandes gealtert war.

Mornay erwiderte ohne Erstaunen: «Mein Gott ist der einzig Lebendige.»

«Gibt er sich Ihnen zu erkennen?» fragte Mercœur.

«Er ist es, der mir heut und immer meine ganze Kraft verleiht», erklärte Mornay. Sachlich und ohne Herausforderung behauptete er, daß er nie anders als durch die Wahrheit gesiegt habe, durch sie aber unfehlbar, selbst über einen mächtigen Gegner, der sie nicht besaß. Das Gesicht des letzten Lothringen, der noch mächtig war, schien ihm ungläubig: das kränkte Mornay sehr, es tat ihm leid für den Ungläubigen selbst. Weshalb er aus seinen eigenen geistlichen Schriften die besten Gründe aufführte; hatte so ausführlich vorher nicht gesprochen. Zuletzt fügte er zeitliche Tatsachen den ewigen bei. Der Bürgerkrieg im Königreich sei von je die Gelegenheit ehrgeiziger Fremder gewesen, allenfalls eine Verführung für halbe Franzoen – wie Haus Lothringen, hörte Mercœur, obwohl kein Name fiel. Daher ging sein ganzes Inneres auf einmal in Wut über. Sie hätte nicht dermaßen um sich gegriffen, war aber vorbereitet worden durch seine abergläubische Furcht vor dem Protestanten. ‹Ins Verlies mit ihm›, forderte seine Wut, während er im Gegenteil ein geglättetes Gesicht zeigte. Dabei war er nahe daran, den verborgenen Mechanismus zu berühren und den Boden zu öffnen.

Mornay, des reinsten Herzens, glaubte bei dem Feinde der Religion und des Königs eine vollkommene Wirkung erzielt zu haben, sie wäre geistlich und weltlich, den Vorteil hätten Gott und der Friede des Staates. Schon zeigte Herr de Mercœur ihm ein verändertes Gesicht ohne Unruhe und geheime Erbitterung. Jetzt betrachtete der Herr ihn wie ein Freund, so sanftmütig, so geläutert, meinte Mornay – indes Mercœur im verderbten Geist seinen qualvollen Tod genoß, ein stundenlanges Ertrinken im überschwemmten Verlies.

Nur des einen wollte er vorher ganz sicher sein: «Tut Ihr Gott noch immer Wunder? Haben die Wunder mit der Bibel aufgehört, oder setzt er sie bei Ihnen fort?»

«Die Güte des Herrn währet ewiglich», sagte der Protestant. Das erstemal hier im Saal verneigte er die Stirn, die Absicht war, einen Bußfertigen zu trösten.

Die Miene des Herzogs verdunkelte sich sofort. ‹Der wär imstand und entkäme sogar aus dem Verlies. Ein Engel könnte ihm das Gitter öffnen›, bedachte er und verzichtete darauf, den Mechanismus zu berühren. Übrigens, was Herrn de Mercœur nicht gleich einfiel, hatte Mornay in aller Reinheit seines Herzens den Stuhl zum Sitzen derart gedreht, daß der Herzog ihm nachgerückt war. Dieser hätte sich einfach mitversenkt.

An diesem Tage verhandelten sie nicht weiter, und in der folgenden Zeit erhob der Herzog von Mercœur mehr Schwierigkeiten als vorher beabsichtigt. Er faßte neue Hoffnung. Die Stadt Vervins liegt auf der entgegengesetzten Seite des Königreiches im Herzogtum Guise, wo Haus Lothringen seine Ursprünge hat. In Vervins sollten die Spanier sich endgültig besiegt geben und unterschreiben, daß dies Königreich niemals in allen künftigen Jahrhunderten mehr ihres wäre noch mit dem Willen Gottes sein könnte. Mercœur empfing die schnellsten Nachrichten, sie bestätigten ihm, Haus Habsburg habe noch zähere Diplomaten als Generale.

Daher zerfiel er mit sich selbst aus Zorn, weil er vor dem Protestanten Mornay, eigentlich aber vor dem Ketzer Henri, eines Nachmittags den Mut verloren hatte, und wagte damals nicht, den einen von ihnen zu versenken. Erstens war dieser ein Gesandter des andern, überdies vielleicht mit noch höheren Vollmachten ausgestattet. ‹Höhere Vollmachten! Wir werden doch sehen. In Vervins wenigstens ist der Gott dieser Leute noch nicht geoffenbart, trifft auch keine Anstalten› – bedachte der Herzog von Mercœur jetzt. ‹Den Protestanten hätte ich allerdings versenken sollen›; hierauf kam er hartnäckig zurück, da er im einsamen Brausen der Elemente eigen geworden war.

Gegen Ende Oktober befand Mornay sich in Angers. Marschall Brissac, Humanist und Fliegenfänger, hatte in diese Stadt mehrere Herren berufen, damit sie guthießen, was er wegen der bevorstehenden Ankunft des Königs verfügte. Der König sollte nach seiner Provinz Bretagne über Saumur und Angers reisen. Gouverneur von Saumur war Herr de Mornay, in Angers befehligte der Marschall eine königliche Garnison. Um so schlimmer, was dem königlichen Gouverneur in der Stadt des Königs, Angers, zustieß, beinahe unter den Augen des Marschalls, der mit dem Täter sogar verwandt war.

Ein Herr de Saint-Phal trat Herrn de Mornay, Gouverneur von Saumur, entgegen. Es war in Angers auf offener Straße, Mornay unterredete sich mit einem Rat vom Gericht. Er hatte bei sich einen Stallmeister, auch seinen Haushofmeister, sonst nur noch einen Sekretär und einen Pagen. Saint-Phal wurde beschützt von zehn Bewaffneten, die er zunächst nicht sehen ließ. Er brachte eine Beschwerde vor den Gouverneur von Saumur wegen einiger aufgefangener Briefe, die der Gouverneur hatte öffnen lassen. Die Beschwerde war herausfordernd, Mornay in seiner Erklärung blieb maßvoll. Er hatte die Briefe geöffnet, da sie bei einer verdächtigen Person gefunden waren. Als er den Namen des Herrn de Saint-Phal darunter las, hatte er sie weiterbefördert. Worüber Mornay sein Befremden äußerte: der Vorfall war fünf Monate alt.

Die auffallende Feststellung beruhigte den anderen Edelmann nicht, er wurde um so streitsüchtiger und verweigerte überhaupt die Annahme von Erklärungen. «Dann nicht», mußte Mornay endlich sagen. «Rechenschaft schulde ich nur dem König. Sie, Herr, können einen Ehrenhandel jederzeit mit mir austragen.»

Saint-Phal, als wäre dies das erwartete Stichwort gewesen, zog aus seinem Mantel einen Stock, auch seine zehn Bewaffneten traten hervor. Unter ihrem Schutz konnte der Attentäter sein Pferd besteigen und entkommen. Mornay, schon bei Jahren, rollte zu Boden von dem Schlag, der seinen Kopf getroffen hatte.

Große Erregung erfaßte die westlichen Provinzen. Man glaubte an keinen persönlichen Streit der beiden Herren. Sondern der sogenannte Papst der Protestanten sollte durch einen vorbedachten Hinterhalt außer Gefecht gesetzt werden: dann wagte der König schwerlich die Reise und ließ die Hand davon, den Protestanten ihre Verfassung zu geben. Sonst wäre alles bis zum Abschluß vorbereitet; auf ihren kirchlichen Konzilen und politischen Versammlungen hat diese Religion und Partei dem König ihre Bedingungen vorgeschrieben; es sind die äußersten, und Mornay hat sie bei ihm durchgesetzt. Der Schlag auf den Kopf kommt in letzter Stunde, damit dem Königreich die furchtbarste Gewalt erspart bleibt von seiten der Partei des Umsturzes.

Ihrerseits beteuerten die Glaubensgefährten des Geschlagenen einander, daß es aus wäre mit Zugeständnissen, so viele sie bis jetzt gemacht hätten. Übrigblieben nur die festen Plätze und ein neuer Kampf. Dies war die Lage, während

Mornay, noch recht elend, einen Brief des Königs empfing: die Beleidigung träfe ihn selbst, als König und als Ihr Freund. «Als König werd ich uns Recht verschaffen. Wär ich nur der Freund, zög ich vom Leder.»

Es waren Worte der Empörung und einer Ungeduld, kaum noch zu bändigen. Das Leben schreitet rasch vor; soeben winkt eine sichtbare Höhe als Rechtfertigung dieses Lebens und Reiches, plötzlich stockt die Bewegung, wie in Vervins so in der Bretagne; auch der Friede mit denen von der Religion entfernt sich wieder infolge des Schlages auf einen Kopf.

Marschall Brissac bekam Befehl, seinen Schwager Saint-Phal dem Polizeileutnant des Königs auszuliefern, «ohne die Sache in die Länge zu ziehen oder zu erschweren, unter welchem Vorwand es immer wäre, denn was geschehen ist, geht mir zu Herzen, es rührt an meine Autorität und den königlichen Dienst».

Das gerade wußte Fliegenfänger Brissac am besten; daher trat er zu dem Sessel des kranken Mornay mit einem Vergnügen, innig wie diesmal war es ihm selten beschieden worden.

«Unser Herr leidet noch mehr als Sie, verehrter Freund», sagte Brissac mit dem Gesicht eines Apostels von Meisterhand gemalt. Man sah den treuen Bart, der nicht da war, die Augen aber hielt er wie ein Märtyrer nach der höchsten Wolke gerichtet.

«Ich erbiete mich», sprach der Heilige, «selbst ins Gefängnis zu gehen, damit Ihre Kränkung gerächt und dem König willfahrt wird. Lieber mein eigenes Opfer, als kraftlos zuzusehen.»

«Sie sind nicht kraftlos», sagte Mornay. «Sie sind ein Heuchler. Ihren Schwager haben Sie vor dem König versteckt. Seine Zuflucht ist eine Stadt des Herrn de Mercœur. Mit diesem zetteln Sie schnell noch ein Ding an, obwohl es nächstens für ihn aus ist, und Sie hätten es gar nicht nötig.»

«Was bin ich?» fragte Brissac und schauderte vor Entsetzen. «Das glauben Sie nicht. Sehen Sie mich an und wagen Sie das Wort zu wiederholen.»

Mornay wiederholte es nicht, seine Verachtung überwog den Zorn. Brissac inzwischen brachte es fertig, bleich wie ein Sterbender zu werden, sein Blick brach, um sein Haupt erschien die Dornenkrone. Mornay betrachtete den Vorgang widerwillig. Brissac dachte bei sich: ‹Jetzt mach ich dir aber mit einem Ruck einen Gottseibeiuns, daß du protestantischer Rabe vom Ast fällst und bist tot. Soll ich mal?› Nicht ohne Mühe unterdrückte er die Versuchung.

‹Wozu beachten wir einen Verlorenen›, sprach Mornay zu seiner Seele. Denn der Heuchler und Gesichterschneider ließ ihm unter allen Menschen die geringste Hoffnung. Seit dem Anschlag, der gegen ihn verübt war, dachte er auch über Herrn de Mercœur anders. Sich selbst beschuldigte er des leichtfertigen Irrtums, weil er jeden seinesgleichen immer für erziehbar halte, und heute mehr als in seiner Jugend, was offenbar unserer Schwächung durch die Jahre entspricht. Seine Meinung war dennoch, daß der gewaltige Herzog dem Ebenbilde Gottes näher käme als ein wesenloses Nichts. Dies gebärdete sich hier vor ihm.

Mornay strich das menschliche Nichts, er redete fortan zu einem leblosen

Gegenstand. Nannte die Bedingungen, unter denen er die erlittene Beleidigung vergessen wollte: eine Genugtuung in so feierlicher Form, daß sie allgemein in die Augen springt. Herr de Saint-Phal soll vor ihm ein Knie auf den Boden setzen. Dies hören, und Marschall Brissac vergaß sich, er hatte eine ehrliche Regung.

«Das wäre!» sagte er. «Reisen Sie nur gefälligst zu ihm, er wird sich anständig entschuldigen, wenn auch nicht in dieser ungewöhnlichen Form. Wer sind Sie denn selbst?»

«Beauftragter des Königs – den wir hier erwarten, und er wird deinen Saint-Phal zu finden und zu bestrafen wissen.»

«Das fragt sich», meinte Brissac. «Vergessen Sie nicht, daß ich ihm seine Hauptstadt ausliefern mußte, sonst hätte er sie niemals bekommen.»

Mornay wendete sich mit dem, was zu sagen übrig war, an die Wand. Er sehe nun wohl, wie sehr der König im Recht sei, daß er den schuldigen Gehorsam und königlichen Dienst verteidige zugleich mit der Ehre eines Edelmannes. Übrigens möge Marschall Brissac den Fall hinziehen, solang er könne. Zum Schluß sitzt darum doch Saint-Phal hinter Schloß und Riegel. Darauf gibt Mornay sich selbst das Wort.

Brissac ging stumm ab; die Unversöhnlichkeit eines Protestanten ist furchtbar wie sein Glaubenseifer. Ein Stockschlag, den sie heimtragen, beschwört nichts Geringeres herauf als den berühmten «Zorn des Herrn». Man wird ihnen eine Lehre geben. Dieser Mornay soll an der Nase geführt und lächerlich gemacht werden. Um so besser, wenn auch der König seinen Teil abkriegt. Wird bedenklich werden und seine Protestanten warten lassen auf das Edikt.

Die Unterredungen

Allerdings war es schwer über die Maßen. Mornay, kaum daß er das Zimmer verließ, mußte seiner Kirche erklären und an das Herz legen, daß sie um Gottes willen nicht mehr verlangte vom König, als er ohne eigenen Schaden zugestehen konnte. «Und wenn er stirbt?» fragte ein Pastor Béraud, der im Auftrag der Kirchenversammlung zu dem Gouverneur nach Saumur kam.

Mornay senkte die Stirn, erhob sie und antwortete ruhig: «Solang er lebt, genügt das Edikt, wie er es vorhat.»

Nachher, davon schwieg er, dachte er: ‹Laßt die Toten ihre Toten begraben. Wir sollen unter Lebenden hartnäckig bedacht auf den Glauben und unsere Ehre sein. Er wußte zu gut, was es gekostet hatte, diese Stunde des Lebens herbeizuführen; endlich ist meinem König erlaubt, uns das Edikt zu geben. Laßt die Toten ihre Toten begraben.› Wenn Mornay dies Wort der Schrift gebrauchte, meinte er es als frommer Mann und auch im Sinne der Staatskunst.

Er reiste mit Madame de Mornay nach Paris. Beide wurden ohne Verzug empfangen, Madame de Mornay im Hause der Schwester des Königs, wo mit ihr zwei andere Damen erschienen, die Herzogin von Beaufort und die Prinzessin von Oranien. Der König ließ Herrn de Mornay vor, obwohl er kurz danach den Legaten des Papstes bei sich erwartete.

Als Henri seinen Philipp Mornay eintreten sah, konnte er ihn nicht sogleich umarmen, wie er es gewünscht hätte: diese Gestalt war ihm fremd. Das Unglück allein und nicht die Jahre geben einem Menschen dies neue Gesicht.

«Philipp», sagte Henri. «Ich will anhören, so viel und so lange Sie mir klagen. Sie sind furchtbar beleidigt worden und ich mit Ihnen. Dafür ist endlich der Tag erschienen, da ich die Religion einsetzen kann in ihr Recht.»

«Sire! Gewiß», sagte Mornay mit schwacher Stimme. «Sie halten Ihr Wort und schenken der Religion dieselben Freiheiten und Rechte, die sie schon besessen hatte vor bald einem Menschenalter.»

«Mehr, als eine Bartholomäusnacht euch gekostet hat, kann ich euch nicht wiederbringen», gestand Henri. Philipp gestand: «Ich weiß es.»

Beide bewegten die Hand in der Weise des Verzichtes. Nach dieser Pause machte der Diplomat einen ehrerbietenden Vorschlag. Seine Glaubensgenossen verlangten sechs Vertreter in der Ediktskammer des Parlamentes. «Was bei sechzehn Mitgliedern keine Mehrheit ergäbe», wendete Henri ein.

«Darum bitten wir Eure Majestät, Sie mögen die zehn Katholiken selbst ernennen. Sire! Sie allein sind unsere Sicherheit.»

«Nicht eure festen Plätze, und auch nicht das Edikt?»

«Sie ganz allein.»

Henri fragte nicht weiter, jetzt umarmte er seinen Philipp Mornay, hatte ihn so fest und lange wohl niemals an seiner Brust gehalten. Ins Ohr sagte er ihm: «Wir beide müßten unsterblich sein.»

In das andere Ohr, nach dem Kuß auf die zweite Wange sprach der König: «Sonst wird auch mein Edikt nach uns zum leeren Blatt Papier.»

«Wir sollten es im voraus nicht wissen», verriet Mornay ihm. «Ich hätt in meinem Eifer für die Religion vergessen, daß unsere Taten uns kaum überleben. Dann fordert man, hat nie genug und will die Freiheit der Gewissen zum ewigen Gesetz erheben. Sie verfällt aber mit uns selbst, und die nächsten müssen sie neu erobern. So will es der Herr der Geschicke.»

«Womit hat er es Ihnen anvertraut?» fragte Henri – tat einen Schritt rückwärts und betrachtete die Gestalt: bei ihrem Eintreten war sie fremd gewesen. Auf einmal wurde Mornay stark, wurde eindringlich.

«Sire! Ein Schlag über den Kopf, und ist immer noch nicht gerächt.»

Henri: «Soll gerächt werden. Ich versprech es.»

Mornay: «Ich beklage mich, daß Sie die Zeit versäumen, und meine Feinde dürfen mich auslachen.»

Henri: «Freund, das unvollkommene Edikt verschmerzen Sie eher als den Schlag.»

Mornay: «Sire! Der Schlag trifft meine Ehre.»

Henri: «Sie sind zu Boden gerollt, die Religion steht auf.»

Mornay: «Ohne Ehre kein Gewinn. Bleibt ohnedies von unseren Werken nichts, wir hätten sie denn in Ehren getan: davon lebt unser Name fort.»

Keine Antwort. Henri bedenkt, wie oft gerade dieser für ihn gelogen und betrogen hat – in aller Unschuld und dennoch nach dem Gesetz der Welt. ‹Das eine geht, das andere nicht. Ich gelange auf meine vorgesetzte Höhe mit der inneren Festigkeit, die meine Ehre ist. Der gerade Weg wär mehr als Ehre, wär ein Wunder. Ich weiche Mördern aus und Schläge auf den Kopf vergeß ich. Rache nehmen – kostet viel von dem, was sie nachher Größe nennen. Rache nehmen –›

«Herr de Mornay, Sie sind ein Edelmann, längst bevor Sie weise sind. Ich sehe es wohl. Haben Sie nicht begriffen, daß unsere Rache keinen andern so sehr demütigen kann wie uns selbst?»

Mornay, ein frommer Protestant, sagte: «Sire! Herr de Saint-Phal muß in das Gefängnis gesetzt werden und muß mir abbitten.»

«Gut», sagte Henri. «Sie sollen Ihren Willen haben.»

Hiermit entließ er seinen alten Gefährten. Drunten rollte der Wagen des Legaten an.

Henri ging dem Legaten nicht bis zur Tür und Treppe entgegen, auf der entgegengesetzten Seite verließ er das Zimmer. Nebenan war ein Ausblick nach den Tuilerien in die Fenster seiner Schwester. Das Fenster, das er meinte, war leicht verhängt, er erkannte darauf die Schatten, und waren ihrer vier. ‹Die Damen zittern um mich›, dachte er. ‹Sie sind versammelt und beten für mich, daß ich fest bleibe. Kathrin, keine Sorge, diesmal bin ich der Herr. Prinzessin von Oranien, meine Stunde ist da, und wär in meinem Königreich kein Mörder, der heute gegen mich das Messer kehren darf: es führe ihm von selbst in den eigenen Leib.›

Er nahm lange Schritte, eher waren es Sprünge, damit er noch vor dem Legaten im Zimmer wäre; ließ aber hinter sich die Tür geöffnet, vier Schatten sollten zugegen sein bei dem, was jetzt kam. ‹Madame de Mornay›, dachte er, ‹beten Sie weniger für mich als für Ihren Gatten, der rachsüchtig ist, aber dem Legaten des Papstes wird er im Bogen ausweichen, weil er versucht wäre, ihm aus Klugheit den Ring zu küssen.›

Draußen traten die Wachen auf, schon wurde die Tür bewegt. Henri dachte: ‹Gabriele, meine teure Herrin! Sieh mir zu! Besteh ich diese Probe, dann hast auch du gesiegt. Bete mit den drei Protestantinnen, daß du Königin wirst.›

Da war der Legat über die Schwelle getreten. Weiter rührte er den Fuß nicht. Wo er stand, erwartete er den König, daß der König ihm den Ring küßte. Das Gefolge des Legaten war zahlreich, aus der Tiefe der Treppe stieg es auf wie eine beglänzte Wolke. Farbige Kleidungsstücke geistlicher und militärischer Art, auch Knaben dabei, die Wolke folgte dem Legaten etwas zu großartig. Er selbst stellte bis jetzt einen gebückten Greis und demütigen Menschen dar, erhob die Hand mit dem Ring auch nur zaghaft, als wär es eigentlich viel verlangt. Der König küßte ihm aber den Ring mit Inbrunst, worauf er rückwärts bis in die Mitte ging. Dort war es an ihm, zu warten. Das Gefolge, lautlos in seiner Eigenschaft als Wolke, entwich, die Tür wurde leise zugemacht. Der Legat hätte umsehen wollen. War er wirklich allein mit diesem König?

Es ist weder angenehm noch recht geheuer, in die Zelle eines Verurteilten zu treten, besonders nicht für einen älteren Lebensfreund, der ungemein neugierig auf alle Umtriebe des Lebens ist, aber von seinem Ende gar nichts hält. Nun sagt Malvezzi in Brüssel, daß der König von Frankreich sterben muß. Der Legat denkt: ‹Die Tür ist nachgerade wohl geschlossen, es bleibt nur übrig, den bewußten Weg zu machen.› Den macht er, immer den Blick auf den König, um den es ihm leid tat und inniger leid mit jedem Schritt. Gerade ein Empörer, Ketzer, unbekehrbarer Verderber des Glaubens und der göttlichen Ordnung hat in den höchsten Fällen ein Gesicht und Gepräge: kein wohlgestalter Knabe oder unbescholtener Christ erreichen sie. Schade daraum. Malvezzi, Legat in Brüssel, betreibt seinen Tod seit fünf Jahren. Das ist barbarisch, obwohl es gerecht ist, denn dieser König arbeitet an seinem Untergang selbst. Der andere Legat stößt nur einen, der schon fallen soll. ‹Ich möcht ihn aufhalten.›

Der Legat setzte sich, und dann erst der König. Der Legat beglückwünschte den König zu seinem Sieg über den Kardinal von Österreich.

«Über Spanien», sagte Henri schnell. «Über Habsburg.»

«Ich bin ein christlicher König», sagte Henri. «Der Papst weiß es; die Bürgschaften, die ich ihm anbiete, kosten mich die Frucht meiner Siege. Ich schließe Frieden, könnte aber den Krieg über den Rhein tragen.»

«Wenn Sie es könnten, täten Sie's. Nur zu froh, daß Sie Frieden bekommen mit Ihren weltlichen Feinden, greifen Sie die Kirche an.»

«Davor sei Gott», beteuerte Henri.

«Bürgschaften –» Der Legat stellte die Hand vor den König hin, ihn zu warnen. «Gewähren Sie nur Ihren Protestanten keine, besonders die ersten nicht. Das führt weiter als Sie wollen und als Ihr Wohl verträgt. Sie sind hoch gestiegen, ein Sieger und großer König. Seien Sie wahrhaft überlegen, erkennen Sie die Grenzen Ihrer Macht!»

«Feierliche Worte», sagte Henri, «für eine viel zu kleine Sache. In Rom habe ich zu verstehen gegeben, daß meine Protestanten nichts bekommen sollen als ein Blatt Papier. Erwarten auch nicht mehr, die Armen. Am besten unterrichtet ist der tapfere Mornay, der Ihnen den Ring geküßt hat. Ihm hab ich es selbst gesagt. Die kennen mich. Warum glaubt nur Rom mir nicht?»

«Weil Rom Sie besser kennt.»

Dieser Antwort des Legaten folgte ein schweres Schweigen. Der König stand auf, er durchmaß das Zimmer mehrfach, seine Schritte wurden immer langsamer. Drüben bei der geöffneten Tür ließ er jedesmal den Fuß in der Schwebe, damit er im Hause seiner Schwester das Fenster sähe. Von den vier Schatten hielten drei ganz still, voll Aufmerksamkeit für die Regungen des letzten.

Dort im Zimmer ging es nun derart zu, daß jede der vier Frauen einmal das Wort nahm, um ihr Herz zu bekennen. Sie umgaben einen Tisch, auf dem ein Buch lag. Zu Anfang waren sie übereingekommen, der König habe seine schwere Stunde, und daß sie ihm über den Raum hinweg beistehen wollten. Bekennen wir, wer wir sind. Die Wahrheit allein kann helfen uns und ihm. Seien wir wahr. Er wird es fühlen und wird handeln als ein Bekenner.

Madame de Mornay, im Rang die Letzte, sollte deshalb vorangehen. Sie erschrak, sagte: «Ich bin nicht würdig», und legte die Hand auf das Buch, um ihren Geist zu stärken. Sie war knochig gebaut, schwarz gekleidet, ihre Haare versteckte sie unter der Haube. Ohne ihre Schuld bemerkte man dennoch, daß sie rötlich gewesen waren. Die großporige Haut der Fünfzigjährigen zeigte ein lebloses Weiß. Auf der ausgestreckten Hand lagen die Adern bläulich gewölbt. Von demselben blassen Blau waren die Augen, diese aber blickten der inneren Sammlung wegen über die anderen drei Damen hinweg. Wenn Madame de Mornay drüben den König erkannt hatte, vergaß sie es doch sogleich, dies durch eigenen Willensbeschluß.

«Ich bin eine Christin», sprach sie, und schon die wenigen Worte klangen nach der Seele. Diese Frau hatte eine undankbare Stimme, ihr Gesicht war zu lang, war faltenlos gealtert wie das ihres Gatten, die redenden Lippen erschienen trocken und nicht weich. Die drei Damen stellten alles fest; unleugbar blieb dennoch der ernste Wohlklang aus einem Innern, das sich erschloß samt Schwächen und Gebrechen.

«Aber ich bin nicht so sehr Christin durch den Glauben als durch meine Sünden. Ich war eitel, und meine Frömmigkeit war weltlich, falsch war sie, wie die Locken, die ich ansteckte. Als die Pastoren es mir verboten, empörte ich mich, anstatt zu danken Dem, der sie mir schickte. Das Leiden, mit dem Er es bei mir versuchte» – sie vermied den Namen des Herrn. «Im Grunde hat auch das Leiden mich nicht besser gemacht. Wir sind unverbesserlich, sind vorbestimmt, viel zu sündigen oder wenig, gar nicht oder bis zur ewigen Verdammnis.»

Sie schlug die Augen nieder; da es aber unfreiwillig geschehen war, suchte sie alsbald wieder das Fenster drüben.

«Ich besaß die besondere Gabe, andere zu überreden. Herr de Mornay ließ mich Einfluß nehmen auf Personen, deren Mißtrauen er fürchten mußte. Ich hatte manche Erfolge und blieb gerade darum nicht rein. Der Geschickte kann es nicht. Wer wären wir, daß wir um weltlicher Vorteile willen andere zur Verzweiflung treiben. Ich weiß von einem Fürsten, der durch mich alles verlor und in das Exil geriet. Ich, die dem Exil entronnen war! Ich griff in eine Macht ein, dieselbe Macht, die mich erlösen, aber deshalb niemand verderben wollte. Daran dachte ich nicht, indessen verschlimmerte sich mein Herzklopfen, konnte auch niemals geheilt werden von keiner guten Quelle keines Berges, ob ich in ihr badete oder sie trank. Denn mein Herzklopfen war die Warnung des Gewissens, wie ich endlich wohl weiß, da es dringlich geworden ist bis zur großen Angst.»

Der bewegte Schatten drüben war der König. Madame de Mornay sah mit Bedauern zu, wie er seine Geschicklichkeit verschwendete, denn das tun wir unverdrossen – sollten aber schlechthin gerade sein, und wenn Geradheit tödlich wäre. Siehe, Herrn de Mornay hat seine Fertigkeit, die Menschen umzuwenden, zuerst stolz, dann sogar rachsüchtig gemacht. Er wenigstens ist gerettet durch seine Tugend, die abgeschlossen im Geist wohnt und kann durch weltliche Handlungen nie abnehmen. Eins ist handeln: er aber betrachtet auch. Er schreibt als erster die religiösen Betrachtungen eines Laien. Darin widersteht er dem Sinn der Welt, betrügt weder Menschen noch Den, der uns ansieht, und hat Stunden am Tisch, vor dem Papier, da ist er frei, da wird er der beste, der er sein kann.

Sie öffnete das Buch, auf dem ihre Hand lag. «Der Traktat über die Eucharistie», sagte sie.

«Wie!» rief überaus lebendig die Prinzessin von Oranien. Sie hatte lange genug stillgehalten, obwohl sie sich nicht langweilte. Sie langweilte sich weder mit Menschen noch allein.

«Das wäre der Traktat! Aber in ganz Europa warten wir alle auf ihn. Hier liegt das Buch. Warum dann nicht in unseren Händen?»

Madame Schwester des Königs fragte: «Ist es wahr, daß dieses Buch die Messe vernichtet, so daß der Papst selbst keine mehr wird lesen wollen?»

«Sie wird weitergelesen werden», antwortete die andere Protestantin; mehr erklärte sie nicht. Zu der Prinzessin von Oranien gewendet: «Madame d'Orange», sagte sie dieser kleinen, rundlichen Frau mit sehr klaren Augen, grauen Haaren und Hautfarben gleich der Jüngsten. «Sie sind von allen Christinnen die erprobteste. Sie sind von einem Duft der Ehrbarkeit umgeben, zu Ihnen kann mein letztes Geständnis nicht eindringen, und wären Sie aus unbegreiflicher Güte noch so willig. Dies Buch soll nicht bekanntwerden, bevor der König das Edikt erlassen hat. Das Edikt zuvor: denn nach dem Buch bekämen wir's nicht mehr. Das Buch wird uns Unrecht tun; die Wahrheit bekennen, es schadet leider.»

«Nein», rief die Prinzessin. Der bleichen, geängsteten Frau versicherte die blühende, heitere: «Wir sind die Glücklichen, denen allein die Wahrheit hilft. Fällt alles ab, laß fahren dahin, wir bleiben. Sind wir doch hier versammelt, damit wir dem König beistehen, wie wir nun sind und uns bekennen, daß er es drüben hören kann in seinem Geist. Dessen zum Beweis ist bei uns seine Liebste und soll Königin sein.»

Ihre sehr klaren Augen ruhten auf Gabriele, die errötete, und ein leises, tiefes Schluchzen ergriff die Arme. Sie fühlt sich verwaist unter diesen Protestantinnen, das waren aber ihre einzigen. Viele der Reden blieben ihr unverständlich. Selbstprüfungen und Bekenntnisse waren ihre Sache nicht, sie erschreckten sie. Dennoch, unter dem Blick, den Madame d'Orange nun einmal auf ihr ruhen ließ, brachte sie leise vor, daß sie es versuchen wollte, und auch sie wäre geständig.

«Mein liebes Kind, zuerst die Augen trocknen. Bekennen sollen wir mit trockenen Augen.» Die Prinzessin unterbrach Gabriele weniger mit dem Wort als durch ihr Lächeln. Es war dies Lächeln ganz ihr eigen. Es war streng vernünftig, eine Vernunft, die zu Herzen ging. Gabriele fand Madame d'Orange engelgleich. Sie fühlte, vernünftig bis zu diesem Lächeln wären Wesen anderer Herkunft als der unseren. Daher stand sie im Begriff, einer schnellen Regung zu folgen: sie hätte der Prinzessin von Oranien die Hand geküßt. Die Prinzessin kam ihr zuvor, legte zum Schutz Gabrieles den Arm um sie, und das Zeichen zu sprechen, sie gab es der Schwester des Königs.

Rede des Legaten

Henri saß wieder zum Legaten hin, überließ ihm auch, was er sagen wollte. ‹Kennt Rom mich vielleicht besser als ich selbst? Fang an.› Und der Legat begann eine Rede. Die Stimme kam sanft und voll aus einem schmalen Körper. Sein welkes Gesicht war längst gewöhnt, undurchsichtig zu bleiben; der ausdrucksvolle Wechsel der Mienen hatte die Stärke des Mannes nie ausgemacht. Indessen sprachen seine Augen mit. Erkenntnis hatten sie nicht viel zu geben, eher eine lebendige Begierde, die gewissen Menschenarten schamlos erschien, und man hätte fortgesehen. Aber er war der Legat des Papstes.

Der König wirft kurze Worte dazwischen, an der Rede verändern sie nichts. Es sind Beteuerungen und Verwahrungen. «Treuester Sohn des Heiligen Vaters. Nur ein Blatt Papier. Friede der Welt. Sicherer Bau der Christenheit.» Der Legat bleibt unbeirrt und warnt um so deutlicher.

«Sie gaben Anlaß zu dem Verdacht, daß Sie in ganz Europa den Protestantismus zu Ihrer Sache machen wollen. Dies nicht um eines Glaubens willen, nur für Ihren eigenen Ruhm. Das Römische Reich zerfiele darüber, auch die Heilige Kirche müßte stürzen, damit Sie der Herr der Welt werden. Da dies im Plan der Dinge nicht liegen kann und Sie es wissen, lassen Sie sich warnen. Bereinigen Sie alle Anlässe für den Verdacht.»

Auf einen Einwurf des Königs: «Wer den Verdacht geschöpft hat? Ganz klar bis jetzt nur ich, ein Priester, der zu schweigen versteht. Andere hassen Sie, ohne daß sie viel untersuchten, weshalb. Ich nicht, das sehen Sie wohl, ich hasse Sie nicht. Ich bemühe mich um Sie. Ihre eigene Beichte leg ich Ihnen ab. Eines Tages standen Sie an dem obersten Rande des Tores Saint-Denis und sahen die Spanier abziehen – nicht wie besiegte Feinde. Viele Sieger sind hochgeklettert, um sich besser zu weiden. Sie aber frohlockten, bis der Schwindel Sie erfaßte über den gelungenen Bruch in der Ordnung der Welt. Sie nennen es Ihr Königreich: ich weiß, die Worte haben immer recht, die mutigsten stellen sich ein, sooft es geraten wäre, ein gutes Stück zurückzustecken. Ihr Königreich ist keines wie die anderen, Sie verwandeln es in eine Nation. Das sind nicht mehr die Stände, die im Grunde ohne Grenzen von jeher über die Länder der Christenheit verliefen. Sie machen die Stände gleich und nennen es Freiheit. Ich war auch in Rouen dabei; denn ich begleitete Sie. Damals hielten Sie eine Ständeversammlung Ihrer Provinz Normandie, dem untersten Stand aber gaben Sie die Mehrheit. Gerade diesen verführten Sie, boten ihm Ihre eigene Macht an und empfingen dafür sein Geld, was alles Freiheit heißt. Desgleichen heißt ein empörtes, vereinzeltes Königreich um so bewegteren Herzens Ihr Königreich.»

Die Einwürfe des Königs: Er hat in der Welt auch Freunde. Er liebt sein Volk, es liebt ihn. Seine Bauern durften keine Knechte, seine Gewerbe nicht unbeschäftigt bleiben. Vorgefunden hat er das Gegenteil von Ordnung, den Verfall.

Der Legat: «Der Verfall ist zeitlich und stört die ewige Ordnung keineswegs. Was ihr Gefahr bringt, ist das öffentliche Mißtrauen. Hier bricht ein König als ein fremdes Element in die alte Gemeinschaft der universalen Monarchie. Das Universum traut ihm nicht. Frieden, er wird ihn weder halten können, noch wird er ihm gewährt. Das Beispiel der Freiheit und selbstherrlichen Nation ist höchst verderblich. Des Beispiels muß man sich erwehren, oder um alle wäre es geschehen. Freunde – Sie haben nur Freunde, die Ihr Beispiel nicht fürchten müssen, sonst hätten Sie keine. Die einen sind Republiken, die anderen protestantisch, und mehrere vereinigen beides. Verlassen Sie sich auf Holland und die Schweiz. Das arme Venedig bewundert Sie. In England müßte eine alte Königin um Ihretwillen über die menschliche Grenze hinaus leben. Und Sie selbst?»

«Und ich selbst?» wiederholt Henri.

Der Legat: «Nach Ihrem Hintritt, und der kann nahe sein, verfällt das Edikt, das Sie Ihren Protestanten bis jetzt nur versprechen. Noch in der letzten Stunde will ich hoffen: Sie machen nicht Ernst. Um Ih-ret-wil-len.»

«Um meinetwillen», wiederholt Henri.

«Denn für Sie fürchte ich.»

Ein Schweigen voll Bedeutung und Blick von Aug zu Auge. Henri denkt: ‹Dieser Pfaffe, der übrigens mit Knaben umgeht, weiß viel, aber nicht genug.›

«Die Zeit meiner Mörder ist vorbei», sagt er gelassen.

Der Legat wird auf einmal demütig. Er bittet: «Sehen Sie mich doch nur an. Ich bin kein Freund des Todes – wie manche, die ich kenne.»

Henri sagt: «In meinem Volk finden Sie heute keinen Mörder für mich.»

«Heute», wiederholt der Legat.

«Sprechen wir uns denn in zehn Jahren wieder.»

Das hätte Henri nicht äußern dürfen; der Legat ist alt, will daran nicht erinnert sein. Hier beendet er die Unterredung. Im Stehen verbrachten sie noch eine abgemessene Weile mit den Lobsprüchen des Legaten, Versicherungen des Königs und allen Förmlichkeiten des Abschieds, Begleitung bis nahe der Tür, Umkehr, nochmaliges Geleit. Merkwürdig war der Rückweg nach der Mitte, eine bescheidene Weigerung des Legaten, daß der König ihn bis zur Schwelle brächte. Da nun das Tiefgehende und Gefährliche beendet schien, nahm der Legat zuletzt Gelegenheit, etwas Leichtes hinzureden, oder sollte es Leichtigkeit vortäuschen und für hingeredet gelten.

«Sie brauchen Geld, ganz begreiflicherweise. Ein König, der alle gleich machen will, tut am besten daran, alle reich zu machen. Unglücklicherweise sind die Geldmächte drüben bei der universalen Monarchie. Hier haben Sie nur sehr bescheidene Finanzleute wie diesen Zamet. Er ist ein Untergebener des Hauses Medici, einverstanden? Ihnen bleibt nichts verborgen.»

«Was wäre dagegen zu unternehmen?» fragte der König; begann auch aufzuschneiden, da doch alles eins ist, wenn man miteinander fertig ist. «Um an die Kasse des Großherzogs von Toscana heranzukommen, hab ich die Wahl. Entweder ein Bündnis oder einen Überfall.»

Er wußte indessen, daß es etwas Drittes gäbe. Der Legat erwähnte es denn auch in einem Ton, als müßte es nicht gesagt werden.

«Der Großherzog von Toscana ist nicht nur der größte Bankier: er hat auch eine Nichte – mit sämtlichen Vorzügen der Prinzessinnen aus dem Hause Medici.»

«Kenn ich», warf Henri ein. «Die vorzüglichste von ihnen hat mich hier gefangengehalten lange Jahre, und kein Tag, daß sie mich nicht abschätzte wie einen Braten, ob er mürbe wäre. Das wünsch ich mir noch einmal.»

«Sie scherzen» – der Legat lächelte dennoch kaum, er wunderte sich. «Ein großer König wäre einst ein Braten gewesen? Ich will es im Busen verschließen. Was Sie aber Gefangenschaft nennen, es sind zuweilen Rosenketten.»

Der Legat hatte die Tür in der Hand, war der Schnellere gewesen, man hätte es ihm nicht zugetraut. Er ging, bevor es zu neuen Höflichkeiten kam. Die gewaltig bunte Wolke seines Gefolges entrückte das Greislein augenblicks.

Der König denkt: ‹Alles in allem, die Unterredung hat mir besser gefallen, als was mein Mornay oder die Tugend mir brachte.›

Der Legat in seiner Wolke denkt: ‹Der Mann ist ein Märtyrer. Wenn ich eine neue Legende der Heiligen zu schreiben hätte – Was hatten denn unsere Märtyrer, unsere Heiligen? Todesfurcht, ohne die man kein Märtyrer ist. Aber heilig macht nur der Gedanke – der unmögliche, der abstoßende, widerwärtige und infame Gedanke, der die universale Ordnung angreift und will sie stürzen. Wohl bekomm es den Anwesenden, ich werde abwesend sein. Der Mann auch.›

Henri hat mit eigener Hand die Tür geschlossen, eine Weile irrt er hin und her, gerät in das Zimmer drüben mit der Aussicht auf das Fenster und die vier Schatten. Bis jetzt wird er ihrer nicht bewußt; ihm geht im Kopf um, daß der Legat ihn begleitet hat lang und allerwege. ‹War er heimlich zugegen bei dem Feuerwerk, als es abbrannte, und ich brannte einen Traum ab? Hätt ihn selbst vergessen, er aber kennt ihn.›

Er lachte in sich hinein. ‹Betrogen ist der feine Priester doch. Sie sehen zu tief, sie argwöhnen zu viel. Ich will nicht Papst und Kaiser stürzen, besonders nicht aus Überzeugung. Die hohen Gedanken bewohnen ein hohes Gefilde, ich betrete es nicht. Sie finden ihren Weg allein, indes ich handle hier unten und tu das nächste. Mein allernächstes ist, daß ich meine teure Herrin heirate, und sie soll die Königin sein.›

Jetzt hielt er sich die Seiten. ‹Ist es doch schrecklich zum Lachen, wie einer es anstellen muß, daß er endlich in das Ehebett kommt. Das Edikt, weil ihre Partei die Protestanten sind. Früher im Gegenteil der Todessprung, denn damals hofften wir auf die Gefälligkeit der Kirche und die Liebe unseres katholischen Volkes. Kam zwar nichts in Sicht als nur wieder das Messer, das nie trifft.›

Da er nun allein war, häufig geschah es ihm nicht, ließ er sich zu Boden, lag auf dem Bauch und seufzte, um vor Gelächter nicht zu schreien. ‹Komiker, sei tragisch! Großer Tragöde, mach dich lächerlich! Alles für eine Frau. Die Weltgeschichte im Schlafzimmer. Eine Neuigkeit, es auszusprechen.›

Ausgesprochen, war es nicht mehr wahr. Gib wohl acht, Gabriele ist hier sehr in Frage gestellt. Sie hat den König begeistert, ihn über Hindernisse getragen, Todessprung und Edikt, dazwischen einige Schlachten, die Gewinnung vieler Menschen, groß Macht und List, nicht gerechnet alle redliche Arbeit. Wäre sie dagegen als Kind gestorben, wie ständ es? Bliebe noch immer das Königreich und dieser Mann – der nicht mehr lacht, sondern drückt sein Gesicht in beide Hände. Liegt am Boden hingestreckt und muß überaus leiden, da er das erstemal im Leben an der Liebe zweifelt. Und hätte der Liebe nicht. Er hielt ganz still, ihm saß im Nacken ein bösartiger Krüppel von tausend Jahren, der zerdrückte ihm das Genick mit der flachen Hand, einer breiten Schaufel von scheußlicher Stärke. Und hätte der Liebe nicht.

Henri erschauderte dermaßen, daß der Tausendjährige das Gleichgewicht verlor. Henri sprang auf die Füße. Dem Unsichtbaren, der von ihm abgerutscht war, befahl er: «Keine Medici!»

Das war so stark befohlen, daß die Tür aufging und seine Leute sich zeigten. Er sagte: «Vor mir her soll der Hof, der ganze Hof soll hinübergehen zu Madame Schwester des Königs und soll aufwarten der Herzogin von Beaufort.»

Gabriele bekennt

An dem Tisch der Protestantinnen sprach Madame Schwester des Königs: «Ich kenne die Sünde nicht, obwohl ich außerhalb der Ehe lebe. Gott weiß wohl, warum Er es erlaubt. Der Welt begegne ich mit Hochmut, eh daß sie mich richtet, und überlaß es Ihm. Er hat gewollt, daß ich getreu der Religion bleibe: komme denn alles, wie es muß. Von meinem Liebsten ertrag ich Mißhandlungen, solche der Seele – und sogar andere.»

Hier errötete Kathrin, sah aber in die Runde, was sie dazu meinten. Nun fanden sie es recht. Wenn Madame Schwester des Königs ihnen des näheren erzählen wollte, wie der Graf von Soissons sie betrog oder sie schlug und aus dem Bett warf, diese frommen Frauen würden alles gutheißen. Denn der Treue im Glauben entspricht die demütige Beständigkeit einer Liebe. Betrachte dies gealterte Kindergesicht: es verlangt weder Mitleid noch Bewunderung; es kennt die Sünde nicht. Aber es kennt das Opfer.

Noch spricht Kathrin; hat eine sehr reine Stimme und spricht: «Der König, mein Bruder, will, daß ich einen anderen heirate. Es wäre mein Unglück. Daß er uns nur das Edikt gibt! Wär manches damit beglichen, auch mein Unglück. Wenn aber noch etwas zum Ausgleich fehlte, so soll er die Herzogin von Beaufort zu sich erheben, die schenkt ihm schöne Kinder. Die Heirat des Königs mit ihr will ich, das Edikt will ich – und hab auch schon bekannt.»

Madame Schwester des Königs gab der Dame, die sie genannt hatte, selbst das Zeichen. Diese hatte Mut gefaßt bei den Worten ihrer besten Freundin. Sie atmete ruhig.

Gabriele: «Das hat Madame Schwester des Königs recht gesagt: Ich will unserem Herrn schöne Kinder geben. Nicht nur schöne, auch viele. Ich will die Mutter eines Geschlechts von Königen sein. Da ich nach dem Thron strebe, muß ich hassen, wer mir hinderlich ist, und besonders haß ich die Königin von Navarra. Dennoch könnt ich ihr leichter verzeihen, wenn sie einen Mörder gegen mich selbst ausschickte als gegen meinen Liebsten. Versuch ich auch, des Bekennens wegen mich noch so schlecht zu machen: zuletzt bleibt allein, daß ich ihn liebe.»

Hier waren alle gerührt. Kathrin neigte schnell ihr beglücktes Gesicht gegen Gabriele, die Prinzessin von Oranien streichelte ihre Schulter, indes die arme Mornay die beiden gefalteten Hände aufhob. Gabriele bat diese guten Wesen, noch zu warten; sie sprach: «Ihr wißt nicht, was es heißt, schlecht und nichtswürdig zu sein. Die künftige Königin darf euch davon nicht berichten. Will schweigen zur Ehre meines Herrn. Dennoch gibt es einen Hochmut, Ehrgeiz, Eigennutz, die leer und falsch sind. Und hätte der Liebe nicht, so sagt ihr Protestanten wohl. So viele ihr hier versammelt seid, habt ihr gewiß nie begriffen, was es heißt: Und hätte der Liebe nicht. Eine, die es weiß, erschrickt vor ihrer Vergangenheit, denn die gehört einer Fremden mit gestörtem Geist. Mein vollsinniges Leben, ich besitz es erst, seit einer da ist, für den ich sogar sterben mag. Den hab ich gewonnen und bin ihm ergeben, gleichviel – o versteht mich, gleichviel ob er groß ist, ob er mich heiratet.»

«Die Zeit ist nahe», sagte die Prinzessin von Oranien.

Aber Gabriele: «Madame d'Orange, fürchten Sie von mir nicht allzuviel der christlichen Entsagung. Ich bin gesonnen, mein Ziel zu erreichen und auch die Mittel, die meine Vergangenheit mich lehrte, ich habe sie nicht vergessen. Der Hof soll merken, warum er mir einen Namen des Hasses beilegt.»

‹Herzogin von Schweinsheim›, dachten die Damen sofort. Merkwürdig, sie dachten es nicht wie einen Schimpf. Aus dieser Frau, die auf einmal von ihnen abgesondert schien, hörten sie die Majestät reden, sie sprach von der Rippe des Königs her, sein Fleisch, sein Blut. Niemand neigte ihr ein beglücktes Gesicht entgegen, auch ihre Person berührte niemand.

Die Prinzessin von Oranien begann ungebeten sich auszusprechen.

«Ich gehe durch die Ereignisse als immer gleiche: das ist ein großer Mangel. Wir sollen mit Gebrechen behaftet sein, damit wir sie heilen können durch unsere Erkenntnis und Willenskraft. Ich hatte gar nichts abzulegen, weder Hochmut noch Ehrgeiz und Eigennutz. Aus der verarmten Witwe des Herrn de

Téligny, eines Opfers der Bartholomäusnacht, wurde die Frau Wilhelms von Oranien, der jede reiche Prinzessin hätte bekommen können. Er wählte die ärmste, indessen ihn schon seine Mörder umringten. Sein Sohn aus erster Ehe, Moritz, verteidigte Holland nach seinem Vater. Anders als Wilhelm, will dieser das Land nicht frei sehen, sondern es selbst beherrschen, anstatt des spanischen Joches. Ich bin für Barneveldt, für Recht und Freiheit, gegen meinen Stiefsohn Moritz, gegen meinen Vorteil, da mein eigenes junges Kind der Erbe des Thrones wäre. Und das alles kostet mich nichts: da liegt der Fehler. Ich kämpfe nicht, mich lenkt ein heiterer Starrsinn, den man aus Irrtum tugendhaft nennt.»

Die Sprecherin heftete ihren Blick, der zu klar war, auf die Herzogin von Beaufort. «Ich glaube, daß die Dunkelheiten der Seele nicht zu kennen Gleichgültigkeit verrät, und niemals irren, bei unserem Herrn im Himmel heißt es Lauheit. Ich verachte den Tod, aber mir wird es nicht, wird mir nicht angerechnet werden. Ich stürbe nicht aus Liebe. Nicht aus Liebe, sondern durch den christlichen Starrsinn, der mein Erbe ist. Ich war die liebste Tochter meines Vaters, des Admirals Coligny.»

Dieser Name blieb ihr letztes Wort. Als sie ihn aussprach, kam die kleine rundliche Frau halbwegs vom Sitz hoch. Die anderen drei Damen erhoben sich mit ihr, zuletzt Gabriele. Plötzlich verneigte sich vor ihr ein Edelmann, den sie nicht hatte eintreten gesehen. Erwartete gerade diesen nicht und noch weniger, daß er gerade ihr seinen Stolz darbrächte. Es war Herr de Rosny. Er sagte: «Madame, der König ist auf dem Weg hierher. Er hat befohlen, daß wir Ihnen aufwarten sollen. Der Hof ist schon versammelt und bittet Sie, ihm zu erscheinen.»

Herrn de Rosny vor sich her wie ihren Marschall, je zwei und zwei gingen die Damen nach dem großen Festsaal. Entstiegen der inneren Versunkenheit ihrer Bekenntnisse, und alsbald empfing sie viel Lärm der eitlen Welt. Gabriele hielt an, wenig fehlte, daß sie umkehrte, so stürmisch begegnete ihr diese Huldigung, die erste des ganzen Hofes. Händeklatschen und Jubel, während man andererseits unter dem Scharren der Füße und Rauschen der Verbeugungen von ihr fort und bis zum Hintergrund drängte. Hundert Damen und Herren dort hinten eingeengt, sie selbst in leerer Mitte – und daß sie weniger verlassen wäre in ihrem beängstigenden Glück, ergriff sie Madame d'Orange am Arm. Madame Schwester des Königs trat ihr zur Linken.

Madame de Mornay war entflohen. Draußen sagte sie zu dem König, der die Treppe heraufkam:

«Sire! Die Herzogin ist Ihrer Hilfe bedürftig, o eilen Sie! Daß Sie doch immer zur rechten Zeit kämen, wenn Ihre Liebste in Gefahr des Lebens ist!»

Henri fing zu laufen an. Die Tür des Saales erreicht, sah er – was denn? Keine Bedrängnis seines teuren Gutes, sondern seine geliebte Herrin triumphierte Sein Herz schlug hoch auf. Es grüßte den Sieg der reizenden Gabriele und seinen eigenen.

Dieser Saal mit umlaufender Galerie und angrenzenden Kabinetten hat, wie lang ist es her, das Ballett der Zauberer und Barbiere eingefaßt. Die komische

Szene hat hierselbst gespielt. ‹Ich und du, wir mußten ein Versteck suchen, waren ohnmächtig gegen die Beleidigung und endlich froh, durch den geheimen Ausgang zu entkommen. Stand recht verdächtig damals um uns beide. Seither – mein Aufstieg und deiner. Endlich bin ich der wirkliche Sieger über Spanien, und sogar gegen den Legaten des Papstes habe ich mich gehalten. Jetzt, jetzt weiß ich mich stark genug, mein Edikt zu machen. Heute, heut ist dein Tag, meine teure Herrin. Auf der Stelle könnt ich den Priester zwingen, uns zu trauen, dich und mich, und bist meine Königin.›

Er dachte es im Rausch. Andere überlegten sich dasselbe mit ruhigem Verstand. Zwei Damen, etwas abseits des Gedränges, flüsterten miteinander.

Die Prinzessin von Conti: «Wie sie bleich ist! Madame d'Orange sollte sie fester stützen, man könnt fürchten, daß sie fällt.»

Die Prinzessin von Condé, aus dem Haus Bourbon: «Man fürchtet noch mehr. Wenn das Glück meines Vetters nur anhält. Er müßte sehr groß sein für eine solche Heirat.»

Die Prinzessin von Conti: «Ist er nicht schon jetzt groß genug, um uns alle herauszufordern? Seine geliebte Hure tritt vor den ganzen Hof zwischen den zwei Protestantinnen. Ich glaube, daß sie selbst eine ist, sonst begriffe sie, was ihr droht, und fiele beizeiten in Ohnmacht.»

Die Prinzessin von Condé: «Allerdings ist sie bleich. Aber ihre Blässe kann ebensowohl Stolz anzeigen als Furcht. Wenn es bei Hof eine einzige reine Frau gibt, ist es Madame d'Orange. Diese nun spricht gut von Gabriele d'Estrées, ihrer neuen Tugend, der standhaften Liebe, die sie würdig machen soll, Königin zu sein.»

«Um so schlimmer für Ihre Sicherheit», schloß die erste Dame, und die zweite stimmte zu.

Händeklatschen, entzückte Zurufe – während ein Herr, der bei Hof erst kürzlich eingeführt war, alle anderen überragte, da er auf einem Stuhl stand. «Ich irre mich wohl», sagte dieser Herr de Bassompierre in die Enge hinunter: «Was ich erblicke, kann nicht Wirklichkeit sein, oder jemand lebt nicht mehr lange.»

Von unten wurde gefragt: «Was würden Sie wählen?»

«Das ist doch klar», antwortete der Herr auf dem Stuhl. «Der König muß leben. So schade es um diese schöne Frau ist, das Messer träfe sonst ihn.»

Madame de Sagonne, von unten: «Sie sind hier neu, Sie Ärmster, und ahnen nicht, daß unsere nächste Zukunft vom Sternbild der Venus regiert wird.»

Auch die Minister Villeroy und Rosny waren im Gedränge befangen. Jeder hatte sich nach dem äußersten Hintergrund abschieben lassen, dort begegneten sie einander.

«Sieh da, lieber Freund.»

«Sieh da.»

«Es scheint, daß wir beide darin übereinstimmen, man sollte von dem Begebnis nichts gesehen haben», sagte der Minister des Äußeren, den der Minister der Finanzen als einen Verräter kannte. Daher entgegnete Rosny:

«Es lohnt sich kaum, den Vorgang zu bemerken. Wär ohne Nutzen für den Hof von Madrid, darüber unterrichtet zu werden. Was hier geschieht, hat keinen folgenden Tag. Der König selbst wird alles vergessen haben, sobald er wieder Geld braucht. Sein Großschatzmeister, seine Geliebte, nur die Dummköpfe dieses Hofes können zweifeln, wer der Stärkere ist. Larifari, wozu denn Mord und Tod, wenn eine Kasse sicherer zuschlägt als ein Beil.»

Hiernach ließ Herr de Rosny die Menge eindringen zwischen ihm und Herrn de Villeroy, den er als einen Verräter kannte. Seine Worte, ob er selbst ihnen mehr oder weniger glaubte, gesprochen waren sie in der Meinung, Gabriele des Lebens zu versichern. Er liebte sie nicht, war auch nicht barmherzig. Um so mehr hatte er Würde, und mochte kein anderer die schwierigen Anfänge dieser großen Herrschaft genau bewahren, Herr de Rosny wenigstens faßte sie in drei Namen: der König, ich und die Herzogin von Beaufort. Die Frau indessen soll über diesen Rang und Titel niemals hinausgehen: das wird seine Sorge sein.

Gabriele hielt nachgerade eine Ewigkeit dem Hof und ihrem eigenen Ruhme stand – nach der Uhr waren es nur Minuten. Sie seufzte auf, als ihr lieber Herr sie bei der Hand nahm und durch den Saal führte. Sofort geriet das Gedränge in Bewegung, die Damen und Herren bildeten gelöste Reihen am Wege der Majestät, damit sie angesprochen würden. Sie achteten auf die Lippen des Königs, aber nicht weniger auf den köstlichen Mund seiner Herrin, da er diese an schwebender Hand vor sich her führte. Der breite und flache Reifen ihres Rockes erlaubte ihm, sie voranzulassen, sie darzubieten als sein Kleinod, und das tat er unweigerlich. Hatte hier ganz das Gesicht des Herrn, ohne Nachsicht und Geduld, was sie bemerkten.

Daher begegnete Gabriele überall den Mienen der Ergebenheit. Ihre Wangen bekamen die schönen Farben zurück. Sie selbst anstatt des Königs redete die Leute an. Es war die Berührung ihrer Fingerspitzen mit seinen, davon hatte sie ihre ganze Geistesgegenwart und sprach das Rechte. An den ersten war sie noch stumm entlanggegangen. Vor Herrn de Sancy, Generalobersten der Schweizer, blieb sie stehen.

«Herr de Sancy, der König und ich haben beschlossen, nach der Bretagne zu reisen. Ich erlaube Ihnen, uns zu begleiten.»

Dasselbe sagte sie mehreren, besonders Herrn de Bouillon, der es angezeigt fand, seinen Abfall vor Amiens in Vergessenheit zu bringen. Daher nahm er ehrfurchtsvoll hin, daß die Dame, der er damals Geld angeboten hatte, ihn jetzt zur Reise nicht einlud, sondern befahl.

Gegen das Ende ihres Ganges traf Gabriele in das Gesicht des Herrn de Rosny. Beide hochgewachsen und blond, die Haut und die Augen von verwandter Färbung: Bruder und Schwester, wenn man gewollt hätte. Aber niemand wollte es, die Zuschauer nicht, denn sie waren gewöhnt an eine reizende d'Estrées und einen steinernen Mann, der abstieß. Am wenigsten hielten die beiden selbst von ihrer Verbundenheit. Gabriele trug den Kopf höher, sie sagte hochmütiger als zu jedem früheren: «Sie werden Ihr Arsenal verlassen müssen und in meinem Gefolge reisen, Herr de Rosny.»

Er wurde über und über rot, seine Stimme erstickte, bevor er die Antwort herausbrachte.

«Ich erwarte den Befehl meines Herrn.»

«Die Frau Herzogin bittet um Ihre Begleitung», sagte Henri, und seine Fingerspitzen belehrten die Schöne, daß sie es wiederholen müsse.

Das tat sie. Aber es war zu spät.

Der große Vertrag

Die Reise nach seiner Provinz Bretagne gelang dem König in friedlicher Art, obwohl er zwölftausend Mann Fußtruppen mit sich führte, die Pferde und Geschütze nicht gerechnet. Dies Geleit, recht ansehnlich für einen einfachen Besuch, war ihm von seinem Großmeister der Artillerie angeraten worden. Ihn ließ Henri aussprechen, was er selbst wußte, aber nicht zugeben mochte: er hätte ohne die bewaffnete Drohung seine Provinz noch immer nicht bekommen. Ein anderer Umstand war von ihm nicht vorgesehen: der schnelle Aufbruch. Herr de Rosny bestand darauf, hatte auch den guten Grund, daß der Herzog von Mercœur seine Ausflüchte und Winkelzüge nur fallen lassen würde, wenn er sich unvorbereitet genötigt sähe.

Das war der Grund, den Rosny nannte. Sein ungenannter betraf die teure Herrin, die am bestimmten Tag nicht mitreisen konnte: das erwartete Kind ermüdete sie zu sehr. Nein, Herr de Rosny reiste nicht in ihrem Gefolge, wie sie gemeint hatte. Er brach auf, sie lag darnieder. Drei Tage später folgte sie. Als nun Gabriele in kleinen Strecken die Stadt Angers erreichte, war Henri mit seinem großen Geleit schon längst darüber hinaus. Wo immer er nahte, öffneten die Städte seiner Provinz Bretagne ihm die Tore, und aus der ganzen Halbinsel, die steil vom Festland absteht, ritten Edelleute eilends heran, den König zu empfangen. Herr de Mercœur auf seinen Klippen hatte die Gewalt des ungezügelten Meeres dennoch überschätzt. König Henri holt ihn aus seiner Festung von Stürmen, es ist das Frühjahr, sie wüten über das gewohnte Maß; der Herr der Stürme, den sie eigen gemacht haben, muß sich gleichwohl in das Land bequemen, wo alsbald von seiner Macht das meiste abhanden kommt, und muß den Vertrag schließen.

Dies ist kein gesonderter Vertrag über die Abtretung seiner Herrschaft. Vielmehr ist die Rückkehr einer großen Provinz in die Gewalt des Königs wie zufällig mitbedingt durch ein Abkommen, das für noch bedeutender gelten soll: es ist ein Ehevertrag. Die Tochter des Herzogs und der Herzogin von Mercœur wird verheiratet mit Cäsar Vendôme, dem Sohn des Königs von Frankreich und der Dame Gabriele d'Estrées. Dies gilt als die Hauptsache, wenn nicht für jeden, um so gewisser für Gabriele. Darum hat ihr Herz dieser Reise entgegengeschlagen. Aufenthalte und Hindernisse erbittern sie bis zu Handlungen, die außerhalb ihrer bekannten Art liegen; wer hat sie erwartet von einer Schönheit, die in sich selber ruht.

Die Herzogin von Mercœur, Marie von Luxemburg aus dem Hause Penthièvre, diese große Dame fand eine d'Estrées tief unter ihrem Stande. Wär auch der Sohn Cäsar nicht aus einem doppelten Ehebruch hervorgegangen, sie verachtete die Verbindung, die sie eingehen sollte. Ein König von Frankreich schien ihr als Verwandter unerwünscht, wenn er wie dieser seinen Weg zum Thron unter Mühen und aus eigener Kraft gemacht hatte. Und wer verbürgt seine Zukunft und Nachfolge? Sie wäre sofort umstritten, gesetzt, das Messer träfe endlich. Dann hätte man seinen Bankert als Eidam. Madame de Mercœur, für Ränke ohnehin geschaffen, beging ihrer viele und boshafte, Gabriele beschloß, ein Ende zu machen. Als die Herzogin vor Angers erschien, nichts anderes im Sinn als eine neue Verschleppung der Sache: Gabriele ließ alle Tore schließen. Die große Dame mußte umkehren und ihre Demütigung in Geduld verzehren, bis der König käme und ihr hülfe, in Gnaden aufgenommen zu werden. Denn es geht um Gnade, man erkennt es manchmal erst, wenn ein Tor zufällt.

Henri war bis hinauf nach Rennes gereist, die Stände der Provinz Bretagne hielten dort ihre Versammlung. Da er noch einige Tage seine Liebste nicht sehen sollte, schrieb er ihr Briefe wie zur Zeit seiner Werbung. Wahrhaftig, sie glichen denen, die er einst nach Schloß Cœuvres schickte, und mehrere fing damals der Feind ab. Hätte auch den kleinen alten Bauern mit geschwärztem Gesicht leicht greifen können. Henri denkt: ‹Sieben Jahre vergangen, und immer ich und du. Ist es denn wahr, was du mir vorhältst und was ich dir abstreite: du wärst es jetzt, die mehr liebt? Tausendmal liebtest du mich mehr als ich dich? Soviel ist davon richtig: dein Gesicht ist aufgeblüht und gereift wie dein Herz. Du wolltest nicht mehr leben ohne mich, das glaub ich wohl, denn das wär ein rückläufiges Leben. Ich aber, teuerstes Gut, bin nicht anders daran und bin nicht freier als du. Bin mit dir aufgestiegen und zum Besitz gelangt – durch dich, so fühl ich es und sehe mich nichts besitzen, was nicht du wärest. Mein Königreich vergleich ich deinem Schoß – der mich früher oft betrog, jetzt aber ist er mein. Und wenn deine Schönheit verfiele, von dir könnt ich nicht los. Es war einmal, daß ich meine Liebe zurücknahm, ich Ärmster, der jetzt reich ist.›

Nichts hiervon in seinen Briefen, die noch immer von La Varennes überbracht wurden. Sondern er wahrte den Ton von ehedem, der leicht und keck war mit Anspielungen auf die Waffen, die seine Herrin selbst gewählt hätte, und mit ihnen wollten sie baldigst ihren Wettstreit entscheiden. Dies schrieb der König, wenn die Reden zu langweilig wurden in der Ständeversammlung seiner Provinz Bretagne, der letzten seines Königreiches, die er an sich nahm. Sein Bart war weiß und seine Haare blond.

Er verschwieg auch die sonderbaren Begebnisse, die gerad immer in seine vernünftigsten Taten fielen und so auch hier. Sie hätten die Umstände einer Frau, die natürlich und lebendig sind, verletzen können, und dem Kind wären Merkmale geblieben von den Begegnungen seines Vaters mit der Unnatur. Da sein Geschäft bei den Ständen beendet war, verweilte er einen Tag und eine Nacht in Saumur, der Stadt seines Philipp Mornay, des alten Gefährten, der im Weltlichen nie anders als klar und zuverlässig erwiesen war. Ob inzwischen das Grübeln nach theologischen Geheimnissen seinen Sinn für die Wirklichkeit geschwächt hatte, jedenfalls sah er überall Herrn de Saint-Phal.

«Was haben Sie?» fragte Henri. Der abgemagerte, eingeschrumpfte Mornay antwortete mit der Stimme eines Abwesenden: «Er hat in das Fenster geblickt. Er verhöhnt mich. Ich bin beleidigt und werde verhöhnt.»

«Freund, kommen Sie zu sich!» verlangte Henri. «Sie sind in Ihrem festen Schloß, haben es selbst befestigt. Wie käm er hinein, davon zu schweigen, daß es kein Entweichen gäbe.»

«Für einen, der mit dem Teufel im Bunde steht» – das Gesicht des Ruhelosen verwandelte sich, es entfernte sich ganz. «Für ihn sind Mauern nicht da, nicht aufgezogene Brücken.»

«Und welches Versteck sollt er schnell genug erreichen?» fragte Henri.

«Dieses», flüsterte Mornay geheim, sein ausgestreckter Finger zitterte, traf aber ohne Zögern einen Punkt der großen Landkarte, gegenüber an der Wand.

Henri bedachte nur noch, wie er hinausgelangte. «Schnell!» rief er. «Setzen wir ihm nach!»

Dem Gequälten sanken die Arme, er wurde kleiner und klagte hilflos.

«Der Böse benachrichtigt ihn, sooft ich mich aufmache zu seiner Verfolgung. Sire! Ich habe Ihr Wort. Fangen Sie ihn!»

«Sie haben mein Wort», bekräftigte Henri und war aus der Tür.

Er saß auf, hinter ihm war Gefolge genug, um einer ganzen Bande habhaft zu werden. Die Reiter hielten auf den Wald zu, wo ein Haus im Wasser die Zuflucht des Herrn de Saint-Phal sein sollte. Indessen lenkte die Spur eines Hirsches den König vom Weg ab. Er und die Seinen kamen auseinander. Im Dickicht mußte Henri vom Pferd steigen, die Rufe der Jäger antworteten den seinen aus ungewissen Richtungen, und es wurde Abend.

Durch bloßen Zufall traf er im Dunkeln auf drei der Herren, einer war der Gerichtspräsident de Thou. Schon ältlich, begleitete dieser, der Verhandlung mit Mercœur wegen, den König auf seiner Reise. Im Eifer nach dem Hirsch war er gestürzt und hinkte. Der König entschied, daß er selbst ihn nicht verlassen wollte, dies entgegen den feierlichen Bitten des Präsidenten, der König möchte nach der Stadt zurückkehren.

«Wie das? Wir sind verirrt», sagte Henri. Währenddessen war ein anderer auf einen Baum gestiegen und meldete hinunter, daß er ein Licht sehe. Als sie die Stelle erreichten, was langsam vonstatten ging infolge der Beschwerden des Herrn de Thou, da war es das einsame Haus im Wasser. Sie ritten hindurch, die Tür war unverschlossen und alle Zimmer leer. In dem einen brannte das Licht, es beschien ein gemachtes Bett.

«Es ist klar», versicherte Bellegarde. «Der Mensch, den wir suchen, ist hier gewesen. Er wollte schlafen gehen, wir haben ihn überrascht, er kann nicht weit sein.»

«Dann hol ihn zurück, Feuillemorte», befahl Henri und sah aus, als wär er überzeugt.

Der Großstallmeister mit dem dritten Herrn verursachte zuerst in dem dunklen Haus ein übermäßiges Gepolter, ihnen war schwerlich recht geheuer. Hierauf entfernten sie sich durch das Wasser, das aufklatschte. Der König verlangte inzwischen, daß Herr de Thou sich niederlegte; in allen Zimmern war kein Bett bemerkt worden außer diesem. Der Gerichtspräsident weigerte sich; es wäre für den König. Infolge starker Schmerzen nahm er den knappen Rand des Lagers ein, wollte aber bei Gegenwart der Majestät den Schuh vom verletzten Fuß nicht abziehen. Henri saß in dem einzigen Sessel vor dem Kamin, einiges Holz lag aufgeschichtet. Er zündete Tannenzapfen an, entfachte das Feuer und starrte hinein mit großen Augen. Ohne seinen Willen bedachte er, wozu er nach seiner Provinz Bretagne gereist war: mächtiger Staatshandlungen wegen, am Ende langer Vorbereitungen voll Besonnenheit und Geduld. Hier fand er sich nun auf der Jagd nach einem bloßen Wahn – seiner war es nicht. Er entkam aber um so weniger dieser Nacht aus den Wäldern und einem öden Haus, worin dennoch ein Licht brannte. Wären jetzt Mörder eingedrungen, er hatte bei sich einen Kranken und allerdings sein eigenes Gewehr. Sieh, wie gebrechlich unsere Vernunft ist. Meine unheimlichen Begebnisse, ruf ich sie nicht herbei, und sie wären Warnungen meiner unvollkommenen Natur an sich selbst? Weich nie von deinem Wissen ab, tu unentwegt, was in dich gelegt und dir aufgetragen ist: hier äßest du nicht, und entgingest künftig noch ärgerer Zauberei.

Dies war aus dem Flackern der Flamme zu erfahren, wenn man die Brauen hoch genug hinaufzieht. Zögere nicht länger, sei fest, zu deiner Königin mach die eine! Da sieht er das Feuer ihren Namen schreiben, und die Flamme singt ihn.

Bellegarde und sein Freund trafen wieder ein, lautlos diesmal, denn sie hatten ihre Füße bis übers Knie entblößt, um durch den Teich zu waten. Sie behaupteten, Herr de Saint-Phal wäre vor ihnen her von einem knackenden Busch zu dem nächsten gesprungen, bis ein Erdloch ihn verschlang. Henri bat sie einfach, den armen Präsidenten, der vor Erschöpfung auf das Bett gefallen war und schon schlief, möchten sie entkleiden und bedecken. Hiernach führten sie den König zu einem Zimmer, das keinen Eingang hatte, aber am Boden lag Stroh. Sie ließen die Tür geöffnet und lehnten sich draußen jeder an einen der Pfosten. Nur über sie hinweg konnte man bei dem König eindringen.

Henri fiel sogleich in tiefen Schlaf. Seine beiden Beschützer regten unter ihren Mänteln hier und da die Beine, damit der eine vom anderen versichert wäre, er wachte. Zuletzt aber rührte keiner mehr ein Glied – bis ein dringliches Hilferufen sie aus ihren Träumen riß. Anfangs meinten sie noch, sie wären im Wald hingestürzt über Saint-Phal, der schrie. Allmählich besannen sie sich auf Herrn de Thou.

Dieser bekam es in seinem Zimmer mit einem geistesgestörten Mädchen zu tun. Da die Ärmste in der Stadt nur Unbill erlitt, hatte sie das verlassene Haus zu ihrem Aufenthalt erwählt – war bei dem Eindringen der Unbekannten wohl geflüchtet, aber das wußte sie schon nicht mehr. Sie kehrte zu ihrer gewohnten Stätte zurück, zog im Dunkeln ihre nassen Kleider aus, das Licht war längst erloschen, und hängte sie über den Sessel beim Kamin, worin noch Glut war. Als sie ihr Hemd ein wenig getrocknet fand, legte sie sich quer auf das Bett, zu Füßen des Schlafenden, schlief auch selbst alsbald. Nun wollte Herr de Thou sich umdrehen; hierbei stieß er die Wahnsinnige vom Bett herunter, dies mit einer Bewegung, die ihn sehr schmerzte, so daß er erwachte.

De Thou öffnet den Vorhang des Bettes, das Fenster schickt einen bleichen Schein, darin kommt und geht die weiße Gestalt. Es kann keine Einbildung sein: jetzt naht sie und betrachtet ihn. «Wer bist du?» fragt der Präsident. «Ich bin die Himmelskönigin», antwortet die Gestalt. Dem Präsidenten war eigentlich bewußt, daß dies Unsinn und bloßer Unfug wäre. Dennoch ergriff ihn abergläubische Angst, und er rief nach Hilfe. Die Herren erlösten ihn und verwahrten die Irre.

Henri hatte weitergeschlafen, von dem Begebnis erfuhr er erst beim hellen Morgen, als sie zu viert nach der Stadt ritten. Er sagte nur, daß er an der Stelle des Präsidenten sich sehr gefürchtet haben würde, worauf er in Schweigen verfiel. Er gedachte aber seiner nächtlichen Selbstprüfung vor der Flamme, die schrieb und sang. Nicht lange nachher beim Gottesdienst zu Ostern, angestimmt wurde Regina Coeli Laetare, da stand der König auf, mit den Augen suchte er in der Kirche nach Herrn de Thou.

Dies waren die weniger begreiflichen Vorfälle, gesetzt, man hätte ihren Sinn nicht dennoch gefühlt. Von ihnen stand nichts in den Briefen an Gabriele. Henri auf seinem Rückweg zu ihr begegnete der Herzogin von Mercœur: so viel Unterwürfigkeit und schöne Versprechungen hatte er von keiner stolzen Person bis jetzt empfangen. Er faßte um so mehr Mißtrauen, da er noch nicht wußte, daß seine teure Herrin die Dame gezähmt hatte. Er lud sie ein, nach Angers mitzukommen. Das Schloß dortselbst hat viele starke Türme, sechzehn oder mehr zählte die Herzogin von Mercœur und besorgte, in einem könnte sie festgesetzt werden. Die breite Mauer ringsum starrte von den Wachen ihrer Feindin.

Bevor man anlangte, kam die Herzogin von Beaufort hervor; sie konnte nicht schnell genug die Dame umarmen, bat sie auch, mit in ihre Sänfte zu steigen. Henri bewunderte, wie gut Gabriele gelernt hatte, entgegen ihren Gefühlen zu handeln und ihr Ziel im Auge zu behalten. Noch höher stieg der Wert dieser schönen Frau als eines besonnenen Wesens, da endlich den einunddreißigsten März der große Vertrag unterzeichnet wurde: ein Staatsvertrag, verblümt durch einen Ehevertrag.

Im Schloß zu Angers verlas der königliche Notar Meister Guillot den Akt, und so lang dieser war, die glänzende Versammlung hatte nicht Ohren genug, ihn anzuhören. Der Herzog und die Herzogin von Mercœur gaben ihrer Tochter Franziska, die den Herzog Cäsar von Vendôme heiratete, an Geld und Edelgestein die Fülle: indessen war alles zahlbar aus den ungeheuren Beträgen Geldes, die der Herzog von Mercœur vom König erhielt dafür, daß er ihm seine Provinz Bretagne zurückgab.

Hier konnten viele der Anwesenden ihre Eindrücke nicht länger beherrschen. So genau sie gewußt hatten, was verhandelt und beschlossen war –

«So genau wir es wußten», sagte der Kardinal de Joyeuse zu dem Protestanten Bouillon, «wir glaubten es nicht. Haus Lothringen begibt sich seiner letzten Macht. Dieser kleine Navarra ist endlich der unumschränkte Herr über das ganze Königreich.»

«Ausgenommen mein Herzogtum Bouillon», antwortete der frühere Herr de Turenne, der es geerbt hatte und dachte, sich gegen den König zu erhalten, was ihm zum Verhängnis werden sollte.

Meister Guillot verlas, daß die Gouverneure und Richter der Provinz Bretagne vom König in ihren Ämtern belassen würden. An dieser Stelle keuchte einer vor Zorn: Herr de Rosny mit steinernem Gesicht, aber im Innern voll Abscheu. Bekannte Schurken und Verräter blieben, was sie waren, anstatt gerichtet zu werden; er hatte es nicht verhindern können. Die königliche Rechtsgewalt demütigte sich; ihr Verteidiger Rosny nannte bei sich den König schwach. Der Unbeugsame begriff nicht, daß die Gewalt sich beugen kann. Der Heiratsvertrag als Vorwand für den ernsten Staatsvertrag, Rosny sagte dazu Larifari und schob alles auf den Ehrgeiz der teuren Herrin, die den König beschwatzt habe.

Ein Herr de Bassompierre, bei Hof erst kürzlich eingeführt, fragte: was denn Madame Schwester des Königs mit der Sache zu tun habe. Sie war allerdings herbeigerufen, und ihre Billigung war eingeholt worden. «Jetzt wird alles klar», erkannte der Neuling. «Der König ist gewillt, den Protestanten das Edikt zu geben. Was hier geschieht, ist der Schritt vorher.»

Auf einmal hörte man die Stimme des Notars nicht mehr, tiefe Stille legte sich über die Versammlung, dann aber rauschten zwei Kleider. Das eine aus fliederfarbener Seide, das andere grün mit viel Silber, Madame Schwester des Königs, die Herzogin von Beaufort. Zwischen ihnen der König: so traten diese drei in die Mitte vor den Tisch, worauf der Vertrag gebreitet lag. Von drüben bewegten sich erst beim zweiten Aufruf der Herzog und die Herzogin von Mercœur. Andere, die mit unterzeichnen sollten, nahmen Aufstellung, aber ein freier Platz blieb. Stufen führten hinan, sie wurden beschritten von zwei Kindern, die angetan waren als Dame und Herr. Schritten gemessen, hielten ihre kleinen Gestalten dort oben würdevoll, und von allen Gesichtern die ernstesten waren ihre.

Da lächelten einige, die steif dareingeblickt hatten. Mehrere Frauen entzückten sich laut, und vielfach wurde aufgeatmet. Henri folgte den Mienen der beiden Mercœur, die er um ihren Besitz und Macht brachte. Vorher hatten sie den Ausdruck von ertappten Verbrechern gezeigt, wechselten oft die Farbe, die Augen des Mannes röteten sich, die Frau hustete, um nicht zu weinen oder aufzuschreien. Da nun die Kinder auf ihrer Erhöhung standen, verwandelte auch dieses Paar sein ganzes Gehaben. Es begriff seinen Anteil. Unsere Tochter wird die nächste am Thron sein. Das andere Kind wird ihn mit ihr besteigen. Der König muß die Mutter heiraten. Daß er sie unverweilt heiratete!

Der König unterschrieb zuerst, dann reichte er die Feder der Herzogin von Beaufort. Ihr zitterte aber die Hand, das machte die Freude. Alle Hälse wurden länger, damit man dies sähe. Die schönste Hand im Königreich vollführte den

Namenszug, der ihr höchster im Leben war. Sie legte die Feder hin und wartete gespannt. Ihr lieber Herr lächelte ihr zu, sie dürfte unbesorgt sein. Kaum hat Madame Schwester des Königs ihr Zeichen hingesetzt, schon stürzen die beiden Mercœur sich auf das Pergament. Philipp Emanuel von Lothringen Herzog von Mercœur, Marie von Luxemburg Herzogin von Mercœur: Gabriele liest es mit glänzenden Augen, ihr Glück macht sie schwindlig. Sie flüchtet ihr Glück, das schwer ist, an die Schulter des Liebsten, und er küßt ihr das erhitzte Gesicht.

Die Zeugen nahmen einer vom andern den Gänsekiel, besonders Herr Antoine d'Estrées, Vater der Heldin des Tages und wahrhaftig keine zweifelhafte Persönlichkeit mehr. Ohne Zeit zu verlieren, wurde hierauf das Verlöbnis der Kinder feierlich begangen; der Kardinal von Joyeuse weihte es, Hof und Gesandte wohnten bei. Ein zweites Mal indessen läßt man sich durch den Anblick nicht rühren und beirren, wenn Kinder mitwirken bei einer Handlung, die ihres Alters nicht ist. Vielmehr wurde ein Satz des Vertrages hier gegenwärtig. Als der Notar ihn laut und deutlich verlesen hatte, war er allen entgangen, oder sie taten, als wäre er entbehrlich. Sollte später von dem künftigen Gatten einer die Heirat nicht zu vollziehen wünschen, hatte er einfach seine Absage zu bezahlen – nicht einmal teuer für reiche Familien.

«Im Grunde ist nichts geschehen», sagte erstaunt der Großstallmeister Bellegarde. «Vierzehn Jahre, bis das Pärchen reif ist.»

«War meine Nichte, die Herzogin von Beaufort, nicht schon ein wenig früher reif?» erwiderte seine Nachbarin.

Bellegarde fand mit dem Blick die reizende Gabriele, ohne daß er sie gesucht hatte, und damit er nicht ihre Augen träfe, schlug er seine nieder. Sein Herz klopfte von Erinnerungen. «Zeig sie mir!» hörte er bei sich eine Stimme. ‹Mit dem Wort hat für mich das Glück geendet›, meinte er hier, obwohl es ihm sonst im Leben wohl erging. ‹Hätt ich das Wort nicht herausgefordert damals, hier gäb es keinen Königssohn zu verloben. Ein Wort, und mit dem Glück entfernt sich die Jugend.›

«Was ihr bestimmt war, ist sie geworden», sagte er leise.

«Und wir ahnten es nicht», erwiderte mit einem Seufzer Madame de Sourdis – wollte selbst vergessen haben, was alles sie einst ins Werk gesetzt hatte, damit die Bestimmung Gabrieles erfüllt wurde.

Bellegarde betrachtete die Kinder, die verlobt wurden. Der kleine Vendôme war zu schnell entwickelt, groß und dick, er gefiel ihm nicht. Dennoch ließ er sich nochmals rühren, er allein. ‹Armer Junge›, sprach er bei sich. ‹Im Grunde ist nichts geschehen. Man kennt das Ende vom Lied nicht.›

Das Edikt

Die Festlichkeiten zu Ehren des großen Vertrages, so viel Volk herbeilief, um zu staunen, in einem enttäuschten sie. Die schönste Frau blieb ihnen fern. Ihr Zustand erlaubte kein öffentliches Auftreten mehr. Sobald der König sie begleiten konnte, reisten diese beiden nach der Stadt Nantes, dort gebar seine teure Herrin ihm den zweiten Sohn, Alexander. Nach einem Cäsar ein Alexander, und erhielt den Titel Monsieur wie ein Kind Frankreichs.

Burg und Stadt Nantes waren gerade erst den Königlichen ausgeliefert. Da er nach seiner Ankunft sogleich seinen Alexander Monsieur bekommen hatte, unterschrieb König Henri das Edikt von Nantes – hingerissen vom Vaterglück. So sah es aus und wurde kaum bezweifelt. Aber kurz vorher ging der große Vertrag, wobei das Verlöbnis zweier Kinder die Zurücknahme seiner letzten Provinz einschloß und verkleinerte – dies wohl überlegt. Wer aufgeschrien hätte, blieb still, fragt sich nur immer, wie lange. Jetzt sind wir angelangt in einem anderen Saal, unterschrieben wird das Edikt von Nantes.

«Jetzt sind wir angelangt», sprachen untereinander die katholischen Herren. «Hierher hat dieser König uns haben wollen. Die Besiegten sind wir.»

Der Kardinal von Joyeuse: «Er gibt Gewissensfreiheit. Heute erfüllt sich sein Tag. Ist er nun der Hugenott, der er war? Oder glaubt er seither gar nichts?»

Der Connétable von Montmorency: «Mich nennt er seinen Gevatter. Aber ich kenn ihn nicht.»

Der Kardinal: «Einst bei Coutras schlug und tötete er meine beiden Brüder. Sein Freund kann ich nicht sein. Ich bewundere seine Hartnäckigkeit.»

Der Connétable: «Wollen wir die Größe dieses Königreiches? Nur um den Preis der Gewissensfreiheit schließen wir in Vervins den Frieden als Sieger. Was er sonst meint, weiß ich nicht.»

Der Kardinal: «Gewissensfreiheit: wer als Christ dächte anstatt weltlich wie unsere heilige Kirche, der gäbe sie selbst. Indessen müssen wir weltlich denken, um zu bestehen.»

Der Connétable: «Er will bestehen, das ist gewiß. Er nennt sein Edikt unumstößlich.»

Der Kardinal: «Es ist aber unumstößlich nicht mehr und nicht weniger als er selbst.» Hier drehte der Kardinal die offene Hand um, den Rücken nach oben. Der Connétable verstand, daß ein Gestürzter am Boden läge.

«Wir sind die Besiegten», sagten die Katholiken, wenn sie nicht vorzogen, es nur zu denken. «Der König gibt die Ketzerei frei, aber wenn das alles wäre. Eure festen Plätze, ihr Protestanten behaltet sie. Wo sind unsere festen Plätze?» fragten sie einen aus der anderen Partei, der wegen der Enge des Saales von den Seinen fort und bis in ihre Nähe vorgeschoben war. Sonst hatte man oft vergessen, welchem Glauben dies und jenes Gesicht gehörte. Heute trennten sich die Religionen.

«Ihr sollt in vielen katholischen Städten euren Gottesdienst ausüben dürfen: wir bei euch nicht. Ihr sollt alle bürgerlichen Rechte haben, Beamte sollt ihr sein, Richter sogar.»

«Seid ihr es nicht?» entgegnete über mehrere hinweg Agrippa d'Aubigné. «Wer hat dem König sein Blut hingegeben, und leben wir noch, liegt's nicht an uns. Andere kenn ich, die waren eifrig dabei, diesen Staat zugrunde zu richten Arm in Arm mit den Spaniern. Da jetzt unser König der Herr ist dank unseren gewonnenen Schlachten, wer verlangt alle Ämter und die Staatskasse für sich allein? Die ihn verraten hatten und täten es wieder.»

Das Wort «verraten» sprach Agrippa etwas zu gehoben; übrigens stritt man, aber dämpfte die Stimme: der König erließ sein Edikt. Für das Wort «verraten» würden die Herren, denen Agrippa es zurief, ihm gern eine Lehre erteilt haben. Der kurze Wuchs des mutigen Agrippa verhinderte es, da man ihn hinter den längeren Protestanten nicht entdeckte, und diese stießen ihn rückwärts, damit er verschwände.

Bei den Protestanten sagte Marschall de Roquelaure zu Herrn Philipp Du Plessis-Mornay: «Sie blicken darein wie Bitterwasser. Ist dies nicht der fröhliche Tag?»

«So nannten wir den Tag von Coutras», sagte Mornay. «Damals waren wir das Heer der Armen. Das Heer der Verfolgten um der Gerechtigkeit willen.»

Roquelaure: «Unser König hatte hohle Wangen, ich seh ihn noch.»

Mornay: «Sie brauchen sich nur hinzuwenden, seine Wangen sind hohl geblieben, seine Schlacht geht weiter.» Mornay hätte gern hinzugesetzt: Und ich hab es mit Herrn de Saint-Phal zu tun auf Tod und Leben. Schlimmer: wenn mein Traktat über die Messe erscheinen wird, verlier ich die Gnade des Königs. Der Marschall unterbrach ihn.

Roquelaure: «Der König erfüllt uns heute sein Wort, aber auch nur gerade das. Wir hätten im Staat die Ersten sein sollen, jetzt bekommen wir die Rechte der Geduldeten und keine Bürgschaft, daß es vorhält. Zwanzig Jahre gekämpft zu haben für die Gewissensfreiheit!»

Mornay: «Die ist errungen unumstößlich. Der König spricht wahr.» Mornay dachte aber: ‹Es ist die Gewissensfreiheit ein inneres Gut. Werden Zeiten kommen, da wir sie allein bewahren können im Herzen und in der Verbannung.›

Zwischen den beiden Protestanten entstand ein merkwürdiges Schweigen, es war gemacht aus Einblicken, die gewöhnlich stumm sind. Roquelaure äußerte zuletzt dennoch: «Einst hatte er das Königreich nicht und war nicht groß. Er und wir brachen trockenes Brot und beteten: Alle Heiden umgeben mich, aber im Namen des Herrn will ich sie zerhauen. Wer ist jetzt zerhauen? Wär auch umsonst. Die Erfüllungen lohnen nicht» – sprach mit verlegenem Gesicht Herr de Roquelaure, der bei Hof bekannt war durch seine Lachlust und leichtfertigen Spott.

Philipp Mornay, ein Mensch voll Qual, erwiderte, ohne daß sie einander ansahen: «Man darf nicht altern. Einen haben wir, der altert nicht.» Er wendete Brust und Gesicht nach seinem Herrn, ihn hat er erwählt in seiner Jugend.

König Henri, auf den Stufen, unter dem Baldachin, verkündet sein Edikt. Läßt keinen Notar es lesen; spricht es auswendig als seinen Willen und freies Belieben. Wer den richtigen Ton einhält zwischen Befehl und Gnade, könnte beim Anhören der eigenen Stimme vergessen, was er in Wirklichkeit hier wiedergibt, unter dem Baldachin: ein unvollkommenes Ergebnis, entstellt und aufgehalten bis in die letzte Stunde. ‹Verhandlungen und Zugeständnisse zum Schein; Streit und Abbruch, neue Fühlung der Parteien, vorn die schönen Reden, hinten die bösen Ränke, der Eigensinn, Haß und die eingefleischte Sucht nach Vorteil: viel ist meinem Edikt vorhergegangen. Auch meine zwanzig Jahre Kampf. Als kleiner König von Navarra, höchst ungewiß meines Lebens und des Thrones von Frankreich, hab ich vor Augen diesen fernen Tag gehabt. Dies wär ein mäßiges Auftreten unter dem gewohnten Baldachin und das Edikt wäre nichts: dennoch ist das Königreich mehr als Geld und Gut, mehr als die gemeine Macht über euch Menschen. Endlich weiß ich mich stark genug euch zu sagen: Ihr sollt frei sein zu glauben und zu denken. Daß doch einer hier wäre und mich hörte, dessen Augen und Ohren schon mit Erde gefüllt sind. Herr Michel de Montaigne, wir sprachen zueinander einst am Meeresstrand. Was weiß ich? war Ihr Wort. Wir tranken Wein in einem zerschossenen Haus, wir sangen den Horaz, Sie und Ihr geringster Schüler, der jetzt unter dem Baldachin steht und sein Edikt verkündet. Sie würden sich freuen. Ich freue mich.›

Er war der einzige, Genugtuung zu empfinden und bemerkte es wohl. Keine der Parteien war zufrieden, sie nahmen nur hin, was er ihnen beschied, weil er endlich stark genug war: die Gewissensfreiheit – mitsamt ihren Folgen. Zu seinem erhöhten Platz starrten sie von allen Seiten, als wäre die Majestät allein genug, um die Veränderung der Gesellschaft hervorzubringen, und Wechselfälle des Kriegs und Friedens lägen keine vor diesem Tag. Henri denkt: ‹Die Mühen sind lang, der Erfolg ist zweifelhaft, die Freude kurz. Seien wir kurz und kommen zum Schluß, bevor sie recht erstaunt sind. Das Verlöbnis der Kinder, die Geburt meines Sohnes, das feiern wir, und aus lauter Vaterglück mach ich euch alle gleich, den Herren nehm ich ihre Provinzen, ihre Macht. Die Religionen unterscheiden euch nicht länger im Staat und demnächst kaum die Stände. Hört nicht zu genau hin, wir machen's kurz.›

«Ich teile die Protestanten meines Königreiches in zehn Gebiete, deren jedes über sich selbst bestimmen soll durch seine Vertreter: zwei Pastoren, vier Bürger und Bauern, vier Edelleute. Ihre Anliegen und Unstimmigkeiten entscheide ich selbst.»

Der König hat gesprochen. Er nimmt von seinem Kanzler, dem alten Cheverny, das Pergament, unterschreibt es und grüßt die Versammlung zum Abschied. ‹Das haben sie dahin›, denkt Henri. ‹Nachher die Milde und der Ausgleich, damit sie sich gewöhnen.›

Die meisten hatten einfach die Majestät angestarrt. Einige, die begriffen hatten, erklärten einander: «Vier Edelleute gegen sechs vom dritten Stande. Bei den Protestanten fängt er an.»

«Das ist die Herrschaft der Gemeinen.»

«Wenn es nicht die Allmacht der Majestät ist.»

Henri war unter der Tür, da wurde gerufen: «Der große König lebe!»

Er ging aber hinaus, als meinten sie einen anderen.

Größe und Besitz

Die Stromfahrt

Die teure Herrin sollte eine leichte Reise haben. Der König brachte sie zu Schiff von Nantes bis Orléans, eine lange und gefühlvolle Fahrt. Der Fluß La Loire glänzte mild vom Licht des Mai, das weiße Gewölk schwebte und zerging. Das Schiff des Königs segelte im sanften Wind langsam den Fluß hinan, und der hat flache, stille Ufer. Blumige Wiesen und die Kornfelder verlaufen bis an das Ende der Aussicht, dort blaut ein Wald. Vorn erscheinen Schlösser mit furchtbarer Wucht, aber ihre Türme sind umstrickt von Rosen. Wär es nur einer von vier Türmen, den die Ranken verjüngen, schon zeigt das Wasser kein altes und wildes Bild, sondern gespielt wird ein verträumtes.

Die Städte Angers, Tours und Blois sollen nacheinander ihre friedlichen Schatten in die Flut versenken; dazwischen haben die Dörfer, Weiler, Hütten um sich viel Raum. Glitt nun dies Schiff herbei, sogleich bemerkten die Kinder bei ihrem Spiel, daß es kein Schiff wie andere war. Am Fleck, mit leeren Händen, die kleinen Bäuche hervorgestreckt, erwarteten sie es, ihre Augen wurden ernst und ganz aufmerksam.

Das Schiff hat Dächer aus Stoff, von ihnen hängen Kränze bis in das Wasser, so daß Blumen das Schiff begleiten. Dieses ist prächtig ausgebuchtet, bemalt, und seine Segel schwellen. Die vergoldete Figur am Bug bläst in ihre Trompete, so tut die Ruhmesgöttin vielleicht und gewiß das Gerücht. Der Bauch des Schiffes enthält Schlafzimmer für alle Herren und Damen; nur der König und die Herzogin von Beaufort wohnen an Deck. Unter den Zelten, die Lauben sind, werden die Mahlzeiten verzehrt. Hier auf dem glücklichen Fluß tafelt der König nicht mehr allein und am erhöhten Tisch. Er sitzt zwischen anderen, alle reihen sich nach ihrem Belieben, ein Heiterer neben einem Groben, die stolze Frau gegenüber der frommen.

Sie verstehen einander, denn alle sind auf einer glücklichen Fahrt begriffen und sehen ein, damit die Fahrt glücklich bleibe, müssen sie selbst es sein. Die teure Herrin des Königs ist durchaus auf Händen zu tragen; wer zu ihr spricht, habe eine gesegnete Stimme. Die bekam denn auch Marschall Biron, so ungefüge er sonst war. Ja, Rosny, der Mann von Stein, erweichte sich hörbar und sichtlich. Seine Gemahlin übertraf ihn noch, sie bezwang ihre Natur, bis sie liebenswürdig wurde. Madame de Rosny haßte Gabriele natürlich mehr als ihr Mann, da es sein Haß war: den nährte sie bei sich. Aber von seinen stillen Zugeständnissen an Gabriele machte sie keines, kannte nicht einmal die Verdienste der Feindin, ihr Mann verriet sie ihr nicht. Der unwissende Haß der Frau gab ihm Mut zu dem seinen, der so unkundig nicht war.

Sie war seine zweite Frau, eine reiche Witwe mit sehr langer Nase, zwinkernden Augen, schwachen Brauen, einer übermäßigen Stirn und der Mund unbedeutend, als hätte sie keinen. Wenn diese Alternde lächeln wollte, sah sie hilflos aus: damit rührte sie Gabriele. Die Herzogin bat ihre liebe Freundin Madame Schwester des Königs, daß Madame de Rosny zwischen sie beide hineinrücken dürfte. Es war ein Tag, als die Wolke im Vorübersegeln etwas Regen auf das Zelt sprühte. Die Bäuerinnen hinter den Ufern verrichteten ihre Arbeit in Röcken, die sie über die Schultern zogen, die Männer bedeckten den Kopf mit Säcken, bevor sie eine Zuflucht suchten.

Madame de Rosny flötete: «Frau Herzogin, ich bin glücklich. Wir alle sind glücklich über Ihr Glück. Und sehen Sie selbst, wie die Landleute herbeieilen, Sie zu begrüßen, von deren Schönheit, Güte und Verstand die Kunde bis hierher gelangt ist.»

«Madame, bemerken Sie denn nicht, daß die Leute nur laufen, weil es regnet?» fragte Gabriele. Vergebens, die Schönrednerin war nicht aufzuhalten. Ihre kursichtigen Augen erkannten alles, was sie wollte, sonst aber nichts.

«Da haben Sie die Schäfer und Schäferinnen aus Ihrem Park Monceaux, hier gibt es sie in Natur. So reichlich und angenehm sind alle, wie Sie es gewünscht haben. Es ist Ihr Verdienst», sagte die Falsche.

Gabriele erwiderte einfach: «Madame, ich bin zufrieden, daß Ihre Eindrücke freundlich sind. Sie denken, wie Sie sprechen. Nun verhält es sich derart, daß der König in Anbetracht der armen Menschen, die hier leben, die Weiden zu üppig, die Äcker zu fruchtbar, die Wälder zu tief findet. Auch die Schlösser zu stolz. Er hofft, daß seine Bauern so oft nicht fasten wie vor seiner Zeit. Aber er will nicht nachlassen, bis endlich ein jeder des Sonntags ein Huhn im Topf hat.»

‹Ei du kluge Schlange, schiebst alles auf ihn›, dachte die Falsche. Hiernach schützte sie ihre Unerfahrenheit im Wirtschaftlichen vor, obwohl sie in Wahrheit die geizigste Schloßfrau war, und ihren Leuten ging es elend. Gabriele war unterrichtet; um so heller stellte sie Herrn de Rosny und seine Arbeiten ins Licht. Die Wohlfahrt des Volkes, besonders der Landwirtschaft, ohne ihn wäre sie nicht gediehen. «Niemals will der König ihn entbehren», versicherte sie sehr zum eigenen Nachteil. Madame de Rosny erschrak über das Wort, sie begriff es nicht anders, als daß die Liebste des Königs seinen Minister beseitigen würde, sobald sie könnte. Das beschloß sie ihrem Mann zu berichten; nur noch einige Schmeicheleien und sie räumte den Platz. Ihr Haß gegen Gabriele, der eigentlich seiner war, sie hatte damit gewuchert und brachte ihm den Zins.

Diese Dame erlebte indessen die Überraschung, daß Rosny seine harten Augen fest auf sie legte, um zu sprechen: «Wir haben einen großen König. Wir haben einen König, dessen Glück nie untergeht.»

Herr de Rosny wußte am besten, wie er es meinte. Nicht lange, und eine Schar von Reitern sprengte senkrecht gegen den Fluß, an seinem Rande hielten sie, die Hüte wurden geschwenkt. Der König ließ das Schiff anlegen.

«Marschall de Matignon», rief er hinüber. «Sie bringen gute Botschaft?»

Seine Stimme war fest, trotz einer Spannung seines Geistes, als sollte er tot zusammenbrechen, bevor er die Botschaft erführe.

Matignon warf seinen Hut im Kreise herum, er verkündete hell: «Sire! In

Vervins ist Frieden geschlossen. Die spanischen Gesandten haben alles unterschrieben. Sie reisen nach Paris, Eurer Majestät aufzuwarten. Dies Königreich bekommt Frieden auf immer, da der große König gesiegt hat.»

Das letzte rief Matignon in das Land hinein, wo es denn gehört wurde. Verstanden die Leute noch nicht, was vorging, aus Neugier verließen sie dennoch ihr Feld und ihre Hütte. Ja, jetzt wurde herbeigelaufen. Das Gedränge beim Landungssteg war dicht genug, dahinter stieg man auf Karren, Kinder schwangen sich in die Obstbäume, die kleinsten wurden von ihren Vätern an ausgestreckten Armen hinaufgehalten. Alle waren vor Erwartung still, sahen den König die Lippen bewegen, das Wort aber hörten sie nicht. Zuletzt kam es.

«Fried! Fried!»

Dies im Ton des Soldaten. Leise folgte: «Kinder, ihr habt Frieden.»

Die einen betrachteten die Gestalt des Königs, wegen seines ersten Ausrufes, aber für seinen zweiten, heimlichen blickten andere ihm in die Augen. Sie ließen sich Zeit, sahen ihn genau an, bis sie hinknieten – anfangs nur ein paar. Als alle niedergelassen waren, stand aufrecht zwischen ihnen ein Bauer im kräftigsten Alter; der sprach: «Herr! Sie sind unser König. Wenn Gefahr für Sie ist, rufen Sie uns!» Der König in Gefahr: darüber lächelten sie nachsichtig auf dem Schiff. Gabriele d'Estrées erschrak und griff nach seinem Arm. Sie wäre gefallen, sein Arm hielt sie. Der kräftige Bauer rief her, manchem klang es drohend: «Herr! Ihre Königin soll von uns beschützt werden wie Sie.»

Hier wurden sie im Gegenteil recht ernst auf dem Schiff, fühlten sich betroffen und wagten keine Regung. Nur gut, daß inzwischen das Weißbrot und der Rotwein eintrafen. Kinder reichten die Gaben dem König, er aber teilte sie mit dem Bauern, der gesprochen hatte. Jeder der beiden aß ein halbes Brot, tranken auch aus demselben Becher.

Das Schiff fuhr weiter, die gute Botschaft vom Frieden aber eilte ihm voraus. Wo es fortan zu menschlichen Stätten kam, waren Hände zugegen, die ihm das Seil hinwarfen, damit es verweilte. Viele Hände wurden gefaltet, und gefaltet auf und ab bewegt. Da es vorbeiglitt, warfen viele Hände, so viel sie fassen konnten, Blumen auf dies Schiff. Die Herren fingen sie im Flug und legten sie auf die Knie der Damen. Grüße und Blumen entgegenzunehmen, streifte das Schiff bald eines, bald das andere Ufer; Bäume waren oft herübergeneigt, und auf das Deck schneiten Blüten.

Bei der Stadt Tours warteten die fremden Gesandten; waren von Nantes her mit ihren Karossen schneller gefahren als ein Schiff, das auf dem Fluß La Loire leicht zu gleiten scheint, wird aber angehalten von der Masse der Gefühle, die muß es durchschneiden. Die Gesandten, insofern sie befreundet waren, meldeten, daß ihre Höfe und Länder vom Ruhm des Königs voll wären. Er hat gewagt, seinen Protestanten das Edikt zu geben, was nicht verhindern konnte, daß die katholische Majestät von Spanien seinen Frieden annimmt, wie er ihn bestimmt. Dies gerade, weil er zuerst seinen Willen gezeigt und die Gewissensfreiheit befohlen hat. Hierfür stark genug befunden, wird er bei Feind und Freund der stärkste König auf Erden.

Die Gesandten Hollands, der Schweiz, deutscher Fürsten, der Königin von England und noch weiter her geleiteten den König nach seiner Stadt Tours, stolz und freudig, als wär er ihr eigen. Glockengeläute, Empfang am Tor, der Weg zu Fuß durch die Straßen im Schmuck, er lebe, heil, und dann das Mahl im Schloß. Einst war dasselbe Schloß die letzte Zuflucht des vorigen Königs vor seinen Feinden gewesen. Aus seiner Bedrängnis rettete ihn damals Henri von Navarra, machte auch damals schon den Sieger – für seinen Vorgänger, der endlich aber durch das Messer starb.

Bei Tisch, im Lärm der Stimmen, sagte ein Herr d'Etrangues: «Dem hab ich das Kinn gehalten auf seinem Totenbett. Wem werd ich es wohl noch drücken, damit es nicht wegklappt?»

Der Kardinal von Joyeuse: «Die Siege eines Menschen sind ebenso viele Versuchungen. Dieser König weiß es. Er hütet sich um Gottes willen und ist der beste Christ. Nur seinem Lachen trau so wenig wie seinen Tränen.»

An einer anderen Stelle der Tafel sprach Madame Schwester des Königs: «Der König, mein hoher Bruder, ist den geraden Weg gegangen allzeit. Daher seine Größe. Die Menschenfurcht ist mißliebig dem Herrn, seine Gnade fällt auf den, der festen Herzens ist.»

Marschall de Matignon: «Das war ein Weg! Vom Unglück bis zum Weltenruhm – und wie hat er ihn gemacht? Ohne Anstrengung möcht ich heute sagen, so oft ich ihn in Schweiß gesehen habe. Auf Flügeln des Gesanges, sag ich, der selber Verse macht, lateinisch und in der Volkssprache.»

«Wenn es nur dauert», murrte einige Plätze weiterhin Turenne, Herzog von Bouillon.

«Da es Größe ist, dauert sie», flötete Madame de Rosny vernehmlich genug, daß Gabriele es hörte. Sie neigte sich alsbald zu ihrem geliebten Herrn.

«Sire! Man behauptet, die Größe wäre ein unvergänglicher Besitz.»

«Und kennt doch niemand die kurzen Augenblicke des Lebens, als er sie vielleicht hatte», sagte Henri am Ohr der reizenden Gabriele. «Wir könnten alles verlieren», flüsterte er ihr zu. «Verlören doch unsere Liebe nicht.»

Der Abend ist nahe, alle begeben sich hinunter zum Fluß, um weiterzureisen mit dem glücklichen Schiff. Halt, was kommt entgegen? Ein Aufgebot von Bewaffneten, in ihrer Mitte ein Gefangener: Herr de Saint-Phal. Da ist er, man hat ihn. Mornay! Wo bleibt Mornay?

Er wurde gesucht und aufgefunden in einem Versteck der Stadtmauer. Wollte nichts wissen von einem solchen Wiedersehen, hatte aber danach gegiert, gejagt, gestöhnt und irre geredet all die vielen Monate lang. Da sie nun voreinander standen, der Geschlagene und sein Angreifer, erbleichte und zitterte von ihnen nur einer. Der zweite kniete hin, als kennte er es nicht anders, und sprach die Abbitte wörtlich nach Befehl. Er legte künstliche Inbrunst hinein, er trug Zerknirschung stark genug auf, daß jeder die Verstellung bemerkte. Ja, Vergnügen war bei Herrn de Saint-Phal zu argwöhnen, und wenn einer hier sein Mütchen kühlte, Philipp Mornay war es nicht.

Dieser sah nach dem König um, er bat ihn um ein Wort allein. Sie traten beiseite, indessen Saint-Phal auf seinen beiden Knien lag, so lange nichts anderes über ihn beschlossen war.

«Sire!» sagte Philipp. «Ich habe meinen Verstand zurück. Ich war um ihn gekommen, wie Sie wissen. Erweisen Sie mir die Gunst, Herrn de Saint-Phal zu entlassen und nicht in das Gefängnis zu werfen.»

«Herr de Mornay, rechtens muß er sitzen. Ein Edelmann und sein König, beide sind beleidigt worden.»

«Die Rache ist mein, spricht der Herr.»

«Philipp, du hättest früher hören sollen auf den Herrn.»

Da aber der Geschlagene nochmals reumütig bat, entschied Henri, daß Philipp seinen Attentäter selbst vom Boden heben sollte: dann werde Gnade für Recht ergehen. Mornay ging wirklich hin. «Herr, stehen Sie auf, der König verzeiht Ihnen.»

«Sie selbst», antwortete Saint-Phal und erfreute sich unverschämt an dem bleichen Gesicht seines Feindes, mit der geröteten Nasenspitze. «Sie selbst, Herr, können mir unmöglich verzeihen. Mir bleibt nur übrig, meine Tat zu büßen.»

Mornay sagte: «Sie sind unwürdig, daß ich Ihnen emporhelfe. Mir aber geschieht nach Verdienst.» Wobei er dem niederträchtigen Menschen unter die Arme griff.

Dieser widerstand und machte sich schwer. Zuletzt keuchten beide, indessen die Menge der Zuschauer lachte oder im Gegenteil vor Entsetzen starr war.

Saint-Phal keuchte: «Ich gehe ins Gefängnis, dir zum Trotz.»

Keuchte Mornay: «Ich werde täglich für dich beten, ob du es willst oder nicht.»

Hier befahl der König den Bewaffneten, sie sollten den Knienden auf die Füße stellen. Das vollführten sie mit Püffen und Tritten, die sie auch weiterhin nicht sparten. Während Saint-Phal abgeführt wurde, ging ihm auf, daß er in der Bastille nicht als Edelmann behandelt werden würde.

Philipp Mornay verlangte Urlaub von Seiner Majestät, er gedenke nach Saumur umzukehren.

«Herr Du Plessis», fragte Henri, «Ihr Traktat über die Messe bleibt doch in Ihrer Bibliothek verschlossen?»

«Sire! Das wäre meine schwerste Sünde, die Wahrheit zu kennen und nicht zu sprechen.»

Nach diesem Wort des Protestanten wendete der König ihm den Rücken. Man sah: der Protestant war in Ungnade. Einige andere empfahlen sich erleichtert.

Das Lied

Das glückliche Schiff war nicht mehr voll, als es mit dem Nachtwind segelte nach Blois und Orléans. Mehrere gingen schlafen, wenige wachten an Deck bei dem König und der Herzogin von Beaufort. Herr de Rosny schickte seine Frau hinunter, die ungefällige Witwe hätte ihn nur gestört bei einem gewissen

Vorhaben, dessentwegen er den Herrschaften seine Gesellschaft schenkte. Ferner blieben oben Marschall de Matignon als ein Liebhaber poetischer Nächte, und sonst nicht viel, nur ein Page, genannt Guillaume de Sablé. Der zwanzigjährige Wilhelm, weiter nicht von Bedeutung, zeigte auf der linken Wange ein großes Brandmal, hatte es von seiner Frau Mutter mitbekommen, und es ließ verschiedene Auslegungen zu. Man sah darin eine Rose, eine Festung und manchmal den Schoß einer Frau. Gabriele, die Wilhelm schon vom Hof entlassen hätte, war von Henri ersucht worden, ihn vorerst nicht anzusehen.

«Schön und lieblich ist er nicht», hatte Henri ihr aus diesem Anlaß zugegeben. «Was übrigens in ihm stecken mag, ich weiß es nicht. Dennoch bin ich gewiß, daß er kein junger Mensch wie alle ist. Er erinnert mich an Zwanzigjährige, die es einst mit mir zugleich waren. Haben es meistens ganz vergessen, aber das tut nichts: aus unserem Geschlecht wächst manchmal einer nach.»

Die beiden Herren und der Knabe sind abseits getreten. Jetzt ruht Gabriele in einem niedrigen Stuhl wie für ein Kind, Henri zu ihren Füßen liegt halb erhoben. Einmal lehnt er seinen Nacken an ihr Knie und blickt nach den Sternen; das andere Mal stützt er auf ihr Gelenk sein Kinn, dann zeigen die leuchtenden Welten ihm ihr schönes Gesicht. Sie bestreicht mit ihren Fingerspitzen seine Stirn, findet sie heiß und bittet ihn, unverwandt beim Glück der Stunde zu verweilen. Der Tag ist reich an freudigen Ereignissen gewesen, davon tragen beide den Nachklang im Herzen. Der Nachklang hat Worte, die aber beide weder kennen noch suchen:

«O Strom der Ströme, Kränze, helles Lachen –
Nur gute Boten nahen diesem Nachen.»

Henri antwortet dem Gestirn, das über ihm glänzt. Es hieße in Worten, wenn er die Worte ordnen wollte:

Die Mühen gebären neue Mühen, das währt bis an den Tod, ich will nicht hoffen darüber hinaus. Lang, lang – ist der Zwang. Die Ruh ist wohl das beste, dauert aber das beste nur diesen Atemzug. Die Freude, Ruhe, Sicherheit – der Baum, der auf uns Blüten schneit. Die Fahrt mit dir.

«Mit dir», spricht Gabriele, da sie Schritt hält und fühlt wie er. «Mit dir will ich unser Ziel und Ende erreichen. Mein teurer Herr, dessen bin ich getrost.»

Da küßt sie ihn und er sie lange, tief, für ihre Lebenszeit. Fahren miteinander allein den Fluß La Loire dahin, in ihren Herzen den Nachklang:

«O Strom der Ströme, Kränze, helles Lachen –
Nur gute Boten nahen diesem Nachen.»

Das Kinn auf ihrem Knie, sieht er in ihr Gesicht und sie in seines.

«Deine Größe, Herr», sagt Gabriele. «Seit heute ist sie der Glaube der Welt und kann nicht mehr vergehen.»

Henri lacht leise, lacht sie aus – und sogleich sie ihn. ‹Wir beide wissen doch. Das Wasser unseres Stromes, er hat keine Minute seines Daseins dasselbe. Ist er denn da? Nicht schon verflossen, während wir ihm zusehen, in das vergeßliche Meer?› Er dachte es – gleich fühlte auch sie es. In beiden erklang, was wörtlich gelautet hätte, daß alles kurz und gerade darum schön ist. Die Freude, Ruhe, Sicherheit, der Baum, der auf uns Blüten schneit. Von unseres armen Leibes Blöße bleibt nichts – und bleiben soll die Größe?

Hier hörten sie in einiger Entfernung den Marschall de Matignon schwärmen. Er redete hochgestimmt von den Schlössern am Strom, ihren stillen Schatten im funkelnden Strom, sie selbst nur unwirkliche Gebilde, niemand heute nacht geht durch ihre verzauberten Tore ein und aus und will sie keiner besitzen.

Man sah die Herren nicht, jetzt meldete sich eine äußerst klare, nüchterne Stimme.

«Das wäre! Und will sie keiner besitzen. Gleich kommen wir in Höhe von Schloß Sully, das Herrn de la Trémoïlle gehört. Fragen Sie ihn nur, ob er es umsonst gibt oder vielleicht einhundertsechsundzwanzigtausend Pfund für Schloß und Gebiet Sully fordert.»

Davon sei nicht die Rede, meinte der anders gestimmte Matignon.

«Sehr ist davon die Rede», behauptete Herr de Rosny und sprach nochmals die lange Zahl aus, jeden ihrer Teile sorgfältig vom anderen getrennt. «Wenn das nicht soviel Geld wäre, ich hätte Sully bei meiner Ehre. Allerdings könnt ich es billiger bekommen und schließlich umsonst: soll aber entgegen meiner Ehre den Herzog von Bouillon begünstigen, anstatt daß ich der gute Diener des Königs bin. Das käme mir nicht in den Sinn. So stattlich ist kein Schloß, so einträglich keine Länderei.»

Er verstummte und ließ den Umriß des Schlosses für sich sprechen. Seine Türme und Dächer erschienen eines nach dem anderen, erhoben sich aus schwärzlichen Massen Laubes und grüßten verklärt. Der Marschall und der Minister, die man nicht sah, grüßten gewiß zurück, jeder auf seine Art verzückt. Das helle Gemäuer badete vorn im Wasser: der Strom und sein Zufluß umfingen dies Schloß. Nach hinten wuchs es empor, eine Insel trug die beiden höchsten Türme, das weiteste der spitzen Dächer, und alles war überspült vom Schein des nächtlichen Himmels, und alles umglänzt vom funkelnden Strom.

«Wie schön!» sagte Gabriele.

«Ein Besitz, Ihrer würdig, Madame», sagte Rosny, der hervorkam.

«Nicht meiner», sagte Gabriele. «Des besten Dieners. So ist gewiß die Meinung des Königs.»

Henri wiederholte, als ob er an etwas anderes dächte: «So ist meine Meinung.» Er besann sich auf die Gegenwart und entschied: «Herr de Rosny, Ihr Glück soll gemacht werden, wenn dies Ihr Glück ist. Über die Beschaffung des Kaufpreises sprechen wir noch.»

Rosny erschrak vor Freude – hatte nicht geglaubt, den Besitz so glatt zu erwerben. Der setzt keine leichtfertige Zuversicht in ein Vorhaben, obwohl er ihm seinen Schlaf geopfert hat und wacht deshalb mit den Herrschaften. Vor Schrecken wollte er dem König die Hand küssen, Henri war aber auf einmal verschwunden. Rosny mußte seinen Dank und sein schwer bewegliches Herz, das dies eine Mal gerührt war, der teuren Herrin zuwenden.

Henri hatte den Schatten eines Zeltes aufgesucht, stand am Rande des Schiffes und sah über Bord. Im Rücken wurde Schloß Sully von Bäumen langsam zugedeckt, erglänzte ein letztes Mal und ging unter. Ihn kümmerte es nicht, er sann: ‹Besitz – aber wann besitzen wir? Ein Schloß mit seiner Landwirtschaft kann aufbrennen, ein Königreich verlorengehen. Der Tod ist immer zugegen und nimmt uns zu seiner Zeit beides. Dies war eine glückliche Reise, ich habe die letzte meiner Provinzen in meinen Besitz gebracht, meinem Feind den Frieden abgerungen. Höher hinaus, schwerer erreicht, ich habe die Gewissensfreiheit durchgesetzt, was all mein Trachten von je war. Ich besitze dies Königreich, wie noch kein König es besessen hat, seine Gestalt und seinen Geist. Was aber besitz ich wirklich?›

Indessen er dachte und seine Betrachtung frei zu lenken meinte, erschien ihm ungerufen das vergangene Bild eines jungen Henri: achtzehnjährig und besaß gar nichts. Der ritt mit seinen Freunden, alle um das zwanzigste Jahr, gegen Paris; sollte bei der Ankunft seine liebe Mutter Jeanne getötet finden, kam alsbald selbst unter die Macht der alten Königin, und diese hatte die Bartholomäusnacht in ihrem lasterhaften Sinn schon ausgebrütet. Als es geschehen ist und seine Freunde sind ermordet, wird der junge Henri Navarra der Gefangene der bösen Fee und bleibt es lange. Ahnt ihm davon, als er vornweg, umgeben von anderen, von vielen gefolgt, in einem geschlossenen Haufen gegen Paris reitet?

Der geschlossene Haufen gleichgesinnter Abenteurer ist fromm und verwegen. Sie verführen in den Dörfern die Mädchen, aber untereinander sprechen sie oft von der Religion. Sind alle aufsässig gegen die Mächtigen, mit denen Gott nicht ist, sondern ihn haben die Zwanzigjährigen mit sich – dergestalt, daß Jesus in eigener Gestalt stündlich aus dem nächsten Prospekt von Felsen biegen kann, um sich an ihre Spitze zu setzen. Für sie alle sind seine Wunden frisch und bluten noch. Seine Geschichte ist ihre Gegenwart, sie erleben ihn wie sich selbst. Jesus! ruft einer, es ist Philipp Mornay. Ruft es mit einer Macht, daß alle aufhorchen und sich umsehen, bereit, den Herrn zu umringen und würden ihn laut anreden: Sire! Das vorige Mal sind Sie Ihren Feinden unterlegen und mußten sich kreuzigen lassen. Diesmal, mit uns, werden Sie siegen. Schlagt sie tot! Schlagt sie tot!

Henri in seinem achtundvierzigsten Jahr sah diese alte Erscheinung wieder; ihm wurde heiß, er faßte den Rand seines glücklichen Schiffes fester und hätte sehr schwer geseufzt. Noch vorher erinnerte er sich, daß er auf dem glücklichen Schiff fuhr, und wonach die jungen Abenteurer getrachtet hatten, das besaß er. ‹Hab ich mit mir den Herrn? Was weiß ich? Schon damals glaubte ich nicht, daß Jesus uns durch seine Gesellschaft auszeichnen werde, nur weil wir protestantisch wären. Die anderen waren seiner im Ernst gewärtig, und ich liebte sie dafür.› – «Holla! Dort steht noch einer von ihnen.»

Dies sagte Henri beim Anblick des Pagen Guillaume de Sablé. Auch der Knabe Wilhelm hielt sich vor dem Geländer allein; er schien gewachsen, die Nacht und was geheimnisvoll vorging in ihm und ihr, erhob ihn über sich selbst. Sichtlich war er den Sternen nah, ihr Licht floß seine Wange entlang, um das vieldeutige Brandmal. Er hatte die Zähne fest aufeinander, davon traten die Muskeln aus dem mageren Gesicht. Die Augen spiegelten die leuchtenden Welten und das Fieber seines Geistes.

«Wovon träumst du?» fragte eine Stimme. Der Page suchte, fand niemand, aber der Unsichtbare sagte: «Du träumst, du wärest Marschall von Frankreich. Vielleicht wirst du es einst sein. Mit uns reist einer, der Verse reimt. Du hältst dich gewiß für einen Dichter. Versuch es, gestalte die treffenden Worte von einem König, der sein teuerstes Gut gewonnen hat und besitzt es. Sooft er Abschied nahm von ihr, hat kein Krieg und Sieg ihm den Schmerz der Liebe gelohnt. Durch Krieg und Sieg bekommen wir ein Königreich, niemals den schönen Stern, in den wir blicken wollen, bis wir selbst erlöschen.»

Die Stimme aus dem Dunkel brach ab, der Knabe Wilhelm fühlte, daß er allein war.

Henri saß seit einer Weile bei Gabriele. Die Herren Rosny und Matignon unterhielten den König mit seiner Liebsten, beflügelt und heiter waren alle, entgegen seiner Übung lachte der neue Schloßherr von Sully. Da trat bescheiden und artig der junge Sablé vor diese vier Personen hin; verneigte sich; wartete, daß der König befehle. Der König winkte ihm, er sagte: «Sing dein Lied!»

Worauf der unerwartete Gast die Frau Herzogin von Beaufort tief grüßte und wirklich anstimmte.

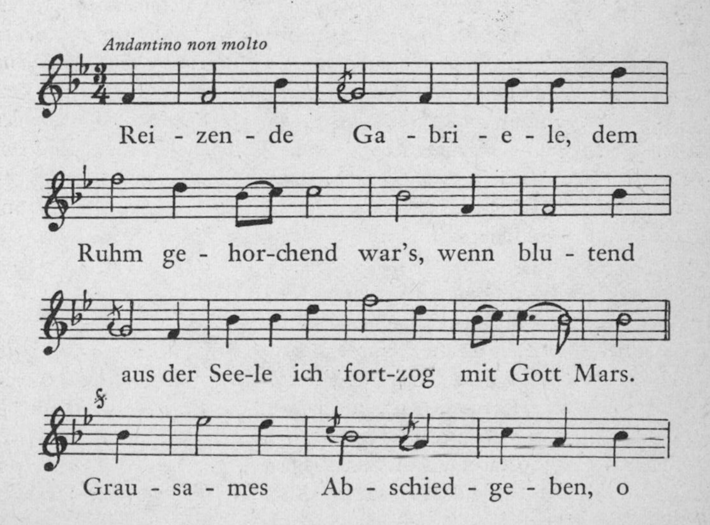

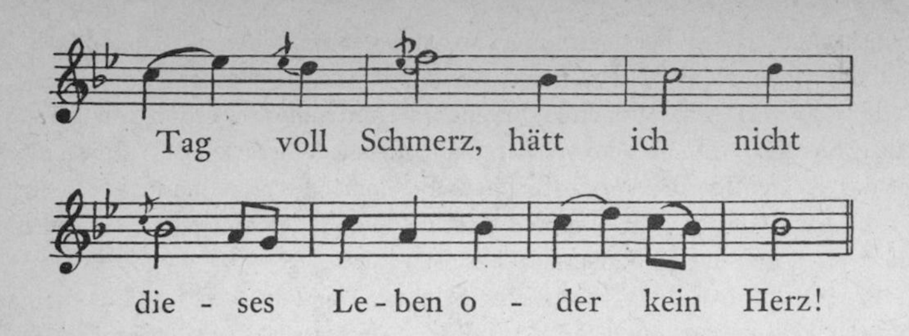

«Von vorn», verlangte der König. «Die Schiffsleute wollen auch hören.»

Mehrere der Männer, die auf dem glücklichen Schiff die Segel setzten, waren leis herzugekommen, da sie singen hörten und von dieser frischen, zärtlichen Stimme. Frommes Lauschen, das heimliche Schluchzen des Wassers am gleitenden Kiel, und Wilhelm, den wahrhaftig niemand unterbrechen mochte, sang das Lied.

«Reizende Gabriele,
Dem Ruhm gehorchend war's,
Wenn blutend aus der Seele
Ich fortzog mit Gott Mars.
  Grausames Abschiedgeben,
  O Tag voll Schmerz,
  Hätt ich nicht dieses Leben
  Oder kein Herz!

Amor muß mich nicht mahnen,
Du hast mich angesehn –
Schon folg ich seinen Fahnen,
Dem großen Kapitän.
  Grausames Abschiedgeben,
  O Tag voll Schmerz,
  Hätt ich nicht dieses Leben
  Oder kein Herz!

Ein Königreich, mein werde
Durch Krieg es und Geschick.
Die ganze weite Erde
Gehorche deinem Blick.
  Grausames Abschiedgeben,
  O Tag voll Schmerz,
  Hätt ich nicht dieses Leben
  Oder kein Herz!

Du Stern, den ich verlassen,
Dein denken, welche Not!
Ich muß vom Schmerz verblassen,
Erschein! Sonst wär ich tot.
Grausames Abschiedgeben,
O Tag voll Schmerz,
Hätt ich nicht dieses Leben
Oder kein Herz!

Als Wilhelm geendet hatte, blieb es lange ganz still, wenn man ein heimliches Schluchzen ausnimmt: wie das des Wassers am gleitenden Kiel. Endlich erhob sich die Frau Herzogin von Beaufort; das Muttermal des Pagen Guillaume de Sablé verblaßte im Licht der Gestirne, es konnte eine Rose sein, eine Festung oder der Schoß einer Frau. Das küßte Gabriele.

Die Schiffsleute stiegen zu den Segeln hinauf, dort oben übten sie das neue Lied, so gut sie es behalten hatten. Wilhelm sagte zu dem König: «Sire! Es ist Ihr Lied.»

«Ich habe die Worte diktiert, aber nicht aneinander gereiht», antwortete Henri und gab dem Knaben die Hand. Einen Blick warf er auf den neuen Schloßherrn von Sully – hatte das Gesicht, mit dem er sonst die Leute aufzog. Aber er verschwieg, was er meinte. ‹Unser Besitz? Ein Lied, das alle singen werden.›

Sogleich wurden seine Mienen zärtlich bewegt, feierlich und fromm in dem Gedanken an die alten Psalmen, die er oft gesungen hatte, und ihnen glich sein Lied. Er sprach es der reizenden Gabriele ins Ohr, als er sie fortführte.

Frieden oder Krieg

Am Hof von Frankreich wurde damals gut gegessen. Nach dem siegreichen Frieden war die erste Sorge des Königs, daß er aus seiner Heimat Béarn die fettesten Gänse bestellte. Mit Tafeln, Jagen und festlicher Unterhaltung wollte er sich selbst und die Welt überzeugen, daß keine Gefahr mehr drohte: er säße im Besitz. Die Welt schien es wirklich zu glauben. Der König bei häufigen Schauessen führte seinen bekannten Appetit vor, hatte ihn indessen verloren. «Früher gab es nichts», sagte er unter Freunden. «Jetzt mag ich nichts.» Sein Jugendgefährte Marschall Roquelaure erklärte ihm den Fall. «Sire! Früher waren Sie exkommuniziert. So einer schlingt wie der Teufel.» Der König wußte es besser.

Ob in Sicherheit oder nicht, den vorläufigen Hafen hatte er erreicht. Unternehmungen noch größeren Maßes – sie hätten ihn in Wahrheit zu dem Retter des Erdteils gemacht, bis jetzt war er es in den Augen anderer, nur in seinen nicht. Er kannte seine Sendung, vertagte sie aus Weisheit und verzichtete: nicht in Sorge für seine Person, die davon den Ruhm gehabt hätte, aber um seines Volkes willen, denn es hätte nur die Last getragen. Fried! Fried!

Mylord Cecil und der Prinz von Nassau wurden im Louvre empfangen, noch bevor die spanischen Gesandten ihren feierlichen Einzug hielten. Der König ging ihnen schnell entgegen.

«Don Philipp ist tot.»

Er nahm den Hut ab, warf ihn übrigens auf den Boden und bat seine Verbündeten, es ebenso zu machen. «Das spanische Zeremoniell hat ausgedient.»

Mylord Cecil: «Natürlich ist der alte Schurke tot. Was sollte er noch anderes tun, nachdem Sie ihn geschlagen haben – außer sterben.»

Prinz von Nassau: «Ihm selbst blieb nichts übrig. Was Spanien angeht –»

König Henri: «Sie meinen die universale Monarchie.»

Prinz von Nassau: «Ich meine die Banditen, die allerdings aneinandergekettet sind auf ihrer Galeere, und so regieren sie die Welt.»

Mylord Cecil: «Ich liebe den Gedanken, daß die Angreifer, mögen sie diesen unglücklichen Erdteil nun verwüsten, wenigstens an derselben Kette hängen, und mit dem ersten fallen noch mehrere.»

König Henri: «Meine Herren, es ist eine Zeit für den Krieg und ist auch für den Frieden eine.»

Mylord Cecil: «Ich bin wahrhaftig der Freund des Friedens.»

Prinz von Nassau: «Der Friede muß, damit es der Friede ist, doppelt beliebt und beiden Teilen willkommen sein: nicht uns allein, auch dem Angreifer. Dieser heuchelt den Frieden. Spanische Heere, Sire! Seit Ihrem hochberühmten Friedensvertrag von Vervins sind in Europa keine mehr zu sehen.»

Mylord Cecil: «Anstatt ihrer treten freiwillige Truppen auf, ich würde sie Diebsbanden nennen und jeden einzeln aufhängen. Freiwillig! Heißen Spanier, sind aus aller Herren Ländern, kein Staat hat sie geschickt, erklärt auch keiner den Krieg und will's beileibe nicht gewesen sein. Ein neues Verfahren, fein ausgedacht, kurios zu betrachten für einen britischen Friedensfreund.»

Prinz von Nassau – vergißt sich, springt auf, schreit: «Für keinen niederländischen! Keinen deutschen! Mein Land geht zugrund. Mein Volk wird vernichtet. Das ist ärger als erklärter Krieg, es ist greulicher und widersteht der Seele mehr. Sire! Helfen Sie. Der einzige König sind Sie, der das Schwert trägt.»

König Henri – schweigt.

Mylord Cecil: «Nassau, setzen Sie sich. Es läßt sich ruhig sagen. Der König weiß wie wir, was vorgeht. Die Diebsbanden, die scheinbar niemandem gehören, aber jeder kennt ihre Auftraggeber – sie fressen nicht nur Holland auf, sie haben sich an Deutschland gemacht. Sie beißen in die Deutschen, ganz gleich ob protestantisch oder katholisch. Aber Katholiken und Protestanten haben auch schon angefangen, sich untereinander aufzuzehren. Das bringt gewisse Vorteile.»

Prinz von Nassau: «Vorteile! Ich fahre aus der Haut.»

Mylord Cecil: «Lassen Sie es. Ihren Landsleuten wird sie ohnedies abgezogen. Vorteile, will ich sagen, für den Angreifer. Er ist für nichts verantwortlich, wie wir erwähnten. Zweitens kostet sein schwindelhafter Krieg ihn nicht einmal das Schwarze unter dem Nagel, seine Banden machen sich selbst bezahlt.

Zum dritten und besten, der Zustand ist zeitlich unbegrenzt. Er muß nicht aufhören, solange die Banditen der totalen Weltherrschaft ihn brauchen.»

Prinz von Nassau: «Ein Jahrhundert!»

Mylord Cecil: «Ein halbes. Lange genug, daß dieser Kontinent vertiert. Ich sprach vom Zubeißen und Aufzehren, als ob es ein Gleichnis wäre. Man wird im wörtlichen Sinne erlernen, Menschen zu fressen.»

Prinz von Nassau: «Was beschließt der König, den Europa anfleht als seinen Retter?»

König Henri: «Mylord, will Ihre große Königin mir beistehen, wie schon so oft?»

Mylord Cecil – erhebt sich. Prinz von Nassau – springt auf.

König Henri – hat seinen Sitz schon verlassen.

Mylord Cecil: «Ihre Majestät ist bereit und willens, das Unternehmen durchzuführen mit ihren Streitkräften zu Wasser und zu Land.»

Prinz von Nassau: «Die Generalstaaten der Niederlande wollen aufbieten, was sie können.»

König Henri: «Dann wäre ich wahrhaftig der Stärkere; wäre stark genug, einem großen Krieg zuvorzukommen und meinen Namen segensreich zu machen vor Gott und Menschen. Es müssen höchst beträchtliche Gründe sein, wenn sie mir sogar das Heil meiner Seele verbieten würden, zu schweigen vom Ansehen der Welt. Verboten, sage ich, ist mir der Krieg, und verlange von den Herren, daß sie mich zu Ende hören. Auch ich mußte dem Legaten des Papstes das Wort lassen, als er mir hier im Zimmer ankündigte, ich würde dahin kommen, die katholische Christenheit zu bekämpfen. Ich stände im Verdacht, daß ich überall den Protestantismus zu meiner Sache machen wollte – dies nicht um des Glaubens willen, nur für meinen eigenen Ruhm. Inzwischen habe ich den Verdacht des Legaten bekräftigt, da ich in Nantes mein Edikt gab.»

Mylord Cecil, Prinz von Nassau – reden heftig durcheinander.

König Henri: «Meine Herren Verbündeten! Ihr Männer des Friedens und der Gesittung! Was der Angreifer treibt, ist ein Greuel. Die Welt war greuelhaft, solang ich es mit ihr zu tun habe. Ließ mich's nicht verdrießen. Krieg hab ich immer nur geführt um der Menschlichkeit willen. Das tat ich in meinem Königreich und würde dergestalt gegen eure Banditen ins Feld ziehen.»

Mylord Cecil, Prinz von Nassau – sprechen gleichzeitig: «Abgemacht! Sie handeln. Sind unser großer Mann. Mag doch ihr Heiliges Römisches Reich zerfallen, ihre heilige Kirche stürzen.»

König Henri: «Genau dies äußerte der Legat, setzte auch hinzu, daß ich damit der Herr der Welt wäre.»

Mylord Cecil – trennt sich vom Prinzen von Nassau, tritt zurück: «Das muß ein Scherz sein. Ihre britische Majestät ist weit entfernt, dem Krieg ein solches Ziel zu setzen.»

König Henri: «Ich auch – und will ihn nicht erst führen.»

Prinz von Nassau – würgt an seinen Tränen: «Sire! Erbarmt Sie diese arme Welt nicht?»

König Henri: «Ja. Und zuerst erbarmt mich mein Volk und Königreich. Denn diese haben zwanzig Jahre Krieg im Leibe, das gegenwärtige Geschlecht wird's bis an sein Ende spüren. Ich bin nicht der Herr des Schicksals und würde mich vermessen, wollt ich die anderen Länder bewahren vor dem großen Religionskrieg, den dieses Land durchgekämpft hat und hat ihn überlebt. Mein Königreich hat aus seiner langen Verwüstung eine neue Neigung zur Vernunft davongetragen: die will ich stützen, nicht abbrechen. Es hat offene Grenzen, vernachlässigte Festungen, seine Flotte ist in schlechtem Zustand, mehrere seiner Provinzen sind vom Krieg in Einöden verwandelt. Es ist nötig, wenn mein Volk Essen und Kinder haben soll, daß ich abrüste.»

Prinz von Nassau: «Damit Ihre Franzosen in Wohlstand und Behagen wohnen, verurteilen Sie den größten Teil Europas zu den alleräußersten Schrecken. Ihre Abrüstung überhebt die Banditen der letzten Furcht.»

Mylord Cecil: «Richtig ist, daß hierzulande das Glück der Bauern und Gewerbetreibenden sichtbar zunimmt.»

König Henri: «Und um glücklich zu werden, sind die Menschen geschaffen. Übrigens würden sie mich davonjagen, wenn ich es anders mit ihnen meinte. Mein eigenes Glück und Reich hängen an einer oder zwei verlorenen Schlachten. Ihr Herren, ob es mir lieb oder leid ist, ich schicke meine Heere nach Haus.»

Sie sagen: groß

Die spanischen Gesandten zogen in Paris ein. Sie erschienen feierlich, wie ein schwer erhandelter, der Ewigkeit bestimmter Friede es verlangte. Um so mehr verwunderte sie die Zwanglosigkeit des Hofes und eines Königs, der groß sein sollte. Das war ihr Eindruck nicht. Der König von Frankreich führte sie vor allem in sein Ballspielhaus, dort ergab sich die allerhöchste Person einem hartnäckigen Kampf gegen ihren Marschall Biron den Jüngeren und den Prinzen von Joinville. Von der Galerie sahen maskierte Damen den Sprüngen und Griffen der unermüdlichen Majestät zu. Don Luis de Velasco, der Admiral von Aragon, Graf Arenberg und die ganze spanische Delegation suchten unter den Larven die Herzogin von Beaufort und fanden sie leicht. Alle Aufmerksamkeit war nur auf sie gerichtet. Der König spielte für sie, wie die Spanier bemerkten: noch dazu in der Hitze des Juni und eines überfüllten Saales.

Er hatte wohl auch die Absicht, ihnen zu zeigen, daß er gelenkig, stark und daß er jung genug wäre, um gefürchtet zu werden. Daran dachten die Gesandten später, als sie berichteten. Bis jetzt überwog ihre Befremdung, da der sehr Christliche König vor ihnen seine Würde ablegte und brachte sie einer Frau dar. Nach dem Ballspiel bat er seine Liebste, ihr Gesicht zu enthüllen, damit die Gesandten Seiner Katholischen Majestät es nach Belieben betrachteten.

In dieser Art begegnete ihnen noch Anstößigeres. Den übernächsten Tag war große Tafel und abends ein Ballfest. An der Spitze der Tafel, unter dem Baldachin saß mit dem König die Herzogin von Beaufort, sie aber wurde bedient von edlen Damen, die Erste im Rang war das Fräulein von Guise. Eine Lothringen, aus dem Hause, das mit Spanien verbündet dem König von Frankreich bis vor kurzem gefährlich gewesen war. Hier nun muß eine Tochter des Hauses, das nach dem Willen Spaniens hätte herrschen sollen – wem muß sie die Gerichte vorlegen?

Der König sagte nachher zu den Spaniern: «Bei Amiens hättet ihr siegen können. Meine schwache Stelle war genau dort, wo das Zelt der Herzogin stand.»

Don Francisco de Mendoza antwortete mit dem gebührenden Ernst: «Selbst um den Preis eines Sieges hätten wir kein Bordell gestürmt.»

Je steifer alle Spanier hierzu schwiegen, um so herzlicher lachte der König. Da sahen sie, daß er auf keinen Fall zu demütigen wäre. Den Ball am Abend führte Madame Schwester des Königs an, ihr zur Seite aber erschien die Herzogin von Beaufort in smaragdgrüner Seide, ihre Haare funkelten von Sternen aus Diamant, und sie war schön über die Maßen: endlich erkannten es sogar diese Spanier.

Dennoch nahmen sie weiter Anstoß, weil am Hof von Frankreich den Vordergrund sooft als möglich die Frauen beherrschten. Während die Tänze unterbrochen wurden, alle die breiten prachtvollen Kostüme der Frauen schlossen im Kreis die Mitte ein – da trat zwischen sie hin ein junger Mensch, seine linke Wange zeigte ein Brandmal, und zu der Musik, die ihn begleitete, sang er ein Lied. «Reizende Gabriele», begann es.

Die Spanier hörten es bis zu ihrer Abreise oft und überall, zuletzt überraschten sie sich dabei, daß auch sie es trällerten. Gleich nachdem sie fort waren, ganz Paris hatte die besiegten Feinde des Königs mit Augen gesehen, da hielt er selbst seinen öffentlichen Einzug. Jedes nur mögliche Gepränge wurde hierbei entfaltet, König Henri allein saß zu Pferd in Leder und schwarzes Eisen gekleidet, am Helm den weißen Busch wie bei Ivry. So kannte die Welt ihn, so wollte sie, daß er sei. Er tat ihr den Willen und beobachtete die Form, die in den Köpfen der Welt von einem großen König lebte: den stellte er vor.

Die herbeigeeilten Fremden aller Länder waren die ersten, ihn zu bejubeln. Ganz plötzlich, nach einiger Ungewißheit, erfaßte helle Begeisterung das Volk seiner Hauptstadt. Nahe dem Schloß Louvre hielt er; an den Rändern der Straße, aus den Häusern und von den Dächern hernieder rauschte die Huldigung, die er nie empfangen hatte und sollte sie zum zweitenmal nicht kennen. Er streckte waagrecht die Hand aus. Unter seiner Hand, zu seinen Füßen stand eine Sänfte, die Träger hatten sie hingestellt. Henri rief: «Da habt ihr meinen Frieden und euer Wohl, das meines ist!»

Er ritt in sein Schloß ein, sie aber hatten ihn richtig verstanden, wußten alle, welche Person in der Sänfte einhergetragen wurde und war von dem König zum Sinnbild der besseren Zeiten erwählt. «Reizende Gabriele», sangen die Straße, das Haus und das Dach.

Die Stunde nach dem Triumph durfte Henri nicht allein sein, obwohl ihm zumut war, als hätte er etwas versäumt, etwas vergessen. Der Andrang war zu groß, es wollten ihm aufwarten Hof und Parlament, die Stadtgemeinde, seine Marschälle, sein Finanzrat – und durch das Gewühl machten Waffenherolde in Kettenpanzern und goldenen Lilien den fremden Gesandten den Weg frei.

Es kamen und beeilten sich, das Glück des Königs von Frankreich durch ihr Erscheinen zu bezeugen, die ordentlichen und die außerordentlichen Gesandten – nicht nur die ihm bekannt waren, sondern ganz unerwartete, und keineswegs seine Freunde allein. Im Gegenteil waren die Feinde früher da, und unter diesen vornweg nicht die offenen, weder Spanien noch der Kaiser, deren Abordnungen bis jetzt ausblieben, wenn sie überhaupt gemeldet waren. Als erste beeiferten sich die heimlichen Hasser. Der Nachbar Savoyen hält hinterrücks zum Feind, da der Herzog mit einem Fuß im Königreich steht, die Auseinandersetzung muß kommen. Habsburg hat gehorsame Handlanger in den italienischen Fürsten; ihre Agenten sind zur Stelle, jetzt huldigen sie, dann werden sie berichten, wie der König von Frankreich sein Glück verträgt. Auch die rheinischen Herren, geistliche und weltliche, lassen den Mund ihrer Beobachter von der Bewunderung des großen Königs überfließen.

Die Bewunderung gelingt diesen Fremden und klänge glaubhaft, wüßte man nicht: Ursprung ihrer Gefühle ist der Schrecken. Aus ihnen redet eine ganz frische Bestürzung, weil der Sieg des Königs ihnen vollständiger erscheint, als er jemals hätte sein dürfen, damit ihre Fürsten sich aufrecht erhalten zwischen ihm und dem Kaiser. Man fürchtet im Westen Deutschlands die kaiserliche Hausmacht, die gewöhnlich unsichtbar bleibt, wird aber angekündigt von den herrenlosen Banden der Mordbrenner. Diese heißen spanisch, solange niemand sie kennen will. Überdies und mehr als alles fürchtet man den König von Frankreich mit seinen Armeen, die Spanien besiegt haben; es sind die nächsten am Rhein, wer wollte sie aufhalten. In seiner entlegenen Hofburg, die er nicht verläßt, das schwarzgekleidete Oberhaupt der universalen Monarchie; hier gegenwärtig und durch seine Taten überall zugegen der einzige König, der das Schwert trägt.

Die Abgesandten der deutschen Kurfürsten befürchteten von dem verkappten Protestanten das Äußerste. Über den Punkt der Punkte dachten sie hinwegzukommen, wär es mit einem Aufgebot von barem Widersinn. Die Verzweiflung wählt nicht, und notwendig ist sie kurz befristet. Nach dem Punkt wird das Blatt umgewendet. Mehrere Kurfürsten waren gleichzeitig auf den Gedanken verfallen, den König Henri zum römischen Kaiser zu wählen – es ihm wenigstens anzubieten, womit die Zeit vergeht. Einer nach dem anderen von diesen Gesandten bat die Majestät um gnädiges Gehör für eine tief vertrauliche Mitteilung, die keinen Aufschub dulde.

Die Umstände verboten eine wirkliche Absonderung. Der Zudrang zu der Galerie des Louvre wurde ungeheuer, alle Ausgänge verstellt von Körperschaften, die begierig waren, vor die Majestät zu gelangen. Einige bescheidene Vertretungen des Auslandes hofften, daß ihre Gelegenheit käme; währenddessen behaupteten sie ihre Plätze und leibliche Unversehrtheit gegen die Übergriffe von viel Volk. Die Gemeinen waren zugelassen wie üblich bei diesem König.

Er hatte keine besonderen Befehle gegeben, seine Offiziere handelten nach seiner bekannten Art – kaum daß um seine Person ein wenig Raum bewahrt wurde. Mehreren Damen im dichtesten Gewühl schwanden die Sinne.

Der König stand ohne Erhöhung auf dem gleichen Boden mit allen, die um ihn kreisten, ihre schnell ausgewechselten Gesichter vorführten und Huldigungen sprachen – hörte man lange hin, wurden sie eintönig, verloren übrigens den Zusammenhang mit den gegebenen Tatsachen. ‹Sie sagen: groß›, denkt Henri. ‹Immer wieder nennen sie mich den großen König, was nichts bedeutet, und das könnten sie wissen. Ein Sieg, was ist er viel. Ich habe nicht mehr gesiegt, als mir geboten und erlaubt war zur Erhaltung meines Königreiches. Darüber hinaus läge, worauf ich verzichten mußte, der letzte Sieg, die Befreiung Europas von einer Weltherrschaft, die aus den Völkern zuletzt Mordbrenner macht. Ich darf nicht helfen. Krieg oder Frieden, ich habe gewählt. Groß darf ich nicht sein.›

Hiervon unbeirrt gab er jedem die hohe, abgemessene Antwort, wie sie erwartet wurde und dem großen König anstand. Er bedachte in seinem Herzen, daß der Ruhm der Welt wohl niemals ganz ernst zu nehmen wäre und hielte auch sonst der Prüfung nicht stand, wenn man sie wagen wollte. ‹Das hieße aber die Menschen beleidigen, denn ihnen, mehr als mir, sind Ruhm und Größe teuer.› Er wendete den Hals und den Rumpf mit der Biegsamkeit des Ballspielers. Er winkte, legte den Kopf in den Nacken, vertauschte die Stellung seiner Füße: alles sowohl gebieterisch als huldreich. Nein, er hatte sich Mangel an Majestät nicht vorzuwerfen und keiner vermißte sie, sondern sie erschauderten vor Ehrfurcht. Allerdings hatte er den Umfang und Überschwang dieser Siegesfeier nicht vorgesehen, daher das unpassende Gewühl. Für seinen Teil vertrat er die Majestät und stellte sie dar. ‹Aber ich werde noch lernen, sie mit Vollkommenheit auszuüben›, beschloß er.

‹Sie sagen: groß. Sähen sie mich heute in meinem Feldlager, bedeckt mit dem Schlamm der Laufgräben, und die Schlacht stände erst bevor, sie redeten anders. Sie glauben augenscheinlich an die himmlische Fügung nicht, da sie mein Glück dem Zufall beimessen, und gerade deshalb würfen sie sich mir am liebsten zu Füßen. Noch schwerer begreifen sie, daß sogar die Vernunft einmal siegt hienieden, wäre es nur vorläufig. Und einem Mann, der einfach seine fünf Sinne gebraucht hat, begegnen sie mit barem Widersinn: das ist ihr Gegenangriff. Wollen mich zum römischen Kaiser wählen, als ob ich und sie selbst verrückt wären.›

«Edle Herren, ich errate Ihr denkwürdiges Vorhaben mehr, als ich es höre, denn der Lärm umher ist beträchtlich und Sie haben Grund, die Stimmen zu mäßigen. Ehre macht es Ihnen, daß Sie auf meine Verschwiegenheit bauen; die Ohren der apostolischen Majestät wären allerdings peinlich berührt. Ich sehe, daß Sie in gehobener Laune und übrigens meine wahren Freunde sind.»

Seine Antworten an die Wortführer der Kurfürsten bezweifelten höflich ihren geistigen Zustand, da sie schwärmten. Ihre Bitten um geheime Audienzen überhörte er, entließ sie und winkte den nächsten. Man trat im Kreis herzu;

wer an dem König vorbei, gelangte vor die Herzogin von Beaufort. Sie saß umgeben von den Prinzessinnen. Der Bescheid ihres Herrn an seine Versucher entging ihr nicht. Übrigens verfehlten die Kurfürstlichen niemals, sie um ihre Fürsprache zu ersuchen: die mußte sie zusagen. Man sah sie erblassen, wahrscheinlich aus unbedachter Freude. Wer die hohe Dame von ihrem Stolz noch schöner fand, hätte für sein Leben gern erfahren, was vorging.

Die Herzogin winkte aber ihren Freund, den tapferen Crillon zu sich. Gleich darauf wurden die Ausgänge geräumt und die Bahn freigelegt vom Stand der Majestät bis zu dem entfernten Aufenthalt einer bescheidenen Versammlung, die ihn solange mit Mühe behauptet hatte gegen Stoß und Drang. Wären zum König wohl niemals vorgerückt. Jetzt schritt der König, an seiner erhobenen Hand die Herzogin von Beaufort, diesen Flamen entgegen. Sie waren Bürgermeister aus Städten, die kürzlich von den Spaniern aufgegeben werden mußten. Sie waren Schulzen aus Dörfern, die der Krieg vertilgt hatte, und Geistliche – ihre Kanzeln standen nicht mehr. Sie vergaßen, vor ihrem Befreier hinzuknien, sie hatten zu viel gekniet.

Der König hieß sie willkommen und sie betrachteten zuerst ihn, dann einander, wer sprechen sollte. Einer der Ihren sagte breit und langsam: «Herr! Wir wünschten, daß wir Franzosen und Ihre Landsleute wären.»

«Ihr seid achtbare Menschen», erwiderte ihnen der König. «Laßt euch das genügen. Eure Sicherheit – ihr wehrt euch tapfer genug. Euer Wohlstand – ihr scheut die Arbeit nicht. Geht in Frieden.»

Einer der Ihren: «Wir haben einen großen König gesehen.»

Henri am Ohr seiner teuren Herrin: «Sie können's nicht lassen. Auch diese sagen: groß.»

Hierauf lud er sie ein, an seinem Tisch mit ihm zu essen.

Die Größe, von innen

Die Auszeichnung der gemeinen Leute aus Flandern fiel auf. Die Herzogin von Beaufort hatte den Vorgang veranlaßt; man wollte festgestellt haben, daß der König sie an seiner erhobenen Hand nicht führte, sondern wurde von ihr verleitet. Nun kann der König, bevor die Spanier ihre Hoheit in Flandern noch wieder befestigt haben, dies Land und Volk in seinen Besitz nehmen: er hätte die Macht. Das Natürliche wäre, daß die Flamen härter dienen müssen als unter Spanien. Statt dessen behandelt er sie als Freie und ißt mit ihnen am Tisch.

Halte man dagegen, daß in seinem eigenen Königreich die Grundbesitzer genötigt werden, die Straßen, für die sie Zoll von den Bauern erheben, auch wirklich zu bauen. Für Taten wie diese heißt seine Herrschaft bei vielen die ärgste Tyrannei. Nicht, daß er selbst der Erfinder der abscheulichen Neuerungen wäre – kein Wort gegen die Majestät. Indessen benutzt sie einen Umstürzler wie Rosny, der die großen Vermögen angreift und vor erworbenen Rechten nicht haltmacht. Es wird kein gutes Ende nehmen mit dieser Herrschaft; der

Minister möge sich hüten, seine willkürlichen Enteignungen auf die ausländischen Steuerpächter zu erstrecken. Die Geldmächte der Welt würden sich bitter rächen an diesem Königreich.

Wieviel man reden mochte, in Wahrheit erteilte Rosny seinem Herrn vernünftige und maßvolle Ratschläge. Die Rechnung des Steuerpächters Zamet, Rosny hatte sie aufgestellt in langen Nächten. An dem Tag, als er dem König ihr Ergebnis zu lesen gab, war seine teure Herrin zugegen: jedesmal dieselbe Kränkung für Rosny, obwohl er bis jetzt nicht merken ließ, wie sehr sie an ihm nagte. Der König fuhr hoch bei diesen Zahlen, er verlangte die Ausweisung des Florentiners. Sein guter Diener warnte ihn, im ersten Zorn zu handeln. Er versprach, daß er von Mann zu Mann mit einem Zamet leichter fertig würde, als der König mit den europäischen Geldmächten, wenn er sie reizte.

Die teure Herrin äußerte ihre Verwunderung, weil Herr de Rosny gerade in diesem Fall von seiner gewöhnlichen Unerbittlichkeit abwich, und suchte dem König eine Freundschaft zu erhalten.

«Ich bin verhaßt genug», sagte Rosny trocken. Aber Gabriele begriff: im Spiel war nicht eigentlich Schuster Zamet, den sie übrigens als guten Freund hatte. Der beste Diener dachte hier vor allem anderen an den Großherzog von Florenz und seine Nichte. ‹Die soll mich verdrängen und Königin von Frankreich werden. Die Rechnung dieses steinernen Menschen ist unumstößlich; verlorene Mühe, ihm zu schmeicheln. Nein, er ist nicht verhaßt genug; auch ich werde ihn hassen. Aber ich schweige noch.›

Der König bewunderte laut die Klugheit seines Ministers. «Sehen Sie ihn an, Madame. Er ist klug, weil er nicht schläft. Auch ich darf nicht mehr schlafen. Unsere Arbeiten drängen, wie damals bei dem Gerber in der Straße de la Ferronnerie.»

Rosny, als er hiernach abgehen durfte, sagte bei sich, daß nicht der gute Schlaf der Majestät von Nachteil wäre, sondern die teure Herrin wäre es, und sie müßte fallen. Gabriele erwartete fortan die Stunde, in der sie ihn stürzen könnte. Er durchschaute sie, und griff er künftig zu Maßnahmen, die Empörung erregten – oh! er verfehlte gewiß nicht, zu verbreiten, daß die Herzogin von Beaufort das erste Verdienst daran habe. Nachgerade wurde nicht er, sondern sie am meisten gehaßt. Sie rührte an die Geldmächte, sie war mit den Protestanten verbündet, und ihr Ziel war der Thron. An diesem Hof und den Höfen Europas galt Gabriele für die Antreiberin des Königs von Frankreich zu allen Handlungen, die eine sichere Ordnung des Besitzes bedrohten und nützten allein den Unruhigen und den Gemeinen.

Sie wußte es. An ihren Herrn kamen die Demütigungen nicht heran, nur bei ihr versuchte man sich, obwohl mit der gebotenen Vorsicht auf allen Seiten. Niemand hätte gewagt, sie offen zu beleidigen, ihr fehlte kein halber Schritt mehr, und sie war Königin. Aber wenn edle Damen sie bei Tisch bedienten, hinter ihrem Rücken wiederholten sie das Wort des Spaniers und ahmten seine hölzerne Ehrbarkeit nach. Damen des Hofes, die in die Zukunft sahen, wäre es auch nur mit Hilfe von Astrologen: Madame de Sagonne an ihrer Spitze äußerte unter vier Augen ihre Bewunderung für die verstoßene Gemahlin des Königs, die ihren Rang behauptete und in die Scheidung ihrer Ehe durchaus nicht willigte. Niemals werde sie einer verrufenen Schnepfe weichen, wie sie schrieb aus dem Schloß, wo sie gefangen saß und hatte von dort dem König einen Mörder geschickt.

Madame Marguerite von Valois, einst die berühmteste Liebhaberin und Göttin Venus ihres Zeitalters, hatte endlich von den mitbekommenen Gaben keine übrigbehalten, außer dem Sinn für Ränke; dieser war das standhafteste Erbteil ihrer tückischen Mutter Medici. Noch voriges Jahr hatte sie Gabriele d'Estrées ihre Schwester und Beschützerin genannt, hatte Geschenke von ihr erbeten und nur immer listig vermieden, den König freizugeben. Das wurde jetzt ihr Verdienst, sie nahm es offen in Anspruch. Gabriele war auf der Höhe, noch stand sie fest, der Haß um sie her konnte dennoch ihren Fuß nicht schwanken machen. Die ehemalige Margot in der Langeweile ihrer Verbannung ergriff das süße Vergnügen, den Haß zu nähren, je weniger er ihr selber Gewinn bringen konnte. Welchen Ausgang, schaurig und voll Reiz, der Haß eines Hofes und die Ränke einer Frau zuletzt nehmen können, die Tochter der alten Katharina, Erfinderin der Bartholomäusnacht, war von je darüber belehrt. Ihr Spiel ist gewissermaßen uneigennützig, da sie selbst auf keinen Fall die Königin von Frankreich werden soll, obwohl ihre Astrologen es ihr natürlich versprechen. Im Gegenteil wagt sie die Rache des Königs, wenn es mit seiner teuren Herrin ein schlimmes Ende nähme. Gleichviel, Madame Marguerite lebt auf und fühlt sich noch einmal inmitten der Ereignisse, als sie Gabriele d'Estrées beschimpft.

Gabriele wußte es. Kein Geisteskind von Geburt, ihre ungemeine Bestimmung hatte sie sehend gemacht. An der Seite des großen Mannes, das ist er in Wahrheit für sie allein, während alle ihm nur den Namen geben – an seiner Seite erfuhr sie Außerordentliches. Sie allein unterschied mehrere Bestandteile dessen, was Größe heißt. Größe – man nennt sie und kennt sie nicht. Sie hat ihre vordere Ansicht, die spielt auf dem Feld der Siege, in den Sälen, wo Verträge unterschrieben werden, und der große Mann verkündet sein Edikt. Freiheit, Nation, Frieden, diese drei zu erkämpfen ist die Größe, von vorn gesehen. Gabriele hatte von ihrem großen Mann nicht nur die Front und stolze Erscheinung. In seinem Innern entdeckte sie das Rührende, das Fragwürdige – glaubte aber deswegen keineswegs, sie wäre der Größe hinter ihre Schliche gekommen. So gutartig war die Frau, daß sie ahnte, wie eins vom anderen kam. Die Empfänglichkeit für das Wahre ist nicht immer eine Wirkung des Geistes, sondern der Natur.

Der Frau vertraute Henri sich an, vertraute sonst keinem; hierbei fand sie ihn oftmals unschuldig wie die Tauben, die Klugheit aber der Schlangen mußte ihr eigen Teil sein. Sie warnte ihn. Eines Abends im Schlafzimmer begann sie: «Mein einzig Geliebter, jetzt schmeicheln Ihnen viele von allen Seiten. Hier sind flämische Bürger eingetroffen, um Ihnen zu schwören, daß ihre Heimat sich wünscht, sie wäre französisch.»

Henri wies auf den ersten der acht großen Teppiche, sie bedeckten die Wände ihres gemeinsamen Schlafzimmers. Der erste stellte das Paradies und die Versuchung dar. Auf ihn wies Henri und machte das Gesicht, das sie kannte. Es sagte: Mich fängt man nicht.

«Grade diese Flamen waren aufrichtig», sagte Gabriele. «Noch andere Fremde, weiter entfernte, vergeuden keine Redensarten, sondern erbieten sich ehrlich, Franzosen zu werden. Mein geliebter Herr, Sie ermessen den Glauben der Welt nicht. Ihre übergroßen Anstrengungen haben Sie unempfänglich gemacht für den Lohn, der Ihnen ohne Mühe, nur aus Liebe zufiele.»

«Du darfst sprechen. Das Sinnbild aller meiner Kämpfe, du bist es, dein Besitz ist mein Lohn.»

Sie dachte: ‹Aber am Tage seines Triumphes, als er allmächtig war, hat er mich nicht geheiratet. Er kennt die Briefe der Königin von Navarra und überläßt mich ihren Beleidigungen.› Was Gabriele aussprach, lautete: «Sie versäumen vieles.»

Mit diesem Wort aber traf sie ihn. Er ging lange durch das Zimmer hin und her, er gedachte des Gefühles, das ihn beunruhigt hatte die ganze Stunde nach seinem Einzug als Sieger. Versäumt, was die Hauptsache wäre. Versäumte Gelegenheit, wann kehrt sie wieder? Als er die geliebte Frau umarmte, war sie bleich und kalt. Er erschrak und versprach ihr schnell, er wolle nachholen, der Tag sei nahe.

«Meine Macht muß unumstößlich werden, ich habe nur meine Taten, sonst bin ich nichts.»

Gabriele bereute, daß sie an sich selbst gedacht hatte. Ihr großer Mann weiß nicht, wer er ist: davon wird er in vielem hilflos wie ein Kind, sie muß für ihn sorgen. Ihr Mißtrauen muß wachen anstatt des seinen.

«Sire! Sie sind von Spionen umgeben.»

«Und nicht von Anbetern, wie ich mir könnte träumen lassen.»

«Den Gesandten der deutschen Kurfürsten hätten Sie fast geglaubt, als man Ihnen versprach, Sie zum römischen Kaiser zu wählen.»

«Fast, nicht ganz. Das sind Schwärmer wie die Flamen und halten mich für den Befreier Europas.»

«Nein. Sondern es sind Verräter. Wenn Sie zugesagt hätten, der Bericht war schon geschrieben. Hier ist er.»

Henri war erblaßt. Er hatte keinen Blick für das Papier: in dem schönen Gesicht Gabrieles wollte er ihr Schicksal, zum erstenmal ganz nur das ihre lesen. Das ist das Wesen, das mit mir die Gefahren teilt und reißt von meiner Brust das Messer weg. Es soll in ihre nicht fahren, ich will gutmachen, und du sollst Königin sein.

Da sie ihn bleich und schuldbewußt sah, empfand sie Mitleid mit ihrem großen Mann – der groß ist bis in den Zweifel, das Ungenügen, den Verzicht. Er glaubte an seine Legende nicht und würde von seiner Größe alles ableugnen, außer daß sie unverzeihlich sei. ‹Liebster, du heiratest mich nicht; immer steht noch eine Tat davor und noch eine, bis alle deine Taten zusammen uns zu sehr verhaßt gemacht haben und werden beide vertan haben so Glück wie Leben.›

Dies bedachte sie, indessen Henri sie aufforderte, sich nochmals ankleiden zu lassen. Sie wollten hinübergehen zu Madame Schwester.

«Ich bin froh, daß du sie liebst.»

An diesem Abend war protestantischer Gottesdienst bei Madame Schwester des Königs. Das Paar hörte schon draußen, wie gesungen wurde, und Gabriele wollte umkehren. Henri trat aber mit ihr ein. «Sie werden sehen, Madame, was geschieht.»

Es geschah, daß der König in den Psalm der Hugenotten mit einstimmte, Psalm 58, das Lied aus seinen alten Schlachten: «O Herr, so zeige Dich doch nur!»

Madame de Beaufort drückte ihm die Hand auf den Mund, damit er schwiege. Hält er denn alles für erlaubt, weil er ein großer Mann ist? Er weiß um seine Größe nicht und mißbraucht sie.

Es geschah weiter, daß nach beendeter Feier der König mit der Herzogin von Beaufort vor den ganzen Hof hintrat: denn da bekanntwurde, er wäre hier, drängte man herbei. Beide traten vor den Hof hin, und Seine Majestät verkündete laut, daß Ihre Verbindung mit der Frau Herzogin von Beaufort beschlossen und sie die künftige Königin sei.

Worauf Fußfälle erfolgten unzählig und alle von unbegrenztem Eifer. Die Majestät hat gesprochen. Die Majestät ist heilig – ihr Wesen, ihre göttliche Erwähltheit; viel weniger ihre weltlichen Äußerungen. Den vollzogenen Taten unterwirft man sich, weil man muß; den unerfüllten Worten zu glauben ist niemand gehalten. Fußfälle sind das eine, aber das andere ist eine allseitige Verschwörung, damit die Majestät ihr Wort nicht wahrmachen kann. Die Majestät wird keine Frau, die allen anderen gleichsteht und nicht einmal das, über alle erhöhen. Keine Tochter des Landes wird Königin von Frankreich werden: nur eine fremde Prinzessin, allbekannt, welche. Die Majestät weiß es; sie selbst ist im Grunde mitverschworen – meinten die Sinnreichsten oder die Bedenklichen, deren viel weniger waren als Sinnreiche.

Die Majestät, ganz zuletzt will sie gar nicht ihr Wort wahr machen. Es wäre gegen das Wohl des Königreiches – nicht zu erwähnen, daß dieser König noch an keiner Frau bis zu dem Grad gehangen hat. Demgemäß flüsterte der Hof. Vorn die Fußfälle, hinten das Geflüster.

«Wenn er eine schon satt hat, verspricht er ihr zum Abschied die höchste Belohnung», sagte eine Dame, und eine andere: «Madame, so ist es. Überdies sieht jeder, daß die reizende Gabriele anfängt, an Reizen abzunehmen: in eben dem Augenblick, wo alle ihr Lied singen.»

«Madame, sie hat das dritte Kind. Ihre sieben Schönheiten, darunter das berühmte Doppelkinn, verspüren es. Sie wird stark, der König hat das nie geliebt.»

«Mein Herr, Ihre Meinung?» fragte jemand. «Kann ein großer König wahrhaftig diese Heirat wagen?»

«Nur ein großer König kommt auf den Gedanken», antwortete einer, der im geheimen ein Jesuit war.

«Dann ist er zu groß geworden.»

«Vielmehr hat er das Königtum zu groß gemacht, als daß er auf der Höhe seines Werkes bleiben könnte», erwiderte der Geheime.

Ein wenig Eingeweihter: «Darum vermißt er sich, eine solche Frau zu nehmen.»

Der Geheime: «Nein. Sondern gerade wegen der Grenzen seiner Größe wird er sie niemals nehmen.»

Gleichviel, der König hatte sein Wort verpfändet. Die Schritte, damit er seine Scheidung von der Königin von Navarra durchsetzte, wurden dringlicher, bei ihr sowohl als auch in Rom. Wär er auf der Stelle frei, er täte nach seinem Wort: Gabriele selbst war diesen Sommer lang überzeugt, sie atmete auf. Hatte Tag für Tag noch diesen schönen Sommer, falls es ihr letzter wäre. Henri besuchte sie oft in ihrem Monceaux, und was sie ihrer Sache besonders gewiß machte: er kam nicht einfach als ihr lieber Herr oder um mit den Kindern zu spielen. Er bestellte seine Minister und beriet die Staatsgeschäfte – bewegte sich durch den Park, da seine Arbeiten immer nach Raum und Luft verlangt hatten; im Kabinett beschloß er nichts. Trat aber, um das Dekret zu unterschreiben, nahe an seine teure Herrin hin, legte ihre Hand auf das Pergament, damit sie Glück brächte, und setzte daneben seinen Namen.

In ihrem Park, an sie gelehnt, verordnete er, daß im ganzen Königreich bei strenger Strafe niemand mehr sollte Feuerwaffen tragen dürfen, auch nicht die kleinen Pistolen, die jetzt aufkamen. Das ist die öffentliche Sicherheit, was läge an ihr den Mächtigen oder den Glücksrittern. Alle arbeitenden Stände sind einverstanden mit diesem König.

Der eigenartige König will, daß seine Gerichte unabhängig sein sollen vom Hof und den Gouverneuren der Provinzen. Die Richter sind fortan unabsetzbar. Etwas anderes: er verbietet den Familien, die schon zuviel besitzen, die reichen Heiraten.

«Das bedeutet?» sagte Gabriele leise, leise. Selbst Herr de Rosny sollte es nicht hören. «Sire! Es bedeutet, daß alle Mächtigen Ihres Königreiches Ihren Tod herbeiwünschen werden.»

«Das muß keiner», erklärte König Henri, ohne die Stimme zu senken. «Madame, fragen Sie Herrn de Rosny. Er geht selbst mit der allerreichsten Verbindung um, sein Sohn soll in das Haus Guise heiraten. Ihm erlaub ich es. Meine Gnade gehört den guten Dienern meines Staates: das ist es, was alle sich merken sollen.»

Gabriele sagte: «Dieser ist Ihr bester Diener. Nie hab ich Ihnen widerraten, was er empfahl.»

Und der König: «Er weiß es. Er entsinnt manche gewagte Neuerung und ich das übrige. Der Mut, es auszuführen, Sie geben ihn mir, Madame.»

«Sie haben den Ihrer würdigen Minister», sagte Gabriele und wartete, daß ihr das Wort vergolten werde. Rosny schwieg.

Henri verständigte sie mit einem Blick, wie gering er den Mann Rosny einschätzte im Gegensatz zum Minister. Keine reiche Natur, laß gut sein, teure Herrin. Genug, daß er brav und in all seiner Starrheit dennoch mir gefügig ist. Ich brauch ihn.

Das sagte Henri ihr mit Worten, als sie später allein waren und im Vertrauen sprachen. Schöner Sommer im Park von Monceaux – wär es ihr letzter gewesen. Gabriele überließ sich der Stunde, hörte ihrem lieben Herrn zu, wendete nichts ein. Sie wußte vieles, das er überging. Herr de Rosny war im Einverständnis mit dem florentinischen Gesandten gegen sie selbst. Er hatte erreicht, daß der Gesandte seine Prinzessin dem König antragen durfte. Was tun und warum kämpfen, der König braucht den Diener. Aber noch weniger will er sein teuerstes Gut verlieren; tauscht keinen Geldsack dafür ein. Ob Gabriele nur müde oder um zu hassen zu glücklich ist, gerade diese Stunde muß ihr Feind sie nicht fürchten.

Sie hörte Henri sprechen. «Mein Rosny ist wie die anderen in meiner Nähe: im Grunde mißbilligt er mich. Er ist kühn, ohne weitherzig zu sein. Er macht sich allen zum Schrecken, aber niemand hätte den Vorteil. Das Geld, das er den gewaltigen Räubern abnimmt, würde tot die Staatskassen füllen, in der Bastille liegt ein Kriegsschatz. Das Volk bliebe arm. Herr de Rosny hat noch nicht bemerkt, daß nur ein glückliches Volk das Glück des Staates macht.»

«Und ein glücklicher König», schob Gabriele ein, leis und schläfrig wegen der köstlichen Wärme und weil sie selbst diesmal noch glücklich war bei aller nachhaltigen Erschöpfung. Die Geburt ihres dritten Kindes wurde weniger mühelos von der Mutter verwunden, die beiden ersten hatten es ihr leichter gemacht. Henri rief sie herbei, und sie warfen sich in seine Arme, der wohlgeratene Cäsar, die hübsche, schelmische Catherine-Henriette. Henri herzte sie mit vielen Küssen, dann trug er ihnen auf, diese alle sollten sie ihrer lieben Mutter von ihm bringen.

Er entfernte sich von den Seinen ein gutes Stück; seine Schritte wurden lang, wenn er nachsann und erregt war. ‹Man will nicht glauben, daß Cäsar wirklich von ihm ist. Rosny sogar hält Bellegarde für den Vater, wenigstens hat er die Verdächtigung weitergegeben. Meint er, daß ich's wissen soll? Kommt ohnedies jedes Geschwätz herum, bis es bei uns anlangt. Meine teure Herrin hört alles über die Medici: wir reden davon nicht, wir kennen uns. Ich meinerseits erfahre, daß ich ein Hahnrei sein soll.›

Er verschwand in einem der Säle aus grünem Laub. ‹Halb Europa ist darauf versessen, mir die Medici in die Hände zu spielen. Nähm ich sie, sogleich wär ich selbst in den Schlingen der universalen Monarchie. Mein Sieg über Spanien soll zu nichts werden, daher der Eifer. Wer aber mithilft, ist mein guter Diener; denn er verehrt das Geld. Ginge es nach seinem Gefallen, er setzt mich unter einen Strom von Gold, mein Herz erstickt darin.›

Hier gedachte Henri seines Dieners mit Zorn: es war das erstemal, sollte auch nicht bald wieder geschehen. ‹Ein Arbeiter, gut, es muß ihn geben. Der sitzt im Arsenal und schreibt, was er selbst nicht versteht. Führt es aus, ob er auch Larifari dazu sagte: genug, daß der Herr befiehlt. Meine Artillerie, sie wäre nicht die erste der Welt ohne ihn. Meine Landwirtschaft, er ist auf sie versessen, als ob sie ein Dienst an sich selbst wäre und nicht an diesem Volk, das Recht und Eigentum jedes einzelnen, den es hungert. Die Maulbeerbäume für meine Seidenraupen, die läßt er mich selbst pflanzen. Ich zeige sie ihm in meinen Gärten, ihm quellen die Augen vor, emailleblau. Ich verordne, daß jeder Pfarrbezirk mit zehntausend Bäumen besetzt wird, und er gehorcht. Er schreibt.›

«Er schreibt – und mich hält er bei sich für einen Narren von der Art, die verblüffende Einfälle haben, und manchmal geht es gut aus. Sein Glück ist an das meine gebunden; könnt er mich aber ungestraft verraten, er täte es dennoch nie, seine Natur ist treu. Das haben nur die besten. Wer mehr verlangte, wäre wirklich ein Narr» – sprach Henri die Wand seines grünen Saales hinan und zuckte die Achseln, mild gestimmt. ‹Muß keiner in allen Dingen, Industrie oder Seefahrt, das Heil des Königreiches entdecken und den Bauern, Soldaten, Handwerker, Arbeiter, jeden leben fühlen wie sich selbst. Wer das kann, mag gleichzeitig von besonderer Geburt und der allgemeinste Mensch in aller Welt sein. Das bin ich, und je länger je mehr find ich mein Wesen und Tun natürlich, dabei unzulänglich.

Dieselbe Ansicht hat von mir das Volk. Was ihm fragwürdig oder ungemein schien, wird bald gewohnt und vergessen sein. Begeb ich mich jetzt unter sie, will sehen, wie viele schon besser gekleidet und genährt sind: sie erkennen mich oder nicht. Nehmen mich indessen gutmütig für ihresgleichen, und mehr verlang ich nicht. Vor wie langer Zeit sagte ich doch: Wenn ihr mich nicht mehr seht, werdet ihr mich lieben. Das war vermessen oder nicht genug. Eine einzige liebt mich.›

Er trat ins Freie, die Stimme seines kleinen Sohnes hatte nach ihm gerufen. Die kleine Schwester weinte entsetzt; Cäsar bezwang sich wie ein Mann, er sagte ernst: «Der Mama ist nicht wohl.»

Henri lief zu ihr. Der schöne Kopf lag auf der Schulter, weggewendet. Henri suchte die Augen, sie waren geschlossen, alle Farben erloschen, und dieser Schlaf schien unheilvoll. Ihm stockte das Herz. Er nahm ihre Hand: sie antwortete dem Druck nicht. Er hielt seine geöffneten Lippen vor die ihren und empfing aus ihnen den Atem nicht. Er stürzte vor die Ohnmächtige hin, traf aber mit dem Knie den Rahmen eines Bildes. Sogleich wußte er, was geschehen war. Er ließ das Ding verschwinden. Inzwischen kam sein Sohn mit Wasser, und endlich ließ Gabriele sich erwecken. Nach ihrem Seufzer, erst halb bewußt, sagte sie: «Ich hätte gern für immer vergessen, was ich sah.»

«Was denn? Du hast geträumt», sagte Henri sanft, und hierauf dringlich: «Erzähl doch deinen Traum, damit ich dich beruhigen kann.»

Sie lächelte, sie fand den Mut und streichelte seinen Kopf – dessen Gedanken leider nicht alle ihr gehörten, sondern entwichen zu einer Ungeliebten.

«Wenn du sie liebtest, wärest du vorsichtiger», sagte sie ihm nahe ins Gesicht.

Er mochte nicht länger fragen, wen. «Was hab ich verschuldet?» bat er. Sie antwortete: «Nichts, außer in meinem Traum. Sire! Ich habe mich versündigt, denn ich sah Sie eine häßliche Frau an der Hand geleiten mit aller Ihrer Anmut und Verehrung, wie ich sie kenne. Das täten Sie in Wirklichkeit nie.»

«Wie sah sie aus?» fragte er, begieriger als er wollte. Gabriele bekam hiervon ganz die Oberhand, sie küßte seine Schläfe und sagte freundlich: «Das zeigt Ihnen kein Bild. Eine Frau muß eine andere beurteilt haben, wär es im Traum. Sie hatte grobe Gliedmaßen, ja, mit noch nicht zwanzig Jahren fing sie an, Bauch zu bekommen. Die Maler lassen das fort, während sie jedes dumme und gemeine Gesicht, auch die Tochter eines Wechslers, durch Jugendreiz verschönern können mehr als Natur.»

Er hörte ihren Haß und ihre Angst. Sehr sanft sagte er: «Ich selbst aber hätte all diese Schäden nicht bemerkt – in deinem Traum?»

«Das mag doch sein, mein teurer Herr», erwiderte Gabriele. «Ich unterschied, daß Ihre erlesene Höflichkeit eigentlich verstellt war. Indessen erschien Schuster Zamet.»

«Auch der geht durch deine Träume?»

«Nicht einer: zehnmal Zamet, und jeder Schuster mit einem schweren Sack beladen, der drückte ihn bis an den Boden. Alle schielten nach mir von unten aus ihren Mohrengesichtern mit den Sattelnasen.»

«Was tat ich? Gab ich jedem der zehn einen Tritt?»

«Ich fürchte, nein. Ich fürchte sehr, daß Sie vor einer Tür, die Ihnen geöffnet wurde, die häßliche Frau so lange umherführten, bis alle zehn Säcke drinnen waren.»

«Dann aber?»

«Das Ende sah ich nicht, da Sie mich aufweckten.»

«Du sollst es niemals sehen», versprach er stürmisch und küßte sie auf die geschlossenen Lider; das einzige Mittel gegen deine bösen Träume, reizende Gabriele.

Die Größe, wie sie umgeht

Der König begab sich früher als die Herzogin von Beaufort des ländlichen Aufenthaltes, in seinem Louvre hielt er Musterung unter dem Hof. Den Edelleuten, die ihm den Verfall ihrer Güter klagten, sagte er geradeheraus, daß sie auf seine Freigebigkeit nicht rechnen dürften. Sondern sie sollten nach ihrer Provinz zurückkehren, anstatt in seinem Vorzimmer die Truhen zu drücken. Am schwersten hatte er es hierbei mit seinen Landsleuten aus der Gascogne. Sie waren der Ansicht, da der Ihre auf dem Thron saß, hätten sie ausgesorgt. Einer hielt ihm die Kerze, während Henri einen Brief seiner Liebsten las. Der Gascogner hätte mitlesen können, er verdrehte aber den Kopf bis auf den Rükken. Dafür bekam er, der landsmännischen Rührung wegen, eine Zusage, die nicht gehalten wurde. Seinesgleichen mußte zuletzt erkennen, daß nichts zu machen war, weder auf dreiste noch auf feine Art, bei einem König, der lange arm gewesen war und den Wert des Geldes kannte. Hätte er ihn vergessen, im Gewühl der Gassen fragte er die Leute aus, bis er wußte, was man für einen Pfennig bekommt und wie er verdient wird.

Das sind schwere Vorwürfe: erstens, nichts zu verschenken, und dann, zuviel zu wissen. Den geistlichen Abgeordneten, die kamen, um sich über sein Edikt von Nantes zu beschweren, antwortete er mit der Herzählung ihrer Mißbräuche – die er wohlverstanden nicht ihnen vorwarf, nur den Zeitläuften. Wollten sie aber mit ihm zusammenarbeiten, dann werde er die Kirche herstellen in ihrem alten Glanz wie vor hundert Jahren. Sie dachten: ‹Gab es damals die Mißstände nicht?› Und dasselbe meinte der König.

Hart verfuhr er mit dem Bürgertum, das die Plätze im Staat erstürmte, um sich zu bereichern. Noch härter mit den Richtern, die das Recht für die Reichen sprachen. Denen von Bordeaux sagte er auf den Kopf zu: bei ihnen gewänne den Prozeß immer nur der dickste Beutel. Und er hatte seine Rechtsgelehrten geliebt und ausgezeichnet beinah vor allen anderen. Seither war sein Königreich groß geworden über Erwarten – durch ihn selbst. Wurden jetzt aus aufopfernden Menschen begehrliche, und aus rechtlichen sogar käufliche, die Schuld traf eigentlich ihn selbst, daher sein Zorn. Auf einer Jagd geriet er allein und unerkannt an ein Wirtshaus, dort gab es für einen schlicht gekleideten Herren nichts mehr zu essen. Gerichtsbeamte, die droben tafelten, wiesen ihn durch den Kellner ab, obwohl der Fremde sich erbot, sein Gedeck zu bezahlen. Er ließ sie herunterholen und durchprügeln, ein neues Verfahren für einen König, der sonst das meiste leicht genommen und gern gelacht hatte.

Von denen, die den König nicht wiedererkannten, sagten die einen, er wäre undankbar. Andere meinten, daß er sich überhebe und nehme in seine beiden Hände alle Dinge auf einmal. Wozu denn Tuch-, Glas- und Spiegelmanufakturen errichten, wenn er schon in seine Seidenraupen mehr als billig vernarrt ist. Für die Raupen und Graupen des Königs läuft Geld um; ja, der Überfluß an Seide muß unter die gemeinen Leute geworfen werden: in Seide gehen die Mägde der Schänken, je schlechter beleumdet Schänken und Mägde sind. An einem Abend erhielt der König eine Lehre.

Er saß in seinem Zimmer am Kartentisch, denn, leider, auch beim Spiel ist er unverdrossen, trotz ständigem Verlieren. Seine Gedanken sind meistens anderswo. Das Zimmer war erfüllt, hinter dem König sahen viele ihm in die Karten. Sein Blatt war schlecht, einen Ausruf der Freude rechtfertigte es nicht. Er aber stieß lachend seinen bekannten Fluch aus – warf hin, was er in der Hand hielt, sprang auf und sprach: «Einen Handwerker hab ich hier in meinem Louvre, der macht sie ohne Naht.»

Wie denn? Was denn? Dies erfuhr man alsbald. Der König stellte einen Fuß auf den Stuhl, er strich über seinen seidenen Strumpf und zeigte allen, die eifrig ihre Rücken krümmten, das Gewebe wäre völlig glatt. Sie wollten an soviel Kunst nicht glauben und bewunderten ihn wie den Erfinder selbst.

«Wer hat etwas Besseres?» fragte er. «Meine Untertanen sollen hervorbringen und fruchtbar sein. Großmeister, Sie haben etwas.»

Es war einfach eine Pflaume, die zog Rosny hervor und erklärte seinem Herrn, daß sie lange wäre gezüchtet worden an der Loire, nahe Schloß Sully, bis sie die neue gelb und rote Farbe und eine unvergeßliche Süßigkeit annahm. Die Bauern der Gegend hatten sie die Rosny-Pflaume genannt. Da jetzt andere Landstraßen sie anbauten und ihre Herkunft schon vergessen war, hieß die Pflaume Rouny. «Denn das Volk entstellt die Namen», sagte der Großmeister.

«Ob richtig oder entstellt», erwiderte ihm König Henri, «der Ihre wird bei diesem Volk fortleben durch die Zeiten – unter dem Bild einer Pflaume», schloß er mit Ironie. Indessen, schnell steckte er seine Füße mit den nahtlosen Seidenstrümpfen unter den Tisch und gab sich den Anschein, er wäre ganz und gar beim Kartenspiel. Hatte aber eine Lehre bekommen.

Man meinte, daß auch diese neben anderen ihm seine unbesonnenen Neuerungen hätte verdächtig machen können. Entlassene Soldaten waren der Schrecken der Straßen, wurden eingesperrt oder sanken zu demütigen Bettlern herab. Seine Soldaten die Hand hinhalten zu sehen, sollte einen König mehr beschämen, als wenn sie Bauern ausgeplündert hätten oder den wohlgenährten Bürgersmann an einer Ecke niederschlugen. Dieser König verlangte, daß sie arbeiteten und ihm hülfen, seine Industrien zu vergrößern. Er hatte nichts im Sinn außer dem Wohlstand aller werktätigen Stände. Ein höchst anstößiger Wohlstand, er machte die Leute übermütig und veränderte von Grund auf das Verhältnis von arm und reich, hoch und niedrig. Die geschuldete Unterwürfigkeit der Gemeinen wurde vergessen. Die handgreifliche Verhaltungsregel, die der Herr vom Hof dem Gewerbetreibenden erteilte, der Mann erwiderte sie mit der Faust. Schickte man ihm ein Dutzend Lakaien, dann kam auch er mit seinen Söhnen und Gesellen auf ein Dutzend. Da es aber aus der Küche fett duftete, setzten mehrere hungrige Bediente sich mit zu Tisch bei dem Tuchmacher, anstatt feindlicher Handlungen. Dies sind die Wirkungen einer unerlaubten Neigung, die Menschen glücklicher zu machen, während gerade die Dürftigkeit ihnen gesund ist und sie in Zucht und Ordnung erhält.

Wer gewohnt ist, daß die weltliche Ordnung, genau wie die göttliche, um ihrer selbst willen, nicht aber für die Glückseligkeit der Menschen fortbesteht, erkennt in der Herrschaft des Königs Henri vielleicht sogar das Erscheinen des Antichrist. Das wenigste ist, daß er sie wegen ihrer gesellschaftlichen Folgen verwirft. Nicht jeder wegen sämtlicher Folgen, denn manche kommen mir, manche dir zustatten: wir denken über sie verschieden. Andere nützen niemandem, kosten aber unser Geld. Die ehrbaren Leute sahen nur mit Mißbilligung zu, wie ihren eigenen Gewerben der Königsplatz erbaut und eingerichtet wurde. Um so eher erhoben sie Einspruch, daß die Schiffe des Königs bis nach der anderen Hälfte der Welt reisen sollten – wozu? Gold, das eingebildete Gold aus Reichen, die auf der Karte weiß bleiben, so unbekannt sind sie, kalt, leer und ungewiß beschaffen? Wir werden dies Gold mit Augen nie sehen, und auch der König nicht.

Ein Herr de Bassompierre, neugierig von Natur, verfügte sich in ein Wirtshaus, wo von vielerlei Gästen öffentliche Dinge verhandelt wurden. Man merkte ihm den Herrn vom Hof nicht an; er sagte, er wäre ein Fremder. Da erfuhr er denn die wahre Meinung der ehrbaren Leute, nicht gerechnet, was die weniger ehrbaren beitrugen. Als er einige Zeit hingehört hatte, äußerte Bassompierre: «Die weiß gebliebenen Länder, von denen man hier spricht, ich war dort.»

Eingeladen, näher zu rücken, fragte er, ob die Gerüchte wahr wären. «Der König von Frankreich hat die kältesten Teile der neuen Welt ausgesucht, um euch dort anzusiedeln?»

Dies sagte er nicht in der Absicht, den König bei ihnen herabzusetzen, sondern einfach, um die Stimme des Volkes zu vernehmen, damit hätte er bei Hof geglänzt. Übrigens hatte er die fernen Indien nie betreten, noch irgendeine Reise zur See gemacht.

Die ansehnlichen Bürger am Tisch enthielten sich vorsichtig der Entrüstung, die gewiß angebracht war. Ein windiger Kunde, der sauren Wein trank und seine Ärmel waren geflickt, dieser verwahrte sich im voraus, falls er mit Frau und sechs Kindern sollte verschifft werden. Er entrichtete unter Entbehrungen, so schrie er, was er dem König schuldete. Fehlte nur noch, daß ein Kahn des Königs ihn und die Seinen am Rande der Wüste aussetzte, um hiernach getrost von dannen zu segeln.

Der neugierige Herr unterließ nicht, die Gesinnung der Leute gründlicher zu prüfen. Gerade die kältesten Indien besäßen Minen, er habe sich durch Augenschein überzeugt, behauptete er; bis zum Rand wären sie voll von Gold. Den Zeichen des Unglaubens, die ihm begegneten, antwortete er mit dem Hinweis auf Spanien, das seine ganze Macht den Schätzen von Peru verdankte, und hätte ohne sie nach diesem Königreich, eurem Lande, die Hand nie ausgestreckt.

«Dafür hat unser König Henri die Spanier geschlagen, keine Reichtümer des Indiens, das Sie da nennen, halfen ihnen.» Dies sprach ein gesetzter Mann im Schurzfell des Gerbers. «Der König ist der Freund unserer redlichen Arbeit, das hab ich selbst erfahren und weiß es. Er schickt nicht Abenteurer in die Weite, damit sie das unverdiente Gold holen.»

An einem Ende des Tisches tafelte ein Gerichtsschreiber, hatte am Morgen von einer Partei ein Trinkgeld bekommen, und am Abend verzehrte er es. War ohnedies gerötet, aber sein Kopf schwoll heftiger vom Zorn an, er kollerte: «Immer noch besser, sie schlagen drüben die Wilden tot, als daß die Hungerleider uns vor den Türen unserer eigenen Häuser auflauern.»

Der Schreiber hatte in Wirklichkeit kein Haus, um so eifriger war er für den Besitz. Ihm wurde zugestimmt. Der Neugierige, der genug gehört hatte, wollte aufstehen und weitergehen. Nun war während des ganzen Gesprächs ein Unbeteiligter zugegen, saß an der Wand auf einer Bank, dort machte er sich mit einem Blatt Papier zu schaffen. Da er jetzt in das Licht trat, wurde bemerkt, daß er alt war. Seine vielgetragene Kleidung schien nicht durch körperliche Verrichtungen abgenutzt so wenig wie die Gestalt, denn sie war straff geblieben. Das Gesicht bewahrte Züge, wie sie wohl vom Lernen und Wissen entstehen, aber

Menschen, die mit ihren Händen arbeiten, halten sie leicht für die Spuren von Traurigkeit.

«Herr de Bassompierre», sagte er zu dem Neugierigen. «Auch Sie nennen sich einen Seefahrer, daher wage ich anzunehmen, daß mein Name Ihnen bekannt ist. Ich bin Marcus Lescarbot.»

Der Angeredete wurde hier recht verlegen, denn allerdings wußte er von dem Mann. Ohne an Böses zu denken, erwiderte er: «Sie sind noch aus der Umgebung des Admirals Coligny.»

Die Leute am Tisch verständigten einander. Ein Protestant.

«Ich war wirklich», sprach der Hinzugekommene, «unter den ersten Franzosen, die nach Neufrankreich gereist sind. So heißen die nördlichen Küsten Amerikas, seit wir sie betraten. Das ist ein Reich mit Ufern von tausend Meilen, dahinter ein Erdteil, und wir haben ihn erforscht. In diesen schnellen Entwurf, den ich bei wenig Licht machte, sind eingezeichnet die Bodenschätze, Fischereien, Pelzjagden und das fruchtbare Land, nebst der Wärme der Jahreszeiten. Nicht vieles ist weiß geblieben auf meiner Karte. Ich reiche sie denen, die sie nicht kennen und die Reise nach den kalten Indien niemals unternahmen, obwohl sie gar nicht kalt sind.»

Der Mann, der sich Lescarbot genannt hatte, legte das Blatt auf den Tisch, sah aber weiter in die Augen des Herrn vom Hof. Während alle Gäste über der Karte die Köpfe zusammensteckten, bat Bassompierre leise: «Setzen Sie mich nicht länger in Verlegenheit, weil ich gelogen habe. Es geschah, um zu erforschen, wie die Leute denken, und es dem König zu berichten, denn er muß es wissen.»

«Indessen», sagte der andere, «wichtiger wäre, daß die Leute wüßten, wie der König denkt.»

Der Höfling gab sich ehrfürchtig, ja, bescheiden. «Niemand darf sich dessen rühmen. Ein großer König erwägt vom Für und Wider mehr, als wir fassen können. Die Majestät hat Sie angehört. Leugnen Sie es nicht», verlangte er, da der Mann abwehrte. «Oder ich würde Sie auf einer Lüge ertappen, wie Sie mich. Die Majestät hat Sie angehört, dann aber hat sie auch ihrem Minister das Ohr geliehen.»

«Dem berühmten Herrn de Sully.» Diesen Namen sprach Marcus Lescarbot anders als jedes vorige Wort. Es war ein Ton der Bitterkeit, des geistigen Hasses, einer Feindschaft, die tiefer geht als jede persönliche. ‹Warum verstellt er sich nicht?› dachte Bassompierre. Seine Gefühle für Rosny treten in all ihrer Blöße hervor, und der Gelehrte hat auf einmal das Gesicht eines Kannibalen.

«Berühmt, einflußreich, und ohne ihn geschieht nichts», warf der Herr vom Hof leicht hin. Der Alte, weit Umgetriebene ließ ihn stehen, er wendete sich an die Gäste dieser Schänke, die seine Karte lasen. Ihnen erklärte er Nordamerika mit einem Feuer, einer wilden Inbrunst – sie glaubten auf dem Jahrmarkt zu sein und hörten mit offenen Mündern einen Wunderarzt sein Allheilmittel anpreisen.

«Was soll es kosten?» fragten mehrere. «Die Schiffe auszurüsten, das Gold abzuholen, und wenn die Flotte scheitert?»

«Sie scheitert nicht», bestimmte der Fremde, bleich vor Leidenschaft und dadurch noch verdächtiger. «Auch schlagt euch endlich das Gold aus dem Kopf. Ihr redet wie ein unfähiger Minister, ihn bekümmert nichts außer den Schätzen, die glänzen. Segensreich sind aber nur die Schätze, mit denen die Natur unsere Arbeit belohnt. Der Goldschacht, den ich kenne, heißt Brot und Wein mitsamt dem Viehfutter. Hab ich das, hab ich Geld.»

Die Leute bedachten sich. Die Kleidung des Mannes war abgetragen. Er hatte noch kein Viehfutter heimgebracht aus den kalten Indien. Gleichwohl machte einer am Tisch seine Stimme frei, es war der Gerber, er sagte: «König Henri wird nicht Abenteurer in jene Länder schicken, ich kenne ihn, er hat in meiner eigenen Werkstatt mit zugegriffen, wie allbekannt. Können Sie ihm zeigen, daß dort drüben die Arbeit lohnt, dann sind Sie sein Mann.»

«Ein Glas!» rief Lescarbot der Seefahrer aus der Zeit des Admirals. «Ich bin noch nüchtern. Mit dem Gerber will ich anstoßen.»

Er trank in einem Zuge aus. Endlich setzte er sich und sprach ihnen allen vertraut in die Gesichter.

«Der König will es», sagte er. «Beginnt hiermit, wie in vielen anderen Sachen, was er sich vorgesetzt hat seit seiner Jugend. Kein Minister wird ihn abschrecken, der mag ihm erzählen, daß oberhalb des vierzigsten Grades nichts wächst und gedeiht. Der König weiß eins: es gedeihen dort Menschen. Die sind wild und kennen die Heilslehre nicht: um so eher sollen wir hinfahren und sie retten – auf die Gefahr, selbst zu scheitern. Denn Menschen sind drüben und hier, sie verdienen, daß wir für sie sogar scheitern. Hört ihr mir zu?»

Je ernster sie lauschten, um so dringlicher seine Frage. Ein Tischgenosse unter vielen hatte den Kopf zwischen seine Hände genommen, er starrte mit aufgerissenen Augen nach etwas, das nicht hier war. «Ich höre», murmelte er, ohne die Lippen zu bewegen. In der völligen Stille sprach Lescarbot.

«Menschen sind hier, die keine Arbeit finden und nicht satt essen – entlassene Soldaten und der Überschuß der Handwerker. Sogar von unseren weltbekannten Tuchfabriken liegen manche noch still.»

«Wem sagen Sie's», murmelte der Gast mit dem Kopf zwischen den Händen.

«Menschen sind drüben, sie verstehen kein Gewerbe und beackern wenig Boden. Dazu sind sie Heiden. Auch ihretwegen sollen wir zur See fahren. Die Menschen drüben, die Menschen hier, unser König hilft beiden; das ist seine Meinung, wenn wir zur See fahren. Wir haben gefragt und er mit uns anderen, zu der Zeit, als er Navarra hieß und war ein Hugenott: Dürfen wir die Länder, die Neufrankreich genannt werden, seitdem wir zu ihnen die Fahrt nahmen, dürfen wir sie denn besetzen, ihre Bewohner berauben? Nein. Sondern wir wollen ihre Freundschaft erobern, bis sie unseresgleichen sind. Sie ausrotten, wie der Spanier getan hat, wir haben es nicht im Sinn mit den fernen Völkern. Wir halten das Gesetz der Gnade und des Mitleids, nach dem Wort unseres Heilands: ‹Kommt zu mir alle, die ihr mühselig und beladen seid.› Ich will euch trösten, nicht aber euch ausrotten, das ist die Meinung des Herrn, und keine andere hat unser König.»

Völlige Stille und bestürzte Gesichter – immer wieder ist schwer zu begreifen, daß wirklich gehandelt werden soll nach dem Gesetz der Menschlichkeit, und derart handeln will der König. Dem Gast, der den Kopf zwischen den Händen hielt, wurde der Blick von Tränen verdunkelt, um so besser sah er, was innen war. Ihm erschien die Brücke im Regenguß, das Geländer, er selbst schon halb hinüber, hatte angefangen zu gleiten, sollte alsbald stürzen. Einer riß ihn zurück. War vorher weithin niemand in Sicht gewesen, und anstatt der Menschenleere, die er schon für endgültig gehalten hatte, reißt einer ihn zum Leben zurück. Bedeckt seine Blöße mit dem eigenen Mantel, läßt ihn von einem Soldaten nach dem Hospital begleiten, läßt ihn heilen, gibt ihm Arbeit, und aus dem verlorenen Studenten der Gottesgelehrtheit wird der Tuchmacher, der hier sitzt, einer der wiedererstandenen Tuchmacher in den Fabriken, die eröffnet sind.

Der ehemalige Selbstmörder will reden, zum erstenmal drängt es ihn, mitzuteilen, was er weiß. Es ist ihm bis jetzt nicht rühmlich erschienen, auch nicht besonders wissenswert. Plötzlich geht ihm eine Welt auf: übervoll von Geschehen, er aber hat hineingeblickt. Er stammelt, bekämpft die Erregung, er spricht. Hingewendet ist er zu dem Gerichtsschreiber, den hat er ausgesucht, unbekannt warum. Dem Schreiber, der bestochen und vollgefressen, bleibt vollends unbewußt, warum er andächtig zuhört. Ist denn dies ein Prozeß und geht um viel Geld?

Marcus Lescarbot hatte seinen Zweck erfüllt, er machte sich leise davon. Dicht hinter ihm war Herr de Bassompierre, er war entschlossen, diesem wichtigen Mann nicht von den Fersen zu weichen. Jetzt ist kein Zweifel mehr, wie der König entschieden hat. Der königliche Statthalter für Neufrankreich ist ernannt und mit Glanz soll er eingesetzt werden. Das nächste Bild in Sachen der Kolonien, wie es bei Hofe sich zutragen und prunkvoll dartun wird, der Neugierige errät und kennt es. Das vorige hat in der Schänke beim Volk gespielt, und daraus folgte das letzte. Dabeigewesen sein ist für den Neugierigen alles.

Die Abgehenden wurden aufgehalten durch mehrere Musiker, die in die Schänke drangen. Geige, Harfe und ein Sänger, hier fanden sie alles versammelt, was Ohren hatte, den Höfling, den Gelehrten und Seefahrer, die seßhaften Bürger, ehrbar, weniger ehrbar, ganz windig, und solche, die gestohlen hatten, und solche, die gerettet waren. Vor all dem Volk ließen sie erklingen: Reizende Gabriele.

Die Größe, wie sie dasteht

König Henri ist um und um in silbrig funkelndem Eisen. Er steht erhöht vor seinem Thron, darauf sein purpurner Mantel liegt. Über ihm schwebt rot ein Baldachin, schwebt frei inmitten des Saales und wird von nichts getragen. Die weiße Wand des erbauten Thrones ragt glatt und schmal, an ihrer Spitze die goldene Lilie verliert sich in den roten Himmel. Die weiße Wand des Gebäudes, das eine Kapelle oder ein Thron ist, spiegelt. Sie wirft den Widerschein der Majestät zurück. Die Majestät auf ihrer entrückten Ebene, kein Auge erblickt weder sie noch ihren Abglanz, da alle Rücken bis jetzt gebeugt sind.

Gabriele d'Estrées verneigt sich tief und lange. Sie ist von allen, die der Majestät huldigen, die nächste am Thron. Vor und hinter ihm, inmitten dieser Galerie, die kein Ende nimmt, verehrt den Thron ein kleines Gedränge demütiger Schultern und Gesichter. Der Thron inmitten, sie selbst ihm die nächste. Noch versinkt sie vor der Majestät, wird aber alsbald die Stufen ersteigen, der Connétable und der Großmeister werden sie führen. Diese sollen nachher umkehren und drunten bleiben mit den anderen. Gabriele d'Estrées wird unvergleichlich erhöht sein und über sich niemand haben als einzig die Majestät. Zu Füßen der Majestät, am Rande des erbauten Thrones wird sie sitzen, aber ihr Kleid muß niederhängen von den Stufen zum Zeichen, daß sie die Königin und dennoch nicht die Königin ist. Ihre geneigte Stirne denkt: ‹Wann?› Sie denkt: ‹Bald, das nächste Mal, schon heute in der folgenden Stunde, ach, nie.›

Ihr Kleid ist weiße Seide, silbrig wie der Panzer des Königs. Das Kleid der Königin wird roter Samt, helles Rot wird es sein vom Ton des hautlosen Fleisches. Gabriele beschließt, es sich machen zu lassen auf jede Gefahr. Ihr lieber Herr, sie fühlt es, streckt soeben die Hand nach ihr aus, sie an sich und hinanzuziehen! Sie erhebt die Augen: nein, die Majestät bewegt den Finger nicht oder auch nur das Glied des Fingers, damit es sie riefe. Sein Gesicht ist in die Ferne gerichtet, weiter als dieser Saal, hinweg über das Gedränge des Hofes, das Volk, das hereinquillt.

Durch alle Eingänge quillt Volk, denn sie sind ihm geöffnet. Kniet hin, rutscht auf den Knien bis in den Tempel der Majestät, wo sie über den gebeugten Rükken thront und ihr Gesicht wahrt. Gabriele denkt: ‹Wahre dein Gesicht, Liebster, ich kenne in deinem Panzer den Körper, straffer Leib mit einigen Narben, jung geblieben, aber oftmals krank. Ich hab ihn viel gepflegt, viel geliebt.›

Sie hätte fast ihre Rolle vergessen. Der Connétable und der Großmeister nehmen ihre beiden Hände und führen sie die Stufen hinauf zu ihrem Sitz am Rande des Thrones. Sie läßt sich nieder, ihr Kleid hängt über zwei Stufen. Die Majestät wechselt die Stellung ihrer Füße, sie erweitert ihre Lider gewaltsam und wahrt ihr Gesicht.

Connétable und Großmeister sind an ihre Plätze zurückgekehrt. Das ist das Zeichen für alle anderen, aus ihrer Verneigung emporzukommen, sich zu teilen und die erwarteten Gruppen zu bilden. Eine Stufe tiefer als Gabriele läßt Madame Schwester des Königs sich nieder. Es ist die breiteste der Stufen, ihr Kleid hängt davon nicht herab. Unterhalb und wohlbedacht, die höchsten Damen nicht zu verdecken, stehen der Kanzler, der Großmeister und der Connétable. Links von der Majestät, die aber entrückt ist durch die leeren Stufen des Thrones, leer und unzugänglich, daß man schaudert – besetzen einige unansehnliche Figuren entschlossen den Raum. Man läßt ihnen davon auffallend viel.

Der Hof teilt sich wie vorgeschrieben, hier Damen, dort Herren, die einen und die anderen nach Rang und Verdienst dem Throne ferner oder näher. Prinzessinnen, die Marschälle und Präsidenten, königliche Prinzen mit dem kleinen Vendôme, sie alle halten beiderseits vorn, wo Licht einfällt. Vorhänge fangen es ab, sinnreiche Gläser verstärken es. Der Sonnengott ist allein nach dem Thron gewendet. Jenseits seiner Strahlen, die allein auf die Majestät zielen, verfließen die menschlichen Umrisse des Hintergrundes. Der entfernteste trägt einen Flecken weißer Schulter bei, und von einem sonst aufgelösten ist übrig die gehöckerte Nase. Farben und Umrisse werden nach hinten schwächer, bis sie zergehen. Indessen liegen graue Schleier auch über den vorderen Gestalten, insofern nicht eine ihrer Fronten oder Linien von der Majestät den Abglanz leiht. Der Sonnengott ist nach dem Thron gewendet.

Die Mitte wird infolge himmlischer und menschlicher Anordnung zum Quell des Lichtes selbst, die geoffenbarte Majestät sammelt es auf sich, nur unzusammenhängende Erleuchtungen entsendet sie. Sollte man von ihr geblendet sein, am blindesten ist dennoch die Majestät. Vergebens zieht sie die Brauen höher, reißt die Lider weiter auf. Außerhalb ihres eigenen Blendwerkes die verschiedenen Tiefen des Schattens bleiben undurchdringlich. Sie glänzt hinein und sieht sie nicht. Das weiche Rutschen am Grunde eines dunklen Schachtes läßt die Majestät ein kniendes Volk erraten. Henri denkt hinter seinen gequälten Augen: ‹Was für ein Wahnsinn! Hab ich das gewollt?›

Es ist Zeit, daß die Majestät ihre Unbeweglichkeit aufgibt und einen Handgriff tut. Der alte Kanzler reicht zu ihr hinauf ein Pergament mit angebundenem Siegel. Henri nimmt es; dabei kann er eilig befehlen, daß der Zauber zu beenden ist. «Abblenden!» raunt er. Die sinnreichen Gläser werden gerückt, die Vorhänge umgelegt, man sieht wieder einigermaßen in die natürliche Wirklichkeit. Aufgepaßt, der erste Blick des Königs sucht an der langen Wand in ihrer halben Höhe eine Nische und hinter ihrem Geländer die Staffelei, die den Maler verbirgt. Der Maler streckt sein junges Gesicht hervor: er nickt. Die Majestät kann beruhigt sein. Ihre Erscheinung ist von kundigen Augen festgehalten, eine sichere, schnelle Hand hat die Minuten ausgenutzt, als ein König, der groß heißt in aller Welt, aus ihr entrückt und eitel Majestät war. Der Maler lächelt, beschützt wie er ist von seinem Gerät.

Der König spricht nunmehr. Er hat das Pergament gerollt, er stützt es gegen seine silberne Hüfte. Seine andere Hand wendet sich an die fernsten seiner Hörer, die bis jetzt auf den Knien lagen. Da der König winkt, kommen sie vom Boden auf, und ihre Sohlen machen weniger Geräusch als vorher das Rutschen. Sie lauschen. Der König auf seinem Throne spricht.

«Menschen sind hier, die keine Arbeit finden und nicht satt essen – entlassene Soldaten und der Überschuß der Handwerker. Aber in Neufrankreich sind Menschen, die verstehen kein Gewerbe, beackern wenig Boden und kennen nicht das Heil der Seele. Um dieser und jener Menschen willen sollen wir zur See fahren.»

Von jetzt ab richtet der König seine Worte an die unansehnlichen Gestalten, die sonderbar nahe seinem Thron stehen. Man muß wissen, daß vor ihm in einer Schänke ein denkwürdiger Gast dasselbe gesprochen hat. Gerade der Gast wird heute wiedergefunden zunächst den Stufen des Thrones, als eine der unansehnlichen Gestalten, deren vorderste aber ein Admiral ist. Kein herausgeputzter Seeheld, ein verwitterter Admiral, ganz danach angetan, die königlichen

Unternehmungen durchzuführen mit körperlicher Ausdauer und Festigkeit des Geistes. Wird demnächst dieser Gaben bedürfen und nicht weniger seine Gefährten. Auch Marcus Lescarbot, sein abgetragenes Gewand und strenges Gesicht, die kleine Schar der anderen Seefahrer, alle wären auf der Stelle bereit und angetan, ihr Schiff zu besteigen für die ungewisse Fahrt durch Nebel oder Sturm. Wer nicht scheitert, sichtet Neufrankreich.

«Dürfen wir die Länder, die Neufrankreich genannt werden, besetzen und sie ihren Bewohnern wegnehmen? Nein. Sondern wir wollen die Freundschaft der Menschen erobern, bis sie unseresgleichen sind. Sie ausrotten, wir haben es nicht im Sinn mit den fernen Völkern. Ich will euch trösten, hat der Herr gesagt. Euch ausrotten, sagte er nicht; aber sein Wille ist auch der Wille eures Königs.»

Die Worte sind alt, ihre Meinung göttlich, was niemand leugnet, und einem König geziemen sie. Die Kolonien bleiben dennoch ein wolkiger Einfall, kann glücken oder nicht. Was wahrscheinlich das Ende wird? Das Wrack mehrerer Schiffe und eine wüste Insel, darauf einige Gescheiterte. ‹Larifari›, denkt Herr de Rosny-Sully, er sieht von denen, die niemals Gold bringen werden, hinweg in die Luft.

Ihm gerade gegenüber gedenkt Marcus Lescarbot der alten hugenottischen Seefahrer und eines Kanzlers im ehemaligen Navarra. Der hielt als erster die Kolonien für eine Verpflichtung des Humanismus. Von ihm sind die Worte, die wir beide immer bewahrt haben und heben sie endlich hervor, jeder aus seinem beständigen Herzen. Ich trage sie jetzt wieder zu den Leuten, er aber spricht sie herab von seinem Thron. Inzwischen sind wir grau geworden. Der Weg ist lang nach Neufrankreich – bemerkt hier ein Mann, der den Mut hätte verlieren können. Weit zurückblicken, verlängert auch die Strecken, die noch vorn liegen.

Der König erhebt das Pergament mit dem angehängten Siegel, er hält es vor den Admiral hin, aber bis jetzt nicht niedrig genug, daß der Admiral danach greifen kann. Der König verkündet für alle: «Ich ernenne den Marquis de la Roche zu meinem Generalstatthalter im Lande Kanada, Neufundland, Labrador –»

Er zählt noch mehrere Namen auf. Den Seefahrern sind sie geläufig, auch auf den öffentlichen Plätzen hat man sie letzthin gehört und konnte sie ablesen von Weltkugeln. Die sind versehen mit Bildern, Ungeheuern des Meeres, Göttern, Nymphen, Kannibalen und fremdem Getier, die einen fürchterlich, alle wunderbar. Infolge des Reizes, den die Märchen haben, beschließt aus dem Volk eine Anzahl, dem König zu glauben und wollen mit seinem Statthalter in das Unbekannte reisen. Sie sind zur Stelle, sie dringen hier ein. Durchlassen! Wir müssen zum König. Allerdings fällt ihnen das Herz in die Hosen, nicht wegen der Nymphen oder Menschenfresser, vielmehr weil mit jedem Schritt der Thron ihnen näher rückt.

Der König kommt denn auch zu ihnen herunter. Dem Admiral schiebt er die großartige Ernennung einfach in den Rock und küßt ihn auf beide Backen. Alsbald ist er bei den gutwilligen Kolonisten, die ihm glauben, sollen aber vielleicht am Skorbut sterben oder auf wüste Inseln verschlagen werden. Er warnt sie mit lauter Stimme, noch ist Zeit, nach Hause zu gehen. Kehrt doch keiner um, jetzt gerade nicht, hier spricht der König und legt seine Hand auf die Schulter dir und mir.

Noch hört man außerhalb der Menge, in die er sich begeben hat, seine Ermahnungen und guten Wünsche. Dann wird er leiser, und was nachfolgt, ist gewaltige Freude bei den Leuten. Die Herren vom Hof sehen einander an. Man weiß, wie er's macht. Ein Junge wird ihm anvertraut haben, daß er wegen der Nymphen mitreist, und dieser König ist der Mann, sie ihm im voraus zu beschreiben, daß ihm die Augen brennen. Allgemein reißt Munterkeit ein. Mehrere erdreisten sich, sie tasten den Thron an, sie wollen um ihres künftigen Heiles willen die letzte seiner Stufen berührt haben mit ihren Fingern, wenn nicht mit dem Gesäß. Dabei geht nun der König verloren.

Wo ist er? Man sucht ihn, der wohlgeordnete Hofstaat verwirrt sich. Verschwunden ist überdies die Herzogin von Beaufort mitsamt Madame Schwester des Königs. Unterhalb ihres früheren Sitzes trifft man allein den Pagen an, und dieser hält auf seinem Schenkel mit unverzagtem Pflichtgefühl den schweren Helm des Königs, ein aufgerissenes Löwenmaul. Man fragt ihn, er schweigt. Der neugierigste der Herren sagt ihm in das Ohr: «Kleiner Sablé, sprich doch. Er ist bei dem Maler droben. Nicht einmal ich hab aufgepaßt, nur du. Stummer Wilhelm! Wird's bald?»

Der Page stülpt dem Neugierigen den Helm über, dem vergeht Hören und Sehen.

Als Henri das obere Zimmer öffnete, fand er Peter Paul Rubens beschäftigt, auf seine schwarzweißen Entwürfe eilige Farben zu setzen. Diese waren Flecken ohne Zusammenhang, wie auch die Sonne sie in das wirkliche Bild geworfen hatte, als sie mit ihren Strahlen die Figuren zerschnitt und löste alle festen Formen, bis sie Wechselfälle des Lichtes wurden. Der Maler hatte die Vorgänge unterschiedlich auf Blätter gebracht: den thronenden König, den König, der spricht, der sein Volk herbeiruft und der unter die Leute steigt. Seine hochgelegene Nische hatte dem Maler gezeigt, was allen entgangen war, den König bei seinen Seefahrern und künftigen Kolonisten, mit ihnen Brust an Brust, die Hand auf der Schulter eines Jungen, der hingerissen die Augen schloß. Der Maler hatte sich erlaubt, des Gelächters, so laut es gehört worden war, gar nicht zu gedenken. Die Männer um den König staunten, mehreren ging von selbst der Mund auf.

Der König war wirklich spannend anzusehen, seiner gewiß wie nur ein Seefahrer, der von keinem Scheitern weiß; aber die Lippe ist verzogen infolge eines Messerstiches und die Brauen steigen schmerzlich hinan, um die rechte schlingt sich eine Falte.

Henri sagte: «So ging es nicht zu. Ist aber die Wahrheit. Herr Rubens, das Blatt schließ ich ein, will Ihnen für genaues Bildnis mein Gesicht leihen. Die Höfe Europas dürfen es dergestalt nicht kennen.»

«Sire! Die Höfe, die mich rufen, bekommen von mir, was sie sich wünschen, nur einen äußeren Schein. Es wäre nicht überall rätlich, das Innere nach außen zu kehren.»

So sprach der junge Rubens frohgemut. Hell und gewinnend betrachtete er diesen großen König und hatte schon hier das Bild von ihm fertig, gedachte es aber ähnlich zu malen bis zum Unwahrscheinlichen.

Henri: «Sie würden aus mir einen traurigen Mann machen.»

Rubens: «Anders, Sire. Einen Liebling der Götter, dem sie es sauer werden lassen. Legten aber unter seine vielgeprüften Züge ihre eigene, ewige Heiterkeit.»

Henri: «Ist es nun der Umgang mit den Höfen, der Sie gewandt reden läßt? Ihr Flamen seid sonst von langsamer Zunge. Sie haben eine lustige Arbeit, Herr Maler. Mit den Menschen umspringen, wie? Nach ihnen gestalten, was sie scheinen, aber mit in das Bild nehmen, wie es unter der Haut zugeht. Da haben Sie noch Ihre glatte Stirn, den blonden Bart, und kennen auswendig, wie wir alle gebaut sind. Auch ich – als ich jung war, las ich am liebsten den anatomischen Atlas.»

Der König wendete die Hand, eine Bewegung des Sinnes, daß er Arbeiten getan habe auf Grund vieler Belehrungen durch die menschliche Beschaffenheit. Hierauf verstummten diese beiden. Sie standen unter einem Fenster mit kaltem Licht. Das Zimmer war leer, nur der Tisch, darauf die Entwürfe. Sie sahen weder die Entwürfe noch einander an.

Die Tür wurde geöffnet für die Herzogin von Beaufort und Madame Schwester des Königs. Rubens verneigte sich höfisch. Beim Eintreten des Königs hatte er es sich und ihm geschenkt. Henri stellte ihn vor.

«Das ist Herr Rubens, der schon den Ruhm kennt, und dieser erhöht die Maler über die Fürsten. Herr Rubens hat aber keinen Pinsel fallen gelassen, und ich konnte keinen aufheben.»

«Sire!» sagte Madame Schwester. «Wir sind begierig, Ihren Thron zu sehen.»

Der Maler, in vorgeneigter Haltung:

«Madame, Sie kennen ihn besser als ich. Sie saßen selbst zu seiten des Königs.»

Henri antwortete: «Da haben Sie's, Herr Rubens. Madame wird ihre und meine Größe erst glauben, wenn Sie davon ein Bild gemacht haben.»

Gabriele schob mit den Spitzen zweier Finger die Zeichnungen auseinander. Ihr war nicht entgangen, daß der Maler bei ihrem Erscheinen eines der Blätter umgewendet und bedeckt hatte. Er folgte aufmerksam ihren Fingern, er wußte nicht: ‹Darf sie es finden? Vorsichtiger wär's, ich behielte es für mich, entstellte die Ähnlichkeiten und gäb ihm einen Namen aus den alten Sagen. Ich mach es fünf Fuß hoch, vier breit, es wird ein Bild von mir und damit gut.›

Nun stieß Gabriele nicht auf das Bild, das der Maler umgewendet und versteckt hatte, sondern was sie hervorzog, waren einzelne Gruppen von Figuren. Gleich die erste, diesen langen und hohlen Rücken erkannte sie noch früher als das steinerne Profil. Sie erschrak, das Blatt fiel ihr auf den Fuß. Henri war schneller als der Maler – hielt das Blatt und küßte die teure Herrin, bevor er ihr in das Ohr sprach: «Sie haben recht. Hier ist ein Schreckensmann. Betrachten Sie lieber Ihre eigene Gestalt in einer noch schöneren, wenn es die gibt.»

Madame Schwester hatte glücklich gegriffen und zeigte der Herzogin, um sie zu trösten, ihre eigene Person, abkonterfeit in der vollen Pracht der Formen, die Fleischtöne leicht angezeigt, ja, auch der Glanz der Seide. Da lehnte die reizende Gabriele, schon recht voll gediehen, wenn man es sagen sollte, und um so würdiger des Thrones; etwas tiefer saß Kathrin. ‹Aber der Page!› sah Kathrin und erschrak. ‹Er steht am Boden zwischen uns beiden, stützt auf seinen Schenkel den Helm, das aufgerissene Löwenmaul – und geschnitten ist sein Gesicht wie das meines Bruders, als er jung war. Was ist dem Maler eingefallen. Daß nur Gabriele nichts bemerkt! Nein, wie könnte sie. Die Zeit, als wir so jung waren, gehört nur mir, und dies Gesicht kenn ich allein.›

Hiernach wollte Kathrin nichts anderes ansehen, sondern erinnerte an den Aufbruch. Der König nahm die Hand seiner Liebsten, sie wären gegangen. Rubens sagte wider seinen Willen: «Ich habe noch etwas.»

Er meinte das, was er eigentlich gesonnen war, für sich zu behalten, ein Bild von mir und damit gut.

«Tatsächlich», sagte der König. «Sie zeigen uns Einzelheiten. Wo ist der gesamte Anblick?»

Da zog Rubens ein Blatt hervor, hatte es umgewendet und versteckt, jetzt spannte er es zwischen seinen Händen auf. Madame Schwester hatte genug gesehen, sie wollte fort, sie hätte sich einsam gern zurückgedacht. Denn vor ihr, was liegt vor ihr? Sie fühlte die Traurigkeit kommen wie jetzt öfter, und hielt sie für keine Vorbedeutung eines langen Lebens.

Henri und Gabriele ließen einander nicht von den Händen, beiden stockte der Fuß. Sie verhielten sich in Wahrheit als Gebannte, die nicht von der Stelle können und strecken nur die Köpfe vor.

Der Thron, ein weißes Nichts, inmitten der Umriß der Majestät ausgelöscht vom übermächtigen Licht, aber die tausend unwägbaren Strahlen nehmen feste Formen an. Das sind Engel und Amoren, ihr gehäuftes Schweben, ihr Sturz und leuchtender Bogen von umschlungenen Gliedern, ihr Jubel des Himmels, ihre unsterbliche Flut. Die Majestät, ein schwacher Umriß, erkennt mit aufgerissenen Augen nichts, weder die menschlichen Schatten unter ihr noch die hereingebrochene Flut der Engel und Amoren. Am Rande des Thrones aber sitzt eine Frau, die von dem göttlichen Schein entkleidet ist und ist nackt. Sichtbar in aller Fülle, allem Segen wird das Fleisch der Frau, davon, daß über ihr der Herr des Lichtes thront, wenn auch erloschen vom eigenen Übermaß.

Henri sprach: «Wie das arbeitet! Zu viel, zu viel, und wir sind ausgelöscht. Sie sollen das Bild malen, und ich will es oft betrachten, um demütig zu werden. Das sind wir und nicht mehr als das.»

Rubens sagte betreten: «Demütig meinte ich es keineswegs. Ich nenn es Majestät.»

Gabriele – angewandelt von der unruhigen Lust, zu büßen und sich zu erniedrigen, wie ihr lieber Herr: «Die Frau ist ihres Stolzes entkleidet und daher ist sie nackt. Nicht um das prunkhaften Fleisches willen, denn das soll verfallen. Ich seh und beschwöre, daß sie das Knie bewegt und will auf den Knien liegen vor der Größe, wie sie dasteht.»

Hiermit hatte sie ihr Gefühl gefährlich gesteigert. Diese Frau in höchst bedrohter Lage ihres Lebens verwandelte das schönste Bild in ein schreckliches – weshalb ihr Gesicht zu reinem Entsetzen überging. Henri hatte sie fortgezogen. Der Maler wollte das Bild aus ihrem Blick entfernen. Sie streckte aber die Hand danach aus.

«Das ist mein Körper», sagte sie mit einer Stimme, die nicht die ihre war, leidensvoll gebrochen. «Einer hat ihn studiert außer mir. Wer jede Falte meines Fleisches kennt, gewiß verrät er auch, was aus mir werden soll, und ist ein Astrologe.»

«Kein Astrologe, ein Anatom», rief Henri. Zu spät, Gabriele warf sich an seine Brust, ihr schauderte. Sie hatte von ihrem Abbild das lebendige Fleisch wegschmelzen gesehn. Am Rande des Thrones, nicht mehr zu seiner Mitte gelangt, saß ein Gerippe.

Gabriele, um ihr Leben

Im Herbst dieses Jahres wurde Alexander Monsieur getauft; der Aufwand an Festlichkeiten übertraf alles. Der Hof hatte vor Augen, daß die teure Herrin seit ihren beiden vorigen Kindern das erträgliche Maß überschritten hatte, und es wäre die höchste Zeit, ihr ein Ende zu bereiten. Ein Ende, es konnte heißen, den König noch einmal verliebt zu machen. Madame de Sagonne empfahl es, sie übernahm auch die Wahl des Gegenstandes. Die Schönheit, ausgesucht nach den Bedürfnissen der Majestät, war wohlverstanden eine Neuheit bei Hof, jung wie Eva am ersten Tag, vor allem war sie mager. Wirklich gefiel sie dem König, als sie in dem großen «Ballett der Fremden» tanzte, so gut wie ausgezogen, da sie der Gruppe der «Indier» zugehörte. Das waren die Einwohner von Neufrankreich, wo es übrigens zu kalt sein sollte für eine so freigebige Aufdeckung. Indessen, Herr de Bassompierre, der es inzwischen bis zum Einüber von Zerstreuungen gebracht hatte, folgte weniger den Tatsachen der Erdkunde als seiner Freundin Sagonne.

Der König ließ das Fräulein d'Etrangues, sooft die Gelegenheit kam, bereitwillig an seinem Sitz vorbei, er zog seine Füße zurück, sie wäre angestoßen. Denn sie war nur bedacht, sich lang und schlank zu machen auf ihren hohen Beinen und senkrecht gestellten Fußspitzen. Dies diente weiter dem Zweck, daß die Augen der dunklen Schönheit den König von oben heftig anglühten: teils, um die Lockungen sämtlicher Indien darzustellen, und dann im eigenen Namen. Der König lächelte in seinen Bart, verblieb aber den ganzen Abend zu seiten der Herzogin von Beaufort.

Erstens fühlte er sich ermüdet, fast schon unpäßlich, sah aber dafür Grund genug in seinen vielfachen Werken dieses Jahres. Es geht zu Ende. Sollte es zuletzt noch eine Krankheit bringen, Henri hat an seine Krankheiten nie geglaubt, er wird es nicht mehr lernen. Mag von jeher sein Studium die Natur des Menschen gewesen sein, der eigene Körper behält ihm immer neue Überraschungen vor.

«Sire!» sagte Gabriele ihm ins Ohr. «Sie haben diese Zerstreuung satt, wie ich sehe. Ich verdenke es Ihnen nicht, wenn Sie mein Fest verlassen und ausruhen.»

Henri verstand es dahin, daß er seine Liebste beruhigen müßte wegen der zudringlichen jungen Person.

«Die kleine Henriette», begann er.

«Sie wissen ihren Namen», bemerkte Gabriele.

«Ich kenne besonders ihren Vater», sagte Henri. «In wie vielen Lagern er mir begegnete, seh ich ihn doch immer dastehen neben dem ermordeten König, meinem Vorgänger. Er stand am Kopfende und hielt der Leiche das Kinn, damit es nicht wegklappte. Einmal ließ er es fallen aus Wut über mein Auftreten. Die Herren, die im Zimmer waren, hätten lieber mich selbst tot sehen wollen als den anderen. Der schrecklichste Eindruck war aber das mit dem Kinn.»

«Ruhen Sie aus, o mein geliebter Herr, ich bitte Sie darum, mag man sogar sagen, Sie hätten sich auf meinem Fest gelangweilt.»

Die Sorge Gabrieles rührte Henri. Er antwortete: «Ich will tun, wie Sie mir raten, obwohl ich mich ganz wohl fühle.» Verschwand hiernach ohne Abschied von der Gesellschaft. Bei sich selbst meinte er, daß Henriette d'Etrangues ihm unheimlich wäre. ‹Hüte dich vor der Tochter des Mannes, der dem ermordeten König das Kinn hielt!›

Ein Ende mit Gabriele, das konnte heißen, den König in eine neue verliebt zu machen. Mißlang dies, wie es schien, und saß der König nunmehr bequem genug im Besitz, daß auch die gewohnte Frau nicht mehr daraus zu entfernen war – dann hieß das Ende anders.

Herr de Fresne, ein Mitglied des Finanzrates und Protestant, war der Herzogin ergeben, in den oberen Stellen ihre einzige Stütze neben dem alten de Cheverny, der seine guten Gründe hatte. Denn Kanzler blieb er, solange seine Freundin de Sourdis vermittels ihrer Nichte, der schönen fetten Wachtel, die Majestät regierte. So war die Ansicht. Wer weiß wohl, daß Liebe klüger macht als Eigennutz, und Gabriele hört nicht mehr auf Dame de Sourdis. Man sagt: Die Tante und die Nichte, beide hinaufgelangt durch Ehebruch, und bereichern sich um die Wette. Herr de Fresne, so schlicht und ohne Glanz er umging, hatte seinerseits das unverdiente Los, für den Verfasser des Edikts von Nantes zu gelten. War darum verhaßter, als die mittleren Figuren im großen Spiel eigentlich sein können.

Dieser Gute stellte für die Taufe des kleinen Alexander Monsieur die Kostenrechnung auf, schickte sie dem Oberintendanten der Finanzen in sein Arsenal, vergaß auch nicht, den Täufling ein Kind Frankreichs zu nennen. Herr de Sully wies statt des angemessenen Betrages einen viel zu niedrigen an: nicht einmal die Musiker konnten davon bezahlt werden. Als diese sich bei ihm beschwerten, warf Sully sie kurzerhand hinaus. «Kind Frankreichs gibt es nicht», rief er ihnen nach. Das Wort hinterbrachten sie der Herzogin von Beaufort.

Da zeigten endlich diese Dame und ihr innigster Feind einander das wahre Gesicht, dies in Gegenwart des Königs, der den Minister hergebeten hatte.

«Wiederholen Sie, was Sie gesagt haben!»

«Kind Frankreichs gibt es nicht!»

«Die Kinder Frankreichs haben eine Mutter, die Sie zu beleidigen wagen, und einen Vater, der vieles verzeiht, nur gerade dies nicht.»

Da Henri angerufen war, legte er sich ins Mittel.

«Streichen Sie die Kosten der Musik, Rosny, ich trage sie selbst. Aber streichen Sie auch Ihre Worte.»

«Sire! Ich bin der Mann der offenkundigen Tatsachen. Sie haben für Madame einen Titel und Rang gewählt, dabei bleibt es.»

«Wenn ich aber will, bleibt es dabei nicht.»

«Gesetzt, Sie wollten», berichtigte Rosny oder Sully mit seinem steinernen Gesicht, das übrigens aschgrau geworden war wie bei Standbildern.

Die schönen Farben der Frau hielten auch nicht mehr. Sie fing an, dem Minister die furchtbarsten Wahrheiten zu sagen. Henri griff nicht ein, er wünschte sich weit fort und mitgenommen hätte er weder den einen noch die andere. Rosny beobachtete kalt. ‹Fahr dich fest›, dachte er und ließ die Feindin alles hergeben, was sie konnte.

Gabriele sprach mit einer äußeren Ruhe, die aber nichts anderes war als Überanstrengung der Seele durch ihre innere Raserei. Sie sei so gut wie Königin. Der Hof habe sie anerkannt mit Huldigungen ohnegleichen bei den Festen für ihren Sohn, das Kind Frankreichs. Sie ging bis zu Einzelheiten und zählte auf, wer sich besonders erniedrigt habe um ihrer Gunst willen. Rosny merkte sich jeden, um ihn aufzuklären.

Henri irrte von einer Wand zur anderen, vor der entferntesten blieb er abgewendet stehen. Seine arme Herrin gab sich Blößen; er bemitleidete sie, was nicht gut ist. Da sie sehr darauf bestand, daß Träger der größten Namen ihre Vorzimmer schmückten, bemerkte er das erstemal ihre kleine Herkunft. Sully bekam vom Auge des Königs den Befehl, hierüber zu schweigen.

Gabriele hatte zu vieles erlitten, zu lange an sich gehalten. Sie empörte sich endlich ganz und auf einmal. «Ich mache die Leute», rief sie. «Der Beweis ist Ihre Person, Herr Großmeister und Oberintendant. Wer hat Sie denn gemacht! Glauben Sie, daß es leicht war? Sehen Sie sich an und sagen selbst, ob Sie dem König gefallen können. Ein verstockter Mensch dem lebendigsten, dem beflügelten Geist ein träger. Sie waren geschaffen, in Ihrer Mittelmäßigkeit zu versumpfen. Ich allein zog Sie heraus.»

Viel Wahres, und bevor es von diesem leidenschaftlichen Mund ausgestoßen wurde, hatte Henri es laut gedacht in Gegenwart Gabrieles. Gerade deshalb fühlte er sich hierbei im Nachteil, ihm selbst geschah Unrecht. ‹Wie mein guter Diener jetzt hingestellt werden soll, hab ich ihn wahrhaftig nie erblickt.› Von hier ab war er mit dem guten Diener offen im Bunde. Wenn die Verstörte es nicht begriff, ach, nicht einmal sein Aufstampfen hörte sie – Rosny-Sully war fortan seiner Sache gewiß, die Feindin betrieb ihr Verderben selbst, und er ließ sie. ‹Sacken Sie noch tiefer ein, Madame.› Er schwieg mit vorgequollenen Augen. Die Unglückliche verlor den letzten Boden.

«Sie vergessen, daß Sie vor mir gekrochen sind. Als mein Knecht, so fingen Sie an.»

Bei dem Wort färbte den Aschgrauen jählings der Zorn, oder war es die Schande.

«Genug, Madame! Sie haben sich um ein Wort zu viel erlaubt. Es prallt von mir ab, aber irr ich nicht, trifft es den König. Will mein Herr mich entlassen?» fragte der alte Ritter. In seiner Stimme bebte die Erinnerung an Schlachten und Arbeiten ohne Zahl; nie war uns der Sieg verbürgt, dennoch sind wir beide, wo wir sind.

Henri war entsetzt. Die meisten Schrecken wären ihm leichter geworden als dieser Auftritt und der unheilvolle Zwang, zu wählen. Er fühlte entsetzt: wie immer er entschied, es war ein Bruch, ein Unheil und ein Ende. Als er sich herwendete von der Wand, hatte er die Absicht, zu lachen und wollte sie nötigen, Vernunft anzunehmen. Bei ihnen angelangt, sagte er gegen sein eigenes Erwarten:

«Sie entlassen, ich denke nicht daran.» Dies zu Rosny. Gabriele d'Estrées aber vernahm aus seinem Munde: «Einen solchen Diener aufgeben Ihretwegen? Madame, Sie können es nicht wollen, wenn Sie mich lieben.» Dies unsanft gesprochen.

Erst nachdem es gesprochen war, begriff er, daß es nicht von ihm war; er hatte es nur nicht verhindern können. Kehrte um und ging hinaus.

Herr de Rosny genoß noch diese Minute die Niederlage der Frau, deren Körper zuckte, und ihr weißes Angesicht erfaßte schwerlich, daß man ihr zusah. Seine blumenhaften Farben, die einem Mann seines Alters nicht anstanden, waren zurückgekehrt, da verließ er sein Opfer ohne Gruß.

Wenn später bei Rosny gewisse Bedenken eintraten, er wußte ihnen zu begegnen. Der Dienst des Königs über alles. Der König hat selbst gesagt: Ein solcher Diener ist mir lieber als zehn Maitressen! Denn so und nicht anders hatte Rosny das Wort gehört, oder hat es in seinem Geist dahin abgewandelt. Diese Fassung eines unglücklichen Wortes gab er weiter, alsbald kannte der Hof sie, und die Gesandten schrieben sie in ihre Berichte, was den Urheber der Fassung um so mehr rechtfertigte. Guten Glaubens konnte er feststellen: Das Hin und Her mit der teuren Herrin, die aber plötzlich eine von zehn beliebigen Maitressen ist, es kostet unnützerweise sowohl Zeit als Geld. Jetzt hat der König eingestanden: seine Liebe reicht nicht mehr aus, daß er sie heiratet. Ich habe recht gehabt und tat ihm einen wahren Gefallen, da ich ihm die Augen endlich öffnete. So rechnete Rosny und übermittelte das Ergebnis seiner Ehefrau, der alternden Witwe, die davon hochbefriedigt war.

Als Mann von Gewissen hatte Rosny es nötig, nicht nur den Dienst des

Königs, auch seine Menschenpflicht gegen eine Unglückliche in Ordnung zu halten. Er wollte sie erfüllt haben und brauchte sein Gewissen nur daran zu erinnern, was der Frau drohte, hätte er selbst nicht eingegriffen. Zwischen dem Thron und dem Tod, beide in der Nähe, aber kein Zweifel, welcher von beiden zuerst nach ihr griff – wir haben zwischen ihnen eine Ausflucht geöffnet: die Ungnade des Königs. Hart für sie, wer bezweifelt es. Sie mag uns grausam, treulos, undankbar nennen, bis jetzt nur das. Später einmal, wenn sie als Schloßfrau von Monceaux in leiblicher Sicherheit weiterlebt mit einer Rente vom König, wird sie erkennen, wer sie gerettet hat. ‹Nichts zu danken, es war Menschenpflicht. Haben Sie, Madame, hier und da meiner Laufbahn genützt, ich rettete Ihnen dafür das Leben. Gut damit, aber fangen Sie nicht wieder an.›

Das Gewissen gab sich zufrieden, oder doch einigermaßen. Vor seiner Ehefrau mit der spitzen Nase rühmte Rosny seine gute Tat an Gabriele d'Estrées denn doch nicht. Die Nase war lang und spitz genug, sie wäre vielleicht auf die verkehrte Seite der guten Tat gestoßen. Solch eine alte Witwe hat lange gewartet; sie triumphiert endlich ganz ohne die schuldige Selbstprüfung.

Die Herzogin von Beaufort machte eine Reise zu Madame de Sully, die sie nicht empfing. Hierüber richtete die Herzogin eine liebenswürdige Beschwerde an Herrn de Sully, der ihr nicht antwortete. Beides wäre dem König zu viel gewesen, wenn er es erfahren hätte. Er hätte zweifellos die Beleidigung an sich selbst empfunden. Gabriele sprach zu ihm dennoch nicht. Sie hatte genug in Händen, um gegen den guten Diener einen einmaligen Schlag zu führen. Aber sie fürchtete den Rückschlag – nicht von Rosny, vielmehr in der Seele ihres lieben Herrn: sie war belehrt.

Ihr heimliches Gefühl war die Angst, nie mehr wich diese ganz. Der König gab sich wie je, er gab sich, wenn sie nur zugreifen wollte, mehr hin als je. Verwünschte seinen Hof und die anderen Höfe, das Netz der Beziehungen, worin er verstrickt war, seine Unfreiheit, die allgemeine Verschwörung, um seinen Sieg über Spanien abzustumpfen, seine Person unschädlich zu machen. Gabriele verstand und hörte, was er zurückhielt: Verzeih mir, mein teuerstes Gut. Darum leitete sie ihn doch zu ihrer eigenen Sache niemals über. Sie hätte es nicht vermocht, ohne zu zittern, da seit dem Auftritt mit Rosny ihr Körper das Zittern durchaus nicht mehr verlernen wollte, dies bei allem Vorsatz ihres Willens. Ihre Angst nicht merken zu lassen, das wurde ihre wahre Angst.

Vertraut wie vorher selten, eröffnete Henri ihr seine persönlichen Verhandlungen mit Papst Clemens über seine Scheidung von der Königin von Navarra. Den Stand der Dinge kennen auch seine Minister nicht. Papst Clemens verlangt als Entgelt die Rückberufung der verbannten Jesuiten. Der König hat geantwortet: wenn er zwei Leben hätte, wär eines für Seine Heiligkeit. Sie begriff: er hat nur sein eigenes Leben wie auch ich; und handelt er, wie wir beide wünschten, dann ist es verwirkt. Er macht mich zu seiner Königin, muß dafür die Jesuiten in Kauf nehmen und hätte schon entschieden, daß wir auf unserem Thron alle beide sterben sollen. So bittet er: verzeih mir. Indessen stellte sie sich, als ginge es allein um das Wohl des Königreiches.

Der König befahl eine Jagd zu Ehren der Herzogin von Beaufort – keine vier Tage nach seinem oft bereuten Wort, dessentwegen sie noch zitterte. Er nahm auf diese Jagd nur ihre Freunde mit, vor allem, wer sich zu ihrem Freund bekehrt hatte wie Roquelaure. Alle waren Soldaten, von ihnen die sichersten waren einfachen Sinnes, der tapfere Crillon, der einäugige Harambure. Hatten mit eigener Hand einen Mörder des Königs aus dem Sattel gehoben, ihm selbst aber hatten sie gesagt: «Sire! Heiraten Sie Ihre Liebste.» Mit diesen wird der herbstliche Tag klar wie kein anderer. Man reitet in die Weite, wohlbekannt auf dem Feld: die Hufe unserer Tiere haben es umgeackert, als wir hier das Gefecht hatten. Der Wald unabsehbar, der Wald bis an die Grenze der Provinz Picardie – fällt reichlich Sonne heute durch sein entlaubtes Geäst, wir aber fänden Weg und Steg in tiefer Finsternis.

«Wie war es, Feuillemorte», sagte Henri zu seinem Großstallmeister Bellegarde und neigte sich über seine Liebste, denn ihr Pferd ging zwischen ihren beiden. «Wie dunkel war es hier, als wir das erstemal zurückkehrten von Schloß Cœuvres? So dunkel, daß du darauf sannest, mich umzubringen, Feuillemorte. Kein übler Einfall von einem Eifersüchtigen. Hab ihn nachher selbst gehabt, das muß ich dir zugut halten, alter Feuillemorte. Madame, sehen Sie ihn an, jetzt wird auch er schon grau.»

Nein, sie entsann sich weder des Weißbartes noch dessen mit den ergrauten Schläfen. Sie bewegte bei sich ihr Glück, daß ihr geliebter Herr sein junges Herz bewahrt hatte für sie, für sie, und seine Stimme war fröhlich, obwohl sie auch gerührt klang; ja, die alte Qual, weil er sie hätte verlieren oder gar nicht bekommen können, die vergangene Qual kehrt wieder und bebt mit. «O schönes Leben!» sagte Gabriele. «Wie lieb ich dich!»

Merkwürdig, anstatt der schnelleren Bewegung, die hier von selbst gefolgt wäre, setzten diese drei ihre Tiere in eine ruhige Gangart. Daher kamen hinter ihnen die Herren heran und waren zu hören. «Ich hab's ihm immer gesagt», war zu hören. «Zugeschlagen! Das Volk aufrufen, wie bei allen seinen Taten. Den Pfarrer her, geh's wie es gehe, und wir haben unsere französische Königin. Nachher – ist nachher.»

Das war der tapfere Crillon. Der einäugige Harambure sprach zornig: «Was haben wir jetzt? Daß die Mönche schon wieder gegen ihn predigen. Prophezeien ihm die Züchtigungen seiner Sünden. Rufen zu den großen Bußen auf, damit nicht der Himmel einstürzt über diesem Königreich. Seit dem Frieden darf Spanien von neuem seine Klöster ausschütten über uns. Die Kapuziner sind hier eingerückt mit Dornenkronen auf ihren Glatzen, und ihnen voran die Damen Guise. Hätten wir das alles kürzlich geglaubt? Und von ihm?»

«Einäugiger», rief Henri über seine Schulter. «Sie treiben auch schon wieder den Teufel aus den Besessenen. Ich aber schicke den Arzt hin, wie ich es früher tat. Meine Art bleibt dieselbe, du wirst mich nicht nachlassen sehen.»

«Die Vorzeichen», wollte einer sagen. «Ihre Feinde, Sire, verlegen sich auf nachgeahmte Vorzeichen. Wenn die erst an der Reihe sind: hüten Sie sich!»

Dies ließ Henri ohne Entgegnung, denn er wußte: es gibt Vorzeichen, die unnachahmlich sind. Unsere Sache, zu vermeiden, was sie ankünden. Indessen erkannte er die Lichtung, in die sie einbogen; hier wollte er, daß man absäße und die Vorräte äße. Die Diener machten aus Stümpfen den Tisch, sie legten abgesägte Stämme darum her. Einen einzigen versahen sie mit Lehne und Dekken: dahin führte Henri die reizende Gabriele.

Ihr Kleid war grün mit silbernem Besatz, desgleichen der Hut. Die kühle Sonne holte aus ihren Haaren nicht den großen Glanz der festlichen Zeiten, wenn Edelsteine darin funkeln. Wozu. Stiller Schimmer, gewoben um ein Wesen, das noch da ist, es war aber sonst anders da, nimmt zu den Herzen einen langsamen, sicheren Weg. Henri streichelte ihre Fingerspitzen, während er sie bediente. Ihre Wangen sind Schnee, bevor er schmilzt, und Rosen sprießen hervor. O schönes Leben! Wie lieb ich dich! Das hatte sie längst gesagt, nur daß ihr lieber Herr noch immer den Ton nicht zu Ende gehört hatte. Er lauschte und blieb nachdenklich, die Reden wurden seltener bei dieser Mahlzeit.

Als er ihr zum Aufstehen die Hand reichte, sagte Henri zu Gabriele: «Daß ich es Ihnen verrate, Madame: von dieser Stelle brachen wir damals auf, ich mit Feuillemorte nach Schloß Cœuvres, und ich sah Sie dort von der Treppe steigen.»

Der Herzog von Bellegarde stand hierbei dem König und seiner Liebsten näher als alle; man hätte gedacht, er wäre der dritte.

Dann wurde beschlossen, ernstlich nach dem Wild zu jagen; die Herren und ihre einzige Dame betraten zu Fuß das Unterholz, wobei man auseinander kommt, hat sich verfehlt, und die Stimme, die auf das Rufen antwortet, verhallt, wird schwächer, ihr Aufenthalt ist endlich überall und nirgends. Die Herzogin von Beaufort war verlorengegangen, obwohl Henri meistens achtgegeben hatte, ihr nicht von der Seite zu schwinden. Der Großstallmeister, der angeblich auf gut Glück in eine Richtung lief, wurde nicht wieder gesehen. Der König ließ seine Herren den Wald absuchen. Er selbst stieg zu Pferd; wie er erwartet hatte, fehlten von den Tieren zwei.

Zuerst galoppierte er durch dick und dünn, über Verhaue, Gräben und das offene Grab. Unversehens fiel Herr de Rosny ihm ein. ‹Der bezweifelt, daß mein Cäsar von mir ist. Wenn ich ihn stellte, er würde es leugnen oder auch nicht, da er zuletzt recht behält, sind nur vier Tage seither.› Henri hatte am Zügel gerissen und hielt. Zorn gegen Rosny, der zuletzt recht behält – aus bloßer Erbitterung wäre der Reiter umgekehrt. Wollte nichts wissen, aber den Dummen abgeben wollte er auch nicht. So stand er lange am Fleck, sein Pferd stampfte und wieherte; ihm erschien Schloß Cœuvres, das in Wirklichkeit noch außer Sicht war. Sein Blick drang durch die Mauern und in ein bekanntes Gelaß, was ihn furchtbare Überwindung kostete und doch von selbst kam.

Da er nun schon hineingesehen hatte, wollte er, daß die Qual werde vermittels seiner leiblichen Augen, und begehrte heftig, er wäre zugegen, während die beiden im Bett lagen; er selbst läge darunter wie einst der andere. ‹Dem warf ich damals Konfekt hin. Sieben Jahre, sie haben niemals aufgehört, mich auszulachen. Bin ich's, ich ließe alle Welt vom König Hahnrei munkeln? Warum stellte ich mich taub?› «Weil es nicht wahr ist!» rief er – ritt vorwärts, auf einmal war er ohne Zweifel, das Schloß wird er leer finden. ‹Sieben Jahre, und sie ist mein eigen geworden wie sonst nichts. Unser Fleisch und Blut, die Kinder, die daraus gemacht sind, dasselbe Herz schlägt jedem von uns. Sie fühlt, was ich nicht ausspreche. Ich weiß von ihr.›

Er gelobte, fänd er das Schloß leer, morgen wollte er den Pfarrer zwingen, sie ihm anzutrauen. Einer wird das Nachsehen haben, das ist der Gutsherr von Sully, mein Großmeister. Noch nicht gedacht, erschrak er vor der Probe, in Schloß Cœuvres drohte das Verhängnis, niemand geht ihm freiwillig entgegen. Er kehrte um. Vergebens. Unerträglich bleibt es, nicht zu wissen, und die Vernunft wäre geschlagen von der Leidenschaft, ihren willkürlichen Einblicken, ihrer Angst. Da wendete er nochmals. Wollte die verlorene Zeit einholen, fürchtete sie einzuholen und änderte die Schnelligkeit des Rittes je nach der Furcht und der Begierde.

Vor der Brücke angelangt, meinte er, daß er ohnedies zu spät käme, sie wären schon fort und er der Genarrte. Es war sein letzter Versuch, zu entkommen. Als er in den Schloßhof einritt, begrüßten sein Pferd zwei andere, ihr Gewieher kam von einem vorgeschobenen Flügel des Gebäudes, dem linken. Das Türmchen in durchbrochener Bauart, dort sind die Tiere angebunden. Das dritte antwortet ihnen; schade, die Personen im Zimmer droben sind vor der Zeit gestört. In welchem Zustand werden sie betroffen werden?

Bei seinem Eintritt fand Henri sie anders als vorgesehen. Gabriele lehnte aus dem Fenster; ihrem Begleiter, der gestiefelt und gespornt war, wendete sie den Rücken. Auf ihrer Schulter bemerkte Henri welkes Laub, wie sie es abgestreift hatte auf ihrem Ritt durch den Wald, und wäre das Laub gewiß nicht mehr daraufgelegen nach einer Entkleidung. Bellegarde betrachtete zu seinen Füßen den großen wilden Vogel, der hatte gebundene Klauen und schlug die Flügel heftig. Dem Großstallmeister waren von seiner Beute die Hände arg beschmutzt, und hätte gewiß mit diesen Händen keine Frau berührt.

Obwohl Henri alles sogleich erfaßte, wollte die schreckliche Angst der vorigen Stunde nicht beschämt werden und in Gestalt des Zornes brach sie endlich aus.

«Was geht hier vor!» rief er, während beide ihn entgeistert im Auge hielten. Auch er mußte ihnen wohl anders erscheinen, als sie vorgesehen hatten. Ihre Meinung war nicht gewesen, daß er wie ein Kranker verzerrt wäre und spräche rasend. Infolge ihres Erschreckens ließen sie ihn wüten, bis er erschöpft war oder nicht weit davon, zu versagen. Gabriele hatte das Fenster verlassen, war mit bittender Gebärde näher gekommen, und nun seine Stimme sank nach so vielen ausschweifenden Worten, wagte sie seine Hand zu nehmen. Wie heiß und trocken! Gabriele sagte: «Mein hoher Herr! Daß ich es nicht getan hätte! Ich dachte Sie hier zu erwarten und mit Ihnen der früheren Tage zu gedenken. Das ist schlimm ausgefallen und ich bereue, daß ich herkam, wiewohl in guter Absicht.»

Er sprach mit verringerter Kraft, aber derselben Wut: «Sie lügen, Madame.

Die Wahrheit, ich kenne sie. Denn Sie spähten aus dem Fenster, in der Hoffnung, ich wär's nicht. Sie hätten Zeit bis zum Abend, um den Hahnrei einige Male auszulachen.»

Bellegarde stand merkwürdig gebückt, sein Gesicht war auf einmal verfallen. Er packte den gefangenen Vogel bei den Füßen und wollte hinaus.

«Verantworte dich, Feuillemorte», befahl Henri. Dermaßen aufgehalten, machte Bellegarde zur Hälfte kehrt und gestand: «Sire! Ich kann es nicht.»

«Ihr Mitschuldiger läßt Sie im Stich, Madame», brachte der Gequälte hervor, hatte bis diesen Punkt nicht geglaubt, was er redete, und sollte jetzt wahrhaftig daran glauben.

Gabriele bewegte hilflos eine Schulter. Bellegarde sagte: «Sire! Mir bleibt nur übrig, in türkische Dienste zu treten. Der Großsultan tötet seine Leute unbefragt. Ihnen aber muß ich überdies Rede stehen. Ein Mann, der Ihnen treu ergeben ist nicht aus Gewohnheit und weil es Pflicht wäre. Sondern die langen Jahre hat er in Ihr Herz gesehen und fand Sie teuer genug, um sein Leben zu kosten, groß genug, daß Sie das Recht haben auf mein eigenes Glück. Hab alles längst vollbracht, wie Sie auch wissen, und am sichersten ist meiner Gesinnung die Frau Herzogin von Beaufort. Sonst hätte sie nie erlaubt, daß ich sie begleite bis in dies Schloß und dies Zimmer.»

Henri nahm von ihm den Blick fort, er murmelte für niemand und für sich selbst nicht: «Worte, geschickte Worte, sie spielen mit der Rührung.» Gabriele griff am rechten Ort ein.

«Er sagt zu wenig. Er sagt, ich hätte ihm erlaubt, mich hierher zu begleiten. Nein. Gefordert hab ich es.»

Sie verschwieg, warum. Ihr geliebter Herr hat es erraten, gleich bei seinem Eintritt hat er sie durchschaut. Er kennt ihr Elend, ihre Angst und begreift ihren verzweifelten Versuch, ihn nochmals eifersüchtig zu machen. Sie führt ihn rückwärts in die vorige Zeit und den verlorenen Zustand, als ihm so sehr bangte wie jetzt ihr. Damals – was hätten Sie nicht getan, mein hoher Herr, um mich zu halten. Liebstes Kind, was hättest du nicht getan.

Er las von ihrem Gesicht ab, es war das Gesicht, in das er am häufigsten geblickt hatte – las alles, was sie im Sinn hatte, was sie fühlte, nicht ausgenommen ihr Mitleid. In dem Auftritt mit Rosny hat er sie bedauert, jetzt sie ihn. Wir sollen nicht Anlaß zum Mitleid geben, weder ich noch du. Wir sind stark. Gut, daß ihr mich erinnert.

Zuerst umarmte er Bellegarde und küßte ihn auf beide Wangen. Als die Reihe an seiner teuren Herrin war, keuchte sie leise von der bestandenen Anstrengung und strahlte von ihrem Erfolg. Seine Reden hörte sie, bevor er anfing. Wirklich sagte er und hielt sie an seiner Brust: «Morgen, das ist geschehen und abgemacht. Morgen ruf ich den Pfarrer. Ob er will oder nicht, er traut uns morgen.»

Sie wiederholte «morgen», fuhr fort zu strahlen, dachte aber bei sich: ‹Daß doch der Pfarrer hier im Zimmer wäre!›

Kaum aufgebrochen von Schloß Cœuvres, begegneten sie den Jägern mit der

Meute und jagten den Hirsch, bis es dunkelte. Als das Tier erlegt und ausgeweidet war – die Hunde fraßen und waren still, die Jäger standen um den König, der ausruhen mußte: er sagte, es wäre nur ein Stoß gegen das Knie. Da hörte man im Schweigen des Waldes eine zweite Jagd, das Gebell, die Rufe, den Hörnerklang, alles gewiß eine halbe Meile entfernt. Bevor es aber irgend wäre zu vermuten gewesen, kamen dieselben Geräusche aus einer Nähe von zwanzig Schritt. Zu sehen war nichts, da zwischen den Bäumen die Nacht lag.

Der König fragte erstaunt: «Wagt jemand meine Jagd zu stören?» und befahl dem Grafen von Soissons nachzusehen, wer es wäre. Dringt Soissons in das Dickicht: dort unterscheidet er den schwarzen Umriß einer Gestalt, die nur erscheint und gleich verschwindet, wobei sie ein Wort ausstößt: «Höre mich!» Kann aber auch heißen: «Bekehre dich!»

Der Graf von Soissons kam wieder und sagte, es wäre eine furchtbare Stimme gewesen. Was sie befahl, konnte er nach der Ähnlichkeit des Klanges verwechselt haben. Der König erwiderte nichts, er saß auf und ritt zu seiten der Herzogin von Beaufort, wobei die anderen Jäger sich dicht an diese beiden schlossen. Niemand erwähnte, daß von der zweiten Jagd, so vernehmlich sie soeben gelärmt hatte, kein Laut mehr ausging.

Da mittlerweile das erste Dorf erreicht war, fragte der König vom Sattel herab die Bauern und Hirten, wenn sie zu dieser Stunde noch vor die Tür traten: was es auf sich habe mit der Erscheinung. Mehrere antworteten, sie kennten den bösen Geist, hier wäre sein Revier, genannt werde er der Großjäger. Weiterhin empfing der König, der immer fragte, die Erklärung, Sankt Hubert selbst erwählte oftmals diese Wälder, um darin zu jagen mit seinem unsichtbaren Troß und der Meute, die man nur hörte.

«Ein Heiliger, das klingt freundlicher», bemerkte Henri für Gabriele; aber recht befriedigt war er erst, als der letzte ihm verriet, das wär ein Gevatter Wilddieb, der den Dämon spielte, auf die Weise jagte er ungestraft die Tiere des Königs. Der König erfahre dennoch alles und werde ihn fangen. «Gleich beim nächstenmal», versprach Henri – trabte befriedigt von dannen und versicherte seiner Liebsten, jetzt hätten sie die richtige Auskunft.

Gabriele sagte wohl: ja, die hätten sie; aber sie dachte in ihrer bangen Seele: ‹Höre mich, oder bekehre dich – das ruft kein Wilderer.› Es war ein Vorzeichen. Dasselbe vermuteten die meisten der Herren, die sie und den König eng umgaben, und wer weiß, was er selbst verschwieg. Von Vorzeichen, nachgeahmten Vorzeichen, war am Anfang dieser Jagd schon einmal die Rede gewesen. Sind sie indessen durchwegs falsch, wenn wir ihnen ganz entgegen unserer Gesinnung und Natur immer wieder begegnen?

Der von Vorzeichen heute angefangen hatte, war Herr de Roquelaure. Dieser bat, kaum daß sie im Louvre eintrafen, die Majestät möge ihm Mitteilung unter vier Augen gewähren. Marschall Roquelaure bereute sehr, daß er nicht beizeiten ausgesagt hatte. Jetzt kam er zu spät, der König verabschiedete ihn.

«Sie brauch ich nicht. Auf der Stelle brauch ich einen Chirurgen.» Womit er schon umsank. Hatte viel zu lange ertragen müssen, daß eines seiner Organe gehemmt war und ihn marterte.

Daher gelangte Roquelaure zu seiner Aussage nicht mehr – war es nachher sogar zufrieden, obwohl mit schlechtem Gewissen. Vom Hof wären zu viele hinein verwickelt worden. Die Feinde der Herzogin von Beaufort hatten zwei Schlingen ausfindig gemacht, diese in ihrem Müßiggang waren geübt, mit ihrer Stimme eine ganze Jagd vorzutäuschen, die Rufe, das Gebell, den Hörnerklang beliebig fern oder nah. Vervielfachte gar der Wald das Geräusch, dann fiel wohl jeder darauf hinein. Fehlte nur, daß im Dickicht ein schwarzer Umriß erschien und eine Stimme mahnte furchtbar: Bekehre dich!

Gabriele, um ihr armes Leben

Das ist nicht mehr die Krankheit aus seelischen Ursprüngen allein. Die überanstrengte Seele entlud sich sonst in eine Hitze des Körpers. Diesmal hilft er ihr nicht, er macht es schlimmer. Der Chirurg hat eingegriffen, muß täglich wieder dem Organ, das den Dienst versagt, seinen Beistand leihen. Henri erträgt die Mühsal; schwerer zu dulden ist das Bewußtsein, daß dieser Leib nicht mehr genügen will. Im Fieber spricht er: «Wenn ich zwei Leben hätte, dem Heiligen Vater gäbe ich das eine.» Er sagt: dem Heiligen Vater, die Zunge redet anders, als der Geist es vorhat; der sucht nach einer Person, die hier im Zimmer ist. Vergebens quält der Kranke seine aufgerissenen Augen, um sie zu erkennen: ihr will er das eine von zwei Leben geben. Er bewegt nach ihr seine unsichere Hand, aber Gabriele vermeidet die Berührung.

Ihre eigenen Lider sind trocken, sind gerötet vom Wachen bei ihrem geliebten Herrn, und ihre Angst steht auf dem Punkt, daß sie Kälte wird. Kein Zittern, keine Träne: es wäre denn, Madame Schwester des Königs kniet und betet mit ihr. Das darf nicht oft sein, Gabriele fürchtet, sich aufzulösen im Verkehr mit der Allmacht. Sie selbst muß nüchtern und stark werden in Vertretung der Allmacht, als ihre Magd, und diesen Mann am Leben erhalten. Sie nimmt die demütigen Verrichtungen vor, hilft mit den schönsten Händen des Königreiches seinem Organ, das den Dienst versagt. Verbringt Stunde um Stunde hinter seinem Kopf, das Ohr halb hingeneigt nach seinen verfehlten Worten, die er nicht im Sinn hatte, sondern will alle nur an sie richten. Sein Geist, der durch dunkle Wälder in die Irre läuft, verliert ihr Bild, sooft er danach greift. Aber auch sie versäumt und sucht ihn, obwohl er hier liegt und leidet.

Sie hatte damals die schreckliche Vorahnung, daß sie einander niemals völlig wiederfinden würden, nicht mit dem freien Blick und Zugang, der ihnen gehört hatte. Sondern, was auch beide versuchten, sollten sie dennoch abgehalten, geheimnisvoll geschieden werden: Bäume im Nebel, das Echo unsichtbarer Vorgänge, eine Jagd der Gespenster.

Die Nacht, als er zum erstenmal ruhig eingeschlafen war und schlief zu lautlos, wie ihr schien, da hauchte sie in seinen offenen Mund ihren Atem, bis sie selbst erschöpft war. Am Morgen erwachte er und war gesund. Die Feinde Gabrieles verbreiteten: ungeachtet ihrer Gegenwart am Lager des Königs habe der Himmel noch einmal Langmut bewiesen. Der Arzt La Rivière erklärte vielmehr: Frau Herzogin von Beaufort habe die gute Natur des Königs ermutigt, und das gefalle dem Herrn.

Genesen war leider der Körper allein, noch nicht die Seele. Henri behielt Fieber, das war wenig, aber ohne Maß beschwerten ihn Traurigkeit und Ermattung. Eine solche Müdigkeit war ihm sonst von keiner Schlacht zurückgeblieben, auch sein Todessprung hatte sie nicht hinterlassen. Die Taten dieses Jahres aber sind die Höhe des Reiches, ist ihr Lohn jetzt eine Unlust, der nichts standhält? Vergebens bleiben die gelungensten Theaterspiele, obwohl Feen und Dryaden durch die Luft fliegen, oder in Spiegeln erscheinen Zaubereien, Vögel sprechen eine Komödie – worüber alle staunten und lachten, ausgenommen der König. Vergebens die verlockendsten Ballette – ausgesuchte Schönheiten leihen sich dem Auge unverhüllt; sie tun es um der Schwermut des Königs willen, wer sie heilen könnte. Diese Damen in ihrem Ehrgeiz, den König zu erleichtern, bogen ihre vielbegehrten Körper vor ihm hin und her, daß keine Falte des Fleisches mehr ihr Geheimnis bewahrte. Sie meinten es hochsinnig, er aber, das erstemal im Leben mißfielen ihm ihre natürlichen Vorzüge.

«Ich mag das nicht», sagte er. «Gar nichts mag ich», murmelte er und setzte sich anders herum – ohne Rücksicht auf die Herzogin von Beaufort, die er zur Seite hatte, tat aber, als wäre sie nicht da. Wie er nun die Stirn in die Hand stützte und versagte das Auge dem Schauspiel, das Ohr den angenehmen Klängen, verschwanden nacheinander die Tänzerinnen, Musiker und der ganze Hof; vom König unbemerkt. Nach seiner langen Abwesenheit bequemte er sich allerdings zur Wirklichkeit zurück und fand, daß er allein war. Ein Saal, leer bis an den zurückgeschlagenen Vorhang, dahinter aufgehäuft die Spuren des Festes, Instrumente, Maschinen, ein vergoldeter Helm, ein welker Strauß. Der verlassene König warf sich über die andere Armlehne: da war der Sessel nebenan leer und sogar umgestürzt. Madame hat wohl die Flucht ergriffen. Er fragte sein Gefühl, es verweigerte aber zu sagen, ob es ihm lieb oder leid wäre, allein zu sein. «Ich mag nicht mehr», sprach er in die Leere, deren Widerhall es ihm zurückgab.

Man lobte hiernach die Herzogin von Beaufort, daß sie einsähe, ihr Spiel sei aus, und zog vom Schloß Louvre in ihr eigenes Haus zurück. Nur die schwere Krankheit des Königs hatte ihr erlaubt, mit ihm zu wohnen in den königlichen Zimmern, die niemals ihre sein sollten. Um so mehr schien es geboten, sie endgültig zu beseitigen – ohne Anwendung des Äußersten, wenn es sein konnte. Denn sie wurde bedauert nicht weniger als gehaßt. Viele bereuten im voraus, was sie zu tun bereit waren, gegebenenfalls das Äußerste. Bis jetzt geschahen mündliche Angriffe wie üblich, die Kanzelredner und Mönche wurden mutiger, da sie von der Schwäche und Traurigkeit des Königs erfuhren, und verkündeten, das Leben sei ihm diesmal noch geschenkt worden, damit er sich bekehren könnte. Dazu die Aufläufe von viel Volk bis in den Hof des Louvre hinein, wo denn im Sprechchor gefleht und gefordert wurde, der König sollte das Land und seine eigene Seele retten, beides durch Entfernung Gabrieles.

Sie selbst bekam Besuche, merkwürdige, wenn auch jedesmal vereinzelte. Man wollte wissen, glaubte es aber eigentlich nicht, der Legat des Papstes wäre bei ihr gewesen. Nach angebrochener Dunkelheit hätte er heimlich ihr Haus betreten ohne viel Geleit, mit keiner einzigen Fackel, und wäre unsichtbar wieder hinausgelangt trotz aufgestellten Beobachtern.

Kaum weniger still erschien bei Gabriele die früheste ihrer tödlichen Feindinnen, Madame de Sagonne. Diese wurde nicht gleich empfangen, Gabriele ließ sie erst vor, als ihr nach einer Stunde gemeldet wurde, die Dame warte in Geduld und Demut. Hereingeführt tastete sie nach dem Stuhl, und auch zu sprechen gelang ihr nur mit Mühe.

«Madame, ich wünschte Ihnen immer nur das Beste», stammelte sie.

«Madame, Ihr Wunsch wird in Erfüllung gehen», sagte Gabriele hochmütig, ein angenommener Hochmut. Madame de Sagonne verzog davon das Gesicht zum Weinen, oder war es ein weinerliches Lächeln. Ihr Vogelgesicht, wie klein erschien es.

«Verzeihen Sie mir!» rief sie schrill, und ihre beiden Hände flatterten. «Das hab ich nie gewollt.»

«Was?» fragte Gabriele. «Mir geht es gut, der König ist gesund, und sein Beschluß, mich zu heiraten, steht fest. Wir haben keinen Feind, da auch Sie meine Freundin sind.»

«Madame, o hüten Sie sich! Ich flehe Sie darum an, daß Sie auf sich achtgeben, und könnte nicht angelegentlicher um mein eigenes Leben bitten.»

Da ihr geringes Gesicht sich ins Grünliche verfärbte und wahrhaftig wäre Sagonne vom Stuhl auf ihre Knie gerutscht, würdigte Gabriele sie eines offenen Wortes.

«Sie haben viel geredet, Madame. Wenn alles, was Sie jahrelang geredet haben in der Absicht auf mein Verderben, jetzt zu fließen begänne und überschwemmte dies Zimmer, wir beide müßten ertrinken. Nun steigen aber die böswilligen Worte wirklich zur Flut an. Ich sehe wohl, daß die Flut Sie bedrängt. Erleichtern Sie sich denn und sprechen endlich keine Erfindungen mehr, sondern was Sie wissen.»

«Wenn ich wüßte!» Jetzt hätte Sagonne die Hände gerungen, aber die flatterten ihr.

«Wer will mich töten?» fragte Gabriele.

Sagonne, auf einmal erstarrt, sah sie an.

Gabriele: «Herr de Rosny?»

Sagonne: stumme Verneinung.

Gabriele: «Ich hätte es Ihnen auch nicht geglaubt. Die Agenten Toscanas, und auf welche Manier?»

Sagonne: «Es ist ein Gelauf und Geraune hier und dort, und würde glauben in ganz Europa, so viele geheime Boten der Höfe schleichen durch Paris und verflüchtigen sich alsbald. Die Herzensangelegenheiten des Königs von Frankreich beschäftigen den Papst und den Kaiser, aber das ist Ihnen bekannt.»

Gabriele: «Was haben Sie mir Neues beizubringen?»

Sagonne, so gut wie unhörbar: «Zamet. In seinem Hause soll es abgekartet sein.»

«Am Spieltisch, versteht sich», sagte Gabriele. «Wer war dabei?»

Sagonne gab ein Zeichen, daß ihre Kenntnis und sogar ihre Kraft nunmehr erschöpft seien.

«Meiden Sie das Haus! Zu Schuster Zamet dürfen Sie nicht einmal mit dem König gehen», flüsterte sie noch geheimer. «Viel weniger ohne ihn.»

Sie wollte aufstehen, vermochte es nicht sogleich – da aber ihre augenblickliche Schwäche ihr Zeit sich zu besinnen ließ, begriff Sagonne plötzlich ihre eigene Lage und daß nicht mehr Gabriele allein für ihr Leben zittern müsse.

«Ich habe zu viel gesprochen», hauchte sie entsetzt; sprang auf, bedeckte das Gesicht mit den Händen und schluchzte. «Jetzt halten Sie mich in der Hand.»

«Niemand ahnt, daß Sie hier sind», sagte Gabriele. Aber Sagonne: «Als ob nicht jeder, der Sie aufsucht, beobachtet würde. Hat man doch den Legaten dabei überrascht.»

Dies sprach sie wieder mit der gewohnten Berechnung, weshalb sie ihre dünnen Finger von den Augen nahm und genau aufpaßte. Der Legat ist in Wahrheit nicht überrascht worden. ‹Bring ich es heraus und kann das Gerücht bestätigen, dann ist mein eigener Besuch gerechtfertigt, ich bin gerettet.›

Gabriele antwortete aber: «Der Legat? Ich sah ihn seit dem Sommer nicht.»

‹Verdammte Lügnerin›, dachte Sagonne. ‹Stirb doch, du Herzogin von Schweinsheim; dachte sie aus verspätetem Zorn gegen sich selbst wegen des begangenen Fehlers. Um so seelenvoller verabschiedete sie sich, gab nochmals ihr Gefühl der Reue preis, und diesmal begründete sie es. Hatte das nicht gekonnt am Anfang, als es echt war.

«Ich habe Sie immer geliebt, Madame. Nur die Liebe hat mich so verwirrt, daß ich handeln mußte, als haßte ich Sie.»

Sie verstieg sich zu höchst schwierigen Erklärungen, immer im Ton der verstörten Seele, und während ihrer Reden erreichte man den geheimen Ausgang, durch den die Besucherin entlassen werden sollte. Hier sagte Gabriele: «Madame, Sie können beruhigt sein. Ihr Geheimnis, daß Sie heute bei mir waren, werde ich mit mir in mein Grab nehmen.»

Hierüber verschluckte Sagonne sich, erstens weil sie erkannt war, aber dann wegen der merkwürdigen Einfachheit, womit eine so sehr bedrohte Person von ihrem Grab sprach und machte daraus weder eine Elegie noch einen Aufschrei.

Ganz befremdet in ihren Begriffen stolperte Sagonne und gelangte über die Schwelle durch einen Sprung mit geschlossenen Füßen.

Gabriele aber bat zu sich Herrn de Frontenac, den alten Gefährten des Königs; er hatte die Ehre, ihre kleine Leibwache zu befehligen. Sie fragte ohne Vorrede: «Wo befindet sich zu dieser Stunde der Mann?»

«Zwei Stunden von hier. Wird aber erst morgen abend die Stadt betreten. Madame, befehlen Sie, und ich fange ihn noch diese Nacht.»

«Warten Sie», sagte Gabriele. Der Soldat wendete ein: «Es ist nicht gut, noch länger zu warten. Wir haben mit keinem anderen Mörder des Königs so viele Umstände gemacht. Diesen laß ich verfolgen Schritt für Schritt, seitdem er die Grenze des Königreiches überschritten hat. Wir konnten ihn schon zwölfmal fangen, ein Flame, unverkennbar in jeder Verkleidung.»

«Und wie hätten Sie ihn überführt? Er muß im Hof des Louvre gefangen werden, während des Auflaufs von Volk, der König wird sich hineinbegeben, ich mit ihm.»

Frontenac warnte: «Unser einziger Beweis bleibt sein langes Messer. Die Gelegenheit, es zu ziehen, ist gerade das Gewühl einer Menge.»

«Wenn Sie ihn dann verhaften», sagte Gabriele unbeirrt, «hier ist ein Schriftstück, das spielen Sie ihm heimlich zu. Der Legat in Brüssel hat ihm den Auftrag nur mündlich erteilt. Er muß ihn schwarz auf weiß am Leibe tragen, damit der König Ihnen glaubt, daß einer es gewagt hat.»

«Niemand würde es glauben», bemerkte der Kriegsmann zum eigenen Erstaunen. «Die geheiligte Majestät, der Sieger und große König. Aber mit wieviel Recht er sich unantastbar und in Sicherheit vermeinte, Sie, Madame, halten die Augen offen. Befehlen Sie, ich gehorche.»

Dies war die Sache, der Gabriele nachgegangen war und hatte darüber die Sorge um sich selbst versäumt. Verlief dann alles wie von ihr vorgesehen. Der König und die Herzogin von Beaufort ritten vor Mittag über die Brücke des Louvre – nicht ihr üblicher Weg, aber der eine will sehn, was geschieht, und die andere weiß es. Durch das Torgewölbe lenken sie in den alten Hof, der Brunnenschacht genannt, um ihn her lagen Ämter. Leute, die Geschäfte bei den Ämtern vorgaben, konnten von den Wachen ungehindert zusammenlaufen. Beim Erscheinen der Herzogin stürzten viele auf einmal in ihre Richtung unter Verwünschungen, die sie gelernt hatten. Da die Dame ihr Pferd wendete und den König allein ließ, war er alsbald von dem Gedränge entblößt. Noch ein vereinzelter Mann blieb übrig und konnte leicht ergriffen werden, als er fünf Schritte vom König entfernt das Messer frei machte.

«Sire!» sagte Herr de Frontenac. «Nur der Frau Herzogin verdanken wir diesmal Ihr Leben.» Der alte Gefährte war sehr erregt. Ein Höfling hätte das nicht verraten. Der König stieg aus dem Sattel. Bleich vor Zorn rannte er nach der Wache im Torgewölbe, wo seine teure Herrin, das Kleid zerrissen, von den Soldaten mit Mühe geschützt wurde gegen ihre Angreifer. Die vordersten von ihnen befahl er aufzuhängen. Gabriele sagte: «Sire! Aus Dankbarkeit für Ihre Errettung bitte ich Sie um das Leben dieser Leute; denn das sind Verführte, Ihr Volk denkt anders.»

Henri antwortete nicht. Er verlor keine Zeit mit Tröstungen oder Dank. «Zu Pferd, Madame!» Dies, ohne daß er seine Hand unter den Fuß Gabrieles hielt. Er trabte ihr zur Seite eilig über die Brücke und aus dem letzten Tor. Die Wachen sollten ihn vollzählig begleiten, aber trotz angestrengtem Laufen verloren die Soldaten diese beiden Reiter; nur Herr de Frontenac auf seiner Montur hielt das Tier den anderen immer Leib an Leib, seine Waffe hatte er gezogen.

Es ging nicht sogleich nach dem Haus der Herzogin, der König nahm den Weg durch belebte Straßen, er trabte noch schneller, ohne Rücksicht auf die Leute – sie mußten springen von der hohen Mitte des Pflasters. Wer einen Wagen führte und nicht gleich auswich, bekam einen Schlag von dem Offizier, der drohend rief: «Platz dem König!» Man sah den König bleich vor Zorn und fragte: «Was ist geschehen?» Die Frauen bemerkten das zerrissene Kleid der Herzogin von Beaufort, da flog auch schon das Gerücht von Ohr zu Ohr, geschwinder, als ein König flüchten kann.

Hinter ihm, wenn er vorüber war, wurde erzählt: «Jetzt flüchtet er mit ihr, denn wegen seiner Liebschaft hat man ihn töten wollen.»

«Und sie mit ihm», wurde alsbald ergänzt.

«Wäre das wohl ein Ende für einen König, der groß heißt?»

«Er liebt», sagten dagegen Frauen. «Weil ihr nur kleine Männer seid, versteht ihr ihn nicht» – sagten ältere, entstellte Frauen mit den Gesichtern des täglichen Brotes, den Händen der Arbeit.

Die jungen Burschen wölbten die Brust und behaupteten: «Er setzt zuletzt seinen Willen durch, wir würden alle handeln wie er.»

Ein Priester wiederholte an mehreren Stellen: «Aber die Frau Herzogin hat heute mehr getan.» Hierbei nickte der Priester vieldeutig, obwohl er jedesmal verschwand, bevor er befragt werden konnte. Der Legat des Papstes hatte ihm dringend aufgetragen, er müßte unerkannt bleiben.

Wegen solcher Worte trat doch kein Schweigen ein, wie wenn man nachdenkt. Eine Menge ändert mitten in ihrem Lärm die Richtung ihres Gemütes. Als der König, seine Liebste und der Offizier dieselbe Straße abwärts ritten, anstatt daß sie das Weite gesucht oder Hilfe geholt hätten, war niemals von einer Flucht die Rede gewesen. Sondern eben dies Volk drängte nach, einige gelangten bis an den Kopf, zwei von ihnen faßten die Zügel der beiden vorderen Pferde, die gingen jetzt Schritt – derart geleitete dies Volk seinen König und die Königin, die es haben wollte, nach dem großen neuen Eingang von Schloß Louvre.

Herr de Frontenac hatte seine Waffe in die Scheide gestoßen, da er verwandelte Stimmen hörte und den nächsten in die Augen sah. Diese glänzten feucht, sie spiegelten anfangs nur das ritterliche Gefühl des Volkes. Je länger die Strecke, um so weiter wird es in der Empörung gehen. Der König forderte diese selbst heraus. «Kinder! Zum Haus der Frau Herzogin!» befahl er.

Wieder machte er einen Umweg. Aus den Türen der Werkstätten liefen Handwerker, zuerst stockte ihre Bewegung. Sie zweifelten: Geraten wir denn wohl in einen frommen Hergang? Indessen, der Zorn des Königs, das zerrissene Kleid der Dame neben ihm, ließen genug erraten. Hier fielen die ersten Verwünschungen gegen die Mörder Gabrieles. Sie, es hören und im Sattel schwanken. Henri hob sie herab und brachte sie in ihr Haus.

Unter ihren Fenstern wurde unverständlich durcheinander gerufen, sie stopfte sich die Finger in die Ohren. Wenn ihre Mörder verwünscht werden, dann sind es ihre Mörder. Das unwissende Volk rät mehr auf sie als auf ihren Herrn. Dies eröffnet den Schluß der Handlung und ist inmitten von Heimlichkeiten der erste öffentliche Aufschrei, daß sie sterben soll.

Henri sagte: «Was will man mit Ihren Mördern, Madame? Meiner war es, und ich bin es gewohnt.»

Er schickte Leute, die den Hof räumten. Als er zurückkehrte, hatte Gabriele das Zimmer verlassen. Er suchte, kam an ihr verschlossenes Schlafgemach, sonst seines und ihres, jetzt verschlossen und wurde nicht aufgemacht.

«Antworten Sie!»

Erstickte Laute, in ein Tuch hinein. Lachte sie denn? Er hätte es lieber für Schluchzen gehalten. Dies Lachen erkannte er nicht wieder, ungedämpft hätte es hart geklungen.

«Eins will ich wissen», sprach er draußen. «Wer hat Ihnen die Ankunft des Flamen gemeldet?»

«Raten Sie», sagte drinnen ihre kälteste Stimme, und sie schlug eine Tür zu.

Das hatte sie zum Schein getan, damit er ginge. Als sein Schritt sich entfernte, wollte sie ihn zurückholen, fiel aber auf das Bett, grub das Gesicht in das Kopfkissen, und dieses mit seinen Erinnerungen verlieh dem Geliebten so viel Gegenwart, daß sie zu ihm redete.

«Sire! Mein hoher Herr, wie ist es jetzt doch schlimm geworden.»

Ihre Tränen brachen endlich aus. Nach langem Weinen fand sie sich auf dem feuchten Kissen allein. Sie dachte, daß auch er gewiß eine Tür hinter sich verschlossen habe, wies alle Glückwünsche und Huldigungen ab – und lag er nicht wie sie der Schwäche des Leibes hingegeben, dann maß er seine großen Schritte, hielt an, lauschte, vernahm ein Glöckchenläuten. Das schwingt eifrig wie kein anderes. Liebster! Es ruft uns beide.

Sie besann sich darauf, daß er das Totenglöckchen in seiner Einbildung nicht hören konnte. Wieso denn, bei ihm war keine Sagonne gewesen. Auch der Legat, wen hat er gewarnt? Nicht ihn, nicht zu der Stunde, als Malvezzi in Brüssel den Flamen auf den Weg schickte. Wie kommt es, daß der Legat des Papstes gegen die natürliche Annahme den König von Frankreich am Leben erhalten will? «Ich weiß es nicht», sagte Gabriele, war vom Bett aufgestanden und überlegte angespannt.

‹Muß wohl etwas schweben zwischen diesen beiden, dem König selbst nicht recht bekannt. Denn der Legat warnte nicht ihn, sondern mich, und gebot mir darüber zu schweigen bei meinem Herrn. An dir, es zu erraten, teurer Herr. Der falsche Brief. Sire! Sie ziehen ihn aus der Brust des Mörders, erkennen die Nachahmung und lesen ihn mit noch mehr Nutzen. Sie werden herausbekommen, wie umständlich und gewagt diesmal die Rettung Ihres Lebens war. Sie werden nicht mehr fragen: Was will man mit Ihren Mördern, Madame?

Sie werden nicht mehr töricht fragen. Liebster, wie deine Größe dich blind macht! So stehst du auf deinem Thron und siehst nicht infolge strahlender Majestät. Ich rette dein Leben vor denen, die mein eigenes wollen. Trachten mir darum um deinetwillen, und um meinetwillen dir. Wir sollen zusammen sterben oder ich allein. Niemals du ohne mich, das ist nicht vorgesehen. Wir wollten beide dasselbe Leben haben unlöslich – haben aber jetzt zwei Tode, und die laufen um die Wette, welcher schneller ankommt.›

Ihre Tante de Sourdis wurde gemeldet und war willkommen, da Gabriele sich entsetzte vor ihrer Einsamkeit und wäre davongelaufen, dachte sogar an ein Haus, das sie anlockte. Es war aber das verbotene.

Madame de Sourdis umarmte ihre hoffnungsvolle Nichte, was nicht vorkam, aber die Freude machte sie maßlos.

«Sie haben dem König das Leben gerettet. Jetzt kann er nicht mehr anders, wir gelangen stracks auf den Thron.»

Ihre frisch gefärbte Frisur flammte, die Arme schwenkte sie weiß. Scharfäugig wie sie war, entging ihr dennoch minutenlang, daß ihr Hochgefühl nicht geteilt wurde.

«Das Volk hat Ihr Pferd am Zügel geführt. Das Volk ist für uns», rief Dame de Sourdis. «Der Hof muß vor uns in den Boden sinken», rief sie schrill. «Volkes Wille ist Gottes Wille.»

«Leiser!» verlangte Gabriele. «Ihm gefiele es nicht, wenn er Sie hörte.»

«Madame, sind Sie bei Sinnen?» fragte die Tante. «Wie sollte er nicht glücklich sein, Ihnen sein Leben zu danken.»

Gabriele schwieg. Sie hätte auch nicht gesprochen, wär ihr selbst der Zusammenhang klarer gewesen. ‹Ich darf ihn nicht zwingen›, fühlte sie. ‹Er hat keine zwei Leben, obwohl ihm meines gehört.›

Da die erregte Verwandte in sie drang, erklärte Gabriele zuletzt, daß dem König das Leben oft und von vielen anderen gerettet wäre, gesetzt, er wüßte sich nicht selbst zu schützen. Herr de Frontenac hatte diesmal den zweiten oder dritten Mörder ergriffen. Ein Lebensretter war Herr d'Aubigné, sogar der Narr Chicot war einer. «Keinen aber hat mein hoher Herr belohnt wie seine Magd», sprach Gabriele d'Estrées, und zum großen Staunen der Dame de Sourdis beugte sie die Knie. Wendete dem Zimmer den Rücken, im Winkel sprach sie still zu der Heiligen Jungfrau über ihr.

Der Tante währte es zu lange, weshalb sie abging, obwohl unter innerem Murren. ‹Wenn du Gans nicht alle Tage dümmer würdest, hieltest du dich an deine Protestanten und ließest sie einen gesunden Aufstand vollführen zwecks Krönung einer Königin aus dem Adel dieses Landes!›

«Madame, unsere liebe Frau», betete Gabriele. «Sie kennen mein Herz, das von Haus aus verderbt ist, und Sie allein beschwichtigen seinen Stolz. Mein geliebter Herr hat mich in meinem zerrissenen Kleid dem Volke gezeigt, mehr Dank und Lohn, als ich verdiene. Madame, gewähren Sie mir sein Leben!»

Die Bitte um ihr eigenes Leben war hierin eingeschlossen – nicht ausdrücklich, aber Gabriele vertraute, daß sie verstanden werde, und endete hier.

Henri ließ den ganzen nächsten Tag hingehen und sah sie nicht. Am Abend bekam sie seinen Brief. «Mein schöner Engel», schrieb er aus Schloß Louvre. «Du glaubst, König zu sein ist schön, aber oft steht es trauriger um mein armes Herz als um den letzten meiner Untertanen. Der Bettler unter meinem Fenster ist weniger zu beklagen als ich. Die einen sind Katholiken, die sagen von mir: er riecht nach Hugenotterei. Die anderen sind Protestanten und sagen, daß ich sie verrate und sei päpstlicher als der Papst. Ich kann Dir nur sagen: Von Herzen bin ich Franzose, und Dich lieb ich.»

Sie las alles heraus, die tiefen Gründe seiner Traurigkeit, den gebundenen Willen, gegen ihn ist noch der Bettler frei. Wir können zusammen nicht kommen, hieß das alles. Sie selbst wurde davon nicht mutlos. Ihn klagen zu hören, gab ihr Zuversicht und Kraft.

Unversehens war der zweite Mörder da. Diesem hatte niemand auf seinen Wegen nachgespürt, ungestört hatte er seinen Auftrag besorgt – der König selbst entdeckte ihn und fing den Arm ab. Der König war außerordentlich auf der Wacht, da nur er begriff, weshalb sie ihm geschickt wurden und daß dem ersten alsbald der zweite folgen mußte. Übrigens war der erste ein Dominikaner aus Flandern; der zweite, ein Kapuziner, kam von Lothringen. Gleiche Brüder, gleiche Kappen. Ob Spanien, Rom, Haus Lothringen oder Haus Habsburg, die wahre Freundschaft war es zwischen ihnen nicht; darin aber stimmten sie überein, daß es besser wäre, der König von Frankreich stürbe.

Die Untertanen des Kaisers, Freund oder Feind und ungeachtet ihres Glaubens, wurden von den Spaniern, was sich Spanier nannte, kahl gefressen, gespießt, gepfählt, geröstet und die Dorfstraßen entlang an die Bäume gehängt. Das waren die Vorläufer eines weittragenden Unternehmens, bis jetzt noch unverbindlich, und niemand nennt es Krieg, wozu ein Wort, das alle erschreckt. Der Angreifer allerdings, immer ohne Krieg, bemächtigte sich in Richtung auf Cleve der Rheinübergänge.

Sogleich marschierten die Regimenter des Königs Henri. Er hat ihnen gute Straßen gebaut, und sein verkleinertes Heer hält Zucht, keine gedankenlose; sondern der Soldat kennt seinen König Henri und hat den vernünftigen Glauben an ihn. Das war der Grund, weshalb überall, wo die Truppen des Königs einrückten, der Feind Reißaus nahm. Es ist Soldaten nicht zuträglich, daß sie mißachtete Herren haben, sich auch selbst nicht ehren und bei ihrem verdorbenen Wesen auf weiter nichts bauen als auf eine zufällige Straflosigkeit.

Der Angreifer berechnete, daß die Regimenter des Königs ihren besten Nerv verloren und alsbald nachgelassen hätten: nur er selbst mußte fallen. Da der Mord mißlungen war, gab man auch den Krieg auf, falls jemand Krieg gesagt hätte. König Henri traf die Umstände nicht mehr, um selbst nach dem Rhein abzugehen. Dabei verlangte es ihn zu kämpfen mehr als je. Erstens ist ein König seiner Art immer noch sicherer bei den Armeen als hinter allen Wachen von Schloß Louvre. Die Schlacht und vergessen dürfen, wieviel Schande seine

Mörder ihm brachten – als wär er der unbefestigte Empörer, den man in ewiger Furcht für sein Leben erhält. Ich bin aber Prinz von Geblüt, so mach ich denn den König von Navarra.

Den ersten der zwei Mörder hatte er begnadigen wollen: nur Rom nicht reizen! Jetzt wurden beide zusammen abgeurteilt und hingerichtet. Auch drohte er mit einem Prozeß gegen Madame Marguerite von Valois wegen Ehebruchs. Sofort wurde sie gefügig, und Rom begriff, daß der König von Frankreich nunmehr genesen wäre von seiner schweren Traurigkeit. Nichts fuhr dazwischen, weder Bannstrahl noch väterlicher Rat, als Henri weiter seinen neuen Mut bewies. Das königliche Parlament hatte das Edikt von Nantes bisher mit Fleiß übergangen, so daß es nicht rechtskräftig wurde. Jetzt spricht Henri sein Machtwort. Er spricht es an die Rechtsgelehrten, die er einst geliebt hat und sie vielleicht ihn. «Heute wird Aufstand gepredigt, die Barrikaden sind wieder einmal in Sicht; ihr, meine Herren Richter, seid inzwischen zu Vermögen gelangt, ihr liegt in den weichen Betten eurer eigenen Häuser anstatt im Gefängnis auf Stroh. Habt daher vergessen, welche Seite der Barrikade die eure ist durch Fügung und durch Pflicht. Wenn aber schon wieder die spannenden Vorzeichen geschehen, laßt euch denn warnen. Sie bedeuten wenig für mich, aber für manchen viel. Lang ist's her, da spielte ich Karten mit dem Herzog von Guise, und aus den Karten flossen Blutstropfen, waren nicht wegzuwischen, zweimal, dreimal, gilt es mir oder dir? Es hat nicht mir gegolten.»

Hiermit begann er, hatte sie aber in sein Kabinett bestellt, damit sie der Macht um so näher wären und vor ihr erschräken. «Krieg gegen die Religion, das möchtet ihr wohl. Barrikaden! Meine ist am Rhein, auf die schick ich euch, wie ihr steht und geht in euren langen Kleidern, jeder mit der Flinte.» Das hätten sie nicht ernst genug genommen; er verhieß ihnen außerdem, daß er ihre Ämter doppelt und dreifach besetzen werde. Ihre Einkünfte halbiert und gedrittelt, die Aussicht zähmte sie mehr als seine Drohung, die Hetzer einen Kopf kürzer zu machen.

Das Edikt wurde vom Parlament eingetragen. Rom widersprach nicht.

Einmal im Zuge, verheiratete er seine Schwester mit dem Herzog von Bar. Protestantisch Madame Schwester des Königs, der befohlene Gatte ein Katholik – Henri ließ den Erzbischof von Rouen kommen, der war sein eigener Bruder, ein Bastard, alles eins. Im Kabinett des Königs, wahrhaftig, eh Kathrin sich's versah, war sie getraut.

Der Herzog empfahl sich alsbald, auch dem Erzbischof entging nicht, er wäre hiernach überflüssig. Die Geschwister standen voreinander allein. Kathrin sagte: «Sire! Ich bewundere Sie. Wie jung geblieben. Wie kurzgefaßt.»

Er empfand die dunkle Ironie, beschattet vom Verzicht.

«Madame, es mußte endlich sein», hörte sie ihn sagen, förmlich wie zu ihr im ganzen Leben nicht. «Mußte sein für den Thron und meine Nachfolge. Der Graf von Soissons darf meinem Erben nicht länger im Weg sein.»

Das arme Gesicht der Schwester zitterte, sie senkte es, von unten stahl ein Blick sich zu ihm, der war hoffentlich nur streng, sonst wäre er noch weniger schmeichelhaft gewesen. Sie sprach: «Dann aber hätten Sie, kurzgefaßt wie Sie nun sind, eine andere Trauung vornehmen sollen heut und hier.»

Er schwieg und wendete sich ab. Sie hätte ihn verlassen, da war er bei ihr und schloß sie in seine Arme. Beide hielten einander lange, wünschte keiner, daß es ein Ende nehme. Er erklärte weder, noch fragte sie. Fühlte der Bruder: ‹So sind wir gealtert. Vergib mir deine Entbehrungen. Für meinen Ruhm hab ich dein Glück gefordert – nicht kurzgefaßt. Ich habe dich darüber altern lassen, Kathrin, du Angedenken unserer lieben Mutter, die mich anblickt aus dir. Solang du da bist, ist noch nichts vergangen.›

Fühlte die Schwester: ‹So haben wir einander wie je, und wär es gegen Ende. Dreimal hat der Tod nach dir gelangt. Du bist seinen Zugriffen entgangen, sowohl der Krankheit als den Mördern, dank deiner alten Übung mit ihm: jetzt laß es genug sein. Verzichte, lieber Bruder, auf die reizende Gabriele, die dein Leben kostet. Haben wir doch Zeit gehabt, uns zu bescheiden. Indessen bist du jung geblieben, deine innere Festigkeit widersteht den Jahren, dir kommt im Grunde nichts nahe. Du kannst nicht welken, mußt zerbrechen. Werd ich denn, müde wie ich bin, noch da sein, wenn du auf deinem Paradebett liegst, das Kreuz in gefalteten Händen?›

Er bemerkte, daß sie an seiner Brust erschrocken war. Er nahm das Gesicht zurück, prüfte das ihre und sie seines. Trockene Augen, alle beide. Wo seid ihr Tränen, wo die Zeit, als wir stritten, uns versöhnten, gut oder böse waren, und Weinen oder Lachen wurd uns leicht.

Die reizende Gabriele veränderte ihre bekannte Natur und zeigte Launen. Ohne unpäßlich zu sein, verschloß sie eine Woche lang ihre Tür, ja, sie sperrte die geheime Verbindung ihres Hauses mit Schloß Louvre. Henri schickte ihr den Pagen Sablé, damit er nach ihren Befehlen fragte. Sie ließ erwidern, daß sie genug zu tun habe mit ihren Astrologen, und die machten ihr Kopfweh. Der junge Wilhelm beugte das Knie und bat um ein Wort im Vertrauen. «Genug», sagte sie heftig aus Ungeduld und wies ihn fort. An diesem Punkt beschäftigten sie nur ihre Wahrsager.

Henri fürchtete den Einfluß solcher Leute, er sagte: «Sie werden so lange lügen, bis sie schließlich noch die Wahrheit sprechen.» Bei dieser Meinung wäre er ihnen schwerlich mit Erfolg begegnet; bat aber deshalb Madame, seine Schwester. Die ging den geheimen Weg; an seinem Abschluß klopfte sie, bis ihr geöffnet wurde. Sie betrat leise ein Zimmer, woraus Stimmen kamen, und es war verdunkelt. Eine einzige Kerze beschien den Sternkundigen, die Kartenlegerin und einen dritten, der aus der Hand las. Die arme Schönheit hatte sich den drei Weisen ausgeliefert und horchte wehrlos ihrem Bescheid, infolgedessen sie mehrmals stöhnte. Kathrin empfand tiefes Mitleid. Wohin kommt es mit uns – das war seit einigem ihr Wort; auch auf die Frau, die sie für die glücklichste gehalten hatte, paßte es leider.

Die drei Zauberer waren jeder in seiner Tracht; aber ob Mantel und spitze Mütze oder maskiert oder würdig wie ein Arzt, kein Bild und Zeichen wußten sie klar zu deuten, anstatt Gewißheit gaben sie Zweifel und flößten unbebestimmte Schrecken ein, wovon ihr Opfer denn stöhnte. Die Arme, sie kannte einzig ihr Gebetbuch; unheimlich war schon das Wälzen so dicker Folianten, und nichts verrät ihr Horoskop, als daß sie nur einmal verheiratet sein wird. Meinen die Sterne, daß sie es schon gewesen ist? Eine Ehe, nie vollzogen und für ungültig erklärt? Aus ihrer Hand indessen wird abgelesen, daß sie jung sterben und ihre Bestimmung nicht erfüllen soll – im Fall sie noch ein Kind bekäme. Da zieht sie die Hand fort und schließt sie krampfhaft. Umsonst, gerade hier warf die Maskierte ihrerseits das Spiel Karten durcheinander, vom Tisch stob es über den Boden, Gabriele aber flüchtete.

Sie wurde von Madame Schwester empfangen und bis in das entlegenste Gelaß geführt, unterwegs drehte Kathrin alle Schlüssel um.

«Meine liebste Freundin, ich weiß nur um so sicherer, daß Sie an Ihr Ziel gelangen werden», sagte Kathrin und wünschte es ihr wie je.

Gabriele hauchte tonlos: «Meine Sternbilder und die Linien meiner Hand stehen dagegen, nicht gerechnet die Karten.»

«Der Wille des Königs», wendete ihre Freundin ein.

Gabriele, kaum zu hören: «Hilft nicht mehr.»

Madame Schwester des Königs: «Sie werden betrogen. Ich achte alle Geheimnisse des Himmels, aber drei Zeichendeuter, deren jeder die anderen beneidet, geben nicht die gleiche Auskunft, außer sie wären angestiftet.»

Gabriele, unter bitterem Schluchzen: «Sie haben dennoch wahr gesprochen. Das Kind, das mir verbieten soll, meine Bestimmung zu erfüllen, ich trag es im Leib.»

Sogleich umklammerte sie die Schulter der Freundin, sie flehte: «Nichts sagen!»

Kathrin küßte sie. «Als ob jetzt nicht alles gut wäre!» versicherte sie unter zärtlichem Lachen.

Gabriele glaubte es nicht. «Dies Kind ist mein Schicksal», dabei blieb sie. Kathrin riet ihr zuletzt, den jungen Sablé nicht länger abzuweisen, sondern anzuhören, was er erdacht hat. Denn er ist treu und kühn.

«Er kann für mich nichts tun.»

«Er hat dein Lied gemacht, reizende Gabriele. Das singen sie im Königreich. Wenn er nun ginge, sie herbeizurufen.»

«Wen? Damit sie es singen? Schreit doch der Haß viel stärker.»

Schließlich versprach Gabriele, was Madame Schwester wollte. Nach ihrer Unterredung mit dem Pagen gab sie ihm Urlaub im Namen des Königs, und Wilhelm ritt eilends nach Haus in seine Provinz Touraine, wo die Loire fließt.

Gabriele inzwischen hätte am liebsten einen Turm bestiegen und hinaus um Hilfe gerufen: so sehr nimmt die Angst zu, und auch der Zorn bei dem, was noch geschieht, und sie erfährt es.

Der neue Kanzler war ihr Geschöpf. An die Stelle des alten de Cheverny, der nicht länger zu halten war trotz seinen Beziehungen zur Dame de Sourdis, hatte die teure Herrin einen Herrn de Sillery gesetzt. Mußte ihren ganzen Kredit beim König aufbieten, dafür verfügte sie in seinem engsten Rat über einen Mann gegen zwei, die hießen Villeroy und Sully.

Der König beging widersprechende Handlungen. Da Madame Schwester ihm die Umstände seiner Liebsten verriet und inständig bat, er möge sie trösten, überwältigte ihn das Gefühl. Nicht schnell genug konnte er ihr von Angesicht zu Angesicht seine Schwüre wiederholen – diesmal brachte er einen Ring mit. Der merkwürdige Ring, bei seiner Krönung hatte der Bischof von Chartres ihn dem König an den Finger gesteckt und hatte Henri vermählt mit Frankreich. «Sire! Was tun Sie», sagte Gabriele. Zu ihrem Entsetzen sagte sie mehr, als gut war. «Meine Sterne verwandeln Ihr Geschenk in Unheil», gestand sie. Henri erwiderte: «Teuerste Liebe. Wir können einander niemals Unheil bringen. Wir haben beide denselben Stern, der Frankreich heißt.»

Damit glitt wirklich der Ring, der von Bedeutungen und Edelsteinen schwer war, von seinem Finger auf ihren. Sie aber verhielt einen Schrei: der Ring brannte sie, und da sie die Hand schüttelte, fiel er zu Boden.

Henri sah, daß sie die vorige Kraft und Entschlossenheit nicht hatte. Er schob es auf ihren Zustand. Sein eigenes Zögern – warum zögerte er selbst? Kein Grund zu erkennen als nur die Finanzen seines Königreiches, das viele Geld, das er dem Großherzog von Toscana schuldete. Wer war daher der rechte Mann, ihm beizustehen? Er beschied Rosny zu sich. Der gute Diener seines Herrn, aus treuer, sachlicher Gesinnung mußte er seinen Streit mit der Herzogin von Beaufort inzwischen vergessen haben. Wenn nicht vergessen, hatte das Zerwürfnis, unzweckmäßig und grausam wie es war, seinem nüchternen Kopf gewiß zu denken gegeben. ‹Er wird zugänglicher sein als vorher, nicht daß sein Herz erweicht wäre; der Dienst vielmehr, der Dienst verlangt von Herrn de Rosny, daß er meine Sorgen vereinfacht, anstatt sie zu erschweren.› Dies bedachte Henri, als er seinen Minister zu sich beschied.

Henri, er wußte selbst nicht warum, ging an dieses Gespräch mit einer Art Beschämung. Vorsichtig, nach einigen Umwegen, kam er auf seine Heiratspläne, als wären es nicht die seinen, sondern das Wohl des Staates gebiete sie ihm. Sogar der Papst stellte ihn vor die Notwendigkeit, da er endlich bereit schien, seine erste Ehe aufzulösen. «Wenn es nach meinem Wunsch ginge», sagte Henri zu seiner Entschuldigung, «hätte meine zukünftige Erwählte alle sieben Haupttugenden auf einmal und außer Schönheit, Ehrbarkeit, einem gleichmäßigen Gemüt, beweglichen Geist, hoher Geburt und Fruchtbarkeit des Leibes besäße sie auch noch große Staaten. Die wird aber nicht so bald geboren werden», sagte er, in der Hoffnung auf ein Wort des Entgegenkommens. Dies blieb aus.

«Sehen wir einmal zusammen», bat Henri – mußte indessen für sich allein die Reihen der Prinzessinnen durchnehmen, die spanischen, deutschen und die aus seinem eigenen Hause. Von den sieben Tugenden bot jede nur wenige, die Protestantinnen kamen gar nicht in Frage. Der Herzog von Florenz sollte allerdings eine recht schöne Nichte haben, rosig und blond. «Dennoch ist diese wieder von der Rasse der alten Königin Katharina, die dem Königreich und mir soviel Schaden zugefügt hat.»

Dem Schlimmsten hatte Henri hiermit vorgebeugt. Jetzt war es an dem guten Diener, der seinen Herrn denn wirklich überraschte. Er widersprach nicht. Seiner Natur offenbar entgegen, vertrat er die Meinung, weder Reichtum noch königliche Abstammung wären unerläßlich. Der König will eine Frau, die ihm gefällt und ihm Kinder schenkt. Möge er demnach im ganzen Königreich verkünden lassen, daß alle Väter schöner, großgewachsener Töchter von siebzehn bis zwanzig Jahren sie in die Hauptstadt bringen sollen.

Siebzehn bis zwanzig – die hatte Gabriele nicht mehr. Henri mußte wahrnehmen, daß dieser Rosny die Zustimmung und Gefügigkeit übertrieb, um ihn abzuschrecken. Den Wünschen des Königs gab er die Gestalt eines Märchens, Väter, die aus allen Provinzen ihre Töchter zur Auswahl herbeiführten; die Mädchen wohlbewacht in einem Haus, der König mochte sich weiden. Hatte er sie lange genug beobachtet und war eingeweiht in ihre geheimsten Schönheiten, dann war er auch versichert, welche ihm die besten Söhne gebären würde. «Obwohl», setzte Herr de Rosny hinzu, und von der Ironie und dem Märchen schritt er nunmehr zur Lehrhaftigkeit, seinem eigensten Gebiet.

«Obwohl hohe Persönlichkeiten und hervorragende Prinzen sehr schwächliche Kinder gezeugt haben, wofür hinlängliche Beweise vorliegen.» Diese zählte er an den Fingern her, zuerst die fabelhaften Namen aus den ältesten Urkunden, dann persische Könige, römische Kaiser, ließ keinen aus und schloß mit Karl dem Großen.

Schulweisheit – Henri wurde an die Mittelmäßigkeit des Mannes erinnert, wozu hat er ihn angehört. Er sagte schroff: «Verstellen wir uns nicht. Sie wissen, welche ich meine. Damit sage ich noch nicht, daß ich sie heiraten will», diese Einschränkung machte Henri, damit ihm nicht um so mehr entgegengearbeitet würde. «Ich befehle Ihnen, frei zu sprechen und mir unter vier Augen die Wahrheit zu sagen.»

Was blieb dem Minister übrig, als dem Herrn offen vorzuhalten, daß seine Verbindung mit der Herzogin von Beaufort allgemein mißbilligt werde. Mußte man es wiederholen? «Sie selbst werden sich schämen, wenn erst die Wogen der Liebe Sie nicht mehr umherwerfen.» Auch diesen Satz rechtfertigte die befohlene freie Sprache. Und ferner: «Ihre Nachfolge wird umstritten sein, ja sogar Ihre beiden Söhne werden darum streiten. Der erste entstammt einem doppelten Ehebruch, der andere nur einem einfachen. Nicht zu reden von denen, die Sie später in der Ehe bekämen: die werden sich für die einzig rechtmäßigen halten.»

Rosny, jetzt Sully, vergriff sich zuletzt dennoch im Ton, der nachsichtig wurde, und verriet in der Nachsicht die Überheblichkeit.

«Dies will ich Sie mit Muße bedenken lassen, bevor ich mehr sage.»

«Sie haben gerade genug gesagt», erwiderte Henri ungnädig und verabschiedete den Mann.

Er ließ sich gern die sogenannten Wahrheiten sagen. ‹Was Menschen vorzubringen haben, ist vielfältig und fesselnd, es eröffnet mir den Sinn der Menschen und ist von einer Seite immer richtig. Die einzig wahre Wahrheit ist es nie. Was weiß ich?› Dennoch blieb von dem gehabten Gespräch eine Gereiztheit bei ihm zurück, nicht weil ein König anhören muß, daß er sich schämen wird. Man schämt sich während eines längeren Lebens vieler Handlungen und Zustände, die nun einmal dazugehören. ‹Mein teures Gut, du mein Liebstes auf Erden, daß von den sogenannten Wahrheiten nur nicht so vieles an dir haften bliebe! Ich muß dir's nachtragen, bin gegen dich gereizt und weiß noch weniger, wie alles enden soll.›

Gabriele, die es wußte, strebte gewaltsam dem Abschluß entgegen. In ihren guten Zeiten hatte sie ihr Schicksal mit Gleichmut herankommen lassen, oder wenn sie kämpfte, dann ohne Eile. Jetzt sollte es schnell gehen, und jeden Abend im Schlafzimmer drängte sie, forderte ihr Recht, wovon sie sonst immer geschwiegen hatte: das Recht, sie zu erhöhen, ihrem Herrn allein hatte sie es erteilt. Die reizende Gabriele machte nichts aus sich, das taten Natur und Glück. Die arme Gabriele fing jetzt an, ihre Schönheit ins Feld zu führen. Sie erinnerte den König an den Segen, den sie ihm gebracht hatte; als sie ihn aber gebracht hatte, war es gewesen, wie das Korn wächst.

Wenn sie an diesen Abenden auf ihren Leib wies und laut ihre Umstände anpries, um derentwillen sollte er sie heiraten – jedesmal erschraken in ihrem Herzen alle beide. Er über ihre Verwandlung. Sie, weil sie sich auf das Kind berufen hatte, und gerade das zeugte gegen sie, die Sterne oder Linien erlaubten keinen Zweifel. Wenn ihr Leben ihr lieb ist, bleibt ihr nur übrig, abzustehen von ihrem Ziel: sie bedurfte der Sterne nicht, um es einzusehen. Trotz ihrem Wissen und Willen gehorchte sie einer bösen Lust nach dem Abschluß – sie keuchte zuletzt davon, weil es gegen die Vernunft und ihre Selbsterhaltung war.

Henri liebkoste die Zusammengebrochene. Seine eigene Gereiztheit war beigelegt, ihr ungesunder Haß, wenn sie denn ihren Liebsten hier gehaßt hätte, schwamm in Tränen fort, und sie machten einander glücklich. Genuß, Leidenschaft, Zärtlichkeit, sie überzeugten das geliebte Wesen und sich selbst, daß es noch immer derselbe Ring wäre aus Freuden der Sinne und des Herzens. Schon ein anderer Ring aber hatte Schmerzen verursacht beim Hinübergleiten von seiner auf ihre Hand, dermaßen, daß sie ihn fallen ließen.

Sie ritten zusammen wieder zur Jagd. Henri verließ sie selten. Denn er fühlte ihre Furcht und hatte um sie selbst wohl Befürchtungen, obgleich niemals ausgemachte, gegen die man Mittel ergreift. Einmal beim Nahen der Dunkelheit kehrten sie zurück mit nur zwei Edelleuten, Frontenac und Agrippa d'Aubigné. Diese vier erreichten die Stadt am linken Ufer des Flusses, wo es Quai Malaquais heißt, in einiger Entfernung von den alten Brücken. Die Arbeiten an der neuen Brücke, die Henri erbaut, sind wegen der großen Begebnisse des Königreiches ins Stocken geraten; erst dieses Jahr wurden sie aufgenommen, bis jetzt muß man übersetzen. Da ist das Boot und ein mürrischer Fährmann, der seine Gäste weder ansieht noch kennt. Der König fragt, denn er will aus jedem die Wahrheit holen.

«Was hältst du von dem Frieden, den der König geschlossen hat?»

Der Bootsmann: «Wieso, ich merke nichts von dem schönen Frieden. Immer nur Abgaben auf alles, sogar auf diesen armseligen Kahn, wer soll davon noch leben.»

Der König: «Und der König bringt keine Ordnung in all die Abgaben?»

Der Bootsmann: «Der König mag soweit gut sein; er hat aber eine, die er aushält, die braucht immerfort teure Kleider, allen möglichen Firlefanz, und wer bezahlt das? Wir. Wenn sie ihm wenigstens treu wäre. Sie soll aber richtig fremd gehen.»

Das Lachen des Königs brach ab. Die Herzogin von Beaufort war in einem großen Mantel, die Kapuze verdeckte ihr ganzes Gesicht. Das Boot legte an, die beiden Edelleute sprangen heraus und reichten der Dame die Hand. Der König hatte als letzter das Ufer erstiegen. Dem Schiffer, der abstieß, rief er nach: «Der sag ich's wieder!» Der Mann stand mit langen Knochen über sein Ruder gebeugt, er wendete den Kopf nicht. Die Herzogin sprach zu dem König laut, die Herren und auch der Kerl konnten es hören: «Er soll gehängt werden.»

Darüber erschrak nur einer wahrhaft, Agrippa d'Aubigné. Henri war mit der neuen Reizbarkeit seiner teuren Herrin vertraut. Vor kurzem, sie hatte den ersten seiner beiden Mörder unschädlich gemacht mit eigener Lebensgefahr, bat sie noch für den Mörder um Gnade. Er sagte sanft: «Lassen Sie den armen Teufel laufen. Seine Not verdirbt ihm die Stimmung. Ich will, daß er für sein Boot nichts mehr zahlt. Alle Tage, soviel ist sicher, wird er dann singen: Hoch Henri! Hoch Gabriele!»

Einige Schritte weiter sprach Gabriele, warf ihre Hüllen zurück, und ihre Stimme schwankte zwischen Erbitterung und Schmerz.

«Der Mann war angestiftet. Man will Ihnen zeigen, daß ich verhaßt bin. Sire! Als nach dem Anschlag auf Ihre geheiligte Person unsere beiden Pferde am Zügel geführt wurden, hat Ihr Volk mich nicht gehaßt. Im Hof nachher und unter meinen Fenstern, wissen Sie wohl noch, was hinaufgerufen wurde? Es hat mich nicht gehaßt.»

«Madame, vom Haß ist keine Rede», sagte Henri. Er legte den Arm um sie, unter dem weiten Mantel fühlte er sie am ganzen Leibe zittern.

«Sie haben sich niemals Feinde gemacht. Sie waren gut, und durch Sie wurde ich besser. Meinem Mornay hab ich seinen Traktat gegen die Messe verziehen, weil Sie mir zusprachen. Meinen Agrippa, sooft seine Zunge lose war, nahm ich doch in Gnaden zurück dank Ihren guten Taten. Ich habe Sie lieb, so seien Sie getrost.»

Der Wind blies kalt, Henri schloß ihren Mantel fester. In das Tuch, das ihr Geflüster erstickte, klagte sie: «Warum werd ich gehaßt? Ich will nicht sterben.»

Da waren sie angelangt bei dem Hause Gabrieles. Sie schrak auf.

«Sire!» rief sie. «Mein geliebter Herr!» rief sie. «Lassen Sie uns zu Pferd steigen. Sie sollen sehen, daß Ihr Volk mich liebt.»

An diesem Punkt mußte Agrippa d'Aubigné sein erschrockenes Schweigen brechen. Wer weiß denn nicht, was vorgeht. Jeder hat etwas davon erlauscht oder einen Blick hineingeworfen. Alle ahnen, nur der König nicht.

«Hören Sie mich, Sire!» bat Agrippa. «Frau Herzogin, verzeihen Sie mir, was ich sagen werde.»

Henri erkannte seinen dreisten Kampfhahn nicht. Ein Agrippa, dem nicht wohl war und der plapperte wie ein ertappter Sünder.

«Allerdings ist wahr, daß Sie heute viel Volk aus dem Lande hätten sehen sollen in Ihrer Hauptstadt. Vor Ihr Schloß Louvre wären große Haufen gezogen und hätten nach Ihnen gerufen, damit Sie hören, was Ihr Volk will. Sie sollen es wagen und sollen ihm eine Königin aus seinem Blut geben.»

«Warum seh ich die Leute nicht?» fragte Henri. «Woher kommen sie?» fragte er begierig.

Agrippa: «Von der Loire sind sie gekommen.»

Henri: «Ich weiß. Die Stromfahrt. Vom Ufer verhieß mir ein Bauer: Ihre Königin soll beschützt werden wie Sie. Ich habe sie nicht gerufen. Sie sind nicht hier. Was ist geschehen?»

Agrippa: «Als sie beim Arsenal eintrafen und in die Stadt wollten, hat Herr de Rosny sie mit der Truppe zur Umkehr genötigt. Ihren Anführer hat er verhaftet.»

Henri: «Den Mann, der uns seinen Schutz versprach? Das will ich nicht.»

«Hergeführt hat sie ein anderer», murmelte Agrippa – blickte scheu um, ob niemand ihn belauschte. Aber Frontenac zeigte auch kein anderes Gesicht; beide hatten zu viel gewußt, zu lange geschwiegen. Wind, Dunkelheit, Geheimnis, und die vier Gestalten verharrten auf dem Fleck. Wer tut einen Schritt, wer spricht ein Wort?

Gabriele: «Es ist Herr de Sablé. Ich hab ihn ausgeschickt. Er hat Unglück gehabt, da er seine Mannschaft am Arsenal vorbeiführte. Sire! Bestrafen Sie nicht ihn, sondern mich.»

Henri antwortete nicht. Er befahl Frontenac, die Herzogin nach Haus zu bringen. Ihn selbst begleitete Agrippa bis zu den ersten Wachen, wo er anhielt. Henri war schon weiter, kehrte aber um, er sagte: «Dank dir, Alter.»

Ein Soldat reckte die Laterne hoch, Agrippa erkannte bei Henri die ganze Qual des Gewissens. Sie stimmte ihn um nichts milder. Er hatte seine verwegene Stimme zurück.

«Sie danken mir zu spät. Hätte ich vor Toresschluß gesprochen! Anfangs waren einige, die Sie nur verbannen und unschädlich machen mußten. Jetzt ist es eine weite Verschwörung, kennt keiner den anderen. Aber alle sind darin und werden alle mitschuldig sein: auch ich, auch Sie.»

Bei dem letzten, verwegensten Wort sprang der gedrungene Mann vom Boden, nahm die Stellung des Grüßens ein, gespreizte Beine, geschwenkter Hut. Recht besehen war er es, der den König verabschiedete.

Henri schloß sich ein. ‹Er soll abrechnen, einen Strich ziehen und die Summe hinschreiben, wie jemand im Arsenal es macht. Der hat das gute Gewissen, das die klaren Rechnungen gewähren, und sonst braucht er keins. Er kann mir jederzeit beweisen, daß die Bauern als Empörer gegen meine Hauptstadt gerückt sind, und wer sie geholt hat, sitzt mit Recht im Turm, weil er jung und dreist ist. Ich darf's nicht sein, sonst wahrhaftig wüßt ich, was zu tun!›

Er war durch das Zimmer gerannt, er hatte zwei große Krüge übereinander geworfen, der Ton des Metalls schwang lange. Endlich stöhnte der König laut, da entstieg dem Hintergrund die sehr gestraffte Gestalt seines Ersten Kammerdieners d'Armagnac. «Sire!» begann er ohne Erlaubnis, mit einer Stimme ganz ähnlich der kürzlich gehörten. Agrippa und jetzt dieser, alle Alten werfen sich auf einmal in die Brust.

«Was hast du?»

«Sie sollen die Wahrheit erfahren», entschied Herr d'Armagnac. «Nachher werden Sie handeln wie ein großer König.»

Henri sagte: «Die Größe, wir sind darüber belehrt. Fehlt die Wahrheit, und die hättest du?»

«Ihre Ärzte kennen sie. Ihre Ärzte», wiederholte dieser Begleiter durch das Leben. Er ließ etwas nach von seiner Großartigkeit, er verzog den Mund.

«Mir haben sie sich anvertraut.»

«Warum nicht mir?» meinte Henri, der die Schultern hob. «Ihresgleichen nimmt die Dinge sonst feierlicher. Als ich krank lag, waren alle um mein Bett versammelt, und mein Erster Arzt La Rivière hielt mir bedeutende Ansprachen. Gewiß, wer meine Natur erforscht hat, besitzt etwas von meiner Wahrheit.»

«Herr La Rivière hat nicht den Mut gehabt, sie Ihnen ins Gesicht zu sagen.» D'Armagnac sprach gedämpft, die Augen niedergeschlagen.

Henri erbleichte. «Schnell! Betrifft es die Herzogin von Beaufort?»

«Auch sie.» Der alte Mann versuchte nochmals die angespannte Haltung; indessen, was er vorbrachte, klang schwach.

«Sie sollen kein Kind mehr zeugen können.»

Manches andere hätte Henri erwartet. «Ich hab es doch. Sie trägt es im Leibe.»

Er vernahm: «Ihr letztes. Seit Ihrer Krankheit wäre es damit vorbei – behauptet Herr La Rivière.»

Dem König blieb die Antwort aus. In seinem Schädel eilten die Einblicke, Gedanken, Beschlüsse: d'Armagnac verfolgte alle. Je mehr von ihnen durcheinander stürzten, um so sicherer war er des letzten, der kam unweigerlich und zog den Strich. Es ist geschehen, sah d'Armagnac. Steht fest und wird nicht mehr geändert. Die Frau, von der er Söhne hat, und soll keine je wieder bekommen – er will sie heiraten.

Der Erste Kammerdiener trat beiseite, ihm wird sein Herr es nicht anzeigen, weil es Schicksal ist und bedarf keines Wortes mehr dagegen oder dafür. Um seinen Rat gefragt, hätte d'Armagnac leise zu erwägen gegeben, ob Herr La Rivière nicht etwa im Bunde mit der Herzogin von Beaufort wäre. Und wenn nicht im Bunde, dann war er ihr von selbst gefällig. Diente übrigens dem König, wie er es verstand. Er dient ihm schlecht, argwöhnte d'Armagnac. Er lügt, der König kann gewiß Kinder haben; und die Lüge kommt zu spät. Jetzt ist der König entschlossen. Aber aus demselben Grunde wie er werden die Feinde der Herzogin zur Tat greifen.

Der Alte, plötzlich viele Jahre älter, hatte Mühe, zwei schwere Krüge, die gefallen waren, wieder aufzustellen. Der König glaubt den Ärzten. An Astrologen glaubt er nicht, um so fester den Ärzten. Sie können nicht mehr helfen. Gabriele ist aufgegeben.

Von dem Gewissen

Das Haus des Finanzmannes Zamet lag verschwiegen, obwohl an der glänzenden Straße, die beim Tor Saint-Antoine begann. Diese Straße der Triumphe und Einzüge erweiterte sich rechts zu dem Königsplatz des König Henri, und der war immer noch im Bau. Das Haus gegenüber wendete der schönen Straße den Rücken, es wurde noch dazu verdeckt von einer hohen Mauer; um die fremdartige Örtlichkeit zu betreten, bog man abseits in eine enge Gasse, von dort in ein Stück Weg ohne Ausgang. Es konnte sein, daß die eiserne Pforte sich öffnete. Dem Besucher dieses frühen Morgens wurde aufgemacht.

Er gelangte in einen weiten Hof und bewunderte maßvoll als ein völlig Eingeweihter die weitläufigen Anlagen der italienischen Villa. Alle Gebäude niedrig, die Wandelgänge und Terrassen leicht, fein und in die Luft erhoben. Droben konnte ein Genießer sich ergehen, wenn der Tag lieblich war und der Garten duftete. Das Wohnhaus, die Bäder, Ställe, Schreibstuben und Unterkünfte des Personals waren gefällig verteilt, durchaus in angemessener Art – ‹denn ungleich den Barbaren, tun wir niemals größer, als wir sind›, dachte der Besucher.

Er fragte den Pförtner, ob der Herr sich erhoben habe. Man wisse es nicht, war die Antwort. Diese früheste Stunde, nachdem die letzten Gäste den Platz geräumt und er nur kurz geruht habe, verbringe der Herr in seinem Schlafzimmer am Sekretär, aber ihn zu stören sei unerlaubt. Gewisse Fälle nicht gerechnet – meinte der Bediente merkwürdig bescheiden; der Besucher sah nicht reich aus. Dennoch geleitete man ihn ohne weiteres zum Haus, man ging sogar auf den Fußspitzen. Drinnen empfing ein Haushofmeister ihn mit Verbeugung – führte den Finger an die Lippe zum Zeichen seiner Verschwiegenheit; schritt dem Geheimnisvollen voraus, und nach leisem Kratzen an der Wand ließ er ihre unsichtbare Vorrichtung spielen.

Sebastian Zamet saß nicht über seinen Rechnungen, wie zu erwarten gewesen wäre. Der Geheimnisvolle war etwas vorzeitig in das Zimmer gelangt, der Finanzmann wurde noch halbwegs beim Beten betroffen. Wenigstens hatte es den Anschein, denn in seinem seidenen Schlafrock kam er eilends vom Boden hoch. Das Licht des anbrechenden Wintertages kämpfte mit dem Schein der Kerzen.

«Sie sind schon lange auf. Sie sehen abgespannt aus», bemerkte Messer Francesco Bonciani, Agent des Großherzogs von Toscana.

«Ich erwarte Sie», sagte Schuster Zamet mit Verbeugung, nicht anders als sein Haushofmeister. Er hatte sich gar nicht niedergelegt, seine Seele war voll Unruhe, und diese nicht zu zeigen, war er einzig bemüht. Aber der politische Agent hatte ihn schon wieder aus dem Auge verloren, er sah sich in dem reichen Schlafgemach um. Der Mann besaß mehr Sinn für schöne Dinge als Lust an der Beobachtung von Menschen. Die kannte er ohnedies, und es ist natürlich, daß ein Geldmensch von niederster Herkunft sein Gebet verrichtet. Wer sollte wohl Religion haben, wenn nicht solche Leute.

Der Blick des Besuchers wanderte von den zierlichen Säulen des Bettes aus Rosenholz über den Damast der Wände.

«Etwas ist hier verändert», bemerkte er.

«Sie wünschen zu frühstücken», sagte Zamet schnell. «Ich erteile die Befehle.»

Anstatt aber dem Trichter des Sprachrohres, näherte er sein Gesicht zuerst den Kerzen und blies sie aus. Der Winkel wurde davon verdunkelt, um so eher entdeckte Bonciani das Bild. «Wußte ich's doch», sagte er.

«Was denn nur?» fragte Zamet, während er heftig bedauerte, daß er vergessen konnte, das Bild zu entfernen. Der unbequeme Gast sagte:

«Sie taten recht, das Licht zu löschen. Farben wie diese leuchten aus sich selbst wie Diamanten.»

Er wußte sehr wohl, daß weder die Steine noch die Mischungen aus Öl und buntem Staub ihren Glanz in sich tragen. Dies ist indessen die Eigenheit des Reichtums. Dem Reichtum zu huldigen, mag es nun eines starken Geistes würdig sein oder nicht, Bonciani konnte es nicht lassen. Er verachtete die Reichen, und nur die Idee des Reichtums verehrte er: das war seine Entschuldigung.

Zamet bot ihm dringend einen Sitz an, er legte ein Kissen nach dem anderen hinein. Bonciani indessen war von dem Bild nicht fortzubringen. Er erriet den Namen des Malers aus den Eigentümlichkeiten seiner Hand, erkannte auch, daß dies der erste Entwurf und nachträglich für das Auge hergerichtet wäre. «Vorher war er gewiß besser. Ich möchte wetten, daß die Ausführung im Großen, die ein solcher Barbar sich nie entgehen läßt, von dem ursprünglichen Reiz der Eingebung noch mehr verloren hat. Ein Genius wie dieser hat unsere italienischen Meister studiert, ohne doch die Hauptsache zu begreifen. Er überschreitet selbst mit höchster Anstrengung den Bezirk der Sinne kaum. Fleisch, hoch getönt und aufgehäuft, aber ihm bleibt unzugänglich das Reich der Vollendung, das geistiger Art ist.»

«Darf ich Sie bitten», sagte Zamet bei dem gedeckten Tisch, der lautlos aus dem Boden gestiegen war.

Bonciani sprach weiter.

«Gleichwohl, am Anfang war es eine Eingebung. Der König steil auf seinem Thron als die Idee der Majestät und neben ihn hingewälzt die nackte Geliebte. Man könnte weinen, daß es mißlungen ist. Wieviel hätte jeder der Unseren daraus gemacht!»

«Er hätte überhaupt nichts gemacht», erwiderte Zamet, denn der Geldmann ließ seinen Besitz nicht gern verringern. «Die Künstler haben nicht mehr alle das Zeug zu kühnen Einfällen. Und was gehörte erst dazu, die große Leinwand dem König zu verkaufen, den Entwurf aber mir. Allerdings ging ich mit meinem Angebot höher als in ganz Europa jemand sich verstiegen hätte.»

Bonciani wendete den Kopf hin.

«Ich bin in der Lage, Ihnen für Rechnung des Großherzogs das Doppelte anzuweisen.»

«Aus geziemender Ehrfurcht würde ich Seiner Hoheit diesen unbedeutenden Gegenstand kostenlos überlassen.» Zamet legte die Hand auf die Brust, worin aber das Herz sehr angstvoll schlug. «Der König würde es mir nie verzeihen», schloß er schwach.

Der politische Agent kehrte ihm die ganze Ansicht zu. Die Bedenken des Geschöpfes nahm er nicht zur Kenntnis; nachlässig überflog er die Erscheinung, ihre gesenkten Schultern, weiblichen Hüften, ein Gesicht, das durch den Eifer auf Gewinn wohl einmal Festigkeit bekam; blieb aber flach wie bei Sklaven. Die Betrachtung lohnte wenig, Bonciani gab sie auf – während Zamet seine runden Augen nicht genug sättigen konnte mit dem Anblick seines beklemmenden Gastes. Er fühlte, daß der Hagere, sonst wohlgestaltete Mann in vertragener Kleidung ihm die äußersten Verlegenheiten mitbrachte. Half nichts, daß er diese seit einigem kommen sah. Plötzlich jammerte Zamet, die gebackenen Austern wären nun kalt geworden.

«Ich lasse andere backen.»

«Nein», sagte Bonciani. «Ich esse keine. Oder ich esse sie aus Achtung für Ihre berühmte Küche.»

Er saß hin und begann sich scheinbar zu ernähren. Seinem eingefallenen Munde glaubte man nicht, daß er wirklich aß. Er hatte über hohlen Wangen ein besonders starkes Gewölbe für Augen und Stirn. Man unterschied nicht: war der Schädel vorne kahl oder die Stirn zu hoch. Bonciani benutzte keine Stütze, er senkte niemals den Kopf, und wenn Zamet über seinen Teller gebeugt war, lag unerbittlich auf ihm ein kalter Blick. Sein Gast schwieg und ließ ihn kauen – eine Gnadenfrist, wie der Schuster wohl wußte. Mit gefüllten Backen brachte er zur Verlängerung des Aufschubs seine Entschuldigungen vor, daß Freitag wäre und es gäbe nur Fischgerichte, Seezungen ausgelöst mit Muscheln und in der köstlichen Soße, die ein Geheimnis ist. Der König liebt sie wegen des Estragonkrautes, das ihn an seine Heimat Béarn erinnert.

Zamet beeilte sich, dem Mann das zweite Glas einzuschenken; das erste hatte er ohne bemerkbaren Erfolg geleert. Der helle Wein war warmblütig; der kalte Blick blieb kalt. Zamet ärgerte sich über den Mann: ein gewohnheitsmäßiger Hungerleider, den der Großherzog knapp hält. Ein reicher Herr weiß, wen er bezahlen muß: am wenigsten den, der freiwillig fastet, und statt aller Schätze genügt ihm sein Hirn. Das läßt man ihn gebrauchen und im Dunkeln die gefährliche Arbeit verrichten, während der ordentliche Gesandte des Fürsten prächtig auftritt, wird aber mit der Hauptsache selten befaßt.

«Nichts mehr?» fragte Zamet, gewillt, ein Ende zu machen sowohl dem Imbiß als dem frühen Besuch. Aber ihm ahnte schon, daß es mißlingen werde. Der Gast begann zu sprechen.

«Nur bei Zamet versteht man sich auf das Essen», sagte er.

Der Hausherr atmete auf. «Sie wiederholen, was alle sagen, Herr Bonciani, bedenken Sie nur die mittelmäßige Verpflegung an diesem Hof.»

«Ich gehe nicht zu Hof», äußerte der Agent, kam aber um so sicherer auf seinen Gegenstand. «Ich erwähnte Ihre Küche, weil unter gewissen Umständen auch große Staatsangelegenheiten auf dem Wege der Küche bereinigt werden können.»

‹Bereinigt, so nennt er es› – dachte der Finanzmann und ihm wurde schwer zu Sinn, weil jetzt das Schicksal seinen Lauf nahm.

Bonciani begann: «Menschen, die sagen, daß ihnen das Leben anderer Menschen heilig ist, gibt es von zwei Arten. Erstens die, denen es wirklich heilig ist. Das sind Dummköpfe, die aber gefährlich werden, wenn sie vor der öffentlichen Meinung die starken und gewissenlosen Taten verleumden oder sogar wagen sollten zu verraten, was beschlossen ist und bevorsteht.»

Dies mit einem furchtbaren Blick in die runden Augen gegenüber. Dann setzte der Mann seine Rede fort, gelassen wie ein Buch.

«Die zweiten sagen, daß ihr Gewissen sie immer hindern würde zu töten, obwohl sie es oft getan haben und jeder weiß es. Unser Souverän der Großherzog, ein weiser, gerechter Herrscher –»

Bonciani unterbrach sich, er neigte den Kopf in Richtung der Tür.

«Seien Sie unbesorgt», sagte Zamet, nachgerade auf alles gefaßt. «Ich halte grundsätzlich einheimische Dienerschaft, sie versteht unsere Sprache nicht.»

Das Buch fuhr fort: «Der Fürst ist verpflichtet, kein Gewissen zu haben, es wäre denn das Gewissen der Macht. Mein Fürst tötet seinen Bruder und die Frau seines Bruders, was jeder weiß und keiner sagt, denn bewiesen hat er damit seine sittliche Würdigkeit und Kraft. Dies erkennen gerade die Gemeinen und Schwachen, die niemals töten würden. Der Durchschnitt der Menschen ist so beschaffen, daß sie gern die Herrschaft von Mördern ertragen, womit nur scheinbar im Widerspruch steht, daß sie überdies geneigt sind, dem Mörder Glauben zu schenken, sobald dieser behauptet, er achte das Leben.»

Bonciani trank sein zweites Glas aus, blieb aber auch danach von gelblich bleicher Farbe. Zamet hatte seine gelehrte Rede nicht Wort für Wort verstanden, um so deutlicher hörte er den Schritt des Geschickes.

Einen langen wächsernen Finger erhoben sprach der Gelehrte: «Nur ganz große und augenfällige Lügen werden widerstandslos geglaubt. Wer dreizehn Menschen durch Gift oder Dolch vom Leben zum Tode gebracht hat, sage nicht: es waren zwölf. Sondern: gar keiner. Das wird durchgehen und unanfechtbar werden, vorausgesetzt, daß er die Macht hat, das unterdrückte Volk zur Leichtgläubigkeit gewaltsam anzuhalten. Dann muß er nicht einmal Zwang üben. Es glaubt und wird selig.»

Der Gedankenreiche blieb durchaus bewußt, daß er seine Perlen vor die Säue warf, wenn er die Gemeinschaft eines Zamet vorausgesetzt hätte bei seinen auserlesenen Offenbarungen. Eigentlich beehrte er keineswegs diesen Wucherer, wie er nun heißen mochte, vor sich hatte er den Reichtum selbst, eine Idee, deren Hoheit und Bestand von Menschen nicht bestimmt wird. Trotz der minderen Beschaffenheit der Reichen steht es fest, daß ihr Sternkreis eine geheime Anziehung ausübt auf die starken und herrlichen Werke oder Taten, die sie kaufen. Genauer gesehen, ist der Kaufpreis der schönen und kühnen Dinge nicht das Geld, vielmehr die Verworfenheit derer, die sie bezahlen können. Die Kunst kennt kein Gewissen. Der Gedanke ist gewissenlos. Beide leben vom Dasein einer Menschenart, die in der Idee ohne sittliche Beschränkung ist, ob auch der einzelne Finanzmann in seiner Schwäche hinkniet und betet. Es bleibt dabei, daß ein Zamet vonnöten ist, damit es einen Bonciani gibt.

Während der Gedankenreiche seine Sache ins reine brachte, was geläufig vonstatten ging, rang Zamet seinerseits mit dem Aufgebot beträchtlicher Kräfte um einen verzweifelten Versuch – vielleicht doch nicht verzweifelt. Schließlich war dies ein armer Lungerer, Hagestolz und Spion, konnte auch durch noch soviel Ruchlosigkeit nie unter die Mächtigen gelangen. Sein ganzes übertriebenes Wesen, was hat er davon.

«Verehrtester!» versuchte Zamet. «Ich schätze wie Sie die schöne Form, Ihre Rede versetzt mich in ein unvergleichliches Entzücken. Erlassen Sie dem weniger geschliffenen Geist die Erwiderung durch Worte. Erlauben Sie mir vielmehr, da ich reich bin, Ihnen die geheimen Schätze meines Hauses zu zeigen. Das sind Wunderwerke der Goldschmiedekunst; die Menge der Schmarotzer, die Tag und Nacht in meinen Sälen lungert oder spioniert, ahnt davon nichts. Ihnen – das Teuerste, und nicht nur zum Ansehen, sondern zum Mitnehmen, was Ihnen beliebt!»

Nach diesem Angebot, das ihn abfinden sollte, faßte der geheime Agent seinen Mann ins Auge. Seine glatten Züge, glätter als der Gedanke ein Gesicht lassen kann, sie wurden gefurcht und verschoben – nicht auf einmal, sondern so langsam, daß Zamet geraume Zeit im Zweifel war, was werden wollte. Endlich stand vor seinen leibhaften Augen die Verachtung: vollständig wie hier hatte er die Verachtung nie erblickt, sooft er ihr in seinem Leben begegnet war. Bei allem tiefen Erschrecken behielt er Selbstironie und dachte: ‹Sebastian, du bist zerschmettert.› Daher gab er den Widerstand auf; er bekundete mit der Hand, daß er, was eigentlich gemeint war, jetzt zu hören reif wäre.

Bonciani gewährte infolgedessen seinem Opfer die äußere Rücksicht, die solange gefehlt hatte; nur der Abstand im Wesen wurde gewahrt wie bisher. Er sprach: «Eine bedeutende Staatsangelegenheit soll glücklich beendet werden vermittels der Küche. Die Wahl ist auf Sie und Ihre Küche gefallen, ich beglückwünsche Sie zu der Auszeichnung.»

«Eine unverdiente Gunst», murmelte der unglückliche Zamet.

«Die Person», sagte Bonciani und zerlegte das Wort in seine Silben, «die hier oft und gern gespeist hat, wird auch ihre endgültig letzte Mahlzeit in diesem Hause einnnehmen.»

«Ich gehorche. Wollen Sie nur nicht vermuten, ich dächte, mich dem hohen

Befehl zu entziehen. Meine unbeträchtliche Meinung, die gar nicht zählt, und ein Mann Ihres Ranges übersieht sie – ich meine: die bewußte Person erreicht ihr Ziel ohnedies nicht. Wozu sie noch –!»

Zamet verschluckte ein Wort, er äußerte: «Wozu ihr ein schlechtes Gericht vorsetzen.»

«Ein sehr gutes. Ein vorzüglich bekömmliches. Wenn nicht der Person, die es zu sich nimmt, Seiner Hoheit dem Großherzog wird es anschlagen. Demnächst dem König von Frankreich. Des weiteren aber der gesamten Christenheit. Das Bild, das ich Ihnen abkaufe, wird bald in ganz Europa umgehen. Dies Fleisch, dreist neben die Majestät hingewälzt, wird die Höfe und Völker überzeugen, daß Rettung einzig zu hoffen ist, wenn Gott eingreift mit seiner heiligen Hand.»

‹Sollte die Hand meines Koches so heilig sein?› fragte Zamet bei sich selbst in ernsten Zweifeln. ‹Vielleicht tat er dennoch ein gutes Werk? Aber die Aussicht, dafür auf das Rad und an den Galgen zu kommen, erschien auch nicht gering. Gleichviel, es ist zu spät, Befürchtungen verraten wir nicht mehr. Der Furchtbarste ist nun einmal der Mann, den wir bei uns im Zimmer haben. Er oder ich. Ruf ich meine Leute und laß ihn verschwinden?› dachte Zamet. Aber er dachte es schwach; vor einem scharfen Blick des Mannes verging ihm die Lust.

«Ich gehorche», plapperte er. «Ich bin begierig, mir ein so großes Verdienst zu erwerben. Leider fehlt mir das geeignete Mittel, um die bewußte Person – soll ich sagen: anzulocken?»

«Sie kommt von selbst, zur richtigen Stunde», war die Antwort. Hier zog der Agent des Verhängnisses ein Papier hervor und verlas die Nachrichten, die er von dem Beichtvater des Königs, Benoît, hatte. Zamet, mit geübten schnellen Augen, hatte erspäht, bevor das Blatt wieder gefaltet wurde: es war weiß. Wär es aber auch beschrieben gewesen, was Bonciani davon ablas, stand niemals auf dem Blatt. Das setzt man mit Namen und Siegel nicht hin, sondern ohne Zeugnis und Beweis haben die beiden sich das Wort gegeben. Ja, das weiße Papier überzeugte Zamet, es beseitigte seine letzte Anwandlung, zu leugnen, was beschlossen war.

Als Bonciani das runde Tuch, das sein Mantel war, mehrfach um sich geworfen hatte und abging, murmelte Zamet immer noch Beteuerungen. Der Ungebetene war endlich draußen, da erstarrte Zamet. Hob einmal beide Arme über den Kopf, stöhnte einmal tief, versuchte auch zu knien – gab aber dies alles sogleich auf und blieb reglos hingegeben dem Gefühl des Schlages, der ihn getroffen hatte. Sein Gewissen sprach: ‹Ich, Sebastian Zamet, Schuster Zamet, soll dem König die Liebste vergiften. Werd es auch tun, weil ich feig wie ein Schuster bin und bekäme das Gift sonst selbst.›

Aus Besorgnis, seine Zurückgezogenheit könnte auffallen, verließ er das Schlafzimmer und ging den üblichen Geschäften nach. In seinem Innern rechnete er unaufhörlich, nur nicht mit Geld. Er wog gegeneinander ab den Großherzog Ferdinand und seinen schrecklichen Gelehrten, den König Henri und sein teuerstes Gut. Was er tut oder läßt, kann ihn beides verderben. Gott allein wäre die Rettung, falls er wirklich eingriffe mit seiner heiligen Hand: er hielte sie dann gewiß über den armen Zamet. Der Schuster erschrak, da seine geheime Stimme ihn arm nannte. Das war er lange nicht gewesen.

Hier empörte der Finanzmann sich. Wenn auch scheu und leise, rief er den Allmächtigen an, ihn doch zu verschonen. Seine heilige Hand verzichtet billig auf die des Geldverleihers am Hof von Frankreich, wo dieser sein Glück gemacht hat, will es auch festhalten vermittels der Gnade des Königs. Und durch die Gunst der Herzogin von Beaufort, setzte er hinzu. Sie braucht immerfort Geld: ‹Ich will zusammenzählen, wieviel sie mir schuldet und ob ich es verantworten könnte, sie mit eigener Hand in die Unmöglichkeit zu versetzen, daß sie mich jemals befriedigt. Im Gegenteil muß sie Königin werden, damit die Rechnung aufgeht!›

Während seiner Betrachtungen saß Zamet in seinem Kontor, durch seine Finger glitt Geld, längs den Tischen kratzten die Federn der Schreiber, und Kaufleute, die eintraten, wurden abgefertigt. Zamet beugte sich über die Geldbeutel, damit niemand sähe, daß er feuchte Augen hatte. Gabriele rührte ihn.

In seinem Geist neigte sie noch einmal alle ihre herrlichen Schönheiten über ihn, wie sie es wirklich getan hatte in der Nacht, als sie sechs Säcke Gold verlangte für den Feldzug des Königs. ‹Einem Schuster Zamet erlaubt die schönste Frau ihren vertraulichen Anblick für viel Geld, das kann nicht anders sein. Gleichwohl hab ich damals gehandelt wie ein Edelmann, sie sagte es selbst. Zu was aber bin ich edel durch sie geworden, wenn ich es ihr jetzt in der Suppe vergeben soll. Sie würde verspüren, wovon sie gegessen hat, ich stände dabei und ihr letztes Wort an mich wäre: Schurke? Ich will's nicht. Ich tu es nicht.›

Am Abend bei vollem Haus, Musik und dem Lärm der Spieler war Zamet anders gesonnen, jetzt galten nur Toscana und Habsburg, die überlegenen Mächte, für einen Geschäftsmann die Sicherheit. Hier sind die Edelleute lauter Habenichtse, betteln ihn um ihre Spielschulden an, und auch die Königin wird niemals zahlen. Nimmt sich aber heraus, ihn zu verachten, sooft er ergebenst mit einer Rechnung naht, wären es nur die Zinseszinsen. Gleichwohl fuhr nächsten Tages Sebastian Zamet nach dem Arsenal zu Herrn de Sully.

Der Finanzmann besaß Karossen, keine prächtigeren hatte der König. Diesmal bediente er sich eines bescheidenen Wagens, der seinem Hausmeister gehörte, nahm auch Umwege, wo man nicht auffiel. Er saß die ganze Zeit, die Hände auf die Knie gestützt, seinen Geist durchflogen rastlos die Reden, die er an den Minister richten wollte, ihnen auf dem Fuß folgten die Antworten des edlen Herrn. Zamet war gewillt, ihn heute «edler Herr» zu nennen, obwohl sie sonst bei ihren häufigen Geschäften die sachliche Tonart pflegten. Er wird sagen: ‹Edler Herr! Ihre Angelegenheiten sind äußerst gefährdet, wie auch meine eigenen. Denn es trifft sich, daß wir demselben Vorteil oder Nachteil unterliegen, was nicht immer der Fall war. Die Ereignisse, die jetzt drohen, machen aus dem Geldverleiher und dem edlen Herrn ein Paar.›

Der Minister wird sagen: ‹Ich weiß. Was vorgeht, ist bekannt. Indessen besteht es bis jetzt in Gerüchten. Wo sind Tatsachen. Wo kann ich zugreifen, gesetzt, ich wollte.›

Zamet wird sagen: ‹Sie werden wollen, edler Herr, sobald ich Ihnen erzählt habe, welchen Besuch ich gestern zu der frühesten Stunde empfing, und wünsche mir dergleichen nicht noch einmal. Geschieht das Unglück nun wirklich, wie stehen wir da? Ich sehe mein Geld nie wieder, aber Sie? Kann irgend jemand, bei einer solchen Unsicherheit im Königreich, meinem Herrn dem Großherzog zuraten, daß er hier noch weiter sein Kapital anlegt? Sie werden einwenden, er habe die Tat doch selbst befohlen. Das ist eine Lüge des Agenten, ich kenne meinen Fürsten. Sollte er überhaupt unterrichtet sein, dann läßt er es allenfalls darauf ankommen, ob die höchste Dame des Hofes ihres Lebens sicher ist – und danach wird er sich richten. Seine Nichte herschicken, damit es ihr ebenfalls so ergeht? Edler Herr, daran denken Sie nicht. Ihre geschäftliche Klugheit wird Sie leiten, mag übrigens die unglückliche Frau Ihnen Anlaß gegeben haben für wenig freundliche Gefühle.›

Der Minister wird abwinken: ‹Unfreundliche Gefühle bedeuten nichts. Ich bin verantwortlich. In der Hauptstadt meines Souveräns dürfen so fragwürdige Zwischenfälle nicht vorkommen, wobei ich von ihren finanziellen Folgen noch absehe. Herr Zamet, Sie erweisen sich klug und tapfer, denn es liegt auf der Hand, daß Sie nur mit Gefahr Ihres eigenen Lebens mir die Verschwörung aufdecken. Der Mann wird im Auge behalten.›

Zamet, von Dankbarkeit erschüttert: ‹Edler Herr!›

Der Minister: ‹Geben Sie mir Ihre Hand, und nennen Sie mich nicht edel. Ich bin es nicht mehr als Sie. Es ist bewundernswert, wie jemand trotz allen Geldgeschäften unaufhaltsam zum Edelmann wird. Es muß Bestimmung sein. Der König wird den richtigen Schluß ziehen und Sie adeln. In Ihrem Wappen wird ein Engel die Flügel ausbreiten, da Sie eine mächtige Frau und dies Königreich vor Unheil beschützt haben.›

Zu derartigen Höhen schwangen sich im Geiste des Finanzmannes die Reden und Gegenreden, deren er gewärtig war. Da der Wagen nun anlangte, sprang hinten der Lakai vom Brett und lief hinauf, um seinen Herrn anzumelden, wie schon oft. Viel langsamer kehrte er zurück: Herr de Sully sei nicht zu sehen.

Ob er ausgeritten wäre, fragte Zamet. Nein. Oder er habe eine Besprechung? Er sei allein. Warum denn für niemand sichtbar? Für niemand – so heiße die Weisung nicht. Sie beziehe sich namentlich auf Herrn Zamet.

Dieser begriff es nicht – noch nicht. Die eifrigen Träume seines Gewissens, mit denen er hergefahren war, bis jetzt hielten sie ihn umfangen. Sein Wagen führte ein Schreibzeug mit. Schnell schrieb Zamet auf, daß er im alleinigen Besitz eines Staatsgeheimnisses sei, er fordere Gehör. Nochmals lief der Lakai. Alsbald geschahen droben ein Krachen, ein Sturz, und am Fuß der Treppe traf jemand ein, Kopf und Hände voran. Wer das getan habe, fragte Zamet und erfuhr: Herr de Sully in eigener Person. Da begriff er und kehrte um.

Rosny nahm seine Arbeit auf, die Unterbrechung sollte ungeschehen sein. Durfte nicht stattgefunden haben. Indessen, der Beschluß war nicht aufrechtzuerhalten. Der Mann mit dem langen hohlen Rücken verließ seinen ungeheuren Tisch, kam aber vor das Bildnis eines gepanzerten Ritters zu stehen: der war er selbst. Sofort bewegte er sich von dieser Stelle, nur daß die Augen des Ritters mitrückten und ihn ansahen, wohin er ging. Das war eine bekannte Eigentümlichkeit des Bildes. Heute stieg dem Verfolgten in das Gesicht die Röte und brannte ihn.

‹Laß ich den Schuster zurückholen? Gewiß, ich tu's. Die Pflicht verlangt, daß ich ihn anhöre. Wie ständ ich vor dem König, wüßt er, ich hätte es verweigert: wie ständ ich vor ihm – nachher! Und falls gar nichts eintrifft? Ich bin der Mann nicht, meine Zeit an Geschwätz zu verschwenden. Unbewiesenes Geschwätz, denn wer mit Unternehmungen dieser Art umgeht, hinterläßt keine Spur, dafür ist gesorgt. Man müßte seinesgleichen nicht kennen. Gegen Wegelagerer kann ich Soldaten schicken – dies aber werd ich nicht verhindern. Zum Mitwisser mach ich mich, wenn ich den Angeber vor mich rufe. Mitwisser, ich will's nicht sein.

Ich tue nichts, ich wasche meine Hände. Gewarnt hab ich, als noch Zeit war. Ihm und ihr, beiden habe ich eindringlich widerraten, ihre Lust zu büßen, da es Gott mißfällt. Was gegen die Ordnung und den Dienst ist, mißfällt ihm. Der Dienst des Königs vor allem. Ich bin bestellt, seinen Dienst einzuhalten besser als er selbst. Ihr hatte ich schon das Leben gerettet. Mir verdankte sie die heilsame Ungnade des Königs. Um so schlimmer für eine Unbelehrbare, daß sie nicht abgeht, sondern verwickelt sich mutwillig in ihr Verderben, das sie kennt.

Zu spät, ich kann ihr nicht helfen. Sie selbst hat sich in ihrem Strick verfangen. Reißen wird er nur mit ihrem Leben. Ohne mein Dazutun! Der Herr des Himmels sieht mir bis in das Herz. Ich willige pflichtschuldigst in das Ende, das du verfügst, o mein Herr Zebaoth!›

Dies gesagt, fühlte Rosny sein Gewissen wunderbar befreit. Er machte sich an seinen ungeheuren bepackten Arbeitstisch, und den Blick des Ritters, der ihm auch hierhin nachging, er erwiderte fest den Blick.

Der Abschied

Gabriele empfing die große Nachricht durch einen Brief vom vierundzwanzigsten Februar 1599, darin nannte Henri sie seine Souveränin. Viele ausgezeichnete Namen hatte er ihr schon gegeben und hatte aus den Bereichen der Macht und Hoheit manche Huldigungen entliehen für seine Liebe. Nie diese Huldigung, nie diesen Namen.

Sie war entzückt. Vom tiefen Entzücken wurde sie schweigsam. Sie antwortete ihm nicht, verspürte auch keine Ungeduld, sondern die Woche war zu kurz, um die wenigen Worte seines Briefes jedes einzeln zu betrachten und seinen Sinn zu ermessen. ‹‚Mein schöner Engel.' Erst unlängst hatte ich keinen himmlischen Gleichmut, weit davon. Und schön – bin ich es denn mit unserem vierten Kind im Schoß? Du sagst es, mein teurer Herr. ‚Eine Treue wie meine ward nie noch gesehn.' Das ist lautere Wahrheit, und es geschieht nicht vorsätzlich, daß er im achten Jahr mehr Treue hat als im ersten. Es sind die Jahre, sie haben uns vereint.›

Da gedachte sie der vergangenen Zeit, ihrer eigenen Verwandlung, bevor sie ganz sein Eigentum wurde, und war hart und stolz gewesen, als sie gar nichts war. Hier auf der Höhe des Glückes, das ganz aus Liebe, seiner und ihrer, gemacht war, bekam sie Lust, sich vor einem Armen oder Kranken zu verneigen.

Die sieben Tage vergingen ihr sanft und waren, das Kind im Schoß, den Kopf von Träumen voll, in ihrem Leben wohl die besten. Den zweiten März verkündete ihr lieber Herr seinem Hof, daß er sie gegen den Tag Quasimodo hin heiraten wollte. Da endlich der Tag feststand, behielt auch Papst Clemens nur die gemessene Zeit für sein Zögern und In-die-Länge-Ziehen. Mehrere Tage verbrachte er im Gebet und ließ ganz Rom fasten, dies mitten im Karneval – da er die Ehe des Königs von Frankreich auflösen und ihm erlauben sollte, die Tochter seines Volkes auf den Thron zu erheben.

Der Ring, der einmal zu Boden gefallen war, der König hatte ihn jetzt öffentlich seiner Königin an den Finger gesteckt. Er fügte große goldene Hochzeitsgeschenke hinzu, übrigens kosteten sie ihn auch nicht mehr als der Ring, denn er selbst hatte sie von den Städten Lyon und Bordeaux als Gabe erhalten. Der Hof versäumte weder diese Bemerkung noch andere, die den Ernst des Vorganges in Zweifel ziehen sollten. Indessen war Karneval, das allgemeine Vergnügen beeinträchtigte die Bosheit, sie war vordem aufmerksamer gewesen; sogar die Gerüchte und Vorzeichen mitsamt den Verwünschungen von seiten der Prediger unterblieben während der Frist.

Gabriele selbst kam anfangs nicht zur Besinnung, so viele Vorbereitungen waren zu treffen für ihren großen Tag. Sie bestellte ihr Hochzeitskleid aus fleischrotem Samt, der Farbe der Königinnen. Es wurde bestickt mit Gold, mit feinem Silber, es hatte seidene Streifen, es kostete eintausendachthundert Taler, und in der Werkstatt des Meisters, der es anfertigte, verblieb es, bis es bezahlt wäre. In ihrem Hause ihr eigener Schneider arbeitete an dem zweiten Festgewand, das nicht weniger kostbar geriet, und gefiel ihr besonders, da auf den großen spanischen Ärmeln ein H und ein G sich umschlangen. Achtundfünfzig Diamanten im Wert von elftausend Talern sollten die runde goldene Sonne zieren im Haar der Königin.

Hinzu rechne man die schwere Wahl der Möbel für das Zimmer der Königinnen in Schloß Louvre. Die Möbel wurden gezeichnet, verworfen, nochmals angefangen; zuletzt waren es Stühle wie andere auch, obwohl bezogen mit karmesinroter Seide. Waren aber die Stühle der Königin, daher erstaunlich anzusehen, und wurden bei Madame de Sourdis abgestellt, bis das Zimmer der Königin wirklich in Besitz genommen würde. Gabriele inzwischen wohnte schon im Louvre, verließ ihn aber, kaum daß Henri sich einmal daraus entfernte, sogleich durch ihren geheimen Gang.

Dieser wurde nunmehr von ihren Pagen bewacht, unter ihnen der junge Wilhelm. Er erteilte ihr, als sie eines Abends nahe genug vorbeikam, eine sonderbare Warnung. «Madame», sagte Herr de Sablé, «mögen Sie nach Ihrer Gewohnheit überall umherstreifen durch Ihr Königsschloß, aber vermeiden Sie um Gottes willen in dem nördlichen Flügel die kleine Treppe nach dem obersten Gelaß. Sie träfen leicht eine giftige Spinne.»

Schon tags darauf begab es sich, daß sie allein war und, sie wußte nicht wie, zu der verbotenen Stiege gelangte. Das Klopfen ihres Herzens wollte sie abhalten, dennoch betrat sie die zerbrochenen Stufen und den dichten Staub. Das oberste Gelaß stand offen, unter der erblindeten Luke war ein sehr alter Mensch über Folianten gebückt, wieder die geheimen Bücher, aus denen die Eingeweihten das Schicksal lesen. Gabriele stand über die Schwelle geneigt, tat keinen Schritt weiter, sie wollte dem Schicksal wohl ausweichen, kehrte aber nicht um. Der ungeheuer alte Mensch ließ nur das halbe Profil sehen, und das war von Runzeln schwarz. Er murmelte, blätterte, kratzte Zeichen in die Wand. Am Schluß reimte er zusammen, was er gefunden hatte. Da hatte er eine tönende Stimme.

«Sag's keinem, Bizacasser. Du besitzest hiermit als einziger auf Erden die genaue Wissenschaft, wie es ausgehen soll mit ihr. Nicht allein, daß sie den König von Frankreich niemals heiraten wird. Ihre Augen werden das Licht des nächsten Ostertages nicht erblicken. Aber still, Bizacasser, ein florentinischer Weiser hütet sein Geheimnis.»

Gabriele erreichte mit Mühe die belebten Gegenden des Schlosses. Sogleich empfing sie Personen, die sie sprechen wollten, und hatten alle Gnaden, die ihnen zuteil wurden, nie erwartet. Bei sich selbst bedachte sie: ‹Hat er mich nicht gehört? Ich stolperte die Stiege hinab. Aber die war dicht bedeckt vom Staub.›

Sie wollte keine Furcht haben und den Betrügern nicht mehr glauben. Das Licht des nächsten Ostertages – aber das leuchtet ihr schon jetzt, und ihre große Zeit liegt nicht mehr im Wandel der Sterne: sie ist angebrochen. Wenn sie des Morgens aufsteht, reichen große Damen ihr das Hemd; bald werden einzig die Herzoginnen dazu befugt sein. Die Prinzessinnen von Lothringen wohnen ihrem Ankleiden bei. Die ergebenste von allen, das Fräulein von Guise, frisiert sie. Bei Tisch stehen hinter ihrem Stuhl die Leibwächter des Königs. Auf seinen Befehl nimmt Herr de Frontenac für jede ihrer Ausfahrten die doppelte Bedekkung mit. Was könnte ihr zustoßen.

Dies war ihre größte Zeit. Ihre glücklichste? Sie lag zurück, es war gewesen, als er ihr geschrieben hatte: Eine Treue wie meine ward nie noch gesehn. Als er sie angeredet hatte: mein schöner Engel und hatte sie seine Souveränin genannt. Sieben Tage waren es gewesen.

Der König übersetzte sein Gefühl nunmehr in Handlungen, die er mit Eile und Nachdruck betrieb. Er versicherte die Zukunft der Mutter und der Kinder gegen alle erdenklichen Gefahren. Verschwände er selbst, sollte ein anderer da sein und sollte die Macht haben, sie zu beschützen; durfte auch nicht zweifeln, daß es sein eigner Vorteil wäre. Henri warf die Augen auf seinen Marschall Biron, Sohn eines Mannes, den er geliebt hatte, und die Liebe verschenkte er nachher an den Sohn. Ihm versprach er das Schwert des Connétable und zur Ehe sollte er Franziska, die jüngste Schwester Gabrieles haben. Die galt indessen nicht nur für die Tochter des alten Herrn d'Estrées, sondern wäre dem außerehelichen Leben ihrer Mutter mit dem Marquis d'Alègre entsprossen, was nachträglich viel Unbequemlichkeit hervorrief. Nicht nur, daß Biron Anstoß nahm. Antoine d'Estrées hätte Franziska verleugnet, hätte Wesens gemacht von einer längst verschmerzten Unehre – außer, der König zahlte.

Biron bekam neue Würden und Einkünfte. Der Bruder Gabrieles, ein tapferer Soldat mit Namen Hannibal, ihr ganz ergeben, sollte dem Marschall beistehen, wenn es je dahin käme, daß die Königin verteidigt, das Recht ihres Sohnes Cäsar auf den Thron behauptet werden mußte. Der König plant überdies die Verheiratung Hannibals mit dem Fräulein Guise, einer Schönheit auf dem Abstieg und wegen ihrer Vergangenheit den fürstlichen Freiern unerwünscht. Gabriele aber wäre durch sie mit dem Haus Lothringen verbunden worden. Was fehlte noch, damit sie sicher wäre. Für sie waren die königlichen Prinzessinnen, die es dem König versprachen. Auf ihre Seite trat ein regierender Fürst, der Herzog von Savoyen, da er gewürdigt wurde, seine Tochter dem Erben der Krone Frankreichs zu vermählen. Der junge Cäsar war allerdings verlobt, aber unter den neuen Umständen stand ein Fräulein von Mercœur ihm im Range zu weit nach. Diese bekam billigerweise den jungen Condé, einen elfjährigen Prinzen aus dem Hause Bourbon: der einzige, der nach menschlichem Ermessen dem Sohn Gabrieles hätte gefährlich werden können. Der König überlegte sogar, ob er aus dem möglichen Bewerber um die Nachfolge nicht einen Priester machen sollte, ‹Kardinal, sehr reich – keine Sorge mehr für Gabriele und meinen Stamm›, dachte Henri.

Inzwischen gelangte auch zu ihm die böse Ansage des Magiers aus Florenz; ging an seinem Ohr vorbei und traf es nicht. Er handelt, und ließe das Geschick sich aufhalten, er hätte alles vorgesehn. Zwei Jahre später wird Biron ihn verraten haben, sein Kopf wird fallen, ein größerer Schmerz für den König als für den Verschwörer. Nur noch zwei Monate, wo ist Gabriele.

Fräulein von Guise war es, die ihr von einem Zauberer Bizacasser erzählte, während sie ihr die Haare flocht. Gabriele erschrak nicht, sie wiederholte, was Henri über die Sterndeuter gesagt hatte: sie werden so lange lügen, bis es einmal wahr ist. Ihr Geschick hat nichts gemein mit einem ungeheuer alten Menschen, der jetzt dennoch den Mund nicht halten kann über seine Wissenschaft. Ihr Geschick liegt offen auf der starken Hand ihres Herrn. Sie ist behütet, da sie bei ihm ist und geht mit ihm, wohin er geht.

Das gilt für die Zeit des Wachens. Gäb es nur keine Träume. Eines Nachts, sie lag in dem großen Bett der Königinnen, ihr Liebster neben ihr und um sie beide standen alle Mauern von Schloß Louvre, da rückte ihr zu Leibe ein ungeheurer Brand – erfaßte sie und hätte sie verzehrt. Sie erwachte, von ihrem Ächzen wurde auch ihr Liebster wach, hatte aber in seinem Schlaf dasselbe Feuer erblickt und noch mehr Angst erlitten wegen seiner Ohnmacht, sie zu retten. Die beiden saßen auf und hielten einander. Was sie sprachen, der Trost, den sie suchten, das Grauen, das sie schüttelte, alles geschah nebenher. In ihrem Grunde erstaunten hier beide, daß es sollte für sie aus und vorbei sein. Viel gehandelt, viel gesorgt und vorgebeugt – das ganze künstliche Gebäude von Ruh und Sicherheit, ein Traum wirft es um.

Wenn das Opfer eigentlich gebracht war, am Morgen wußten sie es nicht mehr. Henri sagte seiner Souveränin, diesen Namen gab er ihr wieder: nur ihr gesegneter Zustand wäre die Ursache ihrer Unruhe, und diese ergriffe schließlich noch ihn selbst: weshalb sie besser die Fastenzeit auf dem Lande verbrächten. Mit ihrem ganzen Hof reisten sie nach Fontainebleau, dort genoß Gabriele die letzten Wochen des gnädigen Verweilens. Ihr Liebster wich von ihrer Seite nie, war auch keine Rede davon, daß sie im Leben noch einmal getrennt werden könnten. Gerade dies stand nahe bevor, man will an das Unheil nicht denken; bis es eintritt, ist es vergessen. Um so riesenhafter erscheint es nachher bei voller Gegenwart.

Pater Benoît, ein einfacher Priester, hatte in dem Stadtviertel der Markthallen die Seelen der gemeinen Leute versorgt, bevor der König ihn zu seinem Beichtiger nahm. König Henri vertraute einem Geistlichen, wie das Volk ihn hat, der ist gewiß ohne Falsch. Das war Pater Benoît und verlangte aus reiner geistlicher Strenge, die heilige Woche vor Ostern sollte der König allein begehen und um seiner Bußfertigkeit willen müßte er die Frau Herzogin von Beaufort inzwischen fortschicken. Mit einer Geliebten büßt man nicht, sondern das Ärgernis, das reichlich gegeben worden ist, wird noch vermehrt. Die künftige Königin soll mit gutem Beispiel vorangehen. Pater Benoît, der es gewissenhaft meint, schickt sie nach Paris, damit sie in aller Öffentlichkeit ihre religiösen Pflichten erfüllt.

Henri sagte anfangs nein. Wer es ihm eingegeben habe, fragte er geradezu den Mann. Der verwahrte sich laut, denn auf Menschen höre er nicht, sondern tue nach seinem geistlichen Amt, was Henri zuletzt auch wahrscheinlich fand. Der arme Pfarrer ist ihm ganz ergeben; Henri würde ihn zum Bischof machen, wäre nicht der Widerstand Roms, das den Mann für einen heimlichen Protestanten hält. Gegen Gabriele – Henri erinnert sich keines Wortes von Benoît, womit er versucht hätte, ihr zu schaden. Er ist nicht gegen Gabriele, er handelt gewiß im guten Glauben.

Dasselbe meint Benoît selbst; später, nach den Ereignissen, wird er so lange wie möglich sein Gewissen beschwichtigen und sein verhängnisvolles Auftreten für unbeeinflußt ansehen. Wer hat ihm denn gesagt, daß die Bulle mit seiner Ernennung zum Bischof niemals erlassen wird – außer, er verhindere den König, mit einer Todsünde behaftet das Abendmahl zu empfangen, und verweise die Geliebte nach Paris. Wer? Wie viele? Hat der Böse diesen Keim in den Geist des Priesters gelegt – wessen Züge trug hierbei der Böse? Er muß sich in mehrere unauffällige Gestalten abwechselnd verwandelt, muß gehext haben, so daß nichts mehr seine Spur verrät. Dennoch wird Pater Benoît allmählich den Bösen aufspüren – später, nach den Ereignissen. Er wird krank davon werden und den König bitten, ihn nach seinen Markthallen zu entlassen.

Als Henri ihr eröffnete, was unvermeidlich wäre, verfiel Gabriele sogleich und ohne Übergang aus tiefer Ruhe in das lauteste Entsetzen. Sie habe es gewußt. Bizacasser werde recht behalten. Pater Benoît sei mitverschworen, ihr ärgster Feind Rosny aber lenke alles und sogar die Sterne. Der neue Ton einer Verzweiflung ohne Grenzen erschreckte Henri. Sie warf sich weinend vor seine Füße. Verlaß mich nicht! Da kniete er zu ihr hin, zog sie an seine Brust und tröstete sie innig wegen des Kummers, der sie beide traf und müsse überstanden werden. Sie klagte: «O teurer Herr, wir werden uns nicht wiedersehen.»

Er erwiderte: «Laß vorübergehen! Mein Arm ist über dir, wo du bist. Wer sollte wagen!»

Er dachte wirklich: ‹Man wird es nicht wagen.› Zweitens schob er alles auf ihre Umstände, sowohl die schlimmen Ahnungen als diesen schrecklichen Ausbruch. Dabei hatte er große Not, sich nicht selbst zu empören gegen den auferlegten Beschluß. Er sah sie die übrigen Tage nur als eine Ermattete, alle Sinne, besonders die Augen geschwächt durch die Müdigkeit des Kopfes, den ein unsichtbarer Helm drückte vom Aufstehen bis zum Schlafengehen. ‹Nicht krank werden, du mein höchstes Gut und einziger Besitz.›

Der Hof war entlassen, jeder nach seinem Pfarrsprengel, damit er Buße täte. Sie blieben allein mit den Personen, die Gabriele auf die Reise begleiten und dem König für sie haften sollten. Am fünften April, dem Montag der heiligen Woche, wurde aufgebrochen, die Herzogin von Beaufort in ihrer Sänfte, noch ritt ihr Liebster ihr zur Seite. Sie rasteten unterwegs, wollten zu Abend essen und vermochten es nicht. Weiterhin kehrten sie für die Nacht ein, ihre letzte Nacht, die Umarmung, die nicht mehr vereint. Sondern Gabriele wendet den Kopf fort, ihn drückt ein unsichtbarer Helm. Sie wird nicht schlafen; schon längst, trotz großer Ermattung, ist sie schlaflos.

Am Morgen erreichten sie den Strand der Seine, auf dem Wasser wartete ein breites, langsames Gefährt; von Pferden gezogen sollte es ohne Stoß das teure Gut von dannen führen. Jetzt die dringenden Ermahnungen des Königs an die Frauen vom Haus der Herzogin, an den Herzog von Montbazon, Hauptmann seiner Leibwache, und an Herrn de Varennes, den Generalpostmeister. Sie dürfen die Herzogin keinen Schritt weit allein lassen, sie bürgen dem König mit ihrem Kopf.

In der äußersten Minute umklammert sie ihn mit einer unbekannten Kraft. Wir sehen uns nie wieder, nie mehr, nie mehr. Er war nahe daran, das Wort der Erlösung zu sprechen und wäre mit ihr umgekehrt. Ihre schönen Arme erschlafften aber, er konnte sie sanft von seinem Nacken lösen, während er ihren Mund küßte. Endlich war sie in den Abschied ergeben, empfahl ihm noch einmal die Kinder, und er verließ das Schiff. Die Pferde zogen an, auf dem Fluß begann das Gefährt zu gleiten. Solange sie einander sahen, grüßte Gabriele ohne Unterlaß mit ihrer geliebten Hand, und Henri reckte nach ihr seinen Arm, der den Hut schwenkte. Als sie ganz verschwunden war, trocknete er seine Augen: hatte das teure Bild schon vorher verloren hinter dem Nebel aus Tränen.

Sogleich holte der gute Gesellschafter Bassompierre ein Spiel Karten hervor. Nein? Will die Frau Herzogin durchaus keine Partie machen, dann lasse sie sich durch Gespräche erheitern. Auch das mißlang, und Bassompierre, der fortfuhr unbefangen, sogar närrisch zu tun, bedachte bei sich, daß dies eine gefährliche Reise wäre. Neugierig von Natur, hatte er mehr als andere in Erfahrung gebracht. Bei der nächsten Gelegenheit verließ er das Schiff und kehrte zu dem König zurück. Der Dame war er nur für Zwecke der Unterhaltung beigegeben. ‹Sire! Sie mögen wissen, daß Madame auf keine Art abzulenken war von der Sehnsucht nach Ihnen, die sie bewegt. Besonders aber hat sie Furcht – worüber ich mir das Meine denke und Ihnen nicht sage. Erweist die Furcht sich als begründet, ich bin nicht dabeigewesen. Überzeugen Sie sich, daß ich hier bin.›

Nach langen Stunden der Fahrt legte das traurige Schiff draußen beim Arsenal an. Die Herzogin von Beaufort wurde erwartet: ihr Bruder, ihr Schwager Marschall Balagny, die Damen Guise, auch das vornehme Fräulein, das ihr oft die Haare geflochten hatte, und noch andere waren zur Stelle. Alle bemerkten ihre verschärften Züge, ihre Blässe, die geröteten Lider, aber sie sagten ihr, wie gut sie aussehe, und empfingen sie festlich. Das Haus ihrer Schwester, der Marschallin de Balagny, lag nahe; Gabriele versuchte dort auszuruhen. Indessen drangen alsbald Besucher ein, sie füllten sogar das Zimmer, wo Gabriele verschont sein wollte. Sie erhob sich. «Wohin?» fragte sie Herrn de Varennes.

Nun erging es Herrn de Varennes nicht anders als dem Pater Benoît: er riet das Beste, soweit er wußte, und wird auch später nie völlig begreifen, warum es das Schlimmste war. Einiges mehr sollte ihm nachher klarwerden als dem armen Pfarrer. De Varennes war niemals ohne Nachricht gewesen über den Agenten Bonciani. Nicht, daß dieser selbst ihm je gesagt hätte: Bring sie dorthin! Vermittler und Zwischenträger von einer ungenannten Stelle bis zu ihm – sie waren zweifellos aufgetreten, aber er hatte sie gar nicht beachtet. Was zu beweisen schien, daß es tägliche Bekannte waren und hatten wohl selbst nicht erraten, wer sie schickte. Als er Gabriele das Haus empfahl, sie würde darin Ruhe finden wie nirgends sonst: kein Gesicht, keine Stimme fiel ihm ein. Die verfänglichen Zuflüsterungen, denen er folgte, als er das Haus empfahl, bis jetzt wurden sie ihm nicht bewußt. Das kam, als alles vorbei war. Da hatte de Varennes guten Grund, die Wahrheit bei sich zu behalten, gesetzt, er wäre ihrer ganz sicher gewesen.

Gabriele ließ sich nach dem Haus tragen. Bei aller Schläfrigkeit war sie erregt, ihr Kopf arbeitete an fiebrigen Vorstellungen. ‹Das Haus ist verboten, ich darf es nicht betreten, Sagonne warnte mich: nicht mit dem König und noch weniger allein. Meine Tante de Sourdis ist nicht in der Stadt. Meine Dienerschaft hat sich verstreut, alle tun Buße. Der König tut Buße, mir bleibt das Haus nicht erspart. Ich hätte nie gedacht, daß ich es aufsuchen würde, hab aber jetzt keine Wahl und gehorche.›

Mit ihr in der Sänfte saß das Fräulein von Guise und war gekleidet wie sie, als wäre es ihre Schwester. Das Fräulein hatte verlebte Züge, und da ihre Laufbahn als Liebhaberin dem Ende zuneigte, setzte sie all ihr Heil in die Heirat mit Hannibal, dem Bruder der künftigen Königin. Übrigens haßte sie Gabriele, wenn auch in der Art, wie sie jede haßte, sobald eine auf das Glück noch Anspruch hatte. Ihr Entschluß stand fest, die Herzogin von Beaufort überallhin zu begleiten, zumal sie als einzige Prinzessin zur Stelle war, und der König sollte es ihr anrechnen. Auf dem Weg erzählte sie Klatsch; ihr war es gleich, daß Gabriele nicht hinhörte.

Nun erwarteten drei Personen diese Sänfte mit Spannung, dort, wohin sie unterwegs war. Der erste war der Hausherr selbst, die anderen zwei entgegengesetzte Elemente und feindliche Geister. Einige Tage vor diesem erschien bei Zamet im Kontor ein Geschöpf, das er hätte hinauswerfen lassen; seine Häßlichkeit war unheilvoll und offenbar das Eingeständnis eines verbrecherischen Innern. Das alte schwarze Geschöpf flüsterte indessen wenige Worte, die den Schuster alsbald veranlaßten, es in ein leeres Zimmer mitzunehmen. Alt und verkrümmt war es eingetreten; da es aber einen Stuhl zum Sitzen bekam, machte es dies nicht wie andere Leute, sondern es legte sich mit dem Bauch darauf und wand seine Gestalt unter dem Stuhl hindurch, Kopf voran und ohne den Boden zu berühren. Das geschah mit erstaunlicher Leichtigkeit, und früher denn gedacht saß das Geschöpf oben, als hätte es nichts getan.

Zamet erkannte, daß dieses Geschöpf keineswegs hinfällig war, vielmehr erschien seine Gewandtheit dem Finanzmann dämonisch. Welche schrecklichen Worte waren geflüstert worden! Der geängstete Zamet unternahm einen Hinweis auf die schwarzen Runzeln, die Vorsprünge der Stirn, die Hörnern glichen. Unmöglich wären alle eingegrabenen Zeichen wegzuwischen. Mit einem Gesicht, worin die schwarze Tat im voraus zu lesen stand, wäre man schwerlich geeignet, sie vor aller Augen wirklich zu begehen. Hierüber wurde Zamet beruhigt, vielmehr, ihm wurde jede Hoffnung genommen. Das Geschöpf versprach, zur gegebenen Stunde als ein Engel des Lichts zu erscheinen. Womit es greisenhaft gebrochen abging.

Der dritte war der Page Guillaume de Sablé: er war seinem Bizacasser auf der Spur geblieben seit den ersten Vorkehrungen des Zauberers im obersten Gelaß unter den Dächern des Louvre. Damals hätte er den bösen Feind unschädlich machen können, würde dann aber niemals erfahren haben, welcher Art die Gefahr wäre. Auch Wilhelm besaß die Kunst, ein anderer zu werden, zum Beispiel klein und lautlos wie eine Maus. Bizacasser bemerkte niemals, daß einer ihm folgte, seinen Verwandlungen zusah und sogar im Kabinett des Agenten Bonciani zugegen war, als die beiden das Gift kochten.

Kurz nachdem der Mörder Gabrieles den Schuster verlassen hatte, trat der junge Sablé bei ihm ein – flüsterte auch wieder wenige Worte, aber von dem Erschrecken schlotterte Zamet. Er öffnete dasselbe leere Zimmer, verschloß es peinlich und preßte sogleich die Hände auf die Brust, um seine Unschuld zu beteuern. Herr de Sablé betrachtete ihn genau und war von jetzt ab versichert, er hätte an Zamet keinen Widersacher, weit eher einen Verbündeten, die Angst des Schusters einmal abgerechnet. Der junge Wilhelm behielt bis jetzt die Frische, die bis zum Glauben an dieses oder jenes Herz geht. ‹Welcher Mensch›, dachte er, ‹der nicht schwarz von Sünden ist, kann die reizende Gabriele hassen.›

Ob er der Herzogin von Beaufort wohlwolle, fragte er den Steuerpächter, und dieser antwortete ja mit einem Gesicht, über das große Tropfen rannen. «Ich bin hineinverwickelt, es ist die schwerste Prüfung meines Lebens», so gestand er. «Nicht sie hat hinsichtlich der Staatsschuld gegen mich gearbeitet – in Wahrheit ist es Herr de Rosny, der alles auf sie schiebt, da er ihr Feind ist.» Zamet faßte nach seiner Stirn, er hatte vergessen, daß er zu einem achtzehnjährigen Edelmann sprach. Hierauf wurde seine Rede unverständlich, aber Wilhelm sah und begriff. Er sagte: «Sie ist sehr liebenswürdig, wir werden sie retten.»

«Gelobt sei Jesus Christus», rief Zamet. «Mein Herr, haben Sie die Gefälligkeit, zu meinem Hausmeier zu gehen, damit er Sie für den Tag des hohen Besuches anstellt in der Wirtschaft. Der Dämon macht es ebenso.»

«Verlassen Sie sich darauf, daß ich kein geringerer Dämon bin», behauptete Wilhelm kühn. Da nun Zamet das Mal auf seiner Wange betrachtete, kam er dem Einwand zuvor: verwandeln könne er sich gleichfalls. Hiermit gut, und sie trennten sich.

Jetzt ist der erwartete Tag gekommen, die Sänfte trifft ein, wird niedergesetzt auf die steinernen Platten im Garten, und Schuster Zamet, strahlend von der Ehre, streift alle seine Finger über den Boden, nur wenig und er hätte ihn geküßt. Herr de Montbazon, Hauptmann der Leibwache, verteilt die Soldaten über das Grundstück. Die beiden Damen mit Herrn de Varennes werden von dem Hausherrn geleitet. Eine bequeme Treppe, der große Saal, darin wir einst tafelten und spielten, wie heiter war der König so kurz vor seinem Aufbruch in den Krieg. ‹Wie wir glücklich waren!› denkt Gabriele bei der Erinnerung an vergangene Stunden, in denen ihr doch sehr gebangt hat. Sie besinnt sich. Hier soll sie eintreten? Es ist dasselbe Zimmer, vor dem sie damals Furcht gehabt hat. Unbegründete Furcht, wie es damals schien. Heute zeigt sich, daß sie begründet war. Der Fuß leistet Widerstand. Aber Gabriele tritt ein.

Sie ruhte bis zur Abendmahlzeit. Fräulein von Guise verließ sie nicht. Herr de Varennes stellte Wachen vor die Tür, bevor er sich erlaubte, an seine Spielpartie zu gehen. Er hatte Partner gefunden, die reich waren wie er selbst, wenn die Herren und Damen seines Ranges auch ausblieben. Alle, die sonst weniger bedeuteten, drängten an die Stelle der abwesenden Hofgesellschaft. Die Nachricht, die Herzogin von Beaufort wäre bei Zamet, eilte durch die Stadt. Die neuen Reichen fuhren mit ihren Karossen vor, arme Edelleute schlängelten sich, vermieden es, bespritzt zu werden, und gemeinsam füllten sie das Haus des Finanzmannes zum Bersten. Die einen waren ihres Ansehens wegen glücklich, hier ihr Geld zu verlieren, die anderen ganz bereit, es ihnen abzugewinnen. Gleich groß war bei allen die Begierde, der künftigen Königin aufzuwarten.

Herr de Varennes ließ sich nicht stören, daher bedrängten sie den Hausherrn, damit er ihnen Zutritt in das Zimmer verschaffte. Das fehlte ihm noch zu seinen Sorgen; Zamet drohte, alle hinauszuwerfen, oder sie blieben artig bei den Karten. Sein Gesicht war grau, er mußte es häufig abwischen, die Angst um das Leben seines hohen Gastes trieb ihn rastlos umher. In eigener Person beaufsichtigte er die Ankunft der bestellten Waren, darunter ein Korb mit Geflügel, dem ein schwarzes Huhn entwich – flatterte unversehens über die Treppe und hätte die feine Versammlung belästigt. Ein Küchenjunge kam ihm zuvor und fing es ein. So schwarz das Huhn, eine so helle Erscheinung war der gelenkige Knabe. Nicht nur weiß angetan und ohne Flecken auf der Kleidung, wie der festliche Tag es verlangte: der Kopf war ganz offenbar einem Engel abgenommen und auf den Rumpf dieses niedrigen Hausangestellten gesetzt. Während Zamet das Rätsel betrachtete, wurde er von hinten angerührt.

Die Stimme seines Hausmeiers sagte: «Das ist er. Sehen Sie genau hin, dann erkennen Sie die künstliche Haut seines Gesichtes, das er aus einer Schweinsblase gemacht und mit engelhaften Farben bemalt hat. Die Löckchen, schön blond und sonnig, sind einzeln auf den Schädel geklebt und überdies mit Nadeln befestigt in der falschen Haut. Sind geschickt um die Auswüchse der Stirn geringelt. Wer den Teufel kennt, weiß dennoch, daß er Hörner hat. Zum Glück durchschaue ich ihn, er aber hält mich bis jetzt für Ihren echten Hausmeier.»

Da sprang Zamet auf beiden Absätzen herum, ein Schrecken jagte den anderen, auch sein Hausmeier war gefälscht. Zwischen dem dichten Bart und der Perücke begegnete er bei dem ältlichen Mann zwei leuchtenden Augen. «Sablé!» murmelte er und ächzte. «Was soll daraus werden!»

Der Page Wilhelm verbeugte sich, als hätte der Herr befohlen. «Meines Amtes ist, aufzupassen, daß die Suppe gerät und nichts Unrechtes hineinkommt.» Hiermit ging er in Gestalt des Hausmeiers würdevoll seines Weges.

Zamet bedachte beizeiten, daß er ihm durch den Eingang der Dienerschaft nicht folgen durfte. Er kehrte in seine Säle zurück, dort fand er das gewohnte Bild, man trank Wein, man stritt laut um Gewinne – schwer zu glauben, was in Wahrheit heute vorging. Indessen fauchten Feuer in der geöffneten Schauküche, sie war von Neugierigen umlagert, und diese griffen allseits nach dem Finanzmann. Wann endlich die Frau Herzogin hervorkäme. Es stände ihr nicht anders an, ihrem Rang und der Gesellschaft schuldete sie, öffentlich zu speisen. Besonders eine Madame de Martigues beharrte auf ihrem Anspruch, die Herzogin von Beaufort bei Tisch zu bedienen. Angesehenere Personen ihres Geschlechtes waren leider nicht zur Stelle, Zamet mußte noch froh sein, diese gewöhnliche Intrigantin zu haben. Kaum hatte er ihr versprochen, was sie wollte, fiel ihm ein, daß gerade sie die Giftmischerin sein konnte. Er schrie nein, bemerkte entsetzt, daß er auffiel, und verschwand im Gewühl.

Der Hausmeier stand in der Küche mit dem Rücken nach ihrer offenen Wand. Gegen den Saal gewendet deckten ihn große Lakaien, sie zeigten ihre Zähne und Muskeln den Leuten, die nicht eindringen sollten. Die Schauküche war voll genug vom Personal, darunter neu Angeworbene, die niemand kannte, auch Lieferanten trafen noch ein. Es war ein Gelaufe, Unordnung herrschte, die Arbeit kam nicht vorwärts. Der Hausmeier behielt alles gleichzeitig im Auge, die Kochtöpfe, die Hände und was jeder mit ihnen anfing, besonders der engelgleiche Küchenjunge. Dieser sauste umher, der Meister Koch machte ihm das Leben schwer, er ließ ihn immer wieder das schwarze Huhn einfangen, denn es entkam unaufhörlich. Der Junge verfluchte es, worauf es ihn schief ansah, und um nicht gefaßt zu werden, flatterte es über seinen gelockten Kopf fort, geradewegs unter den flammenden Herd. Bäuchlings kroch der Junge ihm nach, weil Meister Koch es so haben wollte. Das schwarze Huhn wurde nicht gefunden, man hätte geglaubt, es ist verbrannt, da schielt es boshaft aus einem entfernten Winkel.

Hier verlor Meister Pfannenstiel die Geduld, seine Hand schlug fest in das zart gefärbte Angesicht seines Untergebenen: der Streich hinterließ keinen Fleck, weder rot noch blau. Indessen der Junge das schwarze Huhn jagte, ging zwischen dem Koch und dem Hausmeier etwas vor. Jeder der beiden kniff ein Auge zu, mit dem anderen verständigten sie sich. Der engelgleiche Küchenjunge hatte das schwarze Huhn nunmehr als ausgemachten Feind, jetzt verfolgte es umgekehrt ihn. Es trug nichts Geringeres im Sinn, als mit dem Schnabel eines seiner sonnigen Löckchen abzupflücken. Der Hausmeier war es, er nahm es ihm vom Rücken, als der Verfolgte mit seinem Feind vorüberkam.

«Du wirst dem schwarzen Huhn den Hals nicht umdrehen, wie du wohl möchtest», sagte die ruhige Stimme eines Mannes, der Macht und Ansehen genießt; plötzlich ein heller, mutiger Ton: «Ich paß auf.»

Der Engel sah ihn aufmerksam an.

«Heute gibt es aber Geflügelsuppe», flötet er – um gleich danach zu knarren infolge Verrostung. «Von dem schwarzen Huhn, von der weißen Gans.» Tat einen Luftsprung und fort war der Junge.

Hinter dem Hausmeier rief Zamet in der Fistel: «Die Frau Herzogin! Sie geruht aufzutreten, und noch immer keine Suppe.»

Die Erregung befähigte ihn, seine dicklichen Hüften in Glätte durch das Gewimmel zu winden; er langte bei den Damen an, wie sie aus ihrem Zimmer hervorgingen, und geleitete sie unter Verbeugungen zu der Tafel. Diese war für sie allein, an der sichtbarsten Stelle aufgeschlagen, zu lang und breit für nur zwei, wenn noch so erlauchte Gäste. Madame de Beaufort und das Fräulein von Guise saßen weit voneinander, den Zwischenraum füllten ihre umfänglichen Röcke, und diese waren in Schnitt und Farbe gleich. Zamet stand den hohen Personen gegenüber an der leeren Seite des Tisches – stand nicht, sondern wippte, tänzelte, winkte seinen Lakaien rechts und links, damit sie die Menge abzäunten. Raum frei, es geht um ein unersetzliches Leben. Überblick, und keine Schüssel oder Besteck ohne Aufsicht gelassen, noch weniger darf ihm ein Handgriff der Dame Martigues entgehen.

Den Wein hatte Zamet selbst geöffnet, die Gläser ausgewischt; er schenkte ein und war erleichtert, wenn die Prinzessinnen tranken: so lange geschah ihnen nichts. Dame Martigues gefiel ihm immer weniger. Sie hatte erreicht, daß sie den Herrschaften vorlegen durfte – obwohl, sagte Zamet, wie konnte ich sie zulassen. Sie ist klein und dürr, mit einem Aufbau von Haaren vergrößert sie ihre Erscheinung, um so gedrückter das Gesicht, es hat unter der Schminke ganz die engen harten Züge einer Giftmischerin. Gesetzt, Bizacasser wäre hier mit jemand verbündet, es kann nur diese sein. Nimmt von den Lakaien die schwerste Schüssel mit Händen wie Spinnen, aber sie tragen eisern. Die verdächtige Intrigantin zerschneidet eine Melone, mischt sie, behüte, nichts in den Saft? Nur Fräulein von Guise ißt eine Scheibe. Zamet sieht beklommen zu, gleichviel, in seinen Gedanken opfert er die weniger belangvolle Gestalt. Sie hat ihren Teller hingehalten, wohl oder übel reichte Martigues ihr das Stück der Frucht, das für die Herzogin bestimmt war. Zamet will wahrnehmen, wie die Prinzessin sich verfärbt, sogleich wird sie umsinken. Gut damit, so schrecklich es ist. Gabriele wäre gerettet. Aber niemand fällt in Zustände.

Die künftige Königin verlangt eine Orange, schält sie auch selbst – nicht ohne sie um und um genau zu prüfen. Die runden Augen des Gastgebers spähen angstvoll nach einem Loch in der Schale, ein Löchlein, ein winziger Stich. Um Christi willen, das kostbare Wesen legt die Orange weg, verzieht den Mund, spricht: «Es schmeckt mir bitter.»

Da war es an Zamet, in Zustände zu fallen. Er preßte seinen eigenen Magen, er kreischte: «Hinaus! Fort mit der ganzen Gesellschaft!» Seine Lakaien mußten alle Welt, ob fein oder unfein, in andere Gemächer befördern. Der Finanzmann schwenkte beide Arme, damit es schneller ginge. «Was ist los, was haben Sie», fragte Herr de Varennes, der bis jetzt einfach Karten gespielt hatte.

Zamet kam zu sich, er murmelte beschämt: «Die Frau Herzogin –»

«Sieht nicht wohl aus», ergänzte de Varennes. «Sie ist im fünften Monat. Deshalb der Lärm?»

Aber Zamet verließ ihn, er hatte eine Entdeckung gemacht. Während niemand mehr die Tafel beachtete, starr vor Staunen saßen die höchsten Personen – fingerte Madame de Martiques am Nacken der Herzogin von Beaufort. Kein Zweifel, sie öffnete den Verschluß der Perlenkette, die Kette glitt. Zamet, darauf zu, der Diebin hart die Hand geklopft mit seinem Siegelring, und danach sank er in die Knie.

«Madame, Ihr Halsband, hier ist es, es hatte sich gelöst.»

«Danke, und sonst ist nichts geschehen?» fragte Gabriele verwundert.

«Nichts weiter. Nichts ist geschehen. Sie können ruhig sein. Nichts ist geschehen», wiederholte er, seine Augen quollen feucht über. ‹Wir haben's durchgestanden. Nichts ist geschehen.›

Wie Zamet glücklich war! Gabriele sah ihn an, als ob er ein Kind wäre, und sie wüßte mehr, unendlich mehr als er vom Leben. Sie war sehr blaß und abgespannt, die Lider gerötet; sie sagte: «Muß ich die Suppe noch essen? Ich möchte schlafen gehen.»

Der Finanzmann hörte nur «Suppe», das Wort rief er denn selbst aus ganzer Seele, sprang auf und eilte nach der Küche. Hier sah er folgendes, und alle Köche, voran der Meister, dahinter die gesamten Wasserträger, Geschirrwäscher, Holzknechte, Schmutzmädel – was nur herzugelaufen war, hielt die

Augen und offenen Münder nach oben gewendet, um nichts davon zu verlieren. Der Hausmeier und der Küchenjunge kämpften in der Luft.

Der Gegenstand ihres Kampfes war eine Kugel aus Glas, die vom Geflacker des Herdes heftig blitzte, und bald war sie in der Hand des einen, bald rollte sie dem anderen über Arm und Schulter, entfiel ihnen aber nie. Zuerst hatte der Hausmeier sie dem Küchenjungen entrissen, als dieser sie öffnen wollte über dem Suppentopf. Der engelgleiche Junge stieß seinen Kopf in die Magengrube des Hausmeiers, infolgedessen er die Kugel wieder an sich brachte. Er sprang, faßte den unteren Rand des Laufganges, der droben um die Wände kreiste, und wäre mit einem Klimmzug über Kopf entkommen. Aber der Hausmeier in seiner würdigen Tracht und zwei dicken Backenbärten gelangte vermöge desselben turnerischen Sprunges hinter das Geländer. Droben rangen diese beiden, bis der Küchenjunge über Bord flog. Ein höhnischer Schrei und wahrhaftig flog er ins Leere. Wer hätte es gedacht, er fing sich an der Decke eines Balkens, woran sonst Schinken hingen. Den umschlang das Wesen mit allen seinen vier Gliedmaßen, was ihn nicht abhielt, nach dem Hausmeier zu stoßen. Denn der Hausmeier war seinerseits herbeigeflogen; um den nächsten Balken bewegte er sich unbegreiflich schnell, immer bedacht, die Kugel zu fangen.

Diese rollte dem Küchenjungen die Brust und den Rücken entlang, je nach der Lage des Geschöpfes, die es rastlos wechselte wie sein Feind. Jeder von ihnen steigerte seine Schnelligkeit und die des anderen dergestalt, daß man endlich den Eindruck hatte, sie schwebten frei, und um ihre drehenden Leiber tanzte die Kugel. Dies um so eher, da die Kugel mit feurigen Blitzen die beiden begleitete die ganze Decke entlang, bis über den Herd und den Suppentopf. Der höhnische Schrei – jetzt sollte es geschehen sein. Der gute Geist schlug aber dem bösen die Kugel weg, als sie schon offen war, und ihr Inhalt wär in die Suppe gefallen. Was geschah? Auf den Fliesen zersprang die gläserne Kugel, und alle die Gaffer kehrten schleunig ihre Gesichter abwärts, nach einem neuen wunderbaren Ereignis. Unbekannt woher, erschien das schwarze Huhn eben an der Stelle, wohin ein Korn gefallen war, ein längliches Korn: das pickte es auf und verschlang es. Alsbald schrie es wie ein Mensch, dies wurde nachher versichert, wälzte sich, zuckte und verstarb.

Die Köche und wer sonst da war, erinnerten sich alsbald wieder der beiden Dämonen, diese wurden aber nicht mehr aufgefunden, was jeder natürlich fand und schlug ein Kreuz. Ganz offenbar war der Böse durch den feurigen Schlot gefahren, nachdem er erkannt war. Mehrere hatten gesehen, wie er noch vorher das Engelhafte abstreifte und wurde eine schwarze Fledermaus. Der Gute war zerflossen in einen köstlichen Wohlgeruch, davon duftete die Suppe wie noch keine.

Beim Eingang der Küche verweilte, als das Schauspiel aus war, der Page Wilhelm – schien es überaus bestaunt zu haben, er schüttelte nachträglich den Kopf. Jemand berührte seine Schulter, Sebastian Zamet, ein Mensch mit sehr frommer Miene; der führte Herrn de Sablé an der Hand zu dem Tisch der hohen Personen, wobei Zamet mit den Spitzen der Schuhe auftrat.

Die Prinzessinnen saßen in der vorigen Haltung, Reifrock und gepuffte Ärmel verringerten zwischen ihnen den weiten Abstand. Sie fragten nicht, warum sie gewartet hatten. Feierlich nahte der Aufzug der Köche, voran Meister Stiehl mit hochgetragener Suppenschüssel. Die goldenen Teller wurden gefüllt von dem Hausherrn selbst, die Köche knieten hin. Blieben auf ihren Knien liegen, bis die Frau Herzogin von Beaufort die Suppe gekostet hatte und sagte, sie wäre sehr gut. Dann winkte Zamet ihnen, sie dürften abgehen.

Das Fräulein von Guise erkundigte sich jetzt, was eigentlich vorgefallen wäre.

«Madame», sagte Zamet, «es kam ein schwarzes Huhn. Darf man den Leuten glauben, erfolgten noch mehrere Erscheinungen.»

Das Fräulein legte den Löffel hin. Gabriele aß weiter, sah immer den Pagen Wilhelm an, für ihn allein verzehrte sie die kostbare Suppe. Auch erlaubten ihm ihre Augen, daß er ihr diente in seiner Art.

«Madame», erwiderte er. «Man spricht vieles.»

«Ich weiß», sagte sie, lächelte, sah ihn an – er aber sollte bis in sein Alter das Bild bewahren, wie sie ihn angesehen und gelächelt hatte.

«Man wird noch vieles sprechen.»

Dies war ihr letztes Wort an ihn. Sie hatte dabei um sich einen Schimmer, der von einer geheimen Beleuchtung ausging: sie schien darin zu verfließen. Später begriff er, daß sie ihren Tod und die Umstände ihres Todes gemeint hatte, und gedankt hatte sie damals dem Lebenden als eine, die schon abscheidet.

Das Ende vom Lied

Als sie am nächsten Morgen noch lebte, empfing sie den Besuch des Herrn de Sully. Er war ihretwegen in der Stadt geblieben, überzeugte sich jetzt, daß sie am Leben war, fand aber das Wort nicht, sie zu beglückwünschen. Gabriele war es, sie schmeichelte dem Minister; sie bat ihn, er möge ihr glauben, daß sie ihn liebe und bewundere um seiner selbst willen und für seine großen Verdienste. Das ließ er sich gefallen, er schickte ihr dann auch Madame de Sully, damit sie gleichfalls Abschied nähme, bevor beide nach ihren Besitzungen abreisten.

Die Frau eines großen Ministers, der bleiben soll, machte ihre Aufwartung höchst ungern einer Maitresse des Königs, nach der er wieder andere haben wird: das war ihre Meinung von der Sache. Steif, mit langem, plattem Oberkörper saß sie vor der Kranken, und diese kam in Angst durch die kalten Augen, die sie unverschämt abschätzten, wieviel sie heute wert wäre. Madame de Rosny gab ihr nicht mehr lange, weshalb sie jede Beteuerung unnütz fand. Gabriele war es, sie versuchte der harten Person zu gefallen. «Sie sollen meine beste Freundin sein», sagte sie.

Sie muß wohl ganz den Kopf verloren haben, sie setzte hinzu: «Ich werde es immer gern sehen, daß Sie meinem Erheben und Schlafengehen beiwohnen.» Worauf die Dame ihren Sitz verließ, wurde aber davon kaum noch höher und von schärferem Umriß. Sie drückte ein wenig das Kinn herab, sonst kein Gruß, und griff knochig nach der Tür. Die Dame, von kleinem Adel und ehrbar, ohne einen Flecken in der Verwandtschaft, die protestantische Religion ist besonders hierfür gut – sie war dermaßen empört, daß sie nachher im Reisewagen noch immer dasaß als derselbe Besenstiel und kniff die dünnen Lippen aufeinander.

Erst zu Hause legte sie los und machte ihrem Gatten einen Auftritt, weil er sie zu der Hure geschickt hatte. Eine verrottete Familie, ein öffentlicher Skandal, eine verlorene Sache: wie kommt eine anständige Frau dazu, daß sie soll schöntun und scharwenzeln. «Beiwohnen soll ich, wenn sie sich hinlegt und die Beine breit macht. Das mir!» schrie sie, von ihrem Stolz und der sittlichen Strenge außer sich. Rosny, der nicht vieles fürchtete, hier legte er sich ins Mittel, wer weiß, an wem die Witwe ihren Zorn gekühlt hätte. Er versprach ihr, sie werde ein schönes Spiel sehen, gut gespielt, wenn das Seil nicht reiße. In seinen Gedanken hatte er es nicht gerade mit einem Strick zu tun. Der Frau verschlug es die Rede; der gewaltige Ritter benutzte ihr Staunen, um sich eilends der Gefahr zu entziehen.

Dachte man, Gabriele habe das Gift schon bekommen, versah sie darum nicht weniger ihre Pflichten gegen die Religion. Ihre Nacht war unruhig gewesen, das gewohnte Albdrücken, dazu am Morgen der Besuch der schrecklichen Frau, dennoch ging sie gleich nachher zur Beichte. Die Kirche, zum kleinen Sankt Antonius genannt, war nahe, das Fräulein von Guise begleitete die schöne Sünderin. Sie versicherte ihr aus eigener Erfahrung, daß die Frauen geschaffen seien, durch Liebe zu sündigen und könnten wegen der Verzeihung unbesorgt sein. Das Fräulein war entschlossen, bei der künftigen Königin die Erste zu werden; ihre Bekenntnisse sollten Gabriele ermutigen, selbst von ihren Abenteuern einiges zu verraten. Was man weiß, kann immer dienen.

Gabriele schwieg – nicht aus Berechnung, sie war nur schwach und traurig. Die galante Gesellschaft des Fräuleins mißfiel ihr nicht: das war der Rest von Welt, der um sie war, der letzte Leichtsinn, der zu ihr noch sprach und lachte. Im Beichtstuhl bereute sie von ihren Handlungen keine, am wenigsten ihre wahrhafte Liebe für ihren teuren Herrn. Aber sie gestand, daß es ihr leid tue, sie wäre eine laue Christin gewesen, habe auch keine Zeit mehr, sich zu bessern. Das sagte sie, empfing die Absolution und kehrte nach der Villa des Schusters zurück.

Diese verließ sie am Nachmittag desselben Mittwoch nochmals, um in der gleichen Kirche das Konzert zu hören. Die ersten Tage im April dieses Jahres 1599 waren ungewöhnlich warm, am Wege blühte der Wein. Die Leute liefen herbei, als die Sänfte der künftigen Königin vorübergetragen wurde. Die Sänfte wurde gedeckt von Garden des Königs unter der Führung des Herrn de Montbazon, hierauf folgte die Karosse der Prinzessin von Lothringen. Ein schöner Tag im Frühling, noch einmal erscheint die französische Königin öffentlich, eine Tochter des Landes wie nach ihr keine.

Das Volk weiß mehr, begreift viel besser als die Eingeweihten können. Da die Sänfte vorbeikommt, verstummt das Geschwätz, und Stirnen werden gesenkt. Die erwartete Hochzeit ist oft und überall besprochen worden. Dieser Anblick verbietet auf einmal, an Hochzeit zu denken. Die Prachtgewänder der Trauung und Krönung sind beschrieben worden und allen bekannt. Gemahnt wird man hier an ein anderes, letztes Kleid, wie jeder es dereinst tragen soll. Die Herzogin von Beaufort sieht ernst aus, so ernst steht es für keinen mitten im Leben. Sie ist müde, eine Müdigkeit, von der niemand sich erholt. Die Brust wird eng, blickst du in diese Sänfte. Ein großes, allgemeines Unglück – oh! es wird nur geahnt; kaum geschehen, ist seine Bedeutung vergessen. Hier zieht es vor vielen Augen auf.

Gabriele in ihrer letzten Gestalt war schön, nicht mehr im weltlichen Verstand, sie trug sich ernst und bescheiden – war von einer Schönheit, die man nicht erklärt. Sie wußte es und wünschte, ihr Herr könnte sie sehen auf ihrem Gang durch die Kirche. ‹Man hat mir freiwillig Platz gemacht, mein teurer Herr, sonst mußten immer unsere Wachen die Mengen teilen. Hände haben sich unversehens auf das Herz gelegt. Sie und ich, wir werden von diesem Volk geliebt.› Das sprach sie in Gedanken, denn eigentümlich kreuzten sich bei ihr das Wissen und die tröstliche Einbildung. Über Müdigkeit und Verzicht siegte noch oft der gewohnte Anspruch auf das Leben; der sollte zuletzt sehr heftig werden.

Abseits war eine Tribüne für sie hergerichtet, damit sie nicht bedrängt würde. Die Kirche war voll wegen der guten Musik und weil dort oben die berühmte Gabriele zu sehen ist. Solange nun in den heiligen Klängen die Nacht noch herrschte und unser Herr säumt bis jetzt im Grabe, bevor er aufersteht – diesen Zeitpunkt wählte Fräulein von Guise, um sich in Empfehlung zu bringen mit ihren angenehmen Nachrichten. Es waren Briefe aus Rom des Inhalts, daß die Scheidung des Königs alsbald ausgesprochen werde. Das ist vom Papst Clemens anders gemeint als es klingt; er wird die Ehe des Königs trennen, nicht aber, damit dieser seine Konkubine heiratet: der Tadel für das Ärgernis träfe den Papst. Er vertraut denn, daß die Vorsehung ihn aus seiner peinlichen Lage befreien wolle, er betet täglich darum und wirklich erfährt er das Ereignis am Tage und zu der Stunde, als es eintritt: ein übernatürlicher Vorgang.

Bei der schwachen Beleuchtung dieser Kirche und den düsteren Gesängen am Grab unseres Herrn entzifferte Gabriele den glücklichen Bescheid und glaubte ihn auch, obwohl eine kalte Angst ihren Leib erfaßte. Indessen, das Fräulein, das ihr den Hof machte, kam mit dem besten zuletzt: zwei Grüße des Königs, die hatte das Fräulein kurz nacheinander den beiden Boten abgenommen. Gabriele las von seiner Sehnsucht, Zärtlichkeit und daß ihr Liebster über sie den Arm halte, wo immer sie sei. Da wurde ihr warm und wohl, das letztemal im Leben. Ihre Begleiterin sah sie lächeln wie ein Kind, was ihr gefiel, da es für künftig ein leichtes Spiel versprach. Als die stolze, selige Musik der Auferstehung ausgeklungen war, machten die Damen den Rückweg recht guter Dinge. Nur etwas zu heiß war ihnen geworden in der überfüllten Kirche; Gabriele fühlte leichten Schwindel. Bei Zamet im Garten fiel sie hin und verlor das Bewußtsein.

Nicht schnell genug konnte man sie aufnehmen und zu ihrem Bett tragen:

sie lag schon in Krämpfen. Ihr Gesicht und jeder Muskel zuckte, die Lider und die Augäpfel wurden überaus schnell bewegt. Die Augen drehten sich nach oben links, man bemerkte die Starrheit der Pupillen. Wie schrecklich verzerrt, dieser vielgeküßte Mund! Die Kinnladen sind mit Zangen geschlossen.

Eine halbe Minute, dann standen alle die wilden Muskeln auf einmal still, Glieder, Rumpf, Hals und das Angesicht. Der Kopf war jetzt hintenüber gestürzt, das Gesicht nach links verkehrt, der Rücken wurde im Bogen vom Bett gehoben. Zur gleichen Zeit geschah es, daß dieser Person, die noch soeben die höchste gewesen war, der Atem stockte, wovon ihre Züge anschwollen, blau wurden und einen schaurigen Anblick boten. Da die Zunge aus dem Mund geschnellt wurde, die Zähne hineinbissen und blutiger Speichel hinspritzte über die Wangen, die Haare, das Kissen – war es der Zeichen genug, verlasse jeder schleunig die Person, die noch soeben die höchste gewesen war, damit der Böse nicht auch ihn befällt. Oder wenigstens vermeide man Ansteckung.

Gabriele kam zu sich, sah umher und begegnete einzig Herrn de Varennes, der sie fassungslos und mit Grauen betrachtete. Er war dem König für sie verantwortlich; sein Gewissen schlug, weil er sie an den verhängnisvollen Ort gebracht hatte.

«Nehmen Sie mich fort aus diesem Haus!» rief die Herzogin von Beaufort heftig, ihm ahnte für seine Sicherheit das Schlimmste. Daher hütete er sich, Arzt oder Priester zu holen. Er befolgte einfach ihre Befehle. Sie verlangte in das Haus ihrer Tante, Madame de Sourdis, getragen zu werden – kam dann auch hin mit ihrer Sänfte, de Varennes hob sie hinein, und daneben ging einzig de Varennes. Sie hatte wohl gemeint, dort träfe sie ihre Frauen mitsamt den großen Damen, die ihr dienten, besonders das Fräulein von Guise. Kein Mensch, ihr diente niemand mehr außer de Varennes, dem einstigen Koch und Liebesboten, jetzt aber machte er ihre Kammerfrau und bettete sie. Die Dienerschaft der Tante war entlassen, solange Madame de Sourdis selbst in ihrem ländlichen Pfarrsprengel weilte. De Varennes schickte dringende Botschaft, damit sie käme.

Inzwischen wechselte bei Gabriele die Unruhe und die Erschöpfung. Sie weinte und rief in diesem leeren Haus nach ihrem Herrn. Damit sie ihm näher wäre, wollte sie unverzüglich nach Schloß Louvre. «Ich kann gehen! Es ist nur eine kurze Straße.» Herr de Varennes, in Hemdsärmeln, eine Schürze vor dem Leib, versicherte ihr, sie würde es dort noch einsamer finden. «Was wollen Sie schließlich im Louvre?» fragte er im Begriff, die Geduld zu verlieren. Sie sagte es nicht, obwohl sie es wußte. Eine gnädige Müdigkeit ließ ihr leicht erscheinen, zu sterben, wenn es nur bei ihrem Herrn wäre, in dem Zimmer, das sie geteilt hatten, und die Luft war darin lebendig geblieben von ihrem vermischten Atem.

Sie schlummerte endlich, die Nacht verlief ruhig, am Morgen fand sie selbst ihr Aussehen wie sonst. De Varennes war erstaunt, er begleitete sie ohne Schwierigkeit hinüber in die Kirche Saint-Germain-l'Auxerrois, dort empfing sie das Abendmahl. Es war Donnerstag vor Ostern. Zwei Tage, sie hoffte, dann wäre sie wieder mit ihrem Herrn vereint. Sie zeigte diesmal aufrichtige Frömmigkeit, da sie von Dankbarkeit bewegt war. Am Nachmittag wurde ihr schlecht, sie mußte sich niederlegen. Vor dem Ausbruch der nächsten Schrecken fand sie die Kraft, dem König einen Edelmann zu schicken, und diesen bestimmte sie selbst, da sie ihn für zuverlässig hielt. Sie bat ihren geliebten Herrn um die Erlaubnis, sogleich mit dem Schiff zu ihm zurückzukehren – dachte nicht anders, als daß er hiernach selbst käme. Gewiß, er läßt sie im Unglück nicht allein, da er liest, was sie geschrieben hat und das übrige errät.

Sie sah ihn schon zu Pferd steigen, während aber de Varennes ihrem Brief noch ein Wort hinzufügte: so eilig wäre es nicht. Denn er hat Karten gespielt, während die Herzogin von verdächtigen Speisen aß. Er wird bestraft werden, um so schwerer, je früher der König die Umstände erfährt. Man kennt ihn: nach der Rettung verzeiht er. Vielleicht verzeiht er sogar im äußersten Fall, weil er zu traurig sein wird, um streng zu sein. Zuletzt jagte dennoch der Reiter über die Landstraße, da war es vier Uhr, und Gabriele wand sich vor Schmerzen.

Soweit de Varennes in seiner Verwirrung begriff, war dies ein Zustand wie vor einer Geburt. Er lief schon selbst nach der Frau, die der Herzogin dreimal beigestanden hatte; traf aber drunten auf den Pagen Sablé, und dieser lief. Wilhelm holte nicht nur Madame Dupuis, auch Herrn La Rivière bestellte er dringend. Der junge Wilhelm hatte Herrn de Varennes derart verstanden; jedenfalls war seine Absicht, es als Entschuldigung vorzubringen. Übrigens war der Arzt abwesend, er erschien bei der Kranken erst nach einer Stunde, um fünf Uhr. Bis dahin verlor Madame Dupuis ganz den Kopf, sie hatte dergleichen niemals gesehen.

Der Anfall verlief wie der erste, nur schwerer. Auf die wilden Krämpfe folgte die Starre mitsamt dem Ersticken, wovon das Gesicht unfaßbar entstellt wurde. Madame Dupuis, die bei ihren beruflichen Verpflichtungen doch immer eine reizende Gabriele gekannt hatte, nicht aber diese verfärbte, verzerrte Fratze und Augen, die in alle Richtungen ausschweiften – die Frau ertrug den Anblick nicht, sie stellte sich mit dem Gesicht nach der Wand. Übrig blieb de Varennes, er hielt während dieses Anfalls sowie bei dem nächsten die Herzogin in seinen Armen.

Er redete vor sich hin: Der Atem kommt wieder, es war auch Zeit. Er rasselt, wie sollte er denn nicht behindert sein von den Dämpfen des Giftes. Alles ist ganz natürlich – dies zu seiner eigenen Beruhigung. Zuletzt stirbt man, daran ist nichts Dämonisches, nicht einmal ungewöhnlich kann es genannt werden, sagte Herr de Varennes, der alles Erdenkliche gewesen war und jetzt war er Generalpostmeister, Gouverneur, war im Einverständnis mit den Jesuiten, mit jeder gefährlichen Macht, warum nicht mit dem Tod. Vorerst der Tod der anderen, sein eigener leuchtete ihm noch nicht ein; sein eigener, wenn dessen durchaus gedacht werden mußte, hielt sich äußerst fern in Gestalt eines fabelhaften Trauerzuges, der niemals von der Stelle kam.

Vermöge seines Wirklichkeitssinnes empfand er die Unglückliche, die er während ihrer ärgsten Zustände in den Armen hielt, einfach als tief gesunken durch ihr Unglück. Er hätte es für seine Pflicht gehalten, sie aufzugeben, wie die anderen getan hatten. Leider stand diesem bedrohlichen Tod gegenüber der ebenso bedrohliche König, der ihn noch nicht kannte. Die größte Gefahr für de Varennes war, daß der König den Tod der Herzogin ohne ihn erführe durch Leute, die de Varennes die Schuld daran gaben. Daher überlegte er schon hier, ob es nicht richtig wäre, dem ersten Boten einen zweiten nachzuschicken: Zu spät, Sire, daß Sie sich bemühen.

Übrigens verhielt er sich zu einem Ding, das nicht mehr zählte, wie ein Mensch zum Menschen. Das Ding tauchte aus jedem der Anfälle hervor und wurde vorübergehend wieder die Frau, die erstaunt um sich blickte. Was sie sprach, war schwer verständlich, da sie ihre Zunge zerbissen hatte. De Varennes begriff dennoch; er stützte sie, damit sie an den König schriebe, jedesmal ein neuer Hilferuf. Er gab auch vor, die Botschaften zu befördern, sind aber niemals hingelangt, die zweite nicht, die dritte nicht. Um fünf Uhr erschien Herr La Rivière, Erster Arzt des Königs.

Da veränderten sich der Anblick und die Umstände. La Rivière ließ die Kranke reichlich zur Ader, er wusch ihr Inneres mit Salzwasser. Inzwischen richtete Madame Dupuis ein warmes Bad, wie er es anordnete, und beide trugen die Herzogin hinein. Vorkehrungen der Art werden offenbar gegen Vergiftungen getroffen, daher erschreckten sie Herrn de Varennes, der jedem Verdacht ausgesetzt war. Seine Furcht geriet andererseits in Widerspruch zu einer ganz neuen Vermutung: Die Herzogin stirbt nicht. Der Mann da rettet sie. Und nun sie vielleicht leben sollte, entfaltete de Varennes eine verrückte Beflissenheit. Er prüfte die Wärme des Bades ohne Scheu vor der nackten Schönheit; diese rühmte er vielmehr laut. Der König wird entzückt sein, sie übertrifft ihre eigenen Reize, so unmöglich es früher erschienen wäre. Dazwischen sagte er Herrn La Rivière ins Ohr, daß er wahrhaftig meinte, das Gift wär aus dem Körper.

Der Arzt erwiderte nicht. Er hörte die Kranke reden – nicht ihrer Worte wegen: sie berechnete die Stunden, wann ihre Boten bei dem König einträfen, der erste nach Eintritt der Dunkelheit, aber der zweite und dritte werden ihm begegnen, wenn er selbst zu ihr unterwegs ist noch diese Nacht. Wohl auch die Worte, aber der Arzt beachtete besonders den Ton, der verwirrt und von Sinnen klang. Er folgte den Regungen des Gesichtes, das nunmehr abgeschwollen, verfallen und völlig weiß war. Unter dem Wasser tastete er den Leib ab. Plötzlich befahl er Herrn de Varennes, ihn mit der Herzogin allein zu lassen. Die Flüssigkeit, die aus dem Leib rann, färbte das Wasser dunkel, aber es war kein Blut.

Da trug der Arzt mit der Frau die Kranke zurück auf das Bett, um bis zuletzt zu erwarten, was er jetzt sicher voraus wußte. Ließ darum doch nicht nach, zu pflegen und sorgfältig aufzupassen, damit das Leben nicht angehalten würde, bevor es vollends abgelaufen war. Das dauerte nach seiner Kenntnis noch viele Stunden, da die Kranke den Tod abwies mit einer merkwürdigen Kraft: die kam ihr von dem Gedanken an ihren Herrn, daß er im Sattel säße und wär auf dem Weg zu ihr.

Als ein Anfall heraufzog, ergriff La Rivière den Rand des Leinens, schob es der Kranken zwischen die Zähne und drückte die Zunge gegen den Gaumen. Er tat es rechtzeitig, bevor in dem äußerst heftigen Krampf die Zunge wäre abgebissen worden. Ebenso pünktlich ließ er von der Frau das Gefäß reichen, beim Eintritt des Erbrechens. Indessen fühlte er selbst den Puls, der flog von der Anstrengung und hatte keine zählbaren Schläge – zum erstenmal befürchtete der Arzt die vorschnelle Unterbrechung des Lebens. Er fuhr fort, Anweisungen zu geben nicht für den Tod, sondern für das Leben. Herrn de Varennes schickte er nach Milch. Was hier Milch solle, fragte de Varennes. «Gehen Sie! Wir brauchen Wasser mit etwas Milch.»

Herr de Varennes verließ das Zimmer und fand die Gelegenheit, seinen Entschluß zu fassen. Er schrieb an den König: «Sire! Ich flehe Sie an, daß Sie nicht kommen.»

Er besann sich. «Sie würden einen Anblick des Entsetzens haben», schrieb er. «Sire! Die Frau Herzogin wäre Ihnen für immer verleidet, wenn Sie zum Leben zurückkehrte.»

Hier stand er auf. Wegen des Wortes, das übrig war, kämpfte er mit seinen Bedenken. ‹Der Arzt pflegt die Herzogin wie eine Person, die zum Leben gehört. Er trägt eine feste, sichere Miene; bei einer eingebildeten, vergeblichen Arbeit sieht man nicht aus wie er. Wenn es dennoch anders käme und das Wort, das mir hinzusetzen bleibt, würde nachher zur Lüge? Gleichviel, meine Aussichten sind schlecht, sie können nur besser werden. Ich wag es, denn ich habe keine Wahl.› De Varennes schrieb, ohne daß er niedersaß.

«Unnütz zu reiten, Sire. Die Herzogin ist tot.»

Und er besorgte den schnellsten Boten.

Madame Dupuis kam für eine Weile heraus, um zu weinen. «Ist es zu Ende?» fragte de Varennes begierig.

Im Zimmer waren der Arzt und sie, die man die reizende Gabriele genannt hatte. Er sprach zu ihr, als wäre sie es noch immer. Er sagte, daß ihre leichte Schwäche mit dem Kind zusammenhänge, nach ihrer Befreiung werde sie genesen sein. Sie bewegte auf ihrem Kissen leise den Kopf, um zu verneinen, und seinem tiefen Blick begegnete sie mit Gleichgültigkeit, als erkennte sie ihn nicht. Hatte ihn aber gern gehabt, ihm vertraut und noch vor dem Chirurgen hatte sie ihn zum König gerufen, als der König erkrankt war. Auf seine Frage, ob ihr wohl wäre, antwortete sie nur, daß eine Orange ihr bitter geschmeckt habe. Dann klagte sie über heftigen Kopfschmerz und daß ihr durchaus nicht einfallen wolle, wo der König sei.

«Schlafen Sie», bat er, und sie gehorchte. Er stand aber und beobachtete, wie ihr Wille sie verhinderte, fest zu entschlummern, und dies entgegen ihrem Bedürfnis nach Vergessen. Daher traf er alle Maßnahmen, die er kannte, damit die nächsten Anfälle weniger schnell erfolgten. Er gab seiner Kranken das Wasser mit etwas Milch in kurzen Abständen, worauf größere Mengen der schwarzen Flüssigkeit aus den Nieren traten. Madame Dupuis half eifrig, da sie Wirkungen sah und den Arzt bewunderte. Dieser erkannte, während er bewundert wurde, daß seine Bemühungen versagten. Die Kranke verfällt in einen unheilvollen Schlaf, der Ausdruck des Gesichts wird stumpf. Schon beginnt die Erregung, der Atem wird hervorgestoßen. Sie öffnet die Augen, diese zeigen erweiterte Pupillen. Der Arzt versuchte den Anfall abzuschneiden, er ließ nochmals zur Ader. Umsonst.

Als dieselben Schrecken weitere zweimal vorübergegangen waren, versagte noch immer nicht die Ausdauer der Kranken, nur die der Wärterin. Sie möge ausruhen, erlaubte ihr der Arzt. «Es ist acht Uhr.»

Die Frau entsetzte sich. «Schon vier Stunden erträgt sie die Zustände, eine andere stürbe nach dem ersten. Man kann das Kind nicht herausholen. Aber ist es nur das Kind, was sie im Leibe hat?» fragte die Frau unhörbar, und sie schlug ein Kreuz.

Der Arzt blieb für die Nacht endgültig allein bei der Sterbenden. Er stand und beobachtete. Die Anfälle haben sich an ihr erschöpft, nicht sie an ihnen. Das ist, wenn man will, eine Sterbende. Aber nicht anders sind wir alle, solange wir leben. Sie wird noch morgen leben. Morgen ist Freitag, der heilige Freitag vor Ostern, Karfreitag: den soll sie erleben, ist dessen beinahe gewiß, und mehr kann niemand von sich sagen.

‹Ich müßte die Öffnung erweitern und das Kind herausholen. Es wäre kein lebendes Kind; aber wenn die Mutter erhalten bliebe? Ihr Wille ist erhaben über die gemeine Natur. Nach ihren mehr als menschlichen Anstrengungen spricht sie aus einem halbem Schlaf von ihrem Herrn, ist wieder zu ihm hingelangt, sie lallt verzückt – ich darf das nicht anhören. Ich muß handeln. Arzt, erhalte das Leben!

Gesetzt aber, mein Eingriff vernichtete es? Die Entbindung beseitigt keinesfalls die Wirkungen der Vergiftung. Diese würden wahrscheinlich länger ertragen werden ohne den gewaltsamen Eingriff, den ich nicht mildern kann. Natur, gewähre dreißig Minuten der Unempfindlichkeit, so will ich dir helfen zu heilen. Unmöglich, dieses menschliche Wesen würde unter grausamen Schmerzen aus den Eingeweiden verbluten, und gelänge es mir, auch das noch zu vereiteln – beim nächsten Anfall von Erstickung, zwanzig Sekunden, es blutet das Gehirn. Eine Gelähmte stirbt mir.›

Der Arzt fiel schwer auf einen Sitz, er wühlte die Stirn in seine beiden Hände. Das beseligte Lallen, das er vernahm und nicht fliehen konnte, es vermehrte seine Angst.

‹Was ich tu oder lasse, immer bin ich schuldig vor der Natur, die gütig wäre, nur ich genüge ihr nicht – und schuldig vor den Menschen, sie warten darauf, mich zu verderben.›

Mit Scham und Selbstüberwindung gestand er sich seine Menschenfurcht. Er ist verhaßt als ein Freund und Günstling der Herzogin von Beaufort. Um so eiliger wird behauptet werden, daß er sie getötet habe. Er ist weder Protestant noch Katholik, er hat die Medizin bei den Mauren erlernt, war lange in Spanien; aber höchst verdächtig ist er geworden, als er im Auftrag des Königs den Besessenen ihre Vernunft zurückgab – dies noch kürzlich, und hatte gewagt zu sagen, sie wären nicht besessen. Der Arzt erkannte, und er verzweifelte an sich, daß er die künstliche Entbindung unterließ als zu gefährlich nicht für ein anderes Wesen allein, auch für ihn selbst. Über den Freitag hinaus zu leben, bin ich nicht sicherer als sie.

Dies Bekenntnis legte er hörbar ab, sogleich erlosch auf dem Bett das sanfte Geraune. Es war ganz dunkel, er zündete Kerzen an: da traf das Licht in das Gesicht einer Verwandelten. Hier liegt eine Lebende, anstatt derer, die sterben soll. Die Wangen erschienen rosig und weiß, in ihrer natürlichen Fülle, der Atem ging leicht. Wahrhaftig, hier hat die gütige Natur eins ihrer Wunder getan. Von seiner unbesonnenen Freude schwankte La Rivière, er riß ein Fenster auf. Alsbald erklang von unten Gesang, eine helle, junge Stimme.

«Reizende Gabriele», dies Lied sang Wilhelm.

Gabriele schlug die Augen auf, und sie hatten Glanz. Gabriele hob den Kopf ein wenig vom Kissen, sie lauschte und sie lächelte. «Du Stern», erklang zu ihrem letzten Lager, jetzt öffnete sie die Lippen.

«Du Stern, den ich verlassen,
Dein denken, welche Not!
Ich muß vom Schmerz verblassen,
Erschein! Sonst wär ich tot.»

«Aber ich komme doch», sagte Gabriele, ein klarer, süßer Ton. «Liebster, ich komme. Hier bin ich, mein hoher Herr.»

Ihr Nacken gab nach, sie sank um, aber sie hörte noch einmal: Grausames Abschiedgeben.

«Grausames Abschiedgeben,
O Tag voll Schmerz,
Hätt ich nicht dieses Leben
Oder kein Herz!»

Das Ende vom Lied, sie hat es gehört.

Die Wurzel meines Herzens

Henri bekommt den ersten ihrer Briefe, von ihren drei letzten erreicht ihn der erste. Er liest, daß sie zu ihm reisen möchte und bittet dringend um die Gunst. Aber sie glaubt auch zu sterben, wie kann sie denn reisen. Sie hofft, daß er sie vorher heirate um der Kinder willen. Steht es mit ihr so schlimm? De Varennes in seiner Nachschrift widerspricht ihren Befürchtungen: «Es eile nicht», sagt de Varennes, der für sie verantwortlich ist.

«Herr de Puypéroux», fragt Henri den reitenden Boten. «Wer hat Sie geschickt?»

Der Edelmann antwortet: Die Frau Herzogin selbst, und sie hat keinen anderen gewollt als ihn. Ob sie bei Besinnung gewesen sei? Bei voller Besinnung. Ob in Lebensgefahr? Davon sei nichts zu bemerken gewesen, ist der Bescheid. Man habe indessen gehört, sie sollte in Ohnmacht gefallen sein.

Henri bedenkt: ‹Nach ihrem dritten Kind neigte sie zu Ohnmachten. In Monceaux war ich zugegen, als ihr die Sinne schwanden – aus Eifersucht auf die Medici und ihr Bild. Diesmal ist es dasselbe. Sie fürchtet, in ihrer Abwesenheit könnte ich mich anders entschließen. Ich will sie beruhigen. Eine Nottrauung aber will ich nicht. Sie stirbt nicht, wie könnte sie mir sterben!›

Er schickte den Boten sogleich zurück, mit der Nachricht, daß er komme und werde sie bald in seinen Armen halten. Eine Treue wie meine ward nie noch gesehn, hätte sie lesen können wie einst; aber am Freitag, ihrem letzten Tage, versagten die Augen. Übrigens gab man ihr seinen Brief nicht mehr.

Er war unruhig, in Ängsten sogar, obwohl er es nicht sein wollte. Endlich schlief er ein, schrak aber aus bösen Träumen; lag fortan und horchte auf eingebildete Hufe. Vor Anbruch des Tages verwandelten die eingebildeten sich in wirkliche. Henri, der in den Kleidern war, lief vor die Tür, beim dämmernden Licht entzifferte er die Botschaft: die war nicht mehr von ihr. De Varennes schrieb allein; er berichtete, daß die Krankheit dem Arzt widerstehe und verwüste die Kranke. Das Leben der Herzogin sei aufgegeben, ihre Schönheit verfalle schon jetzt. «Sire! Kommen Sie nicht, ersparen Sie sich den grausigen Anblick!»

Sie ist tot – stand nicht dort. Im letzten Augenblick hat de Varennes dem Reiter diesen vorsichtigeren Brief mitgegeben. Er selbst hat schließlich nicht gewagt, Gabriele totzusagen, bevor sie es ist. Er hat drei anderen Personen die falsche Nachricht zukommen lassen: die werden sie im guten Glauben dem König überbringen. Henri, kalt vor Schrecken, steigt zu Pferd. Er jagt mit verhängten Zügeln. Vier Meilen vor Paris holt er Puypéroux ein, der hat es nicht eilig gehabt. Warum? Henri fragt nicht. Er schilt den Mann, hütet sich in ihn zu dringen, läßt ihn dahinten und jagt. Hier steht an der Landstraße das Haus des Kanzlers Bellièvre, hervor und dem König entgegen laufen Marschall d'Ornano und Herr de Bassompierre. Henri sieht die bestürzten Gesichter, ihm stockt das Herz. Sie senken den Kopf und sprechen: «Sire! Die Herzogin ist tot.»

Henri erstarrte. Saß im Sattel als unbewegliche Gestalt, vergaß, wo er war und wohin unterwegs. Da man den König mit einem entsetzten Staunen geschlagen sah, trat Herr de Bellièvre in die Stille, er bestätigte, was er selbst für wahr hielt, und beschrieb den furchtbaren Zustand dessen, was er eine Leiche nannte; es war aber bis jetzt eine Lebende – atmete noch, rief nach ihrem Herrn noch.

Henri fand endlich Tränen. Er saß ab, und weggewendet weint er lange.

Dann sagte er, daß er die Herzogin von Beaufort sehen wolle. Wogegen der Kanzler ihm mit Festigkeit vorstellte: was er tue, werde beobachtet und allseits besprochen. Die öffentliche Bekundung seines Schmerzes werde ihm höchlich verdacht werden. Er laufe Gefahr, das religiöse Empfinden seiner Untertanen zu verletzen unmittelbar vor Ostern. Henri war nicht fähig zu erwidern; mit Mühe stand er aufrecht.

Der Wagen des Kanzlers fuhr vor, Henri ließ zu, daß man ihn nach einer nahen Abtei brachte. In voller Verzweiflung wirft er sich auf das Bett eines Mönches. Vernichtung und ein endloses Schluchzen, das ist sein Tag, der Freitag, den Gabriele lebt und ruft nach ihm zwischen den Schrecken ihres Kampfes. Langsam erreicht Henri Fontainebleau, ist schon vereinsamt; sie aber übersteht sogar die Nacht, so sehr erwartet sie ihn. Mit der Hoffnung nimmt ihre Kraft ab. Der letzte Anfall findet sie ohne Widerstand. Der Sonnabend dämmert herauf, als sie vergeht.

De Varennes hatte am Abend des Freitag einer einzigen Person die ungefähre Wahrheit verraten; er schrieb an Herrn de Sully, ihn hielt er für geneigt, sein Verhalten zu billigen. Er gestand seinen Betrug an dem König, entschuldigte den Betrug so gut es ging; besonders aber lenkte er den Verdacht, der ihn selbst getroffen hätte, auf Zamet ab. In seiner Freude fragte Rosny weder nach Schuld noch Gericht. Er weckte seine Frau, umarmte die alternde Witwe und sagte: «Mädel, die Herzogin steht nicht auf, du mußt zu ihrem Erheben nicht gehen. Das Seil ist gerissen.»

Um dieselbe Stunde starb sie wirklich. Um dieselbe Stunde trat Papst Clemens VIII. aus seiner Kapelle, eine übernatürliche Erleuchtung hatte ihn sichtlich getroffen, lange bevor die Post in Rom sein konnte, und er sagte: «Gott hat vorgesorgt.» Was nichts weiter hieß, als daß manche, darunter der Papst, aus einer großen Verlegenheit waren, wenn die Herzogin von Beaufort verschwand, und wußten von getroffenen Vorsorgen. Die Wahrheit der Geschehnisse kannten sie gerade darum nicht, welcher Eigenmächtige kennt die Wahrheit. Das letzte dachte der Arzt an dem Bett, worauf die Tote lag.

Er konnte nicht rechtzeitig entkommen; kaum daß die Herzogin ausgeatmet hatte, schon war das Zimmer voll von Leuten – unbegreiflich, wo sie gesteckt hatten, wie sie unterrichtet worden waren. Spitze Augen, ein Gelauf und Zudrang, alle mit spitzen Augen, und wurden belohnt durch den schaurigen Anblick, den sie gesucht hatten. Die schönste Person im Königreich, da lag sie mit umgedrehtem Hals, die Augen verkehrt, und war von Angesicht schwarz. Die ersten, die es gesehen hatten, sagten: «Der Teufel», wobei es nachher auch blieb für eine Menge Volkes, die den Anblick nicht genossen hatte.

Nun war der Arzt im Gedränge, sie drückten ihn gegen das Bett, und da es sie nach Schaudern verlangte, wurde er selbst ein Gegenstand ihres Aberglaubens, wie er wohl bemerkte. Er erkannte, was ihm drohte, wenn er nicht augenblicks die Tote verleugnete und die ärztliche Verantwortung für ihr unnatürliches Ende von sich wies. Er fügte seinem Wuchs durch Aufrecken zwei Zoll hinzu, ahmte einen Engel des Gerichts nach und rief über die Köpfe hinweg: «Hic manus Dei.»

Da wich man beiseite und öffnete die Schranken der Leiber dem, der «Gottes Hand» am Werk gesehen hatte; er konnte abgehen. Er trug den Kopf hoch, hatte aber verraten – die Tote, den König, sein Gewissen, und beschloß, was er nachher nicht hielt, denn man ist vernünftig und ist schwach: ‹Ich will nie wieder die Kunst ausüben.›

Als Madame de Sourdis in ihrem Hause eintraf, fand sie es ohne Aufsicht; wer wollte, ging ein und aus. Nahe dem Bett fiel sie in Ohnmacht, dies mehr des Anstandes wegen; sie war nicht schreckhafter Natur. Ihre Schwäche erlaubte ihr dennoch, eine Diebin zu ertappen. Es war Madame de Martigues: der Perlenschnur war sie nicht habhaft geworden, aber von den Fingern der Toten hatte sie die kostbarsten Ringe gezogen und sie an ihrem eigenen Rosenkranz befestigt. De Sourdis entriß ihr den Raub; dem Polizeileutnant übergab sie die Intrigantin.

Niemand hatte die ganze Zeit, bis Gabriele beigesetzt war, zwei Wochen lang alle Hände voll zu tun wie ihre Tante. Diese achtete der Umstände ihres Endes kaum, bedacht wie sie war, aus dem Ende wenigstens den ganzen noch möglichen Vorteil zu ziehen. Sie kleidete die Nichte in das Hochzeitsgewand der Königinnen, Karmesin mit Gold, darüber weiße Seide. Aber es war nicht die Nichte selbst, denn was von der reizenden Gabriele übrig war, vertrug keine öffentliche Ausstellung. Eine künstliche Figur erhob sich auf dem Paradebett im Vorraum des Hauses, diese empfing die Huldigungen vom Hof und von der Stadt.

Indessen im Sarg sie selbst verschlossen lag und war für immer abgeschieden, thronte ihr plumpes Abbild zwischen sechs dicken Kerzen aus weißem Wachs. Im Sarg das Totenhemd und schwarze Angesicht; von acht psalmodierenden Mönchen umgeben das Abbild mit goldenem Mantel, die Herzogskrone golden auf der scheinbaren Stirn. Eine verleugnete Leiche, aber bei der eilig nachgeahmten Schönheit wachte ihre Familie, und zwei Priester lasen ihrer Seele die Messe. Standen vor dem prunkvollen Aufbau auch die Waffenherolde in schwarzen Kettenpanzern besät mit goldenen Lilien. Die Königin samt ihren Lilien, im Sarge liegt sie nicht, hier ihr Salon, und sie empfängt die Welt, zwanzigtausend Personen ziehen an ihr vorbei. Kommt eine Herzogin, wird schnell ein Kissen unter ihre Knie gelegt.

Dies alles setzte die Tante unbeirrt fort drei Tage lang. Der wächsernen Figur wurde für jede Mahlzeit der Tisch gedeckt, wie es vor Zeiten mit verstorbenen Königinnen gehalten sein sollte; sie wurde bedient, der Hausgeistliche sprach das Tischgebet. War aber alles nur der Anfang. Die Leichenfeier stand endlich bevor, dreiundzwanzig städtische Ausrufer kündeten sie der Bevölkerung an, die Namen und Titel der hohen Dame Gabriele d'Estrées hallten noch einmal durch die Straßen. Die Kirche strahlte von Kerzen ohne Zahl; die Armen, denen man Trauerkleider geliehen hatte, damit sie eine Hecke stellten, betrugen fünfundsiebzig. Den Zug nachher führten Garden des Königs mit dem Herzog von Montbazon: er hatte die Lebende seit ihrem Abschied von dem König geleitet; ihm gebührte die Ehre, neben ihrem Sarg zu gehen. Hier wirkte keine Kunstfigur mehr mit. Sie war es selbst. Ihr folgten auf dem Fuß vor allen den Reitern und Karossen ihre drei Kinder. Das vierte begleitete sie drinnen im Sarg.

Im Zug sagte man vieles; nur die Familie und ihr Oberhaupt, der Marschall de Balagny, schwiegen gründlich, sie hielten sich an das vieldeutige Wort des Arztes von der Hand Gottes. Man sagte im Zug, daß der König sie los und erleichtert sei; einer sagte es ihm später ins Gesicht. Die Häuser entlang beim Volk wurde Mitleid geäußert: wohl sei sie gestorben wie eine Hündin, ohne letzte Ölung; dennoch habe sie kurz vorher das Abendmahl empfangen, ihr Ende wäre allenfalls frei von Sünden gewesen. Die Herrschaften im Zuge wollten ihr Ende voraus gewußt haben, so und nicht anders. Die Menge flüsterte von der Strafe des Himmels, die habe sie ereilt, bevor der Teufel seinen Vertrag mit ihr erfüllen und sie zur Königin von Frankreich machen konnte. Der Hof und die Stadt stellten gemeinsam fest, daß der König nicht gewagt habe, selbst teilzunehmen an ihrem königlichen Begräbnis. Ließ sie auch nicht beisetzen unter der Kathedrale von Saint-Denis, wo Haus Frankreich seine Särge hat. Droben, über der Gruft der Könige erhielt sie allerdings ihre zweite Feier und Einsegnung, wurde aber zu ihrer letzten Ruhe nach Monceaux gebracht.

Henri hatte sich eingeschlossen. Die erste Woche nach dem Tode Gabrieles sah ihn von seiner gewöhnlichen Umgebung niemand. Nur sein Minister Sully erschien gleich am Sonnabend sechs Uhr abends. Gabriele war inzwischen wirklich gestorben und ihr Feind alsbald aufgebrochen. Henri wußte hier noch nicht, daß sie gelebt hatte, als er sie schon beweinte: davon schwieg Rosny. Henri umarmte seinen guten Diener, und dieser sprach für ihn einen Psalm, «Wer nur den lieben Gott läßt walten» – worauf Henri ihn ins Auge faßte und lange stumm ansah.

Henri erkannte hier vieles und besonders, daß er das Recht habe, mit seinem Schmerz, den niemand teilte, allein zu bleiben. Davon sah er auf einmal wie getröstet aus. ‹Das ist kein tiefer Schmerz›, dachte der Minister, als er hinter sich die Tür schloß.

Die fremden Gesandten, die eigens nach Fontainebleau reisten, waren nicht abzuweisen. Desgleichen mußte Henri hinnehmen, daß eine Abordnung seines Parlamentes ihn der amtlichen Trauer versicherte mit erhabenen Worten, als spräche man von einer Königin. Dann überließen sie ihn wieder seinen Gedanken; er stand noch immer auf dem Fleck. Sie sagten: auf dem Fleck, und ist ganz schwarz angetan; das pflegte bisher kein König, für eine wirkliche Königin nicht.

Beim Beginn der zweiten Woche kleidete er sich in Violett, wie üblich für einen Herrscher, der eine nahe Person verliert. Blieb aber eingeschlossen weitere drei Tage; nur seine Kinder waren oft bei ihm: dann hörte man weinen, was natürlich schien. Mit Mißbilligung wurde vermerkt, daß die Raben sich einstellten.

Der Protestant Mornay hatte die Kühnheit – als wäre nicht der eigentliche Quell des Übels das Edikt von Nantes gewesen, und erst nach diesem war der arme König dahin gebracht worden, daß er auf den Thron die Agentin und verdammte Seele der Ketzer erhoben hätte, wenn Gott nicht vorsorgte. Herr de Mornay kam nicht allein, mit ihm war ein uralter Pastor, dessen mehrere sich noch erinnerten, La Faye sein Name. Diese beiden erhielten Zutritt; was sie aber mit der Majestät verhandelten, blieb geheim. Kein Laut drang diesmal durch die Tür, wenngleich man das Ohr daran legte. Man versuchte zu spähen und fand den Schlüssel gegen das Loch gestellt.

Nach diesem Besuch, bevor er seine Zimmer öffnete und wurde, der er sonst gewesen war, berief Henri Herrn La Rivière, Ersten Arzt des Königs.

Da La Rivière unangemeldet eintrat, und die Galerie war lang, bemerkte Henri die Veränderung des Hintergrundes nicht sogleich. Er saß vorn am Tisch, den Rücken aufgerichtet, leicht vorgebeugt. Seine Hand hielt die Feder, die aber stillstand. Indessen wurde er der fremden Gegenwart bewußt, rückte den Kopf zur Seite und erlaubte Herrn La Rivière ohne Worte, ihm gegenüber zu sitzen. Dieser gehorchte beklommen; der König führte seine Gespräche im Umhergehen. ‹Steht es so schlimm für mich?› dachte der Unglückliche, der zu seiner Rettung die «Hand Gottes» entdeckt hatte, hier aber nützte sie ihm nichts.

Henri hatte aufgerissene Augen, die Lider waren entzündet. Eine Weile, die dem Arzt maßlos erschien, wurde sein Blick von diesen Augen festgehalten; dann sagte Henri: «Da sind wir beide.»

Der Arzt stieß aus: «Herr! Ich schwöre.»

«Auch ich», erwiderte Henri. «Wir sollen aber nicht schwören; uns frei zu schwören, wäre vergeblich.»

Leise schloß er: «Sie ist nicht vergiftet worden.»

«Das wissen Sie?» La Rivière traute seinen Ohren nicht. «Ihre hohe Vernunft –» begann er. Henri schnitt ihm das Wort ab.

«Lassen wir meine Vernunft. Erwähnen wir weder meine noch Ihre. Ich habe sie nicht in den Tod geschickt, Sie haben sie nicht getötet. Das ist alles, was wir zu unseren Gunsten vorbringen können.»

«Das ist alles», gestand der Arzt. «Für meinen Teil weiß ich nur zu sagen, daß ich die künstliche Entbindung nicht gewagt habe, weil die Kranke von ihren Nieren, ihrer unzulänglichen Leber schon zu sehr vergiftet war. Nicht ein beigebrachtes Gift, das selbsterzeugte hat sie zerstört. Das Kind lag außerhalb des Organs in der Bauchhöhle und verstopfte die Niere. Als wir nachher den Leib öffneten, zogen wir es in Fetzen heraus. Wir alle von der Fakultät bezeugen den natürlichen Hergang, den unsere Kunst bis jetzt nicht aufhalten kann.»

Bei jedem «wir», das La Rivière aussprach, sah er eine Braue des Königs zucken über dem aufgerissenen Blick. Er begriff, daß er ohne die Hilfe der Fakultät, von niemand geschützt, für sich einzustehen habe. Der vor ihm saß, berief sich auf keinen anderen.

Der Arzt gab nunmehr seinen Bericht, angefangen mit seinem ersten Schritt zum Bett der Herzogin. Er beschrieb alle Anzeichen, die ihn eines nach dem anderen belehrt und seinen Dienst am Leben vereitelt hatten, anstatt daß er sie überwand. Je grausamer die Einzelheiten, um so gelassener beherrschte er seinen Vortrag – worüber er zuletzt selbst erschrak; brach ab und entschuldigte sich. Es sei gewiß nicht zulässig, obwohl schwer vermeidbar, das innere Bild dieses Körpers zu zeigen, war er doch der geliebteste im Königreich gewesen.

«Wer wäre ich», sagte Henri langsam, «hätte ich nur ihre Haut geliebt und nicht ihr Eingeweide.»

Der Arzt fand hierauf das Wort nicht wieder. Er sah dem Wechsel im Gesicht eines Menschen zu – sie nennen ihn Majestät. Unverkennbar wird er Anklage erheben. Die Majestät kann anklagen, wen es ihr beliebt; sogar die Natur? Tatsächlich sagte Henri: «Sie hätte leben können.»

«Sire!» erlaubte der Arzt sich. «Nicht ich, die Natur heilt. Sie ist aber eins im Sein oder Nichtsein. Mein Lehrer Hippokrat würde sagen, daß die Herzogin von Beaufort geheilt ist.»

«Amen», Henri verzerrte den Mund zum Lachen. «Wir sind sterblich. Fragt sich nur, an welchem Punkt sie es noch nicht war. Was haben wir versäumt, damit Natur sie anders heilte als durch das Nichtsein?»

La Rivière bekam nochmals Furcht, er versuchte abzuwehren. Die Herzogin habe den König in seiner Krankheit gepflegt ohne Ermüdung, ohne Klage. Ihr war nichts anzumerken, behauptete er. Plötzlich errötete er – stockte, und endlich erwähnte er die Veränderungen, die schon längst an ihr hervorgetreten sein müßten. Träume? Kopfschmerzen? Bewußtlosigkeiten und das Aussetzen des Gedächtnisses, der Sehkraft – Henri bestätigte alles. La Rivière gestand hiernach, er sei getäuscht worden durch den guten Verlauf ihrer vorigen Schwangerschaften. Die dritte verband sich schon mit ähnlichen Schwächen, wenn auch geringen Grades. Jetzt ist gewiß, daß, seitdem ihre Leber krank war, und das hat sie im voraus gezeichnet für ein Ende, wie sie es wirklich genommen hat.

«Wirklich genommen», wiederholte Henri. Er murmelte: «Begreif es einer: sie hat das Ende wirklich genommen. Weil ich nichts sah und wollt an ihre Ängste nicht glauben. Jede Nacht teilte ich sie mit ihr, ich schrak aus dem Traum wie sie. Aus demselben Traum, wir beide.»

Hier verließ er seinen Platz und durchmaß die Galerie. La Rivière wich gegen die Wand. Mehr für sich selbst als zu einem Vereinsamten, der nur die eigenen Erinnerungen hörte, sprach er wie sein Lehrer Hippokrat: «Das Leben ist kurz, die Kunst ist lang. Flüchtig ist die Gelegenheit, die Erfahrung täuscht, wir können schwer urteilen.» Womit La Rivière seine Verantwortung möglichst verringerte, denn seine Gelegenheit, die Herzogin von Beaufort zu beobachten, war allerdings flüchtig gewesen.

Henri trug im Gegenteil schwerer an seinem Verschulden, je öfter er hin und her den Gang machte. Er hätte sie nicht von sich entfernen, hätte sein teuerstes Gut nie aus den Händen lassen dürfen. Er ist nicht zu ihr geeilt ungesäumt auf ihren Ruf in ihrer letzten Not. Ach! Viel früher, die Schuld liegt weit vorher. Sie sollte schon längst seine rechtmäßige Königin sein: dann gab es all ihre Ängste nicht, und gestorben war sie an ihrer Angst, daß er sie verlassen habe. Verlassen wie einst die arme Esther – die hat Pastor La Faye beschworen und ihm vorgehalten, einen Schatten, nicht wiederzuerkennen nach langem Nichtsein. ‹Pastor, ich bin unverbesserlich. Was tun, damit nicht auch diese entschwindet und wird wesenlos gleich allen Vergessenen?›

‹Sire! Das wird nicht geschehen, da Sie endlich hart genug belehrt und selbst schon am Rande des Alters sind, wo die Abkehr beginnt.›

‹Mir bangt es sehr um mich, Herr La Faye. Das ist die Tote, die mir zusehen wird, wie ich altere. Wenn es ihrer und meiner nicht würdig wäre?›

‹Mein Sohn! Sie haben das Menschenkind Gabriele geliebt. Durch Ihre Kraft, es zu lieben, wurden Sie der große König.›

Das letzte Wort fuhr in einem tiefen Schluchzen hörbar aus der Brust. Der Arzt an seiner Wand fürchtete, zuviel zu belauschen, da der Geist des Königs eingebildete Gespräche führte und vermeinte, sie wären ohne Zeugen. Herr La Rivière war aber nicht entlassen, weshalb er keine Regung wagte. Vor einem der Fenster hielt Henri den Schritt an, er lehnte die Stirn an die Scheibe. Da räumte Herr La Rivière den Platz mit aller Vorsicht.

Draußen empfing ihn das zudringliche Geflüster der Höflinge, die ihn erwartet hatten. Ob der König aufgebracht wäre? Wen beschuldigte er, was hatte jeder zu befürchten?

Der Erste Arzt äußerte sich gewandt und vielsinnig, wie man ihn kannte.

«Der König ist außer Gefahr, da er seiner Größe gedenkt.»

Während der Satz umhergesprochen wurde, verschwand La Rivière.

Henri, die Stirn an dem Fenster, redete zu ihr, die darum doch nicht wiederkehrte.

‹Mit dir, nur mit dir wär ich geworden, der ich sein soll.› Er nahm seinen Sitz wie vorher ein, las nochmals den Brief seiner Schwester, der Herzogin von Bar. «Wollte Gott, ich könnte, um Ihren Schmerz zu erleichtern, einige meiner übrigen Jahre dahingeben», schrieb Kathrin.

‹Damit wär nicht geholfen, Schwester, du ihre Freundin.› Er nahm seine unterbrochene Antwort auf. ‹Sehnsucht und Klagen werden mich begleiten bis zum Grab, stand aufgezeichnet. Indessen ließ Gott mich geboren werden nicht um meinetwillen, sondern für dieses Königreich.› Er schrieb hinzu: «Die Wurzel meines Herzens ist tot und wird nicht wieder treiben.»

Die Abkehr

Wir treiben es weiter

Sie reisten in das Gebirge, der König und der Großmeister seiner Artillerie. Sie nahmen nach Savoyen vierzig Kanonen mit und wurden begleitet von fünfzehntausend Mann Fußvolk, zweitausend Reitern, dem Marschall Biron, dem Grafen von Soissons, vielen anderen desgleichen. Der tapfere Crillon befehligte die französischen Garden – endlich wieder winkten Taten, man entbehrte sie längst. Ein wahres Glück, der Herzog von Savoyen hatte den Vertrag gebrochen. Weder die Markgrafschaft Saluces noch die Provinz Bresse gab er heraus. Daher wurde nach Italien gereist, die beiden Länder frischweg zu holen – Herbst 1600.

Der Herzog von Savoyen hätte seinen Vertrag gewiß eingehalten, wenn Cäsar, der Sohn Gabrieles, noch immer der Erbe der Krone Frankreich und sein Schwiegersohn gewesen wäre. Dieses beides war der Sohn Gabrieles nicht mehr Vermittels eines Stellvertreters sollte der König demnächst die Prinzessin von Toscana heiraten. Die fremde Königin sollte alsbald aufbrechen zu Schiff nach Frankreich und ungeheuer viel Geld mitbringen auf ihrer Galeere, deren Wände ausgelegt waren, dem Gerücht zufolge, mit einer erstaunlichen Menge von Edelsteinen. Gabriele d'Estrées hatte deren weniger besessen. Die alten Kriegsgefährten des Königs hatten sie geliebt, da er sie liebte; gleichwohl, die Tatsachen läßt man gelten. Ein Schiff mit Reichtümern, dazu dieser schöne Feldzug, weder das eine noch das andere war von der Toten zu erwarten gewesen, weshalb niemand ihr nachtrauerte, besonders vor anderen nicht.

Sie sagten: Der König selbst ist getröstet. Nicht nur, daß er die Fremde heiratet. Vier Monate nach dem Verlust seiner Geliebten nahm er eine neue – ist keine bessere. Schon ihre Frau Mutter hat einen Pagen erdolcht. Der König führt kein bequemes Leben bei ihr. Er wird recht froh sein, daß er die Marquise einmal los ist und mit uns in das Feld zieht.

Während die Geschütze die steinigen Wege hinangeschleppt wurden, bewunderten die Kriegsmänner in einem Atem das schwierige Unternehmen des Königs und wie glatt es verlief. Eine einzige Nacht, und gewonnen waren in zwei Ländern zwei Plätze; Marschall Biron fand in der Bresse keinen Widerstand von Belang, und Herr de Créqui besetzte das Kleinod Savoyens, Montmélian – vorerst nur die Stadt, noch nicht das Schloß. Das Schloß war ungeheuer fest, als Festung im Gebirge mit keiner anderen vergleichbar. Auch an sie sollte die Reihe wohl kommen. Jetzt rückten die Kanonen gegen ein anderes Bollwerk.

Die Kanonen wogen auf ihren Lafetten achttausend Pfund, gezogen wurde jede von dreiundzwanzig Pferden, die großen Feldschlangen von neunzehn. Der tapfere Crillon hätte lieber ein offenes Schlachtfeld gesehen anstatt dieses Engpasses zwischen Fels und Wildbach. Er hätte angreifen wollen mit seinen französischen Garden wie eh und je; aber zugegeben, dies ist ein Land, geschaffen für den Großmeister, seine Kanonen tun Wunder, ohne daß man kämpft. Als wir vor Chambéry erschienen, die drinnen machten anfangs Miene, den Platz zu halten. Eine Batterie von acht Stück, Herr de Rosny schoß sie nicht ab, er zeigte sie nur, schon ging das Tor auf, wir zogen ein. Die Bewohner empfingen uns als höhere Wesen, obwohl die Götter der Alten weniger schwerfällig gewesen sind als wir mit unserem Fuhrwerk. Genug, wir machten uns leichtfüßig und gaben sogleich ein Ballfest.

Der einäugige Harambure sagte zu seinem Freund, während sie mühselig kletterten: «Wen haben wir gefeiert auf dem Ball? Madame de Rosny aus Ehrfurcht für die Kanonen ihres Gatten – die schöner sind als sie. Die Marquise taugt nichts, die neue Königin soll nicht französisch können. Denk zurück, Crillon!»

«Denk nicht zurück, Harambure. Gewesen ist gewesen. Wir haben schon mehr begraben. Sie war schön und gut.»

«Hat der König sie vergessen?»

«Jeder Tag hat seine Mühe. Jetzt klettert er wie wir.»

Hier mußten sie anhalten; der Zug stockte, so lang er war, nicht abzusehen in allen seinen Windungen, eingeengt zwischen Fels und Wildbach. Die Wolken entluden nunmehr ihren Regen, hatten längst damit gedroht, und da sie zerteilt wurden, stand auf einmal im Himmel ein Schloß, war vorher nicht bemerkt worden. An der Spitze des Heeres sagte der Großmeister zu dem König: «Sire! Charbonnières. Sobald Eure Majestät befiehlt, nehmen wir's.»

«Ich hab leicht befehlen», war die Antwort und wurde in den Bart gemurmelt. «Großmeister, Sie sind schon jetzt durchnäßt in Ihrem schweren Mantel. Führen Sie die Artillerie heran, vergessen auch nicht die Kugeln, das Pulver, das Werkzeug auf allen den vierspännigen Wagen: es gibt Arbeit für drei Regentage.»

Rosny schaffte es noch denselben Tag, bekam von der Anstrengung eine Rötung über den ganzen Körper und mußte zur Ader gelassen werden. Den nächsten Morgen saß er wieder zu Pferd. Er wollte an Erkundungen gehen; das Schloß auf seinem Panzer von hartem Felsen erschien unzugänglich, mehr, als die gewohnte Beschaffenheit der Erdrinde erlaubt. Herr de Rosny dachte die schwache Stelle zu entdecken. Wer endlich die Geduld verlor, war der tapfere Crillon. «Tod und Teufel», rief er. «Herr Großmeister, Sie fürchten wohl, daß geschossen wird? Auf Sie vielleicht, aber nicht auf mich.»

Den lehrte der Großmeister Jesum Christum kennen – nahm den Obersten bei der Hand und verließ mit ihm die Deckung. Von droben die Flintenkugeln pfiffen ihnen erbaulich um die Ohren, bis Crillon sich ergab. «Ich seh nun wohl, die Schurken kümmern sich nicht um Ihren Großmeister-Stab noch um mein Kreuz vom Heiligen Geist. Könnten am Ende treffen. Suchen wir Deckung, Sie sind ein tapferer, guter Gefährte», sagte Crillon und vergaß den gehabten

Schrecken in seinem Erstaunen über den Großmeister. Hatte ihn früher nicht anders angesehen als einen Unternehmer von allerhand Fuhrwerk.

Im Heer kam von diesem Rosny ein neuer Begriff auf. Das Königreich lernte während dieses Krieges wirklich kennen, worüber es mit weniger Grund oftmals geklagt hatte, eine tyrannische Herrschaft. Der König hat seinen Rosny allmächtig gemacht, damit er seinen Krieg gewinnt. Die Finanzen und die Artillerie, alles vereint in der Hand desselben Ministers, ergibt eine Gewalt und Wucht der Handlung, vor der man erschrickt. Rosny hatte sämtliche Zahlungen des Staates eingestellt, außer für den Krieg. Er hatte die Leute gezwungen, zu Land und auf den Flüssen die ungeheuren Lasten, die sein Kriegsgerät sind, bis nahe dem Gebiet des Kampfes zu führen.

Das Ungewöhnlichste, er macht Jagd auf die Unfähigen und auf die Verräter. Bei seiner Waffe sind alle Offiziere neu, sind ihm ergeben und haben ein scharfes Auge auf die Herren oben. Ein Marschall und Gouverneur hätte nach herkömmlicher Weise das gute Recht, mit dem Feind sein besonderes Abkommen zu treffen. Besiegte ihn lieber nicht zu sehr, und beide genössen zuletzt den Vorteil: Marschall Biron, der Herzog von Savoyen. Was Savoyen betrifft, er zählt auf Biron, gegen ihn hat er keine Anstrengungen nötig erachtet in seinem Land Bresse. Aber Biron, ob er will oder nicht, muß von Sieg zu Sieg schreiten; die Artilleristen des Großmeisters tun es nicht anders, haben übrigens auf ihn ein scharfes Auge.

Dies ist ein ganz neuer Krieg und gehört dem König allein; wer eigene Wege geht, heißt gleich Verräter. Wartet nur, der Großmeister fängt ihn. Es wird auch weder geplündert noch gemetzelt, man verschont die Bevölkerung. Der König hat gesagt, sein Feind sei der Herzog. Sein verwandeltes Heer bewundert ihn. Von seinem Minister bekommen wir gleichfalls hier den neuen Begriff. Am Ende wär er nicht nur der Schreckensmann, sondern der große König hätte einen großen Diener.

Vor dieser Bergfeste Charbonnières machte Rosny geduldige Vorkehrungen genug, bis die Kanonen standen, wo sie sollten. Schwarze Nacht, immer die Stürze von Regen – vierhundert Freiwillige, Schweizer und französische Garden, jedem hatte der Großmeister einen harten Taler versprochen. Als sie naß bis auf die Haut waren, ließen sie dennoch alles stehen und liegen, er mußte sie aus ihrem Unterschlupf holen, auch getötet wurden ihm einige. Er selbst hatte den Schlamm bis im Gesicht, schlief nur eine Stunde, aber am Morgen waren sechs Feldschlangen in Stellung gebracht. Hiernach bekam der Großmeister es mit dem König zu tun. Der König hatte Eile, die Wirkung des Feuers zu sehen noch vor Einfall der Dunkelheit. Rosny widersprach. Zuerst müßten die Geschütze eine Plattform von Balken bekommen, wären auch unsichtbar zu machen durch Laubwerk, das sie verkleiden sollte. Der König erzürnte sich.

«Überall wollen Sie der Herr sein. Der bin ich.»

Worauf der gute Diener nachgab, wenn auch maulig und nur der Belehrung wegen. Der Versuch mißlang, wie vorauszusehen. «Ich habe nicht Lust, nach Spatzen zu schießen», sagte der Großmeister und ließ die Majestät im Regen stehen. Am Morgen verlegte ein dichter Nebel den Ausblick mitsamt dem Ziel. Keine Festung mehr, der König lachte seinen Großmeister aus. Der läßt sich nichts verdrießen. Kaum steigt der Dunst, richtet er die Geschütze. Eines, das er mit eigener Hand gerichtet hat, reißt in den Wall droben ein Loch. Sie antworten von oben, die Kanoniere des Königs fallen, er zählt zehn Tote, zwei Artillerie-Kommissäre dabei. Henri spricht zu sich: ‹Mein Großmeister war bei Ivry, man sollte es nicht glauben. Dort wurde anders gekämpft, ich hätte damals gesagt: Wir starben wehrhafter. Er war mit Hieb- und Stichwunden bedeckt, ein höchst feierlicher Zug trug ihn nach Hause. Der merkwürdige Mann! Wir sind insgesamt merkwürdig – und kaum zu begreifen, wie wir's immer weiter treiben mögen nach allem, was geschehen ist und dahinten liegt.›

Als dort oben ihr Pulverturm in die Luft geflogen war, kapitulierten sie, wonach der Großmeister hoch zu Roß seinen Einzug hielt und alle Bewohner des Platzes ihn auf ihren Knien empfingen. Da sie ihm ihre Verwundeten zeigten, und er erblickte so viele zerrissene, verbrannte Leiber, ließ er sich rühren und gewährte ihnen ehrenvolle Bedingungen. Nur von dem Geld, das er verlangte, war nichts abzuhandeln.

Das Schloß stand über Erdstufen, die dürftiges Gewächs trugen. Der König erging sich mit dem Großmeister; er allein betrachtete im Sprechen das Gebirge klar wie Glas. Den Großmeister kümmerte der Anblick nicht, da er nur darauf bedacht war, jetzt auch Montmélian zu nehmen. Es sei uneinnehmbar, hatten im Kriegsrat alle ihm geantwortet. Dasselbe behauptete der König, während sie sich ergingen; hatte aber vielmehr im Sinn, den Großmeister herauszufordern, damit er seine Künste selbst überträfe. Übrigens betrachtete der König das Gebirge klar wie Glas, die kahlen Gipfel, die kalten, flüchtigen Farben, die der frühe Herbst entlang den fernen Schroffen und Zacken legte. Der Himmel schwebte auf den Schneefeldern blau und leer. Wären es die heimatlichen Pyrenäen gewesen, über dem Kopf des Königs, über seinen Waldbergen hätte das Licht dahingewälzt die Fülle der eulenäugigen Fluten. Hier dagegen ist die Luft leicht und frostig, gut zu atmen und zeichnet mit erwünschter Genauigkeit den Umriß des Zieles, nach dem wir die Kanonen richten.

Der Großmeister erinnerte den König. An dies oder jenes erinnerte er ihn immer. Hatte doch der Herzog von Savoyen die Kanonen des Königs im Arsenal besichtigt, als der Vertrag noch nicht gebrochen, das Verhältnis noch freundlich schien. Der Herzog war von der mächtigen Artillerie sogleich betroffen gewesen, weshalb der Großmeister ihm die richtige Auskunft gegeben hatte. «Mein Herr, damit nehm ich Montmélian.» Oh! hat da der bucklige Fürst den Boden gestampft, weiß war er vor Wut, wenn nicht vor Schrecken.

«Großmeister», sagte der König. «Fünf Wochen verlangen Sie, um den festen Platz zu nehmen. Er ist der Stolz des Herzogs, so bald bekommen Sie ihn nicht. Gleichviel, die fünf Wochen sollen Sie haben und das Unternehmen leiten: ich seh Ihnen nur zu.»

Herr de Rosny wollte nicht erlauben, daß die Majestät den Gefahren der Belagerung ausgesetzt wäre. Seine wahre Meinung war, daß der König ihm nicht hineinreden sollte. Um so besser, je ferner sein Aufenthalt. Der König verstand, daher begann er von anderen Dingen. Er sagte, daß diese Reise sehr schön sei, wenn man nicht gerade eine Kugel bekäme. Ihm erfrischte sie den Körper wie die Seele, da er vor den Frauen hier seine Ruhe habe und somit vor den Kupplern.

Bei dieser Rede des Königs schielte der Großmeister aus den Winkeln nach ihm, zuerst streng, dann mit Schmunzeln. Er überragte seinen Herrn, fing aber an, im schnellen Gehen den Rumpf steif vorzuschieben, und die Arme hielt er am bequemsten im Rücken. Der König hatte wie je die schlanken Bewegungen; sprang die Erdstufe hinunter, und mit einer Herbstblume in Händen war er zurück, bevor sein Satz noch ausgesprochen war.

«Großmeister, zum erstenmal hier oben fühl ich die Zeit kommen, da die Frauen mich nicht mehr entzücken und darum auch nicht quälen werden. Von allen war nur eine mein Glück und mein Besitz. Das kehrt nie wieder.» Er hatte der Verlorenen in keinem Gespräch bisher gedacht; Schweigen trat ein.

«Sire!» erlaubte Rosny sich hierauf. «Das Schiff mit Ihrer erhabenen Königin und vielem Geld soll Ihnen beides herbeitragen, Besitz und Glück. Sie haben nur die Maitressen satt, was Sie unschwer begreifen werden, wenn ich Ihnen die Geschichte eines vergangenen Königs erzähle.» Und dann erzählte er dem König nichts anderes als seine eigene Geschichte, dies in lehrhafter Absicht. Obwohl jünger als sein Herr, befand der künftige Herzog von Sully sich würdig, ihn in allen Stücken zu belehren, wäre es die Artillerie oder die Liebe.

«Vor sechshundert Jahren», begann der Großmeister, «starb einem berühmten Herrscher des Morgenlandes seine teuerste Geliebte.» – ‹Es sind sechzehn Monate›, dachte Henri und merkte die Absicht.

«Der Sultan in seinem Schmerz legte einen Eid ab», behauptete der Märchenerzähler, «er wollte niemals wieder seinen Harem betreten. Ein solcher Vorsatz widerstrebte indessen seiner Natur, weshalb jeder, der die Ehre hatte, ihm zu nahen, für die Gesundheit des Königs fürchtete.»

«Nein», rief Henri. «An den Höfen des Morgenlandes treiben Kuppler ihr Gewerbe. Es läßt sich denken, wie sie dem Herrn zugesetzt haben.»

«Jedenfalls ließ er sich nicht lange bitten», antwortete Rosny trocken. «Er kaufte für sein Frauenhaus eine achtzehnjährige Jungfrau.»

«Die schon keine mehr war», warf Henri ein.

«Soweit das eine Entschuldigung ist, laß ich sie gelten», sagte der Protestant. «Nun können Traurigkeit und Vereinsamung sich in eine zügellose Sucht nach Vergnügungen verkehren. Derart erging es unserem Sultan, er ließ es keineswegs bei einem einzigen Kauf bewenden. Er erstand viele Frauen, darunter sogar eine Cousine seiner verstorbenen Herrin, vielleicht um des Andenkens willen. Er führte seine flüchtigen Gefährtinnen, man denke nur, in dasselbe zierliche Lusthaus eines Geldverleihers, das ihn mit seiner teuren Herrin oft empfangen hatte.»

Henri bewegte die Lippen. Ob seine Worte vernehmlich waren oder nicht, Rosny machte eine Pause. «Dieser Sultan» flüsterte der König, «hat gewußt, daß er nichts mehr zu hoffen hatte von der Liebe. Er warf sich weg, er unterschritt sein eigenes Maß.»

Der Großmeister hatte nichts gehört, denn er betrachtete das erstemal, seit sie lustwandelten, die gebirgige Landschaft.

«Wir haben die Achtzehnjährige vergessen», bemerkte er endlich.

«Wahrhaftig.» Henri war erstaunt. «Ihr Sultan, Großmeister, ist vergeßlich. Es mag ihm geschehen sein, besonders, wenn er in den Krieg zog, daß seine neue Geliebte ihm aus dem Sinn entschwand, einen Tag oder sieben. Du Stern, den ich verlassen, dein denken, welche Not – das fiel ihm nicht von weitem ein. Grausames Abschiedgeben – behüte, er war froh.»

Der Märchenerzähler erwähnte nunmehr eine andere Gestalt, den unbequemen Wesir. «Unser Sultan hatte einen harten, sparsamen Wesir. Dieser Minister hatte schon mit der Verstorbenen im Streit gelegen wegen der Kosten, die nicht nur sie, sondern ihre Familie dem Herrscher machte, und wollte endlich sogar Königin sein. Hiermit aber fing die Neue gleich an. Nicht allein, daß der Vater dieser Dame dem Sultan ihre Tugend verkaufte für hunderttausend Taler und der Wesir mußte sie auszahlen. Wer beschreibt den Schrecken des Ministers, als sein Herr ihm ein Schriftstück zeigte, gesiegelt und unterfertigt, darin war der begehrlichen Person in aller Form die Ehe versprochen. Der Wesir zählte bis drei und dann – zerriß er das allerhöchste Eheversprechen.»

«Großmeister, Sie erzählen Märchen.» Der König blieb stehen, er faßte seinen Begleiter ins Auge. «Das haben Sie nicht gewagt!»

«Was hätte es genützt», erwiderte Rosny. «Sie hätten ein anderes geschrieben. Sie waren auf das Fräulein d'Etrangues versessen und besorgten einzig, Sie könnten auch diese versäumen, wie vorher die andere. Ihrem Diener blieb nur übrig, Sie um so schneller mit einer reichen Prinzessin zu verheiraten.»

Der König schnitt ein Gesicht. «Bekommen haben wir nicht die Hälfte der Mitgift, die wir verlangten, aber ich mußte annehmen, damit ich diesen Krieg bezahlen konnte. Dagegen ist mein Eheversprechen in den Händen des Herrn d'Etrangues, desselben, der am Totenbett des vorigen Königs stand und hielt das Kinn, damit es nicht wegklappte. Sie hätten etwas Besseres tun können, Großmeister.»

«Es steht geschrieben –» wollte Rosny einwenden. Niemand erfuhr, was geschrieben steht, denn der Großmeister schloß den Mund, senkte auch die Lider: niemals war das bei ihm bemerkt worden. Der König setzte den Gang fort, schneller als vorher. Durch den kahlen Garten am herbstlichen Abhang liefen sie stumm, der Großmeister zu seiten des Königs, der bei sich fragte, was geschrieben stehe. ‹Die Liebe währet ewiglich, das ist es gewiß nicht. Ich liebe Henriette so wenig wie sie mich. Mit ihr hatte ich es eilig, weil keine Zeit mehr ist, wenn man altert. Die Füße der Männer, die dich forttragen sollen, sind vor der Tür: das steht geschrieben.›

«Großmeister, her mit Ihren Wahrheiten! Sie sollen mir Wahrheiten sagen.»

Die Stimme des Dieners war nicht trocken, wie bei ihm üblich. Höchst wunderbar, sie schien nahe daran, zu zittern. «Sire! Die strengeren Wahrheiten gelten für mich selbst. Ich bin eifersüchtig gewesen auf Ihre teure Herrin, die Sie liebte und Ihr Besitz war. Genug, daß ich meine Pflicht gegen den König tat und darf sie nicht bereuen. Den Rest vollendete der Tod. Jetzt eilen Sie aber auf diesen häßlichen Erdstufen mit mir allein.»

Henri denkt: ‹Der gute Diener. Ein musterhafter Diener, um die Wette mit dem Tod befreit er mich von allen, die ich liebe. Wer kommt als Nächster daran?›

Rosny ließ ihn nicht warten. Er nannte Marschall Biron, den Henri liebte, einen Verräter. Als Henri sich auflehnte, bewies er ihm den Verrat. «Eure Majestät möge geruhen, selbst nach dem Schauplatz seiner verdächtigen Handlungen zu reisen.»

«Großmeister, hier wollen Sie mich los sein.»

«Sire! Hier und überall sollen Sie siegen. Mein Feind ist, wer unseren Weg kreuzt.» Das war der unerschütterliche Ton, den man kannte. «Nehmen Sie meinen Kopf. Wenn Sie ihn mir lassen, fällt der Kopf derer, die den König verraten – wären es sogar Personen, die von ihm ein besiegeltes unterfertigtes Versprechen haben, und ihre Rachsucht macht sie zu Verschwörern gegen meinen Herrn.»

«Großmeister, Sie halten Ihren Kopf für den einzigen, der fest sitzt. Ich will nicht hoffen, daß Sie recht haben.»

Hiermit schloß dieser Lustwandel. Henri denkt: ‹Zuletzt behielt er noch immer recht.›

Verzerrte Wiederkehr

Der König besuchte seinen Marschall Biron auf dem Schauplatz der verdächtigen Handlungen. Gleich die erste war, daß Biron den König vom Feind erschießen lassen wollte. In dem belagerten Platz konnten sie unmöglich ahnen, wo der König stand, außer sie wären benachrichtigt.

«Erklären Sie mir den sonderbaren Zufall», verlangte Henri, als hätte er nicht gewußt, daß Zufälle unerklärlich sind. Aber noch rätselhafter erschien ihm der Verrat.

«Ihr Vater liebte mich und ich ihn», sagte er dem Sohn zum hundertstenmal; denn nur das Andenken des Alten rechtfertigte die Gunst, die dem Jungen zufiel. «Er war zuerst mein Feind und darum, als wir uns gefunden hatten, um so sicherer mein Freund. Glauben Sie, Herr Marschall, daß eine unverdiente Freundschaft den, der sie empfängt, zum Haß und zur Rache verführt?»

«Das sind gelehrte Fragen», knurrte Birons Sohn, und wie er beschaffen war, dickköpfig, gedrungen, mit einem Blick von toter Schwärze, wäre in Stunden aus ihm nichts anderes herausgebracht worden. Henri wettete mit sich selbst, daß er das stumpfe Gefühl dieses Menschen besiegen und ihn gewinnen wollte – durch das Vertrauen. Ein Verräter kann wirklich von einem Unmaß des Vertrauens geschwächt, am Ende sogar überwältigt werden: gesetzt, er wäre nicht eigentlich ausgestattet für den Verrat, sondern beginne ihn einfach, weil der Krieg es ihm erlaubt und zur vernünftigen Pflicht macht. Die Herren selbst führen einen gesetzlosen Zustand herbei, damit jeder mehr Macht nimmt als ihm zukäme. Da ist man als Marschall Biron nicht gern der Dumme.

Die Sache des Großmeisters wird es sein, Biron in seinen eigenen Netzen zu fangen. Henri sah schon hier, was Biron später erkennen sollte, daß ein Gegner wie Savoyen den Verrat nicht lohnte. Seine Festungen verfielen ihrem Schicksal, sein Heer wich der Schlacht aus. Er wäre entehrt, ließ Biron ihm sagen, aber von der Ehre macht jeder sich seinen Begriff.

Die ersten eroberten Fahnen, Henri schickte sie seiner Maitresse, dem Fräulein d'Etrangues, um sie zu trösten. Denn als in ihr Zimmer der Blitz schlug, war sie eines Kindes genesen, und dieses starb alsbald. Dadurch wurde das Eheversprechen hinfällig, die Familie mochte später Lärm schlagen und drohen. Vom Kindbett kaum aufgestanden, reiste die junge Person ihrem alten Liebhaber nach, und er eilte, ihr zu begegnen. Sie war zuerst nur müde und jammervoll, ach, wie sie ihn rührte. Was tut er? An demselben Tage, neunzehnter Oktober, kam Botschaft, daß in Florenz seine Trauung vollzogen wäre. Henri stellt Vollmachten aus, damit Rom seine neue Ehe ungültig erklärt: er sei gebunden gewesen durch das Versprechen an Fräulein d'Etrangues. Das Versprechen war hinfällig geworden, wie er genau wußte.

Die junge Person kürzte seine Rührung ab. Im Besitz der Vollmachten für Rom, forderte sie, daß er die Florentinerin gar nicht erst empfange, wenn sie landete mit ihrem Geldschiff; oder sie selbst wollte als seine Geliebte öffentlich mittun. Unbegreiflich für alle, die dem Auftritt beiwohnten, der König hatte nichts dagegen. Er schien der unmöglichen Lage nicht bewußt, wenn er sie nicht im Gegenteil herausforderte. Bassompierre war im Zimmer, längst kein Anfänger mehr, und stand zu der neuen Maitresse in den besten Beziehungen. Er stutzte dennoch, wie es hier zuging; sogar Herrn de Villeroy wurde es schwül, und weniger als ihm haben die Bedenken des Anstandes keinem zu schaffen gemacht.

Henriette tobte umher, während Henri saß. Gereizt wurde sie gerade von seiner Gefügigkeit und Güte. «Ich soll wohl der fremden Kaufmannstochter die Schuhe ausziehen», schrie sie mit spröder Stimme, es klang nicht lieblich, ein Knabe in seiner Übergangszeit hat diese Töne. Wild schwang sie ihre langen dünnen Arme, das leichte Gewand fiel von ihnen ab, auch die kleinen spitzen Brüste machten sich Luft. «Die dicke Bankiersfrau kommt mir nicht vor Augen», schrie sie, sehr im Gegensatz zu ihrer vorigen Auffassung. Den König unterhielt ihre stürmische Natur, weshalb er sitzen blieb und ihr zusah. Entweder gefiel es ihr nicht, oder sie wollte ihre Wirkung steigern. Sie trat ihm nahe, er mußte den Fuß wegnehmen, und sie reckte sich tänzerisch; derart hatte er sie zuerst erblickt.

Damals ruhte im Sessel ihm zur Seite die reizende Gabriele. Man wollte ihn von ihr trennen, vermittels eines Balletts zeigte man ihm ein Mädchen, das auf spitzen Füßen vor ihm schwebte, die seinen mußte er wegnehmen, und sie machte ihren schmalen Umriß lang, noch länger, um ihn von oben anzuglühen mit ihren schwarzen Augen, die übrigens Schlitze waren. Hier dieselbe. Heißt nunmehr Marquise, wozu Gabriele länger bedurft hatte, und hat das Recht, der Königin Namen beizulegen, wie sie mag. Henri zuckte die Achseln. Mit den Herren, die zugegen waren, versuchte er ein stummes Einverständnis herzustellen; sie wendeten aber die Köpfe fort.

Henriette d'Etrangues vollzog einen unvermittelten Übergang von ihrem schrillen Lärmen zu einer gefährlichen Sanftmut. Sie selbst nahm ihren neuen Ton für schrecklich; den König unterhielt er wie der andere. Er sei alt, sagte sie mitleidig und gluckste ein wenig in der Kehle. Er habe sie kaufen müssen, andere hätten sie für nichts. Hier war sie es, die Herrn de Bassompierre zu einem Blick der Verständigung nötigen wollte – mit so wenig Glück wie vorher der König. Im Gegenteil suchte der Edelmann auf leisen Sohlen den Ausgang. «Aber bleiben Sie doch», sagte Henri über die Schulter. «Sie haben hier ein Amt.»

Die neue Marquise verharrte bei ihren Beleidigungen durch Milde. Sie hauchte: «Dieses Amt, Sire, Sie lassen es nie unbesetzt. Der Herzog von Bellegarde versah es bei ihrer vorigen.»

Der König sprang vom Sitz, sein Gesicht veränderte sich. «Das trifft Sie!» rief die Verrückte, wies auf ihn mit den langen spitzen Fingern und rief hocherfreut: «Hahnrei!»

Nach diesem Wort hob sie sich auf die Spitzen der Füße und tanzte Ballett, eine oder zwei Minuten lang, immer unter dem Lüster, aber mit dem Aufwand ihrer sämtlichen Künste. Einmal war die Schlange von Leib rückwärts gekrümmt, bis die Hände auf den Boden stießen, und die langen Beine standen dennoch aufrecht, mit geschwellten Muskeln. Die geschickte Person ging inzwischen der letzten Bekleidung verlustig. Da nun ihr Kopf nicht vorhanden, sondern hinter ihr fortgebogen war, wagten die Herren es und tauschten mit dem König ihre Eindrücke aus. Ein Kind, es ermißt nicht, was es alles redet. Laßt es tanzen, Kopf überquer. Ein Kind, und auch nicht ganz bei Trost.

«Frau Marquise de Verneuil, Sie überbieten sich selbst und gewähren Aussichten – für das Königreich.» Der Minister Villeroy traf mit oder ohne seinen Willen die Tonart der älteren Herren, denen unverhofft ein Labsal zuteil wird: machen sich in aufgeklärter Weise lustig, vergessen aber auch die Wehmut nicht.

Die Jugend, die sich hier selbst vorführte, ausgesprochen jugendlich, sonst nichts – sie wirbelte plötzlich die Füße umeinander, und dies während eines Sprunges hoch in die Luft. Der Sprung endete mit einem Kniefall vor dem König – schwerelos gelangte die Jugend in eine hübsche Haltung, die sie nichts kostete außer etwas Ironie. Die Schlitze der Augen entließen manches Gefunkel, das Schütteln der Arme deutete vielmehr an, wie inbrünstig eine verliebte Sklavin huldigt. Fehlten nur sichtbarlich die Sklavin und ihr Herz.

Der König lachte, ließ alles gut sein und warf der geistreichen Blöße das Gewand über. Kaum war sie in Gnaden aufgenommen, befahl sie schon das Nachtmahl für sich und den König allein. Sie winkte, die Herren waren entlassen.

Draußen sagte der eine zu dem anderen: «Mit dieser hätten Sie nicht schlafen sollen.»

«Warum nicht», erwiderte der andere. «Erstens habe ich es ihr abgeschlagen. Zweitens ist der König dergleichen gewöhnt und darüber erhaben. Drittens bin ich es, der sie ihm gebracht hat. Dem Verdienst seine Krone. Wollten Sie mich aber vor einer Verrückten warnen, dann haben Sie nicht bedacht, wie schwer ein König zu befriedigen ist, wenn er im Grunde kein Verlangen mehr trägt. Das kann nur noch diese junge Närrin – wird sich darum lange halten, und ich mit ihr.»

Der Morgen war wie der Abend. Alle Tageszeiten verliefen für Henri gleich, solange er um sich diese Person litt. Sie belustigte ihn mehr, als er seinem Sinn noch zugetraut hätte. Sie war voll Wechsel, ihr Zauber erinnerte an die schnell veränderlichen Lüfte. Wenn sie schwach tat, war es Komödie, ihre Tränen erpreßte sie. Nur die Frage, wie echt ihre Härte, von welchem Wert ihre Drohungen, die sie unterstützte mit einem gar zu tragischen Spiel. ‹Reißerisch begabt›, dachte Henri, ‹und ihre Familie hat sie eingeübt.› Da er seine wahre Gefährtin verloren hatte, fühlte sich aber dermaßen ernüchtert und abgenutzt im Gefühl, daß er sie wieder zu ersehnen nicht wagte, vermied sogar ihr Gedächtnis und vergaß sie – Henri, was bleibt?

Es bleibt der Hang zur Frau, es bleiben die Sinne. Unverlierbar ist das alte Entzücken, Sire, und was es Ihnen eingab lebenslang. Wäre denn anders Ihr Werk? Wären Sie selbst denn anders, der Sie sind? In Ihnen arbeiten die Kräfte; den Reiz hatten diese gebrechlichen Wesen und trieben Ihre Kraft zur Höhe. Folgten den vielen die noch häufigeren, jede vorige wurde übertroffen von der nächsten, bis mit der letzten, wahren erfüllt war, Sire, wieviel Sie haben sollten von Größe und Besitz. Sie hingen am Weibe, was ein Fehler ist und auf die Dauer übel ausgeht: es wurde Ihnen vorher gesagt. Die Macht des Gefühls setzt in Vorteil, solange man jung ist, das waren Sie über das gewöhnliche Maß, und sogar noch später ist man von ihr fruchtbar. Nur, daß kahle Strecken eintreten.

Die ausgleichende Natur gehorcht nicht mehr der eigentümlichen Persönlichkeit, das vergebliche Gefühl ahmt sich selbst nach. Kahle Strecke, der gealterte Liebende gerät an Gegenstände reißerischer Art – alles geht schnell mit ihnen, nichts lohnt. Erinnern Sie sich, wie langsam Sie Ihre reizende Gabriele erobern mußten, welche Geduld und Mühe Sie aufwendeten, ertrugen Beschämungen und büßten Ihre Leidenschaft. Ihre Aufgabe hatte den Ernst des Lebens, diese muß ich rühren, diese wird mein – bis sie es war, gerührt von Ihnen und ganz Ihr eigen. Wenn Henriette d'Etrangues, Ihre schnell fertige Marquise, Ihr unverschämter Reißer, überhaupt zu rühren wäre. Sie wollen es gar nicht. Der Gleichgültige sind Sie.

Die junge Person haßt wenigstens, so gut sie kann, da sie zu viel auf einmal will und nicht weiß, wohin mit dem Kopf, womöglich überquer. Sie haßt Sie wegen des Eheversprechens, der unnützen Geburt, der Königin, die landen wird. Die Mißachtung, in der Ihre Geliebte steht, ist Ursache ihres Hasses, mehr als alle Beschwerden zusammen. Um dem Hof seine Mißachtung einzutränken, tanzt sie vor den Herren nackt. Das Unheilvollste bleibt, damit Sie es wissen, Ihre eigene tiefe Gleichgültigkeit. Sie würden um Henriette nicht dienen sieben Jahre noch einen Tag. Sie haben es bei weitem eiliger als die anspruchsvolle junge Person, was begreiflich ist: die kahle Strecke. Sie muß zurückgelegt werden im Laufschritt der Vergänglichkeit. Noch einmal fruchtbar sein! Ihre Kräfte, Sire, warten, Sie sammeln den Vorrat und Rückhalt. Ihnen muß nicht bangen.

Wenige eilige Tage vergingen dem König mit seiner Geliebten, indessen sie von ihren Forderungen nichts nachließ. Aus jeder Nacht mit ihm erhob sie sich als die künftige Gebieterin, es wäre nur komisch gewesen, die Damen und Herren hätten auf ihre Kosten gelacht. Aber Henriette besaß einen bösen Witz. Beim Aufstehen nannte sie den König ihren «Ritter vom guten Willen». Da es ihm Spaß machte, erfuhren die Damen und Herren nicht, über wen sie sich heimlich erheiterten. Das erschwerte ihnen in der Öffentlichkeit die Würde, die Madame de Verneuil von ihnen verlangte. Übrigens währte es niemals lange, bis Madame ihrerseits die Haltung aufgab und den König anfiel, die schmalen Krallen vorgestreckt. Er habe sie belogen und betrogen. Er und sein Bassompierre spielten gegen sie falsch, zwei Schächer vom Jahrmarkt. Er werde sie kennenlernen.

Was jedem recht war, und deshalb fürchtete man sie längst nicht. Der Gouverneur von Orléans, ihr Herr Vater, konnte dem König unbequem werden, gleichwohl haben die Verlegenheiten der Majestät für manchen ihr Gutes. Heiraten wird er diesmal nicht, die wirkliche Gefahr ist ausgeschlossen; wer wird da finstere Pläne schmieden wie zu den Zeiten der teuren Herrin. Diese Henriette mag es treiben nach Herzenslust. Man ist geradezu neugierig auf die Rache, mit der sie dem König droht. Inzwischen vergnügt sie ihn, ein verzerrtes Vergnügen. Zutage liegt, daß die Gefühle des Königs verirrt sind. Nur immerzu.

Ernst wurde es, sooft die Marquise ihre Beleidigungen auf eine Verstorbene bezog. Sie hatte es bemerkt und ging darin jedesmal weiter. Sie habe nicht die Geduld einer gluckenden Henne, sie sei keine Frau mit Doppelkinn, wagte sie endlich – und ihre gebrochene, aber frische Stimme begann zu singen: Reizende Gabriele. Da ließ der König sie stehen, er rief: «Bassompierre, unsere Pferde! Ich will zurück zum Großmeister.»

Der Höfling hatte die Kühnheit, allein das Pferd des Königs satteln zu lassen. «Ich», erklärte er, «nehme Partei für Madame de Verneuil und bleibe bei ihr. Denn ich sehe: Eure Majestät hat selbst nur dies im Sinn.» Tatsächlich lief er so lange von dem einen Zimmer nach dem anderen, bis das verfeindete Paar zuletzt verschwunden war in demselben Schlafgemach.

Dies alles war nichts, bedenkt man, daß Henri seinen sonderbaren Zeitvertreib wird fortschicken müssen, wenn die Königin ankommt. Den dritten November landete sie in Marseille. Das gemeinsame Schlafgemach von Chambéry änderte sich darum nicht. Die Königin führte einen päpstlichen Legaten heran, er hatte Auftrag, den Frieden mit Savoyen zu vermitteln: wofür es höchste Zeit war, Montmélian hielt nicht mehr lange, der Herzog wäre über und über besiegt. Endlich nahten Marie von Medici und Kardinal Aldobrandini bis auf zwei Tagesreisen, jetzt konnte es in dem vergnüglichen Ort Chambéry nicht länger so fortgehen.

Wut der Marquise, sie wollte ihr berühmtes Eheversprechen dem Kardinal unter die Augen halten, damit er stracks die Florentiner Trauung ungültig erklärte. Auf der Stelle sollte der König sie heiraten. Man staunte, wie er den Anfall ertrug. Er kam mit Beweisen, er stritt, als ob es lohnte, aber kein Machtspruch erging seinerseits. Ein Untergebener verfährt derart, sie wird davon halbtoll, will er das? Als sie vollends den Verstand verloren hatte und erschrak selbst, wurde er auf einmal der Herr. Noch erstaunlicher, die Szene und Verwandlung bedurften keiner Viertelstunde. Er nahm sie in seinen festen Arm und brachte sie auf ein Schiff, es erfreute mit seiner zierlichen Ausstattung, es lag auf einem hübschen See. Die wilde Person war auf einmal fromm und klatschte in die Hände über ihre angenehme Reise.

Sogleich vergoß sie auch Tränen, wie es sich gehörte für einen richtigen Abschied von Liebenden, die eine Trennung erleiden, aber diese soll kurz sein. Henri hat versprochen, bald nachzueilen, was er wirklich einhalten will, und die Geliebte weiß es. Er winkt hinter dem Schiff, bis es entschwindet, und schon vorher haben seine getrübten Augen die Gestalt verloren, als sie noch herüber grüßte. Wann war das alles schon? Wo hat er eine fortgeschickt unter Widerstand, Tränen, Versprechungen, Küssen? Es ging damals nicht eilfertig wie hier, das Herz im Grunde leer und flüchtig der Sinn. Dies alles war voreinst voll Schmerz und Reue, sehr langwierig – es dauert immer noch. Darum die schnelle, verzerrte Wiederkehr.

Die Fremde

Marie von Medici entstieg ihrem Schiff, dessen Wände von Edelsteinen blitzten. Vor Anker ging nicht diese einzelne Galeere: drei Flotten hatten sie begleitet, eine toskanische, eine päpstliche und die von Malta. Die Königin brachte siebentausend Italiener mit, die sollten hierbleiben, sich von diesem Volke nähren und überall laut die Sprache der fremden Königin reden.

Der größte Teil ihres Gefolges hatte es eilig, an den Hof von Frankreich zu gelangen. Die französischen Herren, die mit der Königin angekommen waren, reisten langsamer, am langsamsten der Großstallmeister Herzog von Bellegarde. Der König hatte seinen Feuillemorte vertraulich nach Florenz geschickt, wahrscheinlich erwartete er seine Meldungen mit Ungeduld. Bellegarde drang aber nicht in das Gebirge vor; er fand es zeitig genug, Fragen zu beantworten, wenn der König nach der Stadt Lyon käme und hätte Marie von Medici selbst erblickt.

Ihr erster Schritt war auf das päpstliche Gebiet nach Avignon, wo die Jesuiten sie empfingen in ihrem neuen Stil der überladenen Triumphbogen und blütenreichen Reden. Der Ort lag im Königreich und dennoch außerhalb. Die Ketzer durften hier wenigstens zum Schein verbrannt werden, wie man es der Königin im Theater vorführte und verursachte ihr ein angenehmes Grausen – nicht allein hiermit. Da ist die Zahl sieben: diese gelehrten Väter haben ihr Geheimnis ergründet. Die Sieben bestimmt besonders den Lebenslauf eines Königs, der nur leider das Dunkle nicht gelten läßt, das Unbewußte über Gebühr begrenzen möchte. Ketzer werden bei ihm nicht verbrannt, sie stehen höher im Wert als die Christen. Man sollte nicht glauben, daß wir das Jahr 1600 schreiben.

Das Königreich ist hinter der Zeit zurück, eigentlich durch Schuld eines einzigen, wenn man es sagen muß. Pater Suarès in der päpstlichen Stadt Avignon überwand seine natürliche Scheu, da die Majestät schlechthin heilig ist. Um so strenger wäre ein Fürst zu nehmen, gesetzt, er mißverstände die Majestät wie auch das Jahrhundert. Wir sind der Fortschritt und die neue Zeit, wir haben ihren Stil und Geschmack, womit das Göttliche sich herabläßt zum Zeitlichen – lehrte der Jesuit die Königin, als sie im Beichtstuhl kniete.

Das erste, was sie bei der Majestät durchsetzen müsse, wäre die Rückkehr der Gesellschaft Jesu in das Königreich: dies um ihres eigenen Seelenheiles willen. Nochmals empfahl er ihr eine heilsame Strenge – da er sie ohnedies sowohl herrschsüchtig als beschränkt fand und erkannte in der Fremden das rechte Werkzeug. Die sollte den Mann der Gewissensfreiheit brechen, insofern er selbst noch wußte, wer er war. Die Frauen schwächen die Vernunft eines Greises, und diese gibt ihm hoffentlich den Rest.

Die Frau selbst war beim Verlassen des Ortes halbwegs um ihren Verstand gebracht. Es genügte, daß die Väter ihr zum Abschied ein Kind wünschten, schon verfiel sie in einen mystischen Überschwang, man konnte zufrieden sein

Ihre eigenen zweitausend Reiter geleiteten sie bis Lyon, wo sie acht Tage lang den König erwartete. Ihn hielt in Savoyen jetzt nicht seine Geliebte zurück, der Legat des Papstes übernahm es. Kaum war die eine verduftet, streckte der andere den Kopf über den Berg. Erste Enttäuschung: Aldobrandini, ein Verwandter der Medici, und dachte dem Herzog von Savoyen in die Hand zu spielen, er erreichte gar nichts.

Der König von Frankreich erwies eine jugendliche Festigkeit. Anstatt vieler Worte ließ er seine Kanonen schießen zur Begrüßung des rot gewandeten Friedensengels. Die Priester bekreuzigten sich. Der König rief gegen den Lärm, daß er von derselben Art vierzig habe, die sollten die Festung Montmélian niederlegen, worauf es für den Herzog nichts mehr zu verhandeln gäbe.

Der Krieg hätte neu angefangen, es fiel aber Schnee in außerordentlichen Mengen. Neue Berge wuchsen ringsum, aus den Belagerern machten sie Gefangene. Der Kardinal sagte, daß der Himmel entschieden habe; wogegen der König nichts einwendete aus Rücksicht auf den Glauben, sondern reiste schneller als die geistliche Kutsche nach Lyon. Auf einmal hatte er Eile, die Königin zu sehen.

Er nahm tausend Bewaffnete mit, denn er hatte gehört, welchen Aufwand die Fremde trieb, und wollte nicht zurückstehen. Nun waren seine Truppen in einem abgenutzten Zustand, beschmutzt, zerrissen, sie kamen aus drei Monaten Krieg im Gebirge. Ihr König trug sein altes Zeug, die Stiefel bespritzt bis oben. Er meinte, sie soll den Anblick von Siegern haben, und erinnerte sich, der beste Triumph eines Liebhabers wäre immer noch der Sieg gewesen. Er hätte wahrhaftig gespornt ihr Zimmer betreten. Vor dem Haus begegnete er einigen zierlichen Herren, ihre Kleidung war neu geschneidert, ihr Wesen verband die Anmut mit der Gefährlichkeit – schwer nachzuahmen. Man ist sonst hart oder ist weichlich. Henri sieht plötzlich: ‹Die kenn ich. Ihresgleichen liefen genug umher vor Zeiten in Schloß Louvre, als ich der Gefangene der alten Katharina von Medici war. Aus demselben Geschlecht kommt jetzt wieder die Königin, und was sie mitbringt, ist der alte Schlag.› Da mäßigte er seine Eile.

Er schickte zu ihr seinen de Varennes, den bewährten Boten der Liebe, der auf nichts mehr neugierig war. Der Anblick der Königin erstaunte ihn dennoch. Sie saß bei ihrer Mahlzeit in Pelzen und Decken, den Kopf umwickelt. Dieser erzbischöfliche Palast, ihr erster Aufenthalt in dem neuen Lande, erschien ihr von einer mörderischen Kälte; in den Händen rollte sie zwischen dem Essen eine Kugel, die mit heißem Wasser gefüllt war. Sie hatte der Erwärmung wegen schon viel Wein getrunken, und als de Varennes ihr die Ankunft des Königs begreiflich machte, was infolge der verschiedenen Sprachen nicht leichtfiel, schoß ihr das Blut in die Stirn. Zuerst wollte sie noch das Fleisch verzehren, auf ihrem Teller war es gehäuft, die Diener brachten immer mehr. Eine Art von Entsetzen lähmte sie, de Varennes bezog es auf die Kälte, allenfalls auf die Störung beim Schmausen. Eine große starke Person gegen dreißig sollte Furcht vor dem Mann haben, das war ihm in seiner reichen Erfahrung nicht vorgekommen, er wollte es nicht glauben.

Die Königin versuchte ihre vielfachen Hüllen abzuwerfen, vergebens, man hatte sie fest verpackt. Sie wurde überaus zornig, sie schalt auf Abwesende, die sie allein ließen. De Varennes kannte die Namen nicht bis auf die von zwei älteren Herren, sie hatten vermutlich ihr Bett vorgezogen. Es war acht Uhr abends. Damit keine niederen Bedienten die Königin berühren mußten, übernahm de Varennes es und legte seinen Arm um sie – derart hatte er eine andere gestützt und nach seinen Kräften erleichtert, solange noch unentschieden war: wird sie in das Grab oder auf den Thron steigen. Den Thron bestieg jetzt eine neue, aber de Varennes war wieder zur Stelle. Diesmal wurde sein Geschäft ihm gelohnt mit einem Backenstreich von kräftiger Hand. Er dankte unterwürfig und merkte sich, eine wirkliche Königin wär eingetroffen.

Henri wartete versteckt hinter seinen Edelleuten in einer Galerie, durch die sie kommen mußte. Hier warf er auf Marie von Medici den ersten Blick, notwendig eine abgekürzte Besichtigung. Er fand ihren Schritt majestätisch, obwohl schwer: ihre Wangen, die ein wenig herabhingen, zitterten von dem Schreiten. Das Gesicht wurde schon massig, darin die lange, aber eingedrückte Nase und farblose Augen, die entgeistert starrten. Gleichviel, eine neue Frau mit einem unbekannten Körper ging an ihm vorbei in ihr Schlafzimmer. Er fragte seinen Großstallmeister: «Was sagst du, alter Feuillemorte, ein Prachtstück.»

Dies mit einigem Zweifel im Ton. Bellegarde ermutigte ihn kaum. Er erklärte, ein Schlachtenroß, das den Ritter in voller Rüstung trägt, sei anders zu bewerten «als Ihre geliebten schlanken Stuten mit dem Tänzeln, das Ihr Herz ergreift, Sire», sagte er wörtlich.

Henri fragte traurig: «Ihre Füße müssen sehr groß sein. Du antwortest mir nicht? Du hast mit ihr die Reise gemacht, du kennst ihre Füße.»

«Sie kommen dem übrigen gleich», drückte Bellegarde es aus.

Henri verließ ihn schnell, aber nach einem einzigen Gang durch die Galerie war er wieder da.

«Guter Freund, ich hatte dich nach Italien geschickt, damit du vieles siehst und ich durch dich. Aber seit deiner Rückkehr von Florenz bist du wortkarg wie nie vorher. Wenn einer eine Reise tut, wird er gesprächig. Wovon schweigst du?»

«Sire! Die Königin hat eine Milchschwester.»

«Ich habe von ihr gehört. Meine Gesandten berichten. Die Königin hält Kavaliere vom Dienst nach der Sitte ihres Landes. Es soll ein unverfänglicher Brauch sein, der Beichtvater der Königin tadelt ihn nicht. Dich macht es bedenklich?» fragte Henri, versuchte zu lachen, brach ab und musterte Bellegarde, der befangen beiseite sah.

«Was noch?» befahl der König, es mußte gehorcht werden.

«Sire! Die Königin hat eine Milchschwester», wiederholte Bellegarde.

Henri stieß seinen alten Fluch aus. «Das ist alles, was du auf deiner Reise gelernt hast? Eine Frau, die bei einer anderen Wache steht, verscheucht ihr entweder die Liebhaber, oder sie bringt sie ihr. Welchen der beiden Berufe versieht die Milchschwester?»

«Sire! Einen dritten, höchst seltenen. Ihre Gesandten berichten nach Gutdünken.» Schon stockte Bellegarde. Die Heirat war von allen gewollt und auf keinen Fall aufzuhalten gewesen.

Henri zuckte die Achseln. «Die Milchschwester hat vielleicht Reize? Sei unbesorgt, die der Königin genügen mir. Jetzt klopft bei ihr an!»

Der Herzog gehorchte, und während er klopfte, rief er: «Es lebe der König!» Die anderen Edelleute unterstützten seine Bemühungen; die Fremde sollte begreifen, daß die Stunde geschlagen hatte. Die Tür wurde wirklich geöffnet, der König mit seinen Herren wollte eindringen. Die Königin indessen, umgeben von ihren Damen, begegnete ihm auf der Schwelle, sie raffte ihr Kleid, sehr tief beugte sie ihre beiden Knie zu seinem Empfang.

Sie war größer als er, in ihrer verkleinerten Haltung konnte er sie würdig umarmen, sie auch auf den Mund küssen, was nur er selbst natürlich fand. Ihr war die Sitte neu, vom Schrecken stand sie ohne seine Hilfe, aber mit gerafftem Kleid auf den Füßen, und diese betrachtete er etwas länger als erlaubt schien. Dann berichtigte er sein Verhalten und führte sie zu dem Kamin; ihre Hand, die er hielt, war erstarrt. Er sagte ihr mehreres über die strenge Kälte, den beschwerlichen Weg hierher. Ihre Antwort ließ warten, und was sie schließlich plapperte im Ton einer Schülerin, hatte für ihn keinen Sinn; er durfte annehmen, daß sie ihn ebensowenig verstanden hatte.

In Anbetracht der verschiedenen Sprachen und des erschwerten Austausches entschloß er sich zu einer Rede. Sie mußte weder begreifen noch erwidern, man mochte ihr später seine Worte erläutern. Er aber bekam die Muße, ihre Reize abzuschätzen. Zuerst entschuldigte er sich, daß er sie eine Woche habe warten lassen. ‹Leider nur eine Woche›, dachte er, denn sein zweiter Eindruck bestätigte den ersten: ihre Reize waren vorgeschritten, weiter als erwünscht. Wahrhaftig, ihre Bilder zeigen sie zehn Jahre jünger, so beschränkt und starr war damals ihr Ausdruck nicht.

Er habe sie warten lassen, war seine Rede, weil er der Zeit bedurfte, um mit einem Räuber fertig zu werden. Französische Länder zu befreien, daran wäre der französischen Königin gewiß gelegen. Hierbei stellte er fest, daß sie den leiblichen Umfang und ihr Gewicht augenscheinlich ihrer Mutter, Johanna von Österreich, verdankte, ihrer spanischen Erziehung die Dumpfheit und Härte, die ihr Gesicht anzeigte; aber die schöne Stadt, woher sie kam, hatte ihr nichts mitgegeben außer den Lauten des Mundes. Er beschloß, mit dieser Frau nicht lange zu leben. Nur die Nacht konnte sie retten bei besonders günstigem Verlauf. Was alsbald geprüft werden sollte.

Gesprochen hatte er wohl eine halbe Minute, seit seinem Eintritt waren es keine zwei, und er spürte Hunger. Er stellte ihr sein Gefolge vor, sie ihm das ihre. Da sieh, die zierlichen Herrchen von draußen, jeder so scharf wie der andere trotz kunstvoller Glätte. Ein Dolch kann einen geschmiedeten Griff aus Gold haben und mit Samt überzogen sein. Zwei waren Vettern der Königin, Virginio Orsini und sein Bruder Paolo. Sie sehen, und Henri weiß Bescheid über den fremdländischen Brauch der Kavaliere vom Dienst, woran der Beichtvater nichts zu tadeln findet. Er ist hier spät gekommen, hat sich verspätet nicht um acht Tage, eher um acht Jahre, sie sind nicht einzuholen.

Innerlich fluchte Henri, nach außen kehrte er ein Gesicht voll Ironie; die beiden Orsini sahen einander an, was der Herr an ihnen komisch fände. Er schwor sich, zu bestrafen, daß man ihm die peinlichen Umstände nicht beizeiten berichtet hatte: besonders Bellegarde, der nach Florenz gereist war und hätte ihn warnen sollen. Zugleich entdeckte er, hinter den Damen zum Schein verborgen, den allerschönsten. «Wie heißt er?» fragte der König und winkte dem Mann, der schöner war als die Vettern, nahm aber bis jetzt nur den Hintergrund ein. ‹Der hat das Zeug, mich zu rächen, wenn ich selbst, mit grauem Bart und unsauberen Stiefeln dafür nicht der rechte wäre.›

Die Milchschwester

Er hieß Concini. Als er vorkam, seine glänzende Verbeugung machte und vom König den Handschlag erhielt, lächelte Marie von Medici, es war das erstemal. Ihr Gesicht vergaß seine fromme Verschlossenheit, es entfaltete ein dümmliches Entzücken. Sie sprach sogar, sie hatte etwas zu sagen, anstatt des vorigen Geplappers. Diese Worte durften nicht verlorengehen, die Herzogin von Nemours übersetzte sie, da sie beide Sprachen kannte, war übrigens in den Verhältnissen der Personen bewandert. Die Königin hat eine Milchschwester, der edle Concini ist der Gatte der edlen Dame Leonora Galigai. Die Königin selbst nahm wieder das Wort, sie rühmte diese Dame des längeren und mit einem Eifer, der Furcht verriet. Das dümmliche Entzücken war weggewischt von den weißen Wangen, die zitterten.

Merkwürdig, die Milchschwester blieb unauffindbar, nur ihr schöner Gatte schlug sein Rad; die Königin vermied es hinzusehen.

Zwischen die übertragenen Worte der Königin schob Madame de Nemours andere ein, die waren ihre eigenen und für den König allein. «Zwei Abenteurer mit falschen Namen. Hüten Sie sich!»

Hierauf das übertragene Lob der Königin für die Tugend und Frömmigkeit der edlen Dame Galigai: dann wieder Nemours im eigenen Namen: «Nur die Zwergin ist gefährlich, da sie geistreich ist. Der Mann gibt den dummen Pfau ab. Damit Sie es in der ersten Stunde wissen, Sire, man beherrscht Ihre Frau» – sprach Madame de Nemours, die den König gewarnt haben wollte.

Daran mußte es genug sein. Die Königin wurde immer unruhiger. Sie schien in ihrem breiten Rock nicht mehr allein zu sein, eine fremde Kraft bewegte ihn hin und her, Henri fürchtete für sie das Schlimmste. Die Königin und ihr breiter Rock rückten aber plötzlich zur Seite, eher als ein Schritt war es ein Sprung und geschah im vollen Schrecken. «Meine Leonora!» kreischte Marie von Medici mit der Stimme eines sprechenden Vogels oder einer Theatermaschine, die einen Menschen nachahmt. Als sie das zweitemal «Meine Leonora» sagte, war es gehaucht und ihre Hand wies nach unten.

Auf dem Fleck, den die Königin verlassen hatte, war etwas zurückgeblieben: um den richtigen Anblick zu haben, bückte man sich.

Henri sieht eine wohlgebildete Person von kleiner Gestalt; Zwergin wird man nicht sagen bei dem vorhandenen Ebenmaß. Ihr war anzusehen, daß sie ungern frei dastand. Wahrscheinlich verbrachte sie ihr Leben hinter den Röcken der Königin, wenn nicht darunter. Sie hatte die ungesunde Farbe eines Geschöpfes, dessen ganze Laufbahn der Alkoven einer anderen Frau ist. Diese Rätsel der Natur sollen außerordentlichen Begierden und Leidenschaften unterliegen. Das gegenwärtige Muster bedeckt die Augen mit einem Schleier. Umsonst, zwei Kohlen glühen durch das Gewebe unheilvoll.

Henri machte eine Bewegung rückwärts. ‹Das ist die Milchschwester, und sie fehlte mir noch›, dachte er, die Brauen erhoben, die Lider weit aufgerissen. Hiervon erschrak die Milchschwester, auch ihre Regung war, zu flüchten. Danach konnte nur das Äußerste die Lage noch retten. Henri hätte das Wesen auf den Mund geküßt, indessen verdrehte es den Hals und sträubte sich. Sobald er sie losließ, ergriff die edle Dame die Flucht.

Das Zimmer war überfüllt von beiden Parteien, der Umgebung der Königin, dem Gefolge des Königs. Die schwächliche Person durchbrach das Gedränge mit der bloßen Kraft ihres Willens. Die Leute des Königs so gut wie der Königin machten eifrig Platz. Jemand stellte ihr ein Bein, aber sie fiel darüber nicht, sie stieg auf ihre Fußspitzen, bis sie seinem Gesicht nahe kam. Da öffnete er selbst ihr die Tür. Es war der tapfere Crillon.

Henri, zu Marie von Medici: «Madame, ich will Ihrer Milchschwester meine Höflichkeit erweisen.»

Sie hat ihn nicht verstanden, erkennt aber seine Absicht und beschwört ihn mit beiden Händen, abzustehen.

Unnütz, der Fremden viel zu erklären. Henri streift Madame de Nemours, ihr sagte er: er will doch sehen, was dahintersteckt.

«Sire! Vielleicht ein Messer», antwortete die Herzogin. Hinten angelangt, bemerkt Henri, daß niemand ihm gefolgt ist. Nur der Gatte der Milchschwester, Herr Concini, macht seine glänzende Verbeugung und lädt den König ein, über die Schwelle zu treten. Hinter ihm bleibt die Tür geöffnet.

Henri sah sich in einem kurzen Durchgang, der wenig Licht hatte, es drang am anderen Ende zwischen Vorhängen ein. Er schützte seine Brust mit dem Arm wegen der Warnung vor dem Messer. Schnell hin, den Vorhang weggerissen. Die schweren Falten leisteten Widerstand: kein Wunder, die edle Dame war darin eingewickelt. Ihre verschleierten Augen frohlockten ausdrucksvoll, hier hatte sie ihn erwartet. Sie hob den Vorhang von dem Schlafzimmer, zeigte ihm den Alkoven, das Bett der Königin, und belehrte ihn mit wenigen starken Gebärden, was sie wollte oder ihm verbot. Sie sprach nicht und wurde davon rätselhafter im Wesen. So gewagt seine Rolle, das Wesen überwand die eigene Scheu und gebärdete sich zügellos.

Er betrachtete sie fest, was sie mit Mühe ertrug, sie schielte abscheulich. Jetzt deutete auch er nach dem Bett; statt zusammenhängender Worte, die der Auseinandersetzung nur geschadet hätten, sprach er in Abständen drei Namen aus. Die ersten beiden erzeugten bei der Milchschwester alle Anzeichen der Eifersucht, ein unglückliches Gefühl; die Arme machte Miene, nochmals in dem Vorhang zu verschwinden. Als er den dritten Namen sprach, besann sie sich; sie taumelte rückwärts bis gegen das Bett. Dieses wichtige Möbelstück umklammerte sie und bekannte, wie sie dastand, die boshafte Entschlossenheit, es zu verteidigen gegen all und jeden.

Henri erschien schneller als gedacht draußen bei der Gesellschaft der Königin – wo niemand, trotz der geöffneten Tür, den Vorfall beobachtet haben wollte. Der Vorfall dort innen war noch mehr überstürzt worden durch seine Stummheit. Davon schien es dem Zurückgekehrten, er hätte geträumt. Nun er aufatmete und lachte, befolgte die Königin sein Beispiel. Sie äußerte ihre Erleichterung wegen seines gnädigen Verhaltens zu ihrer Milchschwester, was Madame de Nemours übersetzte, und er bestätigte es.

Jetzt hatte er wahrhaftig hier das Seine getan und ging ohne weiteres essen. Nahm Madame de Nemours bis auf die Schwelle mit, und als sie vermutlich außer Hörweite waren, sagte er ihr, er gedenke dieselbe Nacht bei der Königin zu verbringen, die Herzogin möge sie vorbereiten.

Das Bedürfnis seines Magens war inzwischen zum Heißhunger geworden. «Gewiß bin ich sehr lange in dem Zimmer gewesen», fragte er seine Edelleute. Bassompierre, für dergleichen zuständig, antwortete: «Sire! Nicht ganz die Hälfte einer Viertelstunde.» Die fremdartigen Begebnisse erscheinen allerdings zeitlos, so überstürzt sie geschehen.

Während des Verschlingens der Mahlzeit sagte er ihnen, daß sie mit all ihrem kriegerischen Ruhm der Königin gar keinen Eindruck gemacht hätten. «Warum seid ihr nicht gebadet und riecht angenehm? Was für Sieger, die geradewegs aus dem Dreck kommen und sind weder zierlich noch jung.»

Sie begriffen, daß er für sich selbst spräche und fürchtete seine fremde Königin mit ihrer Milchschwester. Daher lachten sie und versprachen ihm, der mutigste Soldat werde heut nacht bei der Zwergin schlafen. Henri antwortete hierauf mit unerwartetem Ernst. «War mir doch, als die Zwergin plötzlich dastand, sie wäre unter dem Rock der Königin hervorgekrochen.»

Hiermit versank er sichtlich in Betrachtungen; seine Edelleute wagten nur noch untereinander zu tuscheln. Er bedachte und sah die Gesellschaft, in die er geraten war, und sollten künftig unter seinem Dach wohnen: die heillose Milchschwester, ihr ungebührlich schöner Mann, die beiden Vettern und Kavaliere vom Dienst, alle im trauten Verein mit der Fremden, die er geheiratet hatte – das erstemal durch Vertreter. Bei der zweiten Trauung sollte er sie mit eigener Hand zum Altar führen, danach aber war sein Thron der ihre. Nun ist sie eine Masse Fleisch, darüber herrschen statt eines guten Willens nur die Vorurteile. Das Französische hat sie absichtlich nicht gelernt; ihm wurde gesagt, Herr de Bassompierre sagte es, stolz auf seine Wissenschaft: weil sie es die Sprache der Ketzer nennt.

Das verheißt nichts Gutes, übrigens wird ihr sauberer Verein von Hochstaplern sie hin und her rollen wie ein Faß. Anders kann es nicht kommen, solange sie die Milchschwester hat. Die Milchschwester ist von dem Verein die stärkste infolge ihrer verkehrten Natur. Henri hat die vielfältigste Erfahrung mit dem Wahnsinn; die Menschheit ist reich dran. Henri begegnet ihm überall, endlich soll der Wahnsinn, unter dem Rock der Königin versteckt, mit ihr den Thron besteigen. Die Zwergin haßt ihn, sie hat eine verräterische Furcht, seinem Blick zu begegnen. Henri könnte ihre Macht brechen. Sie mit ihren Kohlen, die von einer inneren Hölle glühen, scheut jedes andere Auge: weil es sie durchschauen könnte. Der böse Blick, den sie immer argwöhnt und trägt gegen ihn den Schleier, ist kein anderer als der Blick, der sie durchschaut.

Der Saal des Bischofshauses von Lyon, worin Henri seine Verhältnisse erkannte, war schwach beleuchtet. Seine Kriegsgefährten hatten ihm einige Plätze zu beiden Seiten freigegeben, bei ihrer Kerze tuschelten sie dort unten, und bald verstummten sie. Bellegarde saß als einziger neben Henri, überließ aber den König seiner inneren Schau; er hatte den Armleuchter von ihm fortgerückt.

‹Die Macht der Milchschwester über die Königin ist ihr schöner Mann›, überlegte Henri. ‹Wozu hätte sie ihn sonst. Er darf sie selbst nicht berühren, und weh ihm, wenn er es bei der anderen versuchte: die Zwergin würde ihn vergiften. Die Medici soll dümmlich entzückt bleiben, wie ich sie auch fand. Der Concini wird benutzt, um zu blenden, mehr vermag er nicht mit seiner eitlen Person und seinem beigelegten Namen. Im Grunde, wenn wir auf den schwankenden Grund gehen, ist die Macht der Milchschwester nicht ihr schöner Mann, ihre verkehrte Natur ist es selbst. Die Königin fürchtet sie. Öffne ich nachträglich die Ohren: ihre Stimme hat geschaudert, sooft sie die Milchschwester erwähnte und sprach ihren beigelegten Namen. Die Königin ist eine arme Frau.›

Henri hat Erkenntnisse hier in der schwachen Beleuchtung bei seinem geleerten Glas – sie sind richtig oder falsch, das wird er erfahren. Sie enden bei dem Mitleid für seine Königin wegen ihrer trüben Umstände, des Vereins der Masken, der sie beherrscht. Zorn – Henri fühlt keinen mehr: man hat nicht umsonst den grauen Bart und Augen, die zu vieles sahen. Indessen, der Verein und die Umstände sollen abgestellt werden. Fraglich, ob es gelingt. Man müßte der Zwergin beikommen.

Bellegarde glaubte nachgerade, der König habe ihn vergessen. Unversehens neigte Henri das Gesicht hin, er sprach heimlich.

«Feuillemorte, unsere Freunde haben recht gehabt, der mutigste Soldat muß heute nacht mit der Zwergin schlafen.»

«Sire, die haben geprahlt», sagte der Großstallmeister. «So mutig ist keiner.»

Henri versuchte einen strengen Ton. «Weißt du wohl, daß ich dich zu bestrafen gesonnen war vorhin, als mir aufging, in welch eine Gesellschaft ich geraten bin und wie es durch dein Versäumnis für mich nunmehr bestellt ist?»

«Sire!» bat Bellegarde. «Ich kenne meine Schuld, obwohl es zu spät und ganz vergeblich gewesen wäre, Sie zu warnen. In Florenz wurde ich der Milchschwester nicht ansichtig, sie drückt sich in den Alkoven umher und scheut das Licht.»

«Du lügst, Feuillemorte, dir war bekannt, daß die Königin vor ihr zitterte. Madame de Nemours hat mir's heute gestanden: du nicht. Als Buße aller deiner Sünden solltest du mit der Zwergin schlafen und sie zähmen, du bist dafür der Mann.»

Dies sprach Henri, und sein Feuillemorte begriff sogleich die Absicht. Sie hätte ihm eingeleuchtet, wär er nur selbst nicht im Spiel gewesen. Höchst beunruhigt sah er nach Hilfe um – tatsächlich, da hat hinter ihnen einer gehorcht, ist im Begriff, sich wegzustehlen.

«Sire!» raunte Bellegarde. «Ein Neugieriger. Der ist es, Sie finden keinen Besseren.»

«Holla!» rief Henri in das Dunkel. «Hervorkommen!»

Der Ertappte beeilte sich nicht. Dennoch war er der Rechte, schon wegen seiner Neugier, noch mehr in Ansehen seiner Sucht, überall dabei zu sein.

«Bassompierre», sagte Bellegarde, «der König braucht für sein Vorhaben, das Sie dank Ihrer guten Ohren schon kennen, genau den Mann, der Sie sind: jung und hübsch, ehrgeizig und gewandt.»

«Haben Sie begriffen?» verlangte Henri. Der Unglückliche bat: «Sire! Ich bin bei den Frauen schüchtern.»

Bellegarde übernahm die Antwort; ihm war das meiste daran gelegen, daß der König bedient wurde. «Sie dürfen schüchtern sein, soviel Sie wollen; die Dunkelheit auf dem Schauplatz Ihres Unternehmens wird Sie den Augen Ihrer Schönen entziehen. Sie wählen Ihr Versteck in dem gleichen Saal, wo wir heute von der Königin empfangen worden sind. Man wird Sorge tragen, daß kein Licht brennt. Die Milchschwester verläßt endlich das Zimmer der Königin. Sie müssen horchen, wie Sie es übrigens gewöhnt sind!»

«Nicht nötig zu horchen», sagte Henri selbst. «Vor der Tür des Schlafzimmers, am Ende eines stockfinsteren Ganges, hängt ein Vorhang. Sie wickeln sich hinein. Sobald die Tür geöffnet wird, strecken Sie das Bein vor, damit die Person Ihnen in die Arme fällt.»

«Die Person hat sogar den tapferen Crillon erschreckt», wendete das arme Opfer ein.

«Sie sind nicht nur schüchtern», sagte Bellegarde und löste Henri ab. «Sie haben Furcht. Darüber vergessen Sie die unvergleichliche Ehre, die Ihnen widerfährt.»

«Die ermesse ich und bin von meinem Unwert durchdrungen», versicherte Bassompierre, schnell und angeregt. «Mir soll es vergönnt sein, auf der anderen Scite der Tür dem königlichen Beilager beizuwohnen.»

«Lieben Sie kleine Frauen?» fragte Henri.

«Diese ist die eigene Milchschwester der Königin», bemerkte der Ehrgeizige. Man sah ihn unruhig nachsinnen, wieviel gewonnen wäre mit dem allen für seinen Ruhm.

Das königliche Beilager

Henri, gebadet mit Duftwassern, ging im seidenen Rock und weichen Schuhen den Weg zu seiner Hochzeitsnacht. Mehrere Armleuchter wurden vor ihm hergetragen. Hinten folgten de Varennes und andere Edelleute, aber den Zug eröffnete der Herzog von Bellegarde.

König Henri dachte auf dem Wege, daß er ihn lieber nicht machen wollte, und tät er es jetzt nicht, dann fände er künftig noch weniger Zeit. Besser gleich als nie. Ein königliches Beilager geschieht nicht wegen der Unterhaltung. Man wird nicht lächerlich, weil man bei Jahren ist. Die Herren, die ihn durch das Haus geleiteten, hätten mit denselben amtlichen Gesichtern auch einem jungen König geleuchtet; würden vergessen haben, daß er zu einer fleischigen Verrichtung schritt, und nur des hohen Berufes der Majestät hätten sie gedacht. Henri sah nach ihnen um, ob sie den Hochzeitszug wahrhaftig ernst nähmen mitsamt seinem Schlafrock, der nachschleppte. Gewiß, so ist es, oder ihre Gesichter wären außerordentlich beherrscht. De Varennes, der ihm Frauen besorgt hatte, ungezählt und aus allen Ständen, hier spielt er den würdigsten Offizier der Krone.

Anstatt zu lachen, seufzt Henri. Er geht dahin und denkt: ‹Viel hab ich nicht zu hoffen von dem Beilager. Die Liebe der Königin werde ich mit keiner

Kunst erobern und werde umsonst den Ritter vom guten Willen machen› – denkt er, da seine verwegene Marquise ihn vor allen Ohren so genannt hat. ‹Den Anhang der Fremden besiege ich nicht› – er meinte die beiden Vettern Maries und den dritten, Allerschönsten. Dazu die Milchschwester. ‹Die Fremde wird niemals mit dem Herzen auf meiner Seite sein, eine sehr große Gefahr für das Königreich› – dies sieht er besonders deutlich auf seinem Gang zum Beilager. – ‹Alles könnte dennoch gut werden›, erkennt er zuletzt, ‹wenn ich nach ihrer Liebe ein wirkliches Verlangen trüge. Ich habe selbst die Liebe nicht. Abgemacht und nicht zu ändern. Aber wozu das Beilager? Für die Mitgift? Wir wissen es besser. Der Erbe soll gezeugt werden: mein Erbe aus dem Blut der Medici. Da sie mich nicht begehrt und ich sie nicht, wird er alles von ihr haben, nichts von mir, soll aber mein rechtmäßiger Erbe sein.›

Auf seinem hellsichtigen Gang wäre er infolge innerer Abwesenheit gegen einen Pfosten gestoßen: das war die Tür des Saales, worin die Königin ihn heute empfangen hatte. Er blieb stehen, man fragte warum, und der ganze Zug hielt. Henri denkt: ‹Mein Erbe – ich hatte ihn, und habe nie gefragt, wieviel von seinem Blut meines war oder das Blut seiner Mutter. Unser Blut war eins geworden durch die Vermischung der Herzen und unseren Sinn für dies Land und Königreich. Ich habe alles getan, alles vorgesehen und getan, damit der Sohn Gabrieles des Thrones sicher wäre. Jetzt muß ich selbst ihn entthronen und enterben. Sie haben recht, daß ich zu einer Handlung der Majestät schreite und zu keiner Unterhaltung, oder sie wäre schlecht.›

Der Herzog von Bellegarde bezog das Zurückbleiben des Königs auf ihre geheime Verabredung mit Herrn de Bassompierre. Er flüsterte dem König zu, er möge unbesorgt sein, niemand werde vorzeitig den gewissen Vorhang aufheben und jemand darin finden. Bis jetzt halte der Bewußte sich anderweitig verborgen, «aber er brennt darauf, das Abenteuer zu bestehen», sagte Bellegarde.

«Hüten wir uns, ihn zu beneiden», erwiderte Henri mit einem Blick – nur sein Feuillemorte hätte ihn verstanden, wär er nicht hier im Amt gewesen.

Dergestalt zum Nähertreten ermutigt, durchmaßen der König und sein Gefolge den Saal, den kurzen Gang nach dem Schlafzimmer der Königin; dieses öffneten sie, als auf mehrfaches Kratzen und Klopfen keine Antwort kam. Der Grund wurde alsbald sichtbar, da im Zimmer alle den Kopf verloren hatten. Die Königin lag für tot auf ihrem Bett und wurde mit heißen Tüchern gerieben.

Den König empfingen stumme Vorwürfe, weil er es mit dem Beilager eilig gehabt und die Königin erschreckt hatte. Wahrhaftig war sie am ganzen Körper kalt, er überzeugte sich selbst. Bei der Berührung seiner Hände blinzelte sie, schloß gleich wieder die Augen und lag für tot. Die Milchschwester zwängte sich zwischen den König und das Bett: sie wies ihn ab, wobei sie ihm die entrüsteten Mienen der Versammlung zeigte. Dies waren die Frauen der Königin, ihre mitgebrachten Ärzte, aber auch mehrere hübsche Kavaliere hatten es sich nicht nehmen lassen. Der König entdeckte unschwer die drei, die er meinte.

Ihr Anblick machte ihn heiß. Ganz im Widerspruch mit seiner vorigen Ergebung in das Unabänderliche, kochte er auf einmal vor Wut. Madame de Nemours, die es ihm ansah, kam einem Ausbruch zuvor. Sie bat ihn, zu beachten, daß die Diener der Königin, besonders aber ihre Dienerinnen, keinesfalls ihre Partei ergriffen, sondern entrüsteten sich mehr über sie, als daß sie den König mißbilligten. Die Königin in ihrer Hochzeitsnacht führt sich auf wie ein fünfzehnjähriges Jungfräulein, was ihr schlecht zu Gesicht steht; aber sie tut es in bester Absicht, um die Liebe des Königs herauszufordern – meinte Madame de Nemours.

Henri hörte sie kaum an. Die Gesichter der beiden Vettern und des schönen Concini gefielen ihm zusehends weniger, Bellegarde, der mit Ungeduld den Befehl des Königs erwartete, las ihn aus seinen verdüsterten Mienen. «Es lebe der König!» rief er, die anderen französischen Herren wiederholten es zornig, indessen sie die fremde Gesellschaft anfielen und aus dem Zimmer vertrieben. Das war nicht leicht wegen des Gewühls, und geriet nicht ganz gelinde, da die Edelleute des Königs viel Unwillen angesammelt hatten. Wohl möglich, daß dieser oder jener hübsche Kavalier der Königin nachher nur das eine seiner Augen offenhalten konnte. Die Damen kreischten entsetzlich auf der Jagd durch die Säle und Gänge. Zuletzt gaben sie sich gefangen und belohnten ihren Sieger oder auch nicht.

Als endlich weithin Stille herrschte, ließ Henri der Herzogin von Nemours von dannen leuchten. Es war der einzige noch übrige Lakai, den er ihr mitgab. Sie wendete den Kopf zurück. «Sire!» sagte sie. «Viel Glück bei Ihrer Königin. Der Herzog von Bellegarde hätte Ihnen nicht, damit Sie etwas früher mit ihr allein wären, so viele Feinde machen sollen.»

Dasselbe meinte Henri, als alle fort waren. Geschehen ist geschehen, jetzt war der Ton angegeben, und das Verhältnis bestimmt zwischen den Parteien des Königs und der Königin. Alle zusammen werden Schloß Louvre besetzen und darin auf Abbruch hausen, immer die Hand an der Waffe. Den Zweikampf wird er ihnen verbieten, aber auch den Mord? Er sieht unbequeme Zustände kommen dank seiner fremden Königin und ihrem Anhang. Er gedenkt seines Hofes zu den Zeiten einer anderen, als die Frauen geehrt wurden, die Männer aber verlernten das Schmarotzen wie auch das Händelsuchen.

Es sind die Läufte. Wir schreiben das Jahr 1600. ‹Nicht der arme Feuillemorte hat die veränderten Läufte beschleunigt, vielmehr ich selbst und meine Heirat, die unausweichlich war mitsamt allen ihren Folgen.› Hier erhob er die Stirn aus ihrer versonnenen Haltung. Er fluchte in sich hinein. ‹Die Folgen? Ein Dauphin: dafür bin ich hier. Sind das Gedanken einer Hochzeitsnacht!›

Die Königin lag noch immer erstarrt; anzurühren war sie diesmal aber warm. Auch blinzelte sie jetzt deutlich und in bestimmter Absicht, wäre es, um ihn zu locken oder zu warnen. Das zweite traf zu, denn kaum merklich bewegte sie den Kopf seitwärts, nach dem Gäßchen zwischen Bett und Wand: dort sollte er etwas suchen. Henri blickte vorsichtig hinein. Die Milchschwester, sie hat sich versteckt, ihr Gesicht ist in den Vorhang des Bettes gedrückt, sie weiß nicht, daß sie entdeckt ist. Aber das enge Gäßchen paßt nur gerade ihr. Unmöglich, sie hervorzuholen, man müßte denn Gewalt brauchen. Übereilungen sind in diesem Zimmer genug geschehen. Henri begeht keine. Niemand kann seiner Ehe dermaßen gefährlich werden wie die Milchschwester.

Sie ist mit guter Manier aus dem Zimmer zu entfernen. Draußen droht ihr ein Abenteuer: wahrhaftig, das hatten wir vergessen. Wie kommt man ihr bei? Henri und Marie sehen einander an, das erstemal sind sie im Einverständnis.

«Leonora!» bittet Marie. «Meine Leonora!» girrt sie. Ihrer schmelzenden Stimme antwortet niemand.

Da sagt sie, soviel kann jeder von ihrer Sprache verstehen: «Wir sind allein. Der König ist fort.» Ihn aber sieht sie dringend an, und mit einer Gebärde, die Erfahrung verrät, hat sie die zehn Finger ihrer geöffneten Hände verschränkt, gelöst, wieder verschränkt – dies höchst geläufig. Henri traut seinen Augen nicht, besonders da die ihren ihm sagen, was es bedeutet, falls er es nicht wüßte. Zum Überfluß hebt sie einen Zipfel ihrer Decke. Er folgt der Einladung und kriecht hinein, verschwindet darin ganz, bekommt auch ein Kissen auf die Brust gedrückt.

Was weiter vorging, erriet er mehr oder weniger, in Person war er nicht dabei. Wahrscheinlich verließ die Milchschwester ihr Versteck, suchte den König, und damit sie im Bett nicht nachsähe, stützte die Königin den Arm auf ihren Gemahl, den schon das Kissen beengte, aber von dem Druck der Dame vermeinte er zu ersticken.

Die Milchschwester stieß Reden aus, die Worte verschlangen eines das andere vor Bissigkeit, zu verstehen war keines. Aber was konnte der Schwall bedeuten, wenn nicht Ärger über Marie. Du hast deine Rolle als kalte Frau erbärmlich schlecht gespielt, wird sie gesagt haben. Der Dauphin, was geht mich dein Dauphin an. Solange du keinen hast, gehorcht der König uns. Sie wird gesagt haben: uns, und gemeint haben: mir. Sehr möglich, daß die Königin die Hand ihrer Milchschwester im Gesicht empfing: etwas von dem Geräusch des Schlages gelangte bis unter die Decken und Kissen. Dagegen brachte Marie drei Worte deutlich hervor, es waren: Fieber, Durst, Limonade, und wurden gesteigert von der eindringlichen Stimmlosigkeit bis zum Aufschrei der Not. Hierbei wühlte Marie mehrere ihrer leiblichen Formen in das Kissen, worauf schon manches lastete. Ihr Mann sollte Nachricht erhalten: sie beseitigte Leonora, sie schickte die Ungelegene nach Limonade.

Die edle Galigai verweigerte es, allein durch das dunkle Haus zu irren. Ihr neuer Schwall von Vorwürfen konnte am ehesten bedeuten, daß Marie selbst die Schuld habe, wenn sie einsam und verlassen lag. Warum hatte sie erlaubt, daß ihre Gesellschaft auseinandergejagt wurde. Opfern, die edle Galigai sich opfern für das dumme Stück Fleisch, das den Ketzern und Barbaren dieses Landes die Königin abgibt? Kein Gedanke an eine Limonade, sie wäre mit unbekannten Gefahren verbunden. Deinen Willen bekommst du nicht, Marie, stell es an wie du magst.

Das tat Marie. Ein schwerer Seufzer, und auf den König fiel nunmehr ihr volles Gewicht: nichts ließ sie davon nach, blieb liegen, lag wieder einmal für tot. Die Milchschwester begrüßte dieses Kunststück mit einer gellen Lache. Ihr Atem nahm schlechterdings kein Ende; wenigstens befürchtete man dergleichen, wenn man selbst durch die Umstände um alle Luft gebracht war. Zuletzt hörte Henri das Gelächter dennoch schwächer, wahrhaftig, es entfernte sich. Die Last, die er trug, gab ihn frei. Marie öffnete ihm die Decke, sie erklärte ihm in aller Kürze den Verlauf. Mit der Kante ihrer rechten Hand schlug sie auf ihren linken Arm, das heißt: jemand ist ausgerissen.

Henri sah selbst, daß die andere in ihrer blinden Wut das Feld geräumt hatte. Er stürzte nach der Tür, verschloß sie doppelt, schob den festen Riegel davor und blickte um. Marie lag bereit, wie sie geschaffen war. Sie empfing ihn mit den Worten: «Nach dem Gebot der Väter, zufolge meinen Pflichten gegen die Religion und weil mein Onkel, der Großherzog, es befiehlt, will ich von Ihnen den Dauphin haben.»

Erst nachträglich wird er bedenken, was sie da gesprochen haben mag, und wird kaum erbaut sein, sofern er es versteht. Hier und jetzt beschäftigen ihn weniger ihre Reden. Er hatte es mit einem umfänglichen Körper zu tun – würde die ausschweifende Fülle gewiß nicht beanstandet haben, solange er ohne Unterschied begierig auf alles Neue gewesen war. Das war er bei weitem nicht mehr, wie ihm angesichts der Fremden und ihrer dargebotenen Schönheiten bewußt wurde. Er hätte verzichten können; aber das erstemal, daß es vorkam – geschah ihm dies gerade bei der Frau, die seinen Dauphin gebären wollte.

Vor ihm, zwischen den dunklen Vorhängen des Bettes, lag eine Frau, der zu ihrer Erfahrenheit nichts übrigblieb. Die Ohnmachten des furchtsamen Jungfräuleins waren eine Sache gewesen – gut, es ist notwendig, sie vorzuführen. Eine andere Sache, ohne Umschweife den Mann zu nehmen, damit er seinen Dienst verrichtet. Ihre linke Hand umspannte die eine der gewichtigen Brüste, eine mächtige Welle Fleisches schlug über die Hand. Die andere hing geöffnet herab von einem überaus breiten, merkwürdig flachen Schenkel: eine Neuheit für den Betrachter. Die Töchter der fremden Länder, man wird sie in vieler Hinsicht kennenlernen; sie überraschen vorerst durch die Eigenheit ihrer Glieder. Keine Linie des Körpers, die nicht gefaltet und geschwellt wäre. Die geöffnete Hand drückte Verlangen aus, schwerfälliges, nacktes Verlangen. Der Bauch bebt, seine Masse lädt seitwärts aus, da er liegt. Die gewölbten Hüften beben. Anschaulich über alles ist die geöffnete Hand.

Da das Verlangen schön macht, werden hier Schönheiten angeboten, man muß sie nur verstehen. Der Kopf ist nach hinten über das Polster geschoben, was erstens das Opfer der Hingabe vortäuschte: eine keusche Dame will lieber nicht wissen, wie es weiterhin zugeht. Außerdem erlaubte die Haltung, das Gesicht verkürzt zu sehen, das kam zustatten. Es wurde schmaler, die Wangen, die sonst niederhingen, wurden gehoben, ein Einschnitt lief an ihnen hinauf. Der kann vom Elend des Leibes und Lebens die müde Spur sein, man muß sie nur verstehen. Schatten deckte die Haare, sie hätten leider ein fahles Blond gehabt, und verschloß die Augen, wozu ihr einfältiges Geschau in den hohen Vorgang mischen. Die scharfe Grenze der Beschattung verlieh dem übrigen Gesicht ein zartes Weiß, sonst seine Art nicht. Die Lippen gingen auf, man hätte geglaubt: unwillkürlich. Sie atmeten kaum, aber ihre Sprache, wenn sie eine gehabt hätten, man verstand sie.

‹Hier lieg ich, eine Fremde, und bin zu Ihnen, der mir fremd ist, weither gereist. Wir haben zusammen ein Geschäft, die Liebe ist es nicht. Sie haben andere geliebt, wundern Sie sich, daß ich andere liebe? Bin darum nicht glücklicher als Sie. Wollten Sie mich von meinem ganzen Anhang mit einem Schlag befreien, ich würde niemand mehr fürchten müssen, nur Sie allein. Sie wären mir über die Maßen verhaßt – sind es aber schon jetzt genug, denn ich und mein Sohn sollen Sie beerben. Um so heftiger verlang ich nach Ihnen, daß Sie an mir Ihren Dienst verrichten. Mein Busen, Bauch und Hände lügen nicht. Nehmen Sie zwischen den dunklen Vorhängen, nehmen Sie die viele weiße Leiblichkeit. Es ist die neue Mode des Jahrhunderts, sehr leiblich zu sein. Komm!›

Er ließ nicht warten. Seinen Eindruck hatte er dahin, und war noch nicht die halbe Minute vergangen – soviel benötigten andere, hinter der Tür, für ihr Geschäft. Gerade als das königliche Paar in seinen eigenen Angelegenheiten begriffen war, geschahen draußen ein Aufschrei, Sturz, Geräusche des Kampfes, der Flucht, allerlei Unvorhergesehenes, gesetzt, man wäre sonst eingeweiht. Es scheint geboten, nachzusehen. Die fleischliche Gattin hielt aber den Mann, nach vollbrachter Verrichtung, um so enger umschlungen. Sie redete oder lallte, die Augen noch geschlossen – das meiste blieb bewegte Luft ohne Sinn. Leonora, lallte das Stimmchen eines Kindes. Leonora, die Milchschwester, sollte zur Hölle fahren oder war schon unterwegs dorthin, kein großer Unterschied für die Gesinnung Maries. Ihn wollte sie behalten, er durfte die Gefahren hinter der Tür nicht aufsuchen, bis sie vollends versichert wäre, den Dauphin von ihm empfangen zu haben.

Sie hat ihn empfangen, sie weiß es, der Himmel hat ihnen beiden geholfen. Dauphin und Himmel, die zwei Worte verrieten ihm den Rest. Zum Unglück blieb es bei der geteilten Sorge nicht, obwohl schon diese in Wirklichkeit keine gemeinsame war, sondern die Fremde erwartete den Dauphin vom König und dennoch gegen ihn. In ihren Armen hätte er es erfahren, wär er nicht im voraus darüber belehrt. Jetzt stützte sie sich auf und begann ohne weiteres von den Vätern in Avignon: er sollte sie zurückrufen. Ihr schuldete er es für ihre Hingabe; außerdem war es das Gebot der neuen Zeit sowie der seelischen Lage Europas, beiden entsprach allein die Gesellschaft Jesu.

Sie verstärkte die Stimme, weil sie glaubte: wer laut spricht, wird verstanden und dringt durch. Wirklich erfaßte er die Unbeirrbarkeit, mit der eine fremde Macht ihn anredete, forderte und sich zu seinem Gläubiger aufwarf – alles im ehelichen Bett. Sobald er seinen Dienst erfüllt hat an dem Körper der Frau, verwandelt dieser sich in einen feindlichen Agenten. Aus das Lallen, Locken. Abgestellt die Keuschheit mitsamt dem Verlangen. Man ist eindeutig, kehrt offene Herrschsucht hervor und geht an die Dinge, die man weder begreift noch ermißt, mit der überlegten Einfalt der Fremden.

Nun trägt auf Erden die Dummheit in sich den Sieg, Henri verkennt es nicht. Er selbst, wenn er siegte, hat von Fall zu Fall nur Zeit gewonnen gegen die Dummheit. Hat er jemals geglaubt, es wäre für immer? Für sehr lange? Heute hofft er wenigstens noch: für seine Lebenszeit. Die Jesuiten werden wohl einst zurückkehren in das Königreich; er gibt bisher nicht zu, daß er selbst sie rufen könnte. Sein Volk soll weder vor ihren überladenen Triumphbögen knien noch von ihren blütenreichen Reden betäubt werden. Es soll von ihrem mystischen Theater das angenehme Grausen nicht spüren und sein bißchen Verstand nicht verlieren an die Geheimnisse der Zahl Sieben. Verfallen soll es weder den albernen Mißbräuchen des Geistes noch der Liebe zum Tod, die gegen die Natur ist. Wir sind da. Wir wachen. Es wäre noch schöner, ihre zahlreichen Schriften zur Rechtfertigung des Tyrannenmordes in das Land zu lassen. Hier, der König.

Das erkannte Marie von Medici, war darauf nicht gefaßt und erschrak überaus. Auf einmal sah sie den König im umgeworfenen Rock bei ihrem Lager stehen: sein Gesicht versprach das Schlimmste. Daß sie mit der Verbannung in ein Kloster davonkäme! Vor Angst schwankte sie zwischen zwei Ausflüchten. Die eine war, nochmals für tot zu liegen, diesmal so kalt wie Eis. Sie wählte die andere, sie begann französisch zu sprechen. Nun konnte sie es wirklich nicht; aber auf dem Schiff hierher hatte man ihr einen Liebesroman gegeben, damit sie die passenden Wendungen daraus entlieh. Wieder benutzte sie das schwache Stimmchen, das ihrer Leiblichkeit übel anstand. Sie sagte her: «O schöner Jüngling! Unter deinen Schritten wachsen Rosen. Sogar der harte Fels erinnert sich, daß er ein Herz hat, da du ihm nahest mit diesem edlen Anstand, einer Reinheit, der die ganze Natur erliegt. Der Felsen, eine verzauberte Jungfrau, wie wir wissen, vergießt lautere Tränen. Um deinetwillen rinnt fortan ein Quell, den vorher kein Schäfer erblickte.»

Was kann man dabei tun. Der Schäfer sieht seine Tränke nicht, die Königin nicht ihre Lächerlichkeit. «Madame», bemerkte Henri, «ich empfehle Ihnen vor allem, Ihre Aussprache zu verbessern. Damit vergeht die Zeit, inzwischen schweigen Sie von einigem, das nicht die verzauberten Jungfrauen angeht.»

Er war bei der Tür, er schob den Riegel fort. «Erlauben Sie mir, endlich nachzusehen, was draußen sich zugetragen hat.»

Draußen war es stockdunkel. Henri tastete durch den kurzen Gang nach dem Saal, wo die Königin ihn zuerst empfangen hatte. Hier regte sich etwas, man schien zu röcheln. «Wer da?» Keine Antwort, oder nur ein tieferes Stöhnen. Henri folgte ihm, endlich unterschied er bei dem letzten Fenster in einem Lehnstuhl die Gestalt, die kauerte und das Gesicht versteckte.

«Bassompierre! So verbringen Sie die Nacht? Warum melden Sie nicht Ihre Gegenwart?»

«Sire! Aus Scham. Ich habe einen Dolchstoß. Ein Mann wie ich von einer Zwergin.»

«Sie ist die Milchschwester», erinnerte Henri.

Herr de Bassompierre gab zu, daß sein Abenteuer daher ehrenvoll bleibe.

Dennoch war es zu einem Nachteil verlaufen. Wie das geschehen konnte? Schwer zu begreifen, ein übereilter Vorgang, wild, ungeordnet, jedem vernünftigen Plan entgegen. Die Absicht war gewesen, daß der Ehrgeizige aus seinem Vorhang den Fuß streckte und brächte die kleine Person zu Fall. Statt dessen sie ihn. Hat sie gewußt, daß in den Falten jemand eingewickelt ist? Sie reißt sie auseinander, er verliert das Gleichgewicht. Gerade, daß er vom Boden her noch ihre Fersen erfaßt, als sie über ihn fortsetzt.

«Wenigstens haben Sie die Milchschwester zu Fall gebracht.»

«Nicht, wie ich es mir dachte. Am Fußboden begann ich ihr meine Liebe zu beteuern, tatsächlich war ich gefaßt auf jedes Opfer. Indessen kämpfte sie mit den Krallen und Zähnen um ihre Ehre.»

«Tapfere Zwergin!» bemerkte Henri, und für sich selbst bedauerte er, daß die andere Milchschwester um so weniger ihre Keuschheit verteidigt hatte, weshalb sie nunmehr im Besitz des Dauphin war.

«Wie ging es weiter? Ist Ihre Verwundung schwer?» fragte er seinen ungleichen Gefährten dieser Nacht. Der Gefährte seufzte.

Er erklärte, wie er seinen kleinen Liebling auf den Arm genommen hatte, um ihn trotz aller Gegenwehr zu einem Lager der Lust zu tragen. Da er das Gebiß der Dame von seiner Nase fern halten mußte, bekam sie die Hand frei, um ein spitzes Ding zu schwingen, und zwar ohne weiteres gegen sein Herz. Ein Glücksfall, daß er die Waffe abfing, sie streifte nur seine Schulter, ohne tief einzudringen. Hierauf hatte er allerdings die edle Dame weit von sich geschleudert. Es tat ihm leid, es war kein zarter Verkehr. Noch hörte er ihr Gewimmer, wie sie nach dem harten Sturz auf allen vieren von dannen jagte und wurde nicht mehr gesehen.

‹Ist sie nicht hier im Saal versteckt und hört uns reden?› vermutete Henri. Was er für sich behielt: in dem dunklen Gang konnte Marie von Medici stehen und horchen.

«Schmerzt Ihre Wunde?» fragte er. «Wir sollten nach dem Wundarzt rufen.»

«Sire! Ersparen Sie mir die Schande», bat Bassompierre. «Die Leute würden zusammenlaufen. Gewisse Niederlagen verschweigt man.»

«Man verschweigt sie», wiederholte Henri. «Bald graut der Morgen, dann geht man seiner Wege.»

Dies gesagt, nahm auch er einen Lehnstuhl, beide erwarteten das Ende der Nacht.

Von dem Verrat

Dann folgten Festlichkeiten. Auch folgte ein neuer Anschlag auf das Leben des Königs, wurde aber geheimgehalten. Eines Tages gab der Legat den Neuvermählten seinen feierlichen Segen. Worauf Henri unverzüglich abgereist wäre, die Nächte mit der Fremden bedrückten ihn über Gebühr. Blieb indessen übrig der Friede mit Savoyen, ein schwieriger Abschluß, obwohl der Herzog verloren hatte. Er war bereit, den strittigen Teil seines Stammlandes abzutreten, nur gerade die französische Provinz Bresse hätte er behalten. Darin erkannten Henri und sein Großmeister eine niederträchtige Falle.

In Savoyen waren die Ketzer zahlreich und wurden verfolgt. Setzte der König von Frankreich einen protestantischen Gouverneur ein, bekam er es alsbald mit dem Papst zu tun, sonst aber mit denen von der Religion. Sein Großmeister versicherte ihm schon damals in Lyon: alles wäre abgekartet zwischen Savoyen und Biron.

«Sire! Sie werden sehen, daß Biron unbelehrbar und nicht zu retten ist. Sie machten ihn zum Admiral, Marschall, Herzog, Pair. Sie vertrauten ihm die Regierung von Burgund, dort war der Gouverneur noch jedesmal ein Prinz von Geblüt. Er hielt in seiner Hand eine Grenze des Königreiches und sollte es schützen. Sie wissen, was er statt dessen getan hat.»

«Ich weiß es nicht, da ich es nicht glauben kann», erwiderte Henri. «Der Verrat ist gegen die Natur.»

Sully: «Das ist nicht Ihre wahre Meinung. Sie kennen unsere menschliche Verfassung, die des Verrates bedarf, und wäre er ganz unnütz, ein bloßer Übermut und Verlockung in das eigene Verderben.»

Henri: «Wie klug, Großmeister. Dennoch denk ich an einen, der niemals –»

Er schloß den Mund. Auch der beste Diener, er hat Gabriele d'Estrées verraten – wird ewig unbegreiflich sein, warum.

Sully, nach einigem Schweigen, sehr gedämpft: «Gesetzt, es gäbe einen, so sind es keine zwei.»

Dies mit einem Blick aus blauem Emaille, der dem König sagte: Sie selbst haben Ihren Glauben verraten, was genug wäre, und wie viele Menschen, wie oft Ihr Wort! Ob es sein mußte?

Henri fragte in seinem Herzen selbst, ob es hätte sein müssen, fand aber die Antwort nicht. Wenigstens erreichte er bei dem Großmeister, daß sie abwarten und Marschall Biron prüfen wollten. Sully hinterließ dem König eine namentliche Warnung.

«Er wird von Ihnen die Stadt Bourg-en-Bresse verlangen; dann haben Sie den Beweis, daß er verschworen ist, Ihren Feinden das Königreich zu öffnen.»

Als Biron wirklich eintraf, begleitete den Reiter viel Volk. Die ganze Straße wollte den berühmten Kriegsmann sehen; auch war er durchaus sehenswert, das hochgefärbte Gesicht, die furchtbar starken Schultern und Arme, kein Lastträger hätte mit ihm gerungen, er zerdrückte jeden. Er bekam gern blutige Augen wie ein Stier, am Leibe trug er dreißig Narben, er hatte immer und unfehlbar gesiegt, die Eroberung Savoyens war nur sein Werk. Dies die Meinung der Leute, die ihn meistens mit seinem Vater zusammenwarfen und hielten beide für dieselbe Person. Genug, daß Marschall Biron der volkstümliche Kapitän war, und nicht der König war es.

Der Jubel der Straße trug den Verräter über beides hinweg: Bedenken, falls er sie gehabt hätte, und Befürchtungen – die hatte er. Der König war dem Hinterhalt ausgewichen, er nahm keinen Fußbreit von Savoyen, er behielt die Bresse, eine französische Provinz. Wieviel wußte er von dem Verrat? Nichts, glaubte Biron nach seinem Empfang beim Volk. Weiter glaubte er, daß einen Volkshelden niemand anrührt.

Mit finsterer Miene trat er vor den König, der heiter und freundlich schien. «Das war eine schöne Belohnung Ihrer treuen Dienste», sagte Henri und wies aus dem Fenster. Biron streckte prahlerisch seinen breiten Bauch vor. Er entgegnete: «Das Volk kennt mich. Ich wäre ein Roland, wenn Sie ein Karl der Große wären. Aber mit Ihrem Friedensvertrag, den die Furcht diktiert hat, vertun Sie, was meine Tapferkeit gewonnen hatte. Ich bedaure Sie, Sire» – stieß Biron wütend aus, weil er vorher Angst gehabt hatte.

Henri ging auf die Anmaßungen nicht ein. Er zeigte dem Marschall eine kleine Statue des Gottes Mars, sie trug die Züge des Königs, die Stirn mit Lorbeer bekränzt. «Vetter, was denken Sie, daß mein Bruder von Spanien hierzu sagen würde?»

Anspielung und Warnung, Biron überhörte beide. «Der!» murrte er. «Sie fürchtet er wohl nicht.»

Henri schlug ihn auf den Bauch und lachte.

«Ein drolliger Junge, wird aber fett. Kurz, ich mag ihn leiden.»

Infolgedessen bekam das Gesicht des Dummkopfes ein noch dunkleres Rot. Sein Blick, bisher stumpf, begann zu irren und zu flackern. ‹Ist es möglich?› dachte Henri. Der Wahnsinn, immer er. Wenn mein Großmeister wüßte, wie bald ein schwacher Geist ausschweift, er würde den Verrat als eine Krankheit behandeln. Im vorgeschrittenen Zustand widersteht sie allerdings der Kunst.

«Vetter», sagte er, «wieviel Geld ist nötig, um Ihre Schulden zu tilgen?»

Biron: «Meine Gläubiger – ich müßte mächtiger werden als Eure Majestät, damit ich meine Gläubiger befriedigen kann.»

Henri: «Ein gefährlicher Scherz, aber er ist gut. Man mache etwas aus sich, was wäre man sonst.»

Biron: «Geben Sie mir Bourg-en-Bresse!»

Da ist es heraus. Der Verräter hat die Prüfung abgelegt. Henri betrachtete ihn traurigen Gemütes.

Henri: «Wozu benötigen Sie die Stadt?»

Biron: «Ich habe sie erobert.»

Henri – traurig, obwohl schärfer: «Sie hatten auf Ihren Fersen die Leute des Großmeisters, daher gingen Sie den geraden Weg.»

Biron: «Die Spione Ihres Großmeisters. Ein König, und traut seinem Marschall nicht.»

Verbissene Wut, der Mann wird nichts ablassen, nichts eingestehen. Henri griff zu der Sprache der Majestät. Nahm Abstand von dem Mann und versicherte ihn kalt seines Vertrauens. Das war der rechte Ton, den Besessenen kurz zur Besinnung zu bringen. Er machte seine Stimme frei, blieb aber heiser, stammelte und murrte: «Sire! Die Versuchung lag nahe. Jeder Große Ihres Königreiches bekommt Gelegenheit, auf Ihre Kosten größer zu werden. Man fürchtet Sie nicht.»

«Bis es zu spät ist», sagte Henri, nicht laut genug, um verstanden zu werden. Der Verräter betrachtete ihn mißtrauisch: was das heißen will, wieviel er eingestehen muß. Endlich maulte er etwas vor sich hin, von dem Geld, das Spanien ihm allerdings habe zukommen lassen, was verschlägt es für seine durchlöcherten Taschen. Ihn macht niemand reich. «Wenn ich nicht auf dem Schafott sterbe, dann im Hospital.» Hiermit beschloß er sein Geständnis; fügte aber ohne Aufenthalt hinzu, daß der König ihm verzeihen solle, er habe nur verhandelt, nichts wirklich getan, und danach einen Punkt hinzusetzen, wäre besser für sie beide.

Henri, plötzlich stark: «Womit drohen Sie mir?»

Biron, geduckt: «Ich bitte im Gegenteil die Majestät um Ihre gnädige Verzeihung.»

Henri: «Was ich bis jetzt weiß, ist Ihnen verziehen.»

Biron: «Alles, ob ich es beging oder nicht?»

Henri: «Was ich weiß – und mehr werden Sie nicht begehen.»

Schnell war er bei dem Freund, er umfaßte seine Schulter. «Wir beide», sagte er ihm in das Ohr.

Henri: «Wir beide – einander verraten? Um welchen Preis – da Geld Ihnen nicht helfen kann, und nach meinem Verschwinden wären Sie kein berühmter Marschall Biron mehr; dasselbe Volk, das Ihr Pferd am Zügel geführt hat, es würde Ihnen ausweichen. Sie müßten durch fremde Länder flüchten. Ihr Herr wäre mein armer Bruder von Spanien, der nicht der alte Weltbeherrscher ist.»

Biron – in Verwirrung, in sichtbarer Not: «Hüten Sie sich, Sire! Philipp der Dritte mag schwach sein. Mörder kann auch er Ihnen schicken!» Kaum war das Wort gefallen, sah er den König erschrecken.

Die Stelle, wo Henri schwach war, der Verräter hatte sie berührt – nicht in der Absicht, den König einzuschüchtern, er selbst war unsicher genug. Da er den König erschrecken sah, fand er sogleich den Mut zu seiner Sache wieder. Der König fürchtet weder die Feldschlacht noch die Belagerung, an seinem Körper sind Narben, obwohl keine dreißig, aber die hat auch Biron nicht. Er wäre vor dem Feind schon oft gefallen, das letztemal wollte sein eigener Marschall ihn aus der Festung erschießen lassen. Hat Henri es vergessen? Den gewaltsamen Tod kennt man unter mehreren Gesichtern: nur das eine macht ihn schaudern.

Biron, mit der düsteren Stumpfheit vom Anfang des Gespräches, seine Augen sind ohne Anteil: «Bezeugen Sie mir, daß ich Sie gewarnt habe. In Wahrheit ist das der ganze Zweck, weshalb ich mit gewissen Verschwörern halbwegs zum Pakt kam. Ich bin und bleibe Ihr kerniger Marschall.»

Henri: «Mein Wunsch ist, Ihnen zu glauben.»

Biron: «Und mir zu danken. Geben Sie mir Bourg-en-Bresse.»

Henri: «Nein.»

Biron, im Abgehen: «Sire! Bedenken Sie sich gut. Ich bin Ihr kerniger Marschall.»

Nach der geschlossenen Tür sprach Henri: «Wird wirklich einiges Grübeln vonnöten sein, damit ich dich, mein Freund, vor dem Richtblock bewahre.»

Er reiste unverzüglich nach Paris. Sein Vorwand war die geliebte Marquise, er wollte nach allen den amtlichen Nächten mit der fremden Königin seine Französin endlich wiederhaben. Indessen schickte er der Königin, wie es ihr zukam, Briefe mit der Anrede «Teures Herz». Henriette erhielt immer nur den Titel «Mein Herz» und empfand den Unterschied. Sie machte ihm die bekannten Auftritte, die ihn zerstreuten, ohne daß sie ihm lange den Atem versetzten. Sie war alles, was er für französisch ansah; das hatte sehr an Wert gewonnen seit seiner Heirat. Überdies erwartete sie von ihm ein Kind, wie bald erwiesen war, und Henri freute sich darauf, sein Dauphin selbst konnte ihn nicht lebhafter bewegen.

Beide Frauen betrogen ihn um die Wette von vornherein und ohne Aufschub. Die Untreue der Königin war ihm lästig, aber lästig war sie selbst ihm ohnedies. Er empfing sie nicht einmal bei ihrer Ankunft im Louvre. Es war am Abend, das Königsschloß ganz ohne Licht, ihr Personal verspätete sich, die Fremde mußte allein durch das dunkle Gebäude tasten, die Treppe hinauf, über öde Säle. Was von der Einrichtung hervortrat, war abgenutztes Zeug, der Aufenthalt ärmlich und unwürdig ihres Ranges. Sie hätte die Nacht in Tränen verbracht, wenn eine so große Prinzessin weinen dürfte. Nach ihrer Natur vergaß sie nie, ihr ganzes Leben nicht, daß sie damals geglaubt hatte, sie wäre gar nicht im Louvre und werde verhöhnt. Ein Anlaß mehr, sich zu rächen, und kam zum übrigen.

Die Rachsucht seiner Marquise hat Henri besser unterhalten, sie ist voll Abwechslung und reich an Stürmen, Henriette wird seinerzeit versuchen, ihren Sohn nach Spanien zu entführen; der Streit um die Nachfolge des Königs soll entbrennen, der alte spanische Feind dem Aufruhr zur Hilfe kommen wie je. Sie steht im Bund mit allen Verschwörern: dies schon hier, als er seinem Marschall Biron auf der Spur ist, und bemüht sich dringend, ihn vor dem Henker zu retten.

Nun hat sie einen tollen Kopf; redet was zu verschweigen wäre, läßt Briefe umherliegen – alles, damit ihr bejahrter Liebhaber sie ernst nehmen soll. Endlich bekommt sie ihren Willen, er fordert Rechenschaft, anstatt daß er sie tanzen, mimen und billige Scherze verüben läßt. Er droht mit Bestrafung, sie lacht ihn aus. Sie schreit ihm nah am Mund mit ihrer gebrochenen Stimme, in die er nun einmal vernarrt ist: «Verbannen Sie mich doch in ein Kloster, damit ich Ruh vor Ihnen habe. Sind Sie so schön? Riechen Sie vielleicht gut?» Auch das gab sie von sich, keineswegs nur unter vier Augen. Die Folge war, daß Henri mehr Wohlgerüche anwendete, seine böse Marquise aber spielte Szenen nach ihrem Sinn.

Als er von der umfänglichen Verschwörung das meiste durch sie herausgebracht hatte, wünschte er allein noch, ihre Geschwätzigkeit aufzuhalten. «Madame, Ihre gefährlichen Geheimnisse dürfen nicht an die Öffentlichkeit. Solange nur ich selbst sie kenne, will ich alles tun, damit Sie verschont bleiben. Hüten Sie sich! Auch Graf Essex glaubte an sein Glück, weil eine Königin ihn liebte, und trieb den Verrat als sein gutes Recht. Zuletzt mußte meine Schwester von England ihm den Kopf abschlagen lassen – ihr eigener Nacken schmerzt sie seitdem.»

Die verrückte Person reckte sich, so lang sie konnte. Höhnisch rief sie: «Ja. Aber die ist ein Mann.»

Der König lachte diesmal nicht.

Er bereiste denselben Sommer die Provinzen, wo die Häupter der Verschwörung saßen; kannte nunmehr alle, und soviel hätte sein Großmeister ihnen nicht beweisen können. Epernon in Metz, Bouillon in Sedan, sogar der Gouverneur von Languedoc, sein Connétable Montmorency dabei, alle behaupteten standhaft, daß sie treu wären. Der König hatte Soldaten mitgebracht; sie sahen sich durchschaut, um so standhafter ihre Versicherungen. Indessen war er nicht gekommen, um sie lügen zu hören. Er hatte es durchaus nötig, sie unsicher zu machen, was auch eintraf. Er war überdies begierig nach dem Anblick von Verrätern, eine Übung seiner alten Erfahrungen mit Menschen. Besonders sein Gevatter, der Connétable, vermehrte seine Erkenntnis, wenn nicht sein Herzeleid.

Aber die Spanier belagerten zu der gleichen Zeit das flämische Ostende: daher mußte Henri seine Verschwörer unsicher machen. Seine Freundin von England bot ihm damals dringend an, daß sie den Niederlanden helfen sollten: ein Bündnis zum Angriff, Elisabeth ist damit nicht freigebig. Indessen darf er gerade jetzt sein Königreich nicht verlassen. Wollte er den Rücken wenden, sie würden hinter ihm ihren unsinnigen Aufruhr betreiben, kein feindlicher Einbruch schreckte sie ab. Der König allein reist bis an die Küste. Allein besteigt er die Mauer in Calais, er horcht auf die Kanonen von Ostende; er verzehrt sich, seine Ohnmacht schmeckt ihm sehr bitter.

Wenn er nun in langer Müh und Arbeit dies Land und Volk sowohl besser als glücklicher gemacht hat: sie dulden einander mitsamt ihren Glaubensbekenntnissen, was viel ist, und haben wirklich des Sonntags ihr Huhn im Topf, oder doch mehrere von ihnen als vor diesem König – stände es für diesmal erträglich, dann keine Zeit verloren, dann wirft sich zwischen ihn und sein Gelingen der Verrat, ein geiferndes Tier von kaltem Blut, man möchte es nicht anfassen. In Calais auf der Mauer, gegen den Sturm hält Henri sich an eisernen Ringen fest; er leidet von Grund auf, weil nichts fest steht, nichts ihn schützt vor dem Abstieg und Verfall. Das Wissen hat niemals ausgereicht, was weiß ich. Aber unsicher wie das Wissen ist die Tat. Bleibt nur sein Mut und Festigkeit, und müssen ihm weiterhelfen von Stunde zu Stunde.

Drüben in Dover war diesen gleichen Tag die Königin, seine Verbündete, eingetroffen und wartete auf ein Wort, das er nicht sprechen durfte. Ihre Schiffe wären abgefahren, hätte er seine Truppen marschieren lassen. Nein, er bedurfte derselben Truppen gegen den Verrat. Elisabeth schickte ihm Botschaft, er sollte alle Verräter fangen und hinrichten, zuerst seinen Marschall Biron. Er sagte: «Sie ist gelehrt, ein Doktor in Verschwörungen, und kuriert den Verrat nach Art des Chirurgen mit dem Beil. Ich bin gegen sie im Nachteil, da ich oft erfahren habe, daß Gewalt nicht entscheidet. Sondern nur die Liebe entscheidet.»

Er sagte für sich: ‹Meine beiden Frauen, ich liebe keine von ihnen, und daher ihr Betrug. Ich habe sie gekauft, die Königin wie die Marquise. Wenn sie mich betrügen, wollen sie ihre Erniedrigung vergessen. Die Frauen, die uns Hörner aufsetzen, verteidigen ihre Persönlichkeit. Das ist viel oder wenig; wer sie nicht liebt, mag sich abkehren. Aber Biron? Ihn hab ich geliebt, und retten will ich ihn noch jetzt. Es wird ein schweres Stück sein gegen meine Freundin von England, gegen meinen Großmeister.›

Von seinen Reisen zurück, ging er in das Arsenal – nicht mit Freunden; was er zu enthüllen dachte, war nicht ehrenvoll, weder für seine Herrschaft noch für seinen Namen.

Rosny teilte keineswegs das Erstaunen seines Herrn über all den Verrat, einen unsinnigen Verrat, der niemals den Verrätern nützen könne, sondern war ein Angriff auf den allgemeinen Besitz und Boden. Nicht die Herrschaft eines Königs soll stürzen, das Land, die Nation wären verloren! Widerstreitet es nicht der gesunden Vernunft? Zu schweigen von dem geschuldeten Gefühl.

Der gute Diener dachte sich das Seine. Wer in der Macht ist, begreift wohl nie, warum er bedroht wird. So einfache Erklärungen hatte Rosny. Ihn verwunderte nur, wie viele Einzelheiten der König kannte. Er legte aber den Finger auf die schmerzhafte Stelle, er erwähnte Herrn d'Etrangues, Vater der Marquise. Henri unterbrach ihn sogleich. «Gegen ihn haben Sie keinen Beweis. Im Gegenteil hat die Marquise das meiste getan, um mich aufzuklären.»

Das hatte der Minister hören wollen, er beschloß Haussuchungen bei der Tochter wie bei dem Vater. Henri glaubte seine Marquise geschützt zu haben, jetzt verlangte er Aufschub für seinen Biron. «Erstens haben wir ihn nicht, vielmehr besitzt er ein Heer und Kanonen.»

«Wir werden ihm denn die Kanonen wegnehmen», versprach der Unbestechliche.

«Viel Glück», sagte Henri. «Leichter wäre es, zuerst die anderen zu verhaften.»

Der Unbestechliche verlangte dennoch den Kopf des Marschalls Biron. Zuletzt hatte Henri den kalten Schweiß auf der Stirn, so angstvoll kämpfte er um seinen verirrten Freund.

Der Unbestechliche, ruhig und klar wie je: «Sie wissen, Sire, daß Sie nach Flandern mit Ihrer Armee nicht abgehen dürfen. Hinter Ihnen bräche ein bewaffneter Aufstand aus.»

«Sie sprechen die Wahrheit.» Henri war auf einmal nüchtern wie sein guter Diener.

«Meine Freundin von England rät mir, jeden meiner Verschwörer einen Kopf kürzer zu machen: so geschehen mit ihrem eigenen Liebling Essex.»

«Dies und sonst nichts ist die Wahrheit», wiederholte der Großmeister. «Der erste, den Sie kürzen müssen, ist Biron.»

«Über ihn ist entschieden», schloß Henri. «Er geht als Gesandter nach London, er meldet meiner Freundin von England, daß ich mich verheiratet habe. Er wird als ein anderer zurückkehren.»

Dies bezweifelte Rosny; er bemerkte indessen, daß der König sein letztes Wort gesprochen hatte.

Biron fuhr wirklich nach England. Die alte Königin rühmte ihm seinen Herrn. Nur einen Fehler habe König Henri, seine Milde. «Sagen Sie ihm, wie man mit Verrätern umgeht.» Sie zeigte dem Gesandten aus ihrem Fenster einen Gegenstand; hat ihn immer vor Augen und kann ihn betrachten: der Kopf des jungen Essex, den sie geliebt hatte. Nur noch der Knochen übrig, aber Biron ist an Totenschädel gewöhnt, er fürchtete sie nicht mehr als Elisabeth selbst. Der Anblick und ihre Erklärungen, sie sah wohl: Biron ließ sich durch gar nichts warnen. Das schrieb sie dem König von Frankreich, bevor Biron noch zurück war.

Während seiner Abwesenheit hatte einer seiner Agenten geredet, und der Verräter war selbst verraten. Seine Mitverschworenen trauten ihm nicht mehr, da er als Gesandter des Königs auftrat. Sie sahen: der König weiß alles, und er trifft sie mit Gegenschlägen: auf einmal entzieht er ihnen den Stadtzoll. Aber wovon wird ein Herr reich genug, um Krieg sogar gegen den König zu führen, wenn das Volk ihm nicht mehr die Zölle zahlt? Der Schrecken fuhr ihnen in die Glieder, sie reisten an das königliche Hoflager, anstatt daß Henri sie heimsuchen mußte. Der mächtige Herzog von Epernon beteuerte Herrn de Rosny, schließlich nur ein Minister, daß der König keinen Grund habe, geheime Beratungen abzuhalten, niemand denke an Auflehnung. Der Großmeister bat ihn, es dem König selbst zu sagen; gerade dies wagte man nicht mehr.

Man hatte den Haß gegen den König besonders bei dem protestantischen Volk genährt: als wäre die Absicht des Königs, die festen Plätze der Hugenotten nicht länger mit seinem Geld zu unterhalten. Wohingegen er in seinem Arsenal die Geschütze ansammelte, um alle Freiheiten der einen und der anderen Religion zu brechen. Der bedeutendste Verschworene war selbst Protestant, Turenne, jetzt Herzog von Bouillon, ein reicher Fürst, und wird seinen Hochmut nie ablegen. War vormals mit Henri arm gewesen, und die Aussichten des Königs hatten nicht besser gestanden als seine. Ein Gefährte aus mageren Jahren ist der letzte, Maß zu halten, wenn die fetten kommen. Wie, der andere Hungerleider von einst sollte nunmehr über ihm stehen? Dieser König ist der Feind jedes freien Herrn im Königreich, zuallererst derer von der Religion, und dankt seinen Protestanten die alten Schlachten nicht. Das wurde geglaubt, weil es aufgebracht wurde von denen, die etwas hatten und meistens zuviel.

Henri, dem von überall berichtet wurde, sah sie abfallen; das protestantische Volk war gegen ihn mehr als das katholische, bei dem er wenigstens soviel gewann, als der Stadtzoll wert war. Außerdem erinnerten die papistischen Gemeinen sich, daß er ihre Bedrücker noch immer besiegt hatte, indessen seine eigenen Gewissensstreiter von einst ihm sogar sein Edikt vergessen hatten. Er hat damals sehr furchtbare Zweifel erlitten – neigte ohnedies zum Zweifel. Jetzt die umfassende Verschwörung, gewiß fällt sie auf ihn selbst zurück. Man wird nach vielen Taten und der gelungenen Aufrichtung eines Königreiches nicht umsonst von allen aufgegeben und bleibt allein wie am Anfang.

Er bestellte seinen Rosny nach Fontainebleau – war allerdings versichert, daß seine tiefinnere Unruhe und Bedenken wegen eigenen Verfehlens keine Sache für seinen Großmeister wären. Darüber schweigt Henri, bleibt auch hiermit allein. Bouillon und sein bärtiger Freund de la Trémoïlle sind abgereist nach ihren Ländern. Weder d'Epernon noch sonst einer hat sich halten lassen. «Ich hätte ihnen denn die Wahrheit ins Gesicht gesagt.» Er schwieg bis jetzt darüber, daß er ihrer aller Verrat als seine Schande fühlte.

Sein guter Diener lobte ihn für die angewendete List und Verstellung. Um so eher werde der Anführer des verbrecherischen Unternehmens in die Falle gehen. Natürlich meint er Biron, er dürstet nun einmal nach seinem Blut. Der König nimmt Schritte, zu lang für diesen kleinen Garten, soviel sah Rosny. Ich muß ihm etwas erzählen. Nicht ungeschickt, der gute Diener verstand die Belehrungen wie auch den schwersten Entschluß unscheinbar zu machen: er entwaffnete den Herrn durch Beispiele von früheren Menschen oder durch einen Bericht der Alltäglichkeiten, die neben dem Ungeheuren immer einherlaufen, und das Ungeheure selbst wird in ihrer Nähe alltäglich.

Marschall Biron hat keine Kanonen mehr, dem Großmeister ist ein Kunstgriff geglückt. Er hat dem Gouverneur von Burgund eingeredet, daß die seinen nicht mehr taugen. Der Gute hat zugelangt, er hat das alte Material den Fluß abwärts geschickt, und wie verabredet ist das Schiff mit den neuen Geschützen entgegen nach Dijon gefahren. Ist nur leider bei Nacht und Nebel verlorengegangen, bis es unversehens beim Arsenal wieder anlegt, dort sind auch die Kanonen des Marschalls schon eingetroffen. Ein guter Streich, dem König bleibt nur übrig zu lachen.

Rosny, im Gegenteil mit vollem Ernst: «Sire! Hier geht es um Ihr Königreich. Überwinden Sie alles, Ihre Erinnerungen, Gefühle und –»

«Und die Schande», ergänzte Henri, worüber sein Diener stutzte; dachte nach, fand aber die Ursache nicht für dies Wort.

«Überwinden Sie alles», verlangte er um so eindringlicher. «Das Beispiel, das Sie an dem Mächtigsten Ihrer Feinde vollstrecken –»

«Mächtig, ohne Kanonen?» fragte Henri. «Entwaffnet, arm, ein nackter Bettler?» fragte er. «Ich kann ihn laufenlassen, ihm bleibt nichts übrig als ruhelose Flucht.»

«Nach Spanien.» Sully sprach langsam und schwer. «Sire! Er ist von der Gnade aufgegeben. Sie haben das Recht nicht mehr, ihm gnädig zu sein.»

Henri erschrak heftig. Ein donnerndes Urteil von oben hätte ihn nicht stärker abrufen können, damit er zurückkehrte unter den Befehl und die Pflicht. Sein strenger Diener war klug genug, ihn allein zu lassen, bevor der König gewahr wurde, er wäre abberufen und unter Befehl gestellt.

Hier ist der kleine geschlossene Garten des Schlosses Fontainebleau, ein Garten der Prüfungen: der Geprüfte spricht mit seinem Gewissen. Niemand mag ihn stören, obwohl man von weitem zusieht, die Königin und der Minister aus den Fenstern, und ebenso heimlich spähen Neugierige durch die Hecken.

Mehrere Tage, bis Biron eintreffen kann, hat Henri ihn im Geist begleitet. Manchmal rät er ihm, umzukehren, zu fliehen; öfter bittet er ihn, zu bekennen, an seine Brust zu sinken. Den dreizehnten Juni, morgens früh in diesem Garten, denkt er: ‹Der Mann kommt nicht›, sagt es auch seinen Leuten, die bereit sind und die Hecken umstellen. Biron ist gewaltsam; seinen Feind Rosny will er erdolchen, er hat es geschworen, aber was hätte er sogar als Königsmörder noch zu verlieren? Henri beruhigt hierüber die anderen.

Dies ist der erste Fall, daß er das Messer ohne Furcht erwartet. ‹Wär ich nicht mehr begierig zu leben? Ich war es äußerst. Biron – sein Weg hierher, sein Weg in den Tod, so beschwerlich und lang, ich mach ihn mit ihm. Auch die glücklichen Straßen dieses Königreiches ritten wir vordem vereint.› Er meinte noch mehr den Vater als den Sohn, warf sie zusammen wie das Volk. ‹Sollte ich mich trennen und abscheiden von den Meinen? Da sie es sicherer finden, zu meinen besiegten Feinden überzulaufen, was ist es mit mir? Nur wer sich selbst verläßt, ist verlassen, und verrät mich keiner, ich hätte mich denn verraten.›

Er ging in sich, er suchte verzweifelt nach den Ursprüngen des Verrates – ach! sie erklären nichts.

‹Bin ich es, der die geweihte Majestät vom Himmel auf die Erde versetzt hat – an meine Schöpfung hab ich nie geglaubt. Bei mir ist nicht jeder Tag ein heiliges Fest. Ich war der Tyrann nicht, den sie gehaßt und verehrt hätten. Es ist vergebens, den einen nur ihren Überfluß zu nehmen anstatt gleich alles, und die anderen nur des Sonntags satt zu machen. Wen hab ich von seiner Dummheit befreit, wen von seinem Wahnsinn. Wer daran scheitert, ist ihr Befreier nicht. Meine Art hat es dahin gebracht, daß ich den vorigen Anschlag auf mein Leben geheim behandeln und verschweigen mußte. Biron, erspar mir meine Unehre, sie wäre zu laut. Sie schreit entsetzlich von deinem Blutgerüst!›

Draußen entstand Bewegung, Henri meinte schon, die gefürchtete Stunde beginne jetzt. Indessen war es ein unbekannter Bürger, der nach dem König verlangte mit einer Inbrunst, einem Schmerz, daß man ihn endlich in die Laube ließ. Er fiel auf die Knie und bat die Majestät um das Leben seines Neffen, den das Gericht verurteilt hatte, zu sterben. Der König hatte unterschrieben, er kannte die Umstände, sie erlaubten Gnade nicht. Er erbleichte während des Jammers dort vor ihm am Boden. Ein armer Junge wird das Gerüst besteigen; du, König, kämpfst heimlich mit einem Verräter, daß er dich freiläßt.

Zu dem Mann am Boden sprach er: «Sie tun als Onkel nach Gebühr. Ich muß tun, was dem König gebührt.»

Von Stunde an war er mit Biron im reinen. Der traf dann ein, war auch bestimmt erwartet worden und hatte nichts an seinem Sinn geändert, was gleichfalls vorgesehen war. Von außen wurde beobachtet, wie die beiden umhergingen zwischen den Hecken: der König still und fest, der Marschall in heller Wut wegen des ungerechten Verdachtes, besonders aber, weil er entwaffnet ist. Abwechselnd schlug er mit Schwung seine unschuldige Brust und klagte den treulosen Rosny an, der hat ihn verraten. «Wären Sie gar von mir verraten?» fragte Henri; dem hartnäckigen Lügner verschlug es das Wort.

Darauf umarmte der König ihn, zeigte ihm ringsum, daß sie allein wären, er möge sich ihm anvertrauen. «Ich!» rief Biron. Die finstere Besessenheit rief.

Man sah sie hervorkommen, den einen heiter, aber der zweite schnob von unerträglichen Kränkungen. Bei Tisch mit dem ganzen Hof, Biron gegenüber dem König, war die Rede nur von dem belagerten Ostende. Henri sagte: sein Bruder von Spanien mitsamt den spanischen Ministern müßten alle zittern, daß er seine Verräter bestrafe. Der Krieg in Flandern wäre für Spanien alsbald verloren. Biron schlang die Speisen und blieb verschlossen, so leicht in ihm zu lesen war. ‹Wag es!› sagte sein gerötetes Gesicht. ‹Du bist nicht mehr der König deiner Edelleute. Jetzt ruf dein gemeinsames Volk, ob es für dich sterben will wie einstmals wir.›

Nach dem Mittagsmahl führte Henri den Unglücklichen in denselben kleinen Garten. Als wäre noch nichts verloren, rang er um eine Seele: die war schon weggestorben. «Herr Marschall, kommen Sie zur Besinnung, das sind Sie, hier steht Ihr König Henri. Sie haben keinen anderen, der Sie lieben wird. Was immer Savoyen gegen Sie in Händen hat und das Gebot zu schweigen, das Spanien Ihnen hierher mitgab, vergessen Sie's! Ich vergesse alles nach Ihrem ersten freien Wort.»

Frei, das war Biron nicht mehr. In Lyon, bei all seinem Zorn und Hochmut, mag er es noch gewesen sein. Hier will er sein Geschick, obwohl er daran nicht glaubt; ist erstarrt, mit Stummheit geschlagen und schon dem Richtplatz zugewendet. Henri zählte die Viertelstunden, gab sie sich bis zur vierten, und auch die fünfte noch. Plötzlich brach er im Satz ab, ließ die Hand fallen und ging schnell in das Haus. Mit Rosny und der Königin schloß er sich ein.

Der Minister forderte für die Sicherheit des Staates den schuldigen Kopf, hatte aber nicht nötig, viel zu reden: die eifrigste war die Königin. Ihr Gemahl denkt einen Verräter zu schonen; seine Sache, ob er den Thron verlieren will, Marie von Medici ist indessen nicht gesonnen. Sie weiß, daß der König für den Fall seines Todes einst denselben Biron eingesetzt hatte, damit er seine Maitresse und ihren Bastard beschützte. Wählt er den Mann seines Vertrauens falsch, Marie darf dafür nicht büßen, ihr Sohn, der Dauphin, soll unter der Regentschaft seiner Mutter aufwachsen.

Das Wort ist ausgesprochen: Regentschaft. Marie kennt es in jeder Sprache. Mittlerweile drückt sie die Gegenstände, an denen ihr viel gelegen ist, in ihrem Französisch aus – nicht angenehm zu hören, aber treffend. Henri versteht, daß über die Zeit nach seinem Tode verfügt und mit ihr schon gerechnet wird. Er ist vorläufig da. Sterben, sogleich sterben muß sein Jugendfreund, Gefährte seines Aufstiegs und seines abgelaufenen Jahrhunderts. Nicht angenehm zu hören, das Französisch der Fremden beiseite. Was man ihm vorhält, ist die Ordnung, ist das natürliche Gesetz; gleichwohl wird ihm um einiges kälter.

Die Umstände wechseln zu schnell für das empfindliche Alter, in das er eintritt. Vereinsamen, die letzten in den Tod schicken, bevor er ihnen folgt – und kein Aufschub? Lassen wir die Fremde. «Herr de Rosny?»

«Sire! Da Marschall Biron über Ihre Absichten keinen Zweifel mehr haben kann, würde er fliehen. Er muß verhaftet werden.»

«Nicht vor Mitternacht», bestimmte Henri.

Den Abend wurde Karten gespielt. Die Gesellschaft ging endlich auseinander, ungebeten blieb Biron bei dem König zurück. Henri sah, daß der Mann an Flucht nicht dachte. War er nicht vollends umnachtet, dann hellte gewiß zu dieser Stunde sein Geist sich auf: dem König klopfte von der Hoffnung das Herz. Noch einmal beschwor er die alte Freundschaft, ach, ihm begegneten trockene Augen, ein Mund, der schweigen mußte – und Mitternacht schlug.

Henri wendete sich ab, ging Schritt für Schritt in sein Kabinett, zögerte noch, die Tür zu schließen. Nach einer qualvollen Minute öffnete er sie wieder – Biron stand auf dem Fleck, gebannt von seinem Wahn.

«Gott befohlen, Baron Biron» – Henri nannte ihn mit seinem alten Namen aus den zwanzig Jahren ihrer gemeinsamen Gefahren und Wunden. Hört nur keiner mehr. «Verstehen Sie, was ich gesagt habe?» Nein.

Gleich im Vorzimmer ist Marschall Biron verhaftet worden, hat ungestüm angegeben, als nähm er es für einen üblen Scherz, und hat weiterhin die Rolle der verratenen Unschuld durchgeführt – in der Bastille, wo ein Mönch ihm nochmals zu schweigen gebot, wie auch bei seinem Prozeß, trotz allen Beweisen seiner eigenen Handschriften, die wiederzusehen ihn mächtig überraschte, aber er verleugnete sie wütend. Er hat berechnet, der Druck der Verschwörer und fremden Mächte werde den König nötigen, ihn loszulassen. Seine Partei ist stark und kühn, die Richter fürchten ihre Rache, wenn sie Biron verurteilen. Unter ihnen selbst sind Anhänger der alten Liga, und diese ist damals aufgelebt, als hätte der Ketzer sie nie besiegt, und die Herrschaft dieses Königs wäre gar nicht gewesen.

Die Straßen sind auf einmal wieder unsicher geworden, die sechshundert Vettern des Angeklagten sind aus der Gascogne herbeigereist, bewaffnete Banden haben Handstreiche verübt. Der Angeber, der die schriftlichen Beweise gebracht hatte, ist mitten in Paris niedergemacht worden trotz Bedeckung, und seine Mörder hat man entkommen lassen. König Henri hat seines großen Mutes bedurft, um einen Verräter zu richten, eines größeren Mutes, als wäre der Feind selbst gegen ihn angerückt. Der Feind ist am furchtbarsten, solange er von fern mit Geld, gedruckten Erzeugnissen und den Leidenschaften einheimischer Parteien das Land unterwühlt und für sich reif macht.

Henri hat es erlebt; seine Taten, die Befriedigung und der Wohlstand seines Königreiches haben ihm dennoch nicht ersparen können, daß er damals seine Hauptstadt verlassen mußte – wartete draußen mit dem Fuß im Steigbügel.

Nicht der Verräter, der König hat die Flucht ergriffen. Seinen Minister Sully hat er dringend gewarnt, sich fangen zu lassen; seine Person, wenn sie ihrer habhaft würden, sollte den Verschwörern für Biron bürgen.

Rosny wird sich wohl behütet haben und gewiß nach seiner Art erwogen, daß nur die falsche Sache auf Verbrechen baut: die sind ohne Wurzeln. Gewachsen, verwurzelt ist die Größe, ist der Besitz, beide redlich aufgezogen, und der beste Diener pflegt sie. Was alles ein Minister gegenwärtig halten kann, sein Königreich ist dies nicht. Seine Größe ist die seines Herrn, seine Person würde schlimmstenfalls gefangen werden. Henri hat damals mit dem Fuß im Steigbügel die Unverläßlichkeit seines gesamten Bestandes erfaßt, das Vorläufige, sein eigenes Dasein, während er es noch durchbringt – und über ihn hinaus rechnen Narren. Was er in jenen Tagen erlebt hat, sind die endlosen zwölf Schläge einer Mitternacht.

Er empfing dort draußen die Verwandten des Gefangenen, sprach zu ihnen mild und mit Bedauern als der Beauftragte der Gerechtigkeit und Staatsnotwendigkeit, die er nicht ändern kann. Wies sie ab, ohne daß sie ihm anmerkten, was er fürchtete und wirklich erwarten konnte, die gewaltsame Befreiung des Gefangenen, den offenen Aufstand seiner Hauptstadt. Die Gemüter waren hinlänglich vorbereitet. Biron ist ein guter Katholik, dafür leidet er. Ein rührender Brief ging um, Biron hatte ihn nie geschrieben, sagte aber darin dem König alles, was ihn verhaßt machen konnte. Der gute Katholik in seinem Kerker wußte nicht einmal sein Vaterunser, vielmehr betrieb er die Astrologie, da er äußerst zu leben wünschte, war dessen auch versichert. Der König ist schwach, die Furcht wird über ihn siegen. Seine Richter zittern schon jetzt.

Indessen hatte Henri in seinen Parlamenten nicht nur Leute, die den Schnupfen bekamen oder sonst einen Vorwand erfanden, daß sie verhindert wären. Von den großen Herren seinesgleichen verweigerte ohnedies jeder, über Biron zu Gericht zu sitzen. Blieben die alten Rechtsgelehrten des Königs Henri, früher in Tours, als Paris noch der Liga gehörte; früher auf dem Stroh der Gefängnisse, früher arm. Diese verließen jetzt ihre weichen Betten, bequemen Häuser; angesichts der Gefahr wurden sie nochmals wie einst. Sie widerstanden, sie brachten den Mut auf. Ging nachher das Königreich verloren, dann waren zuerst sie es; aber diese Humanisten retteten es, da sie zuschlugen. Sie blickten auf den König, ihn beirrte keine Versuchung, sein Befehl war, daß dem Recht genügt werde.

Es ist wahr, daß mehrere sich seiner annahmen. Wie oft ist Rosny, von Garden stark bedeckt, zu ihm hinausgeritten. Die alte Elisabeth, seine Freundin, hat ihm geschrieben, damit sie von ihrem unerbittlichen Sinn diesem König mitteilt. Sie weiß, daß ihr Bruder von Frankreich vor seinem Fenster nicht gern Totenschädeln begegnet, und das Fleisch, das daran war, er hatte es ehedem geküßt. Sie weiß – da sie nahe an ihrem Ende ist und ihr Jahrhundert mitnehmen wird, im voraus mitnehmen wird die kleine Auslese von Lebenden, die groß gehandelt haben wie sie.

Dagegen Biron – ein vollblütiger Mann, Aderlässe braucht er, dachte aber an das Sterben im fernsten nicht. Seinen Wächtern und allen Besuchern, denen seine Zelle geöffnet wurde, hat er die verachteten Gerichtstage vorgespielt, mit Fratzen und Gebrüll. Der Hohn und die Siegesgewißheit entfesselten ihn. Bis zuletzt hat er beides auf seiner Seite geglaubt, die Macht und das Recht. Die Macht, weil unbedingt, während er hier innen von unverbrauchter Kraft raste, draußen die Verschwörung an ihr Ziel gelangen mußte, und spanische Soldaten waren auf dem Wege, ihn von hier herauszuholen. Aber das Recht besaß er aus drei Gründen. Erstens ist der Verrat das gute Recht des Stärkeren: der meinte er zu sein. Zweitens hatte in Lyon der König ihm alles verziehen, ausgenommen allerdings, was Biron nicht bekennen wollte. Nun, das sind Spitzfindigkeiten; wie darf gerade dies die Entscheidung der Richter bestimmen.

Zum dritten und besten besteht für alle Reichen und Mächtigen das unweigerliche Recht und sittliche Gebot, ihren Reichtum zu verteidigen. Der Reichtum, der sie übermächtig werden ließ, beim ersten Angriff sollen sie ihn gegen den Staat und die Nation gebrauchen, so heißt das Recht und sittliche Gebot. Äußersten Endes heißt es: Rufe den Feind ins Land, damit er deinen Besitz rettet. Was nicht gerade häufig die Sorge des Feindes sein wird, aber es ist der Glaube der Reichen. Mit ihrem Glauben und Gewissen sind sie im reinen, können darum zum Abschied noch sprechen wie der Verräter Biron: «Ihr Herren, hier seht ihr einen Mann, den der König in den Tod schickt, weil er gut katholisch ist.» Er kannte sein Vaterunser nicht, hatte aber den Glauben an den Reichtum, in ihm ist er dahingegangen – nicht ohne vorher gewaltig aufzuführen. Den Henker hätte er erdrosselt, hielt ihn übrigens für einen Betrüger. Ihm wagt der König, ihm mit aller Kraft und Vollblütigkeit wagt er den Henker zu schicken!

König Henri hat gewiß ermessen, wie teuer dieses Schafott war. Der erste Erfolg rechtfertigte ihn: die Verschwörung brach ab, die Verschwörer atmeten nicht. Der Tod des einen Biron vereitelte sowohl den Aufstand als den Krieg, das Gespenst der Liga ist dahingefahren so plötzlich, wie es erschienen war. Bei seiner Rückkehr in seine Hauptstadt wurde der König umjubelt von Mengen Volkes, die alle mit ihm einig waren: er ist der Vater unseres Friedens, Lebens und Anspruches auf das Glück. Gesegnet, gesegnet! Was indessen sehr schnell abgemacht ist und wird vergessen, je eher die Kassen des Königreiches wieder gefüllt und alle Gewerbe im Schwung sind.

Das längere Gedächtnis haben die Besiegten. Für ihren Märtyrer, der das Schafott besteigen mußte, lassen sie zahllose Messen lesen. Im Laufe der Jahre folgen auf diese Verschwörung mehrere, sie werden niedergeschlagen. Rosny wacht, der König wird seinen Rat nie wieder bezweifeln: er hat nur ihn. Dennoch, diese beiden haben sich vergriffen an dem Reichtum, an der Macht des Reichtums. Das letzte Wort des Hingerichteten ist gewesen: «Weil ich gut katholisch war.» Genug, um den König zu zeichnen für einen gewaltsamen Tod, falls er es vorher nicht gewesen wäre. Fortan wird er in seinem Königreich auf Abruf umhergehen. Die gedeihlichste der Herrschaften, aber hinter dem Herrscher sind Schritte: er ahnt sie, ohne daß er etwas hört. Wer umblickte, sähe nichts. Bleibt nur übrig, in den Tag zu leben – der immer hell genug ist, solange das Herz schlägt.

Einmal, als er durch die volkreiche Straße de la Ferronnerie ritt, wurde vor ihm her eine unbekannte Sänfte getragen. Die Pferde konnten an ihr nicht vorbei, sie mußten halten; das geschah vor einem Haus mit offenem Gewölbe, darüber das Wahrzeichen: ein gekröntes Herz, vom Pfeil durchbohrt. Der König beugte sich vor, er wollte dringend in diese Sänfte blicken, da verschwand sie hinter dem Gewühl. Man wußte nicht, warum der König, nun ihm Platz gemacht wurde, weiter dastand und nachsann.

Er gewöhnte sich damals eine gewisse Beteuerung an: «So wahr Biron ein Verräter war.» Bald nach der Hinrichtung des Verräters besuchte er in dem Arsenal seinen Minister und sprach ihn an: Herr Markgraf von Sully. Wofür der beste Diener dankte, aber nicht mehr, als nach seiner Schuldigkeit: er hatte die Ernennung zum Herzog und Pair erwartet. Das waren die Titel des Verräters gewesen, sie waren ihm unverdient zugefallen durch die Liebe des Königs. Für seinen besten Diener hatte Henri anstatt der Liebe eine Bewunderung, zu fehlerlos, um ganz ohne Sträuben ertragen zu werden. Damit Sully in das volle Licht trat und der große Minister wurde, hatte Gabriele d'Estrées sterben müssen. Biron stirbt, und Sully wird Marquis. Er soll auch Herzog werden, dafür müssen noch mehrere zugrunde gehen. Schwer zu ertragen ein untadeliger Mann, der uns befreit von allen, die wir liebten.

Der ungeheure Tisch des Ministers war mit Arbeiten überladen. Da sitzt er über seinen Rechnungen, wovon das Königreich gedeiht. Henri wendete den Kopf nach seinen Begleitern. «Soviel sitzen, möchtet ihr an seiner Stelle sein? Ich hielte es nicht aus.»

Da er einen Stoß von Handschriften betrachtete, verstummte Henri, er sah: das waren Denkwürdigkeiten, seine eigenen; sein Rosny hatte nur Erinnerungen, die sich in seine eigenen fügten. Wie zu erwarten, galten die meisten Aufzeichnungen dem Gedeihen des Königreiches, «Königliche Wirtschaft» waren sie benannt. Der Minister, der in Wirklichkeit alles allein schrieb, unterhielt sich auf diesen Blättern zum Schein mit seinen Sekretären; sie mußten ihm zurückrufen, was er jedesmal hatte an Taten, Mühen, Verdiensten, als hätte er es nicht selbst gewußt. ‹Hochmut›, sagte Henri still für sich. ‹Wie mag einer seine Denkwürdigkeiten schreiben, ist doch jedes Leben voll Schande.›

Gleichzeitig wurden ihm, ob er wollte oder nicht, die Augen feucht. Er schickte alle anderen hinaus. Mit Rosny allein geblieben umarmte er ihn, er sprach: «Von heut an lieb ich nur Sie.»

Die Trauer

Als Ihre Britannische Majestät die Augen schloß, April 1603, eine wie große Gestalt des abgelaufenen Jahrhunderts ging unter! Die alte Verbündete des Königs von Frankreich gegen die spanische Weltmacht, sie hatte ihm geholfen seinen Thron zu erobern und ihn zu behaupten. Seine Freundschaft sicherte ihre Insel gegen spanische Landungen. Die beiden Reiche bestanden nur gemeinsam, die beiden Fürsten hatten seit zwanzig Jahren keinen Tag einer des anderen vergessen. Als Elisabeth aber gestorben war, legte Henri keine Trauer an, befahl es auch seinem Hof nicht, da ihm vielleicht nicht ohne Verlegenheit gehorcht worden wäre. Der Hof tat von selbst ein übriges, wie auf Verabredung wurde vermieden, die Tote je zu nennen.

Der König und die Königin von Frankreich wohnten in ihrem Schloß Louvre, einem reichen Haus, nicht wiederzuerkennen seit kurzem mit seiner neuen glänzenden Ausstattung. Man bedenke, daß ein eigener Juwelier, Nicolas Roger, die Wertsachen der Majestäten bewachte. Die Königin benutzte ein goldenes Waschgeschirr. Ihr Hofstaat betrug vierhundertfünfundsechzig Personen, von denen hundertfünfundsiebzig verpflegt wurden oder «ihren Mund bei Hof hatten», wie sie sagten. Die anderthalbtausend Hofbeamten des Königs bezogen fast alle ein Gehalt, wenn auch wenig, und jeder führte einen Titel. Der Raum fehlte, daß sie im Schloß hätten wohnen können, des Nachts waren das Innere und die Zugänge von siebenhundert Soldaten besetzt.

Henri schläft schwer ein, seit Elisabeth tot ist. Sein Schlafzimmer ist sein Kabinett, nur daß jetzt im Hintergrund ein geschnitzter und vergoldeter Alkoven erbaut ist. Das Kabinett hat links vom Bett eine Tür nach dem Schlafgemach der Königin. Henri schließt einige Male die Tür seit dem Tode Elisabeths. Hier liegt er eine der ersten Nächte, die sie in ihrer Gruft liegt, und gedenkt ihrer, da am Tag die Mengen der Lebenden auf ihn eindringen und ihr Name verboten ist. Denn sie ist eine Ketzerin gewesen, sie hat die neue Religion in der Welt durchgesetzt mit unvergleichlichem Erfolg, einmal abgesehen vom König von Frankreich, seinen Schlachten, seinem Edikt. Indessen vollzog er seinen Todessprung und schwor den Glauben ab, zuerst nur scheinbar, was Elisabeth vollauf begriffen hat trotz anfänglicher Mißbilligung. Sie ließ auch gelten, wenn er später vorgab, eine Disputation des Kardinals du Perron mit Herrn de Mornay habe ihn von seinem angenommenen Bekenntnis wirklich überzeugt. Beide gleichermaßen bewahrten als ihr wahres Bekenntnis den Humanismus, der ein Glaube ist an die irdische Bestimmung des Menschen, vernünftig und tapfer, frei, wohlhabend und glücklich zu sein.

‹Sie hat viel getötet, obwohl es sie nach Blut nicht verlangt hat. Mich auch nicht, dennoch richtete ich Biron hin. Es ist geboten, daß Humanisten streitbar sind und zuschlagen, sooft feindliche Gewalten die Bestimmung des Menschen aufhalten wollen. Meine kriegerischen Hugenotten verteidigten Recht und Gewissen, dasselbe tat ich allzeit, so wahr Biron ein Verräter war. Elisabeth und ich, wir mußten stark sein und das Amt des Königs äußerst erhöhen – nicht damit die Menschen kleiner würden. Sie sollen in der Majestät ihre eigene, irdische Größe vor Augen haben und erkennen.

Die Nacht wird herum sein, bevor ich meine Dinge bedacht habe. Fällt von dem Himmel schon das erste Licht, und der Fluß wirft es zurück in mein Fenster? Die Uhren werden fünf schlagen, unser Hof ist zur Stelle. Sie werden sechs schlagen, ich und die Königin halten ihr Erheben. Den Saal nebenan darf niemand bedeckten Hauptes betreten. Jeder verneigt sich vor meinem Paradebett, obwohl ich meistens nicht darinliege. Man ist angehalten, Abstand zu wahren, schon die Berührung des Bettes wäre ein Vergehen an der geheiligten Person. Ein Kämmerer steht Wache bei dem Bett, sogar das laute Sprechen wäre ein Anschlag auf mich. Ich kenne andere Anschläge – werde andere kennen.

Sie haben seither nicht gelernt, sich selbst zu achten, daher das Leben nicht. Ein Mord kostet in meiner Hauptstadt vier Taler. Wie hoch wird mein eigener veranschlagt, und wird man um meinetwillen Trauer anlegen? Mich schläfert, der Geist schweift ab. Bleibt nur übrig, sie mein Bett verehren zu lassen um des Zeichens willen und zufolge der Bedeutung, die sie nicht verstehen. Der Sinn der Menschen ist jetzt auf Förmlichkeit gerichtet, das hab ich nicht gewollt; er wird bunter anstatt einfacher. Wie leb ich noch unter ihnen, warum dies Verweilen. Bin aber nicht mehr ganz hierselbst, die tote Elisabeth nahm etwas von mir mit.

Nicht aufwachen! Es könnte sein, daß ich den Jesuiten zuletzt recht gebe, da sie bei diesem Jahrhundert schon recht haben. Ruf ich sie denn zurück, damit ich mir die Zeit versöhne – Elisabeth in der Ewigkeit erfährt es nicht. Wohl ihr. Ein Teil von mir ist mit ihr schon hinüber. Kennen wir uns drüben? Auf Erden haben wir einer den anderen nie gesehen.

Nie gesehen, außer im Bild. Als ich ein Knabe war, schlug man ihr den kleinen Navarra zur Ehe vor, was nur eine List war: meine Partei sollte ihr Haupt verlieren und dies Land im Bürgerkrieg verbluten. Später hab ich öffentlich ihr Bild geküßt, damit sie es erführe und mir beistände. In den holländischen Angelegenheiten machte ich nachher mit Spanien meinen Frieden ungeachtet meines Vertrages mit ihr. Zuletzt haben wir Ostende versäumt und vergebens einander erwartet, sie auf der Küste drüben; aber an die Mauer, die ich hier bestiegen hatte, schlug dasselbe Meer. Versäumt, nie erblickt – dennoch, wie viele Menschen waren so sehr bei mir zugegen, wie sie. Haben an mir sich erwiesen und ich an ihnen. Wer war, außer ihr, meinesgleichen?›

Die Frage hatte er früher nicht gestellt, da Elisabeth lebte und immer noch Zeit schien, ihr zu begegnen. Die Frage kam ungerufen in dem halben Schlaf dieser Morgenstunde. Auch die Antwort erfolgte. ‹Wir sollen einander künftig begegnen: wir sterben nicht.› Was sogar im Schlummer alsbald berechtigt wurde. ‹Wir enden allerdings. Indessen geht die Spur unseres Bewußtseins in andere Gehirne über und wieder in andere. Nach Jahrhunderten denkt und handelt noch einmal die Art, die wir waren. Wir sterben mit unserem Jahrhundert nicht. Ich und meine Freundin von England, wir sollen uns ewig kennen.›

Er schrak auf, es schlug schon sechs. Da der König das Zeichen nicht gab, erschienen weder seine fünf Kammerdiener noch die Auswahl seines Hofstaates, die berechtigt gewesen wäre, seinem Erheben beizuwohnen. Wenige Minuten, dann wurde hinter dem Alkoven die versteckte Tür ein wenig bewegt, Herr d'Armagnac spähte herein. Er erfüllte den Dienst nicht mehr mit eigener Hand, um so genauer paßte er auf die Uhr und war mit der Stunde da. Nun sah er seinen Herrn fertig angekleidet, wie er selbst das Auge an einen Spalt hielt, nicht anders beobachtete der König durch die Tür zur Rechten das Paradezimmer.

Es hieß Paradezimmer, es war dreißig Fuß lang, zwanzig hoch, von seinen drei Fenstern gingen zwei auf den Fluß hinaus, das dritte nach Westen. An der berühmten Decke waren Waffen jeder Art sinnreich und schön um die königlichen Schilder geordnet, alles in Eichen-, Nußbaum-, Lindenholz geschnitzt und überzogen mit Gold, das anfing nachzudunkeln. Die Wände wurden verhängt von den gewirkten Bildern antiker Begebnisse, Gold und Seide lagen hoch aufgetragen. Der Samt der Möbel zeigte die Farbe trockener Rosen. Das Bett stand überhöht.

Das Paradebett der Majestät erhob sich zwischen seinen Vorhängen auf einem Absatz, «das Parkett» genannt, es war umstellt mit vergoldeten Schranken. Daran zogen die Damen und Herren vorbei, alle auf den Spitzen ihrer Schuhe, und im Wandeln wendete jeder den Rumpf, um seine Huldigung darzubringen den geschlossenen Vorhängen. Hinter ihnen – die Majestät, ob leiblich zugegen oder nicht. Den Beschluß machten die Prinzessinnen von Condé und von Conti. Als Henri genug gesehen hatte und eintreten wollte, erschien drüben eine letzte Person – hatte gewartet, bis der Hof versammelt war. Ging den feierlichen Weg langsam, sorgfältig bemüht, die Ungleichheit ihrer Schritte zu verbergen. Vor dem Paradebett ihres Bruders beugte die Herzogin von Bar, Madame Schwester des Königs, das Knie sehr tief. Du verneigst dich, Kathrin.

Henri drückte schnell die Tür zu, dahinter stand er, hielt die Augen bedeckt, sah aber viel. ‹Schwester, dies Paradebett ist dir in dem Sinn gelegen, als wir ganz jung und sonst gar nichts waren. Du hast es erreicht, bist gleichwohl nicht glücklich. Bedenkst du auch, daß dies Paradebett leer ist, indessen eine Gruft, verneige dich, Elisabeth einschließt? Von ihr schweigst du wie die anderen, weißt aber: wir sind allein und sollen dahingehen. Das Wiedersehen in einem Jenseits wäre kaum zu wünschen, nach allem, was wir hier aneinander getan haben, besonders ich an dir, und könnt ich Biron wiedersehen? Oder sogar meine Freundin von England? Wir müßten denn inzwischen allwissend geworden sein, dann bliebe keinem mehr etwas vorzuwerfen von keinem.›

Nach einigen Nächten wie diese, sah man ihm an, daß er litt. Das allgemeine Einverständnis, von der Toten zu schweigen, wurde gewahrt; der König war selbst der erste, es einzuhalten. Er versah seine täglichen Pflichten: die wichtigste ist, da zu sein, nie zu versagen. Dennoch bemerkte man Abwesenheiten seines Geistes; im lebhaftesten Wort hielt er an und schloß die Augen.

Eine seiner Abwesenheiten geschah im Beisein zweier Edelleute, Montigny und Sigongne. Diese hatten die Ursache erraten und glaubten in Vorteil zu gelangen, wenn sie endlich den verbotenen Namen aussprächen. Zuerst versicherten sie sich, daß sie weder gehört würden noch einer dem anderen mißtrauen müßten. Dann sagte Motigny leise, daß er den Schmerz des Königs teilte. Sigongne gab mit halber Stimme zu erkennen, wie sehr er die Königin Elisabeth verehrt habe. Henri schlug die Lider auf. Ohne Antwort ließ er einen äußerst fremden Blick über die beiden hingehen.

Sie erschraken. Der König, der am liebsten alle für seinesgleichen nahm und hatte dermaßen soeben noch zu ihnen gesprochen, auf einmal machte er einen strengen Vorbehalt. Man stieß auf kalte Verachtung – sie fanden es eilig, abzutreten. Sie hatten geglaubt, der große Abstand der Majestät wäre sein Beruf wohl, nicht aber seine Art. Pflog er denn Geheimnisse mit einer Person, die nicht hier war, sollte auch niemals mehr herbeireisen? Von ihrer Entdeckung blieben sie erstaunt, hüteten sich übrigens, ihrer zu erwähnen. Der Hof hätte sie gewiß büßen lassen, daß sie durch Zufall eine Neuheit überrascht hatten bei dem Herrn, den alle immer vor Augen hatten und meinten, mehr sei nicht da, als was sie sahen.

Denselben Edelleuten wurde nicht wohl, als der König sie drei Tage später nach seinem Garten bestellte. Jeder der beiden war besorgt, er könnte in der Vergangenheit etwas verfehlt haben. Montigny hatte zu seiner Zeit einem Anschlag auf den König als der nächste beigewohnt, da er ihm gerade das Knie küßte. Sigongne, ein Verfasser gleichnishafter Schaustücke, huldigte gern in der gehobenen Sprache von Göttern und Helden einem großen König. Seine alltägliche Rede war dagegen nicht festlich gewesen, sondern verging sich an der Herzogin von Beaufort. Beide waren gewöhnliche und gewohnte Höflinge, von ihnen hat Henri dreizehn auf ein Dutzend allemal, wenn er unter die Schlechten und Rechten greift. Gerade darum rief er sie heute zu sich in seinen grünenden Saal, der vom Laub überwölbt ist, aus den Fenstern des Louvre sieht niemand hinein. Seinen Freunden und alten Kriegskameraden hätte er nicht anvertraut, was er diesen sagte.

«Ihr seid glücklicher als ich. Ich möchte tot sein!»

Sie beugten ihre Köpfe und die ganze Gestalt. Er schritt noch schneller aus, er sagte: wenn er nur könnte, ergriffe er einen anderen Stand und Beruf. Er würde die Einsamkeit suchen und fände endlich die wahre Stille des Gemütes. «Dem Einsiedler gebricht es an nichts. Manna fällt herab, die Raben bringen ihm vom Himmel das Brot.»

Er machte sein Geständnis mit leidenschaftlichem Seufzen, verschloß hiernach die Lippen und öffnete sie erst wieder, als er seine feste Haltung zurück hatte. Da erklärte er weiter: «Aber ein solches Leben ist nicht für Fürsten, sie werden nicht um ihretwillen geboren, sondern für ihre Staaten und für die Völker, denen sie vorgesetzt sind.»

Seinen Zuhörern kam die Sprache des Königs unerwartet; sie hatten ihn in allem, was er durchmachen mußte, für ein vergeßliches Herz gehalten und einen Immerlustig genannt. Die Traurigkeit am Grund seiner Seele war unbekannt, da er die hier vernommenen Worte allerdings im Leben mehrmals, aber vorher nie für Fremde geäußert hatte. Auch tat es ihm eigentlich schon leid, vor Montigny und Sigongne betrübt oder edel zu erscheinen, weshalb er das letzte nur noch von sich gab, damit der Abschluß richtig im Klang wäre und sie ohne Nachteil davon berichten könnten.

«Die Fürsten haben auf diesem Meer keinen anderen Hafen als das Grab, und in voller Tätigkeit müssen sie sterben.»

Besonders diesen Satz bewahrten die beiden auf; erzählten nachher die Rede des Königs, da sie zu ihrem eigenen Erstaunen eingeweiht waren und unmöglich noch länger schweigen konnten. Aber der Satz vom Sterben in voller Tätigkeit werden sie dereinst, wenn es soweit ist, als Vorhersage erkennen. Der König war wahrhaft stolz. Er endet, wie er es gewollt hat.

Henri trauerte um Elisabeth bis zu dieser Stunde und dann nicht mehr.

Das neue Jahrhundert

Das erste, als er von ihrem Hinscheiden erfahren hatte, war sein Auftrag an Rosny, sich bereitzumachen für die Reise nach England. Die freundschaftliche Zuneigung der Königin darf von ihrem Nachfolger nicht erwartet werden, noch weniger die Festigkeit ihrer Haltung und ihre beständige Wachsamkeit gegen den gemeinsamen Feind. Die Trauer des Königs wird abgelöst von seinem bloßen Mißvergnügen, und dieses nimmt zu, je deutlicher Jakob der Erste seine Schwächen verrät. Sechs Wochen später kannte man ihn, da sollte Rosny aufbrechen. An dem Morgen, als Henri den Minister bei sich erwartete, kam die Königin, Marie von Medici, dem Besuch zuvor. Sie war gesonnen zu verhindern, daß Herr de Rosny den endgültigen Auftrag bekäme. Ihr Gehaben erlaubte keinen Zweifel, sie erschien bei ihrem Gatten als die Gläubigerin, die sie gleich anfangs gewesen war und immer blieb.

Henri ließ sie nicht zu Wort kommen. Er war auf ihr Hervortreten gefaßt gewesen. Alles mögliche, daß es erst jetzt erfolgte. Die Sache war zwischen ihm und Rosny ohne Aufsehen betrieben worden. Gleichviel, der Gesandte mußte sein Gefolge auswählen, Edelleute genug drängten zu der Reise und hätten sie gern auf Staatskosten gemacht. Marie war längst unterrichtet, aber sie hatte geschwiegen. Sie wählte den letzten, entscheidenden Tag, um einzugreifen. Sogleich nahm Henri einige zufällige Papiere vom Tisch und erklärte ihr mit Eifer die inneren Geschäfte des Königreiches. Indessen sagte ihre Miene ihm, daß seine Ausflüchte umsonst wären. Sie hatte sich über das Königreich noch niemals belehren lassen, ob nun ihr Geist nicht ausreichte – wahrscheinlich auch dies. Vor allem hielt sie die Herrschaft des Königs für vorläufig und für lästerlich, bis er endlich dem Papst gehorchte, mit Spanien verbündet wäre und die Gesellschaft Jesu zurückriefe.

Da sie nicht zuhörte, sondern nur darauf paßte, von ihrer Angelegenheit zu beginnen, verlangte er plötzlich nach dem Dauphin. Das Kind wurde von seiner Amme hereingebracht, anderthalb Jahre war es nunmehr von dieser Welt. Henri nahm es der Frau aus dem Arm, er ließ sich mit ihm nieder. Am Boden, in gleicher Höhe mit dem kleinen Gesicht betrachtete er es merkwürdig ernst: warum, hätten Amme und Königin nicht sagen können. Aber solange schwiegen sie. Henri dachte: ‹Der wird das ganze Jahrhundert sehen.› Nichts weiter dachte er.

«Boursier», redete er die Amme an. «Der Dauphin war nach seiner Geburt sehr schwach. Nächst der Königin sind Sie es, der er das Leben verdankt, denn mit Ihren Lippen bliesen Sie ihm Wein in den Mund, als er sich schon verfärbte.»

«Sire!» erwiderte die Amme. «Wär es ein anderes Kind gewesen, ich hätte es von selbst getan. Sie befahlen es mir, da wagte ich's.»

Sie wendete sich an die Königin. «Unser Herr», sagte sie, «zitterte, bis er sah, daß es wahrhaftig ein Dauphin war. Die Enttäuschung hätte er gewiß nicht überlebt. Er war vor Glück von Sinnen, zweihundert Personen ließ er in das Zimmer, ich mußte böse werden, aber er sagte, dies Kind gehörte allen, jeder sollte seine Freude teilen.»

«Schwatzen Sie nicht unnütz, Amme», erwiderte die Königin. Ein Schatten der Angst zog schnell über ihr Gesicht. Das Geschlecht des Kindes hatte allerdings über sie selbst entschieden. Wäre es ein Mädchen gewesen, der Sohn, den die Marquise de Verneuil zur gleichen Zeit gebar, hätte ohne Zweifel die Stelle des Dauphin behauptet. Marie von Medici hätte abziehen müssen aus dem Tor, durch das sie gekommen war.

Die Erinnerung der bestandenen Gefahr war flüchtig, dennoch hatte Henri sie überrascht; er umarmte und küßte seine Frau, was sie als geschuldet hinnahm. Sie war eine der Personen, die ihre Überlegenheit nicht kleidet. Henri ließ den Dauphin auf seinen Armen tanzen. Marie begleitete das Vergnügen der beiden mit Mienen, als könnte dies nicht gut ausgehen. Wirklich traf zuletzt ein, daß der Vater das Kind zu hoch warf; nicht er fing es auf, nur die Amme war schnell genug.

Alle erschraken, aber Marie fand das erste Wort.

«Immer jung, Sire», sagte sie wütend. «Der Immerlustig wär imstand, mir den Dauphin zu töten.» Wobei sie die Arme in die Hüften stemmte und anzusehen wurde wie ein Fischweib. Ihr Anfall war offenbar nur aufzuhalten, wenn er selbst die Amme mit dem Kind wieder fortschickte.

«Zu Ihrer Angelegenheit, Madame», sprach er hiernach, da es einmal sein mußte.

Sie ließ sich nicht lange bitten. Sie besaß ihr Recht und ihre Sicherheit als Mutter des Dauphin, der König vermochte gegen sie nichts. Um ihn auf den rechten Weg zu weisen, brauchte sie weder die Nacht noch den Rausch der Sinne. Sie verkündete beim hellen Tag ihren Willen. «Sie werden Herrn de Rosny nicht nach England schicken.»

«Beschlossene Sache, nicht mehr zu ändern», erwiderte Henri. «Das britische Admiralsschiff ist im Begriff, meinem Gesandten entgegenzufahren.»

Worauf Marie ihm kalt bedeutete, daß seine eigene Lage bedroht genug sei, er habe keinen Grund, die Freundschaft eines noch Schwächeren zu suchen. König Jakob wird sich nicht halten, sie weiß es. Sie wiederholte, daß sie es wisse, erreichte auch, daß Henri betroffen wurde und sie anhörte. «Wenn Jakob seinen Thron verliert, können Sie einen besseren König von England aussuchen? Nein. Aber Sie können einen Papst wählen lassen mit Hilfe meines Onkels, des Großherzogs, der von Clemens dem Achten das Versprechen hat, sein

Nachfolger werde ein Medici sein. Vergessen Sie endlich Ihre ketzerische Vergangenheit. Beachten Sie Ihren Vorteil und den meinen. Ihr Königreich bedarf des Schutzes der Kirche, noch mehr Ihr Leben.»

Nichts hiervon war neu, am wenigsten der Onkel, der vorgeblich die Päpste macht; aber was ist ein Papst, ob Medici oder nicht. Er ist das Werkzeug Spaniens. Wenn Henri sich unterwirft, verrät er sein Königreich und gewinnt um so weniger sein Leben.

«Sie raten mir, daß ich die Jesuiten zurückrufe, damit sie mich nicht ermorden.»

Marie leugnete entrüstet. Die Väter waren, ihr zufolge, von zartester Gesinnung, heiter, liebenswürdig und bescheiden, allen Ränken abgeneigt. Daß er sie nur erst kennenlernte. Ein oder zwei Gespräche mit ihnen, er werde nicht mehr zögern, wo sein Heil sei.

Henri versuchte zu lachen und sprach, des gütlichen Abschlusses wegen: «Wenn sie keine Tyrannen morden, hab ich sie nicht zu fürchten. Mögen sie bleiben, wo sie sind!»

Dennoch wußten beide, er selbst und die Königin, daß er dem Messer immer nahe war. Sie sagten es nicht. Damit er sie verstehe, erwähnte Marie noch Biron, seinen Tod und die Folgen. Gerade sie hatte den Tod des Verräters gefordert, das hinderte sie nicht, dem König vorzuhalten, wie sehr er seither vereinsamt sei. An seinem eigenen Hof glaubten die meisten, daß die Reue ihn quälte, daher seine Krankheit im vorigen Juli. Er verlor die Geduld, verließ das Zimmer, rief noch zurück: «Verdorbene Austern, davon war ich krank, nicht aber von Reue – so wahr Biron ein Verräter war.»

Marie von Medici stand massig da, leeres Gesicht, törichte Augen, um so merkwürdiger die Herrschsucht ihres Auftretens und dieser letzte Bescheid: «Sie werden die Reue kennenlernen, wenn Sie entgegen meinem Rat Ihren Rosny nach England schicken.»

Er lief davon, erst in seinem Garten atmete er auf. Hier erwartet er seinen besten Diener, es wird Zeit, ein vernünftiges Wort zu hören. Er will dem Marquis de Sully seine Anweisungen für den Besuch am Hof von England geben. Er will weglassen, daß er weder auf König Jakob noch auf seine Freundschaft baut. Die Zeit Elisabeths kehrt nicht wieder. Er selbst ist gehalten, in dies Jahrhundert hineinzuwachsen. Möchte es ohne Selbstverleugnung vonstatten gehen.

Rosny wird in ihn dringen, daß er nach seinem Marschall Biron jetzt einen anderen alten Gefährten, Turenne, Herzog von Bouillon, schlagen und treffen muß. Der protestantische Fürst verleumdet den König bei dem ganzen protestantischen Europa, sogar eine Bartholomäusnacht soll Henri vorhaben im Einverständnis mit dem Papst. Henri wird dem Minister nochmals seine schlimmsten Besorgnisse vorstellen: daß seine eigenen Protestanten sich Spanien verbünden. Rosny wird antworten, das sei unmöglich. Er hat es mehr als einmal geantwortet. Wer ist Spanien? In Brüssel hat man zu Ehren der Infantin eine Frau lebendig begraben. Mit dem Abscheu der ganzen Welt verhandelt nicht einmal Bouillon – der übrigens das Schicksal des anderen Verräters verdient.

Henri weiß Wort für Wort voraus, was er und sein Rosny alsbald sprechen werden; sie kennen einander. Beide haben klare Gedanken einander mitzuteilen, wenn nicht immer die rechten und zulänglichen. Vor allem handeln sie überein – und während seine Protestanten dem König mißtrauen, häuft er mit seinem Großmeister die Waffen auf: wofür? Sie zu retten. Die Gewissensfreiheit des ganzen Europa wird letztens mit den Waffen verteidigt werden müssen, sonst wär es um dies Königreich geschehen; es lebt im Geist und in der Wahrheit oder gar nicht.

Von den drängenden Gedanken wurden auch die Schritte schneller. Im vollen Lauf hielt Henri an. Was meinte die Königin mit der Reue, die ihm gewiß wäre? Woher ihre Kenntnis über Jakob und die Gefahr, in der er schwebt? Marie von Medici ist nicht geistreich; im Hintergrund seiner Gedanken vollendete ihr Gatte: so wenig als liebenswürdig. Indessen, was ihn beunruhigt, ist das auffallende Mißverhältnis zwischen ihrem beschränkten Verstand und den Andeutungen, die sie fallenläßt. Woher das Wissen oder die eingeübte Lektion? Für wessen Rechnung warnte sie ihn? In die Zukunft sieht nicht sie. Was geschehen wird, weiß am besten, wer selbst zu handeln gedenkt.

Man müßte die Briefe der Königin öffnen lassen. Keine leichte Maßnahme, wenn der Generalpostmeister auf ihrer Seite ist. De Varennes betreibt die Rückberufung der Jesuiten mit demselben Eifer. Angenommen, dieser täte es zum Ausgleich seiner anstößigen Vergangenheit; aber Bassompierre, ein neugieriger Mitläufer! Aber alle anderen, die bloß den Wind in die Nase nehmen, und der bestimmt ihre Richtung. Henri fühlt ringsum eine Verschwörung, mit Block und Beil ist ihr nicht beizukommen; denn der Verrat geschieht in Gedanken, durch ein stummes Einverständnis. Oder vielleicht wetten sie schon miteinander, wie er sterben wird? Eines natürlichen Todes, zum Beispiel an zu viel Austern. Oder durch göttliche Strafen, von denen die eine die Reue wäre, die andere das Messer.

Die Königin hat von «ihrem» Dauphin gesprochen. Sie rechnet für ihre Regentschaft mit einem Unmündigen und einem Toten. ‹Ich glaube nicht, daß sie mein Verschwinden wünscht, nicht heute oder morgen – sie macht sich nur bereit. Noch warnt sie mich im guten Glauben. Übrigens hat sie weder den tückischen Verstand ihrer Vorfahrin noch die große Zahl von Ehrenfräulein, womit die alte Katharina ihren Hof beherrschte. Das Gespenst der Medici, deren Gefangener ich war, geht gleichwohl hier um. Schloß Louvre ist meinetwegen ein Lupanar. Weniger gefällt mir, daß es ein Pulverfaß ist. Da sieh! Mein Großmeister.›

Der Marquis de Sully erschien auf der Freitreppe, vor der geschmückten Front des Hauses, stolz und prächtig er selbst. Er hatte sich schön gemacht für die Außerordentliche Gesandtschaft, die sein Herr ihm auftragen wollte. Sein Gang bezeugte ungemeine Würde. ‹Er stelzt sogar›, bemerkte Henri. ‹Als Kind, aus einem unvergeßlichen Anlaß, hab ich den Herzog von Alba auf ähnlichen Beinen gesehen. Es muß beide Male vom Stolz und vom Sitzen kommen, obwohl Alba ein verwerflicher Mensch gewesen ist und Rosny bleibt der beste.› Vor dem bleichen, gesiebten Licht des Gartens zwinkerten die Augen des Ministers, sie waren empfindlich geworden durch das Übermaß seiner Arbeiten. Die Sonne ließ sein Geschmeide funkeln, er trug, wie früher üblich, Ketten und Spangen aus Edelsteinen, am Hut die kostbare Medaille mit dem behelmten Kopf der Minerva. Sein öffentliches Auftreten in dieser überlebten Gestalt eines anderen Jahrhunderts wird oft mit Lächeln begleitet, wenn auch hinter seinem Rücken; er ist sehr mächtig.

‹Tatsächlich, wir fangen an, zu veralten›, sieht Henri. ‹Seit wann geschieht es uns? Gleichviel, noch haben wir mehr als ein Kunststück im Sack. Muß ich denn die Väter der Gesellschaft Jesu in dies Königreich zulassen, ausgehen soll's anders als sie meinen.›

Die Gestalt neben dem Bett

Der König hörte in diesem Sommer einen Prediger, dessen neue Art ihm zweideutig schien; bewundernswert war sie jedenfalls. Die Schwärmerei seines Hofes, besonders der Damen, nötigte Henri, Herrn de Sales ernst zu nehmen, obwohl sein Redefluß den Gekreuzigten über und über in Duftgewässer tauchte, umgab auch mit Vöglein und Blümelein das Haupt voll Blut und Wunden, bis es alle Schrecken einbüßte. Ja, es verlor die Strenge des Leidens und wurde hübsch wie der geistliche Edelmann selbst, den die Jesuiten dem König von Frankreich aus Savoyen zugesendet hatten. Franz de Sales war nicht von ihrem Orden, er bereitete nur in angenehmer Weise auf sie vor. Er hatte einen Augenaufschlag und blonden Bart. Wer ihn hört und ansieht, soll den Eindruck bekommen: was wird mit ihnen viel sein.

Kurz nachher erkrankte der König; es war der zweite Anfall desselben organischen Versagens. Während des ersten hatte die Herzogin von Beaufort ihn gesund gepflegt und ihn bewacht bei Tag und Nacht. Da er jetzt auf einer Reise in der Stadt Metz zu Bett lag, war von seinem ganzen Hof nur de Varennes zugegen. Vielleicht ist de Varennes mit dem Vorrecht begabt, den Leidenslagern der höchsten Personen beizuwohnen; jedenfalls gebraucht er es nützlich. In Lothringen sind die Jesuiten niedergelassen, er holt zwei von ihnen herbei, Pater Ignatius und Pater Cotton, der nachher der Beichtvater des Königs sein soll. Dieser ist dumm und aus Dummheit schlau oder umgekehrt. Er jammerte angesichts des allerhöchsten Zustandes; etwas Besseres wußte er sich nicht, als dem Kranken von einem reumütigen Ende zu sprechen. Wenigstens wäre es ein natürlicher Tod, und das Messer müßte der König nicht mehr fürchten, weshalb er dem Himmel danken möge.

Hier griff Pater Ignatius ein. De Varennes hatte ihn in die Seite gestoßen, aber dessen bedurfte es nicht, damit Pater Ignatius seinen Zeitpunkt erfaßte. Dem König, der geschwächt im Bett lag, versprach er mit gebieterischer Stimme das Leben, falls er den Orden wieder einsetzte. Andernfalls täten seine Nachfolger es dennoch, da es nun einmal im Zuge der Zeit liege. Henri sagte nichts, im stillen gab er dem Jesuiten recht, soweit es auf Marie von Medici ankam. Mit dem Zug der Zeit ist es etwas anderes; er kann leichter als eine beschränkte und störrische Frau zum besseren gelenkt werden. Nur muß man gesund auf festen Füßen stehen.

Die Herausforderung und sein Wille bewirkten, daß sein Kopf auf einmal klar wurde, ja, das Fieber sank fühlbar. Absichtlich seufzte er matt, bevor er bekannte, daß die Lehre des berühmten Mariana von dem Recht, die Könige zu töten, ihn ungemein fessele. «Nicht aus Furcht», sagte er. «Mir ist oft und unter den verschiedensten Vorwänden nachgestellt worden. Das galt bis neulich als ein Verbrechen, allenfalls als ein kühnes Mittel der Politik. Das erstemal erhebt ein Gelehrter es zum geheiligten Recht. Was geht da vor?»

Der Jesuit neben dem Bett begann zu wachsen. Als er seine ganze schwarze Höhe erreicht hatte, fragte er, zugleich vertraulich und streng: «Wenn Ihr verstorbener Feind Don Philipp, während er Ihnen am gefährlichsten war, einen Dolch in die Rippen bekommen hätte, würden Sie von Unrecht gesprochen haben?»

«Das ist es», bestätigte Henri. «Irgendwer wird unserem gewaltsamen Tode immer beipflichten. Heißt das schon Recht, und wer bestimmt es?»

«Nicht wir, wie Sie meinen», erwiderte der Jesuit. «Sondern das Urteil, das, laut oder leise, von den Völkern gefällt wird; ihr Gewissen; die Zustimmung der gesamten Menschheit – sie muß allerdings vom Fachmann unterschieden werden.»

‹Und der bist du, mein Schurke›, bedachte Henri, ohne daß er es aussprach. Vielmehr äußerte er, daß die Jesuiten demnach wahre Humanisten wären. Sie erzögen die Menschen, Gut und Böse zu erkennen, sogar bei den Herrschern, und danach zu handeln. Das wäre wahrhaftig ein Fortschritt des Jahrhunderts. «Ich und ihr, wir könnten uns verständigen, da mein Gewissen mich keineswegs zu den Tyrannen verweist.»

«Ihr Gewissen ist prophetisch», sagte Pater Ignatius. «Sire! Wir Väter der Gesellschaft Jesu sind ausersehen zu Ihren besten Freunden und erblicken in Ihnen unsere einzige Stütze, da der König von Spanien uns verfolgt und demnächst uns seine Staaten verbieten wird.»

Erst diese grobe Lüge zeigte ihm, wen er vor sich hatte, und Henri erkannte das Gesicht des Paters wieder. Vor Zeiten war es dem jungen König von Navarra schon begegnet; es gehörte damals einem verdächtigen Spanier, der sich Loro nannte und vorgab, daß er eine spanische Grenzfestung an den König von Navarra verraten wollte. Die frühere Verkörperung des Paters Ignatius schielte ausgemacht, was an ihrer heutigen nur flüchtig auffiel. Mit klaffenden Nüstern und einer ringsum geschwollenen Stirn war der alte Bekannte kein schöner Mann gewesen. Dieselbe äußere Form wurde bei dem Jesuiten vom Feuer des Geistes durchdrungen, das ändert viel. Dennoch, hier ist wieder der Mann, der einst mit mörderischem Vorhaben in seine Leibesnähe zu gelangen strebte: so sieht Henri.

Inzwischen war er auf dem Lager genug erstarkt, um seinen Beruf auszuüben, und er beginnt mit der treffenden Vergleichung der menschlichen Arten. Im Hintergrund tuschelten de Varennes und Cotton. Ihr Anblick verriet eine diebische Freude, weil Pater Ignatius mit dem König glatt fertig wurde – während sowohl Henri als sein neuer Freund genau wußten, was jeder von dem andern hielt. Der Jesuit dachte: ‹Dich bekommt man nicht durch das Geschwätz, nur durch die Macht, und die will ich dir zeigen.› Henri dachte: ‹Der Mörder damals wurde von meinen Edelleuten in einen offenen Umgang gestellt. Jeder stemmte eines seiner Beine gegen die Mauer, über die lebenden Schranken hinweg sollte der Mörder zu mir sprechen. Da er nichts vorzubringen hatte außer betrügerischem Geschwätz und auch am nächsten Tage nichts, wurde er erschossen.›

Pater Ignatius begann von neuem: «Das Recht auf den Tyrannenmord ist nur ein Gegenstand der Dialektik. Begreifen Sie wohl, daß in Wirklichkeit die Anschläge gegen Ihre Person abnehmen werden, wenn von einem höheren Verstand darüber entschieden wird: das ist unser Orden.»

«Ich begreife», sagte Henri. «Der Tyrannenmord soll nicht im Belieben der anderen Orden stehen.»

«Wir bieten Ihnen den Schutz gegen die Mönche, Kanzelredner und Laien, sofern einzelne von ihnen sich für erleuchtet halten und ihrer unbedeutenden Person einen höheren Auftrag beimessen. Unsere Art ist das nicht. Wir sind weltlich gesinnt und unterstellen alles dem Verstande, auch die Gewalt.»

«Das ist meine Ansicht», bemerkte Henri nicht ohne Verwunderung. «Wie will Ihre Gesellschaft die Menschen lehren, richtig zu denken?»

Dagegen fragte der Jesuit: «Hat der König sich schon einmal Lobes gewußt für das eigene Denken der Menschen? Sie sind nach dem Maß nicht gemacht. Ein großer Mann konnte die einmütige Liebe seines Volkes nie gewinnen, weil es viele Meinungen haben durfte, um so verkehrtere, je persönlicher sie sind.»

«Viel Wahres», gab Henri zu, sah aber schon, daß er versucht wurde, und alsbald erschien der Pferdefuß. «Was verlangt Ihr Orden?»

«Die Schule. Oh! Kein Privileg. Unsere Kollegien sind so gut, daß in den protestantischen Fürstentümern Deutschlands die ehrbaren Leute katholisch werden, damit ihre Kinder unsere Erziehung genießen. Glauben Sie nur nicht, wir hätten Vorurteile gegen die weltlichen Wissenschaften. Wir stellen Mathematiker an, und Ärzte lehren bei uns die Anatomie.»

«Einverstanden», sagte Henri. «Was behaltet ihr euch vor?»

«Fast nichts. Latein, wenn Sie wollen. Welche Disziplin es sei, jede gibt uns Gelegenheit, Ihre Untertanen für Sie zurechtzukneten, alle überein, alle in der gleichen und totalen Zucht.»

Henri: «Ihr stellt in der Klasse mein Bild auf einen Altar und brennt Kerzen davor?»

Der Pater: «Wir vermeiden Übertreibungen und scheuen eine anstößige Deutlichkeit. Um es genau zu sagen, ist die Majestät, mit oder ohne ihren Willen, unser Vermittler, damit die Menschen nicht denken, sondern gehorchen. Dies zu ihrem Heil.»

Henri: «Ihr Heil wären Dummheit und Gewissenlosigkeit.»

Der Pater: «Wir sagen: Frömmigkeit, eine freudige Unterwerfung.»

Henri: «So, daß sie leben und streiten, ohne zu wissen wofür.»

Der Pater: «Dumm und gewissenlos war das vergangene Jahrhundert mit seinem ungeheuren Stolz auf das Denken, die Erfindungen, Entdeckungen, vielfachen und maßlosen Unternehmen, was alles zu der Wahrheit niemals hinführt. Die freie menschliche Persönlichkeit überhebt sich, bis sie endlich stöhnt auf einem Schmerzensbett, vereinsamt und verbraucht.»

Henri, leise: «Wenn ich Sie in den Turm sperren ließ?» Der Pater, über das Schmerzensbett geneigt: «Ich müßte es mir wünschen, da ich in dem Turm zur höheren Ehre Gottes säße. Ihnen wünsche ich es nicht. Bedenken Sie wohl, daß wir die Eigenmächtigkeit der Geister bis jetzt nicht ausrotten konnten. Fanatiker dringen überall ein, sogar in den zuchtvollen Orden. Ein Messer ist bald gezückt. Sire! Für Sie wird es hohe Zeit, daß die Gesellschaft Jesu Ihnen zu Ihrer Sicherheit einen Beichtvater beigibt.»

Die alte Drohung – mit ihr dachte Pater Ignatius den König allein zu lassen, er trat von ihm fort. Henri winkte ihm, noch zu bleiben.

«In Deutschland», sagte er, «hat die Gesellschaft Jesu den meisten Erfolg. Es ist recht still dort geworden bis auf die bekannten Mordbanden, der Schrekken der armen Bauern. Indessen könnte man froh sein, daß auch die Klöster enteignet werden. Leider hat das Volk davon nichts, nur die Fürsten und der Adel bereichern sich. Ihr Orden bevorzugt den Adel.»

«Der deutsche Adel ist unser Schwert», sagte der Jesuit. Er stellte es fest, weder stolz noch bescheiden.

«Ein großer Krieg steht bevor», sagte Henri, «und der wird eurer sein. Der Krieg gegen die Völker.»

«Aber für die Herren und Fürsten, die nach unserem Willen und Geheiß ihre Protestanten vertreiben wie Kaiser Rudolf. Sire! Sie sind der Allerchristlichste König. Sie lieben die Ihren ohne Unterschied, sogar die Ketzer; Sie wollen ihnen den Glauben und die natürliche Ungleichheit zurückgeben. Mit uns vollbringen Sie es unter der Vermeidung eines grausamen Krieges in Sanftmut und Geduld.»

«Amen», schloß Henri und verdrehte die Augäpfel aufwärts, wie er es kürzlich bei einem süßlichen Prediger gesehen hatte. «Vöglein, Blümelein», summte er vor sich hin. «Warum ist gerade mein Volk so wehrhaft?» fragte er plötzlich mit Kraft. «Warum verstehen meine Franzosen das Haupt voll Blut und Wunden als eine Mahnung, stark zu sein?»

«Sie selbst bedürfen vielmehr der Schonung», bemerkte Pater Ignatius: eine Zurechtweisung, weil der Kranke sich unnütz überanstrengt hatte. Tatsächlich wurde ihm sehr schlecht, er rief de Varennes zu Hilfe, die beiden Jesuiten verließen das Zimmer. Zwischen zwei schmerzhaften Anfällen unterschrieb der König die Verfügung, womit er die Gesellschaft Jesu in das Königreich zuließ.

Herr de Varennes mochte sich viel darauf einbilden, aber es war ohne ihn beschlossen. Warum eigentlich, wußte bis jetzt nicht einmal die Gestalt neben dem Bett.

Schwäche, Eile und Gewalt

Die Dinge sind bekannt und ausgeprobt. Hat ein Organ des Leibes versagt, es dient schon wieder. Wenn ein neuer Verräter groß auftritt, begegnet er einem erfahrenen König, der hat die Schule des Verrates fertig durchlaufen. Auf die Treue der Frauen wird ohnedies nicht gerechnet. Was werden sie an Unruhe künftig erfinden, die stürmische d'Etrangues, die fleischliche Medici? Werden seine Protestanten, die sehr erbittert waren, ihrem König von Navarra noch einmal in die Arme sinken? Der große Krieg wird wie auf Verabredung von ganz Europa betrieben, damit er nicht ausbleibt. Der König von Frankreich hat seine Jesuiten zurückberufen, um dennoch dem äußersten vorzubeugen, wie er meint. Wohin kommt er aber mit ihnen? Und wohin kommen sie mit dem König von England, der ihnen unbesonnene Versprechungen gemacht hatte? Das Bündnis der beiden Könige ist einer Sprengung ausgesetzt, nicht anders als man Festungen sprengt. Was Henri alles noch erleben soll – der Wirbel der Ereignisse fegt durch seine Jahre, die gezählt sind, wie er anfängt zu begreifen.

Der Außerordentliche Gesandte, Marquis de Sully, hätte beinahe einer Seeschlacht beigewohnt. Das englische Schiff, dem er aus Höflichkeit seine Person anvertraut hatte, war drauf und dran, die französische Flotte zu beschießen. Diese hatte das zahlreiche Gefolge des Gesandten in Dover abgesetzt, kehrte um und hißte zu seiner Begrüßung die Lilienflagge – was von den Engländern als Herausforderung aufgefaßt wurde, da es in den Gewässern ihrer Hoheit stattfand. Der Vorfall, undenkbar unter Elisabeth, belehrte Rosny über die Veränderungen, die seit ihrem Abscheiden vorgegangen waren und ihn am Ziel erwarteten.

Es begann auf der Reise von der Küste nach der Hauptstadt. Die Quartiermacher des Königs von England hatten Zeichen angebracht, wo die französischen Gäste übernachten sollten, aber manche Bürger wischten die Schrift von ihren Häusern. Bei seiner Ankunft in London empfing den Bevollmächtigten des Königs von Frankreich der Salut der Geschütze vom alten Turm, vom Bollwerk, von den Schiffen. Inmitten eines großen Andranges bestieg er die Prachtkutsche und fuhr nach dem Palast des Ordentlichen Gesandten, Grafen Beaumont. Seinen Edelleuten blieben alle Türen verschlossen, sie hätten auf der Straße schlafen müssen. Man gab vor: die Herren, die das vorige Mal mit Marschall Biron hier gewesen waren, hatten überall Streit angefangen, sogar erstochen hatten sie jemand. Der Marquis de Sully erteilte alsbald seinen jungen Leuten eine Lektion über richtiges Betragen. Unglücklicherweise besuchten sie ein Freudenhaus, und dort erstachen sie auch wieder einen.

Gerade diesem Gesandten, dem würdevollsten aller Franzosen, mußte es geschehen. In seinem erbitterten Zorn drohte er, dem jungen Raufbold den Kopf abschlagen zu lassen, der Bürgermeister von London hatte Mühe, ihn davon zurückzuhalten. Indessen vermied er selbst nur durch Zufall den schwersten Fehler. Er hatte beabsichtigt, in tiefer Trauer zum Empfang zu gehen. Mylord Sidney belehrte ihn noch rechtzeitig, daß er der einzige Schwarzgekleidete gewesen wäre. König Jakob und sein Hof hätten es verübelt, besonders der empfindliche Monarch, vormals nur König von Schottland, jetzt auch von England, nicht durch Verdienst: durch Erbschaft. Der Name seiner großen Vorgängerin durfte selbst hier nicht ausgesprochen werden. Sully beschuldigte die Kleinheit der Überlebenden. Der Ruhm der Welt, er vergeht ihr nicht schnell genug: sie stellt sich taub.

Um so unbedenklicher gebrauchte der Gesandte für seine Ansprache an den König im Palast von Greenwich den geschweiften Stil, der jetzt üblich ist, auch Rosny hat ihn erlernen müssen. Er nannte seinen Herrn und die britannische Majestät wahre Wunder von Königen, sie begriffen in sich sämtliche Größe der Neuzeit und des Altertums. Der Vorgängerin hätte er niemals zugemutet, dies anzuhören; man sprach mit ihr geschäftlich oder gelehrt. Er versicherte, über den schmerzlichen Verlust Elisabeths sei sein Herz vollauf getröstet durch die friedliche Thronbesteigung eines Nachfolgers von mehr als menschlicher Seelengröße. Der König von Frankreich, der ihn entsendet habe, mache sich von der Majestät Jakobs einen derart hohen Begriff, daß seine Freundschaft und Verbundenheit weit hinausgehe über das nie getrübte Verhältnis zu der berühmten Königin, die nicht mehr da ist.

Elisabeth fehlt, soviel ist wahr, und alles übrige erfunden. Rosny verstieg sich bis zu der Behauptung, er wünsche diesem Erben mit dem unentschiedenen Gesicht eine ebenso glückliche Regierung wie seinem eigenen Souverän. «Mögen Ihr Zepter und Ruhm immer zunehmen. Nur durch göttlichen Beistand könnte ich beredt genug werden.» Soviel sei zugegeben, die Schmeichelei hat Grenzen, ihr menschliches Maß genügt nicht, einem mißtrauischen Monarchen, der sich selbst nicht glaubt, Vertrauen und Tatkraft einzuflößen. König Jakob war behufs Anhörens der großartigen Ermutigungen von seinem Thron zwei Stufen herabgestiegen. Nach dem Ende der Rede begann er an einer Antwort zu stottern. Gehemmt wurde er nicht durch den Gesandten, dieser hatte die Augen gesenkt, um den armen Erben der Krone England zu schonen. Die eigenen Würdenträger des schottischen Königs faßten ihn schärfer ins Auge, je schwerer er sprach. Es waren noch dieselben Diener der alten Königin, sie waren geneigt, besonders Mylord Cecil, den fremden Herrscher seine Zufälligkeit und Verwaistheit fühlen zu lassen, von auswärts übernommen wie er war, all seine Kraft von der Toten erborgt. Vor ihnen mußte er immerfort Prüfungen ablegen, weshalb er stotterte. Um so beflissener griff er nach den Papieren, die der Marquis de Sully ihm hinaufreichte.

Es waren eigenhändige Briefe des Königs von Frankreich. Der König von Schottland und England bemerkte wohl, daß hier keine geschweiften Sätze mehr standen, sondern die Gegenstände wurden benannt, sie hießen Holland, Hilfstruppen gegen Spanien, ihr wohlberechneter Betrag. Darüber glitt der Unsichere hin, war nur froh, daß er sein Gesicht in die Schriftstücke versenken durfte; ja, aus aufrichtiger Dankbarkeit für den Gesandten und sein rettendes Papier hätte Jakob am liebsten gleich alles gesagt. Hätte er doch auch der Gegenseite, seinen gefälligen Jesuiten, versprochen, soviel sie verlangten. Indessen, unter dem Blick von Mylord Cecil ging es nicht an, wurde dem König auch späterhin nicht völlig erlaubt. Die Handschrift seines Bruders von Frankreich ermutigte ihn wenigstens zu dem Ausspruch, daß er für die Person des Königs Henri eine wahre Leidenschaft hege, und habe diese nicht etwa in Schottland vergessen.

Unvermittelt verlegte er sich auf theologische Punkte, griff dann zur Jagd und zum Wetter. Rosny, der kein Jäger war, rühmte die Meisterschaft seines Herrn auf diesem Gebiet wie auf allen. Dachte vermittels des Umweges endlich der Politik näherzukommen, was aber fehlschlug. Der feierliche Empfang blieb ohne Ergebnis. Mithin erbat der Gesandte ein Gehör unter vier Augen und machte es dringlich, da er wußte, daß Philipp der Dritte von Spanien der britannischen Majestät mit Angeboten eines Bündnisses hart zusetzte. Jakob der Erste schien durchaus gewogen, er lud den Gesandten zu einem Gottesdienst, nachher kam unfehlbar wieder die Jagd daran, und den Rest des Gespräches lieferte die übermäßige Hitze des Sommers.

Mit dem Ordentlichen Gesandten durfte Rosny am Tisch des Königs essen, sie beide als einzige Gäste. Den Herrscher bediente man erstaunlicherweise auf den Knien. ‹Das ist auch die einzige Art, wie er herrscht›, bedachte Rosny. ‹Zu melden hat er nichts.›

Nächsten Tages kam zu Rosny der Gesandte der Vereinigten Niederlande, Barneveldt; er stellte ihm die verzweifelte Lage seines Volkes vor. Ostende ist unmöglich noch länger zu halten, als seine heldenhafte Verteidigung gegen die spanische Übermacht schon währt, das sind zwanzig Monate. Die Holländer bedürfen einer Verdoppelung ihrer Kräfte an Truppen und Geld.

Barneveldt: «Gebt sie uns! O helft uns! Seht ihr nicht, daß die völlige Vertreibung der Spanier aus unseren Provinzen über das Geschick des Erdteiles entscheidet?»

Rosny: «Der König von Frankreich will einzig noch des englischen Bündnisses versichert sein, alsbald zieht er ins Feld.»

Barneveldt: «Als aber die große Elisabeth in Dover auf sein Zeichen wartete und sah vergebens nach ihm aus –»

Rosny: «Ihre Zeit ist abgelaufen. Ihr Nachfolger wird beim Essen auf den Knien bedient, und so herrscht er. Mein König herrscht anders. Ein frommer Mann wie Sie begreift dennoch, daß die Verfinsterungen unseres freien Willens von Gott gewollt sein müssen. Sogar den Verrätern erlaubt der Höchste, dazwischenzutreten, damit wir Guten aufgehalten werden und um so mehr Festigkeit erlernen.»

Barneveldt: «Begreifen Sie auch, warum England den Feinden seiner Religion und Freiheit erlaubt, die Küste gegenüber zu erreichen?»

Rosny: «Aus Friedlichkeit, zweifellos. Überdies ist Spanien eine erschöpfte Macht, deren letzte Zuckungen weniger gefährlich erscheinen. Mein König – er vor allem soll an der Küste gegenüber nicht stehen, und auf dem Kontinent sollen zwei Mächte, die erschöpfte und die lebende einander ausgleichen, so daß ewig Krieg ist. Hier nennt man es den europäischen Frieden.»

Barneveldt: «O sagen Sie den Räten des Königs Jakob, sagen Sie seinem Parlament die Wahrheit, die Sie besitzen. Mylord Cecil hält sich für einen echten Freund des Friedens.»

Rosny: «Glauben Sie? Aufrichtig ist König Jakob, weil er gar keine Macht hat, ausgenommen natürlich die kniefällige Bedienung.»

Erst diese Aussprache, mit der er scheinbar der Vernunft eines anderen beisprang, hat Rosny selbst recht aufgeklärt. Nachher hat er tagelang die britischen Herren über alle wissenswerten Umstände unterrichtet mit seiner gewohnten Logik und einer Beredsamkeit, gestützt von Ziffern. Hat es sich nicht verdrießen lassen, daß die Herren eigentlich nichts wissen wollten, sondern hörten ungeduldig fort von seiner Herzählung der Lasten, die ein Angriff von seiten des verzweifelten Spaniens dem König von Frankreich auferlegt hätte. Zu Wasser und Land müßte er gleichzeitig alle seine zahlreichen Grenzen verteidigen. Spanien und seine Vasallen sind überall. Seit Kaiser Karl dem Fünften bedroht ein einziges Haus in seinem Drang nach der universalen und totalen Macht die Völker Europas und jedes freie Land.

Das zu sagen, ist Rosny angehalten, es steht in seinem Auftrag. Gleichwohl ist er darauf gefaßt gewesen, daß die Bedrängnis und Zerrissenheit des Kontinentes hier nicht empfunden wird, sondern erscheint entlegener als die Neue Welt. Das war gerade die vereinzelte Größe Elisabeths, daß sie mit Europa gefühlt und gedacht hat – eine alte Frau, die junge vermocht es noch nicht. Schwül ist Herrn de Rosny geworden, als die Gegner seinen weltpolitischen Vortrag kurzweg abbrachen, um zurück auf Ziffern zu greifen: diesmal ihre eigenen. Das sind die Schulden, die der König von Frankreich in diesem Lande gemacht hat, zu der Zeit der vorigen Königin. Kein britischer Soldat wird das Festland betreten, bevor die Schulden nicht bereinigt sind bis auf den letzten Rest.

‹Um Gottes willen›, hat Rosny bei sich ausgerufen. Der Friedensfreund Lord Cecil hat laut die Stimme erhoben. Seine Majestät von England denke nicht daran, sich für die Generalstaaten von Holland zugrunde zu richten. Wenn diese nicht zahlen könnten und auch der König von Frankreich nicht, dann bliebe man eben gut Freund, aber ohne Bündnis, keines für die Verteidigung und erst recht für den Angriff keines. ‹Um Gottes willen›, hat Rosny bei sich gebetet. ‹Daß ich sie doch erleuchten könnte! Es geht um ihren Bestand wie um unseren. Sie reden von Schulden. Die Gesellschaft Jesu ist zugelassen auch hier, sie selbst haben Spanien schon im Land. Treiben aber Schulden ein.›

Auf das weite Feld des Kapitals und der Zinsen gestellt, mußte er mit den Räten Seiner Majestät tagelang handeln. Er behauptete, als Mitglied des Finanzrates sei er von den Absichten des Königs von Frankreich unterrichtet. Da in Wirklichkeit nur Rosny allein die Leistungsfähigkeit des Königreiches genau übersah, beantragte er jährliche Raten in mäßiger Höhe, damit für einen Krieg genug übrigbliebe. «Wollte Seine Britannische Majestät meinem Herrn alle Lasten und Opfer des Krieges allein überlassen, was zu glauben ich standhaft ablehne, da die Weisheit und Großmut König Jakobs mich eines Besseren versichern, dann erwartet doch niemand, daß mein Souverän bei so drohenden Umständen die Staatskasse entblößt.»

Doch. Die Räte des Königs von England bestanden darauf. Der Gesandte erklärte ihre Hartnäckigkeit mit ihrem Wunsch, fester zu sein als ihr schwacher Herr: dies im Sinne der vorigen Königin, den sie durchaus verkannten. Er beschloß, Jakob ausführlich zu belehren, da niemand sonst ihn in die politischen Grundsätze seiner berühmten Vorgängerin einweihte. Rosny hat auf ein außerordentliches Stück Arbeit gerechnet. Die folgende Unterredung ist aber getragen von einer verzauberten Leichtigkeit, wer hätte es geahnt. König Jakob nimmt den Gesandten bei der Hand, führt ihn in sein Kabinett, läßt die Türen schließen und bittet ihn, rückhaltlos zu sprechen. Das ist für Rosny das Zeichen.

Er hat dem ratlosen Erben die ganze Wahrheit gesagt. Er hat nicht gefürchtet, die große Frau ins Feld zu führen – sie hätte sich verbeten, daß alte Schulden abgewogen werden, wenn in der anderen Schale die Freundschaft der beiden Königreiche liegt. Über die glaubhafte Wahrheit hinaus hat Herr de Rosny vor den geblendeten Augen Jakobs etwas funkeln und schillern lassen: es heißt Unsterblichkeit. Er hat geredet zwei ganze Stunden, dann hat Jakob selbst ihn ersucht, den Vertrag aufzusetzen gleich hier. Das war nicht nötig, Rosny trug den Entwurf in der Tasche. Jakob mit eigener, königlicher Hand machte Änderungen von keinem Belang; es sollten gerade nur Änderungen sein, da ein Herrscher soeben seinen Beruf erfaßt hat – wenn auch höchstens für diesen Tag und eine Stunde. Rosny hat sich nichts vorgemacht und sein Glück nicht über Gebühr gepriesen. Genug, daß Jakob den Entwurf vorerst billigt, ja, sogleich befiehlt er zu sich die Minister, damit sie seinen Willen erfahren.

Mylords Cecil und Montjoie, die Grafen von Northumberland und Southampton vernehmen aus dem Munde des Herrschers, daß er alle Gründe des Marquis de Sully reiflich erwogen hat. Sein Beschluß ist, auf dem Gebiet der auswärtigen Politik immer im Einverständnis mit dem König von Frankreich zu verfahren. Beschlossen ist ein enges Bündnis der beiden Königreiche gegen Spanien. Still! Nicht darein reden! Ich befehle. Seine königlichen Rechte und Versicherungen aller Arten bietet er den Herren Staaten von Holland. «Nun, Herr Gesandter, sind Sie jetzt mit mir zufrieden?»

Rosny küßt die Hand, die ihm allzu plötzlich erstarkt scheint. Er dankt warm und in geschweiften Sätzen. Das blieb in England seine letzte Rede. Von allen zusammen öffnete sich an seinem Mund die Wunde, empfangen hatte er sie bei Ivry: eine alte Schlacht, ein Sieg, der nachhaltig gewesen war. Mehrere Tage eines heftigen Fiebers, dann durfte er dem König Jakob zum Abschied aufwarten, erhielt von ihm eine prachtvolle Kette, Gold mit Edelsteinen, dauerhafter als Verträge, und ein Handschreiben, das der König dem Gesandten mitgab, bescheinigte seinem Bruder von Frankreich, daß er ihm ein tiefinneres Wohlwollen erwiesen habe durch die Entsendung des Marquis de Rosny. So glücklich war Jakob gewesen die Zeit über.

Seinerseits verteilte Rosny die kostbarsten Geschenke, dem König sechs Pferde von edelster Dressur, der Königin einen venezianischen Spiegel, der Kasten aus Gold und Diamanten. Bedacht wurden sogar die Staatssekretäre, die den Vertrag nach Kräften unterbunden hatten; dafür bekamen sie die anmutigsten Gegenstände wie für galante Damen. Mit dieser ironischen Anspielung schied der Gesandte. Sein Herr erwartete ihn ungeduldig, er war ihm sogar entgegengereist.

Nach einer stürmischen Überfahrt und der Nacht in der Postkutsche fand Rosny den König unter Bäumen mit den Herren de Villeroy, de Bellièvre und Soissons. Der erste wird alles, was der Gesandte berichtet, nach Madrid weitergeben. Der zweite verschweigt seine Bedenken. Der dritte, als Vetter des Königs, darf sie aussprechen. «Wenn Herr de Rosny sich mit den Engländern so nett versteht», sagte der Graf von Soissons, «dann hätte er mehr heimbringen müssen als leere Versprechungen, gesetzt, daß er auch die nur bekommen hat» – eine offene Verdächtigung. Aber der Vetter des Königs erlaubte sie sich, Rosny konnte sie nur einstecken, Henri antwortete selbst. Es ist leicht mäkeln, so beschied er die Herren, wenn ein anderer getan hat, was menschenmöglich ist. Würde doch keiner mehr erreicht haben. Er selbst sei es zufrieden.

In Paris sprachen sie sich wieder, der König und sein Großmeister. «Was glauben Sie nun wirklich?» fragte Henri.

«Sire! Daß es nicht gut ist, wenn ein fremder König durch Erbschaft und ohne Kampf seinen neuen Thron besteigt. Ich hab es erkannt, als mir vom vielen Reden am Mund die Wunde aufging: die hatte ich aus Ihrer Schlacht bei Ivry.»

«Kein Verlaß?» fragte Henri. «Weder Sicherheit noch einige Hoffnung?»

«Wir wollen beständig der Vernunft helfen, zu siegen», behauptete Rosny. «War es lange vergeblich, Sie und ich wissen aus wohlerworbener Kenntnis, daß die Vernunft mit ferneren Fristen rechnet als die Widernatur, denn diese hat es eilig, weil sie schwach ist.»

«Schwach, eilig», sprach Henri beiseite. «Daher zur Gewalt geneigt.»

Das folgende Jahr bewies tatsächlich die Neigung der Schwäche zur Gewalt. Dem König von Frankreich bot der König von Spanien ein Bündnis an mit dem Ziel einer gemeinsamen Landung in England, das sie erobern sollten, und auszurotten wären alle Protestanten. Henri meldete dies dem König Jakob. Inzwischen fiel Ostende. Vierzigtausend Mann hatte Spanien unter den Mauern der heldenhaften Stadt verloren. Da endlich General Ambrosius Spinola als Sieger einzog, erschrak König Jakob überaus. Der Plan der Mächte, auf seiner Insel zu landen, hatte ihm zu allem Entsetzen gerade noch gefehlt. Dem König Henri, so aufrichtig dieser ihn warnte, vertraute der Ärmste nicht mehr als sich selbst. Das Bündnis mit der gewalttätigen Schwäche, das Henri zurückgewiesen hatte, Jakob ging es ein. Den französischen Vertrag hatte er immer verzögert. Dem König von Spanien gab er eilends das Papier.

Er denkt wohl das Schicksal aufzuhalten. Gegen Schwache, die es eilig haben und daher gewalttätig sind, helfen keine Zugeständnisse. Spanien will als Leichnam herrschen, ausgeblutet siegen, und verzichtet auf seine spätesten Opfer weniger als auf die ersten. Den Vortrupp und Henker hat es in dem ausersehenen Land schon stehen. Das sind die englischen Väter der Gesellschaft Jesu, von denen unter einem König Jakob nichts Gutes zu erwarten ist, gewiß keine Milde und auch Vorsicht kaum. Man müßte ein anderer Mann sein. Hier hat König Henri sie gleichfalls zugelassen; warum, weiß nur sein Rosny. Dem Parlament von Paris, das Vorbehalte macht, aber die hat es auch gegen das Edikt von Nantes lange behauptet – seinen Rechtsgelehrten antwortete Henri: «Vielen Dank, ihr tragt Sorge um mich und meinen Staat. Indessen, den Widerstand gegen die Jesuiten betreiben zwei Gattungen von Personen: erstens die von der Religion und dann die Geistlichkeit, nur soweit sie unwissend und sittenlos ist. Die Sorbonne kennt die Väter nicht, sie hat sie verurteilt – mit dem Erfolg, daß ihre eigenen Hörsäle leer stehen. Alle schönen Geister wenden sich nun einmal den Jesuiten zu, dafür achte ich sie.»

Somit berief er sich auf ihre Zeitgemäßheit, ihren Erfolg. Weiter behauptete er, daß sie eine Lehre vom Tyrannenmord überhaupt nicht besäßen. Seine eigenen Attentäter hätten ihnen niemals nahegestanden, besonders Chastel trotz seinen Aussagen nicht. Wieviel glaubte er von dem allen selbst? Er hat seinem Rosny gestanden, daß er gefährliche Menschen lieber im Lande hätte als hinter den Grenzen, wo sie eine romantische Anziehung bekämen und gewännen hier drinnen verliebte Schüler, die sich ihnen verschwören und freiwillig den Staat unterwühlen, bis das Pulver ihn sprengt. Ordentlich zugelassen, entfalten sie eine offene Tätigkeit.

«Ihre Schulen sind musterhaft. Sie behandeln allerdings die adeligen Kinder besser. Mich haben sie um mein Herz gebeten als Reliquie für ihre Kirche. Liebt mich, denn ich liebe euch, so sind wir gesonnen.»

Rosny meinte, es könnte Maske sein. Diese selbstlose Hingabe an die Kleinsten hätten nicht einmal die ersten Jünger unseres Herrn Jesus aufgebracht bei aller ihrer Unschuld, von der ihren späten Nachfahren nichts zu glauben wäre.

Henri nannte seinen Großmeister einen unverbesserlichen Protestanten. Wo doch die Väter schwirrten und düftelten, Vöglein, Blümelein. Ernst sprach er: «Ich kenne meine Feinde. Die Gesellschaft Jesu ist der Agent der Weltmacht, die mich verschlingen will. Bleibt nur übrig, ihnen zu zeigen, daß mein Rachen furchtbarer ist. Großmeister, fahren Sie meine Kanonen durch die Straßen.»

Der Frauenhändler

Kanonen sind nicht das unfehlbare Mittel, wenn überall der Verrat, in immer neuer Gestalt der Verrat schleicht. Eine Frau, die der König braucht und nicht entbehren will, wird zum Werkzeug seiner Feinde. Am Anfang hatte seine Marquise um des schärferen Reizes willen leichthin die Verschwörerin gespielt – in derselben Absicht tanzte sie vor ihrem Anbeter schlangenhaft bis zum Verlust der letzten Bekleidung. Seit der Zulassung gewisser Väter duldet man keine halbe Komödie. Mach Ernst, meine Schöne, sonst hüte dich. Du wärest noch vor ihm verloren. Weißt du wohl, wer wir sind? Wir haben viele Namen: Spanien, Österreich, Papst, Kaiser, das Geld und die Gesellschaft Jesu, was alles noch nichts besagt. Ein namenloser Wille redet Sie an, Frau Marquise. Das Urteil des Jahrhunderts ist gegen die Völker gefallen, und darum gegen diesen König. Ob sie begreifen oder nicht, sie sollen dienen.

‹Frommer Vater, wie schrecklich. Dachte ich doch, es bliebe noch lange beim Spiel und Tanz. Ich hab ihn gehaßt für das ungültige Eheversprechen: aber sehen Sie mich nur an, ich bin nicht ganz bei Trost. So etwas sagt man, aber tut es nicht. Wie? Ich? In voller Wirklichkeit? Ich verstehe Sie nicht, nur daß ich sonst – und wenn ich ihm stehenden Fußes Ihre schändlichen Anträge hinterbrächte? Nein. Kein Wort mehr, vergessen Sie mein letztes. Ich will leben. Ich gehorche damit ich leben darf.›

Henriette d'Etrangues war zu weit gegangen. Nach dem Fall von Ostende zog die namenlose Weltmacht sie vollends in ihr Verhängnis, die ganze Familie half mit. Die d'Etrangues liehen ihren Namen der Verschwörung, als sie dann aufgedeckt war. Der Marschall, ein Schwächling, und sein verbrecherischer Sohn d'Auvergne wurden recht klein in dem folgenden Prozeß; Henriette blieb tapfer, sie bestand auf ihren Rechten. Sie habe das Versprechen des Königs; ihre Kinder seien die einzigen echten. Ihn töten? Ach Gott! Was hat sie denn gewußt und was gewollt. Ihr einziger Bruder wälzte alles auf sie ab. Sie weinte insgeheim. Ihre Richter bat sie stolz um Gnade für ihren Vater, einen Strick für ihren Bruder, und sie selbst verlange nur Gerechtigkeit.

Der «Strick» war von ihren Forderungen die auffallendste. Henri, der nicht töten mochte, spürte jedem seiner gestürzten Feinde bis in das Innerste nach. Diese Frau hat an ihm mehr gehangen, als sie wissen wollte in ihren guten Tagen. Da sie es endlich eingesteht, hörbar für ihn allein, gerade jetzt soll es sein mit ihr und ihm. Nein. Er begnadigt den Alten, ließ den Sohn einsperren, und die gefährliche Maitresse schickte er in ein Kloster. Hätte er sie nur dort gelassen und bei einer anderen vergessen. Das gelang ihm nicht; welche andere hat ihren leichten, höhnischen Witz, die sprunghafte Laune und so viel Anmut in der Ausgelassenheit, die Kunst, alles zu wagen, ohne daß es die Selbstachtung kostet: welche hat bis zur Vollkommenheit, was Henri französisch nennt.

Genug gebüßt, er holt sie zurück. Das machte auf sie den unglücklichsten Eindruck: lieber hätte sie die Verlassenheit ertragen als eine Liebe, die sich nicht beherrscht. Er tat mehr, er anerkannte ihre Kinder. Was half das, «ihr Dauphin», wie sie sagte, blieb vom Thron ausgeschlossen. Herr d'Etrangues mußte als Preis für sein Leben das schriftliche Eheversprechen ausliefern. Der Mann, der sie demütigte, je mehr er sie erhöhte, wurde ihr jetzt in Wahrheit verhaßt. Sie bekam ihre Wohnung im Louvre; seitdem hatte er unter seinem Dach die tiefste Bosheit von allen. Wer sonst seinen Tod wünschte, war wenigstens noch bei Trost; jeder behielt vorerst das Bewußtsein, eine Krankheit läge in der Luft, die Pest der Verschwörung, und aus bloßer Anfälligkeit stimmte man im voraus zu, daß ein großer König fiele.

In seinem Louvre haßten sie einander, die Königin, die Marquise, die beiden Vettern der Königin und der ungebührliche Concini. Aber seine zwergenhafte Frau, die Milchschwester, übertraf noch die anderen. Alle zusammen rechneten mit dem Tode des Königs, was längst kein Grund war, sich gegenseitig das Leben zu gönnen. Man erwartet jeden Morgen, daß Madame de Verneuil ermordet in ihrem Bett liege. Die Königin ist außer sich, weil der König die Bastarde der Marquise mit ihren eigenen Kindern erziehen läßt, übrigens auch mit den Sprößlingen der reizenden Gabriele: er will seinen gesamten Nachwuchs unter den Augen haben. Dem Dauphin ist eines Tages die Geburt eines neuen Bruders angekündigt worden; die Maitresse seines Vaters hat noch ein Kind bekommen. «D-das ist n-nicht mein Bruder», sagte der Dauphin, ein kleiner Stotterer.

Der Dauphin Louis verehrte Henri, er folgte ihm in den Dingen, die man nicht tun soll, Wein in die Suppe gießen, sich nachlässig kleiden. Er ahnt, was Erwachsene von seiner Außerordentlichkeit nicht einsehen wollen, und eine unverstandene Begeisterung bewegt das Kind. «Der König, mein Vater.» Auch Louis hat schon damals gehaßt, am meisten die Kavaliere seiner Mutter, nächst dem sie selbst – in vergeßlicher Art natürlich, zwischen dem Kuß auf ihre Hand und dem Schlag, der seine Wange traf. «Herr Sigisbée» – er hatte aufgefangen, wie die dienenden Kavaliere der Damen genannt werden; «hüten Sie sich, Herr Sigisbée, bei der Königin einzutreten. Drinnen ist der König, mein Vater.» Als der schöne Herr lachen wollte und sich herausnahm, dem Jungen den Kopf zu streicheln, befahl der Dauphin dem nächsten Türsteher, ihn durchzuprügeln. Einiger Lärm erfolgte, bevor der Edelmann entwich. Die königlichen Eltern sahen ihn noch laufen, als sie auf die Schwelle traten. Henri freute sich über das Mißgeschick des glänzenden Concini.

Marie von Medici verbarg aus Grundsatz jedes Gefühl, besonders wenn es liebenswürdig gewesen wäre. Dauphin Louis empfing eine schlagfertige Bestrafung – seine Frau Mutter hätte ihn eher loben dürfen. Concini war ihr verhaßt worden, da sie endlich begriffen hatte, daß sie vermittels seiner Schönheit zum Narren gehalten wurde von ihrer Milchschwester: die aber fürchtete sie abergläubisch. Leonora Galigai wohnte in einem oberen Geschoß allein und unzugänglich, obwohl gemunkelt wurde, nächtlich geistere sie. Ihr ganzes Sinnen war Geld, sie häufte es an und schaffte es in ihre Heimat für den Fall der Flucht. Geeignet, sie zu bezahlen, waren offenbar die Feinde des Königs, der unbestimmbare Verein, der in Ermangelung eines treffenden Namens «Spanien» hieß. Ohne ihre bestochene Milchschwester wäre Marie bei gewissen Unternehmungen schwerlich zur Mitschuldigen geworden. Sie hätte Concini nicht angehört, wenn nicht ihre Leonora ihn abgesandt hätte – bis an den Rand des Bettes, nicht weiter. Im Gegenteil hätte sie in den Armen ihres Gatten die fremden Aufträge vergessen, die Agentin der Weltmacht wäre sie gegen ihn nicht lange geblieben, da er ihr schöne Kinder zeugte und mehr noch anbot, sein Herz.

Man wohnt dem Wachstum des Hasses bei. Droben hauste eine Wahnsinnige, unsichtbar aus Furcht vor dem bösen Blick. Unterhalb liegen nebeneinander eine Frau ohne Geist mit bösem Gewissen und der Mann, dessen Geliebte sie vielleicht gewesen wäre. Er hat es seinem Rosny anvertraut. «Sie ist die Mutter meines Dauphin, und wär sie nicht die Königin, nur sie sollte meine Geliebte sein.» Dahin konnte es niemals kommen wegen des bösen Gewissens und zufolge dem angewachsenen Haß. Marie ließ ihren Gatten nicht schlafen, sie langweilte ihn mit ihrem verhaßten Sigisbée, dem aufgeblasenen Schönling, der aber verfettete und eine weibliche Brust bekam, davon zu schweigen, wieviel Geld er sie kostete. «Mich auch», sagte Henri. «Wirf ihn hinaus», sagte Marie, in schrecklicher Furcht, er könnte es tun. Ihre unheimliche Milchschwester hätte sie dem Beichtvater angezeigt, oder ihr eine Krankheit in den Leib gewünscht. Vergiften war nicht leicht, jedes Gericht mußte von den Mundoffizieren öffentlich geschmeckt werden, bevor die Majestäten davon nahmen. Dennoch aß die Königin nicht oft mit dem König; sie hatten sich meistens gezankt, dann behauptete Marie allerdings, daß sie in Gefahr wäre. Gift? Und von diesem König? Man schüttelt die Köpfe. Niemand ermißt die Bitterkeit des Gewissens, wie es aus den Eingeweiden steigt und Marie im Hals würgt. Durch ihre Nächte gehen die Schatten von Mördern ihres Gemahls, sind ihr nicht bekannt, aber unbekannt auch nicht. Er schrickt auf, wenn sie aus dem Schlaf schreit.

Oftmals bemitleidete er sie wegen der Schreckensherrschaft der Milchschwester – deren Macht ihm selbst gewisse Vorteile brachte; sie beseitigte den Einfluß der Vettern Orsini. Nachgerade wagten weder Virginio noch Paolo, allein und ohne öffentliche Aufsicht das Zimmer der Königin zu besuchen: für ihr Leben hätte niemand viel gegeben. Sie waren ausgediente Liebhaber und fristeten bei Hof ein glanzloses Dasein, so gefährlich sie sich anstellten. Man wußte: sie fürchteten Herrn Concini, einen Kapaun, der zu den Frauen nicht ging, sondern mit ihnen handelte. Für die Königin hatte er politische Käufer, die ihn und seine Zwergin reich machten. Von anderen Damen bezog er Renten dafür, daß er ihnen den König zuführte. Der König selbst war langsam im Zahlen. Aber er hatte einen Kunstgriff entdeckt, Concini für sich zu gewinnen. Erfaßt man eine leere Seele nie, dann hielt er sie wenigstens hin, er machte das Geschöpf noch eitler, als es schon war. Wenn der Junge seiner geizigen Zwergin oder der eigenen Frau des Königs einige Moneten abgeluchst hatte, erdreistete er sich, dem König ein Geschenk anzubieten, schöne Pferde, und der König nahm sie. Sire! Was für ein edles Tier Sie reiten. – Von Herrn Concini. Und nach den Pferden die Frauen. Der Louvre war voll von Schönheiten: eine schlief genau über dem Kabinett des Königs. Diese gewisse Nacht lag er hinter den vergoldeten Schranken in seinem Bett, da die Königin ihr Zimmer versperrt hatte. Kratzt jemand leis an seiner Tür: Concini. «Sire! Sie gaben der Dame oben einen Wink, den sie aus bloßer Ehrfurcht nicht verstehen wollte. Ihr gehorsamer Diener hat sie über ihre Fortuna belehrt, alle Sprödigkeit ist gefallen dank meinem fachmännischen Eingriff. Ein Mann wie ich macht in den Dingen der Liebe einen Arzt ohnegleichen. Diesem gewähren Sie natürlich die Gebühren.» Mit ausgestreckter Hand: «In der Höhe, die ein König ehrenvoll findet.»

Abgemacht, wenn auch ohne Bargeld, und sie traten den Weg an, traulich vereint der König mit dem Frauenhändler. Die dort oben stand übrigens im Einvernehmen mit Henri. Madame de Guercheville, Ehrendame der Königin, haßte alle Intriganten, die hier eingenistet waren: die Marquise mitsamt ihrer tiefen Bosheit und das gemeine Paar, dem jede Sache nur um Geld ging. Sie hatte mit dem niederträchtigen Concini zum Schein um eine Liebesnacht gefeilscht; in Wirklichkeit suchte sie die verschwiegene Gelegenheit, dem König auszuschütten, soviel sie für ihn gesammelt hatte, die Geheimnisse der Königin und ihrer Milchschwester, was diese mit ihrem schönen Gatten auskochte, oder die Marquise mit dem Beichtvater. Madame de Guercheville gefiel dem König, anders hätte kein Concini ihre Fortuna in Lauf gesetzt. Damit sie sehen sollte: er ist es und hat sich seinen Lohn verdient, öffnet Concini bei ihr das Schloß, denn ihm widerstand keines; ließ den König eintreten und seinerseits verschwand er. Sie sprach, indessen Henri vor ihrem Bett saß. Er fand sie klug und ergeben. Als ihm einfiel, sie auch begehrenswert zu finden, sagte sie, kaum merklich zitterte ihre Stimme: «Sire! Sie haben mich vergessen. Lang ist's her, da lud ich Sie an einen Tisch mit vielen Gedecken, aber ohne Gäste. Aus Schwäche, weil ich Sie sonst erhört hätte, ließ ich Sie in dem leeren Schloß allein. Auf der Flucht vor meinem Herzen hab ich bitterlich geweint. Ich hieß La Roche-Guyon, Sie haben mich vergessen.»

«Unter tausend nicht!» rief er. «Hätte ich Sie denn zu der Ehrendame der Königin gemacht? In Ihrer Gestalt zuerst, Antoinette, bin ich der Tugend begegnet. Was hör ich jetzt, Tränen flossen damals um mich.»

«Sire», sagte Madame de Guercheville, «die Frauen, die sich Ihnen verwehren, sind gerade darum die treuesten.»

«Ein grausames Urteil, das Sie über mich fällen», erwiderte er wohl, freut sich aber, in seinem Louvre, dessen Ruf es nötig hatte, eine enthaltsame Person zu wissen. Sie hat sich schön gemacht; die Locken schimmern, die Augen glänzen, es spiegelt der aufgestützte Arm. Im Ausschnitt des Nachtkleides heben sich und beben Reize, die verzichten wollen – gerade dies der seltenste Reiz. Der König hält eine Hand der Tugend ehrerbietig in der seinen. Die Kerzen scheinen mild. Hier ist eine gute Stunde.

Eben dieselbe war übel für Marie von Medici. Hinter ihrer versperrten Tür hatte sie belauscht, was bei Henri vorging. Die Schliche des Gauners Concini erlaubten keinen Zweifel. Marie irrte nur in betreff der Person, zu der ihr Gatte alsbald aufbrach. An die ehrenwerte Guercheville dachte sie nicht. Zuerst ließ sie genug Zeit vergehen, daß ein sittenloses Paar den Grund seines Beisammenseins nicht mehr ableugnen kann. Hierauf eilte die Königin, unterwegs verlor sie einen Pantoffel, suchte ihn nicht erst im Dunkeln – heftig drang sie in ein Zimmer, es war unverschlossen. Die Marquise de Verneuil saß auf ihrem Bett und las. Sie lächelte, es war wohl ein komisches Buch trotz seiner Größe und Schwere. Die Marquise lehnte es gegen ihre erhobenen Knie, darüber hinweg begrüßten ihre witzigen Augen dies aufgeregte Weib: den plumpsenden Gang hatte sie längst erkannt, auch den Pantoffel davonfliegen gehört.

Der Anblick der Königin übertraf ihre Erwartungen. Eingewickelte Locken, die Augen noch törichter von der ratlosen Wut, das unbefestigte Fleisch der Alternden in ihren durchsichtigen Hüllen, diese aber bestickt und beblümt wie für unschuldige Mädchen. Henriette d'Etrangues hätte wahrhaft ihren Platz mit niemanden getauscht.

Die Königin, ein Ächzen der Rachsucht, ein hohes Gewimmer dazwischen, so stapfte sie hierhin und dorthin ungleichen Schrittes, ein Pantoffel, ein nackter Fuß. Als sie zuletzt den Wandschirm umgeworfen hatte, ohne daß jemand hervorkam, stemmte sie die Fäuste in die Hüften.

«Wo ist er?» heischte sie.

«Wer?» fragte die Marquise lieblich.

‹Das Buch! Hinter dem Folianten wird sein Kopf auftauchen.› Marie stürzte darüber her. Henriette sagte ernsthaft: «Aufgepaßt. Madame, er ist in dem Buch, gleich wird er reden.»

Marie blinzelte, sie vermißte ihre Brille, endlich bekam sie heraus: ein lateinischer Kirchenvater. Da sprach auch schon ihr Gatte, von Henriette trefflich nachgeahmt: «Mit Frauen Verkehr haben, heißt innen und außen Staub sein.»

Marie war erschrocken. «Verlegen Sie sich auf die Zauberei», keifte sie. «Gelehrte Hure!»

«Dicke Bankiersfrau», gab Henriette zurück, scheinbar in Ruhe und Sicherheit, bereitete aber unter dem Schutz des Folianten ihre Flucht vor. Als Marie zuschlug, traf sie die leeren Kissen. In dem Gäßchen zwischen Wand und Bett tanzte und lachte die Verrückte. Marie traf Anstalten, ihr beizukommen: schnell griff die andere nach unten und schwang ein Ding, das funkelte. «Ah!» machte Marie. «Das sind Sie. Es ist ererbt. Ihre Frau Mutter hat einen Pagen erstochen.»

«Wir erstechen Pagen, aber keine ehrwürdigen Damen» – hiermit ließ Henriette den Dolch wieder verschwinden. «Meine Mutter hat König Karl den Neunten geliebt, bevor Herr d'Etrangues sie heiratete. Auch sie war eine gelehrte Kurtisane. Meine Herkunft ist die Ihre wert, Madame. Wir haben denn auch denselben Mann und jede ihren Dauphin. Meiner ist der echte.»

Da begann die Verfolgung. Marie mit aller Leiblichkeit setzte über das Bett, Henriette glitt schlank darunter weg, und dann tobte sie frei in dem Zimmer umher. «Da bin ich, wer fängt mich», sang sie, indessen Marie nach Luft rang. «Eins – zwei», zählte die junge Person. «Madame, Sie sind besiegt.»

«Gnade!» keuchte Marie.

Sie lag erschöpft im Sessel. Die Feindin hatte ihre Blöße bedeckt, voll demütigen Anstandes kniete sie vor der Königin und reichte ihr Wein. «Stärken Sie sich. Niemand im ganzen Schloß denkt weniger daran, Ihnen etwas einzumischen, als gerade ich. Sie hatten mich erschreckt, mein Kopf geht leicht verloren. Wir könnten uns verstehen. Sie und ich, beide haben wir dem König viel vorzuwerfen.»

«Verraten Sie mir, was Sie wissen», verlangte Marie. «Zu dieser Stunde geschieht ihm etwas. Sie saßen wach und warteten.»

Furchtbare Ahnungen befielen die Arme auf einmal. Die Angst ihres Gewissens entstieg den Eingeweiden und würgte sie im Hals. Henriette genoß ungeheuer. «Er ist entführt», bekannte sie sanft. «Endlich. Beide haben wir genug daran gearbeitet.»

«Nicht ich!» schrie Marie.

«Auch ich nicht. Beruhigen Sie sich», sagte Henriette. «Aber man muß den Mut seiner geheimen Gedanken haben – die gelehrte Kurtisane, erst recht die Königin.»

Marie war jetzt seitwärts über die Lehne gesenkt, den Kopf zwischen den Armen. Ihr Körper zuckte heftig, dann weniger, zuletzt gar nicht.

«Sie dürfen hier nicht einschlafen», bat neben ihr die knabenhafte Stimme. «Madame, bald ist Ihr öffentliches Erheben. Ich werde mich einstellen und Ihnen aufwarten, Staub wie ich bin außen und innen.»

Den Weg zurück machte die Königin gestützt auf die Marquise. Diese fand den Pantoffel und bekleidete den Fuß der Majestät.

Was geht hier vor?

Der Superintendant der Finanzen und Großmeister der Artillerie bekam zu seinen Ämtern ein neues: das Auswärtige. Minister blieb Herr de Villeroy, durfte nicht einmal wissen, daß Rosny beauftragt war, ihm nachzuspüren. Dies war aber geboten, weil Villeroy, nicht gerade Verräter, nur ein Freund des spanischen Bündnisses, vor dem Hof von Madrid keine Geheimnisse hatte und auch vor dem Erzherzog in Brüssel keine. Der König und sein Rosny rüsteten für den Krieg, obwohl sie auf Eroberungen nicht bedacht waren. Die Weltmacht will es selbst nicht anders. Sie zerfällt in sich, aber dem Krieg immer weniger gewachsen, wütet sie dennoch gegen den Frieden. Sie tut es in der Art der Gezeichneten, die zuletzt noch sich ausstürmen, ein überspannter Betrieb, die hungrigsten Ansprüche auf Land, obwohl man schon zuviel Raum hat. Spione läßt man durch fremde Gebiete wimmeln und verbreitet aufdringliche Lehren, die bei den anderen die Ordnung retten sollen; das ist nur die Ordnung von gestern und löst sich auf, höchst unanständig gerade bei den Rettern. Die Rechtlosigkeit und verfälschten Begriffe in Deutschland mußten nach aller Voraussicht ausarten und übergreifen, sie versprachen dem Erdteil einen unabsehbaren Krieg.

Ein König, der sein wohlgepflegtes Königreich vernünftig ausgestalten will, erwartet nicht müßig den Angreifer aus Schwäche und seinen Krieg, der ein maßlos verlängerter Verfall wäre. Er kommt zuvor. Ein kurzer Schnitt bricht die Vergiftung ab. Jan Willem, Herzog von Cleve, Jülich und Berg, war ohne Erben. Starb er nächstens, den Anspruch auf seine Länder erhob Habsburg; die kaiserlichen Lehen wären eingezogen worden. Der König von Frankreich aber veröffentlichte seinen Beschluß, daß weder Österreich noch Spanien die Nachfolge haben sollten. Das war die Warnung, seine erste, und er knüpfte sie an den gegebenen Vorwand: die Herzogtümer begehrte er nicht. Er begehrte einen

Frieden nach seinem Sinn und hatte den Vorteil, daß es der Sinn der Völker war. Es kommt darauf an, mit ihnen übereinzustimmen. Alle haben einiges Glück, entweder zu verlieren oder zu gewinnen. Die Tatsache besteht, daß sie auf den König von Frankreich, Henri, achten und ihre eigenen Fürsten oftmals messen an seinem Ruf. Die Angelegenheit der kleinen rheinischen Herzogtümer wird nur darum ihren späteren Umfang erreichen.

Blickt man nach Spanien, das ganz nahe ist, in den spanischen Niederlanden herrschen ein Erzherzog und eine Infantin – die Völker schaudert es. Der Infantin zu Ehren ist eine Frau lebendig begraben worden, mehr braucht niemand zu wissen. Hier hat eine Art von Mächtigen das Menschenleben noch nicht entdeckt: sie haben das ganze Jahrhundert der Entdeckungen überschlagen, es war das ehrenvollste des Abendlandes. Ihr eigener Dünkel erhält sich auf Grüften, in die sie Lebende versenken. Der König von Frankreich gewinnt seinen Krieg im voraus, blickt man nach Spanisch-Niederland. Indessen beweist er wie je seine Friedfertigkeit, pflegt weiter sein Königreich wie einen Garten; ja, er vermittelt ein Abkommen der Vereinigten Provinzen von Holland mit ihrem Feind in Brüssel. Als ob nichts wäre, verkehrt die Prinzessin von Oranien am Hof der Infantin, zwei Damen der höchsten europäischen Gesittung. Die eine versteht die Gesittung als Bekenntnis und eigenes Opfer. Die andere befolgt das Zeremoniell und die Mode, trägt Ketten aus goldenen Kugeln mit Düften gefüllt; das Opfer ist nicht ihre Sache, die lebendig Begrabene hat es ihr bringen müssen, ihrem Gewissen ist wohlgetan. Personen der beiden Arten leben bis jetzt nebeneinander an demselben Hof, und denselben Boden bewohnen Völker, die nichts gemein haben außer dem Bauch. Der König von Frankreich gewährt ihnen Zeit, obwohl er rüstet.

Was will er? Das ist die mißtrauische Frage, aber eine eindeutige Antwort läßt er nicht zu, da er draußen Frieden stiftet, drinnen mit seinen Jesuiten im Einvernehmen steht; überdies behält er den Minister Villeroy, der spanisch gesinnt ist. Jetzt trat ein störender Vorfall ein, da Herr de Rosny sein neues Amt genau nahm. Er überführte einen Schreiber des Ministers Villeroy. Dieser selbst blieb aus der Sache; er sollte nun einmal kein Verräter sein. Dennoch fand er es sicherer, daß der Zeuge verschwände; daher wurde dieser Schreiber aus der Seine gefischt, war aber nicht ertrunken, sondern erwürgt. Bald danach kam der erste Januar, frühmorgens erschien Rosny mit seinen Festgaben im Zimmer der Königin, wo die Majestäten noch ruhten. Bei schwacher Beleuchtung sprach er seinen Glückwunsch und reichte, wie üblich, zwei Börsen hin; sie waren voll Spielmarken aus Gold und Silber. Der König nahm die erste. Als nach der zweiten niemand griff, bot Rosny sie ausdrücklich der Königin an. «Madame, hier ist noch eine für Eure Majestät.»

Sie antwortete nicht, inzwischen erkannte Rosny, daß sie den Rücken herwendete. Der König, ungehalten: «Geben Sie's mir. Sie schläft nicht, sie ist wütend. Die ganze Nacht hat sie mich nur gequält, auch Sie sind schlecht weggekommen.» Damit führte er seinen guten Diener in sein Kabinett und beklagte sich bitter über Marie, die Auftritte, die sie ihm machte, und ihren schwierigen Charakter. Natürlich wußten beide, daß vor allem ihre Gesinnung zu wünschen ließ. Wäre sie zu bessern gewesen? Rosny gab seinen Rat auf Umwegen, er beklagte die übermäßigen Zuwendungen an die Marquise. Diese hatte ihn in seinem Arsenal besucht, um ihm den Hof zu machen: sie wollte sicher sein, daß er ihr wirklich auszahlte, was der König bewilligt hatte. Der Großgeldbewahrer war nach ihrer Meinung eigens eingesetzt, um ihre Ansprüche zu befriedigen. Vergeblich, ihr klarmachen zu wollen, daß der König all das Geld nicht aus seiner eigenen Tasche nimmt, sondern Kaufleute, Handwerker, Bauern nähren ihn und uns alle. «Ein Herr genügt ihnen. All die vielen Verwandten, Vettern und Maitressen mit unterhalten, das wollen sie gar nicht.» So hatte Rosny wörtlich zu der Marquise gesprochen und wiederholte es dem König.

Eine Lehre für den König: beide wußten, daß sie begründet war und gleichwohl nichts ändern konnte. Aber einige Verstimmung wird sich davon ansammeln zwischen zwei Männern, die zuletzt doch nur einander haben. Beichtvater Cotton, ein Jesuit und von schlauer Einfalt, beunruhigte den König wegen des Schwindens seiner Volkstümlichkeit. Die Schuld hatte, wenn man Cotton hörte, der harte Eintreiber ungerechter Abgaben, der nur an das Anhäufen dachte und den König zu der Todsünde des Geizes verführte. Das erschüttert Henri, der den Ruhm haben will, daß sein Volk nicht schwerer, sondern glücklicher lebt. Seiner Marquise, die sich über den Minister beschwert, gibt er unrecht; dennoch bleibt etwas zurück. Der König macht an der Verwaltung der Finanzen schroffe Ausstellungen; übrigens sind sie die reine Wahrheit. Die königliche Wirtschaft ist durch Rosny ehrlich geworden und gerade darum hart. Es hilft nichts, das Einkommen des Staates gut zu verwenden, wenn man vorher die einzige Kuh einer armen Familie entführt. Eine Lehre für Rosny: wieder wußten beide, daß sie begründet, aber umsonst war.

Cotton roch Morgenluft; er versprach seinen Oberen, der König wäre reif, seinen unbestechlichen Protestanten fortzuschicken; dann wäre er wahrhaftig allein und in ihren Händen. Rosny wehrte sich, er machte Cotton lächerlich. Seine findige Polizei hatte ihm ein Schriftstück zugespielt, darin richtete der Beichtvater allerlei Fragen an den Teufel; durch den Mund einer Besessenen sollten die Antworten ergehen. Rosny veröffentlichte den Betrug; dieser erschien kindisch, und über dem Gelächter, das sich erhob, vergaß man, welcher Gegenstand mit dem Bösen eigentlich verhandelt wurde. Die Frage war der Tod des Königs.

Damit sein Fehler ganz verdunkelt wäre, ließ Cotton sich selbst ermorden oder machte eigenhändig in sein Fleisch einen leichten Schnitt, den der Hof und die Stadt auf Rechnung des Protestanten Rosny setzten. Dies hören, und Henri eilte in das Arsenal, er umarmte seinen guten Diener. «Wären Sie mörderisch veranlagt, bei diesem Dummkopf von Jesuiten würden Sie nicht anfangen.» Rosny war dessen nicht so sicher, gleichwohl ergriff er die günstige Stunde. «Sire!» sprach er dringend. «Sie und ich, wir erkennen den Ernst hinter den lächerlichen Vorgängen.»

Henri: «Man wollte uns trennen: das ist ernst genug.»

Rosny: «Gemeint ist Ihr Krieg. Nicht auf Ihren Finanzminister, auf Ihren Großmeister war es abgesehen.»

Henri – stößt seinen Fluch aus: «Ich glaubte wahrhaftig, diesmal wären es der Wolken genug, in die ich mich gehüllt hatte.»

Rosny: «Ihre Erscheinung tritt daraus hervor, ob Sie wollen oder nicht, und bleibt für immer dieselbe. Es fällt auf, daß Sie aus heißer Liebe zu der Gesellschaft Jesu alle Ihre Protestanten von sich entfernt haben; soweit geht König Jakob nicht, und Ihnen traut man weniger. Es wäre natürlich, sie zu versöhnen.»

Henri: «Daß die Zeit gekommen wäre! Die von der Religion haben mich mit Biron verraten.»

Rosny: «Vergessen Sie! Beeilen Sie sich! Wer sieht denn voraus, wie bald eine protestantische Armee Sie schützen und Ihre Herrschaft retten muß.»

Henri: «Dahin, meinen Sie, soll es wieder kommen? Zugegeben, daß die spanische Gesinnung sich erdreistet und ich habe sie um mich her. Gleichviel, Sie beaufsichtigen Villeroy, ich – die Königin. Davon schweige ich, aber Sie wissen noch mehr als ich.»

Rosny – schnell: «Die Ehrfurcht verbietet mir, hier zu prüfen. Ich bilde mir ein, daß die Frau des Königs in seiner Größe ganz befangen und nur auf sie bedacht ist. Übrigens hat keine Person Ihres Hauses und Hofes die wirkliche Macht, den Feind in das Land zu rufen. Der Verschwörer sitzt in seiner Stadt mit Wall und Tor. Er hat Truppen und hinter sich die Grenze. Mein ein und alles, Sire: der Herzog von Bouillon soll fallen und muß sterben.»

Henri: «Großmeister, bei Ihnen sterben mir die Leute zu leicht. Wäre die Königin klüger als Sie? Die Königin liebt keinen Ketzer: diesen will sie schonen. Sagen Sie selbst, ob Ihr Mittel das rechte wäre, meine Protestanten zu versöhnen. Biron, den sie mir verziehen haben, war keiner der ihren. Dieser ist es.»

Rosny: «Um so eher wollen sie die Kraft ihres Königs erblicken und daß er noch immer ihr König von Navarra ist. Sire! Mit Nachsicht allein ist wenig getan, am wenigsten bei unserem harten Geschlecht der Hugenotten.»

Henri: «Sie wagen es. Wären die in La Rochelle danach beschaffen und ließen mich in ihre Festung gutwillig ein, ich möchte zu ihnen reisen. Den Alten leg ich die Hand auf die Schulter und erinnere sie an die ersten Mühen und Arbeiten, das waren ihre und meine, sind bis heute die besten geblieben.»

Der Minister verstand die letzten Worte des Königs als seinen Befehl, den er eifrig entgegennahm. Er gehorche, er eile geradewegs zu der folgenden Zusammenkunft der protestantischen Abgeordneten. ‹Seht! Ich verkünde euch die Ankunft unseres Herrn – bin als Minister nur einer von euch, der aber die Nähe des Königs genießt und über ihn Bescheid weiß. Der König verleugnet nichts, er hat nichts verlorengegeben, weder die gemeinsame Sache noch den Kampf um sie› – «der nie aufhört», sprach Rosny machtvoll, als wäre er nicht mehr in seinem Arsenal mit einem einzigen Zuhörer, sondern stände schon in der Stadt Chatellerault vor der Synode.

Henri wiederholte: «Der nie aufhört.» Er legte den Finger an die Lippe. Sein Krieg, der gute Krieg, der früher kommen soll als der unheilvolle. Wir warten, machen uns bereit und schweigen.

Der Minister hatte vorgesorgt und den König bewogen, ihn selbst zum Gouverneur von Poitou zu machen: in dieser Provinz liegt der Ort der Zusammenkunft, Chatellerault, und auch La Rochelle, die Festung am Ozean. 1605, den fünften Juli, brach er auf, nicht gerade allein. Der Gouverneur nahm auf die Reise fünfzehnhundert Reiter mit, da er entschlossen war, seinen Glaubensgenossen mehrere harte Wahrheiten zu sagen. Die Synode empfing ihn mit Ehren, wie nur den Vertreter des Königs. Rosny hatte aber nie geglaubt, daß sie Verräter sein könnten. Wenn ihre unvollkommene Natur es zugelassen hätte, ihre festen Plätze waren zu schwach, und das Edikt von Nantes gewährte sie ihnen nur noch diese Weile. «Behaltet sie ruhig ein wenig länger», sagte der Minister ihnen. «Euch ist daran gelegen, dem König gar nicht. Indessen will er eure Beschwerden nicht mehr hören, denn die kennt er, ihr aber kennt seine Pläne nicht. Besonders sollt ihr nach seinem Willen alle Verhandlungen meiden, nicht nur mit seinen fremden Feinden, auch mit den Städten und Herren im Königreich, deren Treiben ihm nicht recht ist.» Diese nannte Rosny beim Namen – der eine, den alle im Sinn hatten, ging unscheinbar mit hin; sie aber begriffen, daß die Stunde gekommen war, sich zu entscheiden für ihren Herrn und Gefährten von jeher. Da sagten sie ja und amen zu allem, was sein Gesandter, ihr Bruder im Bekenntnis, ihnen abforderte.

Nach der Tagung schickten sie ihm allerdings ihre Einflußreichsten, darunter Philipp de Mornay; nun, gerade diesem wurde von Rosny der Kopf gewaschen, anstatt daß er Abschwächungen des königlichen Willens erreichte. Wie? Seine Stadt Saumur hat Mornay dermaßen befestigt, daß sie allein achttausend Soldaten stillegt. Unsinnig – ohne Geschütze, wie die Werke sind. Daß die Herren doch insgesamt ihre Truppen vereinigten! Ständen diese jedenfalls bereit! «Die furchtbarsten Feinde eures Königs verstecken sich noch», sagte Rosny. War er auf mehr gefaßt, als er aussprach, und nicht allein die bekannte Verschwörung eines Bouillon hatte ihn hergeführt?

Er ließ nur ahnen. Bewußt sollte ihnen werden, daß auf sie gerechnet wurde beim Eintreten einer namenlosen Gefahr, wenn ein vergifteter Kelch das Land und Volk gelähmt hätte: es vernahm aber den unvergessenen Schritt der hugenottischen Regimenter, da ging der Kelch vorbei. Merkwürdig, der unbeugsame Minister, ihr Bruder im Bekenntnis, der von ihnen nur forderte, die Aufgabe ihrer Vorrechte und öffentliche Freiheiten, sogar ihre Sicherheit – gerade er bestärkte sie in dem Glauben an ihren König. Wie weit die Arbeiten des Lebens mitsamt seinen Versäumnissen ihn und sie schon trennten, in seiner unwandelbaren Gestalt werden sie ihn nochmals unter sich haben. Komm, unser Henri! Die Festung La Rochelle läßt dich ein, und brächtest du die zahlreichste Armee mit, wir machen ihr die Tore weit, von der Mauer reißen wir dreihundert Ellen weg!

September, da kam er selbst, und war in seinen hugenottischen Landen ein mächtiger Jubel, still untermischt mit Tränen. Um ihn zu sehen, stiegen die Einwohner von La Rochelle auf Dächer, Bogen und auf die Masten im Hafen. Die Glocken läuteten für ihn, ihr Klang war der bekannte. Desgleichen hatten sie angeschlagen, als er mit blonden Haaren hier einzog und war soeben aus der Gefangenschaft der alten Katharina entwichen. Damals hatte er die Vorsicht gebraucht, sein erzwungenes Bekenntnis abzuschwören und das ursprüngliche anzunehmen, dann erst zeigte er sich seinen Glaubensgenossen. Heute empfangen sie ihn, wie er ist, mit allem, was ein ernstes Leben aus ihm gemacht hat, seine Haare und Bart sind weiß geworden vor der Zeit. «Der Wind der Unbilden ist über sie dahingegangen», erklärte er seinen ältesten Gefährten, als sie nachher zusammen im Saal saßen, siebzehn Tafeln, je sechzehn Gedecke.

Der junge Nachwuchs staunte ungemein, als er leibhaft vor sich die Gestalt aus Sagen hatte. Sie hebt das Glas, wischt ihren Mund, sie öffnet groß die Augen. Dieselben Augen haben bei Ivry den Feind auf der Stelle gebannt, daß er mit allen seinen Lanzen anhielt, bis die Unseren über ihm waren. Dieselben Augen bewahren das Bild aller Menschen im Königreich, seit heute auch meines. Ich bin darin, die schönste Frau, die jemals gelebt hat, ist darin bewahrt. Sie war von der Religion, er ist es heimlich selbst, vergiftet haben sie ihm die reizende Gabriele. In seinen Augen verweilt das Bild von Toten: nicht groß und ernst genug können sie sein für alle, die nur in ihnen noch lebendig sind. Wir selber leben, weil er so sehr gekämpft hat. Dies der junge Nachwuchs, der aber nicht stundenlang staunte, sondern war bald vertraut mit dem außerordentlichen Gesicht, gab die Befangenheit auf, besprach seine täglichen Sachen, stritt und lachte. Der und jener sprang hin, den König nahe anzusehen. Wer es wagte, küßte seine Hand, und wer kühn wurde, bat ihn um ein Wort.

Henri und seine alten Gefährten zählten einander. Sie waren guten Mutes, da sie beisammensaßen und der Gang der Welt hatte sie übriggelassen; kamen dennoch oft auf ihre Toten zu sprechen. Diese sind nachgerade zahlreicher als wir, wenn die Haare weiß werden vom Wind der Unbilden. Der jüngste Tote bei denen von der Religion war Herr de la Trémoïlle, ein Mensch zum Lachen, noch sein Gedächtnis hätte erheitern können. Als Freund des Herzogs von Bouillon war er dem König verhaßt geworden und hatte rechtzeitig das Feld geräumt, bevor er gefangen war. Über seinen Namen wurde schnell hingegangen. So ist es, nach ihrer langen Trennung müssen der König und seine Protestanten manchen Toten ruhen lassen.

Von diesem abzulenken, hatte besonders Agrippa d'Aubigné seine Gründe. Er fragte: «Gibt es denn Tote oder nur Abwesende?» Agrippa behauptete, daß sie aus ihrem Aufenthalt sich ankündigen könnten, ja, es wäre unleugbar, daß einige zurückkehrten. An dem Tag, als sein jüngster Bruder fiel, hatte Agrippa zwischen zwei Kameraden auf Stroh gelegen und laut sein Gebet gesprochen.

Bei den Worten «Und führe uns nicht in Versuchung» empfing er drei Schläge von einer breiten Hand, so vernehmlich, daß seine beiden Kameraden hochkamen und ihn ansahen. «Bete nochmals», sprach der eine, und als er es tat: bei den gleichen Worten dieselben drei Schläge von der Hand seines Bruders, wie Agrippa nachher wohl zugeben mußte, da er ihn tot auf dem Schlachtfeld fand.

Henri sagte: «Agrippa, du bist ein Dichter. Nicht jeder, dem ein geliebtes Wesen stirbt, fühlt es eine Meile davon, geschweige zwanzig.» Hierbei dachte er an Gabriele, ihren letzten Tag, da sie noch lebte, er aber beweinte sie schon und keine drei Schläge hatten ihn bewogen, hinzueilen.

Agrippa, in Sachen des Übernatürlichen immer auf seiten der Allmacht: «Den Hauptmann Atis hatten wir ganz gewiß mit militärischen Ehren begraben, dennoch ist er nachts in sein Bett geglitten, leise, leise; er war kalt; durch das Fenster zog er wieder ab. Sollen die Theologen entscheiden», schloß er, enttäuscht durch das Schweigen.

Henri schwieg, nicht weil ihm unheimlich geworden wäre: er bemerkte im Gegenteil, daß er nichts mehr empfand bei dem Bericht von Vorzeichen und wunderbaren Begebenheiten, die ihm einst Gleichnisse bedeutet hatten oder noch etwas darüber hinaus. Er betrachtete den unschuldigen Haudegen, der innig auf das Fortleben bedacht war und die gewagteste Geschichte für wahr nahm aus Furcht vor dem Tode. Das Gewissen Agrippas warnte ihn gleichwohl, daher waren die bewußten drei Schläge jedesmal bei denselben Worten erfolgt: Und führe uns nicht in Versuchung.

Der alte Kriegsgefährte mochte sich nicht schämen, lieber lachte er und sagte, den Theologen hätten sie zur Hand, Philipp Mornay sei der rechte. Henri befragte diesen wirklich um seine Meinung; da aber Mornay die Gespenster ganz beiseite ließ und eine Abhandlung über die ewige Seligkeit vortrug, genau und emsig wie nur ein Laie, der die Wissenschaft von Gott besitzt – hörte Henri ihm wenig zu. Er sann, den Kopf in die Hand gestützt, ringsum lärmte das Bankett.

Er betrachtete, wo er war: unter den Teilnehmern seiner unfertigen Jugend, am alten frommen Ort, die Gefährten vertraut, und über ihm kein Baldachin. ‹Die scheinbare Wiederkehr unserer frühesten Verfassung, während wir sie aus unserem wirklichen Abstand kaum noch erkennen – weder ihren unbesonnenen Mut noch ihre Schwäche. Wir mußten alt werden, bis das Messer seine Schrecken verliert. Erst heut und hier stellt sich heraus, daß die Furcht um das Leben uns losläßt. Was nun die ewige Seligkeit betrifft, ihr Sinn will uns nicht mehr erscheinen. Beides, Verlust der Lebensangst und der zeitlosen Hoffnungen, ist traurig. Man wird traurig und nüchtern, je mehr getan ist, lauter unvollkommene Werke.›

Halb weggewendet erblickte er durch ein Fenster das Bollwerk im Hafen, das hatte er schon zu den Zeiten seiner lieben Mutter Jeanne betreten, ein Fünfzehnjähriger. Nacht war, die Wellen rollten damals wie heute mit Macht, prallten an, schlugen über, und ihr Gebrüll war die Stimme einer Weite, die ihn nicht kannte, im Wind aber schmeckte er eine andere Welt: die sollte frei sein vom Haß und Zwang, vom Bösen frei. Seitdem sind Seefahrer und Kolonisten des Königs wirklich hinübergesegelt, haben Schiffbruch erlitten, auf wüsten Inseln haben sie das Leben gefristet. Die Zurückgekehrten lassen darum nicht nach, sie fordern eine neue Flotte, jetzt erst sind sie durchdrungen von ihrem Recht, ihrer Bestimmung, und zu scheitern fürchten sie nicht.

‹Nichts fürchten, ist eigentlich die Abkehr, wie wir selbst erfahren. Die Abkehr hat eingesetzt unmerklich. Wann? Man hat es vergessen. Man weiß nur: der Kampf, in dem wir fallen sollen, ist bei weitem der letzte nicht, und nach uns geht er weiter, als wären wir dabei. Ich glaube, daß der Krieg, den ich rüste, not tut. Fall ich aber vorher, es macht nichts aus, ich bliebe immer unvollendet. Dies ist, mitten im Dienst, die Abkehr.›

Als er derart betrachtete und sann, wurden die anderen von seinem Anblick gerührt – verstanden selbst nicht, warum. Unser König von Navarra, sagten sie einander stumm an Stelle wörtlicher Erklärungen. Mit weißen Haaren haben wir ihn zurück. Agrippa d'Aubigné war der erste, dem die Augen übergingen. Mornay unterbrach seine Rede von der Ewigkeit, und Agrippa neigte sich über: «Sire, wenn ich Ihr Gesicht sehe, werd ich vorlaut wie einst: Öffnen Sie doch von Ihrer Weste drei Knöpfe, haben Sie die Gnade und sagen mir, was Sie bewogen hat, mich zu hassen.»

Henri erbleichte, woran sie sicher wahrnahmen, sein Gefühl werde sprechen. «Habt ihr mich nicht verraten?» fragte er. «An Biron nicht genug, habt ihr es sogar mit Bouillon gehalten. Ich kenne deine Briefe an seinen Freund de la Trémoïlle, dessen Stimme lächerlich quäkte. Der ist gestorben, er quäkt und verrät fortan in Ewigkeit.»

Erwidert Agrippa: «Der Selige war soviel schwächer als Sie. Sire, von Ihnen hab ich früh gelernt, auszuharren bei den Verfolgten und Bekümmerten.»

Umarmt Henri den unschuldigen Haudegen und spricht: «Die von der Religion sind tugendhaft für ihre Verräter mit.»

Da war alles im reinen zwischen dem König und seinen Protestanten; zum Abschied schüttelten sie einander die Hände.

Indessen war Mornay bei Tisch wortkarg gewesen, außer seiner Abhandlung über die ewige Seligkeit: die hatte Henri traurig gemacht. Er verweilte nunmehr mit Herrn Du Plessis-Mornay allein in dem Saal, der sich leerte, und der Abend kam. Unter der Tür sahen mehrere Verspätete ein letztes Mal um. Dem König blieb gewiß das Wichtigste zu besprechen übrig, da er die Vertiefung eines Fensters aufsuchte mit seinem alten Ratgeber, dem Ersten aller Protestanten, man nannte ihn ihren Papst. Da setzten die Nachzügler der zweihundert Tischgenossen ihre Füße leicht und schlossen die Tür unhörbar.

Henri führte Philipp an der Hand bis zu dem Fenster, trat vor ihn hin, er prüfte das alte Gesicht: wie ist es nur klein geworden unter der übermäßig angewachsenen Stirn. ‹Die Augen blickten vernünftig; wir halten uns aufrecht, ungeachtet gewisser Anfälle wie damals mit Saint-Phal. Sie blicken erfahren, aber abendlich: von dem Mann hier sind Kühnheiten nicht zu erwarten. Als wir jung waren, mein Königreich Navarra, fragwürdig nach seiner Natur, hatte in ihm den verschlagenen Diplomaten, stark genug durch seinen Sinn für die Wahrheit, daß er alle Lügner überführen konnte. Zeiten, wo seid ihr; aber gerade damals fürchteten wir am meisten das Messer, wie nur die Unbewährten, die äußerst begierig auf ihre Werke sind und haben noch alle zu versäumen.›

«Philipp, haben wir genug erreicht?»

«Sire, was Ihnen zugedacht oder auferlegt war. Wollten Sie erkennen, daß unser Herr mehreres andere weder verlangt noch zuläßt.»

«Wissen Sie, Herr Du Plessis, daß ein großer Krieg in der Welt sich vorbereitet?»

«Von Ihrem Rat bin ich ausgeschlossen. Den Ratschluß des Herrn begreife ich infolge bestandener Prüfungen. Mich brennen neue, offene Wunden und die letzte steht bevor.»

Was raunt der Mann im Dunkeln? Die Stirn wird gesenkt, sie verdeckt das Gesicht. Mornay erhebt sie wieder, er spricht deutlich: «Erhalten Sie den Frieden der Welt für Ihre Lebenszeit. Sire, sobald Ihr Atem stillsteht, sind Sie Ihrer hohen Verantwortung entbunden, sie kehrt zu Gott heim.»

«Das wäre alles?» fragte Henri. «So sieht deine Unsterblichkeit aus? Philipp, deine ewige Seligkeit?»

Da keine Antwort, nur ein Seufzer folgte, hätte Henri sich abgewendet. Dennoch sagte er: «Sie haben Ihre Kenntnis Gottes erstaunlich bereichert. Sie sprechen von ihm zu gelehrt, daß er wie einst Ihr Herz erfüllen könnte. Wir begegnen uns heut auf Erden nochmals, Sie aber haben nichts im Sinn als Ihre Dialektik der Ewigkeit.»

«Mein Sohn ist beim Sturm auf Geldern gefallen», sagte Mornay klar und schlicht. Henri zog ihn an sich. «Armer Mann!»

Ihre Hände blieben lange ineinander verschränkt. Ihre Augen gingen nicht über. Mornay wird später seine Betrachtung «Tränen» schreiben. In Wirklichkeit weint er nicht, und auch Henri nur noch bei den schwächeren Anlässen. Die entscheidenden finden ihn gewappnet.

«Ihr einziger Sohn», sagte Henri mit Nachdruck. Es konnte heißen: wozu Ihr Glaube.

Mornay, immer schlicht: «Ich habe jetzt keinen Sohn und darum auch keine Frau mehr.»

Was er meinte, fragte Henri. Ob Madame de Mornay die böse Meldung schon habe.

«Sie weiß nichts», sagte der Geschlagene. «Bei mir traf heute der Bote ein. Ich selbst muß ihr die Nachricht bringen: die überlebt sie nicht. Dann bin ich geschieden von beiden, die mich erhielten – und das Wiedersehen sollte nicht stattfinden?»

«Sie haben die innere Gewißheit.»

«Die hab ich nicht.» Dies im erhobenen Ton. Gleich wieder nüchtern: «Charlotte wird nicht nur von mir gehen, sie wird es gewollt haben. Mich befallen große Befürchtungen, daß die Liebe endet und mit ihr alles, besonders das Versprechen der Seligkeit.»

«Freund, wir haben nichts zu fürchten», sagte Henri. «Ich weiß es seit heute und segne deshalb meine Reise nach La Rochelle. Am Schluß wird eine Stimme sprechen: Wir sterben nicht – was aber einfach heißt, daß wir das Unsere getan haben.»

Mornay hielt dies für das letzte Wort des Königs, ein Erschrecken seines Herzens benachrichtigte ihn. Er verneigte sich und trat fort. Der König befahl zum Abschied: «Wenn Ihre Voraussage eintrifft, ich will wissen und genau von Ihnen aufgezeichnet haben, wie Madame de Mornay gestorben ist.»

Der Dank

Die Rückreise des Königs ergab erst den wirklichen Gewinn seines Aufenthaltes. Die Garnison von La Rochelle geleitete ihn bis zu dem nächsten festen Platz der Protestanten; dort rückte wieder die Beatzung aus, um das folgende Stück Weges mit ihm zu machen. Über Land herbei ritten Edelleute gleich welchen Bekenntnisses, die wollten ihn nicht versäumen; aber manche Strecke fuhr sein Wagen im Schritt wegen des Andranges von Volk. Die Leute mischten sich unter seine Truppen, sie sprachen davon, ihn bis nach seiner Hauptstadt zu bringen. Er deutete für sich allein, was sie meinten. Sie selbst fanden weder den Sinn noch den Ausdruck.

Kaum war Henri zurück in Paris, flog von London her die Nachricht des versuchten Anschlages gegen König Jakob. Unter dem Palast von Westminster lag Pulver angehäuft, es war noch entdeckt worden. Sonst wären alle Versammelten zerstückelt, der König, die Prinzen und Pairs, das ganze Parlament; von der Krone Englands wäre nichts übriggeblieben. Die Unmengen Pulvers hätten genügt, Stadtteile einzureißen. Es war bisher die mörderischste Tat des Jahrhunderts. Nun weiß man, wer mit seinen Lehren unsere Zeit unsicher macht. Wer unter unseren Füßen wühlt, wer die Mittel, uns alle in die Luft zu sprengen, herstellt und in jeden Staat der Christenheit einführt, solang er noch frei ist. Die Geduld der freien Völker erleichtert ihren Feinden die Arbeit – davon zu schweigen, daß diese überall Mitschuldige haben und daß die Regierungen schwanken.

Ohne viele Worte war es ausgemacht, daß die Gesellschaft Jesu gehandelt hatte, und hinter ihr Spanien. Eine Macht, die schon besiegt ist, aber noch nicht genug, kann es nicht lassen. Vernunft und Bescheidenheit lernt sie weniger, aber um so mehr die List und das Verbrechen. Eine neue Kampftruppe geht aus der alten Macht hervor, geistliche Soldaten, wenn es vom Geist ist und soldatische Tugenden darstellt, daß man mordet. Der Jesuit Mariana hat das Recht gelehrt, Könige zu töten. Seine Schüler in England sind fleißig gewesen, das zeigen weniger ihre Bücher. Vor den Anschlägen kommen dennoch die Bücher; König Henri war falsch beraten, als er gegen seine Rechtsgelehrten die Rückberufung der Väter verteidigte, sie wären unschuldigen Herzens.

Allerdings überbieten hierzulande die Kinderfreunde ihre Liebe für die Kleinen, während anderswo nach dem ersten Schrecken das Pulver fortgeräumt wird. Vöglein, Blümelein, wir sind es nicht gewesen, sondern das puritanische Parlament tagt von selbst auf Pulverfässern. Angenommen indessen, der König von Frankreich hätte euch ohne Aufsicht gelassen wie Jakob. Er wäre mit seinen Protestanten weiter zerfallen, käme nicht geradewegs von seiner Reise, die eigentlich eine Besichtigung seiner Heere war, und die stehen bereit. Auf den Streich von Westminster wäre einer hier gefolgt. Aber durch die Hauptstadt des Königs rasseln die Kanonen seines Großmeisters.

Henri erwartete ihn in der Stunde, als der «Pulveranschlag» ihnen beiden bekanntwurde. Nach dem gewohnten Wesen des besten Dieners wäre er alsbald in die Tür getreten, um seinen Herrn daran zu erinnern, wer ihn nach La Rochelle geschickt hatte, wem er es danken mußte, daß der Verein der Königstöter vor ihm haltmachte. Der Tag verging: kein Rosny. Unauffällig ließ Henri im Arsenal nach ihm fragen. Der Minister arbeitete wie sonst. Henri dachte: ‹Er verlangt meinen Besuch oder seine Ernennung zum Herzog und Pair. Die pünktliche Abrechnung gehört zu seinen Tugenden. Mir haben aber schon viele das Leben gerettet und sind nicht einmal Hauptmann geworden. Auch ich habe manchen aus dem Gedränge herausgehauen und tat es umsonst.› Henri wußte wohl, was hieran falsch oder zu wenig gesagt war. ‹Rosny hat einen erstaunlichen Spürsinn bewiesen, oder soll man von seinem Weitblick sprechen. Wo wäre das Königreich jetzt ohne meine Protestanten. Er ist selbst der hartnäckigste Ketzer, das hat ihm der Einfall nahegelegt, die Ausführung war deshalb bequem. Gleichviel, er war der Mann des vorausgeeilten Geistes nie; er war der Mann des Sitzens und Rechnens.›

An diesem Punkt gab Henri zu, daß sein Rosny sich nicht mehr gleich sah. Seit wann? Wir haben auch das vergessen, wie unsere eigene, lange Veränderung. Rosny war unbestechlich, aber eifrig auf seinen Lohn bedacht; beides ist er geblieben. Er hat noch immer seine Lehrhaftigkeit, Eifersucht und eine Furchtbarkeit, die öfter kleine als bedeutende Züge trägt. ‹Wie wird man mit kleinen Zügen dennoch bedeutend? Glück und Verdienst, wie hängen sie zusammen? Hunderttausend Taler für Sie, Herr de Rosny, wenn Sie dahinterkommen. Ich wette, Sie verstehen das Ding so wenig wie ich, Maximilian de Béthune, oder hören Sie es lieber, Herzog von Sully. Die Namen werden aber hochtönend, je mehr es für uns selbst an der Zeit ist, innen still zu sein.›

In der Stunde, als der «Pulveranschlag» ihnen bekanntwurde, dachte Henri an seinen zweiten, da sie jetzt ein Paar waren und zusammen ausharren mußten. In ihm war es still, das Schicksal Jakobs von England hatte ihn kaum erschreckt und Furcht blieb nicht im mindesten zurück. Wer sich fürchtete, war Marie von Medici. Sie stürzte in das Kabinett ihres Gemahls, ihr erstes waren Vorwürfe, dermaßen stürmisch und unbesonnen, daß sie auf einmal kein Französisch mehr konnte. «Ich hatte Sie gewarnt. Jetzt bereuen Sie, daß Sie Ihren Rosny nach England fahren ließen wegen des Bündnisses.»

«Ein Bündnis besteht leider nicht», erwiderte Henri. «Dafür mit den anderen Ketzern in La Rochelle!» kreischte Marie. «Ihr Verhängnis sind die Ketzer und Sie rennen in Ihr Verhängnis. Ich habe es gewußt», verriet sie. Zu ihrem Glück war sie genötigt einzuhalten, da eine Schwäche sie anwandelte. Wer weiß, wieviel sie noch gestanden hätte. Sobald sie zu sich kam, trat mit der Besinnung ein unverkennbarer Ausdruck in ihr Gesicht: das böse Gewissen. Sie war noch sehr von Kräften oder doch bemüht, es zu erscheinen; sie hauchte: «Sire! Gedenken Sie immer der himmlischen Strafen. Die frommen Väter sind innig bemüht, sie Ihnen zu ersparen.»

«Das weiß ich gewiß», sagte Henri zur Beruhigung der Frau. Soviel meinte er wirklich, daß die Keller voll Pulver keinem himmlischen Zuchtmeister zu verdanken wären.

Als der König schlafengehen wollte – heute in seinem Paradebett, und der Saal war angefüllt mit Höflingen, die aufwarteten; wer irgend durfte, zeigte sich dem Souverän, da sichtlich das Glück ihn beschützte: gerade hier kam der Großmeister. Er überragte die gebückte Menge. Henri sah ihn sogleich, er entließ alle anderen. Dann öffnete er seine vergoldete Einzäunung und führte den Großmeister an der Hand in sein Kabinett. «Wenn mir recht ist, haben wir Geschäfte.»

Rosny brachte in einer Mappe, was er den Tag über ausgearbeitet hatte; das war vielerlei, obwohl alles auf den «Pulveranschlag» bezüglich, wäre es näher oder ferner. Die Gesandten des Königs in ganz Europa, beim Großtürken, beim Papst, jeder erhielt die jeweils gebotene Vorschrift, in welchem Sinn er über den «Pulveranschlag» zu sprechen habe. Abweichende Anweisungen, aber alle bestimmt, den Höfen eine einzige Gefahr vor die Augen und alle Sinne zu führen, besonders den Geruch des Pulvers, wenn es nicht Schwefel und ein Klumpfuß war.

Allein bei den protestantischen Fürsten, Republiken und freien Städten sollte der Gesandte des Königs ganz deutlich werden und den Punkt auf das i setzen. Der Kaiser mit dem König von Spanien, die Erzherzöge in Brüssel, nicht zu vergessen den Großherzog von Florenz und die anderen Geldmächte des universalen Kolosses auf tönernen Füßen, alle zusammen betreiben den Krieg. Ihr offenkundiges Ziel, mit dem sie prahlen, ist die Vernichtung der Gewissensfreiheit, und weder den freien Gedanken noch die freien Staaten wollen sie länger dulden. Dessen zum Beweis der versuchte Überfall auf die Krone England. Vermerke jeder täglich in seiner Bibel, die er am Morgen liest, daß ihm dasselbe zugedacht ist. Folgten Stellen der Heiligen Schrift, die Rosny die protestantischen Herrn zu unterstreichen anhielt.

Er sagt: die Christenheit hat einen König, nur einen, der das Schwert führt, und gebraucht es nicht für den eigenen Vorteil, noch für weltlichen Nutzen allein. Auf ihn blicken die Völker, die schon halb im Krieg sind, der aber wird sich ausdehnen auf das ganze Abendland und über lange unselige Zeiten. Man ist gewarnt, man lerne. Erlöse uns von dem Übel! Die Gesandten des Königs sollten alle Sprachen anwenden, die religiöse neben der militärischen, und einen volkstümlichen Ton unbeschadet ihrer diplomatischen Redekunst. Henri legte das übrige beiseite, zweimal las er den Entwurf eines Schreibens an König Jakob.

«Großmeister, Sie drohen ihm. Das wäre eine sonderbare Art, ihn meiner Freude über seine Rettung zu versichern.»

«Sire! Jetzt oder nie tragen Sie das Bündnis davon.»

«Um es zu bekommen, soll er nach Ihrem Willen seine Jesuiten hinrichten. Das laß ich ungesagt, denn er täte es nicht und würde mir seine Schwäche schwerlich verzeihen.»

Rosny setzte an, um zu widersprechen. Er bedachte sich besser und sagte einfach: «Sie haben recht. Ein König kennt den anderen. Wer wär ich.»

Henri betrachtete ihn. ‹Dies ist nun mein Rosny, der sich der Demut nähert. Es kommt unerwartet, am meisten jetzt.›

«Sie beweisen in gewissen Dingen eine Voraussicht wie kein König», sprach Henri, Wort für Wort. «Einer Gefahr entronnen ist nicht nur Jakob mit seiner Krone.»

Der Minister machte den Rücken steif, er wurde noch einmal, was er in jüngeren Jahren dargestellt hatte, der steinerne Mann von der Kathedrale. Dabei aber errötete er. Henri sah es mit Staunen. Sooft der Mann die Farbe gewechselt hatte, geschah es aus Wut und daher ohne Übergang. Diesmal zog das Blut unter der Haut, die zart und durchsichtig geblieben war, umher in den Farben abendlicher Wölkchen. Wahrhaftig, Rosny empfindet Scham, weil er seinen König bewahrt hat, und scheut den Dank. Bis zu dem Grade sind diese beiden ein Paar geworden. Der Dank wäre etwas Fremdes.

«Wir wollen die Gnade des Herrn verehren», sagte Henri. «Jeder in seiner Kammer», sagte er. «Der Tag war lang, Sie haben viel geschrieben, ich aber darf auf meinem Lager ruhen, Ihr Besuch erspart mir das Paradebett.»

Hiermit geleitete er seinen Freund bis zu der Schwelle.

Fürchte dich nicht!

Keine gute Zeit für Verräter. Das erstemal seit dieser Herrschaft, die außerordentlich ist, wird ihr nicht an hohen Tagen und unbewußt gehuldigt. Eine regelmäßige Mehrheit findet zusammen, sie folgt dem ungewöhnlichen König. Läßt es nicht hierbei, sondern eilt voraus. Wo er auftritt, wird gerufen: An die Grenze! Davon hat Henri nichts verlautet.

Er bekam während dieses Jahres und der nächsten einigen Grund, traurig zu sein, mit neuen Zeugnissen erschien aber auch das Glück. Er sagte ihm in das Ohr: Du hast im Auftrag deines Landes und Volkes gehandelt von jeher, sonst riefen sie jetzt nicht: An die Grenze, um den Staat zu verteidigen, wie du ihn gemacht hast. Du hast für sie den Staat gemacht; wer aber hat dich selbst erschaffen? Nächst Gott dein Volk. Dies sagte das Glück ihm in das Ohr.

Den Krieg nannte Henri nie. Die öffentlichen Wallungen des Abscheus vor den Mördern, der Rache für den Verrat beweisen ihm so viel, daß dies Königreich anfängt zu begreifen: seine vereinzelte Lage als kriegerische Gegenmacht in Front aller Feinde der Völker. Auch seine Blüte – vergeßt nicht, wie sehr sie manchem verhaßt ist. Den Unterdrückern besonders gefährlich, müßt ihr wissen, ist unsere Duldsamkeit, unsere Achtung vor dem Gewissen und dem Leben. Diese bleibt unvollkommen; unsere Humanität ist dennoch der schwerste Anstoß für Mächte, die sie nicht ungestraft nachahmen dürften, haben übrigens den Wert des Menschen nicht entdeckt. Losgehen, sogleich, aus Anlaß des frechen Anschlages, der für die meisten Seelen die erste Erleuchtung war, das wollte Henri nicht. Europa zählt mehr Völker, die einiges Glück erkämpfen oder verteidigen werden – mit uns, wenn unsere Berufung für sie feststeht. Daher die Werbung bei den Völkern, die der König von Frankreich damals angefangen hat und hat sie fortgesetzt vier Jahre, wovon das vierte zuviel war, denn es sollte danach keines für ihn mehr kommen.

Rosny nahm den Anlauf kürzer; seine Vorstellung war die ganze Zeit über, daß morgen marschiert würde. Inzwischen bearbeitete er die Öffentlichkeit im Einvernehmen mit dem König und um so unbedenklicher. Fremde Beobachter verglichen die Flugblätter, die damals Europa für die gerechte Sache des Königs von Frankreich aufriefen, mit den Erklärungen an den Mauern von Paris und erkannten den gemeinsamen Ursprung. Die Maueranschläge wurden abgeleugnet wie auch die Flugblätter und von der Polizei entfernt, nachdem alle sie gelesen hatten. Die Geschichte mit König Jakob gab wahrhaftig ihr Pulver, das nicht abgebrannt war, her bis auf den letzten Rest. Es diente jetzt, um die Gegner der bestehenden Herrschaft, eine eingeengte Minderheit, abzusprengen von ihren Anstiftern, und die bekamen, was ihnen gebührte, zu hören von Herrn de Rosny, immer angenommen, daß er es war.

Pater Cotton weinte in der Beichte, damit der König ihm gestände, was er gegen die Kirche ins Werk setzte. Nichts, sagte Henri. Der Heilige Vater hat Beweise seines demütigen Gehorsams. In Ansehung der Gesellschaft Jesu, die der König selbst hier zugelassen hat, beruft er die eigenen Worte des Paters Ignatius, seiner gedenkt er aus einem Fieber. Die Gestalt vor dem Bett sprach: Nicht ihr Orden entscheidet, ob ein König sterben soll, weder die Lehre noch die Oberen – hat die Gestalt vor dem Bett versichert: sondern die Mehrheit der Menschen, ihr Gewissen.

Nun? Was ist es mit dem Gewissen der Mehrheit seit dem Anschlag auf König Jakob? Wie entscheidet das Gewissen? Unbekannte, deren Spur in der Menge der Gleichgesinnten verschwindet, drucken Anklagen der Jesuiten und ihrer weltlichen Verbündeten. Das erregt den zornigen Beifall gewaltiger Volksmengen. «Wohlverstanden», sagte Henri. «Ich stimme nicht zu. Für mich bleiben die Väter unschuldigen Herzens, wenn es auch immer möglich ist, daß Fanatiker in den zuchtvollen Orden eindringen. Pater Ignatius war dieser Meinung, weshalb die Ereignisse in England ihn schwerlich gewundert haben. Was mich betrifft, muß ich beichten, daß ich gestern nacht bei einer Frau lag, und sie war nicht meine.»

Von dem weinenden Cotton erhielt der König die göttliche Verzeihung. Indessen erschienen andere gedruckte Aufrufe, bestimmt, dem König seine Mehrheit in eine Minderheit zu verwandeln. Auch diese wurden im Schutz der Dunkelheit an die Häuser geschlagen; aber so ungezügelt sie Herrn de Rosny herausforderten, ja, Beleidigungen des Königs sprangen in die Augen: die Polizei ließ die Papiere hängen. An derselben Kirche klebte eines, das den Minister als Urheber haben sollte, neben einem anderen von entgegengesetzter Herkunft. Um Mittag wurde das erste von der Straßenwache abgerissen. Die Angriffe auf die häuslichen Verhältnisse des Königs durften weiter gelesen werden.

Die feindliche Partei wagte ihm kriegerische Absichten nicht vorzuwerfen, dafür war es zu spät geworden. Man rief: An die Grenze! sooft er durch die Menge ritt – bis er vorzog, zu Fuß zu gehen in schlechter Kleidung, allein und unerkannt. Da hörte er, was nicht für ihn bestimmt war, aber es ist nützlich zu wissen. Erstens: wir haben einen großen König. Folgten hierüber ihre eigenen Kenntnisse und das Gelesene, eines verstärkt durch das andere. Aber zweitens wurde umgesprochen, was die feindliche Partei drucken konnte, weil jeder ihr mehr oder weniger recht geben mußte, auch Henri: er ist ein armer betrogener Mann. Im eigenen Haus hat er die Habsburgerin, die uns alle haßt, am meisten ihn. Sein Schloß Louvre ist voll von ihren Liebhabern, lauter Verräter, auch seine Maitressen verraten ihn, nicht zu reden von den Hörnern, die sie ihm aufsetzen. Die Milchschwester der Königin reitet auf dem Besenstil als ausgemachte Hexe. Eine allgemeine Verschwörung umgibt ihn.

Die Mehrheit sagte hierauf: Um so schlimmer. Wir müssen einig sein, sogar mit den Protestanten. Wir lieben wahrhaftig die Protestanten nicht, sie sind eigensinnig, hart und beleidigen uns alle mit ihrem Dünkel. Diesmal braucht er sie, wir müssen die verdammten Ketzer dulden, auf die Gefahr, daß es uns selbst das ewige Heil kostet. Hier ist das Königreich. Unser König Henri hat es gemacht, wie es ist. Er darf kein armer Mann sein. Schlechte Zeit für Verräter. Als Henri seinen Großmeister gegen Bouillon schickte, ist niemand für diesen eingetreten, am wenigsten seine Glaubensgenossen. Die Königin mit Villeroy und den anderen Spanischen rieten, ihn zu schonen. Er ist dann auch nicht hingerichtet worden wie Biron; die Umstände erlaubten, ihn zu übersehen. In seine Stadt Sedan wird einfach ein hugenottischer Gouverneur gesetzt.

Die Minderheit dankte darum nicht ab. Sie hatte im Lande die reichsten Herren für sich, und bei der Christenheit im ganzen fühlte sie sich als die Mehrheit. Sie wurde noch einmal bösartig wie in den Zeiten der Liga, Hetzreden von den Kanzeln, in den Straßen der Hauptstadt fließt Blut; ein Protestant hätte besser getan, keinen einsamen Weg zu gehen, dort liegt er erschlagen. Die Damen Guise taten sich hervor; veranstalteten Umzüge von Büßerinnen, alle auf bloßen Füßen und Dornen in den Haaren nach bekannter Weise, die ist abgeleiert. Gleichviel, man weint, geopferte Frauen erregen immer Tränen. Man ruft Vergeltung herbei. «Wie lang noch soll der Fluch unter uns leben?» Der Fluch ist der König. Die Frage heißt: Wie lange noch?

Fürchte dich nicht! Der König ließ einen protestantischen Tempel näher an Paris setzen, nur zwei Meilen anstatt der erlaubten vier. Wütende Klagen, aber er lachte. «Mag man wissen, daß von heut ab dorthin der Meilen vier sind.» Die Anerkennung des verdoppelten Abstandes erzwang er vermittels eines Galgens, den stellte er auf den Weg nach dem Tempel. Man sah: der Hugenott, der vor Zeiten die Stadt ausgehungert, ihre Vororte geplündert und verbrannt hat, endlich zeigte er als König sein Gesicht. Behält dennoch die Mehrheit, soweit ist das Königreich vorgeschritten und ihr mit ihm. Seine Mehrheit bekam sogar Zuwachs aus der Minderheit, dies nach dem Maß seiner Strenge. Nur eine Duldsamkeit, die streng wird, überzeugt die Verstockten. Allerdings verfällt der Rest der Verstockten einer baren Mordlust. Der König entging mehrfach während dieses Abschnittes dem Tode durch das Messer.

Die Königin war damals eine Unglückliche, die den eigenen Zwiespalt nicht begriff: ihm den Tod wünschen und doch für sein Leben fürchten. Sie machte ihrem Gatten ungestüme Auftritte wegen der gemeinsamen Erziehung ihrer Kinder mit seinen Bastarden; im Sinn hatte sie außerdem alle Beschwerden ihrer spanischen Partei, hauptsächlich das Bündnis mit England. Henri hatte es erreicht, die beiden Mächte bürgten fortan für die Freiheit Hollands. Rosny, zurück aus Sedan, kam darüber zu, wie Marie gegen den König die Hand erhob. Er fing sie ab, er sagte: «Madame, es geht um den Kopf.»

Das wird sie ihm nie vergessen. Möge er auf seinen Herrn wohl achtgeben, damit ihm nichts zustößt. Als endlich der Ermordete nach dem Louvre getragen wird und in seinem Kabinett legt man die tote Hülle nieder – warum hat Rosny nicht gewacht; sind wir denn unsterblich? Heute fängt er die Hand Maries ab und sagt: es geht um den Kopf. Da tröstete Henri die verstörte Frau.

«Madame», sprach er. «Dieser ist der Schrecken meiner Feinde. Für Sie und mich ist er der sicherste Freund. Ich nenn ihn den Herzog von Sully.»

Das war die Ernennung. Marie verzieh am wenigsten den Anlaß, bei dem Henri sie aussprach.

Auf dem nächsten ihrer großen Empfänge ließ sie den Herzog von Sully stehen, bevor er den Mund öffnen konnte. Die Königin selbst erhob sich, sie tat sogar mehrere Schritte einem fremden Besucher entgegen. Er schien nicht von Bedeutung, sie kannte ihn aber als den geheimen Agenten des Jesuitengenerals. Übrigens hatte auch Sully auf ihn ein Auge.

Der Unbedeutende raunte scharf, Marie erhielt einen Tadel, hoffentlich hörte niemand zu. «Wie sehr verstößt es gegen die geschuldete Zucht, daß Sie mich begrüßen, als bedeutete ich etwas, und den Protestanten mißtrauisch machen. Befolgen Sie um so eher den Befehl, den ich überbringe. Sie sollen den König zu Pferd in Erz gießen lassen. Das Standbild, ein Zeichen der prunkenden Eitelkeit, muß höchst sichtbar aufgestellt werden, sein Anblick wird die Liebe des Volkes vermehren. Besonders liefert dies Standbild eines Lebenden den Beweis, daß unsere fromme Tochter für den Nachruhm des Königs im voraus gesorgt und offenbar gewünscht hat, er wäre unsterblich.»

Die Worte, und was sie nicht aussprachen, waren für Marie zu abgründig; sie brauchte noch mehrere Jahre, bis sie reif wurde, so tief hinabzusteigen. Indessen gehorchte sie, wofür der Jesuitengeneral ihr als Zeichen seiner Gnade einen chinesischen Schreibtisch schenkte. Nach Jahr und Tag war das Denkmal bereit, seinen Platz einzunehmen: die Neue Brücke soll es sein, der König hat sie selbst erbaut. Als er am Kopf der Brücke die Arbeiten sah, das Geheimnis und die Überraschung waren gut bewahrt, aber zuletzt mußte er die Arbeiten wohl sehen – da befahl er kurzerhand, sie abzubrechen. Tränen Maries, Zorn Maries, Erkrankung Maries, ihr Fernbleiben von den Empfängen der fremdländischen Abordnungen, und diese lagen mehr als je vorher in dem Plan des Königs. Er gab denn nach. Seine Bedingung war: keine Feierlichkeit, keine Inschrift. Das Monument stellt einen römischen Feldherrn dar: so sieht es auch aus. Nur leider ist das Gesicht dem seinen sehr ähnlich.

Zwei Wochen ragte es schon auf dem hohen Sockel ohne Namen, unablässig drängte viel Volk heran. Weder Reiter noch Wagen durften den Auflauf zwingen, auszuweichen: die Luft war voll Aufruhr. Man forderte die Inschrift; hätte mancher sie eigenmächtig hingesetzt, die einen mit rühmlichen Text, die anderen den ganzen Auswurf ihres Hasses. Die Wachen des Königs verhinderten beides, erst recht bei Nacht. Seine Leute waren in der Menge verteilt, sie schwuren, er wäre es nicht. Ist das wohl seine Nase, die bei unserem wirklichen König Henri bis auf den Mund fällt, und der ist schief? Einen so schönen König haben wir nicht.

Möcht aber so aussehen! antworteten Böswillige. Eine heldenhafte Gestalt, wer die hätte! Der wäre wohl nicht der Hahnrei und lüsterne Greis. Der tät nicht unseren Glauben verfolgen und hätte vor dem Krieg keine Furcht. Worauf die Andersgewillten hätten bekennen müssen, daß sie selbst und nicht der König den Krieg herbeigerufen hatten oft und oft. Das vergaßen sie, da für öffentliche Auseinandersetzungen die Wahrheit zu schwierig ist, von ihrer Gefährlichkeit noch abgesehen. Lieber versuchte man, auf Kosten der Jesuiten die Menge zum Lachen zu bringen; hielten doch die Väter schöngeistige Predigten, zierlich und witzig, nach dem Geschmack des Hofes, der gemeine Mann verstand sie nicht.

Ein Wahnsinniger befand sich in dem Gewühl, genau zwei Wochen nach der Errichtung des Denkmals. Dieser bellte wie ein Hund das Pferd des erzenen Reiters an. Vorher hatte er abwechselnd die Jesuiten und den König beschimpft, je nach Bedarf, und jetzt bellte er nah am Sockel; man hatte ihn vorgestoßen, damit es lustig wäre. Die Schweizer Wachen hielten seine tierische Kundgebung noch für die vernünftigste, sie ließen ihn. Unversehens erklomm er den Sockel, stand droben, umklammerte anfangs den Fuß der Figur. Dann reckte er sich, um nicht geringer zu sein als der große Gepanzerte, und rief, ein Hugenott wäre auch er, jetzt wollte er auf die Hauptstadt den Zorn des Herrn herabrufen.

Das gelang ihm nicht schlecht. Seine Augen brannten abscheulich, die Stimme krächzte hohl, mühelos erschien allen der Rabe auf seiner Kanzel. Der schwarze Mantel des Wahnsinnigen umflatterte ihn zu Verstärkung des Eindruckes. Seine Krallen griffen in die Ferne, wo die anderen nichts fanden; nur der lichterlohe Blick des Tobsüchtigen hatte jemanden entdeckt. Nach einer gewissen Stelle am Ende des Auflaufs richtete er seine schändlichen Verwünschungen – des Königs, seiner Freunde, Feinde und gesamten Herrschaft. In der Gestalt eines Ketzers predigte der Teufel. Die Wachen waren Schweizer, der Sinn der Reden entging ihnen in ihrer Verblüffung. Bevor sie den Menschen herunterholten, war er mitten in das Gewühl gesprungen, kroch zwischen den Beinen und bellte.

Wo die Menge nicht mehr dicht war, kam er hoch. Einen, der sich zum Gehen wendete, zog er am Mantel. Sein eigener stand breit ab, hinter ihm war nicht zu erkennen, wie er ein Messer zückte und hielt den König unter der Drohung des Messers wohl eine lange Minute. Der König ergründete aber die Augen des Wahnsinnigen mit einer Kraft, daß sie dem Schwächling zufielen. Das Messer ihm fortzunehmen, bedurfte keiner Kraft.

Ein Wink des Königs, sein Reittier wurde herbeigeführt. Herr de Bassompierre war bleich, nicht der König. Vom Sattel herab gewahrte er zwei der Kapuziner Nonnen, die bei ihren Umzügen geschickt die Verfolgten gemacht hatten. Bassompierre eröffnete ihnen angenehm, was der König von ihnen erbat: sie möchten von ihrem Beichtiger den Teufel aus dem Besessenen treiben lassen.

Mehrere Personen, die den Mörder eingefangen hatten, widersprachen laut. Der Arzt – und wäre der Wahnsinn erheuchelt, der Galgen! Das verlangten sie für den Mörder, unter dem Beifall sämtlicher Leute, die das Messer umherreichten. Der König ist nicht der Mann, den Anschlag auf sein Leben geheimzuhalten. Er rief vom Pferd: «Gute Freunde, ihr habt schon viel gelernt. Jetzt wißt, das es feige Teufel gibt, und die gestehen die Wahrheit, während sie ausfahren. Dieser besonders wird öffentlich vor euren Ohren, die es hören sollen, alle seine Lügen widerrufen, meine erfundenen Missetaten gegen euer Bekenntnis, meine gefälschte Begierde nach dem Krieg, und die Verleumdung, als wär ich ein Hahnrei.»

Hierüber erhob sich ein mächtiges Gelächter; ernst blieb allein der erzene Feldherr mit dem Gesicht des Königs. Er selbst setzte sein Tier in Gang. Die Menge rief hinter ihm: «Der Teufel wird gestehen, verlaß dich darauf. Sonst bekommt er es mit uns zu tun.»

Der König spornte sein Tier an, schon jagte er fern am Ufer. Fürchte dich nicht!

Der Bericht

Als Madame de Mornay jetzt wußte, ihr einziger Sohn sei tot, hielt Herr de Mornay beide Arme bereit, um eine Ohnmächtige darin aufzufangen. Das war unnütz, Madame de Mornay wankte nicht. Sie sagte: «Mein Freund, ich war vorbereitet. Unser Sohn ist nicht umsonst für das Waffenhandwerk ausgebildet worden. Mit Recht bestimmten Sie, daß schon der Neunjährige nicht nur Latein und Griechisch sprechen, sondern mehr als athletisch leben sollte, damit er diese Zeiten bekehren könne, anstatt von ihr schlechter zu werden.»

Ihre Rede klang eintönig, obwohl gefestigt durch ihren Willen. Über Herrn de Mornay blickte sie hinweg, seine Erscheinung hätte sie wohl geschwächt. Er hauchte mit Mühe: «Utinam feliciori saecula natus. Und jetzt? Wohin ist das glückliche Jahrhundert? Unser Sohn, der dafür geboren wäre, wohin?»

Sie verbot ihm die schwachmütigen Fragen und sagte, daß Eltern wie sie beide voll Dank sein müßten, weil der irdische Weg ihres Kindes zur Ehre Gottes verlaufen und beendet sei. «Unser Philipp stand im siebenundzwanzigsten Jahr.» Hier versagte ihr die Stimme. Herr de Mornay führte sie zu dem Tisch, wo die Gatten an vielen Abenden einander gegenübergesessen hatten und war jeder vergangen mit ihren Gesprächen über Philipp de Mornay des Bauves, ihren Sohn. Wie er mit dreizehn Jahren zu seiten seines Vaters der Belagerung von Rochefort beiwohnte, sein erster notwendiger Eindruck von dem Beruf, dem er bestimmt war. Den Fünfzehnjährigen nahm die Prinzessin von Oranien in ihren Dienst; Holland bot dem jungen Mann von der Religion die erwünschten Gelegenheiten, wissenschaftlich und militärisch. Wie er alsdann auf Reisen ging. Der König hatte die Absicht geäußert, ihn in seine Nähe zu ziehen. Mornay fand es verfrüht, daß sein Kind die Sitten dieses Hofes erlernte.

Er selbst war in seiner Jugend durch Reisen erzogen worden, zuerst als Verbannter, nachher als Diplomat. Das Exil hatte ihm seine Frau und diesen Sohn beschert. Es befähigte ihn auch, seine fünfundzwanzig besten Jahre dem Dienst des Königs zu weihen. Sein Sohn sollte von der Kenntnis Europas die Vorteile genießen, aber unbekannt bleiben mit der Verlassenheit dessen, der im Rücken keinen Staat hat. Auch er ging nach England wie einst sein Vater, obwohl nicht mittellos und gedemütigt, nicht mit dem Mysterium des Unrechtes vertraut. Die Eltern des Abends am Tisch freuten sich der Beliebtheit des jungen Bauves bei der höchsten Gesellschaft von London, ein athletischer Edelmann voll fröhlicher Wissenschaft. Der Vater schickte ihn auf die Frankfurter Messe zur Erlernung der Wirtschaft; er ließ ihn Sachsen und Böhmen besuchen, in dem berühmten Padua die Vorlesungen hören; aber aus Venedig rief er ihn nach den Niederlanden, um die Waffen zu führen für das Recht eines Volkes und für die Gewissensfreiheit.

Nicht der Krieg kostete den Anfänger damals sein hoffnungsvolles Dasein, vielmehr die theologischen Streitigkeiten seines Vaters, der die Ungnade des Königs herausforderte, und den Sohn traf sie mit. Sie unterbrach seine Laufbahn. Auch die Umstände gehorchten nicht mehr dem Glück. Der König erlaubte Herrn des Bauves, gegen Savoyen ein Regiment auszuheben, da schlossen die Gegner ihren Frieden. Noch drei Jahre, den Alten beugten inzwischen die Bitternisse, und Ungeduld verzehrte den Sohn. Der König hatte gesagt: «Der ist unjung – vierzig Jahre. Zwanzig macht sein Alter, und die Lehren seines Vaters nochmals zwanzig.» Der Untätigkeit übersatt, wurde Philipp wieder Freiwilliger in Holland. Dort ist er endlich gefallen.

«Im siebenundzwanzigsten Jahr seines Lebens», sagte Madame de Mornay zu ihrem Gatten, der ihr gegenübersaß. «Dennoch nicht zu früh, da Gott es gewollt hat. Ein Leben ist immer lang genug, ob es seine Jahre zählt oder dreißig mehr.»

Damit hatte sie ihr eigenes Alter genannt, Herr de Mornay bemerkte wohl, daß sie nicht mehr wie anfangs voll Dank war. Er ermahnte sie. «Liebste, Beste, heute gilt es, heute prüft uns Gott, ob wir an ihn glauben und ihm gehorchen. Er hat es getan, wir müssen schweigen.»

Worauf Madame de Mornay wirklich in Schweigen verfiel, hat auch den Monat, während sie noch außer Bettes war, die auferlegte Prüfung nicht erwähnt. Zur Schau getragen hat sie eine wohlanständige Trauer ohne Übermaß. Da nun der wahre Zustand ihrer Natur keinen anderen Ausweg fand, flüchtete er sich in körperliche Schmerzen, die diesmal nicht zu lindern waren. Sie verfolgten Madame de Mornay allerdings seit ihrer Jugend, nach gewissen Mißhelligkeiten, die sie aus Anlaß weltlicher Schwächen mit den Ministern Gottes gehabt hatte. Das Herzklopfen und die anderen Anzeichen der Melancholie erschienen ihr allmählich untrennbar von den politischen Geschäften und der Handhabung der Menschen. Eine Person vom Stande entzieht sich ihren Pflichten schwer, übrigens besaß Madame de Mornay sowohl Autorität als Geschicklichkeit. Beide übte sie während der häufigen Reisen ihres Gatten, der indessen gefaßt sein mußte, sie als Schwerkranke wiederzufinden. Dergestalt, daß Herr de Mornay, ungeachtet seines Gottvertrauens, den Glauben an die Medizin erlernte. In dem Königreich, wo er viel umherkam, kannte er die abgelegenste Behausung jedes kundigen Pillendrehers. Er hatte den Paracelsus gelesen, und was der berühmte Arzt für dergleichen Fälle besonders schätzte, Vitriol- und Korallenöl sowie die Essenz aus Perlen, alles schickte er von unterwegs der Leidenden.

Die Heilmittel haben sie vordem erleichtert. Über den Verlust ihres Sohnes konnte nicht einmal der eigenhändige Brief des Königs sie auch nur eine Stunde trösten. Um so weniger vermochten es die anderen Kundgebungen des Mitgefühls, so zahlreich sie an die Eltern gelangten, genannt seien Prinz Moritz, die Herren Villeroy, Rohan, Bouillon, die Damen de la Trémoïlle und Herzogin von Zweibrücken. Das Ärgste war, daß die mütterliche Denkschrift für den Sohn, die ihm das Beispiel seines Vaters vorhalten sollte, keinen Empfänger mehr hatte. Herr de Mornay hat die Unglückliche überrascht, als ihre Hand vergebens versuchte, ein Wort hinzuzufügen. «Ich darf nicht», sagte sie. «Die Schmerzen schrecken ab. Aber an einem Ort, wohin keine Beschwerden des Körpers uns folgen, will ich ihn, will bald ihn wiederfinden.» Hiermit hatte sie sich verraten. Sie wollte sterben und mit dem Sohn vereint werden. Nichts anderes war gleich anfangs verborgen gewesen hinter ihrer gemäßigten Trauer.

Dies einmal ausgesprochen, legte sie sich nieder, um nicht mehr aufzustehen. Ihrem Gatten war bewußt, daß sie die Pflicht zu leben, die niemand uns abnimmt, eigenmächtig verleugnete. Er wagte sie nicht zu erinnern; der Anblick eines Geschöpfes, das nicht von hier sein will und hat uns schon vergessen, macht uns scheu. Die wollenen Vorhänge ihres einfachen Bettes blieben geschlossen bis auf den Spalt, woraus hervor ihre Hand hing, die war bleich und grau wie ein Schnee aus vergangenen Nächten, zeigte aber gewölbte Adern von wunderbarem hellem Blau. Der Hand waren alle Schmerzen Leibes und der Seele anzusehen, hätte man auch nicht das Stöhnen der Gequälten gehört. Herr de Mornay stand als ein fremder Schatten an die kahle weiße Wand gedrängt; in ihrer Mitte das Kreuz war schwarz wie seine Kleidung. Madame de Mornay hat in ihrem Zimmer niemals andere als Wände von Kalk um sich haben wollen, dieselben wie im Tempel. Die Verrichtungen ihres Standes hatten sie durch reiche, prunkvolle Räume genug geführt. Der innerste, wo sie sich erst entfaltete, trug keinen Schmuck als nur den Glanz des Verzichts.

Einmal rief sie ihren Gatten, sie fragte dringend, wie die Ärzte entschieden hätten. Ob es wahr wäre, sie müßte nur an Gott noch denken. Voll Herzeleid gab er zu, daß sie in Gefahr sei. Gott ist aber allmächtig, wir wollen um dein Leben beten. Sie verstand ihn dahin und ließ nur gelten, daß ihr Tod gewiß wäre. Dessen freute sie sich offen, bekam auch sogleich die Kraft, ihre letzten Pflichten zu erfüllen. Sie erteilte Weisungen, wie die Familie zu benachrichtigen wäre, was jeder Diener erben sollte. Ließ Pastor Bouchereau eintreten, nannte selbst die Stellen der Schrift, die er ihr vorlesen möge, besonders Psalmen, wartete aber selten den Schluß ab: zuviel blieb zu tun. Sie mußte Mut zusprechen allen Hausleuten, die um ihr Bett knieten. Laut mußte bekanntwerden, daß sie an die göttliche Verzeihung glaube und ihre Zuversicht wären die Verheißungen des Evangeliums.

Nur, daß ihr in aller eifrigen Frömmigkeit immer schlechter wurde, bis sie in höchster Angst nach der Erlösung schrie. Atemlos, furchtbar gepeinigt von ihren Fiebern und Säften riß sie zuletzt ihre Haube herunter. Da fielen über das arme verzerrte, durchnäßte Gesicht die Haare, noch immer rötlichblond zwischen weißen Strähnen. Um ihretwillen hatten die Fehler dieses Lebens voreinst angefangen, gefolgt waren die selbstgewählten Strafen und entarteten nunmehr bis zu dem Grade, daß man erschrak und flüchtete. Die Hausleute verschwanden einzeln; der Pastor riet Herrn de Mornay, den Arzt um ein Betäubungsmittel zu bitten, er selbst werde ihn hierherschicken.

Die Kranke hatte die Worte aufgefangen, sie klagte, wieviel Zeit vergehe, bis man sie endlich einschläfere. Sie habe nach ihren Kräften gelitten, es sei genug. Sie hatte ganz die Geduld und Demut verloren, sie schien der Meinung, daß eine Sterbende ihrer nicht mehr bedarf. «Ich will allein mit Gott sein», befahl sie dem Gatten, als er ihr das Gesicht trocknete. Worauf Herr de Mornay sie stark beim Namen nannte und zur Besinnung rief: «Man begegnet dem Herrn nicht zufällig», mahnte er. «Man kämpft um das letzte Stück Leben, es ist von ihm gewollt und entscheidet vielleicht über die Ewigkeit.» Zugleich erinnerte er sie an die Todesgefahr, der Eure Majestät entronnen ist dank der Gnade des Himmels und vermöge Ihrer eigenen Hartnäckigkeit. Der große König, seinesgleichen hatte die Christenheit keinen seit fünfhundert Jahren, er hat auf einmal die Menschenfurcht verlernt, er handelt fortan unbefangen wie ein neu Beginnender, obwohl mit der Weisheit des Alters. Siehe! Das letzte Stück Leben entscheidet über die Ewigkeit.

Madame de Mornay wurde von dem kühnen Vergleich mit der Majestät derart betroffen, daß sie aufhörte zu keuchen und hatte all ihre Schmerzen augenblicks vergessen. Sie richtete sich auf, umarmte ihren Gatten und versicherte, daß sie ausharren wollte mit ihm; sie denke nicht mehr daran, zu desertieren. «Unser Sohn hat gekämpft, bis er fiel. Ich will kein Betäubungsmittel, unter dessen Wirkung ich schmerzlos für immer entschliefe. Geh dem Arzt entgegen, mein Lieber», verlangte sie, indessen der Schmerz sie zurück auf das Kissen warf.

Danach verfuhr Herr de Mornay. Während er nun in seiner Bibliothek dem Mitglied der Fakultät eröffnete, die Kranke fühle sich ohne seine Hilfe schon erleichtert, kam aus ihrem Zimmer von neuem das Keuchen und das Angstgestöhn. Der Arzt versuchte einzudringen, aber Herr de Mornay stellte sich ihm in den Weg. Einem Menschen, den er als ungläubig kannte, war schlechterdings nicht zu erklären, warum die Sterbende das Mittel eines sanfteren Überganges von ihm nicht annehmen wollte. Dafür wurde Herr de Mornay mißtrauisch angesehen – auch die Gestelle mit Büchern suchte die ungelegene Persönlichkeit schnell ab, als möchte etwas Unerlaubtes darin versteckt sein. Tatsächlich hätte ihr Auge dergleichen treffen können: die Traktate, die das Parlament verurteilt hat, und an der Ungnade des Königs waren sie mitschuldig. Herr de Mornay bewies keineswegs den Mut, der nebenan eine Sterbende beseelte; er lehnte sich gegen die gefährlichen Bände, schob sie nach hinten, aber den Arzt bewog er zum Verlassen des Hauses. Er sagte ihm, in dem Zimmer drinnen wäre ein hoher Herr und wollte ungestört sein.

Diese Angabe war glaubhaft, da Madame de Mornay mit reden begonnen hatte. Sie sprach in Pausen, zu Anfang war ihre Zunge noch schwer. «Herr! Ich kenne Sie. Ein Fest wird gerüstet. Die Musik tritt an. Die Gäste erscheinen in großer Beleuchtung. Der Herr des Hauses naht.»

Ihr Gatte spähte umsonst in die Kammer, worin es dunkelte. Er selbst erkannte den Herrn des Hauses nicht, fühlte sich ausgeschlossen, verarmt, und erriet nur von fern die Antworten, die erfolgten.

«In Ihrem Haus, o Herr, sind viele Wohnungen. Nehmen Sie mich auf!»

«Was hast du getan?»

«Ich bin um Ihretwillen in die Verbannung gegangen. Ich habe meine weltliche Geschicklichkeit bereut und bekam von den Warnungen meines Gewissens das unheilbare Herzklopfen.»

«Vergiß das Beste nicht.»

«Ich habe Ihnen mein Kind gegeben. Ich habe meinen Mann sogar gegen den König verteidigt.»

«Vergiß das Letzte nicht.»

«Oh! Ist es das? Ich wollte ohne Linderung meiner Qualen ausharren, bis Sie kamen.»

«Du bist aufgenommen. Freue dich an meinem Fest.»

Da hatte die Sterbende gewiß all ihre Schmerzen verloren samt ihrem Herzklopfen, fand aber den vollen Atem wieder und vermochte zu singen, leise mitzusingen, was sie hörte: Chöre von Stimmen und Instrumenten gaben ihr den Ton an.

Der ausgeschlossene Zaungast erlauschte so viel, daß alle hier jung sein mußten, da auch seine Frau verjüngt war, zu urteilen nach den Klängen ihrer Brust. Er fühlte sich alt, bei weitem zu müde für das Fest; er konnte nicht folgen, als er gerufen wurde. Seine Frau rief: «Philipp!» – rein und frisch, die erste, ganz unkundige Anmut vom Lebensbeginn. Er hatte sie dergestalt niemals gekannt, sie waren als Verbannte einander begegnet. «Philipp!» jauchzte sie, da begriff er: sie lag an der Brust ihres Sohnes.

Als sie verstummte, ging er mit einem Armleuchter zu ihr hinein, und was zeigte ihm das Licht der Kerzen? Seine junge Frau, seit langen Zeiten noch einmal. Sie war ganz klaren Geistes, unbegreiflich schön. Sie hauchte ihm zu: «Das war es nun. Sei tapfer und hartnäckig, laß nicht nach. Die Seligkeit kommt von der Gruft.»

Ihr letzter Seufzer; um ihn zu tun, schloß sie selbst ihre Augen, die bleiben jetzt geschlossen. Die Seligkeit kommt von der Gruft, und nachher nichts. Die Dialektik der Ewigkeit, Eure Majestät hatte recht, sie abzuweisen. Glauben Sie eher dem, der hörte, sah und auf höchsten Befehl berichtet.

Der Große Plan

Worte an Fremde

Der König war gekleidet mit einem Aufwand wie nie zuvor, als die Schweizer kamen, ihr Bündnis zu erneuern. Auf der Reise nach der Hauptstadt hatte man sie vielfach bewirtet, besonders prachtvoll und freigebig Herr de Villeroy. In Paris aber stand das Garderegiment vom Schloß bis zu der Straße Saint-Honoré. Die Haupttreppe des Schlosses war mit Soldaten besetzt, zwei Reihen auf jeder Stufe, dazwischen stiegen die Schweizer nicht ohne Hochgefühl. Im großen Saal des Louvre sahen sie die Schotten eine doppelte Hecke bilden; hiermit wurde ihnen vor Augen geführt, daß der König von Frankreich über eigene und fremde Truppen verfügte. Sie selbst wären nicht seine einzigen Freunde.

Aber sie waren sehr alte Freunde aus Schlachten, Verträgen und gewinnreichem Verkehr. In seinem vorigen Krieg gegen Savoyen hat der König ihre Nachbarstadt Genf gerettet. Der Herzog von Montpensier mit ausgesuchter Begleitung erwartete sie, der Graf von Soissons begrüßte sie. Im Vorzimmer des Königs war der Prinz von Condé, der führte sie zu der Majestät auf ihrem Sitz. Die Majestät erhob sich, sie nahm vor ihnen den Hut ab. Der schwarz und weiße Hut trug eine Spange von Diamanten, ihr Wert war gar nicht abzuschätzen, und noch mehr Diamanten bedeckten die Schärpe. Die Schweizer hätten dem König die Hand geküßt schon wegen dieses gediegenen Reichtums, alles andere nicht gerechnet. Die rechte Hand des Königs hing seinen Schenkel entlang, und jedem Schweizer, der ihm die Rechte küßte, legte er die Linke auf die Schulter, was ihnen über die Maßen wohltat.

Ihr Wortführer war ein Fürsprech Sager von Bern. Den Dolmetsch machte der Admiral de Vic, da ein Seemann eher als andere die Dialekte der Völkerschaften versteht, oder mit viel Übung errät er den Sinn. Der König antwortete ihnen kurz, aber wunderhübsch, sie waren ganz beglückt. Bei den zahlreichen Festen, die ihnen hiernach gegeben wurden, fehlte nur der Kardinal von Paris mit der Entschuldigung, daß unter den Schweizern viele Ketzer wären. Der König lachte ihn aus. Jetzt befahl er erst recht die Ausstattung Nummer eins der Kirche Notre-Dame, die schönste Messe wurde musiziert in dem Dom zu Unserer lieben Frau. Türkische Teppiche unter den Füßen und andere, mit Lilien bestickte, worauf sie saßen, so beschworen die Bundesgenossen des Königs ihre bewährte Treue. In das Konzert hinein donnerten vom Arsenal die Kanonen des Herrn de Rosny.

Die Schweizer bekamen zu essen und zu trinken wie keine andere der fremden Abordnungen. Der Hof von Frankreich entnahm aus ihrer leiblichen Verfassung, daß nicht einmal die Ehren ihnen Keller und Küche ersetzt hätten.

Sieht man die kuriosen Vettern, Gesichter rot, starkes Gesäß – man meint, das größte Weingefäß wäre vollgepumpt von Bacchusgöttern. Daher setzte man die Schweizer an die königliche Tafel in einer langen Reihe nach Rang und Würdigkeit. Jeder von ihnen bekam ein ausgezeichnetes Gegenüber, lauter vornehme Herren. Trommeln, Pfeifen und andere Instrumente beförderten die Unterhaltung, und Gesundheiten wurden ausgebracht stundenlang, auf den König, auf die Königin, den Herrn Dauphin, auf das Bündnis, dann wieder auf die glückliche Entbindung der Königin, und derart immerfort.

Die Majestäten aßen in einem Zimmer allein, aber nach beendeter Mahlzeit zeigten sie sich ihren Gästen. Die Königin kam nur bis zu der Tür, sie wollte doch zusehen, wie oft diese Leute das Glas hoben. Der König trank mit ihnen, er bewunderte einen Eidgenossen, der den Bauch eingebunden trug, und einen Hundertjährigen ließ er erzählen von den alten Schlachten seiner entfernten Vorgänger. Fünf Stunden hielten sie durch, worauf sie voll und zufrieden ihre Wohnung aufsuchten. Während sie schnarchten, taten die Kanonen im Arsenal es ihnen gleich.

Dies waren die Schweizer, bekannte Freunde, so gut wie zugehörig. Aber Lübeck, eine Stadt am Baltischen Meer, das Haupt des mächtigen Bundes der Hansa, entsendete um die gleiche Zeit an den Hof von Frankreich seinen Bürgermeister Reuter, den Ratsherrn West, mehrere reiche Kaufleute und erfahrene Rechtsgelehrte mit einem Gefolge berittener Wachen außer den Ratsschreibern, die auf offenen Karren den Karossen der Herren folgten. Der zugegebene Zweck waren Handelsprivilegien von seiten Spaniens. Diese sind nachher in Madrid zugebilligt worden, besonders infolge des Besuches, den die Hanseaten zuerst dem König von Frankreich erstatteten, ein Anlaß großer Sorge für andere.

1606, Ende November, war der Aufbruch. Sie reisten und reisten, bis sie eintrafen, und wurden am neunundzwanzigsten Januar nächsten Jahres vom König Henri empfangen. Die Fremden aus Norden begegneten einem völlig umgewandelten König, kein Schmuck an seiner ernst gekleideten Person. Der Louvre selbst hat seinen Glanz gedämpft. Die Garden stehen Hecke, zur Begrüßung sind weniger Edelleute erschienen, als Mitglieder des königlichen Parlamentes und Pastoren. Die Verständigung geschieht lateinisch. Die Messe kommt schwerlich in Frage, so wenig wie ein Ohrenschmaus und andere Schwelgereien. Die neuen Gäste haben im Gegensatz zu den vorigen graue, harte Mienen, ihre Knochen sind schwer, von wenig Fleisch bedeckt; sie sprechen breit und scheinen nie zu lachen.

Mit den Kinnbärten an ihren langen Gesichtern, in ihrer schwarzen Tracht, um den Hals die umfänglichen Krausen und Ketten aus rotem Gold auf der Brust der Ratsherren – sind das nicht die unzugänglichen Spanier von der anderen Seite des Erdteils? Der König begibt sich gemessenen Schrittes unter sie, jeden läßt er seinen Namen sagen und behält ihn wie auch die äußeren Verschiedenheiten. Jedem reicht er die Hand, erwartet keineswegs, daß sie geküßt wird. Tritt alsbald ein berechnetes Stück von ihnen fort, erteilt das Zeichen, daß der vorderste reden möge. Das ist Bürgermeister Reuter, und den höfischen Stil hat er nicht geübt. Er drückt sachlich aus, daß der Christenheit ein schrecklicher Krieg droht. Der wird den Handel vernichten, insbesondere die lübische Flotte stillegen, und der reformierte Glaube wird neue Verfolgungen kennen. Diese sind angebrochen, wie auch die Handelswege schon unsicher werden, zu Wasser und Land. Die Hansa sieht, daß alle Unruhe der Welt von den Kaiserlichen ausgeht; sie mißachten sowohl das vernünftige Bekenntnis zu Gott wie auch den friedlichen Austausch der Waren. Aus Unwissenheit, falschem Eifer, infolge der Verkennung des Rechtes auf den freien Verkehr und das freie Gewissen, das wir von unserem Schöpfer mitbekommen haben, ruchlos betreibt Habsburg den Krieg – und der soll sein Ende sein, sprach der Mann; zum erstenmal erhob er die Stimme und die Brust, wovon seine goldene Kette klirrte.

Der König sah ihn starr an. Er wußte, daß der Mann Magnifizenz genannt wurde und war das Oberhaupt eines Gemeinwesens von weit mehr Macht als räumlichem Ausmaß. ‹Er ist fernher gereist, muß bedacht haben, warum. Wenn er seine Rede schließt, wie wird ihm zu erwidern sein: wieviel? Ich will den Krieg nicht, dies zuerst.›

Der Bürgermeister erinnerte den König an einen Vertrag, den er vor drei Jahren mit der Hansa geschlossen habe. Damals war der Gegenstand die gemeinsame Abwehr der Seeräuberei. In den nördlichen Gewässern hatten englische Freibeuter sie betrieben. Seither war das Übel abgestellt worden dank dem Bündnis der Könige von Frankreich und England. Nicht mehr die zufälligen Piraten veranlaßten heute die Städte, den berühmten Herrscher ihre Gesandten zu schicken, sondern sein Großer Plan zur Rettung der Christenheit – sie hatten davon gehört. Wie weit die Entfernung wäre, der Große Plan des Königs von Frankreich dringt überall hin, wenn auch kaum in den Berichten der Diplomaten, oder sie läsen sich wie ein erträumtes Gerücht. «Was ist die Absicht, und will der Herr uns mehr oder weniger anvertrauen?» fragte Reuter einfach geradheraus.

Henri sah vorerst um nach den beiden Gestalten hinter ihm, links Admiral de Vic, rechts Rosny. Sie zeigten soldatische Gesichter, unbeteiligt, außer wenn Befehle ergingen. Henri war in dieser Sache allein. Er faßte seine Beschlüsse, während er seine groß geöffneten Augen zwischen die Augen des Fremden richtete. Seine Schuhe hatten für den Empfang ungewöhnliche Absätze. Etwas anderes ließ ihn den Hergereisten an Wuchs gleich erscheinen: seine Straffheit und Biegsamkeit, der hochgetragene Kopf, die Augen, die nichts fürchteten.

Der König setzte zum Sprechen an, schloß aber nochmals den Mund. Erwartung, Stille, er überlegt, daß er das breite Latein des Bürgermeisters wohl verstanden hat – warum eigentlich, da es französisch ausgesprochen ganz anders klänge? Plötzlich stieß er seinen alten heimischen Fluch aus: er hatte gefunden. Nimm den lateinischen Dialekt aus deinen Pyrenäen zu Hilfe. Wähle die Wendungen klassisch, wenn es geht, nur überlaß dich deiner angeborenen Zunge: die verstehen sie! Er begann.

«Ich begrüße Eure Magnifizenz. Ich erkenne, daß so viele Vertreter eures hochberühmten Bundes diese mühevolle Reise aus Freundschaft unternommen haben. Ich erwidere eure Gefühle. Ihr verabscheut den Krieg, der sich der Christenheit nähert und ergreift sie Stück um Stück. Ich will den Krieg nicht.»

Der König machte eine Pause. Auf sein Zeichen wurden Stühle herbeigetragen; die Abgesandten verharrten gleichwohl auf ihren Füßen wegen der Wichtigkeit der Eröffnungen, die bevorstehen konnten. Henri wiederholte in einem ungemeinen Klang, er mußte denken, das sei auf einmal die Stimme seiner lieben Mutter Jeanne: «Ich will den Krieg nicht. Der Krieg soll weder eure Freiheiten vernichten noch dies Königreich bedrohen. Erlöse uns von dem Übel, ist unser Gebet, und wird gehört werden vom Allmächtigen, da wir mächtig sind. Mein Admiral de Vic hat in den Ländern des Nordens meine eigene Sprache hören lassen: so wißt ihr, daß ich da bin und wache. Mein Gesandter de Vic hat euch gesagt, daß ich das Schwert führe nicht für den eigenen Vorteil noch für den weltlichen Nutzen allein. Ich bin stark genug, und betrieben andere den Krieg, ich will ihn nicht.»

‹Dreimal›, denkt Henri, ‹sag's ihnen dreimal, damit genug.› «Jetzt wißt, daß ich nicht nur das größte Heer und viele gute Schiffe habe. Das Beste ist mein Anhang in aller Welt. Die Staaten wie die Menschen fallen der Sache bei, die ihnen das Heil verspricht, und ich kann's halten. Von allen meinen Verbündeten nenne ich euch Holland, eine Republik wie eure, und die Schweizer Eidgenossen, ein Bund dem euren gleich.»

Er läßt den Papst weg, hat sich noch mit anderen verabredet; diesen Protestanten ist es schwerlich verborgen geblieben, aber manche Namen werden sie ebenso gern verschweigen wie er selbst. Im verstärkten Ton erwähnte er dagegen England, Venedig, die Niederlande nochmals, die Skandinaven, die protestantischen Fürsten Deutschlands, Böhmens, Ungarns. «Ihr seht, daß ich nicht müßig war» – dies und das folgende machte er eindringlich, hielt hierbei alle gleichzeitig im Auge, die Magnifizenz und ihre Begleitung.

«Meine Verbündeten zusammen haben noch mehr Soldaten als ich; kein so gewaltiges Kriegsheer wurde in Europa je erblickt. Ich schweige noch von der Menge und Furchtbarkeit meiner Geschütze. Mein Großmeister, Herzog von Sully, soll sie euch zeigen mitsamt meinem baren Kriegsschatz – reicht keiner leicht heran. Dies alles ist zuerst bestimmt, den Angreifer abzuschrekken und soll den Frieden erzwingen, da bis jetzt nur die unbezweifelbare Übermacht es kann.»

Er senkt die Stimme, Henri wird unvermittelt vertraut mit den Fremden, die er für verschlossen und nüchtern hält. Reden sie dennoch, ist es nur ein Beitrag zu den unglaubwürdigen Sagen, die ohnedies über ihn umgehen.

«Mein Großer Plan, ihr wohlweisen Herren begreift ihn. Er ist die Rechnung, daß ein Friede, den nur die Rüstungen erzwingen, verschwenderisch bezahlt wird. Ihr seid Kaufleute, aber auch wir verstehen uns auf die Buchführung; mein Herr Herzog von Sully gibt euch darin nichts nach. Der Friede ist seinen Preis wert, wenn nicht wir allein ihn tragen, sondern alle christlichen Staaten überein. Ich und meine Verbündeten werden alle überzeugen, wo ihr Vorteil und ihre Sicherheit sind. Nirgends sonst, als in einem Völkerbund.»

Die Gesichter verrieten ihm, daß ein erstaunliches Wort gefallen war; er hatte sich ihrer Zweifel versehen, bevor er es aussprach. Mehrere wechselten die Stellung, ein Geraune entstand hier und dort – einer setzte sich geräuschvoll. Henri ließ die Bewegung auslaufen. Dann sagte er in der gewöhnlichen Stärke, nur ungemein gewichtig: «Wenn nach den Worten Seiner Magnifizenz der Krieg allein die Herrschsüchtigen niederwerfen kann, dann sei es, wir müßten als erste zu den Waffen greifen. Ich weiß mir etwas Besseres, das ist das Recht. Fünfzehn Staaten der Christenheit sollen in einem Rat sitzen, der schlichtet ihre Streitigkeiten und beschließt unsere gemeinsamen Unternehmungen gegen die Ungläubigen, die den Osten Europas bedrohen. Das Haus, das Seine Magnifizenz herrschsüchtig fand, wird froh sein, daß die Armeen des Völkerbundes ihm beistehen. Dagegen bestätigt der Bund die endgültigen Grenzen der Staaten. Dies ist nicht mehr die Zeit, aufzurühren was ruht und die Länder der gesitteten Welt nach Willkür neu zu verteilen, als wären sie durch Zufall, wie sie sind. Sie sind es aber zufolge der Geschichte, die Muße gehabt hat, ihren Willen zu vollstrecken. Die religiösen Bekenntnisse sollen verbürgte Grenzen haben wie die Staaten. Ein Religionskrieg, noch einer? Ich bin der Fürst, der sie kennt», rief Henri mit der Stimme, die er vor seinen Schlachten angewendet hatte: im Ton eines Befehls war dies die Ausgabe der Losung und Erhebung der Herzen.

«Ich kenne die Religionskriege. Daß niemand wage, bei meinen Lebzeiten noch einen zu beschwören!»

«Bei meinen Lebzeiten», hörte er hier flüstern. Merkwürdig, der Mann, der vor Staunen hingesessen war, kam hoch, und seine drei Worte waren französisch. In seine Augen aber traten Tränen. An Henri war es, sich zu verwundern. Indessen zeigte er nichts dergleichen; das nächste sprach er väterlich, nichts konnte selbstverständlicher lauten, ein Hinweis, den die Erfahrung und das Wissen geben. Einmal hob und senkte er die Schultern, weil das Befremdliche nicht sein Großer Plan war, vielmehr, daß die einfache Wahrheit ihm allein gehören sollte, und andere erfaßten sie bis jetzt nur halb.

«Fünfzehn christliche Dominationen schließen den Bund», dies wünschte er den Kaufleuten einzuprägen, da sie zur See fuhren und die Welt unterrichten konnten. Unverbindlich, bevor die diplomatischen Schritte folgten. Ob die Welt es glauben wird? Gleichviel. Sechs erbliche Monarchien, er zählte sie auf. Sechs souveräne Herrschaften, die ihre Häupter wählen, angefangen mit dem Papst und dem Kaiser, den Beschluß machen Böhmen und Venedig. Unter den Republiken versteht der König von Frankreich, wie üblich, die Niederlande und die Schweiz, er nennt aber eine dritte, an die niemand gedacht hat: Italien, seine vereinigten Kleinstaaten. Fünfzehn christliche Dominationen schließen den Bund, und da der Völkerbund eine bewaffnete Macht haben wird, jeden Angreifer zu bestrafen, wird Friede sein. «Die innere Selbständigkeit jedes Staates und sein äußerer Bestand, freier Glaube, sicheres Recht, da habt ihr den Frieden, der seinen Preis lohnt.»

Fertig, er ließ sein Publikum aus den Augen, damit es der empfangenen Eindrücke bewußt würde. Er sprach mit den Herren de Vic und Rosny; der Abstand war genau berechnet, daß die Fremden noch zu verstehen blieben. Sie sagten untereinander, daß sie hohe Begriffe, tiefe Betrachtungen vernommen hätten, wenn auch nichts, was heute zu verwirklichen wäre. Vielleicht, daß späte Zeiten – aber wie spät müßte eine Zeit sein, wenn sie den ewigen Frieden erreicht. Immer werden die Völker lenkbar, die Mächtigen begehrlich bleiben. Wir sind es selbst, daß wir es gestehen, und sperrt man uns die Handelswege, dann hat man Gründe.

Der König bat Herrn de Vic, zu dolmetschen, da der Seemann die Dialekte kannte. Jemand aber sagte: «Dieser wäre stark genug, seinen Großen Plan durchzusetzen. Er hat oft gesiegt. Er muß nochmals siegen.»

«Ha!» rief der König und lachte, da er sie durchschaut fand. «Meine Kanonen nicht zu vergessen, die sollen den fünfzehn christlichen Dominationen die Ohren öffnen. Zeigt den Reisenden mein Arsenal!»

Großmeister und Admiral, er nahm beiden die Hand, in ihrer Mitte verabschiedete er die Fremden. Da hätten sie die Begleitung, die sie brauchten, und möchten ihn nur für keinen Träumer ansehen, auf Wolken geh er nicht. «Sagt nicht: ein hohes Gefilde, wohin der Mann sich verirrt. Sagt nur: Sein Weg war lang, war immer schwer, er folgt ihm bis an das Ende.»

Einem einzelnen winkte er und befragte ihn, während die anderen nach dem Ausgang gewendet waren. Der einzelne hatte am Anfang vor Staunen seine Haltung verloren, nachher hatte er drei französische Worte geflüstert. Schließlich hatte er gesagt: Dieser wäre stark genug. Der König fragte: «Ratsherr West, warum weinten Sie?»

Der Angesprochene bewegte den Kopf, um zu verneinen. Er wollte nichts mehr wissen – hielt aber die Lider etwas zu lange gesenkt. Als er sie aufhob, beherrschte er sich wieder. Er drückte das Kinn auf die Brust, es war seine ganze Verneigung. Dann trat er rückwärts den Gang nach der Tür an, die Augen in denen des Königs. Die Antwort war er schuldig geblieben.

David und Goliath

Der schwedische Gesandte beim Hof von Frankreich hieß Grotius und war ein Gelehrter von Weltruf. König Henri hatte ihn berufen, bevor der Gelehrte amtliche Eigenschaft bekam. Zu gewissen Zeiten pflegte er sich mit Herrn Grotius einzuschließen, unbekannt, warum. Der Hof vermutete eine protestantische Verschwörung gegen die Christenheit. Dasselbe feindselige Mißtrauen begleitete seine übrigen Handlungen, die Empfänge fremder Abordnungen wie der hanseatischen, und nicht weniger verdächtig erschienen die Rüstungen des Königs seinem eigenen Hof. Sein Ausspruch über die rheinischen Herzogtümer, die nicht habsburgisch werden sollten, niemand machte daraus eine verräterische Waffe gegen ihn wie sein Minister Villeroy.

Durch Europa hin und wider wurde die Anklage erhoben, er wäre der Angreifer, von ihm allein sei der große Krieg zu befürchten. Die Völker nicht, die glaubten es nicht. Sie sahen und mußten fühlen, wer ihre Drangsal zum Äußersten trieb mit gewaltsamen Bekehrungen, der Folter, dem Raub von Kindern und Gehöften. Die Deutschen, mit denen der Böse am schnellsten fuhr, verschafften dem König von Frankreich den Ruf des Erlösers. Er war unparteiisch, beide Bekenntnisse erwarteten von ihm ihr Recht auf den Glauben und die Sicherheit. Nun wird die Meinung der Welt von den Schriftkundigen gemacht; fragt sich, wem sie zu Willen sind. Geübt, die Wahrheit und die Lüge, beide haarscharf zu beweisen, hätte alles, was unter ihren Augen geschah, sie schwerlich zu der Redlichkeit angehalten. Indessen kennt man den Namen Grotius, diese Leuchte des Völkerrechtes soll den König von Frankreich beraten, was nach schändlichen Vorhaben nicht aussieht. Achtung, man läuft Gefahr, sich um das eigene Ansehen zu bringen.

Am Hof des Kaisers wurde gesagt: «Mag er das Reich haben. Sei er der wahre König der Römer und lasse dem Papst nichts übrig als sein Bistum.» Das sprach man unter sich und nicht zu ihm, um ihn zu versuchen wie einst.

Unwiderstehlich ist ein bewaffneter Ruhm, der auch noch das Schwert des Geistes führt. Den Anklagen, die Europa einnehmen sollten, begegneten Zweifel und Widerspruch. Die Ungewißheit über den Großen Plan machte ihn sowohl verheißungsvoller als furchtbarer, bei denselben Menschen beides. Man war am Hof des Kaisers halbwegs bereit, die eigene Sache aufzugeben, nicht allein, seit sie angefangen hatte, die schwächere zu sein. Oder wurde sie schwächer, weil Verlockungen, die niemand begriff, heißen aber der Große Plan, sogar die Feinde des Königs anzogen, daß sie schwankten.

Der Kurfürst von Sachsen ließ in seiner Gegenwart predigen über die augenscheinliche Ähnlichkeit des Königs Henri mit David, der den Goliath schlug. In der Schweiz erschien ein Buch: «Auferstehung Karls des Großen». Die Einwohner Venedigs, wie sie da waren, stürzten jedem Franzosen nach. «Hast du ihn gesehen?» riefen sie. Noch mehr, es gab Spanier, die auf ihn hofften.

Seine damalige Lage erinnerte die Beobachter auffällig an die Anfänge seiner Laufbahn, als das Gerücht ihn bei weitem nicht zum König von Europa ausersehen hatte; er nannte ihn, wenn es hoch kam, den König von Frankreich. Auch das war er zu jener Zeit nicht wirklich, sondern gebot beinahe nur dort, wo sein Heer stand. Der König hatte für sich den Gedanken des Königreiches. Desgleichen hat er heute seinen Großen Plan – der einige Wahrscheinlichkeit erhält, nicht, daß man ihn verstände. Die Annahme ist einfach, daß seine Heere siegen werden, da sie es gewohnt sind. Sein eigener Großmeister ist höchstens hiervon recht überzeugt. Er bringt die Gedanken seines Herrn zu Papier, da sind sie schon entstellt. Er sieht allein: ‹Der König wird losschlagen, je eher, je besser, laß das übrige unsere Sorge sein. Was er mit Herrn Grotius ausheckt, was er einmal den fremden Kaufleuten anvertraut hat, und ich selbst erfahre jeden neuen Einfall, obwohl verspätet – das ist zuletzt ein Hirngespinst. Ein König, der viel gehandelt hat, darf meinetwegen spinnen. Wir zeichnen alles sauber auf, wenn er nach einiger Verlegenheit unseren Beifall fordert. Den hat er. Das Einfachste bleibt, loszuschlagen.›

Für den kurzgefaßten Angriff rechneten Großmeister und König auf die Niederlande. Der Krieg wurde verschoben, Rosny selbst mußte die schwere Störung zugeben, als die Generalstaaten ihren gesonderten Waffenstillstand mit Spanien schlossen. Das war der Gegenzug Habsburgs, da Europa im Begriff schien, seinem Retter in die Arme zu sinken. Der König von Frankreich verzeichnet einen Mißerfolg – nicht bei den Völkern, die in ihn vernarrt sind, am meisten die weit entfernten. Aber die Mächte verfolgen, wie der nächstgelegene seiner Verbündeten beiseite rückt noch vor der Probe.

«Sire! Ihr Sieg war außer Frage», sagte Rosny. «Nach meiner Meinung bleibt er gesichert, ob auch Ihre anderen Verbündeten versucht wären, es zu machen wie der Prinz von Oranien.»

Der König hörte heraus, es wäre angezeigt, einen neuen Umschwung abzuwarten. Es kam keiner mehr, in seinem Innersten wußt er's. Dein Erfolg ist auf seiner Höhe: nicht zögern, bis er mattet! Was ist zuletzt dein Erfolg? Die eigene Bereitschaft, die hinausstrahlt. Kraft deiner Macht des Gemütes hast du gegenüber keine Fremden mehr. Freund oder Feind, es sind lauter Ergriffene. Die Macht des Gemütes ist allerdings am schwersten in die Länge zu ziehen. Verpaß den Punkt nicht! Bleib in Bewegung! Jetzt oder nie, zieh in deinen Krieg, sonst ist er schon verloren.

Henri, nach seiner Natur zumeist auf den Füßen, fing damals an zu sitzen. Sein Kabinett war nachgerade erfüllt von Gedanken, die ungerufen wiederkamen und liefen nochmals ab. Was er ungern eingestand, sein Kabinett war die Zuflucht gegen seinen Hof, von den Höfen Europas der nächste, daher der ungläubigste. Hier wurde der König bezweifelt, da man den Menschen kannte, oder vermaß sich, ihn zu beurteilen, jeder nach seiner unbedeutenden Erfahrung, die aber herkömmlich und beglaubigt war. Der König ist ein verhärteter Spieler, gealterter Schürzenjäger und ohne Religion. Er ist von einer Ruhelosigkeit des Geistes, die jeden Herrscher gefährlich machen würde; um wieviel mehr den, der nichts ernst nimmt. Er ist ein Zerstörer von Geburt auf. Hätte er sein Ende als Zwanzigjähriger in der Bartholomäusnacht gefunden, er brauchte es heute in keinem Krieg gegen ganz Europa zu suchen.

Er hat Gemeine erhöht, Große verkleinert, und als der erste, der die überlieferten Rechte mißachtet, will ein Verräter andere wegen Verrates bestrafen, richtet Marschälle hin, raubt Fürstentümer. Auf der Neuen Brücke läßt er sein eigenes Bild von dem Pöbel verehren: das sind Protestanten, seine unfehlbaren Genossen bei jeder seiner Ausschreitungen. Man denke ihn fort, gleich wäre Ruhe und Frieden. Dies Königreich ist es satt und übersatt, die Christenheit zu bedrohen und ihr Abscheu zu sein. Daß diese Herrschaft aus wäre! Die Regentschaft der Königin, nichts anderes brauchen wir. Die Ordnung der Welt und unsere eigene wären hergestellt.

So wurde in höherem Auftrage von den Kanzeln geredet. Wie hätten nicht auch die geeigneten Laien sich anstiften lassen. Man sprach derart auf den gewohnten Ecksteinen zu der vorhandenen Menge Volks – die war aber eines anderen belehrt. Sie hatte ihre Erinnerungen an die Werke des Königs Henri, wogegen Worte nur Schall und Rauch sind. Die Leute teilten ihm das Gefühl für ihr Land. Der allgemeine Wohlstand war ihnen schwerlich zu verdächtigen, so wenig wie die öffentliche Duldsamkeit, da beides lange und mühselig versucht worden war. Ohne ihn hätten sie damit nicht angefangen, und er handelte für sie mit. Die gewöhnlichen Leute, Arbeiter und wer alles auf den Straßen lebte, hatten eine geheime Verbindung nach dem König Henri; waren ihrer gleichwohl nicht in jeder Stunde bewußt. Der Redner auf dem Eckstein konnte durchaus ihren Beifall genießen. Wie es einst vorkam, als der König selbst von seiner Jagd zurückkehrte und geriet in das Gedränge.

Es versperrte die Straße de la Ferronnerie, längs eines Hauses – sein Wahrzeichen ist ein gekröntes Herz von einem Pfeil durchbohrt. Der Bestochene auf dem Eckstein bellte rauh, sein Hals war von der Krankheit angefressen. Sonst hatte er als Gerichtsschreiber die Trinkgelder der Parteien genommen, war aber nicht deswegen entlassen worden, sondern weil er die Lustseuche bekam. Jetzt verzehrte er an den Wirtstischen, was er vorher gebellt hatte, obwohl die Stimme streckenweis ausblieb. Dann hängte er die Zunge zwölf Zoll weit heraus, ließ noch ganz andere Gebärden sehen, krächzte wieder einmal und nannte den König einen lüsternen Greis. Das Geschäft betrieb er auf Kosten des Herzogs von Epernon, desselben, der hier vorbeiritt zu seiten des Königs. Ihn begleitete auch der Herzog von Bellegarde. Von Edelleuten umgeben folgte die Karosse der Königin; bei ihr auf dem Kissen saß die Marquise de Verneuil, da die Damen einander verstanden.

D'Epernon hatte auf dem Eckstein niemand vermutet. Übrigens war er schwerhörig und gichtisch. Als er seinen eigenen Schurken erkannte, wußte er dennoch Bescheid und spornte sein Pferd. Es half ihm nicht. Dem Schurken versagte ganz der Laut, aber eine Frau stimmte ein Lied an. Das Lied des Königs, nun es wieder erklang, sangen alle es mit, es war unvergessen. Blieb ihm selbst nichts übrig, als daß er am Zügel zog und stand. «Feuillemorte», sagte er, «das müssen wir schon gehört haben.» – ‹Reizende Gabriele, dem Ruhm gehorchend war's, wenn blutend aus der Seele ich fortzog mit Gott Mars.›

Das Lied geht getragen, den Psalmen ähnlich. Zwischen den Reitern, die standen, und dem unaufhaltsamen Wagen war der Abstand bald eingeholt. Die Königin in heller Wut befahl dem Kutscher: darauflos. Auszuweichen war kein Raum; der König mußte vorwärts. Er hörte entfernter, schwächer: «Grausames Abschiedgeben, o Tag voll Schmerz, hätt ich nicht dieses Leben oder kein Herz.» Der König ritt schnell, immer schneller; außer seinem Großstallmeister ließ er alle zurück.

«D'Epernon», befahl die Königin dem ältlichen Kavalier, der beflissen den Kopf in ihr Fenster schob, «lassen Sie von dem unverschämten Volk einsperren, so viele man fängt.» Der Herr fragte «ha» und «he», dann hatte er verstanden und versicherte der Majestät, daß Auftrag hierfür gegeben sei. Die Reihe war an der Marquise: sie konnte jedem das Herz brechen, was eine Person, die lebenslang die Stimme zu wechseln scheint, leicht hervorbringt. «Nicht, daß ich an mich dächte, ich bin Beleidigungen gewöhnt und Tränen sind meine Nahrung. Nur das Schicksal Eurer Majestät bewegt mich, mir bangt überaus. Ein Gebieter, der mit einer Grausamkeit handelt, wie soeben gesehen und gehört, von ihm ist allerdings das Äußerste zu befürchten. Schrecklich zu sagen, auf dem Spiel steht das Leben der Königin. Herr d'Epernon, strafen Sie mich Lügen, ich werde Ihnen auf den Knien danken.»

«Ha? He?» fragte der Gichtische. Er krümmte sich vom Sattel mit aller Betulichkeit, die wirklich sein eigen war, nur daß er allerdings im Kopf einen Mord hatte.

Der Gefährte des Königs und seine Maitresse, in der folgenden Verschwörung machen beide die Hauptfiguren. D'Epernon ist gewarnt, der Großmeister rückt ihm näher auf den Pelz, hat Biron und Turenne erjagt, wird auch ihn nicht verfehlen – außer man käme zuvor. Dasselbe ist beschlossen ein für allemal in dem kleinen bösen Schädel der jungen Henriette. Was immer verhängt sein sollte über Henri, es steht fest bei einem alten Fürsten, dessen letzte Vorrechte wanken, und bei einer Frau, die ihm nichts Geringeres vorwirft. Bleibt übrig, der Königin beizubringen, daß es sein muß: noch weiß sie nicht, was. Nichts übereilen, bis jetzt erschräke sie und beichtete ihrem Gemahl. Hat man sie einmal so weit, daß sie hören darf: er soll sterben – keine Sorge, es kommt dahin, und das ausgesprochene Wort ist schon die Tat.

Dieser Wagen fuhr jetzt langsam auf das Geheiß der Königin, die keine Eile mehr hatte. Die Straßen wurden leer wegen der Stunde des Essens, es dämmerte grau. In das andere Fenster sprach zu Marie ihr Kavalier vom Dienst, Concini. Den haßte sie, weil er nicht mit ihr schlief – liebte ihn aber, wenn er zu Pferde saß. Er war zu schön, sie konnte dagegen nicht an. Sie machte sich öffentlich zur Herrin der Turniere, die er für sie kämpfte. Es waren einfach Ringelspiele, man hätte gelacht. Der König lachte wirklich. Empfand er die Schande, von ihm erfuhr es nur Rosny.

Ein Hausknecht mit soviel schamlosem Glück wie Concini hat es schwer, das freche Gesicht ins Unschuldsvolle zu verziehen. Er tat ein übriges, während er durch das Fenster der Königin sprach, er beklagte die Lage des Königs. «Seine falschen Freunde haben ihm angeboten, mich umzubringen.»

Marie wurde für ihre Verhältnisse nicht laut. «Wenn er das wagt –»

Man hielt den Atem zurück, ob von ihr selbst das Wort käme und ohne lange Mühe wäre es heraus. Sie sagte aber: «Dann bin ich gefaßt, daß er mich vergiftet.»

Mehr nicht; nur ein Gedanke, der ihr schwaches Gehirn längst heimgesucht hatte, schien unweigerlich festzusitzen. ‹Sie ist dümmer als erlaubt›, dachte die Marquise auf demselben Kissen wie sie. ‹Mit einer Medici hielt ich's für leichter›, meinte d'Epernon, nachdem er begriffen hatte. Der unentbehrliche Hausknecht schob einen Blumenstengel zwischen seine weißen Zähne und lächelte.

Henri saß vor der Wache des Louvre ab. Als er um den Ausgang des Torgewölbes bog, stieß einer ihn heftig an; eine Entschuldigung kam nicht, aber es war dunkel. Bellegarde, der nachfolgte, hielt den Flegel an, sagte ihm, was er wäre, und fragte, ob er den König nicht kenne. Der Irgendwer gab an, er wisse im Dunkeln, wen man erkennen müsse. Worauf er zu Boden geworfen wurde, und als er hochkam, schritt die Wache ein.

In seinem Kabinett fand Henri seinen Ersten Kammerdiener.

«Sieh dir meine linke Schulter an.»

«Sire! Man sieht nichts», sagte Herr d'Armagnac. «Wenn aber die Haut Sie juckt, müssen Sie eine gewisse Wanze zerdrücken.»

Henri erwiderte. «Alte Schlösser wie dieses sind voll von Ungeziefer, die Reinigung geschieht auf den Schlag.»

D'Armagnac seufzte. Bei sich sprach er ohne Bilder, daß sein Herr gegen seine schlechten Feinde im Nachteil sei, da seine innere Hoheit ihn entwaffnete. ‹In unserer Jugend hätten wir um Haaresbreite den Herzog von Guise dahingestreckt, was ihm nachher in Wirklichkeit geschah, als er zu vornehm geworden war. Heute sind wir die Vornehmen und haben für das mindere Geschmeiß eine unzulässige Nichtachtung. Die muß sich an uns rächen. Die Kleinen ertragen nichts so schwer, wie geschont zu werden aus innerer Hoheit. Lebten wir doch in unserem niedrigen Schloß Louvre, anstatt auf unserem Großen Plan oder hohen Gefilde.›

Derart überlegte der Alte ohne Bilder, insofern der Gegenstand sie entbehren konnte. Mit wiederholtem Seufzen ging er ab, da er bemerkte, wie sein Herr in Gedanken verfiel. Henri hörte einfach Gesang. ‹Das Lied ist erschallt auf offener Straße wie voreinst. Der Dauphin ist schon groß. Die Tote schläft schon lange. Aber der kurze Krieg und der ewige Friede, die fünfzehn Dominationen und endgültige Ordnung Europas – wann empfing ich die Nachricht davon zuerst? Sagte, daß ich es vollbringen wollte und wollte stürzen das Reich der Finsternis? War einmal ein Feuerwerk zu Monceaux im Park. Eng an seiten meiner teuren Herrin sah ich das Rad sein Silber sprühen, darüber plante der Schwan. Mein ganzer innerer Himmel hat damals geflammt, ich erblickte einen freien Bund von Königreichen und Republiken. Meine Sache wurde zu der Stunde, daß die Völker leben sollten, und sollten nicht statt der lebendigen Vernunft an bösen Träumen leiden in dem aufgedunsenen Bauch der universalen Macht, die sie alle verschluckt hat. Dies ist die wahre Herkunft meines Großen Plans. Nicht sehr realistisch: nüchtern wird endlich jede Erleuchtung. Jetzt bringt Herr Grotius sie in Paragraphen und Rosny rechnet sie aus.

Anfangs entzog ich mich dem Großen Plan, vergaß ihn, verbannte ihn in Gefilde, die nicht von hier sind. Er ist ohne meinen Willen vorgeschritten, ist abgewandelt in Zuständen mehrerer Art. Es ist wahr, inzwischen drängten mich Unternehmungen genug, richtige und falsche. Ich mußte Recht und Unrecht tun von Tag zu Tag. Die Handlungen sind kurz, aber endlos ihre Folgen.

Mir starb meine Liebste. Viele starben, oder ich tötete sie. So wahr Biron ein Verräter war, leb ich jetzt mit lauter Verrätern in meinem Louvre, der unhaltbar geworden ist. Herr Concini macht Anstalten, einen fürstlichen Besitz für mehrere Millionen zu kaufen. Wen such ich, der ihn warnt? Mir stände es nicht zu Gesicht; die Völker und die Höfe sehen mich anders als in der Rolle eines Betrogenen, der nur noch um den äußeren Anstand bittet.

Sie sehen mich über und über gerüstet, aller Welt verbündet, und laß ich meinen Feinden die Frist, aufzuatmen, ist es meine Gnade. Ich begnadige täglich meine eigene Königin. Sie hält zu den Verschwörern, obwohl der Nachfolgers ihres Onkels in Florenz durch Vertrag an mich gebunden ist. Haben alle den Vertrag mit mir, werden ihn halten oder brechen, je nachdem ich lebe oder nicht. Nun werd ich leben, weil der Große Plan die gewachsene Wirklichkeit ist: ich habe sie nicht gewählt, sie ist von Natur. Wir sterben nicht. Wer Zeit behält zu reifen, erfährt, was sein wird dereinst, und wär er selbst seit hundert Jahren nicht mehr. Ich will es aber vollbringen mit Gott – muß diese Weile noch warten, loszuschlagen. Den Concini laß ich warnen.›

Hiermit beauftragte er alsbald die Herzogin von Sully, eine Dame, die ihm des ehrerbietigen Gehorsams von jedermann versichert schien vermöge ihrer augenfälligen Strenge und weil ihr Gatte Furcht erregte. Es kam anders. Madame de Sully wurde, um Ärgernis zu vermeiden, nicht bei dem Kavalier der Königin vorstellig; sie wendete sich an die Königin, mit aller Schonung übrigens; die Majestät dürfe nicht ins Gerede kommen. Furchtbare Wut des Kavaliers oder Sigisbée. Nicht, daß er sich zu der Dame bemühte: er beschied sie nach Schloß Louvre, als ob es schon seines wäre. In Gegenwart der Königin machte er der hoch zugeknöpften Protestantin den unflätigsten Auftritt. Alte Schraube, sie sei drollig, habe wohl Absichten auf ihn. Ihrem König könne sie erzählen, wer hier auf ihn pfeift – wobei Concini aber sprang wie ein Wilder, auch seine Miene war von einem reißenden Tier. Er, Furcht vor dem König? Beileibe. Der König soll sich nicht rühren, oder ihm widerfährt ein Unglück.

Die Dame behielt kaltes Blut, sie schämte sich seiner läppischen Ausgelassenheit. Der Hausknecht wütete weiter, als sie schon entwichen war. Unerhört, ein Mann versucht sich aufzulehnen gegen den Ritter seiner Frau – obendrein, was für ein Mann! Der König verkennt sich und seine Lage. Auf seinen Hintritt wird allseits gerechnet, keine Kunst, ihm nachzuhelfen. Die Regentschaft der Königin, für Eingeweihte hat sie begonnen.

Was sie anhörte. In ihrer Wut, der Wut ihres schönen Ritters, bemerkte sie gar nicht, wovon zum erstenmal offen die Rede war: ihren Gatten zu ermorden. Sie hat es nicht ernst genommen, entschied Henri, als das Ereignis ihm zugetragen wurde. Nicht von Madame de Sully, die ihre dünnen Lippen fest verschloß. Der Dauphin war es, aus seinem stillen Winkel hatte er glühend zugehört, war aber davon noch bleicher. Er schwur sich den Tod des Herrn Concini; hat's auch gehalten, als er König war.

Dauphin Louis, bei seinem Vater im Kabinett: «Sire! Man will Sie töten. Meine arme Mutter ist mit verschworen.»

Henri: «Junge, ich kenne sie neun Monate länger als du. Sie eifert und zankt, sie ist herrschsüchtig: eine Wölfin ist deine liebe Mutter nicht.»

Louis: «Der andere war ein ganzes Rudel Wölfe, die setzten durch das Zimmer überall. Mich hätten sie aufgefressen mitsamt Knochen.»

Henri: «Aber die Königin?»

Louis: «Sie gehorcht ihm, mein verehrter Herr Vater, Sie wissen es doch.»

Henri: «Sie schläft mit ihm nicht. Laß dir sagen, was die Hauptsache ist. Anders beherrscht man keine Frau.»

Louis: «Sire! Befehlen Sie mir, Ihren Mörder unschädlich zu machen.»

Henri: «Der ist nicht mein Mörder und wäre unwürdig deiner Hand.»

Louis – bleich, früh aufgeschossen, erstickt von Tränen: «Papa, mein lieber Papa! Die anderen müssen ein schreckliches Beispiel sehen. Der Leichnam wird auf der inneren Brücke des Louvre liegen. Wer ein oder aus geht, wird über ihn wegsteigen.»

Genauso kommt es, zu der Zeit des Königs Louis. Hier ist sein großer Herr Vater, der ihn umarmt und ihm in das Gesicht spricht.

«Du wirst noch lange ein Kind sein. Vergiß nicht: heut haben wir uns unterredet als Männer. Feinde machen wir uns durch unsere Taten, und mit anderen Taten müssen wir sie schlagen. Das hört nie auf, ein Mord beweist nichts. Ich fürchte mehr für deine Mutter, die der Schonung bedarf: denn sie ist immer schwanger.»

Der Dauphin war nah am Aufschluchzen. Der König bedeckte ihm schnell den Mund: draußen gingen Schritte. Als die Tür geöffnet wurde, lief der König auf allen vieren um das Kabinett. Der Dauphin ritt auf ihm und lenkte seinen Hals vermittels eines Taschentuches. Wer eintrat, war der spanische Gesandte. Don Inigo de Cardenas kam nach Paris mit außerordentlichem Auftrag: die Rüstungen und Absichten des Königs von Frankreich genau zu erkunden. Bei gegebener Gelegenheit sollte er Erklärungen verlangen. Diesmal schien ihm die Lage ungeeignet.

Don Inigo war nicht nur ein stolzer Spanier, er war auch ein verlegener. Der Abstand von allen Menschen, den die Reihe seiner Ahnen ihm überliefert hatte, erhielt endlich bei ihm einen verkehrten Sinn und durfte nicht mehr Selbstvertrauen heißen. Don Inigo betrachtete von der Tür her die sonderbare Jagd, wie sie den Fußboden beherrschte. Er fühlte sich verscheucht oder fehl am Ort, und wenn nicht peinlich betroffen, dann traurig. Der König hoppste doppelt hoch, bestrebt, den Dauphin abzuwerfen. Der klammerte sich an, er schrie vor Erregung und Vergnügen. Seine leibliche Länge, sein bleiches ernstes Angesicht widersprachen dem kindlichen Gemüt.

Der König hielt. Ohne daß er vom Boden aufgestanden wäre, fragte er: «Herr Gesandter, haben Sie Kinder? Ja? Dann lauf ich weiter.»

Schon setzte er seine Runde fort. Der Dauphin stotterte: «Da-das m-machen wir immer.»

Während der vorigen Unterredung mit seinem Vater hatte er niemals gestottert.

Don Inigo zog sich zurück. Er trug als ersten Eindruck davon, dieser König wäre dem Weltreich ungefährlich.

Die Pest

Derselbe Gesandte vergaß seinen Auftrag darum nicht. Wenn der König kein feierliches Benehmen hatte, er hatte einen Großmeister und ein Heer. Sein Gold nahm furchtbar zu, indessen das spanische zerrann. Sein Großer Plan, niemand ließ sich sehr tief darin ein, nur gerade Don Inigo durchdrang ihn aus seinem kalten Abstand, der Vorurteile ausschloß. Als einziger, soviel man weiß, erriet er beinahe, daß eine Ordnung der Welt in erreichbarer Nähe wäre ohne das universale Habsburg. Eine hundertjährige Gewöhnung der Meinungen erschwerte es ihm mehr, als man denkt; ja, der hochmütige Grande war sehr zu rühmen für seine geheime Verlegenheit und herabgesetztes Selbstvertrauen, die ihm den Verstand eröffneten.

Natürlich ließ er den Großen Plan beiseite, soweit er ihn überhaupt auskundschaftete. Hat ihn nie erwähnt; um so dringlicher betrieb er die völlige Entzweiung der beiden Majestäten vermittels zweier spanischer Heiraten. Die Königin war sogleich dafür eingenommen, daß ihr Dauphin der Infantin zu verloben wäre. Der König schlug es aus. Er machte keine falschen Versprechungen, er sagte offen nein. Der gestellten Bedingung bedurfte es nicht, damit Henri fest blieb. Der Vorbehalt Spaniens hieß, daß er Holland preisgäbe.

Don Inigo war hartnäckiger als ein anderer, an dem kein Wurm genagt hätte. Er setzte dem König zu, bis Henri eines Tages die Geduld verlor. Er fluchte und rief: «Wenn der König von Spanien mich noch lange ärgert, besuch ich ihn plötzlich in Madrid.»

«Sire», erwiderte der Gesandte mit voller Würde, «Sie wären nicht der erste König von Frankreich, der dort gesessen hätte.»

Und wie gesessen! In einer Zelle, groß wie ein Hühnerstall. «Herr Gesandter», sagte Henri viel sanfter. «Sie sind Spanier, ich Gascogner. Verlegen wir uns auf das Großsprechen, wo hören wir dann auf.»

Wegen seiner Antwort und anderer derart, wurde Don Inigo der Held des Tages; es beschämte ihn eher, als daß es ihm schmeichelte. Die Königin entdeckte, daß sie seine Verwandte wäre. Der Hof redete in den edlen kastilianischen Wendungen, die er eingeführt hatte. Die Absicht war, den König zu demütigen. Don Inigo, entschieden schwieriger als sonst diese Herren, wollte keinen Vorrang vor der Majestät. Zufällig wurde das Schwert des Königs an ihm vorbeigetragen. Er nahm es dem Diener ab, wendete es um und um, damit er es recht sähe. Küßte es. Sprach: «Ich Glücklicher habe in meinen Händen gehalten das tapfere Schwert des tapfersten Königs der Welt.»

Auch blieb er in der Hauptstadt zurück, als ein anderer Gast von hohen Graden sie heimsuchte: die Pest.

Vom Hof entflohen die meisten auf ihre Güter. Der Ruf der Seuche war von alters her wohl erhalten, die Schwarze Pest hatte immer größere Schrecken bekommen seit ihrem Erscheinen vor dreihundert Jahren. Beulenpest und Lungenpest, entweder nur die eine oder beide auf einmal hatten, soweit man persönlich zurückdenkt, vor zehn Jahren während der Belagerung, am schwersten aber vor fünfzig gewütet. Das einzige Hospital, Gasthaus Gottes genannt, genügte sonst; nur wenn die Pest kam, packte man in jedes Bett acht Kranke. Sehr zu verwundern, daß gerade dort, wo Gott am nächsten war, die meisten erlagen. Achtundsechzigtausend bei der vorletzten Heimsuchung: alte Leute hatten sie noch gezählt. Die letzte war gnädiger verlaufen, möglichenfalls im Zusammenhang mit einer Verordnung des Erzbischofs, die Verpesteten wären zu trennen von allen anderen Kranken. Seither trug die Seuche einen Namen, der einer Entdeckung gleichkam: die Ansteckung hieß sie.

Der König weigerte sich, Paris zu verlassen trotz inständiger Forderungen der Königin, die ihrerseits von dem Paar Galigai-Concini gedrängt wurde. Als Marie nicht weiterwußte, gab sie ihrem Gemahl die ganze Schuld an der Pest. Das vorige Mal habe er sie seiner Hauptstadt zugezogen, als er diese noch nicht besaß und sie durch Aushungerung bezwingen wollte. Der Fluch wohnt ihm ein, jetzt bricht er wieder aus. Wer sich einmal zum Anathem gemacht hat, bleibt es – behauptete Marie von Medici, die mächtige Furcht hatte. Galigai-Concini ersparten ihr keinen Sterbefall: schon seien vom Gesinde des Louvre mehrere fortgeschafft. Infolge Zuredens der beiden befahl sie, ein Schiff zu rüsten. Sie hätte die Dauer der Seuche auf dem offenen Meer verbracht. Den Dauphin hätte sie mitgenommen sowie natürlich ihre Kavaliere vom Dienst, sogar die ausgedienten. Der König mochte sich seiner geliebten Pest ergeben.

Sein Sinn war allerdings ganz auf sie gerichtet. Er dachte sie abzukürzen vermittels Luft und Feuer, zwei Elementen der Reinigung. In Schloß Louvre ließ er die Fenster offenhalten, und überall brannte viel Wacholder. Dieselben Hölzer mit ihrem starken Duft entnahm er den Wäldern zur Entgiftung der volkreichen Stadtteile. Seine besondere Sorge war, der Ansteckung die Wege abzuschneiden. Diese führten, wie er meinte, über den Rhein. Deutschland verwahrloste schnell, ob man den Vorgang schon Krieg oder vorerst anders nennt. Die Ansteckung war ein Vorbote des übrigen Unheils, das es noch entsenden sollte. Aber nahe der Grenze in Lothringen sitzt Kathrin.

Die Herzogin von Bar, Madame Schwester des Königs, seine liebe Kathrin – er selbst hat sie gezwungen, dorthin zu heiraten. Wäre es wahr, daß in ihm der Fluch wohnt? Man verachte das vermessene Geschwätz. Wie ergeht es den Frommen? Bei ihren Bittgängen durch die Straßen, wo alle Heiligen beschworen und Sterbegebete geleiert werden, fallen im Gedränge immer einige um und sind angesteckt. Die Pestilenz ist kein Fluch, keine Strafe; sie wird unterhalten durch die Unwissenheit und den Schrecken. Keine Angst! Kathrin, du hast doch keine? Sieh, dein Bruder, der dir im Leben viel Unrecht getan hat, er holt dich hierher mit reitenden Boten, am sichersten bist du bei ihm.

Er suchte einen, dem sie voraussichtlich folgte. Er fand seinen Verwandten, den jungen Condé. Der Prinz war von Natur schweigsam, wenigstens gab er sich damals nicht anders zu erkennen. Etwas später sollte er viel Wesens machen. Bis jetzt war er traurig und geduldig, vom König empfing er dankbar eine bescheidene Pension, besaß selber gar nichts. Er war der Sohn des Vetters, der dem jungen Navarra einst versucht hatte zuvorzukommen. Dann starb er, vergiftet nach allgemeinem Urteil von der Prinzessin, seiner Frau. Sie hat nie gestanden. Ihre Haft und Anklage gehören anderen Zeiten. Jetzt lebt sie bei Hof; hat jeder seine Vergangenheit. Übrig ist, daß ihr Sohn viel schweigt und läßt in sich nicht einsehen. Henri sagte ihm: Hol mir die Schwester. Nur wenn du es bist, wird sie verstehen, wie ernst ich es meine.»

Condé war abgereist, da befiel den Bruder die höchste Unruhe. ‹Daß sie in meinen Armen wäre! Zu wenig Glück, sie hat durch mich zu wenig Glück gehabt. Vor meinem Paradebett die Verneigung war all ihr Stolz, und kann doch nicht das Ziel sein. Wir sind die einzigen, jeder für den anderen, hatten Kinderaugen, die Träume der Jugend, unser Innerstes war Liebe. Kathrin, die deine hab ich dir endlich verboten und dich fortgehen lassen mit einem Mann, der dir nichts ist: da warst du schon müde. Du warst dem Tode schon anheimgegeben, ich mußte dich halten. Ich mußte dich halten, was hab ich getan!›

In Reue und Angst lief er täglich nach dem Hospital Gasthaus Gottes, die Kranken zu berühren. Sie glauben, daß eine Berührung des Königs sie heilt. Er überredete sich, daß es wahr sei. Er berührte harte Beulen und die roten Entzündungen, die Kohlen heißen. Wusch seine Hände, und folgte einer anderen von den zitternden Stimmen, die ihn riefen, wenn die Stimme des Menschen nicht schon ausgelöscht war mitsamt seinem Gedächtnis. ‹Seh ich nur einen aufstehen und wandeln, dann kommt meine Schwester, ich halte sie, ich mache noch alles gut.› Einen angesteckten Mönch, der ihn vielleicht haßte, bat er, zu beten für eine Person, die auf der Reise ist, daß sie an ihre Zuflucht gelangt.

Des Nachts verließ er sein Bett. Beim Geflacker der Feuer irrte er durch das Schloß. Einmal geriet er hoch oben auf einen Flur, wo kein Fenster geöffnet, Herde für das Holz nicht errichtet waren. Es wäre völlig dunkel gewesen, er sah aber um eine entfernte Ecke viele kleine Flammen herbeitanzen, so nahe dem Boden, daß es unbegreiflich schien. Während die Erscheinung ihren Weg machte, beleuchtete sie sich selbst. Es war eine Zwergin, leicht zu erraten, welche, obwohl sie entkleidet war. Splitternackt, dafür mit roter Farbe bekleckst, und zwischen den ausgestreckten Fingern trug sie acht Lichtlein vor sich her. Henri hätte sich in das Ereignis vertieft; aber ein Mensch, der davor flüchtete, fiel ihm zu Füßen. Die Lichtlein zeigten, daß es Herr Concini war.

Diesen Menschen erkannte man schwerer wieder als die Milchschwester, seine liebe Frau. Nichts mehr von Glätte und Gefährlichkeit, keine geklebten Haare. Die gewölbte Büste und geschmeidigen Hüften, alles weggerutscht in einen Sack Fleisch, das war die Gestalt. Das Gesicht betreffend, man hat seinesgleichen an Blutleere und abscheulicher Entgeisterung der Kreatur nicht zugetraut. Was die Angst tut! Der edle Concini hielt die edle Galigai für die Pest in eigener Person. Rot, das Rot der «Kohlen», dazu die Talglichte von schlechten Särgen: sein Schrecken läßt sich gar nicht sagen, er stieß auch nur das Geschrei eines gemarterten Katers aus.

«Sire! Ich bin der Pest begegnet. Gnade, Sire, oder ich muß sterben. Berühren Sie mich, o heilige Majestät, der Himmel schickt Sie, berühren Sie mich!» Dies jaulte, quiekte, sang der Kavalier der Königin in Tönen, die sonst nicht vorkommen. Die Königin hätte es anhören sollen bei versammeltem Hofstaat; aber gibt es nachhaltige Belehrungen? Die Pest ist keine. Ihr rot bespritztes Abbild zog nahe genug vorbei, daß ihre Lichtlein auf den Elenden tropften. Das gab ihm den Rest, die Sinne schwanden ihm. Die pestilenzialische Milchschwester machte sich aus ihren Wirkungen nichts. Ihre Augen waren verdreht, sie wandelte ohne Bewußtsein. Henri verließ diesen Ort.

Der Zustand der Hauptstadt wurde schlimm, mehr infolge ihres Entsetzens, das jeder beim anderen vermehrte. Die Ausdehnung der Krankheit nahm eher ab, da die Ärzte des Königs seine Maßnahmen befolgten. Die Lauben seines Königsplatzes wurden in weite, luftige Lazarette verwandelt. Den Kaufleuten waren sie zu vornehm gewesen, so paßten sie jetzt den Kranken. Henri zählte nicht die Stunden, die ihm dort vergingen. In den Straßen begegnete er entweder keinem, oder Vermummte hasteten vorbei mit einer überwölbten Bahre. Angelangt, empfingen ihn der freie Wind des Platzes und der Rauch aus den Holzstößen ringsum. Dieser wurde von dem Wind in die offenen Lauben geblasen, blieb aber nirgends hängen. Hindurch erblickte man die Bläue des Himmels, der wohlriechende Schwaden drehte sich um die Gebetteten, das waren tausend oder noch viel mehr. Wo die Gesichter hervortauchten, erspähte Henri in ihnen das Verlangen, zu leben. Seine eigene Sehnsucht nach der Schwester fand hier ihren besten Aufenthalt.

Diesen Tag wollte der König niemals enden mit dem Berühren seiner Kranken – hatte gegen zweitausend berührt. Immer neue Gesichter wurden ihm in Erwartung zugewendet, geschwärzt vom Rauch, wenn es nicht die Zeichen der Pest waren. Er ermüdete nicht. ‹Heut ist der Tag, Kathrin soll eintreffen. Befehl ist erteilt, daß ich es gleich erfahre. Seid gesund! Heute hat meine Berührung die Kraft, euch zu heilen, und wäret ihr von Punkten oder Linsen über und über schwarz, euer Atem schon vergiftet.› Er hatte den Mund nicht verbunden, er wußte sich stark und beschützt. Nah bei ihm hinter einer Wolke läutete ein Glöckchen, es verkündete das Sakrament. Der Priester sprach mit unverbundenem Mund die Worte, die für das Sterben bestimmt sind.

Als die Wolke zerging, sahen sie einander, der Pfaff und der König. Der eine von ihnen war klein und schwächlich, spitzes Gesicht, aber leuchtende Augen. Er sprach zu dem König: «Sie haben so viel Mut, als glaubten Sie an Gott.»

«Ich glaube», sagte Henri: da gewahrte er unweit eine Gestalt, die auf dem Fleck verharrte und schwieg. Schwieg und ließ keine Hoffnung. «Condé?» fragte Henri flehentlich, aber die Entscheidung war gefallen, wie er wußte. «Condé!» Der senkte nur die Stirn. Ein Rauch zog zwischen sie.

Neben dem König wimmerte ein Kranker, der sterben wollte und keine Hilfe hatte. «Es ist ein Ketzer», sagte der Priester. «Ich habe nach dem Pastor geschickt, der wird zu spät kommen.»

«Wir kommen», sagte Henri. Seine Schwester, die Protestantin, hätte hier ihr letztes Lager gehabt, er wäre nicht anders hingekniet. Ließ beide Knie zu Boden, und dem Sterbenden leise in das Ohr sang er: «Lobe den Herrn, meine Seele.»

Er wußte in seinem Schloß Louvre einen einzigen Ort, wo er ungestört weinen konnte die ganze Nacht. Das war sein Paradebett, bewacht, wie es wurde, verschlossene Vorhänge, die sichere Einsamkeit. Aus seinem Kabinett betrat er den großen Saal, in dem es dunkelte; seinen Hof bemerkte er noch nicht, obwohl keiner fehlte. Was von seinem Hof übrig war, die zwanzig oder dreißig Personen, hatten das Heiligtum der Majestät aufgesucht, vielleicht, daß es die Pest von ihm abhielt. Der König, wie er eindrang, widersprach in allem ihrem Begriff der Majestät. Er erschien übel zugerichtet, verdächtig angeschwärzt, und anstatt irgend jemand vor der Pest zu bewahren, brachte er sie wohl gar mit. Zu schweigen, daß seine Zeit vorbei, sein Leben wenig wert ist, und wie es heißt, hat die Regentschaft schon begonnen.

Die große Tür ging drüben auf. Gottlob, die Königin, an ihrer Hand den Dauphin, ließ Armleuchter vor sich her tragen. Der Hof, was von ihm übrig war, alle stürzten aus ihrem Schatten dem künftigen Glanz entgegen. Alle entboten ihre Verneigungen, gebeugten Knie und Laute der Huldigung dem Dauphin. Abgeschieden durch einen leeren Raum, ganz allein stand der König.

Der erste, sich zu besinnen, war der ernste, traurige Condé. Weder übereilt noch unentschlossen, höchst anständig verfügte er sich nach der Seite des Königs. Bellegarde und Bassompierre liefen schon, bald war Henri umringt, hat aber vorher ganz allein gestanden.

Margot von einst

Die Königin von Navarra trat auf, als die Seuche überstanden und die Festlichkeiten bei Hof um so glänzender waren. Alle lieben Herren und Damen fanden von ihren Schlössern, die meisten feucht und armselig, den Weg zurück nach der einzigen Stätte, wo man voll das Leben genießt. Die Freuden sind geteilt zwischen Geldgewinnen und Geldausgeben. Wer Glück beim Spiel gehabt hat, erscheint auf der nächsten Schaustellung im Louvre angetan wie der helle Tag, die Morgenröte oder bestirnte Mondnacht. Manche verkauften ihr feuchtes Schloß, um hier zu glänzen.

Marguerite von Valois entschied eigenmächtig, daß ihre Verbannung lange genug gewährt hatte, achtzehn Jahre. Als Vierunddreißigjährige war sie von ihrem Gatten Henri vormals entlassen worden – an ihm lag es nicht allein. Die letzte des ausgestorbenen Königshauses ertrug schwer, daß ein anderer, und wäre er ihr Mann, den Thron ihrer toten Brüder einnahm. Sie hat ihn gehaßt bis zu dem Grade, daß sie einen Mörder schickte. Darüberhin ist die Zeit gegangen, wer fragt nach alten Mördern, altem Haß. Kaum, daß man die vergessene Liebe noch erkennt.

Henri empfing sie, weil sie einmal da war, ohne vorherige Anmeldung, aber mit dem vollen Anspruch ihrer Person als letzte Valois und seine erste Frau. Er versuchte den kameradschaftlichen Ton, erkundigte sich nach dem Schloß Usson, ihrem Aufenthalt dieser achtzehn Jahre. Im stillen zählte er, daß sie jetzt dreiundfünfzig ist. Sieht auch so aus. «In der Auvergne ißt man gut, wie?»

«Und liebt gut», erklärte sie mit der Kühnheit, die auf einmal alles heraufrief, die ganze Margot von einst.

Unter ihren verfetteten Wangen, der dicken Schminke, blonden Perücke, entdeckte er die Gefährtin vielen Genusses seines Sinne. Die Bartholomäusnacht hat ihren Schatten vorausgeschickt, die Lust ging bis zum Schmerz. Diese Frau war die Göttin ihres Zeitalters, schön, prächtig und gelehrt. Kam eine Prozession geschritten, vergaß man das Allerheiligste zu grüßen: Madame Marguerite wurde angebetet. ‹Das ist inzwischen aus ihr geworden›, dachte Henri. ‹Und was aus mir?› In seiner Bestürzung bezeugte er ihr, daß sie vorzüglich erhalten sei.

«Auch Sie sind durch Ihre verliebte Natur vor dem Altern bewahrt worden», sagte sie, obwohl ihr Eindruck anders war. Er erschien ihr traurig, seines Glückes und Ruhmes wenig bewußt. Ihr eigenes Gemüt war nunmehr wohlgelaunt. Schreckliche Ausbrüche der Leidenschaft konnten immer noch vorfallen, wie man sehen soll. In Richtung der Bosheit hatte sie sich nicht bewegt. Hier sprach sie: «Ihr Name ist sehr mit Recht der Immerlustig, Immerverliebt. Meine Augen überzeugen mich: Sie sind der Vert galant.»

Ihre Augen waren gefühlvoll geblieben, ihre Worte freundlich gemeint. Er gab ihr die Hand, hieß sie willkommen, ja, bezeugte ihr, daß die Jugend gut gewesen sei: König und Königin von Navarra, seine kleinen Gefechte, ihr kleiner Musenhof. Sie sagte hierauf, daß sie mit der Absicht komme, eine Akademie schöner Geister um sich zu versammeln. Leider seien ihre Mittel zusammengeschmolzen.

Er ließ sich nicht bitten. Sie bekam, was sie vorläufig wünschte, eine Pension, ein Haus im Gehölz von Boulogne. Immerhin brach er kurz ab; weitere Forderungen konnten folgen, er aber fürchtete seinen Rosny, wenn noch eine Dame kräftig in die Kasse griff. Ihrerseits lächelte sie behaglich, da er seinen Ruf wahr machte: Spiel, Frauen und der Geiz.

«Jetzt will ich der Königin aufwarten», äußerte sie. «Ich bin ihre nahe Verwandte durch meine Mutter, Madame Catherine. So mußte es wieder eine Medici sein.» Womit sie heiter abging.

Der Minister ließ über das Geld mit sich reden. Seine neue Nachgiebigkeit gegen die Ansprüche des Hofes wäre erstaunlich gewesen. Henri kannte die Gründe. Die Diplomaten des Königs hatten überall seine Sache betrieben, auch die Bündnisse mit England und Holland waren wieder einmal befestigt. Der Herzog von Cleve brauchte nur zu sterben, Habsburg lieferte für ein Unternehmen gewiß den Vorwand. Genug gezögert, wir marschieren. Der Schlag soll unversehens fallen, weshalb der Hof von Frankreich in auffälliger Art dem Vergnügen nachgeht: Spiel, Liebe und anstatt der auferlegten Sparsamkeit ein Fest ohne Ende.

Die Königin von Navarra wurde zu einer Hauptperson nach ihrem zweiten, förmlichen Empfang im Louvre. Dieser verlief anders als ihr erster, stiller Besuch, bei dem sie schlechterdings ihrem Wagen entstieg auf die Gefahr, abgewiesen zu werden. Jetzt ging der König in voller Stattlichkeit seiner einstigen Gemahlin entgegen bis zu der Mitte des neuen Hofes. Die Königin Marie von Medici erwartete die Wiedergekehrte am Fuß der Treppe, ihren Hofstaat um sich. Alle waren innerlich belustigt über die beiden Damen, ihre feierliche Begrüßung; ja, den Hof juckte es, Rumpf und Glieder in ehrfürchtige Stellungen zu bringen. Margot von einst und Henri, beide allein auf dem Schauplatz begegneten einander Aug in Auge: das wurde ernst, sie hätten nicht gedacht, wie bitter. Die Gesichter erstarrten in Huld und Förmlichkeit. Mit Blicken, die nicht auswichen, wohl aber sich absonderten, sagten sie: Ja, ich denk der vergangenen Tage. Nein, ich wünsche sie nicht zurück.

So geschehen, ging das Vergnügen an. Gespielt wurde überall, besonders im Arsenal. Madame de Rosny ließ einen Festsaal bauen. Herr de Rosny überreichte dem König für sein Spiel einen Beutel mit Goldstücken, der Gesellschaft einen kleineren. Ohnehin gewannen sie ihm alles ab, da er nebenher Sorgen hatte. Er war ein unbequemer Verlierer, vergaß aber bald den Ärger infolge seiner anderen Sorgen. Herr de Rosny ging bis zu Scherzen, die man an ihm nicht kannte. Den Ehrenfräulein der Königin stellte er zwei Kannen hin, den dunklen Wein und etwas Helles, das sie für Wasser hielten. Es war im Gegenteil der stärkere Saft. Meinten sie damit den anderen zu verdünnen, dann wußten die Mädchen nicht, wie ihnen geschah, so ausgelassen wurden sie. Ihre Tollheiten nahmen sich hübsch aus; alle trugen die gleiche Kleidung, versilbertes Leinen.

Die Königin und die Prinzessinnen feiern, sagte man wohl; es bedeutete aber jedesmal ein Gelage. Marie von Medici erschien erst auf dem Ball. An der Tafel des Königs zu essen, vermied sie; ihre Gründe mag sie für sich behalten, sie würden die gute Laune stören. Schnell zu den Bällen und Balletten. Unter König Henri erlernten die Herrschaften, nach Art der Dörfler zu tanzen, Schüttel-, Lauf- und Gebärdentänze voll Ausdruck und Gelenkigkeit. Wer Gelächter erregt, hat bei seiner Dame gewonnen. Was will das alles gegen das Gepränge einer Schau – im Louvre, eine Treppe, der große Saal, die echten Dekorationen, die Kostüme. Nach fieberhaften Vorbereitungen und den Ränken, damit man hineinkommt, ist jeder Platz besetzt. Der König selbst gerät unter den Druck, er sieht um, wer auszuweisen wäre. Die es treffen könnte, sind schon untergetaucht.

Höchste Personen wirken mit; sie haben meistens Albernheiten zu sagen; Musik und die Folge der Auftritte sind Vorwände. Worauf es für hoch und niedrig ankommt: vom Gold und den Farben der Märchen verzaubert eine Nacht lang zu scheinen, was das ganze Leben nie erfüllen wird, ein Geriesel von

Köstlichkeit, eine bunte Wolke. Die Zuschauer tun es den Darstellern gleich, der Wetteifer der Eitelkeiten erreicht Höhen, vergleichbar den bewunderten Theatermaschinen. Diese erheben in ein geträumtes Licht aus unsichtbarer Quelle weibliche Schönheiten, jede ein Stern, eine Rose, ein Juwel. Sie sind verstrickt in schaukelnde Netze, darin beugen und strecken sie ihre verführerischen Glieder. Werden gedreht, kehren ein zweites Gesicht hervor, die Maske der Keuschheit; Gewänder von Engeln umfließen die andere Seite der Erscheinung silbern und weiß. Ein höchst erregender Wechsel, endet aber damit, daß die Maschine verdunkelt wird, weg ist der Traum. Nach vorn kommt das komische Zwischenspiel. Kamele, von mehreren Menschen gebildet; andere, man begreift es nicht, reiten darauf. Ein Turm poltert über die Szene, in jedem Fenster ein säbelschwingender Türke, zum Glück wirft er Süßigkeiten unter die Leute – indessen dicke Frauen, die ausgepolsterte Männer sind, mit akrobatischer Kunst einander niederschlagen. Alles zusammen verursacht unter Beihilfe der Zuschauer einen höllischen Lärm.

Als Abschluß der langwierigen Schau, die dennoch niemand satt bekam bis auf einen – zum letzten Hochgenuß zog das ganze Theater auf einer Brücke durch den Saal und den Lärm. Ihr dürft sie aus der Nähe bestaunen und begehren, je nachdem es glanzvolle Herrschaften oder Kamele, Schönheiten mit feinen Gliedern oder plumpe Grotesken sind. Wer zurückdenken konnte, bemerkte, daß dergleichen, weniger vollendet, den Hof der Valois vormals beglückt hatte. Die letzte des Hauses, Madame Marguerite, war denn auch die Seele der Schau, ihr verdanken wir sie. Henri mochte die Schau nicht, erstens wegen seiner Erinnerungen.

Er ging munter mit, sogar die Brücke beschritt er, kostümiert als Gott Mars. Hoffte nur, daß niemand hierüber nachdächte, vor allem der spanische Gesandte nicht. Henri soll die Zeit füllen, bis die Stunde schlägt: mit seinem Rosny ist es ausgedacht. Er soll ablenken die Höfe Europas, besonders den seinen, damit kein Auge der Uhr folgt, wie sie vorrückt. Er empfand aber im Drang und Gewühl des Vergnügens nur den einen Wunsch: allein sein, meine Sache bedenken, Kraft sammeln, nicht müde werden, damit kein Zweifel aufkommt.

Es ist Tatsache, daß zu dieser Zeit die Jagd ihn ermüdete. Sie war von jeher seine sichere Erholung gewesen; jetzt stieg er vom Pferd in das Bett. Die Frage ist, inwiefern das Nachlassen körperlich bestimmt war. Auch das Lachen hat ihn damals angestrengt, so gern er mit seinen Freunden lustig war; und unter seine Freunde reihte er alle, die mit ihm durch das Leben gegangen waren. D'Epernon, man weiß, wie es um ihn steht, aber ein so alter Gefährte. Nun, der gichtische Taube wäre leicht zum Narren zu halten, wenn Gegenstände des Gelächters gesucht werden. Der Hof allerdings wählte lieber die ehrlichen Freunde des Königs. Marschall Roquelaure hatte in seiner Provinz eine Ehehälfte, die er niemals vorführte, man darf raten, warum. Vielleicht ein Gebrechen, die Frau ist stumm oder dumm. Die häuslichen Verhältnisse des alten Soldaten blieben für Scherze unerschöpflich; es kommt von selbst, daß diese endlich ausarten. Doch wohl nicht, weil der König zugegen war. An dem Abend, als es geschah war er zugegen und mußte Roquelaure abhalten, die Waffe zu ziehen. Er nahm ihn beim Arm, beide verließen die Gesellschaft.

«Ich habe etwas zu lange mitgelacht», sagte Henri. Der Marschall brummte: «Ich war ein Esel, daß ich keinen Spaß verstand.»

Henri: «War es Spaß, und wer sollte eigentlich getroffen werden?»

Roquelaure, erstauntes Rücken des Kopfes.

Henri: «Haben Sie mich verstanden?»

Roquelaure, entschließt sich: «D'Epernon hat hier zu viele Freunde.»

Henri: «Sagen Sie: Mitwisser.»

Roquelaure, ohne rechte Überzeugung: «Mitwisser, sag ich.»

Henri, mit Blicken nach allen Seiten: «Nicht in mein Kabinett. Eine innere Tür wäre vielleicht nur angelehnt. Roquelaure?»

«Sire, ich höre.»

«Fühlen Sie sich munter genug, um nochmals in das Feld zu ziehen?»

«Immer», sagte der Marschall viel zu laut. Er fand die Frage des Königs verfänglich. Sollte er verabschiedet werden? Henri zog ihn hinter einen Vorsprung der Wand.

«Nehmen Sie Rücksicht auf die Königin, sie könnte wach liegen und sie ist in anderen Umständen. Seit unserer Reise nach Savoyen sind es – einige Jahre. Haben Sie bemerkt, daß man nur zwei Drittel des Lebens genau abzählt, aber das letzte nicht mehr? Die Jugend scheint endlos, das Alter ist wie ein Tag.»

Roquelaure, im Zustand der Verteidigung: «Ich und der tapfere Crillon rechnen oft nach, was wir jede Stunde Ihres vorigen Krieges vollbracht haben. Fragen uns auch, wann es uns wieder so wohl sein wird in unserer Haut.»

Henri: «Gut für Sie und den tapferen Crillon. Aber ich. Zum Beispiel wäre es besser für mich, ich hätte die Königin von Navarra nicht wiedergesehen.»

Roquelaure, überzeugt: «Die Frauen sind ein Kreuz, das muß wahr sein und bleiben. Man soll sie zu Hause lassen, wofür ein Krieg der rechte Umstand ist.»

Henri, legt ihm die Hand auf die Schulter, steht jetzt neben ihm, spricht geradeaus in das Leere: «Werden wir selbst mit der Zeit leichter zu ertragen? Es ist schwer leugbar, daß man uns satt bekommt. Wir waren lange vornean und haben die Moden gemacht, die Mode Immerlustig, die Mode Freigeist, die Mode Volksbeglücker.»

Roquelaure: «Die Mode Tapferkeit, Nüchternheit, die Mode Frankreich, die Mode Frauenlob.»

Henri: «Die Mode Hahnrei. Genug, die Mode. Wie sie heiße, man bekommt sie satt und uns mit ihr. Herbeigerufen wird von allen das Gegenteil, ohne daß es sie glücklicher machen müßte. Meinen Sie wohl, daß mein Sohn Vendôme gut gebettet ist mit seinem italienischen Laster?»

Hier wußte der Marschall keinen Trost dem Vater, der von der reizenden Gabriele, gerade von ihr, den verkehrt geratenen Sohn hatte.

Henri, in ganzer Gestalt abgewendet gegen die Wand: «Was weiß ich.»

Womit er wahrhaftig mehr bezeichnete als die Unterschiede, zu lieben. ‹Hab ich das Recht noch auf meinen Großen Plan? Ein Unternehmen neu, hart, wirklich – in einem Lebensalter, das vielmehr etwas Unwirkliches erhält infolge der vielfachen Wünsche, ich möchte verschwinden.›

Roquelaure sah: schwache Stunde; er begriff mehr, als man annimmt. Nach einer kurzen Unruhe entschloß er sich, umfing die Schulter seines Herrn, der Arm zitterte ihm dabei, aber er sagte: «Navarra.» In das Ohr seines Herrn: «Mein Prinz Henri Navarra.»

Der König gab ihm die Akkolade, Umhalsung, Kuß auf beide Wangen. Nannte ihn du, wie voreinst. Sprach: «Roquelaure, von uns allen warst du der Schönste mit dem Klimperzeug, das du an dir trugst, besonders im Felde.»

«Ins Feld!» rief der Marschall. Da er seinen Herrn den Finger an die Lippe legen sah, flüsterte er: «Dort sterben wir nicht. Eher hier.»

Henri betrachtete ihn lange und tief. Die Einfachheit weiß das beste. Wir sind nie einfach genug.

Zuerst suchten beide in den Winkeln und um die Ecken, ob niemand sie belauscht habe. Dann ging Henri in sein Kabinett.

Wie ein Tag

Er machte damals die Bekanntschaft des «Don Quichotte», der Brüsseler Nachdruck von 1607. Bassompierre las vor, kam aber nicht weiter, weil er lachen mußte. Henri setzte seine große Brille auf, nahm selbst das Buch und folgte mit halber Stimme den komischen Abenteuern des Ritters von der traurigen Gestalt. In das Gelächter seines Zuhörers stimmte er ein, nur war ihm nicht recht wohl dabei. Der König von Spanien sollte von dem Roman ausnehmend belustigt worden sein. Warum lachen alle? Jemand glaubt zu kämpfen, in Wahrheit wird er gefoppt. Er trägt im Herzen eine eingebildete Herrin, ihr wirklicher Stand ist niedrig, er hat sie sich gar nicht angesehen. Er nimmt Hammel für Heere, eine Magd für göttlich und ist versessen auf Taten, deren Unsinnigkeit jedem einleuchtet, nur seinem umwölkten Gehirn nicht. Der einzige, der zu ihm hält, ist sein Knappe, ein guter Diener. Das Verständnis eines guten Dieners reicht, soweit es reicht.

‹Ein Glück›, dachte Henri und lachte herzhaft, ‹daß mein Großmeister kein kurzer Dicker, sein Herr nicht lang und dürr ist. Lassen wir's dabei.› Er hielt sich den Bauch, Bassompierre desgleichen; der Erholung wegen griffen sie zum «Amadis von Gallien», einem echten Ritterroman, worin die Schlachten ernst, die Damen edel sind. Übrigens wendete Henri Tag für Tag eine pünktliche halbe Stunde an das «Theater der Agrikultur»: so hieß das Werk über Landwirtschaft, das er bewunderte. Wir lernen nicht aus, am wenigsten auf unserem Gebiet. Acker und Weide, die beiden Brüste des Staates, hat Rosny gesagt. Sein König bewahrte das Wort im Herzen und haftete mit seinem Herzen hierzuland, indessen sein Plan die Welt überzog.

In seinem Geist war Europa aufgelebt zu einer Wirklichkeit, allen erkennbar, sobald der habsburgische Ehrgeiz einer universalen Monarchie niedergekämpft wäre. ‹Es handelt sich wahrhaftig um mehr, als gegen Hammel und Windmühlen zu fechten. Das tut vielmehr die universale Monarchie, ein Hirngespinst auf ewig – unser klarer Gedanke eines Bundes freier Völker wird früher oder später den Sieg haben. Was weiß ich, gilt hier nicht. Dies wissen wir. Der Beweis ist, daß wir bei weitester Sicht doch nie den Boden verlieren, sondern pflegen das nächste einfache Vorhaben gleichwie den Großen Plan, der auch nur einfach ist.›

Henri eröffnete in Paris die königliche Bibliothek, sie soll dem Volk gehören. Er wird das Handwerksmuseum und den botanischen Garten begründen, sofern ihm Zeit gelassen ist. Auf dem Dasein eines einzigen steht viel. Er jagte nicht mehr, es ermüdete ihn. Unermüdlich ging er dafür den Ursachen des Elends nach. Das «Theater der Agrikultur», er sah es viel mehr, als daß er es las. Die Bauern draußen führten ihm ihre Sorgen vor. Er griff ein, ihnen zu helfen – als könnte nicht morgen Krieg sein. Die Füße auf dem Acker, das Herz hierzuland, im Geist sein einfaches, kühnes Gesicht der Zukunft: das Dasein eines einzigen trägt viel. Dies ist aber das Stück Leben, das nicht mehr nachgerechnet wird: es geht hin wie ein Tag.

Der Marquis de la Roche, königlicher Statthalter im Lande Kanada, Neufundland, Labrador, erlitt Schiffbruch; seine Mannschaft blieb fünf Jahre auf einer wüsten Insel, er selbst in einem Kahn fand endlich nach Frankreich zurück: da war er ein gebrochener Mann. Folgten andere und waren alte von der Religion oder neue von Handelskompanien. Herr de Monts bekam die Vollmachten eines Vizekönigs und trieb Pelzhandel mit königlichem Privileg, was Eifersucht erregte. Er hatte drei stark bewaffnete Kriegsschiffe gegen den Schmuggel. Er säte, baute Häuser, befestigte die Kolonie. Diese bestand aus zweiundsiebenzig Personen; der erste Winter tötete von ihnen die Hälfte. Im zweiten starben am Skorbut nur sechs.

Der König war für Herrn de Monts, als alle ihn befeindeten oder lächerlich machten: dies auf Anstiften der Pelzhändler, die es nicht verdauen konnten, daß ihr Gewerbe ein königliches Vorrecht und Geschäft des Staates sein sollte. Wohin führt das? Ein König beginnt bei gewissen Waren, bis endlich der ganze auswärtige Handel von seinem Staate selbst betrieben wird. Alle ehrbaren Leute reden alsbald von Chimären; sie lachen die Träumer aus. Wut im Innern, lachen sie den Einfall des Königs nieder, bis er nachgibt und sie können wieder die Preise bestimmen. In dieser Sache war er allein, gegen seinen Rosny, der nicht begriff, wohin sie geführt hätte; in dem Fall hätte er die Kaufleute vertreten anstatt seinen König und den sonderbaren Einfall des verstaatlichten Außenhandels.

Das eine geht, das andere nicht. Henri schickte zu zwei Malen noch drei Schiffe, voll von Arbeitern und ihren Familien, um den Anfang zu machen mit den «Christlich-Französischen Republiken» jenseits der Meere. Ein alter von der Religion begründete die Stadt Quebec. Sein Name ist Samuel de Champlain. Niemals hat Henri die sonst gewohnten Abenteurer hinübergelassen; seine gewagtesten Unternehmungen kamen ohne sie aus. Eingeborene, die seine Sprache schon erlernt hatten, sind zu ihm gereist, er hat mit ihnen gesprochen. Als Champlain die letzte Fahrt machte, ihm zu berichten von den entdeckten Seen Huron, Michigan, Ontario – der König hätte seine Freude gehabt. War aber nicht mehr da.

Sein eigenes Haus beherbergte Arbeiter, ihre Werkstätten besuchte er oft. Einer schnitt Bilder in Holz. Henri trat ein; das Blatt, das gerade beendet war, er nahm es mit sich in sein Kabinett, hat es betrachtet, wenn er saß. Im Lauf, wie früher, ist nicht mehr alles fertigzubringen, aber wohl auch im Sitzen nicht. Dargestellt war ein Gerippe, das den Acker umgräbt. Das Skelett als Ackermann. Sind wir denn tot, wir lassen doch nicht nach, das Werk geht weiter.

Unglück im Glück

Marie von Medici war damals schlecht gelaunt, höchst reizbar, ihr Zustand verschlimmerte sich bis zu einer ständigen Erbitterung. Seinem Rosny gestand Henri, daß er nicht einmal mit ihr reden könne, viel weniger finde er Erleichterung und Trost. «Komm ich nach Haus, ist ihre Miene kalt und verachtungsvoll. Möcht mit ihr küssen, herzen, lachen: umsonst, Erholung muß ich anderswo suchen.»

Gewöhnlich hatte sie mit gewissen Personen, zum Beispiel d'Epernon, vorher eine Unterhaltung abgebrochen; diese betraf allerdings ihren Gatten, aber nicht derart, daß er Vergnügen daran gehabt hätte. Neu, den meisten erstaunlich, war ihre Strenge gegen den Verkehr der Geschlechter. Eines ihrer Ehrenfräulein wollte sie aus einem solchen Anlaß kurzweg hinrichten lassen. Henri zuckte die Achseln, war aber genötigt, mit der Gestörten den Fall zu besprechen. Sie war im schwarzen spanischen Kostüm, er gestiefelt und gespornt wie vor einer Abreise. Wir befinden uns an einem gesitteten Hof, dies gab er zu bedenken. Von dem ganz unmöglichen Vorhaben der Königin zu schweigen, erregt es schon Ärgernis, bleibt auch den fremden Höfen nicht unbekannt, daß hier weibliche Spione umgehen, und im verschwiegensten Gemach ist niemand ohne Aufsicht.

«Am wenigsten Sie», bestätigte Marie. «Ich will nicht mehr hören, daß Sie ein lüsterner Greis sind.»

«Verbieten Sie Ihren Freunden das Wort», erwiderte er, aufrichtig bestrebt, seine Geduld zu bewahren. Sie sagte eisig: «Der Louvre soll kein öffentliches Haus heißen.»

«Wer hat ihn dazu gemacht?» fragte er dagegen. «Madame, Sie haben fremde Sitten bei uns eingeführt. Ihre Sinnesänderung wäre löblich. Madame, jetzt übertreiben Sie im Guten.»

Da rückte Marie mit allem heraus. Das Mädchen soll hingerichtet werden. Aber vor allem: «Der spanische Gesandte durchschaut Sie.»

«Er hat lange dazu gebraucht», meinte Henri. «Endlich hab ich ihn von meiner Friedfertigkeit überzeugt. Don Inigo sagt öffentlich: ein König, der in der Landwirtschaft, den Künsten und Gewerben so viel Erfolg hat –»

Marie: «Der verliert seinen Krieg. Das ist die Ergänzung; manchmal verschweigt er sie, manchmal spricht er sie aus.»

Bei ihr hat er sie ausgesprochen, sah Henri.

Marie, des weiteren: «Angreifen, und dann gar geschlagen werden: auf einen Helden dieses Ranges ist das arme Europa hereingefallen. Nicht mehr für lange.»

Sie mußte Atem schöpfen. In ihren schwarzen Spitzen wurde sie bleich zum Erschrecken. Der Rock und alle seine Überwürfe verdeckten ihre Umstände. Nicht allein diese machten Henri langmütig; er war voll Bedauern, weil sie mit dem Rücken gegen das Königreich, seines und ihres, schrecklich in die Irre ging. Sie ist sich selbst nicht gut, bemerkte er und war gefaßt, alles anzuhören, wenn ihr nur nichts zustieß.

Marie – läßt von ihrer Haltung noch mehr fahren, sonst käme sie nie zu ihrer Sache. Schleudert ihre großen Hände durch die Luft, stampft, keift: «Sie sind verbraucht, hat Ihnen das noch niemand gesagt? Sie treiben es nicht mehr lange. Ihre Laster genügen allein, einen Mann aufzuzehren; aber nicht nur bei Frauen und Karten, in allen Arbeiten Himmels und der Erde, nicht zu vergessen die Hölle, haben Sie Ihre Finger. Die Unordnung, die Sie schüren, hat nunmehr Ihren Kopf erfaßt, er gehorcht Ihnen nicht mehr. Allernächstens muß Ihnen etwas zustoßen.»

‹Eher ihr›, dachte Henri. Er hielt sich bereit, den Turm von einer Frau aufzufangen, wenn er wankte. Das geschah nicht, sondern die Königin sprach auf einmal gemäßigt, während jede Regung ihres Gesichtes und Leibes ein angstvolles Lauern verriet: «Geben Sie mir die Regentschaft!»

Da er nicht antwortete:

«Denken Sie an Ihren Sohn. Sie werden tot sein, er verliert den Thron, oder beizeiten geben Sie mir die Regentschaft.»

Mit geduldigem Lächeln schlug Henri ihr vor, sich zu vergleichen. «Für die Regentschaft, die Sie verlangen, das Leben des Fräuleins, das Sie hinrichten wollen.»

Hier erfolgte keine Ohnmacht, aber Marie mußte hinkauern, sie konnte plötzlich ihren Leib nicht tragen. Koliken wahrscheinlich, ihre Farbe spielte ins Grünliche, ihr Geschau wurde zum Erbarmen töricht. Henri war ihr am Boden behilflich; dabei sagte er ebenso zart wie fest: «Madame, man hat Ihnen furchtbar zugesetzt. Vergessen Sie es! Erinnern Sie sich, daß Ihnen zur Seite Ihr bester Freund ist.»

Sie kam auf die Füße. Um sein Mitleid auszunutzen, gebrauchte sie ihre ungebührliche Stimme, zu hoch und schwach für all die Leiblichkeit.

Marie, kindlich: «Wann geben Sie mir die Regentschaft?»

Henri, sanft: «Wenn ich achtzig Jahre alt bin.»

Marie, barsch wie ein Eroberer: «Die Sechzig werden Sie nicht erreichen.»

Und ging ab mit Gepolter, dem Ächzen des Fußbodens. Von der Tür her warnte sie ihn. Bosheit war das nicht. Er hörte die arme Seele, wie sie ihre Verzweiflung in Wut kleidet.

Marie: «Niemand bürgt für Ihr Leben.»

Noch desselben Tages muß sie ihre Sittenwächter abberufen haben, dem Verkehr der Geschlechter wurden in Schloß Louvre keine Grenzen mehr gesetzt. Das ließen viele sich gesagt sein, voran das Fräulein, das kürzlich hingerichtet worden wäre. Die Zustände aus den Zeiten der Vorfahrin Katharina schienen wiedergekehrt zum peinlichen Erstaunen des Königs. Indessen schwieg er, daß er die Absicht merkte und sie geringschätzte. Er selbst sollte den Angriffen seiner Feinde die Flanke bieten, was wirklich eintraf. Die Kanzelredner bemächtigten sich mit neuem Mut ihres dankbaren Gegenstandes, des lüsternen Greises, der das Königreich aussaugt, es verdirbt, während nur er allein die ganze Christenheit in Unruhe erhält. Seinen Beichtvater Cotton, der auch diesmal wahrscheinlich den Hintergrund einnahm, warnte Henri in seiner Art. Er gestand zum Schein, daß sein Gewissen ihm schlage wegen des längst vergangenen Todes eines Herrn de Lionne. Dieser hatte nichts Schlimmeres begangen, als in den aufgeschlitzten Leibern von Bäuerinnen seine Füße zu wärmen. Das hat nichts von Lüsternheit; mit einem Greis, der sich wärmt, wäre man zufrieden.

«Mein Sohn», sprach Cotton – war schwer zu unterscheiden, ob dumm oder listig. «Achten Sie auf Ihren Ruf. Wer keinen mehr zu verlieren hat, weiß selbst nicht, wessen er noch fähig wird.»

«Mein Vater», sagte Henri. «Für meinen Ruf verantwortlich sind gerade Sie. Melden Sie den Predigern, daß es gewagt ist, die Majestät zu beleidigen.»

Worauf es alsbald still wurde. Aber der König wurde traurig, soviel war erreicht. Drei Jahre früher hätte er gelacht. Es entscheidet, welchen Ereignissen man entgegengeht, verfolgt von einem boshaften Ruf. Er hat Europa für sich, das ist das eine. König von Europa ist er genannt worden. März 1609 stirbt der Herzog von Cleve. Die Völker blicken auf den König von Frankreich, die Höfe atmen nicht. Sein Großmeister drängt ihn, loszuschlagen. Henri besteht darauf, nach dem Völkerrecht zu handeln. Habsburg nimmt Cleve und Jülich weg, dann erst läßt er Berg mit der Stadt Düsseldorf von seinen deutschen Verbündeten besetzen. Lange wird verhandelt werden und kein Schlag fällt. Die Vorgänge werden zuletzt verwirrt sein infolge seines Zögerns. Der Grund, weshalb sein Entschluß versagt, sind die Verschwörungen im eigenen Haus.

Der Vorabend des Feldzuges wird erscheinen, der Tag nicht mehr. Als er aufbrechen will, ist der Große Plan sein innerster Antrieb; war es, bleibt es. Wäre aber kein Großer Plan, kein Völkerbund zum ewigen Frieden, aufbrechen müßte er dennoch, um seinen Thron zu verteidigen: dahin ist es inzwischen gekommen. Man wird sogar sagen, daß er den Krieg für weiter nichts als eine Schürze entfesseln will, der Immerverliebt und Vert galant, der im Alter den Sinn für das Maß verliert und schlechthin überschnappt. Soviel vermag der Ruf; Jesuit Cotton war am Ende noch schlauer als dumm.

Aus einem Fürsten, der beide, die gegebene Welt und die vorbestimmte, geistig beherrscht, macht der Ruf in dem letzten Jahr seiner Gegenwart einen überalterten Wüstling: soviel vermag der Ruf. Angefertigt ist er hier von seinem Hof, seiner Hauptstadt. In der vorletzten Stunde wird der Ruf sogar die Grenzen überspringen, ihm draußen Freunde entziehen: aber kein Volk dabei. Eine eigene, tiefe Weisheit muß die Völker leiten, wenn sie weiter an ihn glauben, besonders das seine. Der Ruf, obwohl von seinen Nächsten angefertigt, hätte ihn nicht traurig machen dürfen; er versäumte darüber die vorletzte Stunde. Er wurde für seinen Mörder reif, war es vorher nie gewesen.

In den Tagen seiner ersten Begegnung mit einer jungen, gar zu jungen Dame, genannt Charlotte de Montmorency – wenig früher hat er einen merkwürdigen Gang vor die Stadt gemacht. Der König zu Fuß, der gichtische d'Epernon in seiner Sänfte, außer anderen Herren, spazierte man über Hügel, die auf die große Stadt den vollen Blick gewähren. Der König war laut; der Taube in der Sänfte konnte das meiste verstehen. Der König kam aus seinem Kabinett; bei allem, was er dort bedachte, hatte er einen gewissen Holzschnitt unwillkürlich vor Augen gehabt. Um so lauter ist er nachher in Gesellschaft. Als seine Hauptstadt vollends ausgebreitet lag, kehrte er ihr den Rücken, bückte sich, und biegsam wie ein Junger, streckte er den Kopf durch die gespreizten Beine. In dieser Stellung rief er: «Ich sehe nichts als Hurenhäuser.»

Ihm antwortete fröhlich sein guter Roquelaure: «Sire! Ich seh den Louvre.»

Das sollte die Laune des Königs ermutigen, es war liebevoll gemeint. Aus der Sänfte erfolgte ein Gekicher, das kein Ende fand; die Träger mußten ihrem Herrn den Buckel klopfen.

Der König blieb hiernach um ein merkliches Stück hinter seiner Begleitung zurück. Eine einzelne Person, die er nicht beachtete, hielt sich zu ihm, wenn auch beiseite in vorsichtigem Abstand. Es war einer der Dichter oder Gelehrten, die bei Hofe verkehrten, damit jeder sie ansprechen und in ihrem Lichte glänzen konnte. Der Vater ist etwa ein Strumpfwirker, der Sohn erhält Aufträge von der Majestät: ein Ballett, das man im Louvre bewundert hatte, für die Nachwelt zu geschickten Versen anzuordnen oder eines der gefiederten Geschöpfe, die im Vogelzimmer leben und sterben, aufmerksam zu beschreiben. Das kleine Wesen beginnt wie wir recht munter, gänzlich unbefangen; ergreift weiters kühn die Herrschaft über seinesgleichen, mißbraucht sie, wird bestraft, verwundet; dankt ab, sucht die Einsamkeit, schreit, wenn eine Hand es berühren will, in schrecklichen Vorgefühlen.

Indessen geht es diesmal nicht um das Vögelchen. Hier der Dichter oder Gelehrte erfreut sich seines geübten Verstandes, er wird nichts Unvorsichtiges tun und reden, obwohl die Vornehmen ihn, einzig um seiner Kunst des Wortes willen, aufgenommen haben, als wäre er vom Adel oder ein tapferer Kriegsmann. Er vermeidet, dem König auf seinem Lustwandel sehr nahezukommen, Begleiter sind unerwünscht. Was der Sohn eines Bürgers aus bescheidener Entfernung vor sich hinmurmelt, will besinnlich, aber ohne Beziehung sein. Der König hat ein feines Ohr, dennoch erwartet niemand, daß er dies unbedeutende Selbstgespräch abhört.

«Das Glück ist höchst anstrengend. Nichts beansprucht uns in dem Grade, wie das Glück. Schon das meine, ein nur verhältnismäßiges Glück – ich muß es dennoch einschränken, einzig in der freiwilligen Begrenzung behält das Glück seine scheinbare Gestalt. Nimm einmal an, ganz Europa würde deinen Ruhm, der aus nichts als Worten gemacht ist, im Munde führen; ja, bis hinüber zu den Bewohnern von Neufrankreich wär er gedrungen. Was tun? Ich muß mein Glück vermehren oder entbehren. Es zieht mir, verhältnismäßig wie es ist und bleibt, dennoch böse Feinde zu, ein Messer wäre zur Hand. Mich aber verpflichtet mein Glück, immer glücklicher zu sein. Werke und Reisen anzufangen – ihr Ende läge jenseits meines Grabes.

Der Sohn aus kleinem Haus darf den Zeitpunkt erfassen, wo man von der Bühne abtritt. Er entweicht in ein Kloster, ein Vogelzimmer, Bücherzimmer. Er schweige. Er ist nicht groß genug, um glücklich zu sein bis in das Unglück hinein. Er ist kein Prinz, auf dessen Dasein eine Welt steht und fiele mit ihm. Infelix felicitas, ihm ist sie nicht anbefohlen noch zugemutet. Wer groß wäre, hätte die Wahl nicht. Er durchmäße deine schwere Bahn, infelix felicitas.»

Die letzte vor dem Ziel

Nicht, daß Madame Marguerite von Valois den Ruf des Louvre oder ihren eigenen verbessert hätte. Das war ihr nicht gegeben. Zum Unterschied von Marie von Medici handelte die Königin Margot ohne Falsch; sie hatte keine schlechten Berater, außer ihren Leidenschaften: die waren von beträchtlicher Wucht geblieben. Sie bewohnte nunmehr ein Haus, das der Erzbischof ihr geliehen hatte. Dort unterhielt sie bei guter Küche ihre Akademie der schönen Geister – einst sollte ihre Schöpfung staatliche Ehren erlangen. Ihr anderer Teil bedurfte ihrer jungen Lieblinge.

Eines Morgens hatte sie die Messe gehört; in ihrem Wagen ihr gegenüber saß ihr hübscher Zwanzigjähriger. Als man anlangte, sprang ein Page der Königin von Navarra auf das Trittbrett und schoß den gegenwärtigen Liebling mausetot: war selber wohl der vorige. Er versuchte zu flüchten; aber so sehr entsetzt Madame Marguerite war, über ihr blutiges Kleid und den anderen Verlust, sie ließ den Mörder einfangen. Dieser wurde vor den Leichnam geführt, stieß ihn mit dem Fuß und sagte: «Er ist doch erledigt? Dann können Sie mich ruhig umlegen, froh bin ich doch.»

Dies einer Dame, deren Geduld er wirklich auf die Probe gestellt hatte. Sie schrie denn auch: «Erdrosseln soll man ihn!» Nahm ihr Strumpfband ab, die Beine waren noch immer gut, wenngleich etwas üppig. Warf es ihren Leuten zu. «Erdrosseln! Wird's bald?» Dem Befehl der Königin Margot, die aus der Fassung war, gehorchte niemand. Der Achtzehnjährige, der den Zwanzigjährigen mit viel Genugtuung abgeschafft hatte, mußte vom ordentlichen Gericht verurteilt werden. Der König unterschrieb, was blieb ihm anderes übrig. Die unzeitgemäßen Leidenschaften seiner ersten Frau wären mitsamt den Folgen ihm selbst angerechnet worden, hätte er Nachsicht geübt. Die Rachsüchtige mißbrauchte allerdings den Spruch der Richter. Unter ihrem Fenster im Ehrenhof ihres Hauses, nur drei Meter von ihr, mußte der Junge das Gerüst besteigen. Er war tapfer und hart, hat nicht um Verzeihung gebeten. Was hilft es dem gealterten Idol einer anderen Zeit, daß es mit hängenden Wangen, im offenen Morgenkleid, zusieht und sich weidet, wie der junge Kopf fällt.

Ihr früherer Gatte hat bei sich gedacht: ‹Die arme Margot ist selbst das Opfer ihrer Ausschreitungen. Vorher wußte sie nicht, wie weit es mit ihr kommen würde. Mein Cotton hätte ihr raten können, nicht aus eigener Weisheit, sondern aus der sehr alten seiner Vorgänger. Hüte dich!› Diesen Vorsatz im Herzen, wohnte er einem Ringelspiel bei: Madame Marguerite hatte es veranstaltet. Seit ihrem Abenteuer waren Jahr und Tag vergangen, ihr machte es keine Beschwerden mehr. Henri verfolgte um so aufmerksamer, was ihre Natur des weiteren hervorbrächte: es sollt ihm eine Warnung sein.

Nun hatte Margot nichts Geringeres im Sinn, als ihm eine neue Geliebte beizulegen. Das war das Fräulein von Montmorency, Marguerite-Charlotte, geboren 1594. Das Kind stand im fünfzehnten Jahr, als die Königin Margot zum Ringelspiel einlud. Mehrere Damen sind für den gleichen Zweck auf die junge Schönheit verfallen, als wären sie verabredet gewesen. Der erste Anlaß war, daß der Dichter Voiture sie eine Morgenröte genannt hatte. Mit dem Tag, der anbricht, ist bestimmt etwas zu beginnen – wobei niemand sich verhehlt, daß ein solches Ding, unausgewachsen und eigentlich noch ohne Gesicht, künftig erst einhalten muß, was es verspricht. Nahe besehen, ist die kleine Schönheit eine Erfindung des Dichters Voiture.

Die anderen Damen hatten eigennützige Gründe, zuerst Madame de Sourdis, die man nur von dieser Seite kennt. Sie hielt für ihren Sohn um die Hand des Fräuleins an unter Verzicht auf jede Mitgift. Dame de Sourdis besaß von ihrer Nichte Gabriele her fünfzigtausend Pfund Rente. Wenn ihr gelang, was sie vorhatte, konnten hunderttausend daraus werden. Der Vater Montmorency war in Ungnade; muß ein Connétable, den der König seinen Gevatter nennt, sich gegen ihn verschwören? Er bereute seine Einfalt; alles war ihm recht, wenn er die Gunst zurückerhielt. Die Heirat wurde beschlossen ohne Mitgift, obwohl Charlotte die reichste Erbin war.

Hier trat eine alte Prinzessin dazwischen – will auch nicht verzichten, den Faden mitzuspinnen. Madame Diane de France, ein Überbleibsel von unehelicher Abkunft, nahm die Kleine auf, als ihr die Mutter erkrankte; durch die Sourdis'sche Rechnung machte sie alsbald einen Strich. Dies ist der Zeitpunkt, wo die Königin Margot zu ihrem Ringelspiel lädt. Es wird auf ihrem Grund und Boden sein.

Auch sie dachte unter anderem an sich selbst. Viel Geld ist nötig, um ein neues Schloß zu bauen; das Haus des Erzbischofs war ihr durch peinliche Erinnerungen verleidet. Überdies ist sie ungern das einzige gealterte Idol, das die zarten Knospen liebt. Hier erblüht eine für den Gefährten ihrer Jugend und soll ihn in Versuchung führen. Abgesehen aber von den Berechnungen, die jede anstellen würde, ist dies Margot von einst, eine geistvolle Humanistin mit tieferen Einsichten. Mein verflossener Gatte, so hat sie gesagt, entbehrt etwas für seine hohen Unternehmungen – weiß ich, welche, aber sie scheinen hoch zu sein, es wäre schade, daß er seinen Ruhm nicht überbietet und unsterblich macht. Genug, ihm fehlt etwas. Ihm fehlt und er entbehrt, was ihn für alle seine Taten zuletzt befähigt hat: die Entzückung an der Frau. Komisch, daß einer sich an uns entzückt, wie wir schon sind; sich so lange entzückt, bis er ein großer König ist.

Nicht komisch allein, hat Margot gesagt. Es ist kindlich und ist erhaben, uns ernst zu nehmen. Solang er das noch hat, ist nichts verloren und ich behalte ihn. Einen Mann behalten, heißt, ihn mit allen meinen Erinnerungen, den bösen besonders, lebendig vor mir zu haben. Darum baue ich mein Schloß gegenüber dem seinen und kann von jenseits des Flusses in sein Fenster sehen, scharfe Brillen vorausgesetzt.

Das Ringelspiel wurde ein merkwürdiger Triumph für einen, der gar nicht vorgesehen war: Herr de Bassompierre. Er besiegte den Kavalier der Königin, Concini, was Marie von Medici in helle Wut versetzte. Den König befriedigte es. Sein Bassompierre hat mittlerweile viel gewonnen an Verstand und Tugend. Die des Körpers hält mit der anderen Schritt. Der ungewisse Neugierige ist herangewachsen zu einem Bewunderer des Königs und begreift, was der König zu tragen hat, das unglückselige Glück. ‹Ich habe keinen Freund zuviel›, spricht Henri für sich, während der strahlende Held des Tages im Kreis um die Tribünen reitet.

Er läßt sein Pferd knien vor den Majestäten, schwenkt den Hut, erwartet den Befehl. Welche Dame soll er erwählen und mit ihr den Preis des Ruhmes teilen? Sehr schwierig, bei der Auswahl vornehmer Gebieterinnen. Die Königin von Navarra entscheidet, sie verweist Henri auf ein sehr junges Fräulein, das die Auszeichnung genießt, ihm genau gegenüberzusitzen. Er hat die neue Schönheit eine Stunde lang vor Augen gehabt, ohne sie zu beachten. Erstens ist er ihrem Vater nicht gnädig. Die Tochter wurde ihm vorgestellt; wann und wo, hat er schnell vergessen. Ein Kind wie andere, wahrhaftig nichts von Morgenröte. Indessen bemerkt er, daß einige Augen auf ihn gerichtet sind. Bassompierre wartet einfach; gespannt sind andere.

Nun ist für Henri weniges so leicht zu durchschauen wie dieser altgewohnte Vorgang. Eine Frau wird ihm angeboten. Ein Blick von der Seite streift seine Umgebung; die beiden Königinnen sollen verständigt werden. Dann scheint er die kleine Person dort drüben zu sehen; jetzt erst sieht er sie – und empfängt einen Stoß, als begegnete ihm entweder ein Wunder oder ein Mordversuch. Nicht viel, ihm wären die Sinne geschwunden. Er macht alles stark übertrieben.

Der geistreiche Bassompierre kennt seinen Herrn, glaubt jedenfalls den gewünschten Befehl erhalten zu haben. Er reitet durch den Kreis, sein Pferd kniet nochmals. Der jungen Montmorency wird hervorgeholfen; jede Dame will dabei sein, wie Bassompierre die Kleine in den Sattel hebt. Die Zuschauer sind von den Plätzen gesprungen, um den neuen Stern aufgehen zu sehen. Bassompierre führte das Tier am Zügel. Das Kind droben blickt stolz und glücklich auf den Zudrang, der sie umschwärmt. Das befriedigt sie; wohin es gehen soll, vergißt sie darüber. Als man endlich anlangt, ist der König fort.

Er wird gedacht haben: ‹Man versteht mich. Ich will endlich mit den Frauen verschont werden, habe gerade genug der beschwerlichen Angelegenheiten.› Bei seiner Freundin Margot erkannte er den Eigennutz, insofern dieser sie leitete; das andere entging ihm. Der Antrieb, zu handeln infolge seines Entzückens an einer Frau, davon wußte er an diesem Punkt nicht mehr, als wäre ein anderer vormals derart umgegangen. Dennoch nahm die Sache ihren unaufhaltsamen Fortschritt. Das erste war, daß der Connétable die Hand seiner Tochter Charlotte nicht bewilligte, sondern selbst antrug: keinem anderen als Herrn de Bassompierre; dieser hatte wenig dafür getan. «Unter dem Himmel gibt es nichts Schöneres», konnte von der Morgenröte jeder sagen.

Was bot er eigentlich, um die reichste Erbin zu bekommen? Tapfer wie sein Schwert, durch Gewöhnung auch geistreich. Ganz ohne Vermögen, ein Soldat auf gut Glück; ist in das Licht getreten, wäre aber schnell untergetaucht, wenn der König ihn satt bekäme. Alles eins, Montmorency wollte wieder in Gnade gelangen. Sein Gefährte d'Epernon fragte ihn: «Wie lange geben Sie diesem König noch?» – «Länger als Ihnen», antwortete der Connétable gereizt, weil er auf den gichtbrüchigen Verschwörer zu lange gehört hatte. Hiernach speisten beide mit Roquelaure und Zamet, dem Herrn über achtzehnhunderttausend Taler, wie er sich nannte. ‹Auch der wieder dabei?› bemerkte Henri für sich, als ihm von der Verlobung berichtet wurde. ‹Allerdings ist erstaunlich, wie durch ein Leben immer dieselben Personen gehen, will sagen: der Rest des alten Bestandes.›

Über die Vorgänge im Hause Montmorency machte Henri sich wenig Gedanken, er beglückwünschte den Auserwählten, sagte sich auch zu seiner Hochzeit an. Dazwischen trat die Gicht, die wohlbekannte Krankheit der Kriegsmänner, wenn sie älter werden. Gleichzeitig befiel sie Montmorency und den König; d'Epernon hatte sie ohnedies. Auf seinem schmerzhaften Lager ließ Henri sich vorlesen, Bassompierre wechselte mit dem jungen Gramont. Beide gehorchten der Mode, sie teilten die allgemeine Bewunderung für den Roman des Herrn d'Urfé, «L'Astrée» genannt. Darin lieben Schäfer und Schäferinnen einander ohne die Sinne, Lust und Pein des Leibes bleiben aus dem Spiel – einem Gichtkranken mag es leidlich scheinen.

Andererseits besuchten die Damen des Hofes den König auf seinem Leidensbett. Keine, die nicht des Lobes voll gewesen wäre für die Schönheiten der jungen Charlotte. Von ihnen die seltenste sei eine unbefangene Reinheit, oh, wie fern den höfischen Berechnungen. Beim Anblick des Wesens glaubt man an die rosarote Gegend der Schäferinnen, ihrer idyllischen Lämmer. Aus dem Munde der Königin Margot klingt dergleichen weniger angemessen. Henri antwortete ihr: «Die Kleine spielt das Lamm, vielmehr das Gänschen. Bestenfalls ist sie es bis jetzt wirklich. Kaum hätte ich sie zu meiner Maitresse gemacht, würde sie die Königin sein wollen. Das bleibt nie aus.»

Indessen können starke Schmerzen einen Mann dahin bringen, daß er nach dem unvernünftigen Trost verlangt. Die Landschaft der Lämmer und Gänschen ist auch nur irdisch; gleichviel, von Schmerzen denken wir sie uns frei. Das Bett ist langweilig. Der Roman des Herrn d'Urfé, der es gleichfalls ist, erscheint als ein ungeahntes Abenteuer, das versucht werden sollte. Die Liebe ohne die Sinne wäre offenbar ein neues Beginnen. Was hält Feuillemorte davon?

Bellegarde, der Großstallmeister, war es schon so lange, daß er bei Hof nur noch Herr Groß hieß. In Dingen, die hier wieder vorliegen, nimmt der König den altgewohnten Berater. Als Henri ihn unter vier Augen einlud zu sprechen, erkannte der Freund seine Verantwortung, er sagte: distinguo. Er wollte unterschieden haben zwischen den Schäferinnen, von denen er nichts hielt, und einer jungen Dame von schlechthin untadeligem Äußeren.

«Ein Kind», sagte Henri. «Feuillemorte, ein Kind.»

«Und warum sollte Bassompierre das Kind allein besitzen?» fragte dagegen Feuillemorte. Die stattliche Gestalt war er geblieben, nur daß ihm jetzt ständig ein Tropfen an der Nase hing – ein Gegenstand für Scherze, ähnlich wie die Frau des Marschalls Roquelaure.

Henri stellte im stillen fest, daß sein Feuillemorte nachließ und den gegebenen Fall nicht mehr begriff. Ein Kind besitzen, mir fällt es im Traum nicht ein. Für seinen Großstallmeister hatte er nur den einen Auftrag: Bring sie mir! Das war sein Wort. Ein anderes, vor Zeiten, hatte geheißen: Zeig sie mir! Dessen gedachte Bellegarde allein; an seinem inneren Blick sind die vergangenen Tage nochmals vorübergeflogen.

Der König wachte die ganze Nacht. Seine beiden Vorleser schliefen abwechselnd. Der Roman «L'Astrée» nahm kein Ende, die Ungeduld nach seiner eigenen Schäferei trieb den König aus dem Bett. Am Morgen nannte er die kleine Montmorency ein Gänschen, eine Gans sogar, er wollte sie gar nicht sehen. Das verhinderte ihn nicht, ihrem Verlobten Bassompierre, sobald dieser eintrat, zu gestehen, er liebe Charlotte, vor Liebe sei er völlig außer sich.

Ein Wintertag, früh acht Uhr: Der erlauchte, verehrte Monarch stützt sich auf seinen jungen, schönen Günstling, der neben dem Bett auf einem Kissen kniet. Seine Tränen benetzen den Jüngling oder fließen in seinen eigenen weißen Bart. «Wenn du sie heiratest und sie dich liebt, Bassompierre, ich müßte dich hassen. Du würdest mich hassen, wenn sie mich liebte. Kein Zerwürfnis! Zerstören wir unsere Zuneigung nicht! Ich bin entschlossen, sie an meinen Neffen, den Prinzen von Condé zu verheiraten. Sie soll zu meiner Familie gehören und der Trost meines Alters sein.»

Bassompierre, vom Schrecken starr wie er war, erinnerte sich alsbald des Vorganges bei dem Ringelspiel. ‹Armer, verehrter Herr, wer es nur wagte, hätte ihn gern gebeten, den geliebten Gegenstand noch einmal zu beschreiben. Sire! Sie haben meine Braut noch gar nicht angesehen.› Er überlegte, daß alles die Laune eines Kranken wäre. Daher behielt er für sich, was er meinte; er drehte vielmehr an geschickten, rührenden Wendungen. «Sire! Möge diese neue Liebe Ihnen soviel Freude bringen, wie der Verlust mir Trauer vorbehält, gesetzt, ich könnte in Ansehung Eurer Majestät je traurig sein.»

Er sollte sich wundern. Den ganzen Tag schmachtete die Majestät. Als Henri nicht mehr hoffte und in dem Gäßchen beim Bett war ein Tisch aufgestellt, mit dreien seiner Edelleute würfelte er – da erschienen die beiden Frauen. Madame de Montmorency war eigens von ihrer Krankheit genesen. Der König saß außerhalb des Bettes, darüber hinweg unterhielt er Mutter und Tochter; fand in Wahrheit die Mutter besser. Nur, da waren die Schäferinnen des Romans «L'Astrée»; wer sieht ihnen ähnlich und verspricht das unbekannte Glück? Ob die Heirat mit Herrn de Bassompierre ihren Beifall habe, fragte er die Kleine. Sie, mit dem Gesicht der Unschuld: «Da mein Vater es so haben will.»

Der arme Verlobte stand bestürzt. Vorher hatte es doch gelautet: «Du mein alles für das ganze Leben.» Als der König noch einmal fragte, hob Charlotte einfach die Schultern. Bassompierre sah sich kalt verleugnet. Er bekam Nasenbluten, ging hinaus, zwei Tage blieb er unsichtbar. Er aß nicht, trank nicht und verlor den Schlaf. Der König erlangte ihn wieder. Was sein benachteiligter Günstling entdeckt hatte, wenn auch unter Qualen: Das ist keine gute Morgenröte, ist ohne Herz und verspricht nichts anderes als ein Luder, der alte König übersah es. Die Schönheit eines Kindes verbürgte ihm Güte. Er hätte seinen halben Kriegsschatz gegeben, in Gedanken, nicht wirklich – für die unauffindbare Güte.

Condé ließ geschehen und nahm an, was über ihn verfügt wurde, seine Verlobung, die vervielfachte Rente, auch die Gerüchte. Der König verheiratet ihn, damit er selbst eine Maitresse bekommt. Der König wählt gerade ihn, weil er im Verdacht verkehrter Neigungen steht: wahrscheinlich wird er seine Frau nicht berühren. Dies alles ließ Condé gut sein zwei Monate lang, bis die Ehe geschlossen war. Während dieser Frist durfte der König schwärmen. Jeder Gutwillige sah, daß seine Neigung rein war gemäß den Vorschriften des Herrn d'Urfé; und daß die Verse, so viele er auf seine Flamme bestellte oder eigenhändig entwarf, schlecht waren. Sein Hofdichter Malherbe konnte es sonst besser. «Wie ist Gedenken süß an die vergangenen Freuden», ist zweifellos richtig und eine gelungene Abkürzung menschlicher Zustände. Es paßte auf einen Mann bei Jahren, dem das Gedenken ansteht, aber weder die Verzweiflung noch die Seligkeit.

Mit seiner Meinung über dieses Mißverständnis rückte Condé heraus, sobald er verheiratet war. Zuerst nahm er noch die zehntausend Pfund, die der König der jungen Frau schenkte, sowie für achtzehntausend Pfund Schmuck von der Königin. Willkommen war ihm die Bezahlung seiner Schulden, nebst der Rente für ein Vierteljahr. Der König hatte das Paar nach Fontainebleau berufen, hier zeigten sie, wer sie waren. Das falsche Kind, nunmehr Prinzessin des königlichen Hauses, gebrauchte nach Kräften den einen gegen den anderen, sie nährte die Eifersucht ihres jungen Gatten, sie reizte ihren bejahrten Verehrer. Eines Abends im Schein der Fackeln trat sie hinaus auf ihren Balkon mit gelösten Haaren. Der König war einer Ohnmacht nahe, ohne Verstellung diesmal. «Gott! Ist er verrückt», sagte die kleine Unschuld.

Condé, zu Henri: «Sire! Sie werden alle Tage jünger. Sie wechseln mehrmals den Anzug, schneiden Ihren Bart jetzt anders, tragen übrigens nicht nur einen Kragen mit eingenähten Wohlgerüchen, sondern offen sichtbar die Farben meiner Frau, Sire! Es gefällt mir weder meinet- noch Ihretwegen, Sie machen uns beide lächerlich.»

Dies war sein Ton und wurde immer dreister. Er war klein und mager, mit scharfen Zügen. Die finstere Schweigsamkeit hatte er aufgegeben. Er stellte sich leicht unklug, verstand aber wahrhaftig zu rechnen. Zweifellos hat er seine Aussichten abgeschätzt, wenn er mit seiner Frau die Flucht ergriff. Zurück bleibt ein König, dessen eingebildetes Gefühl in Raserei umschlagen wird. Dies um so eher, wenn sein Feind Habsburg dem Prinzen von Geblüt und seiner Frau die Zuflucht gewährt. ‹Das ihm, dem Sieger und großen König›, denkt Condé. ‹Der Götze Europas, eine Niederlage wie diese wird ihm nicht verziehen; er selbst erträgt sie nicht. Er wird in sein Verderben rennen, wohl vorbereitet wie es ist. Mut!› denkt der jugendliche Intrigant. ‹Der König wird getötet werden, ein Esel, wer's nicht sieht. Dann bin ich der nächste am Thron: Habsburg wird mich daraufsetzen. Kein Widerstand im Königreich. Die Protestanten halten die Scheidung ihres Henri für ungültig und den Dauphin für unehelich.›

Der Präsident de Thou warnte Henri. Vergebens, Henri beteuerte die Reinheit seiner Absichten. «Ihre Vergangenheit spricht gegen Sie», mahnte de Thou. Vergebens. Henri hat an Rosny geschrieben, daß er mit dem Prinzen noch die Geduld verlieren werde. Sein Rosny hat ihm geraten, Condé festzusetzen. Er hätte es bald getan, da Condé ihm seine «ägyptische Tyrannei» vorwarf: ein König des Volkes will dies am wenigsten hören. Henri sperrte dem unternehmenden Jüngling die Bezüge. Die Bastille blieb eine Drohung.

Mut! sagte Condé. Für das erste entführte er seine Frau auf sein Jagdschloß in der Picardie – nicht mehr weit bis zur Grenze der spanischen Niederlande. In Brüssel herrschen der Erzherzog und die Infantin. Noch ist man im Bereich des ägyptischen Tyrannen, daher Vorsicht! Der Täuschung halber werden Ausflüge veranstaltet, einer nach Amiens zum Gouverneur, Herrn de Traigny. Der Prinz, die Prinzessin, auch seine Mutter dabei – sie vergiftete einst ihren Gatten, dessen Sohn der Prinz vermeintlich nicht wäre, niemand kann wissen. Die Mutter der Kleinen gäbe sie gern dem König als Maitresse. Die Mutter des Prinzen desgleichen. Mehrere Damen wären behilflich. Die Königin Marie von Medici hat gesagt: «Für das schöne Geschäft sind dreißig Kupplerinnen da. Wenn ich wollte, wär ich die einunddreißigste.» Gewiß hätte sie auch hierbei mitgewirkt, sobald es bestimmt worden wäre. Der Jesuitengeneral brauchte Marie nur wissen zu lassen: das Opfer muß gebracht werden. Diese ist die letzte vor dem Ziel.

Hubertustag, das schöne Wetter, die Ausflügler können nicht überrascht sein, einer Jagd zu begegnen. Es sind Jäger des Königs, was einigermaßen auffällt. Sie erklären der jungen Prinzessin, daß ein Oberförster aus der Gegend – Sie hört nicht weiter, sie hat den König erkannt.

Der König trägt Livree. Er hält zwei Hunde an der Leine. Über seinem linken Auge liegt eine Binde; niemand erkennt ihn, nur seine Flamme. Sie reitet nah an ihm vorbei, sagt von oben: «Das verzeih ich Ihnen nie» – galoppiert von dannen.

Diesmal ist kaum zu glauben, daß Henri vergessen haben sollte, wie ein kleiner alter Bauer, geschwärztes Gesicht, ein Bündel Reisig auf dem krummen Rücken, voreinst Schloß Cœuvres erreicht hat quer durch feindliche Linien. Sire! Wie sind Sie häßlich, hat Gabriele d'Estrées gesagt. Dann rührte und gewann er sie, vor ihm lagen die Jahre, die Größe und Besitz sind. Was jetzt? Er will die vergangenen Tage beschwören, er ahmt sich selbst nach. Davon weiß ein Kind nichts, sagt aber: Das verzeih ich Ihnen nie. Wie erst, wenn sie begriffe.

Übrigens ist man geschmeichelt, daß ein König seine Erscheinung unseretwegen entstellt, wir sind ein unvergleichliches Persönchen. Halten wir reinen Mund, beschloß das Persönchen oder Gänschen; der gründlich belehrte Bassompierre hatte es noch anders genannt. Indessen, die Dame des Hauses, wohin der Ausflug führte, empfahl dem Gänschen recht sehr, die Landschaft zu bewundern. Dabei fällt der Blick auf ein Fenster des Seitengebäudes: der König, die Hand auf dem Herzen, schickt Küsse. «O mein Gott, was ist denn das. Madame, Sie haben den König hier.» Madame de Traigny wollte mit der erschrockenen Kleinen hinübergehen: ein gutes Wort ist nie verschwendet. Die liebe Kleine dachte: ‹Gute Worte, wenn sonst nichts, sind für später. Zuerst soll der Alte seine dicke alte Königin fortjagen mitsamt allen seinen neun Bankerten. Ich werde schon sehen, woher ich meinen echten Dauphin bekomme.›

Der Prinz und die Prinzessin von Condé mißtrauten einander, sie vereinbarten nichts. Beide wollten den König beerben, nur jeder auf seine Art. Zum Schluß bekam keiner etwas. Die Prinzessinmutter fürchtete ein entsetzliches Aufsehen; sie verließ den Ort nicht, ohne daß sie ihrem Sohn vorher ein Licht ansteckte. Henri kehrte traurig nach Paris zurück. Jetzt oder nie, Condé entführte seine Frau mit List über die Grenze. Ihr hatte er nur von der Besichtigung eines Gutes gesprochen. Aus dem ersten spanisch-niederländischen Ort schrieb er an die Infantin und bat um den Schutz seiner Ehre und Sicherheit gegen einen ägyptischen Tyrannen. Die Dame, deren eigene Ehre von einer lebendig Begrabenen gut behütet war, empfing das verfolgte Opfer in ihrer Brüsseler Residenz. Aufgenommen und untergebracht wurde das gute Kind mit aller Auszeichnung, die seinem Range gebührte. Etwas anderes ist es um das Entkommen. Das wird fehlschlagen, sooft es versucht wird.

Der König bekam die niederschmetternde Meldung abends am Spieltisch. Zugegen waren sein Vetter Soissons, die Herzöge von Guise und Epernon, Créqui und Bassompierre, dieser dem König zunächst. Er sagte heimlich, ohne den Wunsch gehört zu werden: «Sire! Wie der Prinz von Condé hätte ich nicht gehandelt, möcht auch nicht tauschen mit ihm.» Der König verlangte einzig nach Sully.

Der Großmeister war zu Bett gegangen, er wollte nicht aufstehen, man mußte ihm die Depeschen zeigen: da kam er. Der König hatte erstaunlicherweise die Königin aufgesucht, sie lag schon wieder im Wochenbett. Die Stimmung erinnerte eher an ein Sterbezimmer. Der König hörte unsinnige oder verräterische Ratschläge an. Der Minister Villeroy empfahl den diplomatischen Weg, gerade weil er der langsamste war. Präsident Jeannin kannte nur eines, Gewalt. Jeden Fürsten, der Condé aufnimmt, mit Krieg bedrohen. Und Henri will die Meinung seiner Frau wissen! Sie liegt abgewendet, ihr Gesicht sieht er nicht. Er wird spät erfahren, daß dies die Nacht war, die Marie endgültig an den Gedanken seines Todes gewöhnt hat. Hierselbst hofft er, ihr Herz zu bewegen.

Als Sully eintrat, nahm Henri ihn bei der Hand. «Unser Mann ist auf und davon, hat alles mitgenommen. Was sagen Sie dazu?»

Sully trommelte einen Marsch auf der Fensterscheibe. Henri verstand infolge gegenseitiger Gewöhnung. Unser Mann könnte schon längst im Turm sitzen, besagte der Marsch. «Was aber jetzt?» fragte Henri.

Sully riet, gar nichts zu tun. Je weniger man aus der Sache macht, was angesichts der europäischen Öffentlichkeit dringend geboten ist, um so schneller wird der Prinz wieder da sein. Schon aus Geldmangel.

Damit endete der Staatsrat, wenn es einer war. Sully hatte gesehen, was dem König in seinem Zustand vorläufig verborgen blieb: gar nichts ist zu machen – jetzt auch der Krieg nicht. Der König hatte gezögert, solange Europa ihn als seinen Befreier erwartete. Wie dürfte er marschieren, um aus Brüssel eine Maitresse zu holen. Dennoch brachten die Umstände es dahin, daß er sich gerade diesen Anschein geben mußte. Zu dem Legaten des Papstes wird Henri sagen: Es ist ein Mißbrauch, wenn man denkt, ich handelte unter dem Antrieb einer Leidenschaft. In Frankreich gibt es schönere Frauen. Da konnte er nichts mehr ändern. Die Völker haben es nie geglaubt; die Höfe und ihre Jesuiten stellten sich nur, als wäre es ihre Meinung. Gleichviel, man schreibt, berichtet, beredet: Anlaß für den König von Frankreich, daß er die Furie des Krieges entfesselt, ist die neue Helena.

Albrecht von Österreich regierte die spanischen Niederlande mit seiner Frau, der Infantin Isabella. Er war ein Erzherzog und verschmitzter Beamter. Sein Entschluß lautete sogleich, die Verwandten des Königs von Frankreich gegen ihn auszunutzen bis zum äußersten, einbegriffen die Anfechtung der Thronfolge und Aufstände im Königreich. Was er vorschützte, waren Zweifel über die Rechtslage sowie die Wahrung seiner Ehre. Er, ein Habsburg, dem ungeduldigen Liebhaber die Frau eines anderen zuschicken, weil der Verliebte mit seinem Heer droht! Henri ließ tatsächlich wissen, daß er an der Spitze von fünfzigtausend Mann die Prinzessin holen werde. Der Erzherzog wartete es ab. Schließlich kann es sein, daß ein begehrlicher Greis den Kopf verliert; aber es ist unwahrscheinlich. Der Erzherzog errät ungefähr, daß Henri noch lieber den Prinzen als die Prinzessin in die Hand bekäme.

Seit dem Eintreffen eines Bescheides vom König von Spanien war Condé der Anwärter auf den Thron. Der Hof der Infantin feierte das Ereignis mit acht Stunden Tafeln und Tanzen. Der Erzherzog hat niemals haltbare Gründe vorgebracht, weshalb er einen Prinzen von Geblüt dem Haupt der Familie nicht wiedergäbe – während ohne den Willen dieses Hauptes natürlich niemand ein Mitglied des königlichen Hauses bleiben kann, sondern wird ein aufrührerischer Untertan. Im Verlauf der Dinge verhängte der König über Condé den bürgerlichen Tod. Der ehemalige Finstere wurde hiervon quick und lebendig. Der Erzherzog empfahl ihm zu reisen, da lief er mit spanischem Geld durch ganz Deutschland; wäre in Trient von den Venezianern gefaßt worden und die hätten ihn an ihren Verbündeten ausgeliefert. Aber er entkam nach Mailand, das war so gut wie Madrid.

Bei dieser Nachricht hat Henri sich ohne Aufsehen zurückgenommen. Für den eigenen Gebrauch hat er seine letzte Liebe abgestellt: öffentlich noch nicht. Die Kleine in Brüssel ahnte es nicht; gerade war ein Versuch, sie zu entführen, von ihren Gastgebern vereitelt worden. Hannibal d'Estrées, der Bruder Gabrieles, rechtfertigte das königliche Vertrauen schlecht; Henri, der zum Empfang seiner Schönen schon aufgebrochen war, nannte ihn einen Dummkopf. Da wußte er noch nicht, daß Hannibal unschuldig an dem Mißerfolg und vor seinem Eintreffen in Brüssel das Unternehmen verraten war. Von wem, soll Henri erfahren.

Das Gänschen als neue Helena hat die ganze Zeit geschwelgt in den Hochgefühlen ihrer Wichtigkeit. Madame de Berny sprach zu ihr im Auftrag des Königs, sie möge nur bedenken: schon einmal hat der König sich scheiden lassen. «Wie ich Sie verstehe», hat Charlotte gesagt. «Viel besser ein alter Herr, der mich über alles verehrt, als ein junger mit Anlagen wie mein Mann. Madame, schreiben Sie Seiner Majestät, denn hier werden meine Briefe gelesen; versichern Sie ihm, daß ich nur eine einzige Liebe kenne: die für seine Größe, seinen Ruhm. Werd auch nach Kräften bemüht sein, ihm endlich den ganz echten Dauphin zu schenken.»

Dies bezweifelte die Gesandtin, denn das liebe Kind empfing außerdem die Huldigung des Generals Ambrosius Spinola, des Siegers von Ostende. Rubens malte sie für ihn; der Genueser Kaufmann, dem nur wegen seines Reichtums die militärische Laufbahn von den Spaniern erlaubt wurde, beredete die Prinzessin überall. Sein wirklicher Ehrgeiz war nicht der Besitz einer beiläufigen Schönheit: der Krieg gegen Henri war es. Er wollte auf den Gipfel gelangen; dem berühmtesten Kapitän im Feld entgegenzutreten, danach brannte er. Der Erzherzog, ein vorsichtiger Beamter, verschob mit scheinbaren Zugeständnissen den Krieg, bis das andere, ihm bekannte Ereignis einträte. Tote führen keinen Krieg mehr. Der unverdrossene Spinola wies ihm nach: Das mächtige

Heer des Angreifers kann geteilt und hingehalten werden, bis die universale Monarchie ihn von allen Seiten erdrückt. Was noch die Frage gewesen wäre; der Erzherzog kannte sein Haus. Zuverlässiger ist ein Mord. Wenn aber Henri seine entfernte Schwärmerei fallenließ und nannte sie heimlich die Stallmagd Dulcinea – vorhanden blieben der Intrigant Condé und Spinola, der die Vorgänge überstürzte mehr als Henri selbst.

Er hatte Briefe voll der Sehnsucht seines Herzens nach Brüssel geschickt. Die späteren waren trügerisch. Soll man ihn für verwirrt durch Liebe halten und um so weniger durchschauen. Indessen, was er der Kleinen weiterhin schrieb, war von den vorigen Erhebungen seiner Ungeduld kaum zu unterscheiden. Gänschen jedenfalls merkte nichts. Der Infantin las sie die Briefe des großen Königs vor, empfing auch Bewunderung genug, nur daß man sie nicht fortließ. Ihre Antworten gelangten auf dem sichersten Weg an Henri; man glaubte ihm Gift zu versetzen. «Die neue Helena bin ich genannt», sagte Gänschen.

«Die sind Sie», sagte die Infantin. «Und warum hintergehen Sie Ihren königlichen Anbeter mit Spinola?»

«Er ist es gewohnt, es würd ihm fehlen», sagte Gänschen. «Darf auch ich Eure Hoheit etwas fragen? Warum haben Sie Herrn d'Estrées ganz und gar verhindert, mich zu entführen? Ich meine nicht, daß es gelingen sollte. Aber unterwegs hätten Ihre Soldaten mich den Leuten des Königs wieder entreißen können. Ein Kampf um die neue Helena, alle Höfe Europas hätten davon widerhallt.»

«Der Erzherzog ist für das stille Verfahren», sagte die Infantin.

«Aber auch Sie verstehen keine Frau?» bat die kleine schmeichlerisch.

«Keine Französin», antwortete die Infantin mit einem Hochmut: die harmlose Vorstellung versagt vor ihm. Diese unbesonnene Kleine begriff nicht, was sie einsteckte.

Ein Mann allein

Am Anfang des Jahres 1610 war die militärische Lage des Königs besser als je zuvor. Er bekam gegen Spanien den Vertrag mit Savoyen: der Herzog hätte die südöstliche Grenze verteidigt. Moritz von Nassau und seine alten Banden wären in das Reich eingefallen, bevor es sich noch rührte. Die Stadt Hall in Schwaben sah eine Zusammenkunft der protestantischen Fürsten mit den Gesandten des Königs. Sein Rat Boississe bildete gegen den Kaiser den Fürstenbund samt freien Städten. Die Lösung war, dem Reich und den Fürsten die Freiheit wiederzugeben; genommen sei sie ihnen durch das dauernde Verbleiben der kaiserlichen Würde im Hause Habsburg. Nach dem glücklichen Gelingen des Unternehmens wäre der Dauphin zum König der Römer ausgerufen.

Henri meinte etwas anderes und plante mehr. Wem ist es begreiflich zu machen. Ein Großer Plan wird einsam ersonnen, er ist die lebenslange Erwerbung des einen und ist schon seine Wirklichkeit. Wann wird er es für die anderen? Man tritt hinaus, man handelt; sogleich stößt man auf fremde Ansprüche und wird in sie verwickelt. Seine Verbündeten bestürmten den König mit ihren Streitigkeiten, Ränken, der Furcht voreinander und vor dem Kaiser. Die Aufgebote der Deutschen ergaben zusammen ein Heer von der Stärke seines eigenen, wenn man es nur zählte. Übrigens folgten die fremden Truppen der Trommel in der Hoffnung auf Beute. Das Beispiel eines uneigennützigen Feldherrn war ihnen fremd. Seine Sache, sie zu belehren, wie man für einen Glauben kämpft. Freiheits- und Gewissenskämpfer, können wir sie nochmals erziehen? Zehn Jahre seit unserem letzten Krieg. Der Große Plan kommt spät im Leben.

Natürlich vertraute er die Zweifel seinem Rosny, der sie in die Flucht schlug. Dieses Königreich, dieses Volk hat keine aufrührerischen Parteien mehr. Die Verschwörung des Hofes gegen den König – wir wollen sie nicht leugnen, im Gegenteil beaufsichtigen wir sie. Bei den Massen fehlt den Verschwörern die Handhabe, ungeachtet ihrer bekannten Redner auf den Kanzeln und Ecksteinen. Wir täten trotzdem wohl daran, Herrn Concini still zu beseitigen, Herrn d'Epernon festzusetzen – und mehrere Personen an ihren geheimen Unterredungen zu verhindern, wenigstens bis Krieg ist.

Mehrere Personen: Henri begriff, daß eine einzige gemeint war, die Königin. Nun stand es derart, daß nicht ihr, sondern ihm selbst die Zusammenkünfte erschwert waren. Die gegenwärtige findet in dem Arsenal statt. Sein eigenes Haus schützt den mächtigen König vor Verrätern nicht.

Das ist ein Zustand, von dem Rosny seinen Herrn gern ablenkt. Er wacht über jede Regung seines Herrn. Der Mann der Zahl und Kraft, teilt die Menschen sonst in Freund und Feind; seine Feinde fallen unter sieben Abarten. Auf den Grund des Herzens sieht er einzig seinem Herrn.

«Sire!» sprach er. «Ihre Macht ist nicht ungefüge und wird nicht herabgesetzt durch ihr Übermaß. Gerade darunter leiden Kaiser und Reich, die universale Monarchie überhaupt. Erinnern Sie sich der Zeiten, als Ihre festen Plätze verwahrlost waren? Sie besitzen jetzt die schönsten. Geschwächt hat sich der König von Spanien und, im Vertrauen, auch Ihr britannischer Verbündeter seit dem Tode der Königin. Eure Majestät ist der reichste Fürst. Wollen Sie erraten, wie viele Millionen ich für Ihren Krieg verwahre?»

«Elf», sagte Henri.

«Höher», sagte der Großmeister.

«Fünfzehn.» – «Höher.»

«Dreißig.» – «Noch höher. Vierzig.»

In seiner Freude versicherte Henri wiederholt, daß er nichts weniger vorhabe als eine Erweiterung seiner Grenzen. Die Eroberungen sollen unter seine Verbündeten verteilt werden. Er wird seinen Krieg führen für einen Frieden mit ewigem Bestand, für die Freiheit der Nationen, das Glück der Menschen, die Vernunft.

Er will der Schiedsrichter Europas sein, sah sein Rosny. Soweit stimmt die Rechnung. Später findet sich, ob wir nicht doch einige Eroberungen für uns behalten.

«Sire!» sprach er. «Ihren Großen Plan verbürg ich insofern, daß Sie Haus Habsburg bis hinter die Pyrenäen vertreiben.»

Dies war der freieste Punkt des hohen Gefildes, worauf ein Mann allein sich bewegt. Der König verließ das Arsenal, ohne daß der Gegenstand seiner entfernten Schwärmerei auch nur erwähnt worden wäre. Dennoch verband damals sein Gefühl das Kind in Brüssel mit dem Ziel seines Lebens. Das lebendige Ziel hat die Gestalt einer Frau, die er holen wird, und wäre es mit fünfzigtausend Begleitern. Das Gefühl brach ab, als Condé nach Mailand gelangte. Die Entführung der jungen Charlotte mißlang; List und Vermittlung, alles schlug fehl; dem eigenen Vater wurde das Kind verweigert, so dringend der Connétable bei dem Erzherzog um ihre Rückgabe vorstellig wurde aus großer Begier nach der Gnade des Königs. Da erst bemerkte Henri, wo er wirklich stand. Ein Brief der Prinzessin von Oranien, vorher übersehen und weggelegt: Henri, in seinem Kabinett allein, nimmt ihn zur Hand, er sieht endlich, daß gegen ihn Tugend ist. Ein alter Fürst, schreibt ihm Madame d'Orange, hat nicht das Recht, ein junges Wesen zu verfolgen.

Die Tugend ermahnt ihn, abzulassen von dieser Liebe, seiner verspäteten letzten. Ihm ist von Gott verboten, seiner Leidenschaft zahllose Menschen zu opfern, zuerst die Schuldlose, die ihn kindlich verehrt. Bei dem Anrücken seiner Heere würde sie aus Brüssel entfernt und ihrem Gatten nachgeschickt werden, was sie am meisten fürchtet; er schlägt sie. An dieser Stelle hörte Henri auf zu lesen. Er weiß nunmehr: das Kind ruft sehnsüchtig, aus Furcht, verjagt und mißhandelt zu werden. Sehr schwerer Anprall des Mißgeschickes; er stößt gleichzeitig an die Grenze seiner königlichen Macht und seines Rechtes, zu lieben.

Er hätte noch heftiger gelitten, wäre ihm hier nicht der Einfall gekommen, ihr Bild zu betrachten. Er besaß kein gemaltes, so lange war sie niemals in seiner Nähe gewesen. Sein inneres Auge wollte sie vor sich rufen, was aber gleichfalls vergeblich blieb. Entzieht sie sich ihm, weil es nicht sein darf? Hat er sie selten gesehen, flüchtig erfaßt und was er liebte, war eingebildet? Als er abließ von seiner Bemühung um das innere Gesicht, erschien ihm wirklich eines – war aber nicht die Unbekannte dort hinten, die neue Helena geheißen. In voller Wirklichkeit erblickte er die Frau, die seine teure Herrin gewesen war, und ist es noch jetzt, Gabriele erscheint, sie spricht zu ihm: Sire! Mein geliebter Herr. Sie spricht: Ist doch Ihr Großer Plan aus meinen Tagen. Ich weiß um Sie – ich allein, da ich endlich Ihr Fleisch und Blut geworden war. Ich lieg in keiner Gruft, in Ihnen wohn ich. Wir sterben nicht.

Sie schwieg und verschwand; er aber nahm wahr, welchen Gegenstand er während des Wiedersehens vor seinen leiblichen Augen gehabt hatte: das Skelett als Ackermann, der Tote, der weiter schafft. Nun hatte er ein äußerst merkwürdiges Glück empfunden, solange Gabriele bei ihm gewesen war – nicht als Erinnerung, vielmehr die wahre Gegenwart, der Trost und das Versprechen. Er saß, sann nach und las im Geiste den Bericht seines Mornay. «Madame de Mornay war glücklich nur bei dem Abschluß ihres ernsten Lebens. Ist es das? Sie war in dem Maße beseligt, daß sie verjüngt und schön wurde. Die Seligkeit kommt vor der Gruft. Ist es das? Sei tapfer und hartnäckig, laß nicht nach.» Henri spricht die Worte laut. Fortan steht fest: sein Ende trifft ihn früh oder spät, in der Gestalt, die es haben soll – er geht ihm entgegen.

Ende März wurde sein Schloß Louvre unhaltbar. Sully ließ ihm in dem Arsenal ein Zimmer herrichten, dort schlief der König unter dem Schutz des Großmeisters, seiner Soldaten und Geschütze.

«Kein angemessener Zustand für den mächtigsten Fürsten Europas», sagte er an dem letzten Abend im Monat, saß auf dem Rande des Bettes mit seinem seidenen Rock angetan und wollte lachen. Der Herzog von Sully zeigte ihm aber die strenge amtliche Miene, als wären hier tausend Zuschauer zugegen, und was sie handelten, wäre an die Welt gerichtet.

«Sire!» sprach Sully. «Der Gründe, weshalb Sie hier Zuflucht suchen müssen, sind mehrere.» In wohlgeordneter Folge benannte er sie. «Es ist zum ersten Ihr Ruf, zum zweiten der Abfall Ihrer Verbündeten. Die Verschwörung Ihres Hofes tritt an die dritte Stelle zurück – ja, würde sogar bei der größten Bosheit Ihrer Feinde bis zu der Tat niemals vorschreiten. Was ist eine Verschwörung für sich allein. Lassen Sie mich das Beispiel des Tyrannen Dionys von Syrakus anführen: er wurde gerettet durch die Verbesserung seines Rufes, anstatt daß er ihn absichtlich selbst zugrunde gerichtet hätte.»

«Genug von dem alten Tyrannen», verlangte Henri. «Halten wir uns an den mitlebenden.»

Sully hob die Brauen wie auch den Zeigefinger. «Der König von England, mit dem es allerdings ein Jammer ist, hat nur darauf gewartet, daß er vorwenden könnte: für eine neue Helena ziehe er nicht in den Krieg. Seine Staatssekretäre halten schon wieder große Stücke auf das europäische Gleichgewicht, was allemal das schlimmste Zeichen ist. Eure Majestät hat geruht, es diesen schwachen Menschen zu erleichtern. Sie stellten sich in Ihrer Weisheit, als wär Ihre Liebe für die Prinzessin von Condé unüberwindlich, weshalb Sie die Rückgabe der Dame zu einer Bedingung des europäischen Friedens machten. Wären Sie ein anderer Fürst –»

«Der Tyrann Dionys», schlug Henri vor.

Rosny: «Ich hätte gesagt: Hoher Herr, ein großer König von Syrakus liebt ein kleines Mädchen, solange es ihm bequem ist. Sie lieben das Kind schon längst nicht mehr. Aber Sie bestehen auf Ihrem Vorrang und königlichen Herrlichkeit. Wollen nicht nachgeben. Sind zu stolz, Ihren verderblichen Ruf zu bekämpfen.»

Henri: «Wenn einer alt geworden ist wie Dionys.»

Rosny – auf einmal verändert, die Stimme weich, so sehr sie es sein kann: «Sire! Mein lieber Herr! Verwechseln Sie doch nicht die letzte Liebe mit dem Abschluß des Lebens. Der ist sie bei weitem nicht. Von seinen Ketten nunmehr frei, schlägt ein großes Herz nur noch für die hohen Arbeiten.»

Henri bewegte die Lippen, schloß sie, nahm einfach die Hand seines guten Dieners. Rosny bat ihn hierauf um vierzehn Tage Besinnung. Die braucht der

Minister, um zu verbreiten, daß die Rolle der neuen Helena ausgespielt ist. «Inzwischen das Kalbsfell rühren, aber keinen Mann einstellen. Wir sagen, daß wir kein Geld haben. Der König von Spanien hat wirklich keines. Der Erzherzog in Brüssel fängt ohnedies an, seine Soldaten zu entlassen. Sire! Einen viel besseren Anlaß loszuschlagen, als die neue Helena war, finden Sie zu jeder Zeit in Cleve, Jülich und Berg. Sie müssen nach menschlichem Ermessen keinen Krieg an zwei Fronten führen.»

Der Krieg an zwei Fronten hatte den Großmeister sonst nie erschreckt. Der König stand vom Rande des Bettes auf, gelassen bekundete er seinen Willen.

«Sie haben vierzehn Tage, Großmeister. Keinen mehr. Soll ich meinen Krieg allein verantworten, gut: allein. Für die zwei Fronten hab ich mir zwei Harnische machen lassen. An den Fronten werden sie mich schützen: fragt sich, ob auch hier. Vierzehn Tage ist eine lange Frist. Großmeister, Sie werden sehen: die töten mich.»

Der König streckte sich aus, alsbald schlief er ein. Neben seinem Kopf hielt sein Rosny die Wache. Hätt er nur immer gewacht!

Als der König aufstand, war es der erste April zu früher Stunde. Unter starker Bedeckung kehrte er nach Schloß Louvre zurück. Die Gendarmen vom Hause des Königs verließen ihn nicht, sie umgaben sein ganzes Kabinett, die Türen, Fenster, den Schreibtisch. Dies hören, und Bestürzung erfaßte alle Verschwörer. Der König hat aus dem Arsenal eine neue Festigkeit mitgebracht, er wird uns das verdiente Schicksal bereiten. Wir kommen zu spät. Die Marquise de Verneuil suchte ihre Zuflucht bei Herrn d'Epernon; sie verhüllte sich, nahm Umwege nach seinem Haus, um zu berichten, daß sie beide verloren wären. Ein Mann im violetten Rock verließ auf den Wink des Herzogs das Zimmer. Von diesem wurde nicht geredet; der Frau Marquise sagte nicht einmal ihr böses Gewissen, wer er war.

D'Epernon fragte des öfteren «ha» und «he», nahm übrigens die Nachrichten nicht schwer, nachdem er sie erfaßt hatte. Man hat Zeit, erklärte er. Sollte einer dem Bewußten nachstellen, was niemand weiß, der Bewußte gibt ihm schließlich die Gelegenheit. Ein Kabinett bleibt nicht immer von Soldaten voll. Ein spanischer Doktor der Theologie hat für dieses Jahr den berühmten Tod vorhergesagt. Was der Frau Marquise denn einleuchtete. Ein deutscher Mathematiker hat dem Opfer der Zahlen selbst den genauen Tag angegeben, vierzehnter Mai. Die Frau Marquise war halb beruhigt. D'Epernon sagte: Ereignisse, die nicht prophezeit wären, blieben fragwürdig. Ihr Eintritt ist aber gesichert, sobald man an sie glaubt – besonders der erste, den es angeht.

In Wahnsinn verfiel an diesem Morgen die Milchschwester der Königin. Die eingebildete Kugel, die ihr im Halse steckte, war schlechterdings nicht mehr zu verschlucken. Zwischen ihren Erstickungen grub die Milchschwester nach Gold, mit dem sie entweichen wollte. Ihr schöner Gatte erfuhr hierbei von Verstekken, die ihm trotz allem entgangen waren. Bei jedem Sack, der hervorkam, wurde er zärtlich; sein nächster Anfall von Wut erfolgte unvermittelt. «Herrschaften wie wir! Der edle Concini, die edle Galigai – die Flucht ergreifen vor einem König, der keiner mehr ist! Das wäre. Wo die Regentin uns aus der Hand frißt.»

«Solange sie den König haßt», erwiderte die Zwergin. «Nachher? Genug, du mußt mit ihr schlafen.»

«Deine Schuld, daß ich es nicht durfte», schrie er, die Faust erhoben gegen das kranke Gewürm. Sie, unter schrecklichem Würgen:

«Dummkopf, der es nicht längst besorgt hat. Jetzt mach! Daß ich dich nicht wiedersehe, bevor es geschehen ist!»

Worauf er mit weichen Hüften seine begehrte Gestalt umherdrehte, bis sie glücklich aus der Tür war.

Am frühen Nachmittag wurde Don Inigo de Cardenas dem König gemeldet. Der König hatte in seinem Kabinett die Mahlzeit eingenommen – ohne Lust, wie die reichlichen Reste bezeugten. Und um die Wände standen seine Gendarmen. Beim Eintritt des Gesandten legten sie die Gewehre an. Der Gesandte fuhr zurück, nicht, daß er erschrak. Verlegen war er. Der Gang wurde ihm ohnedies schwer. Er hatte ihn hinausgeschoben, bis der Befehl aus Madrid kein Zögern mehr zuließ. Jetzt sieht er ohne Vorbereitung, daß dieser König ein ungesittetes Benehmen annimmt. Von ihm hätte Don Inigo es zuletzt erwartet; dem Herrn mit schwankendem Selbstvertrauen war verhältnismäßig wohl gewesen in der Nähe eines ganz natürlichen Menschen. Hoheit, die noch keinen verkehrten Sinn angenommen hat, ist einfach. Jede seiner Begegnungen mit ihr hatte Don Inigo herzlich erleichtert. Plötzlich die angelegten Gewehre. Keine Wahl mehr, wie sein Auftritt zu verlaufen hat.

Der König wendete seinen Stuhl herum, wies auf einen anderen, fünf Fuß entfernten, und fragte: «Verstehen Sie Scherz?»

Zu dem Hauptmann seiner Gendarmen sagte er: «Das ist der Rechte nicht. Es wäre ihm eher peinlich. Ab, die Gewehre!»

Alle Kolben wurden auf den Boden gestoßen. Langsam verging die Minute. Der Gesandte mußte unaufgefordert beginnen.

Der Gesandte: «Ich bin hierher entsendet von dem König von Spanien, meinem Herrn, damit Eure Majestät mich wissen läßt, wozu Ihre so mächtige Armee und ob gegen ihn.»

Der König: «Hätt ich mich an ihm vergangen wie er an mir, dann dürfte er klagen.»

Der Gesandte: «Flehentlich bitte ich Eure Majestät, mir zu sagen, worin der König, mein Herr, es hat fehlen lassen.» Dies in herausforderndem Ton, je eher Don Inigo die Beschwerden des Königs von Frankreich voraussah und versucht war, ihnen beizustimmen.

Der König: «Er hat Anschläge auf meine Städte unternommen. Bestochen hat er mir Marschall Biron, den Grafen d'Auvergne und vorenthält mir jetzt den Prinzen von Condé.»

Der Gesandte: «Sire, er konnte seine Tür nicht verschließen vor einem Prinzen, der sich in seine Arme zurückgezogen hat; wie auch Sie nicht täten, wenn ein fremder Prinz bei Ihnen Zuflucht suchte.»

Der König: «Ich würde trachten, sie zu versöhnen und ihn heim in sein Land zu schicken. Überdies hat er dem Kaiser niemals Geld leihen gewollt, unterstützt aber jetzt mit viermal hunderttausend Pfund den Krieg gegen meine Freunde und Verbündeten.»

Der Gesandte: «Sie haben angesichts der ganzen Welt den holländischen Niederlanden mit Geld beigestanden. Nochmals, ich wünsche zu wissen, ob der König, mein Herr, es ist, gegen den Sie eine so mächtige Armee haben.»

Der König – steht vom Stuhl auf: «Ich wappne meine Schultern und meine Ehre, um zu verhüten, daß man mich trifft, und nehme mein Schwert zur Hand, um zu treffen, wer meinen Zorn erregt.»

Der Gesandte, auf den Füßen, er beherrscht sein Zittern: «Was soll ich dem König, meinem Herrn, nun melden?»

Der König – wendet dem Gesandten den Rücken: «Melden Sie ihm, was Ihnen beliebt.»

Er schickte nach dem Herzog von Sully, damit dieser entscheiden möge, ob hiermit der Krieg erklärt sei. Vierzehn Tage hatte Henri ihm Frist gegeben. Soll ich meinen Krieg allein verantworten, gut: allein.

Die Partei

Angenommen, daß es die Kriegserklärung war, Europa gab sich alle Mühe, sie nicht zu begreifen. Sully bekam seine vierzehn Tage und um vieles mehr. Der Minister Villeroy und seinesgleichen erhielten hier Gelegenheit, die Tugend zu spielen. Um Gottes willen, nur kein Blutvergießen! Will sagen, das Blut der eigenen Partei. Die ist hierselbst eine Minderheit, wenn auch eine tätige; die Mehrheit hat sie bei den Feinden des Königs, weshalb Villeroy und seinesgleichen gegen das Blutvergießen sind. Läge es anders herum, sollte man ihn weniger weinerlich sehen. Tränen in den Augen, warnte er Herrn Pecquius, den Gesandten des abgerüsteten Erzherzogs. Alsbald ging von Brüssel der Anwurf aus: der König ist durch seine Leidenschaft vollends um den Verstand gebracht. Was der Herzog von Sully seit kurzem verbreitet, sind Ausreden. Der Streit geht wie je um die neue Helena. Dagegen sprach mehreres, sobald einer hinsah.

Erstens wurde die junge Gefangene in Brüssel durchaus nicht mehr gefeiert mit Tafeln und Tänzen. Ihre Briefe an den König mußte man fälschen; ihre Ergüsse hätten schwerlich überzeugt, seine auch nicht. Condé seinerseits fühlte sich von Brüssel verleumdet. Der Erzherzog und die Infantin wünschten allerdings, sie wären ihm niemals begegnet. Der Erzherzog, ein verschmitzter Beamter, hätte nicht geglaubt, daß seine unverdrossene Berufung auf Ehre und Richtigkeit derart enden sollte. Jetzt flogen seine Boten umher, nach Madrid um Geld, nach Rom um Vermittlung. Papst Paul der Fünfte schickte wirklich einen Außerordentlichen Legaten; aber der König von Frankreich, anstatt seinen Spruch abzuwarten, nannte ihm sogleich den Weg, den er nehmen wollte: über

Lüttich nach Jülich. Für den Einmarsch in die spanischen Niederlande waren Truppen im Übermaß zusammengezogen. Das bedeutete noch nichts gegen die wirkliche Stärke des Königs und seiner Verbündeten.

Haus Österreich hatte an seiner Spitze zwei ganz mittelmäßige Herrscher, den Kaiser Rudolf, den König von Spanien, Philipp den Dritten. Ihnen diente kein Minister vom Rang eines Sully, ihre Armeen glaubten an den einen, alleinigen Feldherrn nicht. Ihre Länder waren miteinander überworfen, ihre Völker zur Auflehnung geneigt. Der Kaiser selbst hatte gegen sich seinen Bruder Mathias. Gegen die Weltmacht, die ohnmächtige, aber unerträgliche Ansprüche vertrat, stand in Wahrheit Europa, wie jeder ausrechnen konnte. 1610, Anfang Mai waren bereit sich in Bewegung zu setzen: auf seiten Italiens sechzigtausend Mann und sechsundvierzig Kanonen, französische Truppen, päpstliche, savoyische, venezianische, alle dem Franzosen Lesdiguières unterstellt. An der Grenze Spaniens zwei Armeen von je fünfundzwanzigtausend Mann auf beiden Enden der Pyrenäen. Der Herzog de la Force wurde zum Marschall ernannt am dreizehnten Mai von dem König, der nur noch diesen Tag hatte.

Die deutsche Linie des Hauses Österreich sollte anrücken sehen: über Jülich und die spanischen Niederlande fünfundzwanzigtausend Franzosen mit zwölftausend Schweizern und Landsknechten unter dem Befehl des Königs. England, das dennoch beigetreten war, lieferte mit Schweden und Dänemark achtundzwanzigtausend Soldaten; die protestantischen Fürsten in Deutschland stellten fünfunddreißigtausend; die Vereinigten Provinzen sowie die Protestanten Ungarns, Böhmens, Österreichs je vierzehntausend. Insgesamt bot Europa auf: zweihundertachtunddreißigtausend Soldaten mit zweihundert Kanonen. Auf den Anteil Frankreichs kamen zwei Fünftel. Der Kriegsschatz der Verbündeten überschritt hundertfünfzig Millionen Pfund.

Diese Anstrengungen, die an keinen der gewohnten Kriege mehr erinnerten, wurden gemacht und ertragen, damit die unerträglich gewordene Weltmacht niedergeworfen würde – noch vor den Schrecken, die von ihr drohten. Vor der Auflösung Europas und seiner teuren Gesittung; vor dem Umgreifen der Barbarei von der Mitte des Erdteiles her; vor dem Raub auf lange Zeiten hinaus an dem Gewissen und Recht der Völker; vor dem neuen Religionskrieg und seinen dreißig Jahren. Dieselben Anstrengungen haben eingesetzt seit Vervins, als der König über Spanien gesiegt hatte. Zwölf Jahre ist es her. Langsam wuchs und arbeitete seine Natur, bis sein Großer Plan rechtens von ihr erworben war. Langsam haben seine Diplomatie, seine Berufung und Ausstrahlung die Masse Europas an sich gezogen; haben endlich die nie erblickte Macht der Fürsten und Republiken, ihre Heere, ihr Geld vereinigt in der Hand des einen – nach zwölf Jahren.

Etwas schwierig, zu behaupten: der König von Frankreich rüstet, damit er aus Brüssel eine Maitresse holt. Gerade diese Auffassung war im Umlauf. Es genügt, daß eine Partei sie aufrechterhält. Die Partei, deren ganzen Bestand der Haß der Völker und Menschen ausmacht, ist überall, wird überall und immer sein. Das Zeitalter mag in ein anderes übergehen, jedes spätere sich wieder verwandeln. Die Umstände werden rastlos ihr Gesicht wechseln. Die Gesinnungen werden andere Namen tragen. Was bleibt, ist: hier die Menschen und Völker, dort ihr ewiger Feind. Haben sie einen Freund, einst den König von Frankreich, Henri – auch er ist unvergänglich, wie man wohl fühlt und niemals ganz verkannt hat. Man tötet ihn nur vorläufig. Genug, daß man ihn tötet.

Es wäre nicht erlaubt worden. Das Schicksal und die Geschichte hätten sich widersetzt. Die Tatsache ist aber, daß niemand ihn verstanden hat außer den Völkern in ihren wortlosen Herzen. Präsident Jeannin, derselbe, der zur Gewalt riet, als der König nach einem entführten Kinde seufzte – dem Anbruch des Großen Planes sah er zu und sagte, er wäre nicht überzeugt.

Die Harnische

Henri forderte von dem Herzog Albrecht den Durchmarsch durch die spanischen Niederlande: achten Mai 1610. Da hiermit der Würfel gefallen war, wünschte er um so dringlicher die Freundschaft der Königin zurückzugewinnen. Sie wird, wenn er im Feld steht, die Regentin des Königreiches sein. Es ist unmöglich, daß sie zuletzt eine andere Sache wählt als das Königreich. Sie ist seine Freundin durch den Zwang der Lage, und tät es nicht ihr Gefühl, führt doch ihr Vorteil sie auf seine Seite. Indessen glaubte er an das Herz der Mutter. Seine eigene Liebe für seine Kinder ist unverbrüchlich, ganz aus einem Stück, der väterliche Sinn eines einfachen Mannes. Er ist doch sonst nicht einfach?

Nun kam er darüber zu, wie Marie nach dem Dauphin schlug, weil dieser ihren Hund von einem Kissen geworfen hatte, um selbst darauf zu sitzen. Ihre Erregung überschritt bei weitem den Anlaß. «Du wirst bei mir der Letzte sein», sagte sie zu Louis, der sie dafür lange ansah, wer sie eigentlich wäre. Als sein Vater eintrat, nahm er den Anlauf, zu ihm zu flüchten. Henri sagte: «Deine Mutter meint: der letzte, den sie hätte, wenn alle sie verließen.»

Das Kind war an seinem Vater vorbei aus der Tür. Die Eltern standen wortlos, beide atmeten stärker als sonst, wußten nicht, wie beginnen.

Zu derselben Stunde schlich der Herzog von Epernon nach einer Gegend seines Palastes, die er wahrhaftig nicht aufzusuchen pflegte. Unter den Dächern, eine elende Mansarde; der Silberputzer, der hier seine Schlafstätte hatte, war heute fortgeschickt samt allem Gesinde, das in der Nähe irgend betroffen worden wäre. Der Herzog streckte den Kopf herein, vom Fußboden kam einer auf, da zum Sitzen nichts vorhanden war. Der frühere Gerichtsschreiber, jetzt Redner auf Ecksteinen, schüttelte nur den Kopf. «Noch nicht hier?» flüsterte d'Epernon. «Wäre er uns wieder durch die Lappen gegangen mit seinem Messer und empfindlichen Gewissen!»

Was bis in den Louvre natürlich nicht schallen konnte. Die Königin lauschte indessen, ihr Mund ging von selbst auf, ihre Augen verirrten sich. Henri, der gekommen war, ihr von der Regentschaft zu sprechen, wurde gewarnt; ein

Grausen ohne Ursache hat ihn berührt. Er äußerte daher nur, daß er nächstens etwas von Wichtigkeit mit ihr bereden wolle.

«Sie?» fragte Marie von Medici. Ihr Blick, der verirrt war, fand langsam zurück. Er drückte zuerst Zweifel aus: Etwas von Wichtigkeit, Sie? bedeutete ihr Blick. Sie überhaupt noch etwas? Zuerst nur Zweifel; dann schrittweis Tücke und endlich Hohn.

«Madame, gedenken Sie, wer Sie sind», bat er eindringlich. Er vermied die Grenze, wo es ein Befehl wurde. Auch der Dauphin hatte sie lange angesehen, wer sie wäre.

«Ich gedenke der spanischen Heiraten», bestätigte Marie. «Mein höchster Ehrgeiz, daran denk ich.»

Henri rief ihr in das Gedächtnis, daß sie mehr wäre, als sie durch spanische Heiraten jemals werden könnte. Er ersparte ihr den Vorwurf, daß sie noch als Königin von Frankreich in ihrem Bewußtsein die kleine italienische Prinzessin blieb. Gleichwohl war er hiermit auf das wirkliche Hindernis gestoßen, weshalb seine Ehe schlecht verlaufen war – mit eingeschlossen dieses Beisammensein: es kann auch nicht gut ausgehen.

Da der Mißerfolg des Gespräches feststand, außer vielleicht, wenn man es nicht lenkte, sondern dem Zufall überließ – sprach er: «Welch eine Prachtgestalt, Madame, und wie Sie strahlen!»

Auf einmal lächelte sie beseligt. Er hatte es getroffen, er wußte nicht wie sehr. ‹Und gleich wenn du weg bist, besucht mich mein Schöner›, dachte Marie. ‹Schon wieder mein Schöner, mein Süßer immerdar. Das Kind, das ich trage, ist von ihm. Bei mir Glück und Wonne. Du magerer Hahnrei, sieh selbst zu. Geschieht dir was, ich war es nicht, bin anderswo beschäftigt. Das war mein Sehnen seit Ewigkeiten, ich schwimm in Glück und Wonne, hab's auch verdient.›

Dies dachte die Alternde, und ihr Geschau war blöde. «Sie mustern mich, Sie finden mich abgemagert», sagte Henri. «Das machen meine viele Sorgen.»

«Oh! Sie haben Sorgen?» fragte Marie, den Busen geschwellt.

Henri: «Was würd es Sie kosten, mich zu erleichtern.»

Marie, schelmisch: «Jetzt rat ich ein Rätsel. Ich soll nach Brüssel schreiben.»

Henri: «Und nach Madrid.»

Marie erstaunt: «Sogar Condé verlangen Sie zurück. Die neue Helena allein tut es nicht mehr. Was ist es denn nur mit dem Immerverliebt? Waren doch sonst ein wahrer Ausbund, Sire. Um die Flucht des Kindes zu beweinen, brachten Sie es damals fertig, sich auf mein Bett zu setzen.»

Henri: «Ich war Ihr Freund und hatte keine Freundin als nur Sie.»

Marie, gehoben: «Das beweis ich Ihnen alsbald. Auch Ihr Vorhaben, die Allerschönste aus Brüssel zu entführen, haben Sie nur einer anvertraut.»

Henri: «Ihnen.»

Marie: «Ihrer Freundin. Sie hatten die Stirn. Wen Sie hinschickten, Herrn d'Estrées. Wer Ihnen in die Hände arbeitete, Madame de Berny. Nichts verschwiegen Sie Ihrer Freundin.»

Henri: «Sie wären es, die mich verriet?»

Marie – großer Triumph: «Mein reitender Bote war vor Ihrem Hannibal zur Stelle. Ha! Der Bruder Ihrer Hure holt wieder eine.»

Henri, mit Verachtung: «Madame, Sie verbargen früher aus Grundsatz Ihr Gefühl, besonders das freundliche. Was Sie jetzt zu sagen haben, will ich gleich alles hören.»

Marie – bohrt den Zeigefinger in ihre Schläfe: «Es wird auch Zeit, eh daß man den alten Narren absetzt und einsperrt.»

Henri schreit auf: «Sie werden dies Zimmer nicht verlassen. Sie sind verhaftet.»

Marie, immer den Zeigefinger in der Schläfe. Beinahe mild und süß: «Versuchen Sie doch, wieviel Sie noch können. Irr ich nicht, übergeben Sie Ihrer einzigen Freundin die Regentschaft – beiläufig in fünf Tagen, worauf am sechsten die Welt noch mehr erlebt.»

Das letzte völlig mild und süß, ganz leise. Wer weiß, ob sie es wirklich gesagt hat.

Henri bezwang sich; ohne Übergang wurde er ruhig und kalt. «Madame, wir sind geschieden. Wir wissen es, aber weder dieser Hof noch die fremden Höfe sollen davon erfahren. Im Gegenteil schlag ich Ihnen vor, daß wir das äußere Einvernehmen herstellen und unsere verletzte Würde erneuern, jeder an seinem Teil. Ich verzichte nicht nur auf die Prinzessin von Condé, die ohnehin vergessen ist, sondern verpflichte mich, keine Frau mehr zu haben. Keine – unter der Bedingung, daß Sie Herrn Concini entlassen.»

Marie von Medici begann hier ein verstohlenes Glucksen. Es nahm aber zu, bald bedurfte sie ihres Taschentuches, und Henri reichte es ihr. Der Anfall war nicht zu ersticken. Unter krampfigem Gelächter ging sie seitwärts ab.

Der Dauphin stand draußen hinter dem Geländer der großen Treppe. Er spuckte in die Tiefe, worauf er jedesmal schnell Deckung nahm. Es hatte geklatscht, der Dauphin sagte: «Getroffen. Genau auf die Glatze.»

«Wen hast du getroffen?» fragte sein Vater.

«Irgendeinen. Schlecht sind alle», sagte der bleiche Knabe ganz ohne Freude an seinem Streich. Er nahm die Hand des Königs.

«Wohin führst du mich?» fragte der König.

«Wo wir allein sind», war die Antwort. «Mein gnädiger Herr Vater, gewähren Sie mir eine Bitte, ich will Ihre zwei neuen Harnische sehen.»

Da wanderten sie und wanderten Hand in Hand durch verschlungene Gänge, über unbenutzte Stiegen nach Gegenden, die keiner betrat. Zu derselben Stunde suchte in dem Palast des Herzogs von Epernon ein Mann seinen Weg. Der Mann trug einen violetten Rock. Er war groß, breit und von ungemeiner Häßlichkeit. Sein rot behaarter Kopf rückte mißtrauisch auf den Schultern, um jede Ecke spähte er, bis er sie nahm. Er zählte die Türen, hielt endlich vor einer, aber zögerte lange, hineinzugehen.

Der König zog einen großen Schlüssel hervor, er öffnete die geheime Kammer, betrat sie mit dem Dauphin und sperrte sogleich wieder ab. Die Harnische waren aufgestellt wie wirklich Gepanzerte, die Beine aus Eisen, der Helm mit geschlossenem Visier. «Alles nur», sagte der König, «damit man sie für alte Rüstungen hält, falls einer sich herverirrte und Lust bekäme, meine Harnische unbrauchbar zu machen.»

Louis sagte: «Mein verehrter Herr Vater, Sie sollten sie am Leibe tragen bei Tag und bei Nacht. Besonders dort, woher Sie gerade kommen.»

Henri erwiderte ernst: «Ich sehe, daß du leider schon kein Kind mehr bist.»

Louis konnte kaum sprechen, so heftig zitterte sein Mund: «Ihren Hund liebt sie mehr als mich.»

Er legte die Hand auf das Herz. «Ich habe nicht an der Tür gehorcht. Ich weiß schon zuviel. Sie werden mich allein lassen, das weiß ich. Mein großer Herr Vater, Sie haben einen schwachen Sohn. Was ich zu Ihnen spreche, ist die Furcht eines schwachen Herzens. Aber es liebt Sie.»

«Ich lebe nur noch für dich», sagte Henri.

Sie wanderten nochmals Hand in Hand, bis sie im Freien waren, und ergingen sich lange in dem Garten zwischen den hohen Hecken. Hier sprachen sie nicht.

Der Letzte

Als der Mörder Ravaillac endlich wagte, auf eine verabredete Art an der Tür zu kratzen, und eingelassen wurde in die Mansarde des Silberputzers, wo er zwei Personen antraf – zu der gleichen Zeit erschien bei der Königin Marie von Medici der spanische Gesandte Don Inigo de Cardenas.

Er hatte eine abwesende Miene: das machte sogleich die Gelegenheit schrecklicher, als Marie sogar unter Albdrücken je gefürchtet hatte. Seine Fremdheit enttäuschte sie auch. Sie hatte sich geschmeichelt, man werde zuletzt ausdrücklich ihre Zustimmung erbitten, ihre Weisungen einholen. Deren bedurfte es in Wirklichkeit nicht mehr; aber war sie keine Hauptperson? Don Inigo hatte seine Gedanken dort, wo verfügt wurde: ihr erstattete er nur der Form wegen den peinlichen Besuch. In einem Ton wie von Vorgängen, die zehntausend Meilen entfernt wären, begann er: «Der König hat Feinde. Man verrät kein Geheimnis, wenn man ausspricht, daß sein Leben bedroht scheint.» Hier wich er ab, er sprach beiseite: «Es ist für Wohlgeartete kein Ruhm, zusehen zu müssen, wie ein großer Herrscher, in seiner Vollendung niemals dagewesen –»

Der Gesandte besann sich auf sein Amt.

«Einer Meute erliegt», schloß er wohl noch. Fortan aber hielt er sich an seinen Auftrag. War nicht anderswo, sondern in diesem Zimmer gegenwärtig bei den feierlichen Stühlen, Haufen von Kissen, dunklen Malereien, und ihm zunächst der chinesische Schreibtisch, das kostbare Geschenk des Jesuitengenerals.

«Eure Majestät, dessen bin ich versichert, teilt meine Besorgnis. Ich darf nicht sagen: meinen Abscheu. Das Schicksal, das wir befürchten, der König würde es selbst herbeigerufen haben durch die Ungeheuerlichkeit seiner Unternehmen.

Der Angriff auf die Christenheit mit Gewalt und Übermacht wäre nicht einmal den reinsten Absichten erlaubt.»

«Die Absichten des Königs sind nicht rein», sagte Marie von Medici: ihr erstes Wort.

Don Inigo legte den Kopf in den Nacken als einziges Zeichen seiner Verachtung. Von oben sprach er amtlich; er wiederholte, daß gerade aus diesen Gründen das angekündigte Ereignis ihn keineswegs mit Abscheu erfülle. Stehe doch auf der Sünde des Stolzes sogar der ewige Tod. «Die viel geringere Strafe des leiblichen Todes geht leicht mit hin.»

«Sie geht mit hin», wiederholte Marie, hatte sich aber verfärbt.

«Etwas ganz anderes», betonte Don Inigo, «ist meine Besorgnis, die ich mit Eurer Majestät teile. Diese betrifft keine einzelne Person, möge sie übrigens berühmt sein. Sie gilt den politischen Folgen des vorausgesetzten Ereignisses. Die große Politik der Höfe würde von gewissen Nachteilen betroffen werden, wenn nichts anderes sie vor der militärischen Niederlage gerettet hätte als ein Mord.»

Die Königin wurde höher, war ein Turm und gebieterisch.

«Sie haben ein Wort genannt – ich darf es nicht kennen. Ich kenne es nicht. Sonst wär ich verpflichtet, die Ausführung aufzuhalten, müßte ich sogar Sie selbst, Herr Gesandter, den Gendarmen des Königs übergeben.»

Don Inigo sah, daß die Königin für jeden Fall ihre Seele zu retten gedenke. Salvavi animam miam, was mit seinem Auftrag übereinstimmte. Damit sie Zeit bekäme, die gewünschte Richtung zu verfolgen, widmete er sich der Besichtigung des chinesischen Schreibtisches. Das verwickelte Möbel zeigte zahllose Behälter, ungerechnet seine Verstecke, die es nicht verriet. Von eingelegten Perlen und Perlmutt schillerte es farbig. Zwei Götzen links und rechts nickten mit ihren dicken Köpfen zu allem, was hier gesprochen wurde. In der Mitte das Türmchen hatte Glocken an jedem seiner sieben Dächer. Don Inigo hätte gewünscht, daß sie silbern läuteten, und er müßte weiter nichts mehr vernehmen noch selber von sich geben.

Das war ihm nicht beschieden, weshalb er sich aufrichtete. «Was können wir tun, um dem Ereignis vorzubeugen?» fragte er.

Der Schreibtisch trennte ihn nunmehr von der Königin. Zehn oder zwölf Schritte weiterhin erhob sie sich düster vor einem mächtigen Faltenwurf aus Purpur. Die Hände hatte sie darin vergraben; nur ihr Gesicht war weißlich abgedrückt, auf einem Hintergrund, der dem Gesandten mißbehagte. ‹Diese Frau ist hart und feig: eines wäre genug. Gleichwohl macht ihre Beschaffenheit sie zu meiner richtigen Mitspielerin in dieser Angelegenheit. Ich soll mich anstellen, als versuche ich die Ermordung des Königs zu verhindern. Beim Heucheln wird sie mir helfen, und mein Bericht geht nach geschehener Tat an alle Höfe.›

«Es ist schrecklich. Ich hab es nicht gewollt», sagte die Königin. Ihre Stimme brach: es hätte echte Angst sein können. «Jetzt sind wir in der Lage drin», sagte sie; dem Gesandten tat es in den Ohren weh. Der ungemeine Anlaß, diese gewöhnliche Person.

«Wie kommen wir heraus?» fragte er; hätte einen Fuhrknecht so gefragt, wenn sein Wagen festgefahren wäre.

Die Königin schreit unbeherrscht: «Meine Regentschaft! Sehen denn Sie Esel nicht, daß ich noch heute oder morgen gekrönt werden muß. Wozu die ganze Weltmacht, wenn sie es nicht begreift! Sofort ließe ich den Herzog von Sully hinrichten. Dann brauchen Sie Ihren Mord nicht mehr.»

Der Gesandte, Übelkeit in der Kehle: «Erstens ist es nicht mein Mord. Sonst sähen Eure Majestät mich wahrhaftig an dieser Stelle nicht.»

Die Stelle, auf die er hinwies, war der chinesische Schreibtisch. Einzig das geduldige Nicken der Götzen half ihm, seine Übelkeit zu verschlucken.

Der Gesandte: «Ihre Krönung wird prachtvoll sein, ein unvergleichlicher Staatsakt – zwei Stunden lang redet man davon. Der König aber zieht in das Feld mit zwei Dritteln der europäischen Heere, damit ich nicht drei Viertel sage. Denselben König wollen Sie absetzen und seinen Minister hinrichten? Erzählen Sie es anderen.»

Die Königin heult wie mit heißem Öl begossen: «Dann geht das ja nicht. Dann sind wir verratzt.»

«Wir sind allerdings im voraus geschlagen», bestätigte der Gesandte, in der Brust ein Gefühl der Kälte, immer bedrängt von dem Reiz, zu würgen. «Eure Majestät vergißt aber –» Er brach ab; er sollte falsch Zeugnis ablegen, seine Heuchelei erniedrigte ihn tiefer als die andere Person, die ohne Selbstachtung auskam.

Der Gesandte: «Sie vergessen die frommen Väter der Gesellschaft Jesu.»

Die Königin lachte hell auf, was ihren Leib erschütterte. Hier verspürte sie die ersten Anzeichen ihrer Umstände: diesmal waren sie ihrem Schönen und Süßen verdankt. Um so eher muß der König verschwinden, was gibt es viel zu reden. Der verlogene Mörder hinter dem Schreibtisch soll den Platz räumen. Was die da tun oder lassen, ich weiß von nichts. Ich erwarte schon wieder meinen Schönen. Mein Süßer immerdar.

Der Gesandte, unbeirrt: «Der Beichtvater Cotton hat ein unschuldiges Herz. Damit kann er den König einschläfern, bis er seine Zeit versäumt.»

Die Königin: «Sie Stückchen Schleim! Erfinden Sie andere faule Ausflüchte. Der schläfert ihn doch schon ein, daß der Alte selbst nicht mehr weiß: soll er dran glauben? Wird daran glauben müssen.»

Jetzt hatte Marie von Medici ihr Bestes getan, der Gesandte auch. Weiter kamen sie nicht. Die Königin mußte hinhocken, ihre Koliken erzwangen diesmal den stürmischen Ausweg. Der Gestank, der auf einmal das Zimmer erfüllte, brachte die bedrohliche Übelkeit des Gesandten endlich zum Überlaufen. Die Hände aufgestützt, verunreinigte er den chinesischen Schreibtisch vom Jesuitengeneral. Die beiden Götzen nickten beifällig. Sooft er würgte und spie, läuteten an dem Türmchen alle Glöcklein silberhell.

Wozu überanstrengten diese beide Herrschaften ihre Seelen und Leiber? Gibt es doch inzwischen das Gelaß des Silberputzers, sein Strohsack duftet auch nicht nach Rosen. Kauern aber darauf als rechte Kumpane, der Herzog von Epernon,

Gouverneur, Generaloberst der Infanterie, mit dem entlassenen Gerichtsschreiber, der die Lustseuche hat. Der Gichtische sagte zu dem Verseuchten: «Deine Krankheit kannst du anderen beibringen, wenn du sie beißt. Der Kerl, den wir erwarten, kennt weder Scham noch Schande. Beiß ihn, sobald er sich erfrecht.»

Der Gerichtsschreiber bellte mühselig dem Tauben in das Ohr, mehrere Töne blieben aus. «Der macht alles für Geld. Ist wie ich vom Gericht, nicht sauberer als ich, packelt auf beiden Seiten, stiehlt den Parteien die Beträge, womit er meinesgleichen schmieren soll. Zweimal hat er gesessen, für einen Mord, den ein anderer verübt hatte, dann aber wohlverdient wegen Schulden.»

Der Herzog sagte, daß der unverschämte Bruder einen Auftrag vom Himmel habe. Wer im Feuer des Kamins eine Weinrebe zur Trompete des Erzengels verwandelt sieht und bläst selbst hinein, bis Ströme von Hostien dem Instrument entfahren – die Narren dieser Sorte sind vielleicht brauchbar, aber noch eher werden sie gefährlich. «So einer steht mit dem Teufel im Bunde, ohne selbst darum zu wissen. Zubeißen, sag ich.»

«Gnädiger Herr», erwiderte der Verseuchte. «Man sieht, daß Sie bei Gericht nicht Bescheid wissen. Dem Teufel ist ihr Packeln dort zu verzwickt, er läßt sich mit ihnen nicht ein. Nun hat unser Mann auch die Theologie studiert. Als ich für Sie den Rechten suchte, fand ich ihn bei der Dame Escoman, einer Priesterin der Venus, aber sehr im Niedergang. Sie vermietet Zimmer. Dort saß unser Mann über Traktaten der Jesuiten. Das erste war, daß ich ihm all und jedes kaufte, soviel die Väter irgend verfaßt haben über den Königsmord. Ihn verlangte gerade danach ungemein, er hatte nur kein Geld. Darf ich den Herrn Herzog daran erinnern, daß Sie mir meine Auslagen, Kosten und Gebühren bis jetzt noch schulden.»

«Ha? He?» fragte d'Epernon. Da der eine taub und dem anderen die beschädigte Kehle versagte, kam man in diesem Punkt nicht zusammen. Der Gerichtsschreiber brachte dennoch hervor: «Ein gnädiger Herr vermeidet besser, daß der Auswurf der Menschheit in eine landläufige und gerichtsbekannte Verbindung gerät mit seinem erlauchten Namen.»

«Reden willst du Schwein?» Das hatte d'Epernon genau und pünktlich erfaßt. «Beim ersten Wort hast du einen Klotz im Maul und wirst auf das Rad geflochten.»

«Da wären noch immer die schriftlichen Beweise», gab der Kumpan zu bedenken. «Die Dame Escoman hat mir Briefe zur Beförderung an hohe Personen mitgegeben, da sie etwas gerochen hatte und den König retten will. Ist diesbezüglich wie verrückt, die alte Nutte.»

Für sich allein und auf alle Fälle merkte der Herzog die Escoman vor. Seinen Kumpanen erklärte er mit all der Hoheit, die noch auf dem Strohsack des Silberputzers einem Herrn erhalten bleibt und zu Gesicht steht: «Du selbst und der Mann, den du ausgesucht hast, tun stramm ihre Schuldigkeit. Dienst, sonst kenn ich nichts», befahl der Generaloberst. Er riß sich zusammen, es schmerzte ihn selbst am meisten. Der Erfolg war, daß der Mörder Ravaillac, als der Gerichtsschreiber ihn einließ, den Herzog von Epernon auf den Füßen fand.

Der Gerichtsschreiber suchte bei dieser Gelegenheit nochmals die Umgegend ab, ob niemand horchte. Der Herzog beaugenscheinigte inzwischen den Mörder, der soweit entsprochen hätte. Er war groß, breit, mit Knochen wie ein Tier und mächtigen Händen. Sein unheilvolles Gesicht wäre einerseits zu begrüßen, wenn es ihn aus der Menge nicht hervorhöbe. Die Haare, der Bart – rot sind sie nicht eigentlich, eher schwärzlich mit roten Lichtern: bei Menschen auch nicht das übliche. Bemerke man hierbei, daß ein unheilvolles Gesicht nicht von vornherein einen Mörder verbürgt. Es kann knifflich sein anstatt von dumpfer Blutgier. Es kann zu viele Spuren tragen – Verbrechen prägen sie nicht ein, weder vorher noch im Gefolge der Tat. Spuren werden hinterlassen von Gewohnheiten, lasterhaften oder gemeinen. Ein Prozeßhengst niedersten Ranges, ein Selbstquäler und Geisterseher aus bösem Gewissen, genug, ein Schwächling in falscher Maske: unser Mann ist ungeeignet für die gerade, ehrliche Tat, nennen wir sie so.

Der Gerichtsschreiber kehrte in das Zimmer zurück, blieb aber bei der angelehnten Tür der Überwachung wegen. An den Mörder richtete er einige passende Worte – während der Herzog von Epernon überlegt, wie vieles dafür spräche, daß er beide Kumpane alsbald dem Polizeileutnant übergibt. Der König hat an die Spitze seiner Armeen drei protestantische Generale gestellt. D'Epernon soll in Paris bleiben, ihm ahnt sogar, daß der König ihn seines Postens entheben wird. In allen Gnaden, nur wegen seiner Gicht, ein Generaloberst der Infanterie muß rüstig sein. In Wirklichkeit wird der König ihn vernichten nach seiner ersten siegreichen Schlacht, er kann nicht umhin, bei aller seiner Abneigung gegen den Henker nicht. Ich will dem Herrn meine Hinrichtung ersparen, ich liefere ihm seinen Mörder aus unter der Bedingung, daß ich eine Armee bekomme. Von dem Mörder redet die ganze Stadt und sieht ihm nach, ob er in Violett oder in Grün einhergeht.

«Meister Ravaillac», sagte der Herzog, «Sie sind aus Angoulême. Sie halten sich, hör ich, für den Auserwählten. Freut mich.»

Ravaillac, dumpf, drohend: «Gnädiger Herr, Ihr Gedächtnis verläßt Sie. Mich haben Sie längst gekannt, bevor ich der berühmte Königsmörder wurde, nach dem die ganze Stadt sich umsieht. Sie empfahlen mich den Vätern der Gesellschaft Jesu, denen ich mich denn anvertraut habe, damit ich mit meinem empfindlichen Gewissen ins reine käme. Keiner will mich verstehen. Jetzt stellt der gnädige Herr sich taub.»

D'Epernon: «Ha? He? Hör ich recht? Berühmt bist du? Gewissen willst du haben? Auf die Knie mit dir!»

Ravaillac, fällt nieder: «Ich bin ein Auswurf. Was hilft es, der Erzengel hat mich in seine Trompete blasen lassen.»

D'Epernon: «Wozu?»

Ravaillac: «Das muß ich mit mir allein ausmachen. Keiner nennt das Wort, weder der Erzengel noch der gnädige Herr noch der Kanonikus in Angoulême, der mir ein Herz aus Watte gab, darin ist ein Splitter vom heiligen Kreuz.»

D'Epernon: «Sagt er. Man nimmt dich nicht ernst, guter Freund. Du machst dich wichtig. Der stadtbekannte Königstöter. Abgebrannt, nichts mehr mit dir anzufangen, geh nach Haus.»

Ravaillac, zieht ein Messer: «Dann ersteche ich mich vor Ihren Augen.»

Der Gerichtsschreiber: «Ein Messer ohne Spitze. Damit will er sich erstechen.»

Ravaillac, kommt hoch: «Ihr Kleinvieh, was wißt ihr von dem Kampf mit dem Unsichtbaren. Das Messer ist gestohlen. In dem Gasthaus war eine Stimme: Dein Messer muß gestohlen sein. Auf der Landstraße, als ich hinter einem Karren ging, befahl eine andere Stimme: Zerbrich es an dem Karren. Eine dritte Stimme, in Paris bei dem Kloster zu den Unschuldigen –»

«Unschuldigen», wiederholte der Gerichtsschreiber.

Ravaillac: «Infolge der dritten Stimme hab ich den König, wie er vorbeikam, kläglich angerufen, um ihn zu warnen. Es wäre schlecht, ihn ungewarnt zu töten. Die Gendarmen vom Hause des Königs haben mich fortgestoßen.»

Der Gerichtsschreiber: «Warst du in Violett oder Grün? Das nächstemal trägst du gefälligst dein anderes Gewand, das dem König noch nicht begegnet ist.»

Hierbei zog der Gerichtsschreiber ein Messer, das hatte seine Spitze. Er stand hinter Ravaillac, auf einen Wink des gnädigen Herrn hätte er es dem Mann mit dem gefährlichen Gewissen durch den Rücken in das Herz gestoßen. Dies bleibt nach menschlichem Ermessen als einziger Ausweg, damit der Mord nicht entdeckt wird, bevor er vollführt ist.

Der Herzog lehnte wortlos ab, der Gerichtsschreiber steckte sein Messer weg – nicht ohne Bedauern. Für diese Leiche hätte er seinen Preis gefordert. Ist dagegen der König tot, wer zahlt dann. Zum Schaden des Gerichtsschreibers hatte der gnädige Herr dasselbe überlegt. ‹Sicher ist sicher›, dachte d'Epernon. ‹Der König muß fort. Vorhin überfiel mich selbst eine Regung des Gewissens. Es hat die leidige Gewohnheit, vernünftige Gründe vorzuschützen.› Er fragte den Mörder: «Steht nunmehr dein Entschluß fest? Antworte klar. Gerichtsschreiber, paß an der Tür auf. Es handelt sich nicht um Theologie, sondern um Politik. Was wolltest du den König fragen bei dem Kloster zu den Unschuldigen?»

«Erstens mußte ich ihn warnen», wiederholte Ravaillac. «Unvorbereitet darf er nicht sterben.»

D'Epernon: «Vergebliche Liebesmühe. Den warnen alle umsonst. Er will es selbst.»

Ravaillac: «Sodann ihn fragen, ob es wahr ist, daß er Krieg gegen den Papst führen will.»

D'Epernon: «Frag seine Soldaten, sie freuen sich schon darauf.»

Ravaillac: «Letztens, ob wirklich die Hugenotten alle guten Katholiken hinmetzeln sollen.»

D'Epernon: «Spitz nur dein Messer wieder zu.»

Ravaillac, von Tatkraft strotzend: «Augenblicks, gnädiger Herr. Ein Kruzifix, das ich ansah, hat es mir aufgetragen.»

D'Epernon: «Halt! Wohin? Zuerst muß die Regentschaft eingesetzt, die Königin gekrönt sein. Denk an das Königreich. Der Tag der Krönung ist deiner.»

Ravaillac: «Wie konnte ich mich übereilen! Ist doch das Königreich mein Sinnen und Trachten. Heil der frommen Regentin, Tod dem Ketzer, der unser Unglück ist!»

Abwechselnd übten sie den Ton einer Staatshandlung, die von mittelmäßigen Schauspielern gesprochen wird.

«Sie haben das Watteherz, tapferer Ravaillac, Ihnen kann nichts geschehen. Sie machen Ihren Namen unsterblich und gehen in die Bücher der Geschichte ein.»

Da das arme Scheusal jetzt endlich die Hochachtung genoß, wovon sein abstoßendes Gesicht ihn immer ausgeschlossen hatte – oh! sein Traum war erfüllt. Aufgereckt in ganzer Gestalt grüßte Ravaillac mit der erhobenen Hand. D'Epernon versuchte desgleichen zu erwidern, aber die Gicht, die Gicht.

Der Gerichtsschreiber ahmte die Gebärde übertrieben nach, wovon in seinem Gesicht ein Geschwür platzte, und was darin war, lief ihm in das Auge. Fluchend geleitete er den Mörder. Mitsamt seiner Seuche wollte er noch einige Zeit leben. Der gesunde Kerl wird baldigst auf das Rad geflochten.

Der Herzog von Epernon wartete, bis sie aus dem Hause wären. Ihm war bitter zumute, wegen seiner geringen Rolle, kein großer Auftritt vor der ganzen Welt, nicht viel Staat zu machen mit dem Tod eines noch so außerordentlichen Königs. Der Ruhm ist, was er ist, ein Ravaillac wird tatsächlich in die Bücher kommen. Wer wird die früheren Mörder des Königs Henri kennen, die achtzehn oder mehr, die es versucht haben? Darunter waren kühne Soldaten oder Fanatiker ohne schwächliches, listiges Gewissen. Wer erinnert sich mystischer Knaben, beinahe rein, und dachten ihren Platz in der Hölle einem größeren Sünder abzutreten, wenn sie ihn töteten. Alles vergessen, vertan. Übrigbleibt ein belangloser Prahlhans, weil er der letzte ist. Schmutzige Geschäfte, abgelebter Aberglaube, der Nachzügler vereint sich den Abhub von hundert Jahren schlechter Gewöhnlichkeit. Heruntergekommen und unsterblich – ist der letzte.

Nur der Zugang

Escoman, eine galante Dame, ist ein volles Jahr bemüht gewesen, das Leben des Königs zu retten. Er hatte viel geliebt; seine letzte, unbekannte Freundin war eine Frau, die viel geliebt hatte.

Sie war noch blond mit einiger Nachhilfe, ihre Reize bewahrten eine hinlängliche Festigkeit. Manchen Knaben gefiel sie, man ging ihretwegen zu Wucherern. Von Unmündigen zu leben, ist schwer. Sie bestimmte ihre Wohnung für die Zusammenkünfte anderer Frauen mit ihren gelegentlichen Gefährten. Das Geschäft ging gegen Morgen, wenn die Tanz- und Spielsäle zumachen und aus verschiedenen Gründen sind die Paare obdachlos. Escoman kam meistens allein nach Haus; hatte sie aber das Glück, für ihr eigenes Schlafzimmer zwei zahlende Gäste mitzubringen, dann saß sie solange, als stattliche Dame hergerichtet, in ihrer Küche. Sie beklagte nichts. Sie fand im allgemeinen das Leben richtig geordnet.

Die Gunst des Zufalls konnte noch weitergehen. Man klopfte, wenn der Tag schon aufging, an der Haustür. Escoman rief hinunter, man möge warten. Eiligst weckte sie ihren Mieter, den Inhaber des zweiten Schlafgemaches, damit er aus seinem Bett in die Küche übersiedelte. Der Mann, der voriges Jahr bei ihr wohnte, ließ sich nicht bitten. Er war gefügig, gefällig, er las viel lieber, als daß er schlief. Er nahm seine Bücher mit. Während die Besucher sein Lager benutzten, war der Mieter ernsten Dingen zugewendet. Die Gesellschaft einer weiblichen Person mit aufgedeckten Reizen lenkte ihn niemals ab. Die Vorgänge in ihrer Wohnung beschäftigten ihn keineswegs. Escoman mit ihrer Erfahrung unterschied eine gespielte Gleichgültigkeit von der echten; die seine bezweifelte sie nicht. Der Mann war besonders groß und kräftig; dennoch ist diese Art eher keusch als die Kleinen, Schwachen. Da er für ihre Angelegenheiten keine Teilnahme zeigte, wurde sie neugierig auf die seinen.

Während er abwesend war, untersuchte sie die Gegenstände seiner eifrigen Studien. Es waren vor allem die Schriften eines gewissen Mariana, Societatis Jesu. Latein verstand sie nicht; als beide wieder nächtlich in der Küche saßen, stellte sie vorsichtige Fragen. Er antwortete bereitwillig, es schien sein lange verhaltenes Bedürfnis, sich mitzuteilen. Alles, was er las, handelte von unserem Recht, den Tyrannen zu töten. Escoman ihrerseits war dieses Rechtes nicht bewußt, glaubte auch nicht, daß ein frommer Vater es uns verleihen kann. Den Tyrannen aber kannte sie mit Namen; die Prediger hatten ihn oft ausgesprochen. Ägyptischer Tyrann, sagten sie drolligerweise, obwohl sie den König von Frankreich meinten. Dieser bewies im Gegenteil seinen Freisinn, er bestrafte sie nicht. Escoman war für die Freiheit eingenommen, da auch ihr Gewerbe sie fordert – mit mehr Berechtigung, schien ihr, als das Geschäft der gehässigen Kanzelredner oder Schreier auf den Ecksteinen. Die Verwandtschaft der galanten Dame waren Bauern. Einem ihrer Brüder hatte der König eine Kuh ersetzt; dem Vetter, der einst ihr Verlobter gewesen war, hat er mit barem Geld ausgeholfen.

Sie hielt den König für gut. Deswegen war ihr Mieter nicht schlecht. Sein Fehler ist, daß er die üblichen Streitigkeiten zu den seinen macht, als ob sie ihn angingen und nicht weit jenseits seiner mittelmäßigen Natur lägen. Die galante Dame hat ihn sogleich durchschaut und mehrfach versucht, ihn zu den Frauen zu bekehren – leider vergebens. Wäre sein blutreicher Körper richtig in Anspruch genommen worden, sie war versichert, daß alsbald sein Geist die unzukömmliche Besessenheit abgelegt hätte. Er kündigte ihr aber sein Zimmer, erklärte auch, warum. Er wollte nach seiner Heimat reisen, um seinen übernatürlichen Auftrag den Vätern zu beichten. Sie sollten sein Vorhaben gutheißen. Er brauchte Bestätigung; seine Mietsfrau war nicht die einzige, der er sich anvertraut hatte. Straßenweit zeigte man auf ihn: der wird den König töten. Man sagte es mit Achselzucken, warum wohl gerade der? Sprach davon aber nur insgeheim, denn wer weiß, man würde hineinverwickelt.

Escoman war stolz, in einem Hause zu verkehren, wo manchmal der König erschien: bei dem reichen Zamet. Dieser verwendete gern die galanten Damen als den Schmuck und Anreiz seiner Spielsäle, solange eine durchschnittliche Gesellschaft versammelt war. Bei dem Eintreffen hoher Herrschaften, geschweige der Majestät, verschwanden Personen wie Escoman hinten hinaus. Ihr ist es nie in den Sinn gekommen, dem König vor sein Angesicht zu treten. Sie hat sich sehr vielen, unermüdlich, furchtlos, ohne der Gefahr auch nur zu achten, hat sie sich überall angenähert, wo jemand ihr helfen könnte, das Leben des Königs zu retten. Ihm selbst hat sie weder aufgepaßt noch einen ihrer zahllosen Briefe an ihn gerichtet, so heilig war er ihr.

Sie eröffnete, was sie wußte, dem früheren Schuster, der ursprünglich ihresgleichen war. Zamet betrat schnell mit ihr das verschwiegene Gemach, worin einst Gabriele d'Estrées geruht, noch ein wenig geruht hatte, bevor die Schrekken ihres Endes einsetzten. Der Schuster und die galante Dame seufzten zusammen über den König. «Jetzt kommt auch sein Stündlein», flüsterte der reiche Mann. Die arme Frau in ihrem gläsernen Glitzerzeug glühte von leidenschaftlicher Zuversicht.

«Er wird es erfahren und sich vorsehen. Nur der Zugang zu ihm! Zamet, du mußt mit ihm reden.»

«Escoman, du hältst mich für stärker, als ich bin. Ein Wort zu viel, und sie besorgen es mir selbst.»

«Zamet, was fürchtest du? Er ist der König, du hast seinen Schutz, wenn du ihm sagst, daß sein Mörder wieder hier ist.»

«Escoman, erstens ist der König nicht mehr derselbe. Er ist höchst reizbar infolge seiner schweren Sorgen. Nimm hinzu: er wollte immer geliebt werden. Jetzt überwältigt ihn der Haß, ein Leben unter soviel Haß, ich kenn ihn lange: er hängt daran nicht.»

«Zamet, ich liebe ihn. Wir beide lieben ihn. Jeder, der weiß, daß sein Mörder wieder hier ist, wird ihm aus Liebe die Wahrheit sagen.»

«Escoman, wie viele haben ihm wirklich die Wahrheit hinterbracht, nachdem du sie ihnen mitgeteilt hattest? Bedurften gewisse Personen auch nur der Aufklärung?»

«Zamet, das hätte ich dir nicht zugetraut. Du läßt durchblicken, daß die Königin von dem Mord weiß und ihn mitverantwortet.»

«Escoman, schweig um Christi willen, oder ich müßte dich zu unserer Sicherheit in meinen untersten Keller einsperren.»

«Zamet, bei deinen Geldsäcken. Aber sind sie noch dort? Mehrere Kostbarkeiten find ich in deinem Hause nicht mehr. Denkst du schon an deine Flucht?»

«Escoman, sieh nur das Erlaubte, überhöre, was verboten ist. Die Königin kennt sich nicht vor Rachsucht, weil ihr Concini von den Richtern des Königs verprügelt und den Tag über in Haft behalten worden ist für seine Frechheit; der König freut sich. Das besiegelt sein Geschick.»

«Zamet, die Königin ist von einer ihrer Frauen unterrichtet worden, daß ich ihr zum Heil des Königs das Allerwichtigste sagen muß. Die Königin hat eingewilligt, wie nicht anders zu erwarten. Morgen läßt sie mich vor.»

«Escoman, heut ist die Königin auf das Land verreist.»

«Zamet, wenn du es nicht wärest, der das sagt. Nein und nein, die Königin wird morgen zurück sein. Ich hatte ihr angeboten, sie könnte Briefe auffangen, die morgen nach Spanien abgehen.»

«Escoman, ich bitte dich, entschuldige mich. Ich wäre zu einem Opfer bereit, wenn du über alles, was in diesem Zimmer gesprochen wurde, tiefes Schweigen bewahrtest.»

«Zamet, dein Geld macht mich nicht glücklich. Es hilft dir selbst nicht.»

«Escoman, ich denke schon die ganze Weile an eine Person, die dich anhören würde. Deine Absichten begegnen wahrscheinlich den ihren, was nicht bedeutet, daß sie gegen das Schicksal mehr vermag als du. Aber du sollst sie in meinem Hause antreffen – ich sage nicht wann, noch welche Person. Du mußt sie herausfinden. Jetzt in allem Ernst: ich bitte dich, entschuldige mich.»

Die galante Dame kannte einen Jungen aus dem Ministerium, der für sie die Briefe stahl. Es waren zwei Jungen; aber der erste, der ihr von den furchtbaren Briefen erzählt hatte, damit seine Umarmung wertvoller würde, lehnte nachher ab, sie zu beschaffen. Auf alle ihre brennenden Vorstellungen wegen des grauenhaften Verbrechens, das er aufhalten möge, erwiderte dieser beamtete Jüngling: «Brot schmeckt süß – überall, liebe Dame.»

Sein Freund, den sie nicht beachtet hatte, steckte ihr im Gewühl der Straße etwas zu, sah dabei weg, war schon untergetaucht. Als sie nachher das Päckchen öffnete, fiel sie auf ihr Bett, ihr Herz wollte zerspringen vor übermäßiger Freude. Sie sah den König gerettet. Aber sie sah nicht, wie. Der unverhoffte Erfolg, an den sie nur mit Mühe glaubte und betastete immer die Briefe: für das Folgende machte er sie ratloser als vorher. Wäre sie in das Arsenal zu Herrn de Sully geeilt? Natürlich hatte sie ihm längst geschrieben, hatte ebenso gewiß keine Antwort bekommen. Jetzt ihm die Briefe zeigen, die gestohlen sind? Sie hielt ihn für einen grausamen Herrn; sie schob es auf.

Sie nähte die Briefe in ihr Unterkleid, ging zu den Jesuiten nach der Straße Saint-Antoine und verlangte den Vater Cotton. Woran sie nicht dachte: wenn der Mörder des Königs stadtbekannt war, seine Retterin blieb auch nicht im Dunkeln. Sie wurde grob angefahren, Cotton verhielt sich unsichtbar. Der Vater Prokurator empfing sie, ließ sie reden, aber von den eingenähten Briefen schwieg sie wenigstens. Ihren bewegten Bericht empfing er wie die gleichgültigste Sache. Eiskalt wollte er sie hierauf entlassen; in Frieden sollte sie gehen auch noch. Das gab ihr den Rest, sie brach aus. «Den König laßt ihr sterben und du Hund willst weiterleben?»

Sie schlug dem ehrwürdigen Vater in das Gesicht, wovon er auf einmal sanft und umgänglich wurde. Was sie vorhabe, wollte er wissen. Escoman: «Auf den Eckstein steigen. Das Volk gegen euch hetzen, ihr Mörder. Mörder!» schrie sie hinter den dicken Mauern, die nichts hinausließen.

«Beruhige dich, meine Tochter. Ich selbst will nach Fontainebleau zum König reisen.»

«Ist es auch wahr?» fragte sie, war aber nur zu sehr geneigt, ihm zu glauben. Es ist unmöglich, daß Menschen entsetzlicher sind als reißende Tiere. Man muß nur ihr schwaches Herz beschleunigen, wäre es mit Ohrfeigen.

So ging sie denn, ohne zu bemerken, daß einer ihr folgte auf Schritt und Tritt, den ganzen Tag. Ein anderer eilte von dem Hause der Gesellschaft Jesu nach dem des Herzogs von Epernon. Es war den achten Mai. Der König befand sich nicht in Fontainebleau, zu dieser Stunde wandelte er mit dem Dauphin hinter den hohen Hecken seines Gartens, während die Königin und der Gesandte verschiedene Geschäfte verrichteten. Zwei Straßen schneiden einander. Escoman stieß auf ihren früheren Mieter.

Er ließ die Überraschte nicht erst zu Wort kommen; als hätte er sie gestern gesehen, fuhr er fort, wo er damals aufgehört hatte. Seine große Tat sei allernächstens angesetzt, er habe den Auftrag, er habe die Macht. Sein zartes Gewissen stimme endlich zu. Dies, seitdem er in seiner Heimat seine fromme Mutter erblickt hatte, wie sie das Abendmahl empfing. Ihm, dem Königsmörder, war die heilige Kommunion versagt. Seiner Mutter in ihrem Zustand völliger Sündenlosigkeit hatte er sein Verbrechen überschrieben, es ist aus der Welt, er muß auch die Hölle nicht fürchten. Wenn doch, findet er dort die berühmten Gestalten seinesgleichen.

Sie erwiderte, daß er allerdings gelernt zu haben scheine, wie man in faulen Prozessen einem anderen die Schuld zuschiebt. «Aber hüte dich! Du wirst erfahren, daß jemand dir zuvorgekommen ist.»

«Doch nicht du? Überall sagt man, daß du inzwischen verrückt geworden bist.» Hiermit ließ er sie stehen. Ihr Gesicht war auf einmal von Tränen überschwemmt. Eine Sänfte wurde leer vorbeigetragen. Sie stieg ein und nannte ihr Haus. Sie machte sich schön und prächtig, wie sie nur konnte; diesen Abend wollte sie bei Zamet sein.

Auch die Königin von Navarra dachte heute an die Spieltische des Finanzmannes. Er hatte sie wissen lassen: wenn es ihr für die Partie an Geld fehle, er werde die Ehre haben, einen Beutel vor sie hinzulegen. Das war das wenigste, obwohl sie ihre Mittel, wie gewöhnlich, vor der Zeit erschöpft hatte, und fand zu dem König, ihrem einstigen Gemahl, durchaus keinen Zugang mehr. Indessen weiß sie: beschlossen ist sein Tod.

Oh! Sie weiß es wie andere auch. Was so vielfach bekannt ist, wird wahrscheinlich nicht bis zur Ausführung gelangen. Als sie selbst vormals dem König einen Mörder zuschickte, hat sie heimliche Maßnahmen getroffen, aber mißlungen ist es doch. Durch große Gnade ist er erhalten geblieben. Daß nur auch diesmal der Anschlag fehlginge! Ihren Hausgeistlichen ließ sie Messen lesen für das Heil eines Lebenden, den sie mit Namen nicht nannte. Sie sprach währenddessen innig: «Herr, noch diesmal! Das eine Mal noch!» Margot in ihrem Herzen betete, daß sie nach dem Aussterben ihres ganzen Hauses den Gefährten ihrer Jugend behalten möge, nicht verwaist sein möge bis auf den letzten.

Den Zwanzigjährigen, den sie kürzlich aus der Provinz verschrieben hat, sie schickt ihn fort. Ihr Sinnen und Trachten betrifft Henri allein.

‹Er läßt mit sich nicht sprechen. Was sollt er mir auch glauben nach dem Anschlag, den ich selbst schon gegen ihn unternommen habe. Margot, diese Ohnmacht! Henri, mein Freund, erkennst du deine Feinde nicht? Kann doch jeder sie dir herzählen, aber man schweigt, es ist die Verschwörung des Schweigens, und ich, die reden will! Schreib ich ihm nun, daß die Königin seine Frau – Er weiß es. Wenn einer nur glauben wollte, was er weiß. Übrigens bekäme er meinen Brief nicht. Er umgibt sich mit seinen Gendarmen vom Hause des Königs. Früher schützte ihn sein Wille, zu leben. Er wollte es äußerst. Henri, dich erkenn ich nicht mehr.

Sie werden nicht wagen, ihn zu töten. Die ganze Stadt ist im Geheimnis, sie leidet die Untat nicht, der Aufruhr bräche aus. Den Mörder zeigt man mit Fingern. Auch treibt eine Frau sich umher, die will dem König das Leben retten. Ich geh vor. Das Recht, das mein letztes ist, darf keine mir nehmen. Warum klopft sie überall an, findet aber zu mir nicht.›

Madame Marguerite von Valois fuhr nach dem Hause der gelanten Dame Escoman. Diese war bei Zamet, wie man ihr sagte. Sie nahm denselben Weg, wurde mit ausgesuchten Ehren empfangen und in den Saal der hohen Gäste geleitet von dem Hausherrn, der ihr den Beutel reichte. Ihre Partner waren die Herren d'Epernon und de Montbazon – als vierte eine Dame, die man nicht kannte. Der Herzog von Epernon benachrichtigte die Königin von Navarra leise, daß sie eine Fremde und sehr reich wäre. Vielleicht hatte er dies von dem Hausherrn und glaubte es. Den Beutel, aus dem die Fremde das Gold schöpfte, fand Margot dem ihren ähnlich. D'Epernon, der auf seiten der Königin spielte, beging Fehler über Fehler, vor der Fremden häufte sich der Gewinn. Plötzlich wollte sie aufstehen, da verstellte der Gichtische ihr mit beiden Beinen den Ausgang; er forderte Vergeltung. Die Leute um ihre Barschaft erleichtern, dann abhauen, das fehlte noch.

Escoman setzte sich wieder hin. Escoman und Margot faßten sich ernstlich in das Auge, da erkannten sie einander. Escoman sah: diese ist die hohe Person, die mir helfen will. Sogleich wird sie den beiden Kavalieren befehlen, uns zu verlassen; wir sprechen das Wort, der König ist gerettet. Margot bemerkte: die galante Dame von wohlerhaltenen Formen, wie man sie kennen will, ist dies nicht – ist aber die Rechte. Sie hat ihre Fleischlichkeit eingebüßt, die Wangen sind hohl. Um so weniger blickt sie als Geschlagene, vielmehr entflammt. ‹Die gibt mir das Beispiel, nicht nachzulassen trotz Verhöhnung, Müdigkeit, Gefahr.› Margot öffnete den Mund – genau hier sprach der Hausherr sie an. Er stand weit übergeneigt, dem Boden nahe, nur Margot auf ihrem Platz fand sein Gesicht; sie verglich den alltäglichen Zamet mit diesem vernichteten. Er stammelte: «Madame, verzeihen Sie die Unterbrechung Ihrer Partie. Ihre Partnerin sucht eine gewisse Person, und diese ist eingetroffen.»

«Ich weiß es am besten», sagte Madame Marguerite von Valois. «Wir sind da», sagte sie, Auge in Auge mit Escoman.

«Die erwartete Person steht draußen», brachte Zamet schwach hervor.

«Ha? He?» machte der Taube.

Escoman sprang auf, sie riß Herrn de Montbazon mitsamt seinem Stuhl aus dem Weg und flüchtete – die Fülle der Säle verschlang sie alsbald.

Montbazon fragte, die Adern angeschwollen: «D'Epernon, warum hab ich mit der Fremden alles Gold gewonnen und sie läßt es im Stich?»

Anstatt einer Antwort lachte der Verräter sein heimliches Kichern, er raffte den Gewinn zusammen, alles schob er vor Madame Marguerite hin. «Kann sein, sie braucht es nicht mehr», sagte er schließlich. Margot warf ihm mit vollen Händen das Gold ins Gesicht; eilends brach sie auf, der Verschwundenen nach. Die blieb für immer verschwunden.

Escoman wollte durch die Schauküche entkommen: dort wartete der Polizeileutnant. Sie rannte ihn um, lief aber mitten in andere Gestalten, die warfen dicke Tücher über ihren Kopf, sie wurde eingeschnürt.

Aus ihrem Gefängnis hat sie fertiggebracht, noch immer Warnungen und Rufe zu erlassen; den einen übernahm der Apotheker der Königin. Marie von Medici hat ihn vernommen. Ihre kostbaren Papiere, Escoman erreichte mit ihnen den Minister Sully. Der hat sie dem König nicht vorenthalten, nachdem er allerdings die gefährlichen Namen daraus entfernt hatte. Der erste gehört der Königin: nun ist ihre Krönung unvermeidlich. Der König reitet durch die Straßen von seinen Gendarmen beschützt. Wenige Tage, er zieht in das Feld. Kein Grund, ihm vorher sein Kommen und Gehen noch mehr zu verleiden.

Vom Schicksal ausersehen, die schriftlichen Beweise aus dem Gefängnis der Retterin zu tragen, war das Fräulein de Gournay, Adoptivtochter des Herrn Michel de Montaigne. Dieselben Begegnungen lebenslang, jetzt versammelt man sich, Henri, um Ihr Ende. Der Weiseste Ihrer Toten schickt die letzte, vergebliche Meldung.

Der Herr naht

Die Gendarmen vom Hause des Königs waren eine neue Truppe, sie bestanden noch kein Jahr, erst, seitdem der König in seiner Hauptstadt sein Leben bedroht wußte. Ihre Standarte war aus weißer Seide golden bestickt mit einem Blitz als Zeichen und dieser Inschrift: «Quae jubet iratus Jupiter.» Überall, wo Jupiter in seinem Zorn es befiehlt – sind die Gendarmen vom Hause des Königs. Sein Zorn, die Drohung mit dem Blitz, die Hauptstadt erkannte ihren König Henri nicht wieder. Ihre Straßen hatten ihn lange unbegleitet gesehen, zu Pferd oder zu Fuß. Er fragte die Leute aus. Wer ihn am Mantel zog, den hatte er unter seinem Blick gehalten. Ein Messer war einer Hand entfallen, der König war weitergegangen.

In einem Hof des Louvre wurde ein Maibaum gepflanzt, stürzte aber dreimal um. Der König sagte: «Ein deutscher Fürst würde daraus ein schlimmes Vorzeichen machen, seine Untertanen würden fest glauben, daß er sterben soll. Ich verliere meine Zeit nicht an Aberglauben.» Der Arzt Labrosse ließ ihn vor dem Tag des vierzehnten Mai warnen, er bot dem König an, seinen Mörder im voraus zu beschreiben. Ein Kunststück wäre es nicht gewesen. Henri zuckte die Achseln. Er besichtigte seine Regimenter, die alten Hugenotten, die Kämpfer von Ivry, die französischen Garden des tapferen Crillon, seine Schweizer. Täglich schickte er Truppen nach den Grenzen des Königreiches. Er selbst war gesonnen, sie als der letzte zu überschreiten, auf die Gefahr, daß er's versäumte. Der König flieht keine Menschen, gesetzt, er könnte sein Geschick fliehen. «Fröhlich meinem Geschick entgegen», hat er gesagt.

Er ließ niemand an seine Person außer Soldaten. Als Abschluß des Tagewerkes blieb ihm sein Großmeister, ihr Kriegsrat im Arsenal. Alles, was diese beiden aufzeichneten von Entwürfen und Befehlen, wurde dort verwahrt, bis es unter die Verantwortung der Befehlshaber gelangte. In dem Kabinett des Königs wäre nichts gefunden worden, er betrat es selten. Einmal allein in seinem Kabinett, vereinsamte er tief – er fürchtete sogar, für immer. Der schwere Tritt seiner Gendarmen hinter den Türen half nicht mehr, was kann ein äußeres Aufgebot gegen das Versagen eines Innern.

‹Nicht alles ist falsch. Man sagt uns in das Gesicht: Verbraucht. Man spricht, flüstert, verschweigt: Greis, begehrlich, überlebt, dem neuen Zeitalter nicht gewachsen. Wir wären ihm sogar überlegen und auch anderen Zeitaltern noch, das wissen wir. Unsere Belehrungen waren von allen Stufen, so viele der Mensch empfangen kann jetzt und künftig. Es sind der Zweifel und der gute Wille. Es sind die Erschlaffungen, Strafen, Erhebungen, Siege, das Übermaß und die Bescheidung. Nichts zu verachten, war uns eingepflanzt, wie wären wir zuletzt der einfache Mann geworden. Die Nachwelt wie auch die Wahrheit verlangen nach dem einfachen Mann, der vorher heikle Wege gehen mußte. Heut aber? Hier aber? Der Tritt der Gendarmen beweist allein, daß wir da sind. Wir werden nicht mehr lang verweilen.

Man verbrenne seine Kraft nicht vor der Stunde der Nacht. Der Herr naht, und die Seinen schlafen. Herr, was sollt ich aber tun, Dich frei von Schuld zu erwarten. Du strafst mich mit dem, wodurch ich gefehlt habe. Ich mußte nur weniger lieben, spielen und die Menschen gestalten, so wär ich nicht müde über meine Jahre. Wollt ich Dich fragen: wie reimt das? Die Sinne sollen dumm geblieben sein, indessen der Geist erregbar genug ist, um endlich einen Großen Plan zu fassen? Du würdest mir raten, Herr, mich vollends zu bescheiden, ob ich Dich anginge mit Fluchen oder Beten. Ich lasse Dich denn. Du magst mich nachher segnen.›

«Wär es schon soweit», sagte Henri, da betrachtet er das Skelett als Ackermann. Es war gegen Morgen, eine letzte Kerze flackerte vor dem Bild, bevor auch sie erlosch. «Wär es soweit», sagt Henri.

Am dreizehnten war die vorgesehene Krönung der Königin Marie von Medici, Regentin des Königreiches. In Saint-Denis, nach dem Ablauf der Handlung, stellte Henri der Menge, die zugegen war, den Dauphin als ihren König vor. Wie immer zu den Zeiten des Königs Henri, gehörte der Schauplatz dem ganzen Zudrang ohne Unterschied, alle Stände, das Volk, soviel herausgewandert war. Bei den Gemeinen entstand die erste Bewegung, als Henri vor sich hin den Dauphin schob und laut sprach: «Das ist euer König.» Die gemeinen Leute oder auch die ehrbaren begriffen nicht. Die Vornehmen dachten: Er will gesagt haben, daß die Regentschaft vorbeigeht. Er und seine Nachkommen bleiben. Dies wurde bestätigt durch die Regentin selbst. Vorher war der Dom nicht weit, nicht hoch genug gewesen für ihren Prunk und Stolz. Auf einmal weinte sie.

Ihre Freude ist zweifellos in Tränen übergelaufen, weil sie wußte: der neue König Louis, für den sie regieren wird, besteigt den Thron schon bald. Da wenige unterrichtet waren, erstaunte man wohl. Ein König, der oft auf kriegerischen Reisen nach vorgesetzten Zielen ist, scheint diesmal abzudanken und aufzubrechen mit unbekannter Bestimmung. Nun wird es dem einzelnen schwer, sehr lange gefaßt zu bleiben auf Ereignisse, die den einen oder anderen Namen führen: schrecklich ist jeder. Eine Masse erträgt es ganz und gar nicht. Der König Henri ist der Mann des Volkes, nur will es seiner sicher sein. Nicht ungestraft läßt man ein Volk um das teuerste Leben zittern. Hier in dem Dom sahen viele nach dem Mörder umher. Sie hätten ihn zerrissen, der Spuk wäre aus gewesen. Um der öffentlichen Ruhe und Erleichterung willen war man zufrieden, daß der König wenigstens nicht fortzog aus dem Königreich, ohne daß er seine Nachfolge bestellte. Die Krönung der Regentin endete mit einem großen Aufatmen, ihr selbst kam es am wenigsten erwartet. In all ihrem Triumph hatte sie reichlich gezittert und Krämpfe verspürt. Noch zehn Minuten länger durfte er nicht dauern.

Als Marie von Medici, die Krone auf dem Kopf, in den Louvre zurückkehrte: wer bespritzte sie vom Balkon herab mit Wasser? «Madame Regentin», nannte er sie dabei. Wütend rief sie ihm zu: «Der Immerlustig, jetzt kann er zu seiner Löwin gehen.» Das war eine Sängerin, ihr Gesang übertraf alles, drei Nachtigallen sollten vor Gram gestorben sein. Überdies erfuhr Marie, daß sie eigentlich die Regentschaft nicht haben sollte; sie wurde nur ein Mitglied des Rates, die anderen Stimmen galten nicht weniger als ihre. Vorauszusehen war, daß die Stimme des Herzogs von Sully schwerer wog. Ihm hat Henri gestanden, daß er von der Krönung der Königin das äußerste Unglück befürchtete. Das konnte er wohl sagen.

Der letzte, der ihn an diesem Dreizehnten warnte, war sein Sohn Vendôme, der Sohn Gabrieles. Henri nahm freundlich den Arm des dicken jungen Menschen; er führte ihn durch den großen Saal, den alsbald alle räumten. Der Hofstaat verhielt sich düster, sogar wer dem König ergeben war. Aus bloßer Gedrücktheit versäumte man, zu horchen. «Was verlangst du?» fragte Henri den Sohn Gabrieles. «Sieh, deine Mutter, meine teure Herrin, hat alle Voraussagungen geglaubt. Ich teilte ihre Ängste bis in den Traum hinein. Zuletzt starb sie nicht vergiftet, sondern ihres natürlichen Todes. Für ihn hatte sie sich heimlich reif gefühlt. Wir machen nur zum Schein den Wettlauf mit dem Mörder. Die Schnelleren sind wir gewiß.»

«Sire! Mit Freuden verstehe ich, daß Sie sicher sind, allen Anschlägen zu entgehen. Aber diese Nacht zum Vierzehnten ist die verhängnisvolle» – hierbei beharrte Cäsar.

Henri hat sie gut verbracht; die Königin mußte des öfteren ihr Bett verlassen. Am Morgen des Vierzehnten betete er länger als sonst. Der Tritt seiner Gendarmen störte ihn, er war versucht, sie fortzuschicken. Die Königin trat bei ihm ein, was nicht mehr ihre Gewohnheit war. Sie berichtete von einem Albdrücken, ihn habe sie als Leiche an ihrer Seite gefühlt.

«War ich eine böse Leiche?» fragte er etwas zu schroff: sie erschrak, sie war erkannt. Ihr Albdruck hatte sie im Wachen heimgesucht. Wahrträume quälen keinen, der zuviel weiß und davon ohne Schlaf ist. Henri sagte: «Unbesorgt, Madame, um mein Leben! Drei Tage, dann reit ich in das Feld, nehme meine Garden und Gendarmen mit.»

Die Königin schwankte, sie suchte nach einem Halt; den Arm ihres Gatten umfaßte sie nicht. «Drei Tage nur?» wiederholte sie. Ihr Verhalten konnte von der Sorge um sein Leben herrühren – gesetzt, daß keine andere Befürchtung es bestimmte. Wie leicht kommt man zu spät, wenn für ein spannendes Vorhaben nur drei Tage bleiben.

Sie war hier uneinig mit sich selbst. Plötzlich bat sie Henri, er möge diesen ganzen Tag zu Hause bleiben. Sein Sohn Vendôme lasse es ihm sagen. So stand es mit ihr: sie war gedrängt, ihn aus der Gefahr zu halten, wollte es nicht getan haben, tut es dennoch, schob aber einen anderen vor. Henri wendete ein, daß die verhängnisvolle Nacht vorüber sei. Marie: «Der Tag heute ist in Wahrheit verhängnisvoll – sagt Ihr Sohn Vendôme, und hat es von dem Arzt Labrosse, den Sie hätten anhören sollen.»

Henri denkt für sich: ‹Hätt ich ihn nun angehört, er wollte mir den Mörder beschreiben. Wohin hätte die Spur zuletzt geführt? Die Königin tut mir leid, sie ist eine arme Frau.› Er reichte ihr die Hand. Unserem Leben, das er noch mehr bedauerte, konnte er die Hand nicht geben. Als sie die ihre hineingelegt hatte, war sie am Niedergleiten. Einmal auf den Knien, würde sie gestanden haben. Das wollte er nicht, er hielt sie bei den Armen aufrecht. «Madame», sprach er, «Sie sollen sich nicht vorwerfen müssen, daß Sie mich veranlaßt haben, aus Furcht zu Hause zu bleiben. Aber ich will allerdings ausruhen.»

Nach dem Mittagessen war er eine Weile recht lustig. Da niemand mit ihm lachen mochte, wurde er plötzlich müde, ohne daß es ihn schläferte. Er lag und fragte jeden, der eintrat, nach der Uhr. Seine Gendarmen und Diener kamen und gingen. Einer antwortete: «Vier Uhr», und vertraulich, wie die Niederen mit ihm sprachen: «Sie sollten Luft schöpfen, Herr.»

«Du hast recht, meinen Wagen», befahl der König. Vor sein Lager trat jetzt sein alter Erster Kammerdiener, Herr d'Armagnac; er spreizte die Beine, die Arme, mit seinem Leibe widersetzte er sich dem Aufbruch. «Herr! Sind Sie ermüdet und wollen nicht zu Pferd steigen, dann empfangen Sie lieber in dem großen Hof die Bauern, die gekommen sind und Sie erwarten.»

«Du hast recht», sagte Henri auch dazu. «Das wird mich erfrischen.»

Drunten erkannte er alsbald, welche Bauern es waren: dieselben, an deren

Tisch er einst gesessen hatte auf seiner sumpfigen Wiese. War mit einem Fieber bei ihnen eingetroffen und ungnädig mit ihnen verfahren, weil sie einen unnützen Wanst für sechs essen ließen, sie selbst aber darbten. Diesmal fuhren sie einen Kasten herbei: Geflügel hätte darin sein können. Durch die Zwischenräume der Latten sah man aber ein menschliches Wesen kauern; auf Fragen antwortete es mit Lauten, die niemals vernommen waren.

Der König bemerkte unter den Männern einen in schmutzfarbener Wolle; der zeigte nunmehr Verkrümmungen, als das Ergebnis von Jahren und Jahrzehnten derselben Griffe, Lasten und eines einförmigen Zwanges in Haltung und Gang. Vormals war er wohlgestaltet gewesen wie ein Edelmann, hatte sich auch vermessen, mit einem Edelmann um sein Mädchen zu kämpfen. Das täte er nicht mehr. Auf das Geheiß des Königs sagte er aus, daß in dem Hühnerkäfig sein eigener Bruder sitze, Jules Simon. War immer fleißig gewesen bei dem Graben im Acker, bis die Lepra ihm den Mund wegfraß und seine Augen blind wurden.

«Dahin ist es gekommen?» sprach Henri. «Muß immer jemand euch auffressen, früher der Mann, der für sechs aß.» Er bedachte: ‹Wollte ich sie fragen, ob sie des Sonntags ein Huhn im Topf haben, gewiß antworteten sie mit ja. Denn ich soll ihren Leprakranken ernähren.› Sein Erster Kammerdiener mußte nachzählen, wieviel Geld zur Hand wäre. «Vierundsiebzig Taler», sagte d'Armagnac, und Henri: «Gib sie ihnen.»

Da knieten alle hin aus Ergriffenheit über eine Summe, von der jeder gelebt hätte; sie sollte aber einem nur helfen, zu sterben. Der Älteste, seine weißen Haare bedeckten ihm die knotigen Schultern, er war nach seinem Aussehen siebzig Jahre alt, der König zog zwanzig davon ab – der Fünfzigjährige sprach: «Unser guter Herr König, auf einer Jagd im Vorbeireiten sahen Sie mein Haus, daß es einstürzen wollte. Da gaben Sie Weisung, es aufzurichten, bezahlten sogleich dreißig Pfund und noch vierzig Groschen für das Essen.»

«Ha!» rief der König. «Hab ich bei dir gegessen. Welchen Tag und was?»

«Am Sonntag, ein Huhn.»

Henri lacht auf, sein letztes fröhliches Lachen. Er winkt, will gehen, bleibt mit angesetztem Fuß auf der Stelle. Grausames Abschiedgeben, o Tag voll Schmerz. Der große Hof war von seinen Gendarmen umstellt. Ihr Hauptmann trat herbei, er meldete den befohlenen Wagen. Die Herren, die mitfahren sollten, wären bereit.

‹Was hab ich befohlen, wen bestellt?› Aber er widerrief nichts. Herr d'Armagnac forderte, jugendlich, wie er irgend vermochte: «Sire! Nehmen Sie mich mit.»

«Nicht einmal meine Gendarmen», entschied Henri. «Was würden meine Bauern sagen. Dies Volk und ich. Wo ist die Königin?»

Er kehrte noch einmal in die Zimmer zurück. Marie von Medici war nicht aufzufinden.

Als er schon fortging, trat ein einarmiger Offizier ihm in den Weg. «Sire! Vor Montmélian bekam ich eine Kugel. Ich bin entlassen und verschuldet, noch heute soll ich eingesperrt werden. Ersparen Sie Ihrem Soldaten das Unglück und die Schande.»

Der König: «Ich will Ihre Schulden bezahlen.»

Der Offizier: «Das können Sie nicht tun. Nur um meine Freiheit bitte ich.»

Der König: «Freund, ich lege deine Schulden zu den meinen und zahle für uns beide. D'Armagnac, geh in den alten Hof auf das Finanzamt, sag ihnen, wie ich's haben will. Bis ich zurückkomme, unterschreibe ich die Verfügung.»

Der Offizier: «Sire! Dann wär ich schon verhaftet, Sie müßten mich herausholen.»

Der König: «Die sollen Sie nicht finden, Kapitän. Wo sind Sie die nächste Stunde am sichersten?»

D'Armagnac, sehr leise: «In Ihrem Wagen, Sire!»

Der König sieht ihn an, er ist erbleicht. Er tritt von einem Fuß auf den anderen; zuletzt: «Kommen Sie mit mir, Kapitän!»

Die Fahrt nach dem Hafen

Durch die langen Gänge von Schloß Louvre zog ein entfernter Schrei, als der König mit seinem Offizier dahineilte – Heulen der Angst und der Freude, ein irrsinniger Überschwang, die zerrissene Natur. D'Armagnac hastete hinter dem König, er meinte, das wäre die Königin, jetzt hätte sie von sich hören gelassen. Henri erkannte die Stimme richtig: die Marquise de Verneuil – auch einmal gewesen, recht leibhaft dagewesen; bleibt jetzt aber als eine Stimme zurück.

Auf seinem Wege wurde der König noch mehrmals angehalten. Vitry, Kapitän der Garden, bat dringend, ihn begleiten zu dürfen. Wegen des feierlichen Einzuges der Königin, den man erwartete, seien die Straßen unglaublich voll von Fremden und Unbekannten. «Sie wollen sich bei mir einschmeicheln», beschied der König ihn; «Sie bleiben viel lieber bei den Damen.» Auf der Treppe von seinem Kabinett nach dem Ausgang begegnete ihm die Herzogin von Mercœur, Marschall de Bois-Dauphin, auch einer seiner Söhne, Anjou. Er hatte eine Anrede für jeden, dachte aber an seine Worte nicht. Er dachte: ‹Wohin eigentlich? Warum nur?›

Herrn de Praslin, wieder ein Gardekapitän, der ihm seinen Schutz anbot, antwortete er nicht mehr freundlich – vergewisserte sich aber von der Seite seines einarmigen Offiziers. Der war zur Stelle und war verwandelt, gestraffte Miene, die Haltung angespannt. Er hatte verstanden. ‹Was gibt es zu verstehen?› fragte Henri bei sich. Der Anblick seiner Mitreisenden konnte viel mehr beruhigen. Sie warteten neben dem sehr umfangreichen Gefährt und unterhielten sich von dem Wetter. Da sind die alten Kameraden Lavardin und Roquelaure, an ihnen ist kein Falsch. De la Force ist gestern Marschall geworden, er brennt darauf, nach den Pyrenäen abzugehen. Noch drei vertraute Gestalten, und als letzte d'Epernon, ihn weiß man lieber hier als anderswo.

Der König nahm an seine rechte Seite: d'Epernon, Lavardin, Roquelaure, links setzte er die Herren de Montbazon und de la Force; das macht mit dem König sechs Personen, eingeengt auf der vorderen Bank der weitläufigen Karosse, die alsbald knarrte und schwankte. Gegenüber war Platz für zwei oder drei. Ein dritter versuchte einzusteigen, der einarmige Offizier. «Wer sind Sie?» schnob der Marquis de Mirebeau, er stieß den Mann vor die Brust. «Sire! Vorsicht mit Unbekannten», sagte Roquelaure. Der König wollte sprechen, da reichte sein Nachbar Montbazon ihm einen Brief und jemand befahl die Abfahrt, vielleicht sein anderer Nachbar, d'Epernon. Als die Pferde anzogen, wurde der Einarmige umgeworfen. Er kam hoch, lief dem Wagen nach, endlich gelang ihm der Sprung auf den Kutschbock. Der König ließ hiernach den Mantel des Wagens auf allen Seiten öffnen. Er gab vor, daß er zu betrachten wünsche, wie für den Einzug der Königin die Stadt geschmückt wäre. Der einarmige Offizier saß nach ihm umgewendet.

«Welcher Tag ist heute?» fragte Henri plötzlich. «Der Fünfzehnte», wurde geantwortet. «Nein, der Vierzehnte», verbesserte ein anderer. «Zwischen dem Dreizehnten und Vierzehnten», erinnerte Henri sich leise. Mehrere Diener liefen mit dem langsamen Gefährt, während in Höhe der Pferde die Stallmeister ritten. Einer fragte anstatt des Kutschers, wohin es gehen sollte. «Nur hinaus», befahl der König. Sooft der Kutscher um bestimmte Weisungen bitten ließ, nannte der König ein Gebäude, eine Kirche. Im Sinn hatte Henri das Arsenal, das verrät er nicht. Man könnte dem Wagen zuvorkommen.

Die Straße de la Ferronnerie ist schmal, volkreich, für Fuhrwerke schwierig, aber sie müssen hindurch. Sie ist die Fortsetzung der Straße Saint-Honoré. Wo die eine in die andere mündet, bemerkte Henri einen Herrn de Montigny. Einst hat er diesem gewöhnlichen Höfling anvertraut, daß er tot sein möchte. Hat bekannt, daß er die Einsamkeit, die wahre Stille des Gemütes suchen würde. Hat aber verbessert und gebilligt: «Die Fürsten haben auf diesem Meer keinen andern Hafen als das Grab, und in voller Tätigkeit müssen sie sterben.» Hier, bei der Einfahrt in die Straße, die nicht fern seinem Hafen ist, ruft er: «Ihr Diener, Montigny, Ihr Diener!»

Die Straße wurde bei dem Nahen der königlichen Karosse von einer Menge Volkes eingenommen weit über den üblichen Verkehr. Die Leute drückten einander gegen die Mauer des Klosters zu den Unschuldigen, als wäre der Paß nicht genug verengt durch die Läden und Buden am Fuß der Mauer. Alle entblößten die Köpfe, blickten ratlos wie Verirrte, und schwiegen, schwiegen. Vor dem Haus zum Salamander entstand eine völlige Sperre durch zwei Lastfuhren, eine mit Heu, die andere mit Wein. Der Kutscher der Karosse mußte ohne viel Beistand das Hindernis überwinden, die meisten Stallmeister und Läufer umgingen es, sie benutzten als Durchgang den Friedhof des Klosters. Wenige von ihnen halfen die Lastfuhren aus dem Weg zu räumen. Ein Aufenthalt, kein gleich günstiger wird kommen, gesetzt, daß jemand seit Schloß Louvre dem Wagen gefolgt wäre und paßte auf seine Gelegenheit. Der einarmige Offizier dort vorn sitzt nach dem König hingewendet, ihm entgeht kein Haar, das sich bewegt, viel weniger ein Mensch.

Vorbei. Die Lastfuhren sind zur Rechten beseitigt, links streift die Karosse an ihnen vorbei – behutsam, um nicht anzustoßen. Der König erhebt das Gesicht gegen ein Haus, er ruft, man weiß nicht was, der Kutscher meint wohl, er solle achtgeben. Alle Insassen des Wagens sehen hinauf. Über dem Gewölbe ist das Wahrzeichen: gekröntes Herz vom Pfeil durchbohrt.

Der einarmige Offizier erschrickt, er hat sich vergessen. Wachen sollt er, da sein mit Aug und Hand! Zu spät, sieht er alsbald: es ist geschehen. Er springt zu Boden, will über den Mörder her. Dem wird schon das Gesicht mit einem Degenknauf bearbeitet. Der Herzog von Epernon ruft: «Achtung! Den Königsmörder nicht töten!»

Der Einarmige wird von seiner Wut gelähmt – war er denn unnütz, ein verdorbener Wächter, geprüft und zu leicht befunden, den einzigen Tag seines Lebens, der zählen wird. Wozu jetzt reden, obwohl er nach dem Augenschein und seinem Gewissen bezeugen könnte, was für alle bis jetzt in der Wirrsal und im wüsten Schauder liegt. Der Mörder ist hinter dem Wagen hervorgekrochen, während der König hinaufsah: gekröntes Herz vom Pfeil durchbohrt. Hinaufgesehen haben alle, nur einer nicht, der Herzog von Epernon – der den Mörder erwartete. Der König, während seine Augen erhoben waren, hielt den Arm um den Hals des Verräters, er hatte ihm einen Brief zu lesen gegeben; das dient dem Herzog, den Kopf zu rücken, ob sein Mann kommt. Seinen anderen Arm stützte der König auf die Schulter des Herrn de Montbazon. Von dieser Seite stieß der Mörder; infolge der Haltung des Königs verletzte er ihn zuerst nur äußerlich.

Der König hat den Arm von der Schulter des Herrn de Montbazon genommen. «Ich bin verwundet», hat er gesagt, und empfing in die Brust, die jetzt ungeschützt, frei dargeboten wurde, den zweiten Stoß. Der war der rechte, endgültige, er drang in die Lunge und zerschnitt die Aorta. Der dritte, verspätete traf einfach den Ärmel des Herrn de Montbazon. Dieser hat entsetzt gefragt: «Sire! Was ist denn?» Der König, schwach, aber deutlich: «Es ist nichts» – da schoß ihm das Blut aus dem Mund, und de la Force schrie auf: «Sire! Denken Sie an Gott!»

Die Begleiter des Königs, bis auf de la Force, verließen ihn, sie richteten alle ihre Tätigkeit auf seinen Mörder. Das blutige Messer war ihm entrissen, aber er kämpfte mit den nackten Händen, ungeheuer starken Werkzeugen, gegen ein Gewühl von Körpern, die an ihm zerrten, ohne daß sie ihn umwarfen. Die Diener und ein Herr de la Pierre bändigten ihn zuletzt: da kam Montigny hinzu, Ihr Diener, Montigny, Ihr Diener; er empfahl den nahen Palast Retz, um den Mörder vorläufig zu verwahren. Die Reisegesellschaft mit vielen anderen zog dorthin als Bedeckung des Mörders.

Marschall de la Force blieb in dem Wagen allein mit dem sterbenden König. Über ihn breitete er seinen Mantel, in die Straße hinaus rief er: «Der König ist nur verwundet.» Zurückgeblieben war auch Herr de Gurson, der erste zur Stelle, der mit dem Knauf seines Degens dem Mörder die Nase zerschlagen hatte. De la Force trug ihm auf, die Straße zu räumen und die Pferde zu wenden. Was mit der Hilfe von Gutwilligen endlich gelang. Man umdrängte keineswegs dieses Gefährt, woraus hervor das Blut zu Boden tropfte. Schaudervoll und geschlagen stieß man einander rückwärts, gegen die Mauer, in die Gewölbe. Kein Wort fiel.

De la Force ließ den Mantel des Wagens auf allen Seiten vorlegen. Er und Gurson geleiteten den König, der hingestreckt war, die Augen geschlossen, mit gelb verfärbtem Angesicht. Durch die Straße Saint-Honoré führten sie ihn zurück nach seinem Schloß Louvre. Sie hatten ihm wenig nahegestanden; ihr letztes Verdienst um ihn tun sie redlich. Noch einmal rief de la Force hinaus: «Der König ist nur verwundet» – inzwischen aber rinnt aus dem Innern der Karosse über ihre hohen Stufen zu der Straße hinab mehr von dem Blut. Volk, es ist das Blut deines Königs Henri. Sie schwiegen, schwiegen. Die Karosse wankte, knarrte, setzte sich schneller in Lauf; hinter ihr blieb die dunkle Spur. Am Wege verstummen die Zuschauer der himmlischen Ratschlüsse und weltlichen Verwirklichungen. Sie nehmen bisher nur Kenntnis, das Gemüt voll Schrecken und Mitleid. Was wird daraus? Man weiß es nicht – abgesehen von einem einzelnen Vorgang.

Der Herzog von Epernon hatte andere den Mörder überwältigen lassen, heftige Bewegungen sind nicht seine Sache. Mit Zurufen war er dabei gewesen, besonders, daß man sich hüte, den Königsmörder vorschnell zu töten. Als man diesen abführte, wäre d'Epernon hinterdreingehinkt. Das Watteherz, dies fällt ihm gerade ein, hätte unseren Freund unsichtbar machen sollen, wie sonst üblich. Ein Herz aus Watte von den Vätern, mit einem Splitter darin oder keinem Splitter, gleichviel: unsichtbar, das konnte er verlangen. Aber erledigt. Den König haben wir gehabt. Erledigt. Hier fand er sich dem einarmigen Offizier gegenüber; ohne weiteres begriff er, daß er in der Gewalt des Feindes war.

Anzusehen ist der Feind unerbittlich. Er hat bei dem Ereignis seinen Hut verloren, seine Haare stehen eisengrau aufwärts. Die Nüstern sind unnatürlich geöffnet, der Mund ist verkrampft, unter den vorgerückten Brauen flammen seine Blicke kalt. Mit seiner einzigen Hand schlägt der entlassene Hauptmann dem Generalobersten den Hut weg. Aus den Ecken seiner Augen prüft d'Epernon noch schnell die Umstände: nichts zu hoffen von dem Volk an den Rändern der Straße. Da klatscht ihm auch schon der Auswurf des Hauptmannes in das Gesicht, ein zäher Fetzen, und bleibt hängen.

Der Hauptmann raucht wohl die Pfeife, sein Schleim ist so schwarz wie dick, jetzt klebt er dem Herzog von Epernon überall, auf Stirn, Augenlidern, den Wangen und Lippen. Die einzige Faust des Hauptmannes wird unter das Kinn des Schurken gedrückt. Das ist die Sprache, die geführt wird. Kein Wort, aber man begreift. Der Herzog von Epernon gehorcht dem Befehl, er humpelt in Richtung von Schloß Louvre, ein mühevoller Weg, am Boden die dunklen Spuren. Ihnen wäre er ausgewichen; die Faust gebietet: Tritt hinein! Dies Blut sollst du hintragen an deinen Füßen.

Von der Mauer, aus den Gewölben sind Gestalten vorgesprungen, jede für sich; haben auch ihre Fäuste geballt hinaufgehoben. D'Epernon hat anfangs versucht, sein bespienes Gesicht zu verstecken. Er ist belehrt worden, immer sprachlos, daß er es hinhalten und preisgeben muß. Gegen das Ende seiner Bahn hat er selbst nur den einen Gedanken gehabt: hinhalten und preisgeben, wer er ist. Der Hof soll ihn erkennen, die Königin vor ihm davonlaufen. Der König lebt nicht mehr, dennoch verheißt er seinem Verräter: hierfür wird er erwachen, ihn will er ansehen. Der eine gezeichnet vom Wahnsinn und der äußersten Schande, der andere im Zorn verfinstert, eisengrau und hart, so trafen sie bei der Wache des Louvre ein.

Die Soldaten waren herausgetreten, sie stießen die Kolben ihrer Gewehre auf den Boden. Sie verhielten sich stumm nach der Weise des Volkes in den Straßen und blickten darein, jeder wie der einarmige Hauptmann. Dieser tat am Fuß der großen Treppe den letzten Schritt; noch folgte er mit den Augen dem Herzog von Epernon, wie er hinanstieg, den Kopf hoch, das Gesicht, wie es war, zur Verfügung eines jeden, der hineinspeien wollte. Hiernach ging der entlassene und verschuldete Offizier in den alten Hof auf das Finanzamt.

Er sagte, daß eine Verfügung des Königs im Auftrag sei, und wäre der König von seiner Ausfahrt zurück, wollt er sie unterfertigen. Die Schreiber – vorher hatten sie nichts getan als herumstehen und wispern, auf einmal beeiferten sich alle. Baten den Herrn, niederzusitzen. Schickten einen Boten mit dem Papier. Versicherten dem Herrn: nur eine kurze Weile, seine Schuld ist getilgt. Er glaubte es nicht, sondern erwartete, verhaftet und abgeführt zu werden – in ein tiefes, lebenslanges Gefängnis, wohin man nicht für Schulden gelangt. Der Oberste des Amtes erschien aber selbst. Der tapfere Kapitän hat bezahlt. Der Offizier, den unser König liebte, ist frei.

Seul Roi

Henri ist noch einmal zur Besinnung gekommen, vielmehr ist der Schatten seines einstigen Bewußtseins zurückgekehrt, als man ihn aus dem Wagen hob. Es geschah unterhalb des Aufganges zum Zimmer der Königin. Man hat sogleich versucht, ihn mit Wein zu beleben. Herr de Cérisy, Leutnant in seiner Garde, hob ihm den Kopf, wobei der König mehrmals die Lider bewegte. Dann blieben sie geschlossen. Entfernt und ungefähr hat er bei jedem Öffnen der Augen eine Erinnerung gehabt.

Die erste: ‹Das Arsenal, ich wollte zu Rosny, man hat mich mißverstanden.›

Die zweite Erinnerung, entfernt und ungefähr: ‹Gabriele, teure Herrin, dein Mund haucht mir deinen Atem ein. O bleibe.› Die dritte Erinnerung hätte gelautet: ‹Wir sterben nicht.› Nur ist das nicht der Gedanke, den ein Lebender geformt und gerüstet hatte, damit er für Zeit und Nachwelt den Mut fände. Ein anderer hat ihn gedacht, nicht dieser, der erlischt. Dennoch geistert mit dem dritten Rühren der Lider – hinter den großen Augen, die sogleich für immer zufallen werden, geistert als letztes: ‹Wir sterben nicht.›

Sie trugen den Körper in das Kabinett des Königs, sie legten ihn auf das Ruhebett. Das Zimmer war alsbald überfüllt; die meisten erspähten nur kurz ein blutiges Hemd, eine Stirn, die tief verfärbt war, eine Brust vom Blut angeschwollen, die geschlossenen Augen, den aufgegangenen Mund. Man sagte ihnen, der König sei am Leben, und da niemand hier es anders wissen wollte, war dieser Körper für eine Weile der König. Zunächst der Leiche befanden sich der Erste Arzt, der damals Petit hieß, und der Erzbischof von Embrun, seine mächtige Kathedrale steht in den Alpen. Nicht der Priester, aber der Arzt wagte zu dem Toten zu sprechen, er möge Jesus, den Sohn Davids, um Erbarmen bitten.

Endlich, die Stille des überfüllten Zimmers war unerträglich geworden, hat jemand den offenen Mund mit dem Orden des Königs zugedeckt. Damit ist eingestanden, daß er nicht mehr atmet. Die Bewegung fuhr in die gestaute Masse, daß es sie auseinanderriß. Als Marie von Medici hineinstürzte, lag die Aussicht auf die Reste für sie frei. «Der König ist tot! Der König ist tot!» schrie sie von Sinnen. Der Kanzler, ein Rechtsgelehrter der strengen Art, wies Majestät zurecht. «Die Könige sterben in Frankreich nicht», sagte er; hatte den Dauphin mitgebracht und zeigte ihn ihr. «Der König lebt, Madame!» Sie war enttäuscht und eigentlich empört. Ihr Concini hatte bei ihr die Tür aufgerissen und hineingerufen: «È ammazzato. Den sind wir los.»

Der Dauphin verließ sogleich das Zimmer. Er hat allerdings dem Toten die Hand geküßt, sich verneigt und bekreuzigt, aber alles dies auf der Flucht. Er weinte nicht, denn seine Mutter weinte. Er haßte in dem Zimmer jeden: an dem Mord sind alle beteiligt. Was er jetzt sehen und glauben muß, seine Sorge, die er selbst für kindisch oder schwächlich hielt, hat ihn längst davon benachrichtigt. ‹Mein gnädiger Herr Vater, gewähren Sie mir eine Bitte. Mein verehrter Herr Vater, Sie werden mich allein lassen. Mein großer Herr Vater, Sie haben einen schwachen Sohn.›

Gegen Mitternacht wurde der Körper in weiße Seide gekleidet. Den Tag nachher öffnete ihn die Fakultät und entnahm die inneren Organe, damit sie nach Saint-Denis gebracht würden. Das Herz war den Jesuiten versprochen; indessen ergaben die Umstände und Anzeichen, daß es besser wäre für andere wie für die Väter, sie geduldeten sich. Der balsamierte Leichnam wurde ausgestellt, das war nicht wohl zu vermeiden; wer möchte verdächtig werden, als wäre der Leichnam sein Werk. Das Zimmer verbindet das Kabinett des Königs mit der großen Galerie. Man gelangt ohne Zutun dorthin, gesetzt, man dränge in Schloß Louvre aus der Straße ein und wäre selbst die Straße.

Der Wille des Königs Henri herrscht bis jetzt. Das Volk soll bei ihm ein und aus gehen zu allen seinen hohen Zeiten: wenn er ein Fest begeht; oder die Majestät erscheint und beglaubigt vor Freund, Feind und Fremd ihren Rang; oder Henri hat gezeigt, hat überwunden. Möglich, daß alle drei Fälle hier vorliegen. Seine Hauptstadt jedenfalls benutzt sein Haus, das Zimmer, wo ein Bett, bezogen mit gekräuseltem Goldstoff, ihn den Blicken darbietet. Das ist zwischen zwei Fenstern, die auf den Boden reichen, vorüber zieht drunten der Fluß.

Die Ausstellung hat bis zehnten Juni gewährt, drei Wochen, genug für reichliche Mengen Volkes, aus den Provinzen herzuströmen. Seine Hauptstadt und sein Königreich benutzen sein Haus als das ihre. Bis in die entferntesten Säle lagern die Seinen. Sie halten bei seiner ausgeleerten Hülle die Wacht, die verboten war und versäumt ist, solange sie ihn hatten. Es ist die Wahrheit, daß damals Schloß Louvre von dem Volk des Königs Henri besetzt war: der Hof verdrängt, die Königin entschwunden nach Gegenden, entlegener als die früher aufgesuchten, wenn man sich gegen sein Leben verschwor. Seine Soldaten wurden alsbald zum Volk wie alle, sie bewachten und verteidigten niemand als nur ihn. Nun ist er vergangen.

Einer aus Tausenden konnte auf den Tisch springen und sturmrufen. Er konnte aussprechen, was alle fühlten: Unser König Henri und wir waren eins. Er hat geherrscht mit uns, und wir in ihm. Er wollte uns besser haben, und daß wir es besser hätten. Von unserem Blut ist er gewesen, gerade darum hat man es vergossen.

Nun ist er vergangen. Wenn damals sein Volk über seine Hülle vergebens wachte, auch seine Rechtsgelehrten dabei, seine Handwerker, Seefahrer, Gewissenskämpfer, Freiheitskämpfer – ein kräftiger Bauer kann auf den Tisch springen, hat wenig gefehlt. Einer, der das halbe Weißbrot gegessen hat, Henri die andere Hälfte, und haben den Krug mit Wein zusammen ausgetrunken. Nun ist er vergangen, wir bleiben dahinten, wir sind traurig. Im Leben des Volkes das Gewohnte ist die Traurigkeit, demnächst die Ergebung – bis zu den Stürmen ist weit. Die Ausstellung des vorigen Königs, die Besetzung des Schlosses, das nicht mehr seines ist, wird glücklich vorübergehen. Der Hof wird aufatmen, nachdem die finstere Masse abgezogen ist mit all ihrer tödlichen Betrübnis.

Am letzten Tag hat der Dauphin Louis, als König der Dreizehnte seines Namens, ein großes Ärgernis erregt, worüber seine Frau Mutter ihn handgreiflich belehren will nach wiederhergestellter Ruhe und Ordnung. Er ist eigenmächtig und allein unter das Volk gegangen, ein scheuer Knabe, von Natur geneigt, die Menschen zu fürchten und zu verachten, ob einzeln oder in Massen. Auf der Schwelle des Zimmers, wo der Schein und die Hülle seines Vaters ruhen, ist er hingekniet, hat den Weg zu ihm auf den Knien beschritten und hat vor seinem Bett den Boden geküßt. Der war aber schmutzig von den Füßen der Leute; weshalb der Vorgang offenbar gegen den Sinn des neuen Königs verstößt. Eines erklärt ihn. Sein Vater hat Louis oft an der Hand geführt: er tut es diesmal zuletzt.

Der Herzog von Sully hat bei manchen Furcht erregt, obwohl ihn selbst der Tod seines Herrn zuerst sehr bange machte für seine Sicherheit: er hatte dem König zu gut gedient. Im ersten Schrecken entwich er aus dem Arsenal heimlich, er wollte weder aufgespürt noch erkannt sein. Als er in den Straßen die Gesichter, sehr viele Gesichter, alle vom gleichen Ausdruck, betrachtet hatte, setzte er sich an die Spitze seiner berittenen Garde. Mit ihr erschien er in Schloß Louvre, verlangte kurzweg die Königin zu sehen, erfuhr aber glaubhaft, daß sie beträchtlich angegriffen, ja, ganz verstört war. Das leuchtete ihm ein, da nur einer von ihnen ohne Angst und Schrecken sein konnte: er oder sie.

Später hat sie ihn niemals offen angefeindet. Eine Weile behielt er seine Macht oder die äußere Form seiner Macht, damit scheinbar der große König in seinem großen Minister noch fortlebte. Dies wegen des Volkes und seiner bedrohlichen Traurigkeit – bis beide allmählich entkräftet und nach Hause entlassen werden können, der Diener des Königs, das arme Volk. Marie von Medici hat sich, sobald es anging, dem Reichtum hingegeben, dem festlichen Genuß ihrer Dummheit und Glanz ihrer leeren Herrschaft. Rubens, der das malte, empfand es lästig: eine Figur wie diese als Mittelpunkt seines üblichen Aufwandes himmlischer Fleischlichkeit.

Das Herz des Königs Henri ist dort, wo er es versprochen hatte, endlich eingetroffen. Inzwischen war es viel umhergekommen; es ist den Provinzen gezeigt worden. Auf den Knien eines Jesuiten lag es und fuhr heran. Tief niedergedrückte Volksmengen haben sein Herz von selbst heranfahren und wieder abziehen gesehen; mußten nicht gegen die Hauptstadt rücken, es zu holen. Gleichviel. Sie werden nie wieder vergessen, daß sie das eine Mal ihren König gehabt haben. Sein Herz schlug für einiges mehr als sie: für seinen eigenen Vorrang, für die Größe Frankreichs und den Frieden der Welt. Die ersten waren sie bei ihm doch, am nächsten seinem Herzen, wenn sie arm waren.

Der einzige König lebt bis heute bei den Armen.

Seul roi de qui le pauvre ait gardé la mémoire.

ALLOCUTION D'HENRI QUATRIÈME

ROI DE FRANCE ET DE NAVARRE

du haut d'un nuage qui le demasque pendant l'espace d'un éclair, puis se referme sur lui

On m'a conjuré, on a voulu s'inspirer de ma vie, faute de pouvoir me la rendre. Je ne suis pas trés sûr, moi-même, de désirer son retour, et encore moins, de bien comprendre pourquoi j'ai dû accomplir ma destinée. Au fond, notre passage sur la terre est marqué par des peines et des joies étrangères à notre raison, et parfois au dessous de nous-mêmes. Nous ferions mieux, si nous pouvions nous regarder. Quant aux autre, ils m'ont assurément jugé sans me voir. Certain jour, jeune encore, quelqu'un, s'approchant par derrière, me ferma les yeux de ses mains; à quoi je répondis que pour l'oser, il fallait être ou grand ou fort téméraire.

Regardez moi dans les yeux. Je suis un homme comme vous; la mort n'y fait rien, ni les siècles qui nous séparent. Vous vous croyez de grandes personnes, appartenant à une humanité de trois cents ans plus âgée que de mon vivant. Mais pour les morts, qu'ils soient morts depuis si longtemps ou seulement d'hier, la différence est minime. Sans compter que les vivants de ce soir sont les morts de demain. Va, mon petit frère d'un moment, tu me ressembles étrangement. N'as-tu pas essuyé les revers de la guerre, après en avoir connu la fortune? Et l'amour donc, ses luttes ahannantes suivies d'un bonheur impatient et d'un désespoir qui perdure. Je n'aurais pas fini poignardé si ma chère maîtresse avait vécu.

On dit cela, mais sait-on? J'ai fait un saut périlleux qui valait bien des coups de poignard. Mon sort se décida au même instant que j'abjurai la Religion. Cependant, ce fut ma façon de servir la France. Par là, souvent nos reniements équivalent à des actes, et nos faiblesses peuvent nous tenir lieu de fermeté. La France m'est bien obligée, car j'ai bien travaillé pour elle. J'ai eu mes heures de grandeur. Mais qu'est-ce qu'être grand? Avoir la modestie de servir ses semblables tout en les dépassant. J'ai été prince du sang et peuple. Ventre saint gris, il faut être l'un et l'autre, sous peine de rester un médiocre amasseur d'inutiles deniers.

Je me risque bien loin, car enfin, mon Grand Dessein est de l'époque de ma déchéance. Mais la déchéance n'est peut-être qu'un achèvement suprême et douloureux. Un roi qu'on a appelé grand, et sans doute ne croyait-on pas si bien dire, finit par entrevoir la Paix éternelle et une Société des Dominations Chrétiennes. Par quoi il franchit les limites de sa puissance, et même de sa vie. La grandeur? Mais elle n'est pas d'ici, il faut avoir vécu et avoir trépassé.

Un homme qui doit cesser de vivre, et qui le sent, met en chemin quand même une postérité lointaine, abandonnant son œuvre posthume à la grâce de Dieu, qui est certaine, et au génie des siècles qui est hasardeux et qui est incomplet. Mon propre génie l'a bien été. Je n'ai rien à vous reprocher, mes chers contemporains de trois siècles en retard sur moi. J'ai connu l'un de ces siècles, et qui n'était plus le mien. Je lui étais supérieur, ce qui ne m'empêchait pas d'être même alors un rescapé temps révolus. Le suis-je encore, revenu parmi vous? Vous me reconnaîtriez plutôt, et je me mettrais à votre tête: tout serait à recommencer. Peut-être, pour une fois, ne succomberais-je pas. Ai-je dit que je ne désirais pas revivre? Mais je ne suis pas mort. Je vis, moi, et ce n'est pas d'une manière surnaturelle. Vous me continuez.

Gardez tout votre courage, au milieu de l'affreuse mêlée où tant de formidables ennemis vous menacent. Il est toujours des oppresseurs du peuple, lesquels oncques n'aimai; à peine ont-ils changé de costume, mais point de figure. J'ai haï le roi d'Espagne, qui vous est connu sous d'autres noms. Il n'est pas près de renoncer à sa prétention de suborner l'Europe, et d'abord mon royaume de France. Or, cette France qui fut mienne, en garde le souvenir; elle est toujours le poste avancé des libertés humaines, qui sont liberté de conscience et liberté de manger à sa faim. Il n'y a que ce peuple qui, de par sa nature, sache aussi bien parler que combattre. C'est, en somme, le pays où il y a le plus de bonté. Le monde ne peut-être sauvé que par l'amour. A une époque de faiblesse, on prend violence pour fermeté. Seuls les forts peuvent se permettre de vous aimer, puisque aussi bien, vous le leur rendez difficile.

J'ai beaucoup aimé. Je me suis battu et j'ai trouvé le mots qui saisissent. Le français est ma langue d'inclination: même aux étrangers je rappellerai que l'humanité n'est pas faite pour abdiquer ses rêves, qui ne sont que des réalités mal connues. Le bonheur existe. Satisfaction et abondance sont à portée de bras. Et on ne saurait poignarder les peuples. N'ayez pas peur des couteaux qu'on dépêche contre vous. Je les ai vainement redoutés. Faites mieux que moi. J'ai trop attendu. Le révolutions ne viennent jamais à point nommé: c'est pourquoi il faut les poursuivre jusqu'au bout, et à force. J'ai hésité, tant par humaine faiblesse que parce que je vous voyais déjà d'en haut, humains, mes amis.

Je ne regrette que mes commencements, quand je bataillais dans l'ignorance de tout ce qui devait, par la suite, m'advenir: grandeur et majesté, puis trahison amère, et la racine de mon cœur morte avant moi, qui ne rejettera plus. Si je m'en croyais, je ne vous parlerais que de cliquetis d'armes, et de cloches faisant un merveilleux bruit, sonnant l'alarme de toutes parts, les voix criant incessamment: Charge! charge! et tue! tue! J'ai failli être tué trente fois à ce bordel. Dieu est ma garde.

Et voyez le vieil homme qui n'a eu aucune peine à vous apparaître, quelqu'un m'ayant appelé.

En guise de rideau, le nuage d'or se referme sur le roi.

Übertragung ins Deutsche der

ALLOCUTION D'HENRI QUATRIÈME

ROI DE FRANCE ET DE NAVARRE

du haut d'un nuage qui le demasque pendant l'espace d'un éclair, puis se referme sur lui

von Helmut Bartuschek

*

ANSPRACHE HEINRICHS DES VIERTEN

KÖNIGS VON FRANKREICH UND VON NAVARRA

von der Höhe einer Wolke herab, die ihn für die Dauer eines Blitzstrahls sichtbar macht, dann sich wieder über ihm schließt.

Man hat mich beschworen, man hat sich an meinem Leben begeistern wollen, wenn man es mir nun auch nicht wiedergeben kann. Ich selber bin mir nicht sehr sicher, ob ich es mir zurückwünschen sollte, und noch weniger, ob ich recht verstehe, warum ich mein Schicksal habe erfüllen müssen. Im Grunde ist unser Wandel auf Erden von Mühen und Freuden gekennzeichnet, bei denen unsere Vernunft unbeteiligt ist und die manchmal sogar unter unserer Würde sind. Wir handelten besser, wenn wir uns selber beschauen möchten. Was die andern betrifft, so haben die mich jedenfalls beurteilt, ohne mich zu sehen. Eines Tages, als ich noch jung war, näherte sich mir jemand von rückwärts und hielt mir mit seinen Händen die Augen zu; worauf ich entgegnete, daß man, um so etwas zu wagen, entweder groß oder sehr verwegen sein müßte.

Seht mir in die Augen. Ich bin ein Mensch wie ihr; der Tod tut nichts dabei zur Sache, noch auch die Jahrhunderte, die uns trennen. Ihr haltet euch für große Persönlichkeiten, weil ihr an einer Humanität teilhabt, die dreihundert Jahre weiter ist als die zu meinen Lebzeiten. Aber für die Toten, sie mögen schon seit langem tot sein oder erst seit gestern, ist so gut wie kein Unterschied mehr da. Ganz zu schweigen davon, daß die Lebenden von heut abend die Toten von morgen früh sind. Geh, der du einen Augenblick lang mein kleiner Bruder bist, du ähnelst mir seltsam! Hast du nicht die schauerliche Schattenseite des Krieges zu spüren bekommen, nachdem du seine glänzende Seite kennengelernt hast? Und so auch die Liebe: ihr atemraubendes Ringen, dem ein ungeduldiges Glück folgt – eine Verzweiflung, die ewig dauert. Ich wäre nicht durch einen Dolchstoß geendet, wenn meine teure Geliebte noch gelebt hätte.

Man sagt das so hin, aber weiß man es? Ich habe einen gefährlichen Sprung getan, der sehr viele Dolchstöße wert war. Mein Geschick entschied sich in *dem* Augenblick, als ich die Religion abschwor. Gleichwohl, es war eben meine Art, Frankreich zu dienen. Von da aus gesehen, kommen unsere Verleugnungen oft

Taten gleich und können unsere Schwächen uns Festigkeit ersetzen. Frankreich ist mir sehr verpflichtet, denn ich habe das Beste für es getan. Ich habe meine Stunden der Größe gehabt. Aber was heißt: groß sein? Die Bescheidenheit haben, seinesgleichen zu dienen, und ihnen dabei doch vorauszueilen. Ich bin Prinz von Geblüt und bin Volk gewesen. «Ventre-Saint-Gris!»*, man muß eines und das andere sein, selbst auf die Gefahr hin, ein schäbiger Pfennigfuchser zu bleiben.

Ich wage mich recht weit, denn schließlich stammt doch mein Großer Plan aus der Zeit meines Sturzes. Aber der Sturz eines Königs ist vielleicht nur seine erhabenste und schmerzreiche Vollendung. Ein König, den man «groß» genannt hat – und glaubte man zweifellos nicht, damit das Rechte zu sagen? –, ahnte am Ende den ewigen Frieden und eine Gesellschaft christlicher Reiche. Damit schritt er hinaus über die Grenzen seiner Macht und selbst über die seines Lebens. Die Größe? Aber die ist nicht von dieser Welt, man muß gelebt haben und hinübergegangen sein.

Ein Mensch, der aufhören muß zu leben, und der es weiß, setzt gleichwohl die fernste Nachwelt in Bewegung, indem er sein hinterlassenes Werk der Gnade Gottes anbefiehlt, die gewiß ist – und dem Genius der Jahrhunderte, der willkürlich und unvollkommen ist. Mein eigenes Genie ist es auch wohl nur gewesen. Ich habe euch nichts vorzuwerfen, meine lieben Zeitgenossen drei Jahrhunderte nach mir. Ich habe eines dieser Jahrhunderte noch erkannt, und es war nicht mehr das meine. Ich überragte es, was mich aber nicht daran hinderte, ein Herübergeretteter aus vergangenen Zeiten auch damals zu sein. Bin ich es auch heute noch, wo ich unter euch zurückgekehrt bin? Ihr würdet mich vielmehr wiedererkennen, und ich würde mich an eure Spitze stellen; alles müßte noch einmal von vorn anfangen. Vielleicht unterläge ich dieses eine Mal nicht. Habe ich gesagt: ich wünschte nicht, noch einmal zu leben? Aber ich bin nicht tot. Ich lebe, und doch nicht auf eine übernatürliche Weise. Ihr setzt mein Werk fort.

Bewahrt euch all euren Mut, mitten im fürchterlichen Handgemenge, in dem so viele mächtige Feinde euch bedrohen. Es gibt immer Unterdrücker des Volkes, die habe ich schon zu meiner Zeit nicht geliebt; kaum, daß sie ihr Kleid gewechselt haben, keineswegs aber ihr Gesicht. Ich habe den König von Spanien gehaßt, der euch unter anderen Namen bekannt ist. Er denkt noch lange nicht daran, zu verzichten auf seine Anmaßung, Europa zu verführen, und zuallererst mein Königreich Frankreich. Nun, dieses Frankreich, das das meine war, behält das im Gedächtnis; es ist immer noch der Vorposten der menschlichen Freiheiten, die da sind: die Gewissensfreiheit und die Freiheit, sich satt zu essen. Es ist einzig in seiner Art, dieses Volk, das seiner Natur nach ebenso gut zu sprechen wie zu kämpfen weiß. Es ist, alles in allem, das Land, in dem die meiste Güte lebt. Die Welt kann nur durch die Liebe gerettet werden. In einem Zeitalter der Schwachheit hält man Gewalttätigkeit für Festigkeit. Ein-

* Der Lieblingsfluch Heinrichs des Vierten. (Anmerkung des Übersetzers)

zig die Starken können es sich herausnehmen, euch zu lieben, wenn ihr es ihnen auch schwer genug macht.

Ich habe viel geliebt. Ich habe gekämpft, und ich habe die Worte gefunden, die packen. Die französische Sprache ist die Sprache meiner Wahl: selbst den Fremden will ich ins Gedächtnis zurückrufen, daß die Menschheit nicht dazu geschaffen ist, ihren Träumen zu entsagen, die nur ungenügend bekannte Wirklichkeiten sind. Das Glück ist wirklich da. Gerechtigkeit und Wohlstand sind für jeden erreichbar. Und man kann die Völker nicht umbringen. Fürchtet euch nicht vor den Messern, die man gegen euch zückt. Ich habe sie grundlos gefürchtet. Macht es besser als ich. Ich habe zu lange gewartet. Die Revolutionen kommen nicht immer wie gerufen; darum heißt es, ihnen bis zu Ende nachgehen, und das mit aller Kraft. Ich habe gezaudert, sosehr, wohl aus menschlicher Schwäche wie deshalb, weil ich euch schon von zu hoch oben her sah, euch Menschen, euch, meine Freunde.

Ich bedaure einzig meinen Anfang, als ich mich herumschlug, noch ohne zu wissen, was alles mir in der Folge zukommen sollte: Größe und Majestät, hernach bitterer Verrat und, noch vor meinem Sterben, das Absterben der Wurzel meines Herzens, die nie wieder ausschlagen wird. Wenn ich mir recht darin trauen darf, sprach ich zu euch ja wohl nur von Waffengeklirr und von Glokken, die ein wundersames Getöse machen, als sie überall zum Sturme läuteten und die Stimmen dazwischen unaufhörlich schrien: «Drauf und dran! Drauf und dran!» und «Nieder mit ihnen! Nieder mit ihnen!» Ich wäre beinahe, an die dreißig Male, umgekommen in diesem Hurenhaus. Gott hat sich vor mich gestellt.

Und nun seht den alten Mann, dem es nicht sauer geworden ist, euch zu erscheinen, da mich jemand gerufen hat.

Wie ein Vorhang schließt sich die goldene Wolke
wieder über dem König.

INHALT

Das Kriegsglück

Wechselfälle der Liebe

Der Todessprung

Fröhlicher Dienst

Der Sieger

Größe und Besitz

Die Abkehr

Der Große Plan

HEINRICH MANN

Die Jugend des Königs Henri Quatre

rororo Band 689

Die Vollendung des Königs Henri Quatre

rororo Band 692

Professor Unrat

rororo Band 35

Novellen

rororo Band 1312

Ein Zeitalter wird besichtigt

rororo Band 1986

Heinrich Mann

in Selbstzeugnissen und Bilddokumenten dargestellt
von Klaus Schröter
rowohlts monographien Band 125

156/9

ALBERT CAMUS

NOBELPREISTRÄGER 1957

FRAGEN DER ZEIT

Essays, Artikel, Reden
Aus dem Französischen von Guido G. Meister.
Sonderausgabe. 224 Seiten. Geb.

LITERARISCHE ESSAYS

Licht und Schatten
Hochzeit des Lichts. Heimkehr nach Tipasa
Aus dem Französischen von Guido G. Meister, Peter Gan, Monique Lang. Sonderausgabe. 208 Seiten. Geb.

GESAMMELTE ERZÄHLUNGEN

Inhalt: Der Fall / Das Exil und das Reich
Aus dem Französischen von Guido G. Meister.
Sonderausgabe. 256 Seiten. Geb.

TAGEBUCH I

Mai 1935 – Februar 1942
Aus dem Französischen von Guido G. Meister.
208 Seiten. Geb.

DER GLÜCKLICHE TOD

Roman. (Cahiers Albert Camus I)
Nachwort und Anmerkungen von Jean Sarocchi
Aus dem Französischen von Eva Rechel-Mertens.
Sonderausgabe. 192 Seiten. Geb.

DRAMEN

Caligula. Das Missverständnis.
Der Belagerungszustand. Die Gerechten. Die Besessenen
Aus dem Französischen von Guido G. Meister.
Sonderausgabe. 352 Seiten. Geb.

18/29–29a

rowohlts monographien

in Selbstzeugnissen
und Bilddokumenten
Herausgegeben von
Kurt Kusenberg

Betrifft: Geschichte

Konrad Adenauer
Gösta von Uexküll (234)

Alexander der Große
Gerhard Wirth (203)

Michail A. Bakunin
Justus Franz Wittkop (218)

August Bebel
Hellmut Hirsch (196)

Otto von Bismarck
Wilhelm Mommsen (122)

Willy Brandt
Carola Stern (232)

Julius Caesar
Hans Oppermann (135)

Winston Churchill
Sebastian Haffner (129)

Friedrich II.
Georg Holmsten (159)

Friedrich II. von Hohenstaufen
Herbert Nette (222)

Ernesto Che Guevara
Elmar May (207)

Johannes Gutenberg
Helmut Presser (134)

Ho Tschi Minh
Reinhold Neumann-Hoditz (182)

Wilhelm von Humboldt
Peter Berglar (162)

Jeanne d'Arc
Herbert Nette (253)

Karl der Große
Wolfgang Braunfels (187)

Ferdinand Lassalle
Gösta v. Uexküll (212)

Wladimir I. Lenin
Hermann Weber (168)

Rosa Luxemburg
Helmut Hirsch (158)

Mao Tse-tung
Tilemann Grimm (141)

Clemens Fürst von Metternich
Friedrich Hartau (250)

Napoleon
André Maurois (112)

Walther Rathenau
Harry Wilde (180)

Kurt Schumacher
Heinrich G. Ritzel (184)

Josef W. Stalin
Maximilien Rubel (224)

Freiherr vom Stein
Georg Holmsten (227)

Ernst Thälmann
Hannes Heer (230)

Josip Tito
G. Prunkl und A. Rühle (199)

Leo Trotzki
Harry Wilde (157)

rowohlts monographien

in Selbstzeugnissen
und Bilddokumenten
Herausgegeben von
Kurt Kusenberg

Betrifft: Literatur

947/3

rowohlts monographien

in Selbstzeugnissen
und Bilddokumenten
Herausgegeben von
Kurt Kusenberg

Betrifft: Literatur

947/3a

Johann Wolfgang von Goethe
Peter Boerner [100]

Brüder Grimm
Hermann Gerstner [201]

H. J. Ch. von Grimmelshausen
Curt Hohoff [267]

Knut Hamsun
Martin Beheim-Schwarzbach [3]

Gerhart Hauptmann
Kurt Lothar Tank [27]

Johann Peter Hebel
Uli Däster [195]

Heinrich Heine
Ludwig Marcuse [41]

Ernest Hemingway
Georges-Albert Astre [73]

Hermann Hesse
Bernhard Zeller [85]

Friedrich Hölderlin
Ulrich Häussermann [53]

E. T. A. Hoffmann
Gabrielle Wittkop-Menardeau [113]

Hugo von Hofmannsthal
Werner Volke [127]

Ödön von Horváth
Dieter Hildebrandt [231]

Eugène Ionesco
François Bondy [223]

James Joyce
Jean Paris [40]

Erich Kästner
Luiselotte Enderle [120]

Franz Kafka
Klaus Wagenbach [91]

Gottfried Keller
Bernd Breitenbruch [136]

Heinrich von Kleist
Curt Hohoff [1]

Karl Kraus
Paul Schick [111]

rowohlts monographien

in Selbstzeugnissen und Bilddokumenten
Herausgegeben von Kurt Kusenberg

Betrifft: Literatur

Antoine de Saint-Exupéry
Luc Estang [6]

Jean-Paul Sartre
Walter Biemel [87]

Friedrich Schiller
Friedrich Burschell [14]

Friedrich Schlegel
E. Behler [123]

Arthur Schnitzler
Hartmut Scheible [235]

William Shakespeare
Jean Paris [2]

George Bernard Shaw
Hermann Stresau [59]

Alexander Solschenizyn
Reinhold Neumann-Hoditz [210]

Adalbert Stifter
Urban Roedl [86]

Theodor Storm
Hartmut Vincon [186]

Jonathan Swift
Justus Franz Wittkop [242]

Dylan Thomas
Bill Read [143]

Lev Tolstoj
Janko Lavrin [57]

Georg Trakl
Otto Basil [106]

Kurt Tucholsky
Klaus-Peter Schulz [31]

Mark Twain
Thomas Ayck [211]

Walther von der Vogelweide
Hans-Uwe Rump [209]

Frank Wedekind
Günter Seehaus [213]

Oscar Wilde
Peter Funke [148]

Carl Zuckmayer
Thomas Ayck [256]

947/3c